De dag na morgen

ALLAN FOLSOM

# DE DAG NA MORGEN

dB

1994 – De Boekerij – Amsterdam

*Oorspronkelijke titel:* The Day After Tomorrow
*Vertaling:* Hans Kooijman
*Omslagontwerp:* Hesseling Design, Ede

CIP-GEGEVENS KONINKLIJKE BIBLIOTHEEK, DEN HAAG

Folsom, Allan

De dag na morgen / Allan Folsom ; [vert. uit het Engels: Hans Kooijman]. –
Amsterdam : De Boekerij
Vert. van: The day after tomorrow. – New York : Little, Brown, 1994.
ISBN 90-225-1702-0
NUGI 331
Trefw.: romans ; vertaald.

*Voor Karen*

# 1

*Parijs, maandag 3 oktober*
*17.40 uur*
*Brasserie Stella, rue St.-Antoine*

Paul Osborn zat, te midden van mensen die van hun werk kwamen, in de drukke, rokerige ruimte alleen aan een tafeltje in zijn glas rode wijn te staren. Hij was moe, somber en in verwarring. Zonder aanwijsbare reden keek hij op en zijn adem stokte. Aan de andere kant van de zaak zat de man die zijn vader had vermoord. Het was onvoorstelbaar dat hij het was, maar het leed geen enkele twijfel. Het was een gezicht dat voor altijd in zijn geheugen gegrift stond. De diepliggende ogen, de vierkante kaak, de oren die bijna in een rechte hoek van het hoofd afstonden, onder het linkeroog het kartelige litteken dat in een scherpe hoek over het jukbeen naar de bovenlip liep. Het litteken was nu minder duidelijk zichtbaar, maar het was er wel degelijk. Evenals Osborn was de man alleen. Hij hield een sigaret in zijn rechterhand en zijn linkerhand was om de rand van een koffiekopje gekromd terwijl hij aandachtig een krant las die voor hem lag. Hij moest nu minstens vijftig zijn.
Vanaf de plek waar Osborn zat, was het moeilijk zijn lengte te schatten. Misschien tussen de één vijfenzeventig en één tachtig. Hij was stevig gebouwd en woog waarschijnlijk ruim tachtig kilo. Hij had een dikke nek en zijn lichaam zag er gespierd uit. Zijn gezicht was bleek en zijn korte zwarte krulhaar was met grijs doorspikkeld. De man drukte zijn sigaret uit en terwijl hij een andere opstak, keek hij in Osborns richting. Hij blies de lucifer uit en concentreerde zich weer op zijn krant.
Osborns hart sloeg over en het bloed steeg hem naar het hoofd. Het was plotseling weer Boston, 1967. Hij was amper tien jaar oud en liep met zijn vader op straat. Het was een middag in het begin van de lente en het was weliswaar zonnig, maar nog steeds koud. Zijn vader, die een grijs kostuum droeg, was vroeg van kantoor gegaan om hem bij het metrostation in Park Street af te halen. Vandaar staken ze over naar een hoek van de Common en sloegen te midden van drommen kooplustigen Win-

ter Street in. Ze zouden naar de uitverkoop van Grogins Sportzaak gaan. De jongen had de hele winter gespaard voor een nieuwe vanghandschoen voor een eerste honkman. Een Trapper-model. Zijn vader had beloofd zijn spaargeld te verdubbelen. Samen hadden ze tweeëndertig dollar. Zijn vader glimlachte toen de winkel in zicht kwam en op dat moment sloeg de man met het litteken en de vierkante kaak toe. Hij dook uit het winkelende publiek op en stak zijn vader een slagersmes in de buik. Direct daarna keek hij opzij en zag de jongen, die geen idee had van wat er gebeurde. Op dat moment keken ze elkaar recht in de ogen. Toen liep de man door en zakte zijn vader op de grond in elkaar. Hij beleefde opnieuw het moment waarop hij daar zo verschrikkelijk alleen op het trottoir stond terwijl vreemde mensen samendromden om te kijken en zijn vader hulpeloos en niet-begrijpend naar hem opkeek. Hij had instinctief geprobeerd het mes uit zijn buik te trekken en het bloed begon tussen zijn vingers door te sijpelen. Zijn vader was ter plekke gestorven.

Achtentwintig jaar later en op een ander continent kwam de herinnering met overweldigende kracht weer tot leven en blinde woede overspoelde hem. Hij stond op en was in een oogwenk aan de andere kant van de zaak. Een fractie van een seconde later knalden de twee mannen samen met de tafel en de stoel tegen de grond. Osborns vingers sloten zich om een leerachtige keel en hij voelde de korte stoppels in de nek van de man tegen zijn handpalm drukken. Zijn andere hand was tot een vuist gebald en hij beukte er woest mee omlaag. Zijn vuist bewoog zich als een op hol geslagen zuiger op en neer en vernielde vlees en bot. Om hem heen hoorde hij mensen schreeuwen, maar het kon hem niets schelen. Zijn enige gedachte was de man die hij in zijn greep had, te vernietigen.

Plotseling voelde hij handen onder zijn kin en zijn oksels en werd hij overeind- en achteruitgetrokken. Een ogenblik later botste hij tegen iets hards aan en viel hij op de grond. Hij was zich er vaag van bewust dat er om hem heen borden op de grond vielen. Toen hoorde hij iemand in het Frans roepen dat de politie gebeld moest worden. Hij keek omhoog en zag dat drie in een wit overhemd en een zwart vest geklede obers over hem heen gebogen stonden. Achter hen kwam de man wankel overeind en zoog zijn longen vol lucht terwijl het bloed uit zijn neus gutste. Toen hij eenmaal stond, leek hij zich te realiseren wat er was gebeurd en hij keek vol afgrijzen naar de man die hem had aangevallen. Hij weigerde een servet dat hem werd aangeboden, drong zich plotseling snel tussen de mensen door en stormde door de voordeur naar buiten.

Osborn sprong onmiddellijk overeind.

De obers verstijfden.
'Opzij, verdorie!' schreeuwde hij.
Ze verroerden zich niet.
Als dit New York of L.A. was, zou hij hebben geschreeuwd dat de man een moordenaar was en dat ze de politie moesten bellen. Maar dit was Parijs en hij sprak maar net genoeg Frans om een kop koffie te kunnen bestellen. Daarom deed hij het enige wat hij kon doen. Hij stortte zich naar voren. De eerste ober wilde hem vastgrijpen, maar Osborn was minstens vijftien centimeter langer en tien kilo zwaarder en hij rende alsof hij met een rugbybal in zijn handen liep. Hij liet een schouder zakken en stootte er hard mee tegen de borst van de ober, waardoor deze zijwaarts tegen de anderen aan tolde. Gedrieën sloegen ze, halverwege de keuken en de deur, in een kleine dienstruimte met een dreunende klap tegen de grond en bleven hulpeloos boven op elkaar vastgepind liggen. Toen was Osborn de deur uit.
Buiten was het donker en het regende. Het was spitsuur en dichte drommen mensen vulden de straten. Osborn zigzagde tussen hen door terwijl hij met bonkend hart het trottoir vóór hem afspeurde. De man was deze kant uit gerend, waar was hij verdorie? Hij zou hem kwijtraken, hij wist het zeker. Toen zag hij hem een half blok voor hem uit door de rue de Fourcy naar de Seine lopen.
Osborn versnelde zijn pas. Zijn bloed joeg nog door zijn aderen, maar door zijn gewelddadige uitbarsting was zijn moordzuchtige woede grotendeels weggezakt en hij begon weer redelijk te denken. De moord op zijn vader was in de Verenigde Staten gepleegd en daar verjaarde moord niet. Maar was dat in Frankrijk ook zo? Hadden de twee landen een uitleveringsverdrag? En als de man nu eens Fransman was, zou de Franse regering dan een van haar eigen burgers naar de V.S. sturen om daar wegens moord terecht te staan?
De man, die een half blok voor hem uit liep, keek om. Onmiddellijk hield Osborn tussen de vele voetgangers wat in. Het was beter de man de illusie te geven dat hij ontkomen was en te wachten tot hij een beetje gekalmeerd zou zijn en de voorzichtigheid uit het oog zou verliezen. Als hij niet meer op zijn hoede was en er niemand in de buurt was, zou hij hem grijpen.
Er sprong een licht op rood en het verkeer stopte, evenals de mensen. Osborn stond achter een vrouw met een paraplu en de man was niet meer dan een meter of vier van hem vandaan. Weer kon hij zijn gezicht duidelijk zien. Er was geen twijfel mogelijk. Hij zag het gezicht al achtentwintig jaar in zijn dromen en hij zou het met zijn ogen dicht kunnen tekenen. Terwijl hij daar stond, voelde hij zijn woede weer oplaaien.

Het licht versprong en de man stak vóór de menigte de straat over. Aan de overkant keek hij om. Hij zag niets en liep door. Osborn volgde op afstand. Ze waren nu op de Pont Marie, en zouden het Île St.-Louis oversteken. Rechts van hen was de Notre Dame. Over een paar minuten zouden ze de Seine over zijn en op de linkeroever aankomen.
Voorlopig was Osborn in het voordeel. Hij keek of hij voor zich uit een zijstraat of een steeg zag waar hij de man in zou kunnen trekken opdat niemand hen zou zien. Het was een lastige onderneming. Als hij te snel liep, riskeerde hij dat hij de aandacht op zich vestigde. Maar hij moest dichter bij de man zien te komen, anders liep hij de kans hem kwijt te raken. Hij zou plotseling een straat die Osborn niet had gezien kunnen inslaan, of een taxi aanhouden.
Het begon harder te regenen en door het felle schijnsel van de koplampen van het tegemoetkomende verkeer kon hij niet goed zien. Voor hem sloeg de man rechtsaf, liep de Boulevard St.-Germain op en stak plotseling over. Waar ging hij in godsnaam naar toe? Toen zag Osborn het. Het metrostation. Als hij daar naar binnen ging, zou hij in een oogwenk door de menigte worden opgeslokt. Osborn begon te rennen en duwde de mensen ruw opzij. Plotseling schoot hij vóór het optrekkende verkeer de straat over. Door het hierdoor veroorzaakte getoeter keek de man om. Een ogenblik verstijfde hij, maar liep toen snel door. Osborn wist dat de man hem had gezien en besefte dat hij werd gevolgd.
Osborn vloog bijna de trap naar het metrostation af. Toen hij beneden was, zag hij dat de man een kaartje uit een automaat trok en zich daarna tussen de mensen door naar de tourniquets drong.
De man keek om en zag Osborn de trap afstormen. Hij stak zijn hand uit en stopte zijn kaartje in de gleuf van de tourniquet. De stang gaf mee, de man liep door de tourniquet naar binnen, sloeg rechtsaf en verdween om een hoek.
Osborn had geen tijd om een kaartje te kopen. Hij duwde een jonge vrouw met zijn elleboog opzij, sprong over de tourniquet, ontweek een grote zwarte man en rende naar de perrons.
Er stond al een trein en hij zag de man instappen. De deuren sloten zich abrupt en de trein reed weg. Osborn rende nog een paar passen door en bleef toen met zwoegende borst en buiten adem staan. Hij zag alleen nog maar glimmende rails en een lege tunnel. De man was verdwenen.

# 2

Michèle Kanarack keek naar de man die tegenover haar aan de tafel zat en strekte met een blik vol liefde en genegenheid haar hand naar hem uit. Henri Kanarack nam haar hand in de zijne en keek haar aan. Hij was vandaag tweeënvijftig jaar geworden en zij was vierendertig. Ze waren bijna acht jaar getrouwd en vandaag had ze hem verteld dat ze in verwachting was van hun eerste kind.

'Het is een heel bijzondere avond,' zei ze.

'Ja, heel bijzonder.' Hij kuste teder haar hand, liet die toen los en schonk hun glazen vol rode bordeaux.

'Dit is mijn laatste,' zei ze. 'Tot de baby er is. Zolang ik zwanger ben, drink ik niet meer.'

'Dan doe ik het ook niet meer,' zei Henri glimlachend.

Buiten regende het pijpestelen. De wind deed het dak rammelen en de ramen rinkelen. Hun appartement lag op de bovenste etage van een vijf verdiepingen tellend gebouw in de Avenue Verdier in de Montrougewijk in Parijs. Henri Kanarack was bakker en ging iedere morgen om vijf uur van huis om pas 's avonds om ongeveer halfzeven thuis te komen. De bakkerij was in de buurt van het Gare du Nord aan de noordkant van Parijs en hij moest heen en terug een uur met de metro reizen. Het was een lange dag, maar hij was tevreden met zijn werk, evenals met zijn leven en het vooruitzicht dat hij op zijn tweeënvijftigste voor de eerste keer vader zou worden. Hij wás tenminste tevreden geweest tot op het moment dat de vreemde man hem vanavond in de brasserie aangevallen en tot in de metro achtervolgd had. Hij zag eruit als een Amerikaan. Een jaar of vijfendertig, goedgebouwd en sterk. Gekleed in een duur sportjasje en een spijkerbroek, als een zakenman die op vakantie is.

Wie was hij in vredesnaam? Waarom had hij dat gedaan?

'Is alles in orde met je?' Michèle staarde hem aan. Wat moest er van Parijs terechtkomen als een bakker in een brasserie zomaar door een volkomen vreemde kon worden aangevallen? Ze wilde dat hij de politie belde en een advocaat nam om van de eigenaar van de brasserie schadevergoeding te eisen.

'Ja,' zei hij, 'alles is in orde.' Hij voelde er niets voor de politie te bellen en de brasserie aansprakelijk te stellen, hoewel zijn rechteroog bijna dichtzat en zijn onderlip roodblauw was op de plek waar de vuist van de woesteling er een boventand doorheen had geslagen.

'Hé, ik word vader,' zei hij in een poging het voorval uit zijn hoofd te zetten. 'Geen lange gezichten hier. Niet vanavond.' Michèle stond op, liep om de tafel heen, ging achter hem staan en sloeg haar armen om zijn nek.
'Laten we vrijen om het leven te vieren. Het heerlijke leven dat we zullen hebben, de jonge Michèle, de oude Henri en onze baby.'
Henri draaide zich om en keek in haar ogen. Toen glimlachte hij. Hij kon niet anders; hij hield van haar.
Later, toen hij in het donker naar haar ademhaling lag te luisteren, probeerde hij het beeld van de donkerharige man uit zijn geest te bannen, maar het wilde maar niet verdwijnen. Het deed in hem de diepe, bijna peilloze angst herleven dat hij eens gevonden zou worden; wat hij ook deed en hoe ver hij ook vluchtte.

# 3

Osborn zag hen in de gang met elkaar praten. Hij vermoedde dat ze het over hem hadden, maar dat kon hij niet zeker weten. Toen liep de kleinste van de twee weg en de andere kwam weer door de glazen deur naar binnen met een sigaret in zijn ene en een bruinpapieren map in zijn andere hand.
'Wilt u misschien koffie, meneer Osborn?' Inspecteur Maitrot was jong en vol zelfvertrouwen en hij sprak op vriendelijke, beleefde toon.
'Ik zou graag willen weten hoe lang u me hier nog wilt vasthouden.' Osborn was, nadat hij over de tourniquet was gesprongen, door de *police urbaine* gearresteerd wegens het overtreden van een gemeenteverordening.
Toen hij werd ondervraagd, had hij gelogen en gezegd dat de man die hij achternagezeten had, hem eerder op de dag had afgetuigd en geprobeerd had zijn portefeuille te stelen. Het was puur toeval geweest dat hij hem kort daarna in de brasserie had gezien. Toen hadden ze hem in verband gebracht met het opsporingsbevel dat de Parijse politie door de hele stad had laten uitgaan en hem voor een verhoor naar de centrale gevangenis gebracht.
'U bent arts.' Maitrot las dit van een vel papier dat aan de binnenkant

van de omslag van de map was geniet. 'U bent een orthopedisch chirurg uit de Verenigde Staten die Parijs bezoekt na een congres van medici in Genève te hebben bijgewoond. Uw woonplaats is Los Angeles.'
'Ja,' zei Osborn op vlakke toon. Hij had dat verhaal al aan de politie in het metrostation, aan een geüniformeerde agent in een arrestantenhok ergens in een ander deel van het gebouw en aan een rechercheur in burger verteld. De laatste had zijn vingerafdrukken genomen, foto's van hem gemaakt en hem een eerste verhoor afgenomen. Nu, in deze kleine verhoorkamer die meer op een cel leek, nam Maitrot alles opnieuw punt voor punt met hem door.
'U ziet er niet uit als een arts.'
'U ziet er niet uit als een politieman,' zei Osborn luchtig om de spanning een beetje weg te nemen.
Maitrot reageerde niet. Misschien snapte hij het niet, want het was voor hem kennelijk een hele toer om Engels te spreken, maar hij had wel gelijk – Osborn zag er niet uit als een arts. Hij was bijna één meter vijfentachtig lang, had donker haar en bruine ogen en met zijn gewicht van bijna negentig kilo had hij het jongensachtige uiterlijk en de gespierde lichaamsbouw van een universiteitsatleet.
'Wat was de naam van dat congres dat u hebt bijgewoond?'
'Ik heb het niet "bijgewoond". Ik heb daar een lezing gehouden op het Wereldcongres voor Chirurgie.' Osborn wilde zeggen: Hoe vaak moet ik u dit nog vertellen, praten jullie niet met elkaar? Hij zou eigenlijk bang moeten zijn en misschien was hij dat ook wel, maar hij was nog te opgefokt om het zich te realiseren. De man was dan wel ontkomen, maar het belangrijkste was dat hij hem had gevonden! Hij was hier, in Parijs. En met een beetje geluk zou hij er nog steeds zijn; thuis of ergens in een café waar hij zijn wonden verzorgde en zich afvroeg wat er was gebeurd.
'Waar ging uw lezing over? Wat was het onderwerp?'
Osborn sloot zijn ogen en telde langzaam tot vijf. 'Dat heb ik jullie al verteld.'
'U hebt het niet aan míj verteld.'
'Mijn lezing ging over letsel aan het voorste kruisvormige ligament. Dat heeft met de knie te maken.' Osborns mond was droog. Hij vroeg om een glas water. Maitrot begreep hem niet of negeerde zijn vraag.
'Hoe oud bent u?'
'Dat weet u al.'
Maitrot keek op.
'Achtendertig.'
'Getrouwd?'

'Nee.'
'Homoseksueel?'
'Ik ben gescheiden. Mag dat van u?'
'Hoe lang bent u al chirurg?'
Osborn zweeg. Maitrot herhaalde de vraag terwijl de rook van zijn sigaret naar een ventilator aan het plafond kringelde.
'Zes jaar.'
'Denkt u dat u een bijzonder goed chirurg bent?'
'Ik begrijp niet waarom u me deze vragen stelt. Ze hebben niets te maken met datgene waarvoor ik ben gearresteerd. U kunt mijn praktijk bellen om alles wat ik heb gezegd te verifiëren.' Osborn was uitgeput en begon nijdig te worden. Maar tegelijkertijd wist hij dat hij maar beter op zijn woorden kon letten als hij hier weg wilde.
'Luister,' zei hij zo kalm en respectvol als hij kon, 'ik heb met jullie meegewerkt. Ik heb alles gedaan wat jullie vroegen. Vingerafdrukken en foto's laten nemen, vragen beantwoord, alles. Nu moet ik u verzoeken me te laten gaan, anders wil ik de Amerikaanse consul spreken.'
'U hebt een Frans staatsburger aangevallen.'
'Hoe weet u dat hij Frans staatsburger is?' vroeg Osborn zonder erover na te denken.
Maitrot negeerde zijn emotionele reactie. 'Waarom hebt u dat gedaan?'
'Waarom?' Osborn staarde hem aan. Er ging geen dag voorbij zonder dat hij het geluid hoorde van het slagersmes dat in het lichaam van zijn vader werd gestoten; zonder dat hij de adem van zijn vader van schrik en verbijstering hoorde stokken; zonder dat hij het afgrijzen in diens ogen zag terwijl hij naar hem opkeek alsof hij wilde vragen wat er was gebeurd hoewel hij dat tegelijkertijd precies wist; zonder dat hij zijn knieën zag knikken terwijl hij langzaam op het trottoir in elkaar zakte; zonder dat hij de afschuwelijke, doordringende schreeuw van een vreemde hoorde; zonder dat hij zijn vader zag omrollen terwijl hij probeerde zijn hand naar hem uit te steken omdat hij wist dat hij ging sterven en zijn zoon woordeloos vroeg die vast te pakken zodat hij niet zo bang zou zijn en hem woordeloos vertelde dat hij altijd van hem zou houden.
'Ja.' Maitrot leunde voorover en drukte zijn sigaret uit in de asbak op de tafel die tussen hen in stond. 'Waarom hebt u dat gedaan?'
Osborn ging rechtop zitten en vertelde de leugen nog een keer. 'Ik arriveerde vanuit Londen op de luchthaven Charles de Gaulle.' Hij moest erop letten dat hij niet afweek van wat hij bij de vorige ondervragingen had verteld. 'De man tuigde me af in het herentoilet en probeerde mijn portefeuille te stelen.'

'U ziet eruit alsof u in goede conditie bent. Was het een grote man?'
'Niet bijzonder. Hij wilde alleen mijn portefeuille maar hebben.'
'Heeft hij die gekregen?'
'Nee, hij is weggerend.'
'Hebt u aangifte gedaan bij de autoriteiten van het vliegveld?'
'Nee.'
'Waarom niet?'
'Hij had niets gestolen en mijn Frans is niet zo goed, zoals u wel zult hebben gemerkt.'
Maitrot stak nog een sigaret op en gooide de afgebrande lucifer in de asbak. 'En door puur toeval zag u hem later in de brasserie waar u wat was gaan drinken?'
'Ja.'
'Wat was u van plan? Wilde u hem vasthouden tot de politie gearriveerd zou zijn?'
'Om u de waarheid te zeggen, inspecteur, weet ik niet wat ik van plan was. Ik heb het gewoon gedaan. Ik werd kwaad. Ik wist niet meer wat ik deed.'
Osborn stond op en keek een andere kant uit terwijl Maitrot een aantekening in de map maakte. Wat moest hij hem vertellen? Dat de man die hij had achtervolgd op vrijdag 12 april 1967 in Boston, Massachusetts, in de Verenigde Staten van Amerika, zijn vader had doodgestoken? Dat hij daarvan getuige was geweest en de man tot een paar uur geleden nooit meer had gezien? Dat de politie van Boston met groot medeleven naar het gruwelijke verhaal van een klein jongetje had geluisterd en daarna jarenlang had geprobeerd de moordenaar op te sporen tot ze ten slotte moest toegeven dat ze niets meer kon doen? O zeker, ze hadden alles helemaal volgens het boekje gedaan. Het onderzoek op de plaats van het misdrijf, de technische analyse, de sectie, de ondervragingen. Maar de jongen had de man nooit eerder gezien en zijn moeder herkende hem niet uit zijn beschrijving, en aangezien er geen vingerafdrukken op het moordwapen waren aangetroffen en het mes gewoon in een supermarkt was gekocht, kon de politie alleen maar afgaan op het enige wat ze verder tot haar beschikking had: de verklaring van twee ooggetuigen. Het waren Katherine Barnes, een verkoopster van middelbare leeftijd die bij Jordan Marsh werkte, en Leroy Green, een bibliothecaris van de Openbare Bibliotheek van Boston. Ze waren ten tijde van de aanval allebei dicht in de buurt geweest en hadden elk met kleine verschillen hetzelfde verhaal verteld als de jongen. Maar uiteindelijk wist de politie evenveel als in het begin: niets. Kevin O'Neill, de voortvarende rechercheur van moordzaken met wie Paul bevriend was

geraakt en die vanaf het begin aan de zaak had gewerkt, was ten slotte vermoord door een verdachte tegen wie hij had getuigd. Van het onderzoek naar de moord op George Osborn, waaraan iemand met persoonlijke inzet had gewerkt, bleef niets anders over dan het dossier van de zoveelste onopgeloste moord dat samen met honderden andere in het overvolle centrale archief was opgeslagen. En nu, drie decennia later, was Katherine Barnes een seniele vrouw van in de tachtig die in een verpleeginrichting in Maine zat en Leroy Green was dood. Daardoor was Paul Osborn in feite de enig overgebleven getuige. En geen enkele openbare aanklager zou zo gek zijn van een jury te verwachten dat ze dertig jaar na dato iemand zou veroordelen op basis van de getuigenis van de zoon van het slachtoffer, die destijds tien jaar oud was en de verdachte niet langer dan twee of drie seconden had gezien. Het kwam er domweg op neer dat de man de moord gewoon ongestraft had kunnen plegen. En vanavond werd dat Osborn in een Parijse gevangenis eens te meer duidelijk, want zelfs al zou hij de politie ervan zou kunnen overtuigen dat ze de man moesten opsporen en arresteren, dan nog zou deze nooit terechtstaan. Niet in Frankrijk en niet in Amerika, van zijn levensdagen niet. Waarom zou hij het de politie dan vertellen? Het zou zinloos zijn en het zou de zaken er voor Osborn alleen maar moeilijker op kunnen maken wanneer hij de man door een gelukkig toeval weer zou vinden.
'U was vandaag in Londen. Vanmorgen.'
Osborn werd zich er plotseling van bewust dat Maitrot nog tegen hem praatte.
'Ja.'
'U zei dat u vanuit Genève naar Parijs was gekomen.'
'Via Londen.'
'Waarom bent u daar naar toe gegaan?'
'Om eens rond te kijken. Maar ik ben ziek geworden. Een of ander virus waarvan je een etmaal last hebt.'
'Waar hebt u gelogeerd?'
Osborn leunde in zijn stoel achterover. Wat wilden ze van hem? Wilden ze hem iets ten laste leggen of hem laten gaan? Wat hadden ze ermee te maken wat hij in Londen had gedaan?
'Ik vroeg waar u in Londen hebt gelogeerd?' Maitrot staarde hem aan. Osborn was met een vrouw in Londen geweest. Ze was bijna afgestudeerd arts en liep haar co-assistentschap in een ziekenhuis in Parijs. Later had hij ontdekt dat ze de maîtresse van een vooraanstaande Franse politicus was, maar toen had ze hem verteld dat ze heel discreet moest zijn en ze had hem gesmeekt haar niet te vragen waarom. Hij had dat

geaccepteerd, en zorgvuldig een hotel gekozen dat erom bekendstond de privacy van de gasten te respecteren en hen allebei onder zijn eigen naam ingeschreven.
'De Connaught,' zei Osborn. Hopelijk zou het hotel zijn reputatie eer aandoen.
'Was u daar alleen?'
'Oké, zo is het genoeg.' Osborn schoof zijn stoel van de tafel en stond op. 'Ik wil de Amerikaanse consul spreken.' Door het glas zag Osborn dat een geüniformeerde politieman met een machinepistool over zijn schouder zich omdraaide en hem aanstaarde.
'Ontspant u zich toch, meneer Osborn... Alstublieft, gaat u weer zitten,' zei Maitrot rustig en vervolgens boog hij zich voorover om een aantekening in het dossier te maken.
Osborn ging weer zitten en keek opzettelijk een andere kant uit in de hoop dat Maitrot het verder niet meer over Londen zou hebben en een volgend onderwerp zou aansnijden, wat dat ook mocht zijn. Op de klok aan de muur was het bijna elf uur. In L.A. was het nu dus drie uur in de middag. Kende hij daar eigenlijk iemand die hij in een situatie als deze zou kunnen bellen? Hij was in zijn hele leven maar één keer met de politie in aanraking geweest. Hij had toen na een bijzonder vermoeiende dag voor een restaurant in Beverly Hills een portier bij zijn kladden gegrepen die zijn nieuwe auto zo onvoorzichtig had geparkeerd dat hij de voorbumper in de prak had gereden en de man had daarna niet eens zijn verontschuldigingen aangeboden. Osborn was toen niet gearresteerd, maar alleen een tijdje vastgehouden en daarna vrijgelaten. Dat was alles: één keer in zijn hele leven. Toen schoot hem te binnen dat dat niet waar was. Op zijn vijftiende, toen hij op de jongensschool zat, was hij een keer gearresteerd omdat hij op eerste kerstdag sneeuwballen door de ruit van een schoollokaal had gegooid. Toen ze hem vroegen waarom hij dat had gedaan, had hij hun de waarheid verteld. Hij had niets anders te doen gehad.
Waarom? Dat vroegen ze altijd. De mensen op school. De politie. Zelfs zijn patiënten. Ze vroegen waarom iets pijn deed. Waarom een operatie al dan niet noodzakelijk was. Waarom iets pijn bleef doen terwijl dat volgens hen niet zo hoorde te zijn. Waarom ze geen medicijnen nodig hadden terwijl ze dachten dat ze die wel nodig hadden. Waarom ze dit wél mochten doen en dat niet. Daarna wachtten ze tot hij het hun zou uitleggen. Hij leek voorbestemd vragen die met 'waarom' begonnen te beantwoorden en niet om ze zelf te stellen. Hoewel hij zich twee specifieke gevallen herinnerde waarin hij 'waarom?' had gevraagd, namelijk toen zijn eerste en later zijn tweede vrouw hem hadden verteld dat ze bij

hem zouden weggaan. Maar nu, in deze beglaasde verhoorkamer in het centrum van Parijs, met een kettingrokende en aantekeningen makende Franse politieman tegenover hem, besefte hij dat 'waarom' voor hem het belangrijkste woord was dat hij kende. En hij wilde het maar één keer vragen; aan de man die hij tot in de metro had achtervolgd. '*Waarom* heb je mijn vader vermoord, smerige rotzak?'
Toen bedacht hij plotseling dat de politie de naam van de man misschien kende als ze de obers van de brasserie die het incident hadden gemeld, hadden ondervraagd. Vooral als hij een vaste klant was of met een cheque of een creditcard had betaald. Osborn wachtte tot Maitrot klaar was met schrijven. Toen vroeg hij zo beleefd mogelijk: 'Mag ik u iets vragen?' Maitrot keek op en knikte.
'Die Franse staatsburger die ik heb aangevallen. Weet u wie hij is?'
'Nee,' zei Maitrot.
Op dat moment werd de glazen deur geopend. De andere rechercheur, die Barras heette, kwam weer binnen en ging tegenover Osborn aan de tafel zitten. Hij keek Maitrot even aan, maar deze schudde lichtjes zijn hoofd. Barras was klein en had donker haar en zwarte, humorloze ogen. De rug van zijn handen was met donker haar begroeid en zijn nagels waren perfect gemanicuurd.
'Herrieschoppers zijn niet welkom in Frankrijk, ook niet als ze arts zijn. Het is een eenvoudige zaak u het land uit te zetten,' zei Barras op vlakke toon.
*Uitwijzing!* God nee! dacht Osborn. Alsjeblieft, niet nu! Niet na zoveel jaar! Niet nadat hij hem eindelijk had gezien! Niet nu hij eindelijk wist dat hij leefde en in Parijs woonde! 'Het spijt me,' zei hij terwijl hij probeerde zijn ontsteltenis te verbergen. 'Het spijt me heel erg... Ik was over mijn toeren, dat is alles. Geloof dat alstublieft, want het is waar.'
Barras bestudeerde hem. 'Hoe lang was u van plan in Frankrijk te blijven?'
'Vijf dagen,' zei Osborn. 'Om Parijs te zien...'
Barras aarzelde, stak toen zijn hand in zijn jaszak en haalde Osborns paspoort te voorschijn. 'Uw paspoort, meneer Osborn. Als u gereed bent om te vertrekken, komt u maar bij me, dan krijgt u het terug.'
Osborn keek van Barras naar Maitrot. Dat was hun manier om het te regelen. Hij werd niet het land uitgezet en niet gearresteerd, maar ze zouden hem wel in de gaten blijven houden en ze zorgden ervoor dat hij dat wist.
'Het is al laat,' zei Maitrot en hij stond op. '*Au revoir*, meneer Osborn.'
Het was vijf voor halftwaalf toen Osborn uit het politiebureau vertrok. Het was opgehouden met regenen en er scheen een heldere maan boven

de stad. Hij wilde een taxi aanhouden, maar besloot toen naar zijn hotel terug te wandelen. Onderweg zou hij nadenken over wat zijn volgende stap zou zijn, nu de man die zijn vader had vermoord niet langer een jeugdherinnering maar een levend wezen was dat zich hier ergens in Parijs of de naaste omgeving ervan ophield. Als hij geduld had, zou hij de man kunnen vinden. En ondervragen. En daarna vermoorden.

# 4

*Londen*

Dezelfde heldere maan verlichtte een steeg die uitkwam op Charing Cross Road in de theaterwijk. De smalle L-vormige steeg was aan beide kanten door de politie met tape afgesloten. Voorbijgangers tuurden aan beide uiteinden de steeg in en probeerden langs de geüniformeerde politie te kijken om zich een idee te kunnen vormen van wat er aan de hand was.

McVey schonk geen aandacht aan de gezichten van de glurende toeschouwers, maar wél aan een ander gezicht. Het was het gezicht van een blanke man van tussen de twintig en vijfentwintig jaar wiens oogballen grotesk uit hun kassen puilden. Het had een medewerker van het theater aangestaard vanuit een vuilnisbak waarin deze na de voorstelling dozen leegde. Normaal zouden de rechercheurs van de afdeling moordzaken de zaak in behandeling nemen, maar dit was iets anders. Hoofdinspecteur Jamison had commandant Ian Noble van Special Branch thuis gebeld en Noble had op zijn beurt McVeys hotel gebeld en hem uit een rusteloze slaap gewekt.

Het was niet alleen het gezicht, maar het hele hoofd dat de interesse van de rechercheurs had gewekt. Ten eerste omdat er geen lichaam aan vastzat en ten tweede omdat het hoofd daarvan operatief leek te zijn verwijderd. Waar de 'rest' was, wist geen mens, maar McVey zat nu opgescheept met wat er nog over was.

Terwijl hij naar de twee politiechirurgen keek die het hoofd voorzichtig uit de vuilnisbak tilden, het in een doorzichtige plastic zak stopten en die in een doos legden waarin het vervoerd zou worden, werd hem één ding

duidelijk: de mannen van hoofdinspecteur Jamison hadden gelijk gehad toen ze vaststelden dat het hoofd door een deskundige was verwijderd. Zo niet door een chirurg dan in ieder geval door iemand die een chirurgisch instrument en een grondige kennis van Gray's Handboek van de Menselijke Anatomie tot zijn beschikking had.
Waar de nek de clavicula, het sleutelbeen, bereikt, komen de luchtpijp en de slokdarm samen die naar de longen en de onderste sluitspier leiden, die ontspringt aan de zijkanten van het ringvormig kraakbeen van het strottehoofd en het schildvormig kraakbeen...
En dat was precies de plaats waar het hoofd van de romp was gescheiden en McVey noch commandant Noble had een deskundige nodig om dat te bevestigen. Ze hadden echter wel iemand nodig die hun kon vertellen of het hoofd was verwijderd terwijl de man nog leefde of toen hij al dood was. En in het laatste geval om dan de doodsoorzaak vast te stellen.
Een sectie op een hoofd is hetzelfde als een sectie op een heel lichaam, alleen is het te onderzoeken deel veel kleiner.
Laboratoriumtests zouden tussen de vierentwintig uur en drie tot vier dagen in beslag nemen. Maar McVey, commandant Noble en dokter Evan Michaels, een jonge patholoog-anatoom van Binnenlandse Zaken met een babyface die thuis was opgepiept om de sectie verrichten, waren dezelfde mening toegedaan. Het hoofd was na de dood van het lichaam gescheiden en de dood was waarschijnlijk veroorzaakt door een dosis van het een of andere barbituraat, vermoedelijk Nembutal. Waardoor de ogen zo uit hun kassen puilden en er kleine straaltjes bloed uit de mondhoeken waren gestroomd, bleef echter de vraag. Het waren symptomen van een dodelijke inademing van cyanidegas, maar daarvoor waren geen duidelijke bewijzen.
McVey krabde achter zijn oor en staarde naar de grond.
'Hij gaat je vragen wanneer de dood is ingetreden,' zei Ian Noble droogjes tegen Michaels. Noble was getrouwd en had twee dochters en vier kleinkinderen. Zijn kortgeknipte grijze haar, vierkante kaak en slanke figuur gaven hem het uiterlijk van een militair van de oude stempel, wat niet verbazingwekkend was voor een voormalig kolonel bij de militaire inlichtingendienst die in 1965 aan de Koninklijke Militaire Academie van Sandhurst was afgestudeerd.
'Moeilijk te zeggen,' zei Michaels.
'Probeer het eens.' McVeys grijsgroene ogen boorden zich in die van Michaels. Hij wilde in ieder geval een antwoord hebben. Zelfs met een gefundeerde schatting zou hij tevreden zijn.
'Er is bijna geen bloed. Het is moeilijk om de stollingstijd vast te stellen. Ik kan u wel vertellen dat het hoofd al een tijdje op de plaats heeft gele-

gen waar het is gevonden, want de temperatuur ervan is bijna hetzelfde als die in de steeg.'
'Geen rigor mortis?'
Michaels staarde hem aan. 'Nee, inspecteur. Die lijkt er niet te zijn. Zoals u weet, begint de rigor mortis gewoonlijk binnen vijf à zes uur in te treden. Het bovenlichaam is het eerst verstijfd, binnen een uur of twaalf, en het hele lichaam in ongeveer achttien uur.'
'We hébben het hele lichaam niet,' zei McVey.
'Nee, meneer, dat klopt.' Hij mocht dan nog zoveel plichtsbesef hebben, nu begon hij toch te wensen dat hij vanavond thuis was gebleven zodat iemand anders het genoegen had kunnen smaken deze prikkelbare Amerikaanse rechercheur van moordzaken, wiens haar meer grijs dan bruin was en die de antwoorden op zijn eigen vragen al leek te weten voordat hij ze stelde, te woord te staan.
'McVey,' zei Noble met een uitgestreken gezicht. 'Zullen we maar op de uitslag van de laboratoriumtests wachten en de arme dokter naar huis laten gaan voor de rest van zijn huwelijksnacht?'
'Is dit uw huwelijksnacht?' McVey was stomverbaasd. 'Vannacht?'
'Was,' zei Michaels op doffe toon.
'Waarom hebt u dan in godsnaam op uw pieper gereageerd? Als ze u niet te pakken hadden gekregen, hadden ze wel een ander opgepiept.' McVey meende het oprecht, al kon hij het bijna niet geloven. 'Wat zei uw vrouw in vredesnaam?'
'Dat ik er niet op moest reageren.'
'Ik ben blij dat tenminste een van jullie beiden zijn verstand een beetje bij elkaar heeft.'
'Het is mijn werk, meneer.'
McVey glimlachte inwendig. De jonge patholoog-anatoom zou of heel goed in zijn werk of een slaafse ambtenaar worden. Welke van de twee viel niet te zeggen.
'Wat wilt u dat ik ermee doe, als we klaar zijn?' vroeg Michaels abrupt. 'Ik heb nog nooit voor de Londense politie gewerkt, en voor Interpol trouwens ook niet.'
McVey haalde zijn schouders op en keek Noble aan. 'Ik hoor bij hem,' zei hij. 'Ik heb ook nog nooit voor de Londense politie of Interpol gewerkt. Hoe en waar slaan jullie hier hoofden op?'
'We slaan hoofden op dezelfde manier op als lichamen of delen van lichamen. Voorzien van een label, zo mogelijk verpakt in plastic en ingevroren.' Het was voor Noble veel te laat om nog in de stemming te zijn voor grapjes.
'Mooi,' zei McVey schouderophalend. Hij wilde er heel graag een punt

achter zetten. Over een paar uur zouden rechercheurs in de steeg met hun onderzoek beginnen. Ze zouden iedereen ondervragen die in de uren voordat het hoofd was gevonden in de buurt van de vuilnisbak enige activiteit had waargenomen. Over één, hooguit twee dagen zouden ze laboratoriumrapporten hebben over weefselmonsters en haarzakjes uit de hoofdhuid en er zou een gerechtelijke antropoloog bij worden gehaald om de leeftijd van het slachtoffer te bepalen.
Ze vertrokken en lieten het verder aan dokter Michaels over het hoofd van een label te voorzien, in plastic te verpakken en in te vriezen in een aparte lade waaraan een kaartje was bevestigd met de mededeling dat die alleen geopend mocht worden in aanwezigheid van commandant Noble of inspecteur McVey. Noble vertrok naar zijn gerenoveerde huis van vier verdiepingen in Chelsea en McVey naar zijn kleine hotelkamer in een klein hotel in Half Moon Street tegenover Green Park in Mayfair.

# 5

Hij was op een sneeuwachtige dag in februari 1928 in Rochester, New York, dat William Patrick Cavan McVey gedoopt werd in de katholieke St. Mary's kerk, die stond aan wat destijds Leheigh Road heette. Hij bezocht de Kardinaal Manning-parochieschool en de Don Bosco-middelbare school en iedereen kende hem in die tijd als Paddy McVey, de oudste zoon van brigadier Murphy McVey. Maar vanaf de dag dat hij, negenentwintig jaar later, de 'martelmoorden op de heuvel' in Los Angeles had opgelost, werd hij door iedereen alleen nog maar McVey genoemd – door de hoge pieten, zijn collega's, de pers en zelfs door zijn eigen vrouw.
Hij werkte sinds 1955 als rechercheur bij moordzaken in L.A.. Hij had twee echtgenotes begraven en drie kinderen met succes hun studie laten voltooien. Op de dag dat hij vijfenzestig werd, probeerde hij met pensioen te gaan. Het ging niet. De telefoon bleef rinkelen. 'Bel McVey maar, hij kent alle manieren waarop je een hoer in stukken kunt snijden.' 'Haal McVey erbij, hij heeft niets te doen, misschien wil hij er even naar komen kijken.' 'Ik weet het niet, bel McVey maar.'
Ten slotte verhuisde hij naar het houten huis dat hij in de bergen vlak bij

Big Bear Lake had gebouwd om zich aan zijn hobby, vissen, te kunnen wijden en had hij daar de telefoon laten weghalen. Maar hij had nauwelijks zijn visspullen overgebracht en de kabeltelevisie aangesloten of zijn oude makkers van de recherche kwamen hem bezoeken om te vissen. En al spoedig begonnen ze hem dezelfde vragen te stellen die ze hem over de telefoon stelden. Uiteindelijk gaf hij het op. Hij sloot het huis af en ging weer fulltime werken.

Hij zat twee weken op de afdeling berovingen en moordzaken in zijn oude stoel met het piepende rolwieltje achter zijn oude gedeukte bureau toen Bill Woodward, het hoofd van de recherchedienst, bij hem binnenkwam en vroeg of hij een geheel betaald reisje naar Europa zou willen maken. De andere zes rechercheurs in de rechercheurskamer zouden stuk voor stuk zo snel mogelijk hun Samsonite-koffer hebben gepakt, maar McVey haalde zijn schouders op en vroeg waarom en hoe lang. Hij was niet dol op reizen en als hij het deed, ging hij meestal ergens heen waar het warm was. Het was bijna oktober. Het zou koud worden in Europa en hij haatte kou.

'Hoe lang je blijft, ligt aan jezelf, denk ik, en de reden is dat Interpol met zeven onthoofde lichamen zit en ze daar niet weten wat ze ermee moeten doen.' Woodward legde een dossier onder McVeys neus en liep weg.

McVey keek hem na, wierp een blik op de andere rechercheurs, pakte een kopje koud geworden koffie op en opende het dossier. In de rechterbovenhoek zat een zwart etiket, waarmee Interpol aanduidde dat ze een ongeïdentificeerd lijk hadden en om alle mogelijke hulp vroegen bij de identificatie ervan. Het etiket was oud. De lijken waren nu geïdentificeerd.

Van de zeven lijken waren er twee in Engeland, twee in Frankrijk, één in België en één in Zwitserland gevonden. Het zevende lijk was in de buurt van de Westduitse havenstad Kiel aangespoeld. Het waren allemaal blanke mannen en hun leeftijd varieerde van tweeëntwintig tot drieënvijftig jaar. Kennelijk waren ze allemaal verdoofd met het een of andere barbituraat en vervolgens was hun hoofd op identieke wijze op precies dezelfde plek operatief van hun romp gescheiden.

De moorden hadden tussen februari en september plaatsgevonden en leken volkomen willekeurig te zijn gepleegd. Toch was de overeenstemming ertussen te groot om op toeval te berusten. Maar dat was alles. Verder was er geen enkele overeenkomst tussen de slachtoffers. Ze waren geen van allen familie van elkaar en leken elkaar niet te hebben gekend. Geen van hen had een strafblad, geen van hen had een gewelddadig leven geleid en ze kwamen allemaal uit een verschillend milieu.

Normaal gesproken wordt de moordenaar in meer dan vijftig procent van de gevallen waarin een slachtoffer van een moord wordt geïdentificeerd, gevonden. In deze zeven gevallen had men niemand kunnen vinden die redelijkerwijs als verdachte kon worden beschouwd. Experts van de politiekorpsen van vijf landen, plus Interpol en de speciale moordbrigade van Scotland Yard, de internationale politieorganisatie, waren met zijn allen geen stap verder gekomen en de sensatiepers beleefde een gouden tijd. Vandaar dat aan de politie van Los Angeles was verzocht een van hun beste mensen op het gebied van moordonderzoek beschikbaar te stellen.

McVey was eerst naar Parijs gegaan, waar hij inspecteur Alex Lebrun van de eerste sectie van de Parijse prefectuur van politie had ontmoet. Lebrun was een kwajongensachtige vent die altijd een brede grijns op zijn gezicht had en continu rookte. Hij had hem voorgesteld aan commandant Noble van Scotland Yard en commissaris Yves Cadoux, die in deze zaak Interpol vertegenwoordigde. Met zijn vieren hadden ze de plaatsen van het misdrijf in Frankrijk onderzocht. De eerste was in Lyon, een stad ten zuiden van Parijs die met de TGV, de Train à Grande Vitesse, de ultrasnelle trein, in twee uur te bereiken was. Ironisch genoeg was de moord minder dan anderhalve kilometer van het hoofdkwartier van Interpol vandaan gepleegd. De tweede was in de wintersportplaats Chamonix in de Alpen. Later begeleidden Cadoux en Noble McVey naar de plaats van het misdrijf in België, een kleine fabriek aan de rand van Oostende; in Zwitserland, een luxe hotel in Lausanne met uitzicht op het Meer van Genève; in Duitsland, een rotsige inham aan de kust ten noorden van Kiel op een afstand van twintig minuten rijden van de stad vandaan. Ten slotte gingen ze naar Engeland. Eerst naar een klein appartement tegenover de kathedraal van Salisbury, honderdtwintig kilometer ten zuidoosten van Londen, en vervolgens naar Londen zelf, naar een woning aan een plein in de exclusieve Kensingtonwijk.

Daarna bracht McVey tien dagen door in een koud kantoor op de tweede verdieping van het Scotland-Yardgebouw waar hij de uitgebreide politierapporten over elke moord bestudeerde. Heel vaak vond hij het nodig over het een of andere detail te overleggen met Ian Noble, die een veel groter en warmer kantoor op de begane grond had. Gelukkig kreeg McVey respijt toen hij naar Los Angeles werd teruggeroepen om twee dagen te getuigen bij het proces tegen een Vietnamese drugsdealer die McVey zelf had gearresteerd toen de man in een restaurant, waar McVey lunchte, had geprobeerd een hulpkelner te vermoorden. In feite had McVey niet iets bijzonder heldhaftigs gedaan. Hij had al-

leen zijn .38 dienstrevolver in het oor van de man gestoken en hem kalm voorgesteld zich een beetje rustig te houden.
Na het proces zou McVey twee dagen blijven om zijn privé-zaken af te handelen en daarna naar Londen terugkeren. Maar op de een of andere manier had hij kans gezien in die twee dagen een afspraak met een kaakchirurg te maken en zich geheel vrijwillig te laten behandelen en de twee dagen waren twee weken geworden. Het grootste deel van die tijd had hij doorgebracht op een golfterrein in de buurt van de Rose Bowl, waar de warme zon die door de zware smog filterde hem hielp tussen de slagen door over de moorden na te denken.
Tot dusverre leken de slachtoffers niets anders met elkaar gemeen te hebben dan dat hun hoofd operatief was verwijderd. Dat was de rode draad die hen verbond. Na hun eerste onderzoek leek dat te zijn gedaan door een chirurg of door iemand met een medische opleiding die toegang had tot de noodzakelijke instrumenten.
Verder klopte er niets. Drie van de slachtoffers waren vermoord op de plek waar ze waren gevonden en de andere vier waren ergens anders vermoord. Van de laatste waren er drie langs de weg gedumpt en de vierde was in de haven van Kiel gegooid. McVey had in alle jaren dat hij bij moordzaken had gewerkt nog nooit zo iets vreemds en verwarrends meegemaakt.
Hij borg zijn golfclubs op en toen hij, uitgeput en gedesoriënteerd door de lange vlucht, weer in het vochtige Londen terug was, had hij nauwelijks zijn hoofd neergevlijd op het ding dat het hotel een kussen noemde en zijn ogen gesloten, of de telefoon ging en Noble deelde hem mee dat er een hoofd van een van de lichamen was gevonden.
Het was nu kwart voor vier in de morgen, Londense tijd, en McVey zat aan wat in zijn piepkleine kast van een kamer voor een schrijftafel doorging met een glas met twee vingers Famous Grouse-whisky vóór zich over de Interpol-lijn uit Lyon telefonisch te vergaderen met Noble en commissaris Cadoux.
Cadoux, een emotionele, stevig gebouwde man met een enorme hangsnor die hij continu tussen zijn duim en wijsvinger draaide, had een fax voor zich met het voorlopige sectierapport van de jonge patholooganatoom Michaels. Onder andere werd daarin beschreven op welk punt het hoofd precies van de romp was verwijderd. De zeven lichamen waren exact op ditzelfde punt van hun hoofd gescheiden.
'Dat weten we, Cadoux. Maar dat is nog niet genoeg om te kunnen concluderen dat de moorden verband met elkaar houden,' zei McVey vermoeid.
'Het hoofd past in de leeftijdsgroep.'

'Dat is nog niet genoeg.'
'McVey, ik moet commissaris Cadoux gelijk geven,' zei Noble beschaafd, alsof ze bij de middagthee zaten te praten. Daardoor keek McVey weer op zijn horloge. Hij had er langzamerhand geen idee meer van of het dag of nacht was.
'Als dit geen connectie is, lijkt het er toch zo verdomd veel op dat we het niet kunnen negeren,' voegde Noble eraan toe.
'Prima...' zei McVey en hij sprak de gedachte uit die hij al vanaf het begin had. 'Je vraagt je af wie die loslopende krankzinnige is.' Zodra McVey het had gezegd, reageerden Noble en Cadoux op dezelfde manier.
'Denk je dat het één man is?' vroegen ze tegelijk.
'Ik weet het niet. Ja...' zei McVey. 'Ja. Ik denk dat het één man is.'
Zijn jet lag begon hem langzamerhand te veel te worden. Hij vroeg of ze dit later konden afmaken en hing op. Hij had hun om hun mening kunnen vragen, maar hij had het niet gedaan. Zij hadden zíjn hulp ingeroepen. Bovendien zouden ze het wel gezegd hebben als ze hadden gedacht dat hij ongelijk had. Het was trouwens maar een vermoeden.
Hij pakte zijn glas op en keek uit het raam. Aan de overkant van de straat was een ander hotel dat net zo klein was als dat van hem. De meeste ramen waren donker, maar op de vierde verdieping brandde een flauw licht. Iemand las, of was lezend in slaap gevallen, of misschien had hij het licht aan gelaten toen hij uitging en was hij nog niet teruggekomen. Of misschien lag er een lijk in de kamer dat wachtte tot het de volgende morgen ontdekt zou worden. Dat was het probleem als je politieman was; alles leek bijna eindeloze mogelijkheden te hebben. Pas in de loop van de jaren begon je een zesde zintuig te ontwikkelen dat je vertelde wat je in een kamer zou aantreffen voordat je er naar binnen ging, wat je zou vinden als je eenmaal binnen was, wat voor persoon er binnen was of was geweest en wat hij in zijn schild gevoerd had.
Maar als je te maken had met een afgesneden hoofd waren er geen kamers waarin een flauw licht scheen. Als ze geluk hadden, zou dat misschien later nog komen. Dan zouden ze misschien een kamer vinden die hen eerst naar een andere kamer zou leiden en ten slotte naar de plaats waar de moordenaar zich bevond. Maar voordat het zover was, zouden ze het slachtoffer moeten identificeren.
McVey dronk zijn whisky op, wreef in zijn ogen en keek naar de aantekening die hij op zijn schrijfblok had gemaakt.
HOOFD/TEKENAAR/SCHETS/KRANT/IDENTIFICATIE.

# 6

Om vijf uur 's ochtends waren de straten van Parijs verlaten. De metro begon pas om halfzes te rijden, dus was Henri Kanarack erop aangewezen dat Agnes Demblon, de hoofdboekhoudster van de bakkerij waar hij werkte, hem een lift gaf. En iedere morgen om kwart voor vijf stond ze trouw in haar witte, vijf jaar oude Citroën voor het flatgebouw waar hij woonde. En iedere morgen stond Michèle Kanarack door haar slaapkamerraam te kijken tot ze haar echtgenoot naar buiten zag komen, instappen en met Agnes wegrijden. Daarna trok ze haar kamerjas strak om zich heen, liep terug naar bed en ging daar over Henri en Agnes liggen nadenken. Agnes was een drieënveertigjarige oude vrijster, een boekhoudster die een monocle droeg en met geen mogelijkheid aantrekkelijk genoemd kon worden. Wat kon Henri in haar zien wat hij niet in haar zag? Ze was veel jonger en vele malen knapper, had een figuur dat bij haar gezicht paste en ze zorgde ervoor dat Henri seksueel niets te kort kwam. Daardoor was ze nu ook eindelijk zwanger. Wat Michèle niet kon weten, en ook nooit te horen zou krijgen, was dat Agnes Henri de baan bij de bakkerij had bezorgd. Ze had de eigenaar overreed hem in dienst te nemen, hoewel Henri geen ervaring als bakker had. De eigenaar, een kleine, ongeduldige man die Lebec heette, voelde er weinig voor een nieuwe man aan te nemen, vooral omdat hij zich de moeite zou moeten getroosten hem in te werken, maar hij veranderde onmiddellijk van gedachte toen Agnes dreigde ontslag te nemen. Boekhouders als Agnes, die goed wisten hoe ze de belastingwetten moesten ontduiken, waren moeilijk te vinden. Dus was Henri Kanarack aangenomen. Hij had het vak snel geleerd, was betrouwbaar en zeurde niet voortdurend om loonsverhoging zoals sommige andere personeelsleden. Met andere woorden, hij was een ideale werknemer en daarom kon Lebec het Agnes niet kwalijk nemen dat ze hem min of meer had gedwongen de man aan te nemen. Lebec had Agnes alleen gevraagd waarom ze bereid was ontslag te nemen voor zo'n onbeduidende, alledaagse man als Henri Kanarack. Agnes had daarop slechts geantwoord: 'Ja of nee, meneer Lebec?' En daarmee was de kous af geweest.

Agnes minderde vaart voor een knipperlicht en keek naar Kanarack. Ze had de blauwe plekken op zijn gezicht gezien toen hij was ingestapt, maar nu waren ze in het licht van het dashboard nog gemener van kleur. 'Heb je weer gedronken?' vroeg Agnes met een koude, bijna wrede klank in haar stem.

'Michèle is zwanger,' zei hij terwijl hij recht voor zich uit staarde naar het licht van de gele koplampen die de duisternis doorboorden.
'Ben je van vreugde of van ellende dronken geworden?'
'Ik ben niet dronken geweest. Ik ben door een man aangevallen.'
'Wat voor man?' Ze keek hem van opzij aan.
'Ik had hem nog nooit gezien.'
'Wat heb je met hem gedaan?'
'Ik ben weggelopen.' Kanaracks blik was strak op de weg voor hen gericht.
'Je wordt eindelijk slim op je ouwe dag.'
'Dit was anders...' Kanarack draaide zich naar haar toe. 'Ik was in Brasserie Stella in de rue St.-Antoine. Op weg naar huis ben ik daar naar binnen gegaan om de krant te lezen en een espresso te drinken. Die man vloog me zonder enige reden aan, sloeg me tegen de grond, en begon me af te tuigen. De obers hebben hem van me af getrokken en ik ben weggelopen.'
'Waarom heeft hij jou uitgekozen?'
'Dat weet ik niet.' Kanarack richtte zijn blik weer op de weg. Het begon licht te worden. De straatlantaarns werden door automatische tijdmechanismen uitgedaan. 'Hij is me daarna gevolgd. Over de Seine en de metro in. Ik was hem te vlug af en kon in een trein stappen voordat hij me had ingehaald. Ik...' Agnes schakelde over op een lagere versnelling en remde af voor een man die zijn hond uitliet. Toen ze hem passeerde, ging ze weer sneller rijden. 'Wat wou je zeggen?'
'Ik ben voor het raam van de trein gaan staan. Ik heb gezien hoe hij door de metropolitie werd gegrepen.'
'Dus het was een gek. De politie is toch nog ergens goed voor.'
'Misschien was hij niet gek.'
Agnes draaide zich naar hem toe. Hij verzweeg iets voor haar. 'Waarom niet?'
'Het was een Amerikaan.'

Paul Osborn was om tien voor een in de ochtend terug in zijn hotel op de Avenue Kléber. Vijftien minuten later zat hij in zijn kamer met L.A. te bellen. Zijn advocaat bracht hem in contact met een andere advocaat die zei dat hij het even moest uitzoeken en hem daarna zou terugbellen. Om tien voor halftwee ging de telefoon. De man die belde, was in Parijs. Hij heette Jean Packard.
Ruim vijfeneenhalf uur later zat Jean Packard tegenover Paul Osborn in de eetzaal van het hotel. Packard was tweeënveertig jaar en in buitengewoon goede conditie voor zijn leeftijd. Zijn haar was kortgeknipt en

zijn pak hing losjes om zijn pezige lichaam. Hij droeg geen stropdas en zijn overhemd had een open boord. Misschien wilde hij opzettelijk het acht centimeter lange litteken laten zien dat diagonaal over zijn keel liep. Packard had in het Vreemdelingenlegioen gezeten en was daarna huursoldaat geweest in Angola, Thailand en El Salvador. Hij werkte nu bij Kolb International dat zich afficheerde als het grootste privé-detectivebureau ter wereld.
'We garanderen niets, maar we doen ons best en voor de meeste cliënten is dat gewoonlijk voldoende,' zei Packard met een glimlach die Osborn verraste. Een kelner bracht hun dampende koffie en een klein blad met croissants en vertrok. Packard keek Osborn recht aan zonder de koffie of de croissants aan te raken.
'Laat me het u uitleggen,' vervolgde hij. Hij sprak Engels met een zwaar accent, maar was niettemin gemakkelijk verstaanbaar.'Van alle privé-detectives van Kolb International zijn de antecedenten grondig nagetrokken en op hun kwalificaties mag niets aan te merken zijn. We zijn echter geen werknemer, maar opereren zelfstandig. We krijgen onze opdrachten van de districtskantoren en delen het honorarium met hen. Verder vragen ze niets van ons. In feite werken we alleen, tenzij we om assistentie verzoeken. Het beroepsgeheim is voor ons bijna een religie. De geheimhouding wordt verzekerd doordat de cliënt altijd maar met één privé-detective te maken heeft. Ik ben ervan overtuigd dat u dat op prijs zult stellen in een tijd waarin zelfs de meest geheime informatie gemakkelijk beschikbaar is voor iemand die bereid is ervoor te betalen.'
Jean Packard hield een passerende kelner staande door zijn hand uit te steken en vroeg om een glas water. Toen wendde hij zich weer tot Osborn en legde hem verder uit wat Kolbs werkwijze was.
Als een onderzoek voltooid was, zei hij, werden alle dossiers met geschreven, gekopieerd of gefotografeerd materiaal, met inbegrip van de negatieven, aan de cliënt overgedragen. Daarna diende de privé-detective bij het districtskantoor van Kolb een rekening in waarin de gewerkte tijd en de gemaakte onkosten werden vermeld en het kantoor stuurde op zijn beurt de klant een rekening.
Het glas water werd gebracht. '*Merci*,' zei Packard. Hij nam een slok, zette het glas op tafel en keek Osborn aan.
'Dus u begrijpt hoe fatsoenlijk en eenvoudig onze werkwijze is en hoe vertrouwelijk een zaak wordt behandeld.'
Osborn glimlachte. Niet alleen stond de werkwijze hem aan, maar de manier waarop de privé-detective zichzelf presenteerde beviel hem ook. Hij had iemand nodig die hij kon vertrouwen en Jean Packard leek de man te zijn die hij zocht. De verkeerde persoon met de verkeerde

aanpak zou de man die hij zocht op de vlucht kunnen jagen en daardoor alles bederven. En dan was er ook nog dat andere probleem en zelfs tot op dit moment wist Osborn niet precies hoe hij dat moest oplossen. Toen zorgde Jean Packard er met zijn volgende opmerking voor dat Osborns probleem van de baan was.

'Ik zou u willen vragen waarom u deze persoon wilt laten opsporen, maar ik heb het gevoel dat u me dat liever niet vertelt.'

'Het is persoonlijk,' zei Osborn zacht. Jean Packard accepteerde dit en knikte.

De volgende veertig minuten nam Osborn het weinige dat hij wist van de man die hij zocht met Packard door. De brasserie in de rue St.-Antoine. Hoe laat hij hem daar had gezien. Aan welke tafel hij had gezeten. Wat hij had gedronken. Het feit dat hij had gerookt. De route die de man daarna had genomen toen hij dacht dat hij niet werd gevolgd. Het metrostation op de Boulevard St.-Germain dat hij plotseling was binnengeschoten toen hij zich realiseerde dat hij wél gevolgd werd.

Met gesloten ogen om zich de man zo goed mogelijk voor de geest te kunnen halen, beschreef Osborn zorgvuldig Henri Kanaracks uiterlijk. Hij beschreef hem zoals hij hem hier in Parijs een paar uur geleden had gezien en zoals hij hem zich herinnerde van dat lang vervlogen moment in Boston. Jean Packard zei weinig tijdens de beschrijving. Hij stelde af en toe een vraag en liet Osborn soms iets herhalen. Hij maakte geen aantekeningen, maar luisterde alleen maar. Ten slotte gaf Osborn Packard een tekening van Henri Kanarack die hij op postpapier van het hotel had gemaakt. De diepliggende ogen, de vierkante kaak, het kartelige litteken onder het linkeroog dat schuin over het jukbeen naar de bovenlip liep, de oren die bijna in een rechte hoek van het hoofd af stonden. De tekening was primitief, alsof hij door een kind van tien jaar was gemaakt.

Jean Packard vouwde het vel papier dubbel en stak het in de zak van zijn colbert. 'Binnen twee dagen hoort u van me,' zei hij. Toen dronk hij zijn glas water leeg, stond op en liep weg.

Paul Osborn staarde hem secondenlang na. Hij wist niet hoe hij zich moest voelen en wat hij moest denken. Door een blind toeval, door het feit dat hij in een willekeurige zaak in een stad die hij helemaal niet kende een kopje koffie was gaan drinken, was alles veranderd. Hij had altijd in de zekerheid geleefd dat deze dag nooit zou komen, maar het was toch gebeurd. Plotseling was er hoop. Niet alleen op wraak, maar ook op verlossing van de langdurige, verschrikkelijke obsessie waartoe deze moordenaar hem had veroordeeld. Bijna dertig jaar, vanaf zijn puberteit tot nu toe, was zijn leven een gruwelijke kwelling vol nacht-

merries geweest. Zonder dat hij het wilde, bleef het incident steeds opnieuw voor zijn geestesoog verschijnen, genadeloos opgewekt door zijn knagende schuldgevoel. Hij kon het idee dat de dood van zijn vader op de een of andere manier zijn schuld was, niet van zich afzetten; het idee dat hij de moord had kunnen voorkomen als hij een betere zoon zou zijn geweest, als hij beter had opgelet en het mes op tijd had gezien om een waarschuwing te schreeuwen of zelfs zijn vader met zijn eigen lichaam te beschermen. Maar dat was nog niet alles. De rest was duisterder en ondermijnde hem geestelijk nog meer. In de tijd dat hij zich van jongen tot man had ontwikkeld, had hij een flink aantal hulpverleners en therapeuten gehad en toen hij ten slotte de ogenschijnlijk veilige schuilplaats van zijn professionele succes had bereikt, had hij vergeefs een tragische strijd tegen een andere demon gevoerd, namelijk tegen de verlammende, uitputtende angst verlaten te zullen worden; een angst die was ontstaan nadat de moordenaar zo ondubbelzinnig had gedemonstreerd hoe snel liefde je kon worden afgenomen.
Dat was op dat moment gebleken en hij had het gevoel daarna altijd gehouden. Eerst, door omstandigheden, bij zijn moeder en zijn tante, en later, toen hij ouder werd, bij minnaressen en goede vrienden. Als volwassene droeg hij zelf de schuld. Hoewel hij begreep wat de oorzaak ervan was, kon hij het gevoel onmogelijk beheersen. Zodra echte liefde of echte vriendschap in het spel kwam, nam de naakte angst dat hij er weer wreed van zou worden beroofd vanuit het niets bezit van hem en overspoelde hem als een razende vloedgolf. En onbeheersbare gevoelens van wantrouwen en jaloezie ontsproten aan dezelfde bron. Uit pure zelfbescherming verstikte hij vervolgens de gevoelens van vreugde en vertrouwen die er waren zo snel mogelijk.
Maar nu, na bijna dertig jaar, was de oorzaak van zijn ziekte, hier in Parijs, geïsoleerd. En als hij de moordenaar eenmaal had gevonden, zou hij de politie niet waarschuwen en niet proberen de man te laten uitleveren om hem voor het gerecht te brengen. Als hij de man had gevonden, zou hij hem met zijn daad confronteren en hem vervolgens, evenals de ziekte zelf, snel elimineren. Het enige verschil zou zijn dat het slachtoffer deze keer zijn moordenaar zou kennen.

# 7

De dag na de begrafenis van zijn vader verhuisde hij met zijn moeder naar het kleine, twee verdiepingen tellende huis van haar zuster in Cape Cod.

Zijn moeder heette Becky. Hij nam aan dat het een afkorting van Elizabeth of Rebecca was, maar hij had het haar nooit gevraagd en hij had haar nooit anders dan Becky horen noemen. Ze was met Pauls vader getrouwd toen ze pas twintig was en een verpleegstersopleiding volgde. George David Osborn was knap, maar zwijgzaam en introvert. Hij was uit Chicago naar Boston gekomen om aan het M.I.T. te studeren en onmiddellijk nadat hij zijn studie had voltooid was hij gaan werken, eerst bij Raytheon en later bij Microtab, een klein technisch bedrijf in het concentratiegebied van technisch geavanceerde firma's langs Route 128. Paul wist over het werk van zijn vader niet meer dan dat hij chirurgische instrumenten ontwierp. Hij was toen te jong geweest om zich te herinneren wat voor instrumenten het precies waren.

Wat hij zich wel herinnerde van de verwarrende periode die op de begrafenis volgde, was dat ze hun spullen inpakten en van hun grote huis in een voorstad van Boston naar het veel kleinere huis in Cape Cod verhuisden. En dat zijn moeder bijna onmiddellijk daarna begon te drinken.

Hij herinnerde zich avonden waarop ze voor hen beiden kookte en vervolgens haar eten koud liet worden en alleen maar de ene cocktail na de andere dronk tot ze buiten westen raakte. Hij herinnerde zich dat hij bang werd als ze bleef doordrinken en dat hij vergeefs probeerde haar te laten eten. In plaats daarvan werd ze kwaad. Eerst om kleine dingen, maar daarna richtte haar woede zich altijd op hem. Het was zijn schuld omdat hij niets had gedaan! Al had hij maar iets gedaan. Dan zou zijn vader misschien zijn gered. En als zijn vader nu nog zou leven, zouden ze nog steeds in hun mooie huis in Boston wonen in plaats van in het piepkleine huis van haar zuster in Cape Cod.

Daarna keerde haar woede zich altijd tegen de moordenaar door wiens toedoen ze dit leven moest leiden. En vervolgens tegen de politie die onbekwaam en machteloos was en ten slotte tegen zichzelf. Ze verachtte zichzelf nog het meest omdat ze niet de moeder was die ze zou moeten zijn en omdat ze niet in staat was met de gevolgen van zo'n tragedie om te gaan.

Pauls tante Dorothy was veertig, acht jaar ouder dan zijn moeder, en ongehuwd. Ze was een eenvoudige, dikke, aardige vrouw met een warm hart die iedere zondag naar de kerk ging en actief was in de gemeenschap. Nadat ze Paul en Becky bij haar in huis had genomen, deed ze al het mogelijke om Becky zo ver te krijgen dat ze de draad van haar leven weer zou oppakken. Ze stimuleerde haar om ook naar de kerk te gaan en haar verpleegstersopleiding af te maken, zodat ze op een dag in de gezondheidszorg weer werk zou kunnen doen waarop ze trots zou zijn.

'Dorothy werkt als kantoorbediende op het provinciehuis,' schimpte zijn moeder dan halverwege haar derde gin met ginger ale. 'Hoe kan zij nu weten hoe zwaar het is om zonder man een kind groot te brengen? Hoe kan zij nu begrijpen dat de moeder van een jongen van tien jaar iedere dag thuis moet zijn als hij uit school komt?'

Wie zou hem met zijn huiswerk helpen? Zijn eten klaarmaken? Ervoor zorgen dat hij geen verkeerde vrienden kreeg? Dorothy begreep dat niet en kon dat ook niet begrijpen. En ze bleef maar doorzeuren over de kerk, werk en een normaal leven. Becky zwoer dat ze er veel voor voelde bij Dorothy weg te gaan. Als ze zuinig aan deden, hadden ze genoeg geld van de levensverzekering om weer op zichzelf te wonen tot Paul van de middelbare school zou komen.

Wat Becky niet kon begrijpen, was dat Dorothy het niet had over de kerk, werk en een nieuw leven. Ze had het over Becky's drinken. Dorothy wilde dat ze daarmee ophield. Maar dat was Becky niet van plan. Acht maanden en drie dagen later reed Becky Barnstable Harbor in en bleef in haar auto zitten tot ze verdronk. Ze was net drieëndertig geworden. De begrafenisdienst werd op 15 december 1966 gehouden in de Eerste Presbyteriaanse Kerk in Yarmouth. Het was een grauwe dag en er was sneeuw voorspeld. De dienst werd bijgewoond door achtentwintig mensen, Paul en Dorothy meegeteld. De meesten van hen waren vrienden van Dorothy.

Op 4 januari 1967, toen Paul elf jaar was, werd tante Dorothy tot zijn voogdes benoemd. Op 12 januari van datzelfde jaar ging hij naar Hartwick, een door de staat gefinancierde particuliere kostschool voor jongens in Trenton, New Jersey. De volgende zeven jaar zou hij daar tien maanden van het jaar doorbrengen.

# 8

De tekening die de politietekenaar van het afgesneden hoofd had gemaakt, haalde dinsdagmorgen de Londense sensatiebladen. Ze werd gepresenteerd als een afbeelding van het gezicht van een man die werd vermist en een ieder die informatie kon geven, werd verzocht onmiddellijk contact op te nemen met de Londense politie. Er werd een telefoonnummer gegeven met de mededeling dat iedereen die belde, anoniem kon blijven als hij dat wilde. De politie was alleen geïnteresseerd in informatie over zijn verblijfplaats ten behoeve van zijn ernstig bezorgde familie. Er werd niet vermeld dat het gezicht hoorde bij een hoofd waaraan geen lichaam meer vastzat.
Tegen het vallen van de avond was er nog geen enkel telefoontje binnengekomen.

In Parijs leverde een andere tekening wat meer informatie op. Door hem honderd francs te bieden, was het Jean Packard gelukt het geheugen op te frissen van een van de obers die Paul Osborn van Henri Kanarack hadden afgetrokken terwijl ze op de vloer van Brasserie Stella aan het vechten waren.
De ober, een kleine, verwijfde man met tengere, vrouwelijke handen, had Kanarack een maand eerder gezien toen hij in een andere brasserie werkte die kort daarop ten gevolge van een brand was gesloten. Evenals in Brasserie Stella was Kanarack daar alleen binnengekomen, had een espresso besteld, een krant opengeslagen en een sigaret gerookt. Het was ongeveer even laat geweest, vijf uur 's middags. De brasserie heette Le Bois en was op de Boulevard de Magenta, halverwege het Gare de l'Est en de Place de la République. Packard trok op de kaart een rechte lijn tussen Le Bois en Brasserie Stella en zag dat er daaromheen veel metrostations waren. Aangezien de man er niet uitzag als iemand die een taxi zou nemen, was het redelijk te veronderstellen dat hij met de auto of te voet was gekomen. Het was bovendien niet waarschijnlijk dat hij tijdens de avondspits in de buurt van beide cafés zou hebben geparkeerd om in zijn eentje een espresso te drinken. De conclusie dat hij te voet was gekomen, lag dus het meest voor de hand.
Zowel Osborn als de ober had bij zijn beschrijving van de man gezegd dat hij een stoppelbaard of een baardschaduw had. Omdat zijn gedrag en voorkomen er bovendien op duidden dat hij arbeider was, leek het redelijk om aan te nemen dat hij van zijn werk op weg naar huis was

geweest en omdat hij minstens twee keer onderweg iets was gaan drinken, leek dit een gewoonte van hem te zijn.
Packard hoefde nu alleen nog maar een ronde langs de andere cafés in het gebied tussen de twee brasserieën te maken. Als dat niets zou opleveren, zou hij het gebied achter de beide gelegenheden uitkammen tot hij een ander café zou hebben gevonden waar iemand de man van Paul Osborns tekening zou herkennen. Hij zou zich daarbij steeds legitimeren en vertellen dat de man werd vermist en dat hij door de familie was ingehuurd om hem op te sporen.
Al bij zijn vierde poging vond Packard een vrouw die de man van de primitieve tekening herkende. Ze was caissière bij een bistro in de rue Lucien, die op de Boulevard de Magenta uitkwam. De man op de tekening was daar in de afgelopen twee, drie jaar af en toe binnen geweest.
'Weet u hoe hij heet, mevrouw?'
De vrouw keek met een ruk op. 'U weet niet eens hoe hij heet terwijl u voor de familie van die man een onderzoek doet?'
'Hij kan zich de ene dag heel anders noemen dan de andere.' 'Is het een misdadiger?'
'Hij is ziek...'
'Dat spijt me. Maar nee, ik weet niet hoe hij heet.'
'Weet u waar hij werkt?'
'Nee. Ik kan u alleen vertellen dat hij altijd een soort fijn stof of poeder op zijn jasje had zitten. Ik herinner me dat omdat hij altijd probeerde het af te vegen. Alsof het een nerveuze tic van hem was.'

'Bouwbedrijven zijn buiten beschouwing gelaten omdat bouwvakkers over het algemeen naar en van hun werk geen sportjasjes dragen. En zeker niet als ze aan het werk zijn.' Die avond, iets over zevenen, gingen Jean Packard en Paul Osborn in een donkere hoek van de bar van het hotel zitten. Packard had hem beloofd binnen twee dagen contact met hem op te nemen, maar Osborn had zo'n snel resultaat niet verwacht.
'De man die we zoeken lijkt te werken in een ruimte waar een poederachtige substantie neerslaat en hij hangt daar onder werktijd zijn jasje op. Door na te gaan welke bedrijven er in een straal van anderhalve kilometer rondom de drie cafés liggen – wat een grotere afstand is dan de mensen na een werkdag normaal zullen lopen – hebben we via een proces van uitsluiting met redelijke zekerheid kunnen concluderen dat hij bij zijn werk in contact komt met kosmetische middelen, droge chemicaliën of bakkerijgrondstoffen.'
Jean Packard sprak op rustige toon en zijn informatie was beknopt en duidelijk. Maar voor Osborn leek het alsof hij hem in een droom hoorde

praten. Een week geleden was hij nog in Genève geweest, waar hij zich nerveus voorbereidde op de lezing die hij zou houden voor het Medisch Wereldcongres. Zeven dagen later zat hij in een donkere bar in Parijs te luisteren naar een vreemde die bevestigde dat de moordenaar van zijn vader leefde. Dat hij door de straten van Parijs liep. Dat hij daar woonde en werkte. Dat het gezicht dat hij, Osborn, had gezien echt was. De huid die hij had aangeraakt, het leven dat hij onder zijn vingers had voelen kloppen toen hij had geprobeerd de man te wurgen, waren echt.

'Morgen om deze tijd heb ik zijn naam en zijn adres voor u,' besloot Packard.

'Goed,' hoorde Osborn zichzelf zeggen. 'Heel goed.'

Jean Packard staarde hem een ogenblik aan voordat hij opstond. Wat Osborn zou doen als hij de informatie eenmaal had, waren zijn zaken niet. Maar de uitdrukking in Osborns ogen had hij ook in de ogen van andere mannen gezien. Afstandelijk, onrustig, vastberaden. Hij twijfelde er geen moment aan dat de man die hij spoedig voor de Amerikaan die tegenover hem zat zou hebben opgespoord, kort daarna dood zou zijn.

Terug in zijn kamer kleedde Osborn zich uit, nam zijn tweede douche van die dag en probeerde niet aan morgen te denken. Als hij de naam van de man eenmaal kende en wist wie hij was en waar hij woonde, zou hij over de rest kunnen nadenken. Over hoe hij hem ondervragen zou en hoe hij hem daarna zou vermoorden. Het was te moeilijk en te pijnlijk om er nu over na te denken. Alles wat zijn leven somber en afschuwelijk had gemaakt, kwam erdoor naar boven. Het verlies van zijn vader, boosheid, schuldgevoel, woede, isolement en eenzaamheid. De angst voor liefde omdat hij bang was dat die hem zou worden afgenomen.

Met zijn gezicht voor de helft met scheerzeep ingezeept, veegde hij de stoom van de spiegel. De telefoon ging.

'Ja,' zei hij onmiddellijk, in de verwachting dat het Jean Packard was die hem nog iets wilde zeggen. Het was Jean Packard niet. Vera stond beneden in de hal. Mocht ze naar zijn kamer komen? Of was er iemand anders bij hem of had hij andere plannen? Zo was ze. Beleefd, attent, bijna onschuldig. De eerste keer dat ze met elkaar naar bed waren gegaan, had ze zelfs toestemming gevraagd voordat ze zijn penis aanraakte. Ze kwam afscheid nemen, zei ze.

Hij was, op een handdoek die hij om zijn middel had geknoopt na, naakt toen hij de deur opende en haar bevend en met tranen in haar

ogen in de gang zag staan. Ze kwam binnen en hij sloot de deur. Hij kuste haar; ze kuste hem terug en toen lagen ze in elkaars armen. Haar kleren lagen door de hele kamer verspreid. Hij kuste haar borsten en streelde de donkere driehoek tussen haar benen. Toen spreidde ze haar benen en hij kwam vol vreugde in haar. Daarna waren er alleen nog maar gelach, tranen en onvoorstelbaar intense begeerte.
Niemand had ooit zo afscheid genomen.
Niemand.

## 9

Ze heette Vera Monneray en hij had haar in Genève ontmoet. Ze was, kort nadat hij zijn lezing had gehouden, naar hem toe gekomen en had zich voorgesteld. Ze had medicijnen gestudeerd in Montpellier en zat nu in haar eerste jaar als co-assistent in het Centre Hospitalier Ste.-Anne in Parijs, had ze hem verteld. Ze was alleen en vierde haar zesentwintigste verjaardag. Ze wist niet waarom ze hem zo rechtstreeks had benaderd; hij had gewoon haar belangstelling gewekt zodra hij met zijn lezing was begonnen. Hij had iets waardoor ze hem wilde ontmoeten om erachter komen wat voor iemand hij was. Om een poosje bij hem te zijn. Ze had er toen geen idee van gehad of hij getrouwd was of niet. Het kon haar ook niets schelen. Als hij had gezegd dat hij getrouwd was en dat hij zijn vrouw bij zich had, of gewoon dat hij het druk had, zou ze hem de hand hebben geschud, hem hebben gecomplimenteerd met zijn lezing en vertrokken zijn. En daarmee zou het afgelopen zijn geweest. Maar dat had hij niet gedaan.
Ze waren naar buiten gegaan en de voetbrug over de Rhône overgestoken naar het oude deel van de stad. Vera was intelligent en ze bruiste van levenslust. Ze had lang, bijna gitzwart haar dat ze op zo'n manier opzij zwaaide en achter haar oor stopte dat het daar zonder los te raken bleef zitten, hoe opgewonden ze ook raakte. Haar ogen waren bijna net zo donker als haar haar en er sprak een gretig verlangen uit naar het lange leven dat ze nog vóór zich had.
Nog geen twintig minuten nadat ze elkaar hadden ontmoet, hielden ze elkaars hand vast. Die avond aten ze samen in een rustig Italiaans res-

taurant vlak bij de rosse buurt. Het was vreemd te bedenken dat Genève een straat met prostituées had. De vermaardheid die de stad genoot vanwege haar chocolade en horloges en het aureool van bezadigdheid dat ze als internationaal financieel centrum had, leek op de een of andere manier niet te rijmen met de straathoeren met hun strakke, korte splitrokjes, maar ze waren er toch en bevolkten de paar blokken die hun waren toegewezen. Vera keek nauwlettend naar Osborn toen ze hen passeerden. Was hij verlegen, vond hij het gênant, keek hij stiekem of er voor hem iets bij was of accepteerde hij het gewoon als iets dat bij het leven hoorde? Al deze dingen tegelijk, dacht ze. Al deze dingen tegelijk.

In het restaurant deden ze hetzelfde als ze die middag hadden gedaan. Ze verkenden elkaar teder en zwijgend zoals een man en een vrouw doen die zich instinctief tot elkaar aangetrokken voelen. Ze hielden elkaars hand vast, wisselden blikken en staarden elkaar ten slotte lang en indringend in de ogen. Paul merkte verscheidene keren dat hij opgewonden van haar raakte. Het gebeurde de eerste keer toen ze in een groot warenhuis op de afdeling brood en banket rondsnuffelden. Het was er vol klanten en hij was er zeker van dat ze allemaal naar zijn kruis keken. Hij pakte snel een groot brood op en hield dat discreet voor zijn lichaam terwijl hij net deed of hij rondkeek. Ze zag het en lachte. Het was alsof ze al lang geliefden waren en in het geheim genoten van de spanning dit in het openbaar te laten blijken.

Na het eten wandelden ze de rue des Alpes af en keken naar de maan die boven het Meer van Genève opging. Achter hen was Pauls hotel, het Beau-Rivage. Hij was van plan geweest daar, in zijn kamer, de bekroning van het etentje, de wandeling en de avond te laten plaatsvinden, maar nu puntje bij paaltje kwam, was hij lang niet zo zeker van zichzelf als hij had gedacht. Hij was nog geen vier maanden gescheiden en had nauwelijks tijd gehad te wennen aan het idee dat hij een aantrekkelijke vrijgezel en een uitstekende chirurg was. Hij probeerde zich te herinneren hoe hij het vroeger had gedaan. Hoe had hij het vroeger aangepakt als hij een vrouw naar zijn kamer wilde meenemen? Het leek alsof zijn hoofd met watten was gevuld en hij kon zich niets herinneren. Dat hoefde ook niet, want Vera was hem voor. Ze gaf hem een arm en trok hem dicht tegen zich aan om warmte te zoeken, want de lucht die over het meer werd aangevoerd was koud. 'Paul,' zei ze glimlachend, 'je moet altijd voor ogen houden dat je een vrouw alleen in bed krijgt als ze zelf heeft besloten dat ze dat wil.'

'Is dat zo?' vroeg hij met een stalen gezicht.

'Absoluut.'

Hij haalde een sleutel uit zijn zak en hield die voor haar omhoog. 'Van mijn hotelkamer,' zei hij.
'Ik moet een trein halen. De TGV van tien uur naar Parijs,' zei ze zakelijk, alsof dat iets was dat hij had moeten weten.
'Ik begrijp het niet.' Hij was teleurgesteld. Ze had niets over een trein gezegd en ook niet dat ze die avond uit Genève zou vertrekken.
'Paul, het is vrijdag. Ik moet in het weekend in Parijs van alles doen en maandag moet ik om twaalf uur in Calais zijn. Mijn grootmoeder viert dan haar eenentachtigste verjaardag.'
'Zijn die dingen die je in Parijs moet doen zo belangrijk dat ze niet tot het volgende weekend kunnen wachten?'
Vera keek hem alleen maar aan.
'Nou?' zei hij.
'Als ik je nu eens vertel dat ik een vriend heb?'
'Glippen mooie co-assistentes die een vriend hebben de stad uit om nieuwe minnaars op te pikken? Gaat het zó in de medische wereld van Parijs?'
'Ik heb je niet "opgepikt"!' Vera deed verontwaardigd een stap naar achteren. Het probleem was dat ze het glimlachje dat haar mondhoeken licht deed omkrullen, niet wist te bedwingen. Hij zag het en zij wist dat hij het had gezien.
'Is er een vliegveld in Calais?' vroeg hij.
'Hoezo?' kaatste ze terug.
'Het is een gemakkelijke vraag.' Hij glimlachte. 'Ja, er is een vliegveld in Calais. Nee, er is geen vliegveld in Calais.'
Vera's ogen glansden in het maanlicht. Een briesje vanaf het meer blies haar haar omhoog.
'Ik weet het eigenlijk niet.'
'Maar er is wel een vliegveld in Parijs.'
'Twee.'
'Dan kun je maandagmorgen naar Parijs vliegen en de trein naar Calais nemen.' Als ze wilde dat hij moeite voor haar deed, dan had ze haar zin.
'Wat moet ik hier dan tot maandagmorgen doen?' Deze keer was haar glimlach een beetje breder.
'Een man krijgt een vrouw alleen in bed als ze zelf heeft besloten dat ze dat wil,' zei hij zacht en hij hield weer de sleutel van zijn hotelkamer omhoog. Vera keek naar hem op en hield zijn blik vast. Toen stak ze haar hand uit en klemde haar vingers langzaam om de sleutel heen.

# 10

Twee dagen zou niet genoeg zijn, besloot Osborn de volgende morgen. Vera was net uit bed gestapt en hij keek naar haar terwijl ze om het voeteneinde heen liep en de badkamer binnenging. Met haar schouders naar achteren getrokken en met haar albasten borsten onbeschaamd vooruitgestoken, liep ze door de kamer met de gratie van een nauwelijks getemd dier dat zich er niet van bewust is hoe prachtig het is. Ze had opzettelijk niets aangetrokken, dacht hij. Ze had zijn T-shirt van de L.A. Kings, dat hij haar had gegeven om in te slapen, niet aangedaan en evenmin had ze een van de handdoeken die nog op de vloer lagen en die de verkreukelde trofeeën waren van de drie keer dat ze onder de douche langdurig seks hadden gehad, om zich heen geslagen. Het was een manier om hem te vertellen dat ze de afgelopen nacht niet zomaar voor de grap bij hem was gebleven en dat ze zich er nu niet voor schaamde.
Ergens in de uren voordat het licht werd, tussen het bedrijven van de liefde door, hadden ze besloten de volgende dag een tocht met de trein door Zwitserland te gaan maken. Naar Lausanne, Zürich en Luzern. Hij had helemaal willen doorreizen naar Lugano aan de Italiaanse grens, maar daarvoor was geen tijd. Hij herinnerde zich nog dat hij even voordat hij uitgeput in een diepe slaap viel, had gedacht: Lugano bewaren we voor de volgende keer. Lugano en Italië.
Toen hij haar de douche hoorde binnenstappen, kreeg hij een idee. Vandaag was het zaterdag de eerste oktober. Vera moest op maandag de derde in Calais zijn. Diezelfde dag zou hij vanuit Londen naar L.A. moeten terugvliegen. Als ze nu vandaag eens naar Engeland zouden vliegen, in plaats van in Zwitserland rond te toeren? Ze zouden de avond, de hele zondag overdag en de hele zondagavond samen in Londen of waar in Engeland Vera ook maar heen wilde, kunnen doorbrengen. Maandagmorgen zou hij haar op de trein naar Dover kunnen zetten en daarvandaan zou ze met de ferry of de Hoverspeed over Het Kanaal rechtstreeks naar Calais kunnen varen.
In een flits raakte hij ervan doordrongen wat een goed idee het was en hij pakte de telefoon zonder er verder over na te denken. Pas toen hij de receptioniste aan de lijn had en haar vroeg wat het nummer van Air Europe was, realiseerde hij zich dat hij nog naakt was. En dat niet alleen, maar ook dat hij een erectie had, wat het grootste deel van de tijd dat Vera in de buurt was het geval leek te zijn. Plotseling voelde hij zich als een tiener die stiekem een weekend met een meisje doorbrengt. Al-

leen had hij dat als tiener nooit gedaan. Dat waren dingen die anderen meemaakten, maar hij niet. Hij was ook toen al knap en sterk geweest, maar toch was hij maagd gebleven tot hij bijna tweeëntwintig en doctoraalstudent medicijnen was. De dingen die andere jongens deden had hij nooit gedaan, al schepte hij er, net als zij, wel over op om niet voor een sukkel te worden aangezien. De boosdoener was, zoals altijd, de intense, oncontroleerbare angst dat seks ertoe zou leiden dat hij zich aan een meisje zou gaan hechten en daarna liefde voor haar zou gaan voelen. En als dat eenmaal was gebeurd, zou het slechts een kwestie van tijd zijn voordat hij een manier had gevonden die liefde te vernietigen.
Eerst voelde Vera er niets voor. Engeland was te duur en zijn plan te impulsief. Maar hij had haar hand vastgepakt, haar tegen zich aan getrokken en haar intens gekust. Het leven was nu eenmaal duur en je moest impulsief durven zijn. En niets was voor hem belangrijker dan zoveel mogelijk tijd met haar door te brengen en dat zou het beste kunnen als ze vandaag naar Londen gingen. Hij meende het echt. Ze las het in zijn ogen toen ze zich lostrok om hem aan te kijken en ze voelde het aan zijn aanraking toen hij glimlachte en met de rug van zijn hand zachtjes haar wang streelde.
'Ja,' zei ze glimlachend. 'Ja, laten we naar Engeland gaan. Maar daarna moeten we elkaar niet meer zien, goed?' Ze glimlachte niet meer en voor het eerst sinds hij haar had ontmoet, werd ze ernstig.
'Je hebt jouw carrière en ik heb de mijne, Paul, en ik wil eraan blijven werken zoals ik nu doe.'
'Goed.' Hij grijnsde en boog zich naar voren om haar te kussen, maar ze trok zich terug.
'Nee. Ik wil eerst dat je dat met me afspreekt. Na Londen zullen we elkaar niet meer zien.'
'Betekent je werk zoveel voor je?'
'Ik heb zoveel moeten doen om mijn studie af te kunnen maken en ik zal nog heel veel moeten doen. Ja, het betekent heel veel voor me. En ik verontschuldig me er niet voor dat ik er zo over denk.'
'Dan', zei hij, 'ga ik akkoord.'

Hun tijd in Londen was in een roes voorbijgegaan. Vera wilde in een hotel logeren waar ze niet de kans liep een studiegenoot of een professor – 'of een "vriendje"? plaagde Paul haar – tegen te komen die haar voor de thee of wat ook zou uitnodigen zodat ze uitvluchten zou moeten verzinnen. Osborn schreef hen in in The Connaught, het chicste, kleinste, meest beschermde en 'Engelse' van alle Londense hotels.
Ze hadden zich geen zorgen hoeven te maken. Zaterdagavond gingen

ze naar het Ambassadors Theatre waar *Les Liaisons Dangereuses* werd gespeeld. Daarna aten ze in The Ivy aan de overkant van de straat, wandelden hand in hand door de theaterwijk en gingen onderweg af en toe een pub binnen waar ze giechelend champagne dronken en ten slotte reden ze met een taxi via een lange omweg terug naar het hotel. Onderweg daagden ze elkaar sensueel en samenzweerderig fluisterend uit de liefde te bedrijven zonder dat de chauffeur het zou merken. En dat lukte ook; dat dachten ze althans. De rest van hun zesendertig uur durende verblijf in Londen brachten ze in bed door. En niet vanwege de seks en ook niet vrijwillig. Eerst werd Paul geveld door voedselvergiftiging of een hevige griepaanval, en kort daarop ook Vera. Ze konden alleen maar hopen dat hun ziekte van de soort was die niet langer dan vierentwintig uur duurde en dat bleek te kloppen. En toen ze maandagmorgen een taxi naar Victoria Station namen, voelden ze zich allebei al weer bijna honderd procent, al waren ze dan nog een beetje rillerig en slapjes.
'Een prachtmanier om een weekend in Londen door te brengen,' zei hij terwijl ze gearmd naar haar trein liepen.
Ze keek hem glimlachend aan en zei: 'In voor- en tegenspoed.'
Later vroeg ze zich af waarom ze het had gezegd, want ze wist dat ze haar woorden door een bepaalde stembuiging ongewild een zekere betekenis had meegegeven. Ze had het luchtig en grappig willen laten klinken, maar ze wist dat ze daarin niet was geslaagd. Of ze het wel of niet had gemeend wist ze niet, en ze wilde er niet over nadenken. Ze herinnerde zich daarna alleen nog maar dat Paul haar in zijn armen genomen en gekust had. Het was een kus die ze zich haar hele leven zou herinneren. Hij was intens en opwindend en tegelijkertijd vervuld van een kracht en een zelfvertrouwen die ze nog nooit bij een man had ervaren. Ze herinnerde zich hoe ze door haar raampje naar hem keek toen de trein vertrok. Hij stond daar omringd door treinen, rails en mensen, met zijn armen over zijn borst gevouwen en keek haar met een treurige, verbijsterde glimlach na. Ze zag hem met iedere ratelende omwenteling van de wielen kleiner worden tot ze ten slotte het station uit was en hem niet meer kon zien.

Paul Osborn had haar maandag 3 oktober om halfacht 's ochtends op de trein gezet. Tweeëneenhalf uur later liep hij rond in de taxfree winkel op Heathrow om de tijd te doden voordat de twaalf uur durende vlucht naar Los Angeles zou vertrekken.
Hij keek naar T-shirts, koffiebekers en handdoeken waarop een plattegrond van het Londense metrostation was gedrukt en besefte dat hij aan

Vera dacht. Toen werd zijn vlucht aangekondigd en hij worstelde zich door de krioelende mensenmassa naar de instapruimte. Door het raam zag hij dat de bagage in de 747 van British Airways werd geladen terwijl het toestel van brandstof werd voorzien.
Hij wendde zich van het vliegtuig af en keek op zijn horloge. Het was bijna elf uur en Vera zou nu aan boord van de Hoverspeed Het Kanaal oversteken naar Calais. Ze zou niet veel langer dan anderhalf uur bij haar grootmoeder kunnen blijven voordat ze zich naar het station zou moeten haasten om de trein van twee uur naar Parijs te halen.
Hij glimlachte bij de gedachte dat ze de eenentachtigjarige dame zou helpen met het uitpakken van verjaardagscadeautjes en vervolgens bij de koffie met gebak met haar zou lachen en grapjes maken. Hij vroeg zich af of ze het toevallig nog over hem zou hebben en hoe de oude dame daarop zou reageren. Hij stelde zich voor hoe ze, terwijl Vera op de taxi wachtte die haar naar de trein zou brengen, met een serie omhelzingen afscheid namen en keer op keer zeiden dat het zo jammer was dat ze maar zo kort had kunnen blijven. Osborn had er geen idee van waar in Calais Vera's grootmoeder woonde en hij wist trouwens ook niet wat haar achternaam was. Was het haar grootmoeder van moeders- of van vaderskant?
Toen realiseerde hij zich dat het allemaal niets uitmaakte. Waar hij eigenlijk aan dacht was dat Vera in de trein van twee uur van Calais naar Parijs zou zitten.
Nog geen veertig minuten later was zijn bagage uit de 747 gehaald en stond hij in de incheckrij voor de vlucht van British Airways naar Parijs.

# 11

Vera keek door het raam van haar eersteklascoupé toen de trein snelheid minderde en het station binnenreed. Ze had geprobeerd zich in de paar uurtjes die de treinreis had geduurd te ontspannen en wat te lezen. Maar ze had met haar gedachten ergens anders gezeten en ze had haar lectuur terzijde gelegd. Wat had haar in eerste instantie bewogen zichzelf in Genève aan Paul Osborn voor te stellen? En waarom had ze in Genève met hem geslapen en was ze daarna met hem naar Londen ge-

gaan? Was het gewoon gekomen doordat ze rusteloos was en in een opwelling van meisjesachtige spontaniteit had gehandeld toen ze een aantrekkelijke man zag, of was het iets anders geweest? Had ze in hem onmiddellijk een van die zeldzame verwante geesten herkend die in vele opzichten op dezelfde manier over het leven dachten als zij?
Plotseling werd ze zich ervan bewust dat de trein was gestopt. De mensen stonden op, pakten hun bagage uit de rekken boven hun hoofd en stapten uit. Ze was in Parijs. Morgen zou ze weer aan het werk gaan en Londen, Genève en Paul Osborn zouden alleen maar herinneringen zijn.
Met haar koffer in haar hand stapte ze uit en liep tussen de drommen mensen in over het perron. De lucht was vochtig en drukkend, alsof het zou gaan regenen.
'Vera!'
Ze keek op.
'Paul?' Ze was stomverbaasd.
'In voor- en tegenspoed,' zei hij glimlachend terwijl hij door de drukte heen op haar afkwam en haar koffer overnam. Hij was met het vliegtuig uit Londen gekomen en had vanaf het vliegveld een taxi naar het Gare du Nord genomen waar ze zou aankomen. Intussen had hij een vlucht van Parijs naar Los Angeles geboekt. Hij zou vijf dagen in Parijs blijven. Vijf dagen lang zouden ze alleen maar samen zijn.
Hij wilde haar naar huis brengen, naar haar appartement. Hij wist dat ze moest werken, maar hij wilde alle uren daarvoor de liefde met haar bedrijven. En als haar dienst erop zat en ze thuiskwam, zouden ze weer helemaal opnieuw beginnen. Dat hij bij haar kon zijn en de liefde met haar kon bedrijven, was het enige dat ertoe deed.
'Dat gaat niet,' zei ze botweg, boos omdat hij was gekomen. Hoe durfde hij zich zo aanmatigend jegens haar te gedragen?
Het was niet bepaald de reactie die hij had verwacht. De tijd die ze samen hadden doorgebracht was daarvoor te volmaakt geweest en ze waren daarvoor te intiem en liefdevol met elkaar omgegaan. En het was niet alleen van zijn kant gekomen.
'Je hebt beloofd dat we elkaar na Londen niet meer zouden zien.'
Hij grijnsde. 'Behalve de paar uur waarin we hebben gegeten en naar het theater zijn geweest, was Londen niet echt een succes. Tenzij je het braken, de hoge koorts en de koude rillingen meetelt.'
Vera zweeg even en toen kwam de waarheid eruit. Ze vertelde het hem snel en zonder omwegen. Er wás iemand anders.
Het zou niet verstandig zijn zijn naam te vertellen, maar hij was in Frankrijk een machtig en belangrijk man en hij mocht nooit te weten

komen dat ze samen in Genève en Londen waren geweest. Hij zou er diep door worden gekwetst en dat wilde ze niet. Wat zij en Paul in de afgelopen paar dagen samen hadden gehad, was voorbij. Het móest voorbij zijn. Hij wist dat de regels van het spel waren dat een man moest wachten tot een vrouw uit eigen beweging naar hem toe kwam. Hoe pijnlijk het ook was, ze kon en wilde hem niet meer zien.
Ze kwamen bij de lift en gingen omhoog en naar buiten, naar de taxi's. Hij vertelde haar dat hij altijd in een hotel op de Avenue Kléber logeerde als hij in Parijs was. Hij zou daar vijf dagen blijven. Hij wilde haar graag zien, al was het alleen maar om afscheid te nemen.
Vera wendde haar blik af. Ze had nog nooit een man als Paul Osborn ontmoet. Zelfs als hij gekwetst en teleurgesteld was, bleef hij teder, aardig en begripvol. Maar zelfs als ze het had gewild, zou ze niet kunnen zwichten. In deze fase van haar leven was er voor hem geen plaats. Er was geen andere oplossing.
'Het spijt me,' zei ze. Toen stapte ze in een taxi, het portier werd dichtgeslagen en ze was verdwenen.
'Zo eenvoudig gaat dat dus,' hoorde hij zichzelf hardop zeggen.

Minder dan een uur later zat hij in een brasserie vlak bij de rue St.-Antoine en probeerde de zaken op een rijtje te zetten. Als hij niet van zijn plan afgeweken zou zijn en niet het vliegtuig naar Parijs had genomen, zou hij nu over een paar uur in L.A. zijn geland. Hij zou een taxi hebben genomen naar zijn huis, dat over de Grote Oceaan uitkeek, zijn Chesapeake-retriever uit de kennel hebben gehaald en hebben gekeken of de herten al over zijn hek waren gesprongen om de rozen op te eten. De volgende dag zou hij weer aan het werk zijn gegaan. Dat zou de normale gang van zaken zijn geweest, als hij zijn vlucht naar L.A. had genomen. Maar dat had hij niet gedaan.
Alleen Vera deed ertoe, wie ze was en wat ze in hem teweegbracht. Verder was niets belangrijk. Het heden niet, het verleden niet en de toekomst niet. Dat dacht hij tenminste, tot hij opkeek en de man met het gekartelde litteken zag.

# 12

*Woensdag 5 oktober*

Het was net tien uur geweest toen Henri Kanarack een kleine kruidenierszaak binnenstapte die een half blok van de bakkerij vandaan was. Hij was nog steeds verontrust door het incident met de Amerikaan, maar er was al twee dagen niets gebeurd en hij begon de mening te delen van zowel zijn vrouw als Agnes Demblon, dat de man de verkeerde had gepakt of gewoon gek was geweest. Hij pakte voorovergebogen een paar flessen mineraalwater die hij naar zijn werk wilde meenemen toen de veel te dikke en bijna blinde eigenaar van de winkel hem bij zijn arm pakte en hem de achterkamer binnenleidde.
'Wat is er?' vroeg Kanarack verontwaardigd. 'Ik ben bij met mijn rekening.'
'Dat is het niet,' zei Fodor, die door zijn dikke brilleglazen door het raam tuurde om te kijken of er geen klanten bij de kassa wachtten. Fodor was niet alleen de eigenaar, maar ook de winkelbediende, de kassier en de magazijnbediende.
'Er is hier vandaag iemand geweest. Een privé-detective die een onbeholpen tekening van je liet zien.'
'Wat?' Kanaracks hart sloeg over.
'Hij liet de tekening aan iedereen zien en vroeg de mensen of ze je kenden.'
'Je hebt toch niets gezegd?'
'Natuurlijk niet. Ik wist direct dat het niet in de haak was. De belastingen?'
'Ik weet het niet.' Henri Kanarack wendde zijn blik af. Een privédetective die al zo ver was gekomen. Hoe kon dat? Hij keek Fodor weer aan. 'Bij welk bedrijf werkte hij? Heeft hij zijn naam genoemd?'
Fodor knikte en trok de lade van de tafel die als bureau dienst deed open. Hij pakte er een kaartje uit en overhandigde Kanarack dat. 'Hij zei dat we moesten bellen als we je zagen.'
'We, wie zijn we?' vroeg Kanarack.
'De andere mensen in de winkel. Hij heeft het aan iedereen gevraagd. Gelukkig waren het allemaal vreemden en niemand herkende je. Ik weet niet waar hij daarna naar toe is gegaan en met wie hij heeft gesproken. Als ik jou was, zou ik maar voorzichtig zijn als je teruggaat naar je werk.'

Henri Kanarack ging niet terug naar zijn werk. In ieder geval vandaag niet en misschien zou hij nooit meer gaan. Terwijl hij naar het kaartje in zijn hand keek, belde hij de bakkerij en kreeg Agnes aan de lijn.
'De Amerikaan,' zei hij. 'Hij heeft een privé-detective achter me aan gestuurd. Zorg ervoor dat hij met jou spreekt als hij daar komt opdagen. Zorg ervoor dat niemand anders iets zegt. Zijn naam is...' – Kanarack keek weer op het kaartje – 'Jean Packard. Hij werkt voor een bedrijf dat Kolb International heet.' Plotseling werd hij boos. 'Hoe bedoel je: wat moet ik hem vertellen? Vertel hem dat ik daar al een tijdje niet meer werk. Als hij wil weten waar ik woon, zeg je dat je dat niet weet. Je hebt me wat papieren opgestuurd nadat ik vertrokken was en die zijn teruggekomen zonder nieuw postadres.' Kanarack voegde eraan toe dat hij haar later nog zou bellen en hing abrupt op.

Nog geen uur later kwam Jean Packard de bakkerij binnen en keek om zich heen. Gesprekken met twee andere winkeliers en een jongetje dat toevallig zijn tekening had gezien, hadden aanwijzingen opgeleverd die hem hierheen, naar de bakkerij, hadden gevoerd. Voorin was een kleine winkel waar spullen van een dag oud werden verkocht. Erachter zag hij een kantoor en daarachter was een gesloten deur die, naar hij aannam, naar de eigenlijke bakkerij leidde.
Een oudere vrouw betaalde voor twee broden en draaide zich om. Packard glimlachte en hield de deur voor haar open.
'*Merci beaucoup*,' zei ze terwijl ze langs hem liep.
Jean Packard knikte en wendde zich tot de jonge vrouw achter de toonbank. Hier werkte de man. Hij zou de tekening hier aan niemand laten zien. Dat zou een teken zijn dat er iemand achter hem aan zat. Hij wilde een lijst met namen van de werknemers hebben. Dit was kennelijk een klein bedrijf met niet meer dan tien tot vijftien mensen op de loonlijst. Ze zouden allemaal bij de belastingdienst geregistreerd staan. Een computercontrole zou hem de adressen opleveren die bij de namen hoorden. Het zou niet moeilijk zijn naar tien of vijftien mensen een onderzoekje in te stellen. Door simpelweg degenen te schrappen die niet in aanmerking kwamen, zou hij ten slotte degene overhouden die hij moest hebben.
Het meisje achter de toonbank droeg een kort, strak rokje en schoenen met hoge hakken en haar lange, goedgevormde benen waren in netkousen gehuld. Haar haar was strak naar achteren gekamd en ze had een knotje boven op haar hoofd. Ze droeg grote oorringen en ze had genoeg mascara en oogschaduw op voor drie. Ze was half meisje, half vrouw en bracht waarschijnlijk het grootste deel van de dag door met wachten op

de avond. Een baan achter de toonbank van een bakkerij stond op haar lijst van opwindende tijdspasseringen niet hoog genoteerd, maar je kon er de rekeningen van betalen tot zich iets beters aandiende.
'*Bonjour*,' zei Jean Packard met een glimlach.
'*Bonjour*,' antwoordde ze en ze glimlachte terug. Flirten leek haar van nature goed af te gaan.
Tien minuten later vertrok Jean Packard met tien croissants en een lijst met de namen van alle mensen die daar werkten. Hij had haar verteld dat hij in de buurt een nachtclub ging openen en dat hij er zeker van wilde zijn dat alle zakenmensen uit de omgeving en hun werknemers uitnodigingen zouden krijgen voor de openingsavond. Dat was goed voor de public relations.

# 13

McVey huiverde en schonk heet water in een grote porseleinen kop waarop een Britse vlag was afgebeeld. Buiten viel een koude regen en een lichte mist steeg van de Theems omhoog. Er voeren aken op de rivier heen en weer en op de weg erlangs was druk verkeer.
Hij keek om zich heen en pakte een klein plastic schepje dat op een bevlekt papieren servetje lag en voegde twee schepjes Taster's Choice cafeïnevrije oploskoffie en een theelepel suiker aan het dampende water toe. De cafeïnevrije oploskoffie had hij in een kleine kruidenierszaak om de hoek bij Scotland Yard gevonden. Hij warmde zijn handen aan de kop, nam een slokje koffie en keek weer naar de map die open voor hem lag. Erin zat een computeruitdraai van Interpol met de namen van alle bekende of van meervoudige moord verdachte mensen op het Continent, in Groot-Brittannië en Noord-Ierland. Het waren er in totaal waarschijnlijk tweehonderd. Sommigen van hen hadden in de gevangenis gezeten voor lichtere misdrijven en waren vrijgelaten, anderen zaten nog achter de tralies of waren in afwachting van hun proces op borgtocht vrij en een handjevol was nog voortvluchtig. Ze zouden allemaal nagetrokken worden. Niet door McVey, maar door rechercheurs van moordzaken in de desbetreffende landen. Hun rapporten zouden naar hem worden gefaxt zodra ze klaar waren.

McVey legde de lijst terzijde, stond op en liep met zijn linkerhand half-gesloten tot een losse vuist naar de andere kant van de kamer. Daar begon hij afwezig met zijn pink snel langs zijn duim te wrijven. Er zat hem iets dwars dat hem al vanaf het begin dwarsgezeten had. Het was het intuïtieve gevoel dat iemand die operatief het hoofd van lichamen scheidde, niet iemand met een strafblad hoefde te zijn. McVeys gedachten haperden. En waarom zou het een man moeten zijn? Waarom zou het niet evengoed een vrouw kunnen zijn? Tegenwoordig konden vrouwen net zo gemakkelijk een medische opleiding volgen als mannen. Soms misschien zelfs gemakkelijker. En met de huidige populariteit van fitnesstraining waren veel vrouwen in een uitstekende lichamelijke conditie.

McVey had eerst het idee gehad dat de misdaden door één persoon waren gepleegd. Als dat klopte, werd het aantal mogelijke moordenaars verkleind van acht tot één. Maar zijn volgende overwegingen – dat de moordenaar de een of andere medische opleiding had, over chirurgische instrumenten kon beschikken, van beiderlei kunne zou kunnen zijn en misschien geen strafblad had – maakte dat de mogelijkheden zich eindeloos uitbreidden.

Hij had de statistieken niet bij de hand, maar als je alle artsen, verpleegsters, paramedici, studenten medicijnen, voormalige studenten medicijnen, lijkschouwers, medische technici en professoren aan de universiteit met enige deskundigheid op medisch gebied optelde, nog afgezien van de mannen en vrouwen in de diverse legers die een medische opleiding hadden gevolgd, moesten de aantallen astronomisch zijn, zelfs als ze zich alleen tot Groot-Brittannië en het Continent zouden beperken. Het was geen hooiberg waarin ze moesten zoeken, maar eerder een zee van graanhalmen die in de wind deinde en Interpol had niet de beschikking over een uitgebreid leger van oogsters die het kaf van het koren zouden scheiden tot de moordenaar ten slotte gevonden was.

De mogelijkheden moesten worden beperkt en het was aan McVey om daarvoor te zorgen. Om dat te kunnen doen had hij meer informatie nodig. Zijn eerste gedachte was dat hij misschien ergens een verband tussen de eerste en de laatste moord over het hoofd had gezien. In dat geval zat er niets anders op dan opnieuw de vaststaande feiten over de zaak onder de loep te nemen en die waren te vinden in de sectierapporten over het hoofd en de zeven hoofdloze lichamen.

Hij wilde net bellen om de rapporten op te vragen toen de telefoon begon te rinkelen.

'McVey,' zei hij automatisch toen hij opnam.

'*Oui*, McVey! Lebrun, tot je dienst!' Het was inspecteur Lebrun van de

eerste sectie van de Parijse prefectuur van politie, de kleine, kettingrokende rechercheur die McVey met een omhelzing en een kus had begroet toen deze zijn brogues maat zevenenveertig voor het eerst op Franse bodem zette.
'Ik weet niet wat het te betekenen heeft en misschien is het wel helemaal niets,' zei hij in het Engels, 'maar toen ik de dagelijkse rapporten van mijn rechercheurs doornam, stuitte ik op een klacht over mishandeling. De aanval was woest en heel gewelddadig, maar het was niettemin een eenvoudig geval van mishandeling omdat er geen wapen was gebruikt. Dat doet trouwens niet ter zake. Wat mijn aandacht trok, was dat de dader orthopedisch chirurg was, een Amerikaan, die toevallig dezelfde dag dat jullie mannetje in de steeg zijn hoofd kwijtraakte in Londen was. Ik weet dat hij in Engeland was omdat ik zijn paspoort in mijn hand heb. Hij is zaterdag de 1ste om 15.25 uur op Gatwick aangekomen. Jullie slachtoffer schijnt laat op de 2de of vroeg op de 3de te zijn vermoord. Klopt dat?'
'Dat klopt,' zei McVey. 'Maar hoe weten we of hij de twee daaropvolgende dagen nog in Engeland was? Ik kan me niet herinneren dat de Franse Immigratiedienst mijn paspoort heeft afgestempeld toen ik in Parijs landde. Die vent zou dezelfde dag uit Engeland naar Frankrijk vertrokken kunnen zijn.'
'McVey, zou ik zo'n vooraanstaande politieman als jij storen zonder dat verder te hebben gecheckt?'
McVey voelde dat Lebrun hem stangde en hij betaalde hem met gelijke munt terug.
'Ik zou het niet weten. Héb je dat dan gedaan?' vroeg hij glimlachend.
'McVey, ik probeer je te helpen. Wil je serieus luisteren of moet ik ophangen?'
'Hé, Lebrun, hang nou niet op. Ik heb alle hulp nodig die ik kan krijgen.' McVey haalde diep adem. 'Het spijt me.' Hij hoorde dat Lebrun aan de andere kant van de lijn om een dossier vroeg.
'Hij heet Paul Osborn,' zei Lebrun even later. 'Hij woont in Pacific Palisades in Californië. Weet je waar dat is?'
'Ja. Dat is voor mij te duur. Verder nog iets?'
'Aan het proces-verbaal is een lijst geniet met de persoonlijke bezittingen die hij bij zich had toen hij in hechtenis werd genomen. Een ervan is een kwitantie van een per creditcard betaalde rekening van het Connaught Hotel in Mayfair, gedateerd 3 oktober. Hij is toen 's ochtends uitgecheckt. Verder is er...'
'Wacht even...' McVey boog zich voorover naar een stapel mappen die op het bureau lag en trok er een van af. 'Ga verder.'

'Een instapkaart voor een vlucht van Londen naar Parijs van British Airways voor dezelfde dag.'
Terwijl Lebrun praatte, keek McVey snel een paar bladzijden door van door de politie verzamelde computeruitdraaien met overzichten van de bestemmingen van de chauffeurs van Londense taxibedrijven in de achtenveertig uur die aan de vondst van het hoofd voorafgegaan waren. De overzichten vermeldden, behalve de naam en het kentekennummer van de taxichauffeur, de ritten van en naar de theaterwijk, het tijdstip waarop en de plaats waar passagiers waren opgepikt en waar en hoe laat ze waren afgezet.
'Dat bestempelt hem niet echt tot een misdadiger.' McVey sloeg een bladzijde om en toen nog een. Hij zocht naar iets specifieks.
'Nee, maar hij gaf ontwijkende antwoorden. Hij wilde niet vertellen wat hij in Londen had gedaan. Hij beweerde dat hij ziek was geworden en op zijn kamer was gebleven.'
McVey hoorde zichzelf kreunen. Bij een moord ging nooit iets van een leien dakje. 'Van wanneer tot wanneer?' vroeg hij met zoveel enthousiasme als hij kon opbrengen en hij legde zijn voeten op het bureau.
'Van zaterdagavond laat tot maandagmorgen toen hij vertrok.'
'Heeft iemand hem daar gezien?' McVey keek naar zijn schoenen en concludeerde dat er nieuwe hakken onder gezet moesten worden.
'Dat wilde hij niet zeggen.'
'Heb je hem onder druk gezet?'
'Daarvoor was toen geen reden. Bovendien begon hij om een advocaat te schreeuwen.' Lebrun zweeg en McVey hoorde dat hij een sigaret opstak en de rook uitblies. Toen vervolgde hij: 'Wil je dat we hem voor verdere ondervraging oppakken?'
Plotseling vond McVey wat hij zocht.
*Zaterdag 1 oktober. 23.11 uur. Twee passagiers opgepikt op Leicester Square. Afgezet bij Connaught Hotel, 23.33 uur.* De chauffeur heette Mike Fisher. Leicester Square, zoals McVey maar al te goed wist, lag in het hart van de theaterwijk en minder dan twee blokken verwijderd van de steeg waarin het hoofd was gevonden.
'Je bedoelt dat hij vrijgelaten is?' McVey haalde zijn voeten van het bureau. Zou Lebrun door puur geluk de onthoofder in handen hebben gekregen en hem toen hebben laten gaan?
'McVey, ik probeer aardig tegen je te zijn. Dus leg niet zo'n ondertoon in je stem. We hadden geen reden om hem vast te houden en tot dusver heeft het slachtoffer zich niet gemeld om een aanklacht in te dienen. Maar we hebben zijn paspoort en we weten waar hij in Parijs logeert. Hij blijft hier tot het eind van de week en dan gaat hij terug naar Los

Angeles.' Lebrun was een aardige vent die gewoon zijn werk deed. Hij beleefde waarschijnlijk weinig plezier aan zijn taak als verbindingsman tussen de Parijse politie en Interpol en werkte vermoedelijk evenmin graag onder de afstandelijk efficiënte commissaris Cadoux die de zaak namens Interpol behandelde. Bovendien was het duidelijk dat hij er ook niet dol op was met een politieman uit de v.s. te moeten samenwerken, en dat hij Engels moest spreken leek hem evenmin te bevallen, maar dat waren nu eenmaal dingen die je als diender had te doen, zoals McVey zelf maar al te goed wist.
'Lebrun,' zei McVey afgemeten, 'fax me zijn politiefoto's en houd je daarna paraat, alsjeblieft...'
Een uur en tien minuten later had de politie Mike Fisher gevonden en de verbijsterde taxichauffeur bij McVey afgeleverd. McVey vroeg hem of hij kon bevestigen dat hij zaterdagavond laat op Leicester Square twee passagiers had opgepikt en hen bij het Connaught Hotel had afgezet.
'Inderdaad, meneer. Een man en een vrouw. Een hitsig stel mag ik wel zeggen. Ze dachten dat ik niet in de gaten had wat ze achterin deden, maar daarin vergisten ze zich.' Fisher grijnsde.
'Is dit de man?' McVey liet hem de foto van Osborn zien.
'Zeker, meneer. Dat is 'm. Geen twijfel aan.'
Drie minuten later rinkelde de telefoon in Lebruns kantoor.
'Wil je dat we hem oppakken?' vroeg Lebrun.
'Nee, doe niets. Ik kom naar jullie toe,' zei McVey.

## 14

Toen zijn Fokker-straalvliegtuig drie uur later op het vliegveld Charles de Gaulle landde, wist McVey waar Paul Osborn woonde, waar hij werkte, wat voor professionele kwalificaties hij had, hoeveel verkeersovertredingen hij had begaan en dat hij in de staat Californië twee keer was gescheiden.
Hij wist ook dat hij door de politie van Beverly Hills opgepakt en later vrijgelaten was nadat hij een portier had aangevallen die op de parkeerplaats van een restaurant de rechtervoorbumper van Osborns nieuwe BMW in de soep had gereden. Het was duidelijk dat Paul Osborn driftig

was. Het was McVey even duidelijk dat de man of de vrouw die hij zocht de hoofden niet in een uitbarsting van woede afsneed. Maar een heethoofd was niet vierentwintig uur per dag woedend. Er was tussen de woedeaanvallen door ruim genoeg tijd om een man te doden, zijn hoofd van zijn romp te scheiden en het overblijfsel in een steeg, langs de weg, drijvend in de oceaan of keurig ingestopt op een divan in een koud eenkamerappartement achter te laten. En Paul Osborn wás een gekwalificeerd chirurg die heel goed in staat moest zijn een hoofd van een lichaam te verwijderen.
De keerzijde van de medaille was dat Paul Osborn volgens de stempels in zijn paspoort ten tijde van de andere moorden noch in Groot-Brittannië noch op het Continent was geweest. Dat zou van alles kunnen betekenen: hij zou onschuldig kunnen zijn; hij zou iemand anders kunnen zijn dan hij beweerde en meer dan één paspoort kunnen hebben en hij zou wél het hoofd in de steeg, maar niet de andere afgesneden kunnen hebben. Als dat laatste het geval was, zou McVeys theorie dat ze met één moordenaar te maken hadden, onjuist zijn.
Dus op dit moment was hij weinig meer dan een vage verdachte die alleen met de laatste misdaad in verband kon worden gebracht doordat hij toevallig op een bepaald tijdstip op een bepaalde plaats was geweest en het juiste beroep had.
Toch was het een kleine vooruitgang, want tot dusver hadden ze geen enkele aanwijzing gehad.

Een ogenblik keek Paul Osborn opzij en toen schoot zijn blik weer naar Jean Packard. Ze zaten op het overdekte terras van La Coupole, een ontmoetingsplaats op de Boulevard du Montparnasse op de linkeroever van de Seine waar het bruiste van leven. Hemingway was hier klant geweest, evenals vele andere literaire figuren. Er kwam een kelner langs en Osborn bestelde twee glazen witte Bordeaux. Jean Packard schudde zijn hoofd en riep de kelner terug. Jean Packard dronk nooit alcohol en hij bestelde in plaats van de wijn een tomatensap.
Osborn keek de man na terwijl deze wegliep en richtte zijn blik toen weer op het beschreven servet dat Jean Packard hem in zijn hand gestopt had. Er stonden een naam en een adres op – Henri Kanarack, Avenue Verdier 175, appartement 6, Montrouge.
De kelner bracht hun drankjes en vertrok. Weer keek Osborn naar het servet, vervolgens vouwde hij het zorgvuldig op en stak het in de zak van zijn colbert.
'U weet het zeker?' zei hij terwijl hij naar de Fransman opkeek.
'Ja,' antwoordde Jean Packard. Hij leunde achterover, sloeg zijn benen

over elkaar en staarde Paul Osborn aan. Packard was hard, heel grondig en heel ervaren en Osborn vroeg zich af wat hij zou zeggen als hij het hem zou voorstellen. Hij was slechts chirurg en zijn eerste poging Kanarack te doden, zij het dan in een opwelling en in blinde woede, was mislukt. Maar Jean Packard was een professional. Dat had hij met zoveel woorden gezegd toen ze elkaar voor het eerst hadden ontmoet. Was er enig verschil tussen een beroepsmoordenaar, zoals een huursoldaat die in een derde-wereldland tegen een politieke of militaire vijand vocht, en een huurmoordenaar in een grote kosmopolitische stad? Wat de glamour die eromheen hing betrof misschien wel, maar hij betwijfelde of er meer verschil was. De daad was immers hetzelfde. En de betaling ook. Je doodde iemand en incasseerde er geld voor. Waar zou het verschil dan in moeten zitten?
'Ik vraag me af...' begon Osborn voorzichtig, 'of u ook wel eens voor uzelf werkt.'
'Hoe bedoelt u dat?'
'Ik bedoel of u soms als freelancer werkt. Of u buiten uw bedrijf om opdrachten aanneemt.'
'Dat zou van de opdracht afhangen.'
'Maar u zou het in overweging nemen?'
'Waarom vraagt u dat speciaal aan mij?'
'Dan weet u dus wat het is...' Osborn voelde dat zijn handpalmen nat van het zweet waren. Hij zette voorzichtig zijn glas neer, pakte het servet waarop het had gestaan en veegde ermee over zijn handpalmen.
'Ik geloof, meneer Osborn, dat u hebt gekregen wat ik u heb beloofd. Het bedrijf zal verder voor de financiële afwikkeling zorgen. Het was me een genoegen u te hebben leren kennen en ik wens u verder veel succes.'
Hij legde een biljet van twintig frank op het tafeltje voor de drankjes en stond op. '*Au revoir*,' zei hij. Toen stapte hij om een jongeman heen die aan het volgende tafeltje zat en liep weg.
Paul Osborn keek hem na terwijl hij naar buiten liep en zag hem daarna langs de grote ramen lopen die op het trottoir uitkeken en hem in de drukte van de vroege avond verdwijnen. Hij streek afwezig met een hand door zijn haar. Hij had net een man gevraagd een andere man voor hem te doden en het deksel op zijn neus gekregen. Waar was hij mee bezig? Wat had hij gedaan? Even wenste hij dat hij nooit naar Parijs was gekomen, dat hij de man van wie hij nu wist dat hij Henri Kanarack heette, nooit had gezien.
Hij sloot zijn ogen en probeerde aan iets anders te denken om alles even uit zijn hoofd te kunnen zetten. Het lukte niet en hij zag het graf van zijn

vader naast dat van zijn moeder. In het volgende beeld dat in hem opkwam, stond hij voor het raam van het kantoor van het schoolhoofd in Hartwick terwijl hij naar zijn tante Dorothy keek die met een oude bontjas om zich heen geslagen in een taxi stapte en in een verblindende sneeuwstorm wegreed. De gruwelijke eenzaamheid was ondraaglijk geweest en was nog steeds ondraaglijk. Het schrijnende verdriet was nu nog even intens als toen.
Hij verdrong de herinneringen en keek op. Overal om hem heen zag hij lachende en drinkende mensen die zich na hun werk en voor het eten ontspanden. Tegenover hem, aan een ander tafeltje, zat een knappe vrouw in een kastanjebruin mantelpakje die haar hand op de knie van een man legde en in zijn ogen keek terwijl ze met elkaar praatten. Een uitbarsting van gelach maakte dat hij zijn hoofd omdraaide en onmiddellijk daarna hoorde hij dat er op het raam vóór hem werd geklopt. Hij keek en zag een jonge vrouw op het trottoir staan die glimlachend naar binnen tuurde. Een ogenblik dacht Osborn dat ze naar hem keek, maar toen sprong een jongeman op die aan het volgende tafeltje zat. Hij wuifde naar haar en rende naar buiten.
Toen hij tien jaar oud was, had een man zijn hart uit zijn lichaam gesneden. Nu wist hij wie deze man was en waar hij woonde. Hij zou niet meer terug kunnen.
Hij zou het moeten doen; voor zijn vader, voor zijn moeder en voor zichzelf.

# 15

SUCCINYLCHOLINE; een uiterst kort werkend, depolariserend, spierontspannend middel. De neuromusculaire transmissie wordt geremd zo lang er een toereikende concentratie succinylcholine in de receptoren aanwezig blijft. De verlamming die op een intramusculaire injectie volgt, kan in duur variëren van vijfenzeventig seconden tot drie minuten, terwijl de algemene spierontspanning binnen een minuut plaatsvindt.
Als een soort synthetische curare heeft succinylcholine geen invloed op het bewustzijn of de pijndrempel. Het werkt als een eenvoudig spier-

ontspannend middel dat het eerst effect heeft op de hefspieren van de oogleden, de kaakspieren, de spieren van de ledematen en de spieren van het ademhalingsapparaat.
Het wordt bij operaties gebruikt om de skeletspieren te ontspannen, waardoor het mogelijk wordt lagere doses van sterkere verdovingsmiddelen toe te dienen.
Een doorlopende infusie van succinylcholine houdt het niveau van verlamming tijdens een operatie constant. Eén enkele injectie van 0.3 tot 1.1 milligram (de dosering varieert per individu) heeft weliswaar hetzelfde effect, maar duurt slechts vier tot zes minuten. Onmiddellijk daarna wordt het middel in het lichaam afgebroken zonder schade aan te richten of pathologische verschijnselen teweeg te brengen, omdat de afbraakprodukten van succinylcholine – butaandizuur en choline – normaal in het lichaam aanwezig zijn.
Een zorgvuldig afgemeten, geïnjecteerde dosis succinylcholine zou dus een tijdelijke verlamming veroorzaken – maar lang genoeg om, laten we zeggen, in de tussentijd een subject te laten verdrinken – en daarna zou het middel in het lichaam verdwijnen zonder sporen na te laten.
En een patholoog-anatoom zou geen andere keus hebben dan de verdrinking aan een ongeluk toe te schrijven, tenzij hij het hele lichaam van de overledene met een vergrootglas zou onderzoeken in de hoop een minuscuul prikwondje te vinden dat door een injectiespuit was veroorzaakt.

Nadat Osborn het verdovend middel in het eerste jaar van zijn klinische opleidingsperiode in de operatiekamer had zien gebruiken en het effect ervan had waargenomen, was hij steeds meer gaan fantaseren over wat hij zou doen als de dag ooit zou komen waarop de moordenaar als door een wonder plotseling voor hem zou staan. Hij had geëxperimenteerd door eerst muizen en later zichzelf te injecteren. Tegen de tijd dat hij zijn eigen praktijk opende, wist hij precies welke dosis succinylcholine hij moest injecteren om een man gedurende zes à zeven minuten te verlammen. En iemand die geen beheersing over zijn skeletspieren en de spieren van zijn ademhalingsapparaat had, zou binnen zes à zeven minuten gemakkelijk in voldoende diep water kunnen verdrinken.
Zijn aanval op Henri Kanarack was dom geweest en geheel voortgekomen uit emotie, uit de schok van herkenning die was versterkt door zijn jarenlang opgekropte woede. Daardoor had hij zich zowel aan Kanarack als aan de politie blootgegeven. Maar nu had hij zijn emoties onder controle. Hij moest erop letten dat ze niet weer zouden oplaaien, zoals zo kort geleden toen hij zo dom was geweest Jean Packard dat voorstel

te doen. Hij had geen idee waarom hij het had gedaan; angst leek de enige reden. Moord was niet gemakkelijk, maar dit zou net zomin moord zijn als wanneer een rechter Kanarack ter dood had veroordeeld, hield hij zichzelf voor. En dat zou zeker zijn gebeurd als de zaken anders waren gelopen. Maar zo was het nu eenmaal niet gegaan en nu Osborn dat kalm en zelfverzekerd accepteerde, besefte hij hoe sterk dit een persoonlijke kwestie tussen hem en Henri Kanarack was geworden en dat nooit iemand anders dan hijzelf daarvoor de verantwoordelijkheid zou kunnen dragen.
Hij wist hoe hij Kanarack kon vinden. En zelfs als Kanarack vermoedde dat hij nog steeds achtervolgd werd, kon hij niet weten dat hij gevonden was. Het plan was hem te verrassen, hem met geweld een steeg of een andere verlaten ruimte binnen te sleuren, hem een injectie met succinylcholine toe te dienen en hem vervolgens in een gereedstaande auto te leggen. Kanarack zou zich uiteraard verzetten en daarmee moest Osborn rekening houden. Het draaide allemaal om de injectie. Nadat hij die had toegediend, zou hij nog zestig seconden op zijn hoede moeten blijven en dan zou Kanarack zich ontspannen. Hooguit drie minuten later zou hij verlamd raken en fysiek hulpeloos zijn.
Als hij het 's nachts en op de juiste manier zou doen, zou Osborn die eerste minuten kunnen gebruiken om Kanarack in de auto te krijgen en hem naar een afgelegen plek te rijden, een meer of, wat nog beter was, een snelstromende rivier. Dan zou hij de verslapte, maar levende Kanarack uit de auto tillen en hem eenvoudigweg in het water laten zakken. Als hij er de tijd voor zou hebben, zou hij zelfs nog wat whisky in zijn keelgat gieten. Op die manier zou zowel de patholoog-anatoom als de politie denken dat de man had gedronken en op de een of andere manier in het water gevallen en verdronken was.
En tegen die tijd zou Paul Osborn al thuis in Los Angeles zijn of in het vliegtuig zitten. En als de politie ooit de stukjes van de legpuzzel in elkaar zou passen en helemaal naar Los Angeles zou komen om er vragen over te stellen, hadden ze toch geen been om op te staan? Zouden ze durven suggereren dat het meer dan toevallig was dat de man die hij in de Parijse brasserie te lijf was gegaan dezelfde man was die een paar dagen later was verdronken?
Dat leek hem heel onwaarschijnlijk.

Osborn wist niet hoe ver hij had gelopen – van de Boulevard du Montparnasse naar de Eiffeltoren, over de Pont d'Iena over de Seine, langs het Palais de Chaillot en naar zijn hotel op de Avenue Kléber – en zelfs niet hoe laat het was en hoe lang hij aan de mahoniehouten bar op de begane grond van zijn hotel in zijn onaangeroerde glas cognac had zitten staren. Een blik op zijn horloge vertelde hem dat het even na elven was. Plotseling voelde hij zich uitgeput. Hij kon zich niet herinneren wanneer hij voor het laatst zo moe was geweest. Hij stond op, tekende de rekening en liep al weg toen hem te binnen schoot dat hij vergeten was de barkeeper te tippen. Hij liep terug en legde een biljet van twintig frank op de bar.

'*Merci beaucoup*,' zei de barkeeper.

'*Bonsoir*.' Osborn knikte, glimlachte flauwtjes en vertrok.

Op dat moment stak een andere klant zijn vinger in de lucht ten teken dat hij iets wilde bestellen en de barkeeper liep achter de bar naar hem toe. De man had zwijgend aan de bar gezeten terwijl hij nu en dan in zijn bijna lege glas staarde. Het was zijn derde drankje in de anderhalf uur dat hij binnen was. Het was een onopvallende, eenzame man met grijzend haar; hij was zo iemand van het type dat over de hele wereld onopgemerkt in hotelbars zit en hoopt op een beetje actie dat bijna nooit komt.

'*Oui, monsieur*.'

'Hetzelfde,' zei McVey.

# 16

'Vertel jij míj maar waarom.' Henri Kanarack was dronken. Maar het was niet het soort dronkenschap waardoor iemands verstand niet meer werkt en zijn tong dubbelslaat. Hij kon nog steeds helder denken en duidelijk spreken. Hij was dronken omdat hij dronken moest zijn; hij wist niet wat hij anders zou moeten doen.

Het was halftwaalf in de avond en ze waren in Agnes Demblons kleine flat in Porte d'Orléans die nauwelijks tien minuten rijden van zijn eigen appartement in Montrouge lag.

Hij liep rusteloos heen en weer en ging steeds even zitten. Eerder op de avond had hij Michèle gebeld en haar verteld dat monsieur Lebec, de eigenaar van de bakkerij, hem had gevraagd of hij met hem meeging naar Rouen om een pand te bekijken waarin hij een tweede bakkerij wilde openen. Hij zou hooguit twee dagen wegblijven. Michèle was op-

getogen. Betekende dit dat Henri promotie zou maken? Dat Henri de leiding over de zaak zou krijgen als meneer Lebec een bakkerij in Rouen zou openen? Dat ze daarheen zouden verhuizen? Het zou heerlijk zijn als ze hun kind ergens zouden kunnen grootbrengen waar het niet zo krankzinnig druk was als in Parijs.
'Ik weet het niet,' had hij nors gezegd. Hem was gevraagd mee te gaan en dat was alles wat hij wist. Daarna had hij opgehangen. Nu staarde hij Agnes Demblon aan en wachtte tot ze hem zou antwoorden.
'Wat wil je dat ik tegen je zeg?' vroeg ze. 'Dat de Amerikaan je inderdaad heeft herkend en een privé-detective heeft gehuurd om je op te sporen? En dat we kunnen aannemen dat hij je heeft gevonden of dat spoedig zal doen, omdat hij in de winkel is geweest en omdat dat domme meisje hem de namen van de werknemers heeft gegeven? En dat we ook kunnen aannemen dat hij dat aan de Amerikaan heeft doorgegeven? Goed, veronderstel dat dat allemaal waar is. Wat doen we dan nu?'
Henri Kanaracks ogen glinsterden en hij schudde zijn hoofd terwijl hij naar de andere kant van de kamer liep om zijn glas te vullen. 'Wat ik niet begrijp, is hoe de Amerikaan me heeft kunnen herkennen. Hij moet een jaar of twaalf jonger zijn dan ik, misschien nog meer. Ik ben al vijfentwintig jaar weg uit de Verenigde Staten. Vijftien jaar in Canada en tien hier.'
'Misschien is het een vergissing, Henri. Misschien ziet hij je voor iemand anders aan.'
'Het is geen vergissing.'
'Hoe weet je dat?'
Kanarack nam een slok en wendde zijn blik af.
'Henri, je bent Frans staatsburger. Je hebt hier niets misdaan. De wet staat nu voor het eerst in je leven eens aan jouw kant.'
'De wet heeft niets te betekenen als ze me gevonden hebben. Als zij het zijn, ben ik er geweest, dat weet je.'
'Het is onmogelijk. Albert Merriman is dood. Jij niet. Hoe zou iemand na zoveel jaar het verband kunnen leggen? En zeker niet iemand die niet ouder dan tien, twaalf jaar was toen je uit Amerika wegging.'
'Waarom zit hij dan in vredesnaam achter me aan?' Kanaracks blik boorde zich in de hare. Het was moeilijk te zeggen of hij kwaad of bang was, of allebei.
'Ze hebben foto's van me uit die tijd. De politie heeft ze en zij hebben ze. En zoveel ben ik niet veranderd. En zowel de politie als zij kunnen die kerel hierheen hebben gestuurd om me op te sporen.'
'Henri...' zei Agnes kalm. Hij moest logisch nadenken en dat deed hij niet. 'Waarom zouden ze iemand zoeken die dood is? En zelfs als ze dat

zouden doen, waarom zouden ze dan hier zoeken? Denk je dat ze die man naar iedere grote stad in de wereld sturen in de hoop dat hij je toevallig op straat tegen het lijf zal lopen?' Agnes glimlachte.
'Je maakt van een mug een olifant. Kom eens hier bij me zitten,' zei ze vriendelijk glimlachend en ze klopte naast haar op de versleten bank. De manier waarop ze naar hem keek en de klank van haar stem herinnerden hem aan vroeger, toen ze nog niet zo onaantrekkelijk was als nu. Aan de tijd voordat ze zich opzettelijk was gaan verwaarlozen opdat hij zich niet langer tot haar aangetrokken zou voelen. Aan de tijd voordat ze weigerde met hem te slapen, zodat hij haar na een tijdje niet meer zou willen. Het was belangrijk dat hij volledig verdween, dat hij zich de Franse cultuur eigen zou maken en helemaal Frans zou worden. Daarom moest hij een Franse vrouw nemen en om dat mogelijk te maken was het nodig dat Agnes uit zijn leven verdween. Ze was er nog één keer in teruggekeerd toen hij geen werk had kunnen vinden en ze had meneer Lebec er toen van overtuigd dat hij in de bakkerij nog wel iemand kon gebruiken. Daarna was hun relatie, net als nu, volkomen platonisch geweest, in ieder geval van zijn kant.
Want voor Agnes ging er geen dag voorbij dat haar hart niet brak als ze hem zag. En ieder uur en iedere seconde verlangde ze ernaar hem in haar armen te nemen en met hem naar bed te gaan. Vanaf het begin had ze alles voor hem gedaan. Ze had hem geholpen zijn eigen dood in scène te zetten, zich voor zijn vrouw uitgegeven toen ze de grens met Canada overstaken, een vals paspoort voor hem geregeld en hem er ten slotte van overtuigd dat hij uit Montreal naar Frankrijk moest vertrekken, waar ze familie had en waar hij voorgoed kon verdwijnen. Ze had dat allemaal gedaan en was zelfs zo ver gegaan dat ze hem voor een andere vrouw had opgegeven. En om geen andere reden dan dat ze zoveel van hem hield.
'Agnes, luister naar me.' Hij kwam niet naast haar zitten, maar ging in plaats daarvan midden in de kamer staan en staarde haar, nu zonder glas in zijn hand, aan. Het was volkomen stil in de kamer. Er waren buiten geen verkeersgeluiden te horen en de mensen in het appartement beneden maakten geen ruzie. Misschien had het echtpaar dat daar woonde een avond vrijaf genomen van hun luidruchtige en constante gekibbel en waren ze naar de bioscoop gegaan. Of misschien lagen ze al in bed. Toen viel haar blik plotseling op haar nagels en ze zag dat ze lang waren en vuile randen hadden. Ze had ze al dagen geleden moeten knippen.
'Agnes,' zei hij weer. Deze keer sprak hij bijna op een fluistertoon.
'Wat we niet weten, moeten we uitzoeken,' zei hij. 'Begrijp je dat?'
Ze bleef lang naar haar nagels kijken en tilde ten slotte haar hoofd op.

Zijn angst, boosheid en woede waren verdwenen, zoals ze had verwacht en er was een ijskoude zelfbeheersing voor in de plaats gekomen.
'We moeten het uitzoeken.'
'*Je comprends*,' mompelde ze en keek weer naar haar nagels. '*Je comprends*.' Ik begrijp het.

# 17

*8.00 uur*

Vandaag was het donderdag 4 oktober. De ochtendhemel was, zoals voorspeld, bewolkt en er viel een lichte, koude regen. Osborn bestelde een kop koffie bij de bar, liep ermee naar een tafeltje en ging zitten. Het café zat vol mensen die op weg naar hun werk een paar minuutjes stalen voordat ze met hun dagelijkse routine verdergingen. Ze nipten aan hun koffie, speelden met een croissant, rookten een sigaret en keken de ochtendkrant in. Een tafeltje verderop zaten twee zakenvrouwen in rap Frans met elkaar te praten. Naast hen leunde een man in een donker kostuum en met een dikke bos nog donkerder haar op een elleboog en bestudeerde *Le Monde*.
Osborn had geboekt voor vlucht 003 van Air France die op zaterdag 8 oktober om 17.00 uur vanaf het vliegveld Charles de Gaulle zou vertrekken en zonder een tussenlanding te hebben gemaakt om halfacht lokale tijd in Los Angeles zou arriveren. Met het oog op zijn verdere plannen leek het hem nu het beste contact op te nemen met inspecteur Barras op het hoofdbureau van politie, hem op de hoogte te stellen van zijn reservering en vertrektijd en hem beleefd te vragen wanneer hij zijn paspoort kon komen ophalen. Als dat eenmaal achter de rug was, zou hij met de rest kunnen verdergaan.
Het was belangrijk dat hij Kanarack in de loop van vrijdagnacht doodde. Hij had de bescherming van het duister niet alleen nodig voor de daad zelf, maar ook om te voorkomen dat Kanaracks lichaam te vroeg en te dicht bij Parijs ontdekt zou worden. Na wat eenvoudige research had hij definitief zijn keuze op de Seine laten vallen, de rivier waaraan hij ook in eerste instantie had gedacht. Ze stroomde door Pa-

rijs en kronkelde zich vervolgens zo'n honderdtachtig kilometer in noordwestelijke richting door het Franse platteland voordat ze bij Le Havre in de Baai van de Seine en het Engelse Kanaal uitmondde. Als hij Kanarack vrijdagavond na het vallen van de duisternis ergens ten westen van de stad in het water zou kunnen dumpen, zou het lijk op zijn vroegst zaterdagmorgen bij zonsopgang gevonden worden, mits zich geen onvoorziene complicaties voordeden. Tegen die tijd zou het, met een flinke stroming, vijfenveertig tot zestig kilometer stroomafwaarts zijn gedreven en met een beetje geluk misschien nog verder. Het zou dagen duren voordat de autoriteiten de identiteit van het opgezwollen lijk zouden kunnen vaststellen.

Om zich in te dekken had Osborn een alibi nodig waarmee hij zou kunnen bewijzen dat hij ten tijde van de moord ergens anders was geweest. Een bioscoop, dacht hij, zou het gemakkelijkst zijn. Hij zou een kaartje kunnen kopen en vervolgens met een goede reden zoveel stennis maken tegen degene die het kaartje afscheurde dat die persoon zich later, als het hem eventueel werd gevraagd, zou herinneren dat Osborn in de bioscoop was geweest. Zijn bewijs zou het afgescheurde kaartje met de tijd en de datum van de voorstelling zijn. Als hij eenmaal in de donkere zaal zou zitten, zou hij wachten tot de film begon en dan via een zijuitgang naar buiten glippen.

Hoe hij alles timede, zou van Kanaracks dagelijkse routine afhangen. Door de bakkerij op te bellen, was hij te weten gekomen dat de zaak vanaf zeven uur 's ochtends tot zeven uur 's avonds geopend was en dat de laatste versgebakken spullen tot ongeveer vier uur verkocht werden. Hij had Kanarack om ongeveer zes uur in de brasserie in de rue St.-Antoine gezien. Het was minstens twintig minuten lopen van de bakkerij naar de brasserie en aangezien Kanarack de brasserie, nadat Osborn hem had aangevallen, te voet had verlaten, was het redelijk om aan te nemen, zoals Jean Packard ook had gedaan, dat hij geen auto had of hem niet gebruikte om naar zijn werk te gaan. Als de laatste gebakken broden om vier uur werden verkocht en Kanarack om zes uur in de brasserie was geweest, was het ook redelijk aan te nemen dat hij ergens tussen halfvijf en halfzes met zijn werk ophield. Hoewel het nog vroeg in oktober was, werden de dagen al kort. Een blik in de krant leerde hem dat het de komende paar dagen zou blijven regenen. Dat betekende dat het nog eerder donker zou worden en om halfzes zou het zeker donker zijn.

Osborn moest nu eerst een auto huren en ten westen van Parijs een afgelegen gebied langs de Seine zoeken waar hij Kanarack in het water kon laten zakken zonder gezien te worden. Daarna zou hij heen en terug

rijden naar de bakkerij om er zeker van te zijn dat hij de weg zou weten. Ten slotte zou hij naar de bakkerij teruggaan en aan de overkant van de straat parkeren. Hij zou ervoor zorgen dat hij er niet later dan halfvijf was. Dan zou hij wachten tot Kanarack naar buiten kwam en kijken welke kant hij uitging.
De eerste keer dat hij Kanarack had gezien was deze alleen geweest, dus hopelijk had hij niet de gewoonte in het gezelschap van collega's uit de bakkerij weg te gaan. Als hij dat vrijdag om de een of andere reden wél zou doen, was Osborns reserveplan om hem in de auto te volgen tot degene die bij hem was een andere weg zou inslaan en hem daarna op het geschiktste punt op de route te pakken te nemen. Als Kanarack met iemand samen helemaal naar de metro zou lopen, zou Osborn gewoon naar zijn huis rijden en hem daar opwachten. Dat was iets wat hij alleen wilde doen als het absoluut noodzakelijk was, omdat de kans te groot was dat Kanarack mensen zou tegenkomen die hij gewoonlijk groette als hij thuiskwam. Maar als hij geen andere keus had, zou hij het doen. Hij wilde dolgraag dat hij meer dan één avond had om te repeteren, maar die had hij nu eenmaal niet, dus hij zou er, wat er ook gebeurde, het beste van moeten maken.

'Hallo.'
Osborn keek geschrokken op. Hij was zo diep in gedachten verzonken geweest dat hij Vera niet had zien binnenkomen. Hij stond snel op, liep om de tafel heen en schoof een stoel voor haar bij. Ze ging zitten en toen hij terugliep naar zijn eigen plaats zag hij de klok achter de tapkast. Het was vijf voor halfnegen. Toen hij rondkeek, realiseerde hij zich dat het café bijna helemaal leeggelopen was sinds hij was binnengekomen.
'Wat wil je drinken?'
'Een espresso graag.'
Hij stond op, liep naar de tap, bestelde een espresso en bleef wachten terwijl de bediende zich naar het apparaat omdraaide. Hij keerde zich om naar Vera, maar keek langs haar heen en wendde toen zijn blik af. Hij had haar gevraagd hem hier te ontmoeten als ze met haar dienst in het ziekenhuis klaar was, omdat ze hem moest helpen de succinylcholine in handen te krijgen.
Hij had die ochtend al twee keer geprobeerd het middel op zijn eigen recept bij plaatselijke apotheken te krijgen, maar beide keren was hem verteld dat het alleen verkrijgbaar was bij ziekenhuisapotheken en dan alleen nog met toestemming van een plaatselijke arts. Een telefoontje naar de dichtstbijzijnde ziekenhuisapotheek bevestigde dat. Ja, ze hadden succinylcholine. En hij zou inderdaad toestemming van een Parijse

arts nodig hebben.
Osborns eerste gedachte was een beroep op de hotelarts te doen, maar succinylcholine was niet zomaar een alledaags recept. Er zouden vragen worden gesteld en het zou pijnlijk kunnen worden. Een nerveuze arts zou zelfs de politie kunnen bellen om het te melden. Door de tijdsdruk en omdat hij geen andere oplossing wist, begon hij aarzelend aan Vera te denken.
Hij belde direct de apotheek van het Centre Hospitalier Ste.-Anne waar ze werkte. Ja, ze hadden succinylcholine, maar hij moest het fiat van een plaatselijke arts hebben om het te krijgen. Als hij het goed speelde, dacht hij, zou het misschien voldoende zijn als Vera in de apotheek mondeling haar fiat gaf. Hij wilde niet een arts die ze kende erbij betrekken omdat die dan zou willen weten waarom hij het middel wilde hebben. Hij had voor Vera een verhaal klaar, maar het zou riskant en ingewikkeld zijn het iemand anders te laten geloven.
Nadat hij het allemaal nog een keer had overdacht, had hij haar na enige aarzeling in het ziekenhuis opgebeld en haar gevraagd of ze in een café in de buurt koffie met hem wilde drinken als ze met haar werk klaar was. Hij hoorde hoe ze even zweeg en hij was één ogenblik bang dat ze een excuus zou verzinnen en hem zou vertellen dat ze hem niet kon ontmoeten, maar toch stemde ze in. Ze was om zeven uur klaar met haar dienst, maar ze had daarna een vergadering die pas even na achten afgelopen zou zijn. Ze zou hem daarna treffen.
Osborn keek naar haar terwijl hij met de espresso terugliep naar de tafel. Na zonder slaap een dienst van zesendertig uur te hebben gedraaid, gevolgd door een vergadering van een uur, zag ze er nog steeds elegant en stralend uit, zelfs mooi. Hij moest wel naar haar kijken terwijl hij ging zitten en toen ze het merkte, glimlachte ze liefdevol tegen hem. Ze had iets wat hem in andere sferen bracht, wat hij ook dacht of waarmee hij ook bezig was. Hij wilde bij haar zijn, haar helemaal bezitten en zich door haar helemaal laten bezitten, voor altijd. Niets wat ze ooit zouden kunnen doen, hoorde belangrijker te zijn. Het probleem was dat hij eerst met Henri Kanarack moest afrekenen.
Hij leunde naar voren en wilde haar hand pakken. Bijna onmiddellijk trok ze hem terug en liet hem in haar schoot glijden.
'Niet doen,' zei ze terwijl ze snel het café rondkeek.
'Waar ben je bang voor? Dat iemand ons zal zien?'
'Ja.'
Vera wendde haar blik af, pakte haar kopje en nam een slokje koffie. 'Je bent naar me toe gekomen, weet je nog wel? Om afscheid te nemen...' zei Osborn. 'Weet hij daarvan?'

Vera zette abrupt haar kopje neer en stond op om te vertrekken.
'Het spijt me,' zei hij. 'Dat had ik niet moeten zeggen. Laten we hier weggaan en een eindje wandelen.'
Ze aarzelde.
'Vera, je praat met een vriend, een chirurg die je in Genève hebt ontmoet en die je heeft gevraagd een kopje koffie met hem te drinken. Hij is teruggegaan naar de v.s. en dat was alles. Gewoon twee medici die over hun werk praten. Een goed verhaal met een goed einde. Waar of niet?'
Osborn hield zijn hoofd schuin en de aderen in zijn nek waren gezwollen. Ze had hem nog nooit kwaad gezien. Ze wist niet waarom, maar het deed haar genoegen en ze glimlachte. 'Goed dan,' zei ze bijna meisjesachtig.
Buiten stak Osborn een paraplu op tegen de lichte motregen. Ze ontweken een rode Peugeot toen ze overstaken en liepen door de rue de la Santé in de richting van het ziekenhuis.
Onderweg passeerden ze een witte Ford die langs het trottoir geparkeerd stond. Inspecteur Lebrun zat achter het stuur en McVey zat naast hem.
'Je kent het meisje zeker niet,' zei McVey terwijl hij Osborn en Vera nakeek. Lebrun draaide het contactsleuteltje om en reed langzaam achter hen aan.
'Je vraagt niet of ik haar ken, maar of ik weet wie ze is... klopt dat? Franse en Engelse uitdrukkingen betekenen niet altijd hetzelfde.'
McVey kon zich niet voorstellen dat iemand kon praten terwijl er een sigaret in zijn mondhoek bungelde. Hij had in zijn leven twee maanden gerookt, nadat zijn eerste vrouw was overleden. Hij was gaan roken om van het drinken af te komen. Het was niet echt een oplossing geweest, maar het hielp wel. Toen het niet meer hielp, was hij gestopt.
'Jouw Engels is beter dan mijn Frans. Inderdaad, ik vraag je of je weet wie ze is...'
Lebrun glimlachte en pakte zijn mobilofoon. 'Het antwoord, mijn vriend, is... nog niet.'

# 18

De bomen langs de Boulevard Saint Jacques begonnen geel te worden en maakten zich gereed hun bladeren voor de winter te laten vallen. Sommige waren al gevallen, waardoor de straat glibberig was. Toen ze overstaken, pakte Osborn Vera's arm vast om haar in evenwicht te houden. Ze glimlachte om het gebaar, maar toen ze aan de overkant waren gekomen, vroeg ze of hij haar wilde loslaten.
Osborn keek om zich heen. 'Maak je je zorgen om die vrouw achter de kinderwagen of om die oude man die zijn hond uitlaat?'
'Om allebei. Om geen van beiden,' zei ze effen. Ze deed opzettelijk afstandelijk, maar wist niet precies waarom. Misschien was ze wel bang om gezien te worden. Misschien wilde ze helemaal niet bij hem zijn, of misschien wilde ze juist helemaal bij hem zijn, maar vond ze dat hij dat besluit voor haar moest nemen.
Plotseling stond hij stil. 'Je maakt het niet gemakkelijk.'
Vera voelde dat haar hart oversloeg. Toen ze zich naar hem toewendde, keken ze elkaar recht aan en bleven elkaar aankijken, net als die eerste avond in Genève, net als in Londen toen hij haar op de trein naar Dover had gezet en net als in zijn hotelkamer op de Avenue Kléber toen hij de deur had geopend en met slechts een handdoek om zijn middel voor haar stond. 'Wat maak ik niet gemakkelijk?'
Toen verraste hij haar.
'Ik heb je hulp nodig en ik kan maar moeilijk bedenken hoe ik je erom moet vragen.'
Ze begreep niet wat hij bedoelde en zei dat ook.
Onder de paraplu die hij boven hun hoofd hield, was het licht zacht en gedempt. Hij zag net het bovenste deel van haar witte doktersjas boven de blauwe anorak die ze droeg, uitkomen. Daardoor zag ze er eerder uit als een lid van een reddingsteam in de bergen dan als een arts in opleiding. Kleine gouden oorringen waren als regendruppeltjes vastgeklemd aan haar oorlellen waardoor de smalheid van haar gezicht werd geaccentueerd en haar ogen in enorme smaragden poelen veranderden.
'Het is eigenlijk stom. En ik weet niet eens of het illegaal is. Iedereen doet alleen of dat wel zo is.'
'Wat?' Waar had hij het over? Hij bracht haar van haar stuk. Wat had dit met hen te maken?
'Ik heb een recept uitgeschreven voor een verdovend middel, maar ik heb te horen gekregen dat het alleen in ziekenhuisapotheken te krijgen

is en dat ik het fiat van een plaatselijke arts nodig heb. Ik ken hier geen artsen en...'
'Wat voor middel?' De bezorgdheid stond op haar gezicht te lezen. 'Ben je ziek?'
'Nee,' zei Osborn glimlachend.
'Wat dan?'
'Ik... ik heb je al gezegd dat het stom was,' zei hij onzeker, alsof hij in verlegenheid was gebracht. 'Ik moet een lezing houden als ik terug ben. Diréct nadat ik ben aangekomen. Om een reden die Vera heet, heb ik een extra week vrij genomen terwijl ik al aan het werk had moeten zijn...'
'Zeg nu toch eens wat je bedoelt.' Vera grijnsde en ontspande zich. Alles wat ze samen hadden gedaan was warm, romantisch en intens persoonlijk geweest. Toen ze in Londen griep hadden gehad, hadden ze zelfs hun schaamte moeten overwinnen om elkaar met hun lichamelijke functies te helpen. Behalve bij de eerste, aftastende gesprekken in Genève hadden ze nauwelijks over hun beroepsleven gepraat en nu wilde hij haar een alledaagse vraag stellen die juist daarop betrekking had.
'Ik moet de dag nadat ik in L.A. ben teruggekomen een lezing houden voor een groep anesthesisten. Oorspronkelijk zou ik op de derde dag spreken, maar dat hebben ze veranderd en nu ben ik de eerste. De lezing gaat over het voorbereiden van de verdoving voor de operatie en in het bijzonder over de dosering van succinylcholine en de effectiviteit daarvan in noodsituaties in het veld. Het grootste deel van mijn experimenten heb ik in het laboratorium gedaan. Als ik eenmaal terug ben, zal ik geen tijd meer hebben, maar hier heb ik nog twee dagen. En als ik hier in Parijs succinylcholine wil krijgen, moet ik eerst aan een Franse arts vragen of hij zijn handtekening wil zetten. En zoals ik al zei, ken ik hier geen andere artsen.'
'Ga je jezelf het middel toedienen?' Vera was stomverbaasd. Ze had over andere artsen gehoord die dat af en toe deden en ze had het tijdens haar studie bijna zelf geprobeerd, maar op het laatste moment was ze ervoor teruggeschrokken en had in plaats daarvan een gepubliceerd onderzoek herhaald.
'Ik heb diverse experimenten gedaan sinds mijn studie.' Er gleed een brede grijns over Osborns gezicht. 'Daarom ben ik een beetje vreemd.' Hij stak plotseling zijn tong uit, liet zijn ogen uitpuilen en draaide een oor onder zijn duim omhoog.
Vera lachte. Dit was een kant van hem die ze nog niet kende, een neiging de clown uit te hangen waarvan ze het bestaan niet had vermoed. Even snel liet hij zijn oor weer los en werd weer ernstig. 'Vera, ik heb de

succinylcholine nodig en ik weet niet hoe ik eraan kan komen. Wil je me helpen?'
Hij was bloedserieus. Dit was iets wat met zijn leven en wie hij was te maken had. Plotseling realiseerde Vera zich hoe weinig ze over hem wist en tegelijkertijd hoeveel ze over hem wílde weten. Hoe hij over dingen dacht en waarin hij geloofde. Wat hij prettig en onprettig vond. Waarvan hij hield, waarvoor hij bang was en waarop hij afgunstig was. Welke geheimen hij nooit aan haar of aan iemand anders had verteld. Hoe het kwam dat zijn twee huwelijken waren stukgelopen.
Was het Pauls schuld geweest, of die van de vrouwen? Of koos hij gewoon de verkeerde uit? Of was het iets anders, was er iets in hem wat maakte dat hij een relatie verziekte tot er niets meer van over was? Vanaf het begin had ze aangevoeld dat hij ergens door werd gekweld, maar ze wist niet wat het was. Het was niet iets waarop ze de vinger kon leggen of wat ze kon begrijpen. Het zat dieper en hij hield het voor het grootste gedeelte verborgen. Maar toch was het er. En nu, zoals hij daar onder haar paraplu in de regen stond en haar vroeg hem te helpen, zag ze dat hij er sterker door werd beheerst dan op welk ander moment ook in de korte tijd dat ze hem kende. Plotseling werd ze overweldigd door het verlangen hem te leren kennen, te troosten en te begrijpen. Het was veel meer een gevoel dan een bewuste gedachte. Ze wist dat het ook gevaarlijk was, want daardoor werd ze ergens naar toe getrokken waar ze niet gevraagd was te komen, naar een plaats waarvan ze zeker wist dat er nooit iemand was uitgenodigd.
'Vera.' Plotseling besefte ze dat ze nog steeds op de straathoek stonden en dat hij tegen haar praatte. 'Ik vroeg of je me wilde helpen.'
Ze keek hem aan en glimlachte. 'Ja,' zei ze. 'Ik zal het proberen.'

# 19

Osborn stond vlak bij de toonbank van de apotheek van het ziekenhuis en probeerde kaarten waarop in het Frans beterschap werd gewenst, te lezen terwijl Vera met zijn recept naar de apotheker liep die achterin stond. Osborn keek één keer op en zag de apotheker tegen Vera praten en met beide handen gebaren terwijl ze met een hand op haar heup

wachtte tot hij uitgesproken was. Osborn wendde zich af. Misschien was het verkeerd haar erbij te betrekken. Als hij ooit gepakt zou worden en de waarheid aan het licht zou komen, zou ze als medeplichtige veroordeeld kunnen worden. Hij moest tegen haar zeggen dat ze het maar beter kon vergeten en een andere manier zoeken om met Henri Kanarack af te rekenen. Hij stopte onhandig de kaart die hij aan het lezen was terug in het rek en wilde naar haar toe lopen toen hij haar op hem zag afkomen.
'Gemakkelijker dan condooms kopen en nog minder gênant ook,' zei ze met een knipoog en ze liep langs hem.
Twee minuten later waren ze buiten en liepen over de Boulevard Saint Jacques. De succinylcholine en een pakje injectiespuiten zaten in de zak van Osborns sportjasje.
'Dank je,' zei hij zacht terwijl hij de paraplu opstak en boven hen beiden omhooghield. Toen begon het harder te regenen en Osborn stelde voor een taxi te nemen.
'Vind je het goed als we gewoon gaan lopen?' vroeg Vera.
'Als jij er geen bezwaar tegen hebt, heb ik dat ook niet.'
Hij pakte haar arm vast en ze staken de straat over terwijl het licht nog op rood stond. Toen ze aan de overkant waren gekomen, liet Osborn haar arm doelbewust los. Vera grijnsde breed en de volgende vijftien minuten liepen ze zonder iets te zeggen door.
Osborns gedachten keerden zich naar binnen. In zekere zin was hij opgelucht. Hij had de succinylcholine gemakkelijker gekregen dan hij had gedacht. Maar dat hij tegen haar had gelogen en haar had gebruikt, zat hem veel meer dwars dan hij had verwacht. Vera was de laatste persoon op de wereld die hij welbewust zou gebruiken of tegen wie hij niet de volle waarheid zou vertellen. Maar het was gebeurd en hij had gekregen wat hij wilde hebben. Bovendien had hij eigenlijk geen keus gehad.
Het was vandaag niet zomaar een dag en hij was nu niet direct met iets alledaags bezig. Er waren duistere dingen uit het verleden werkzaam. Tragische dingen waarvan alleen hij en Kanarack wisten en waarover alleen Kanarack hem duidelijkheid zou kunnen verschaffen. Hij maakte zich er weer zorgen over dat Vera erbij betrokken zou kunnen raken en misschien van medeplichtigheid zou worden beschuldigd als de zaak fout liep. Omdat ze niet van zijn plannen op de hoogte was geweest, zou ze dan hoogstwaarschijnlijk niet de gevangenis in gaan, maar haar carrière en alles waarvoor ze had gewerkt, zouden erdoor geruïneerd kunnen worden. Hij had daar eerder aan moeten denken, maar dat had hij niet gedaan en nu was het al gebeurd. Hij moest nu nadenken over hoe hij het verder zou aanpakken. Hij moest ervoor zorgen dat er

niets verkeerd zou gaan, zodat zowel hijzelf als Vera veilig zou zijn. Plotseling pakte ze zijn hand vast en draaide hem met zijn gezicht naar haar toe. Toen realiseerde hij zich dat ze niet langer op de Boulevard Saint Jacques waren, maar in de Jardin des Plantes, de geometrisch aangelegde tuinen van het Nationale Museum voor Natuurlijke Historie, en dat ze bijna de Seine hadden bereikt.

'Wat is er?' vroeg hij verbaasd.

Vera zag hoe zijn blik de hare zocht en ze wist dat ze hem uit een droom had gewekt.

'Ik wil dat je meegaat naar mijn appartement,' zei ze.

'Wat?' Hij was duidelijk stomverbaasd. Voetgangers haastten zich aan weerskanten langs hen heen en tuinlieden waren ondanks de regen hun werk voor die dag aan het voorbereiden.

'Ik zei dat ik wil dat je meegaat naar mijn appartement.'

'Waarom?'

'Ik wil je een bad geven.'

'Een bad?'

'Ja.'

Er gleed een brede, jongensachtige grijns over zijn gezicht.

'Eerst wilde je niet met me gezien worden en nu wil je me meenemen naar je appartement?'

'Wat is daar verkeerd aan?'

Osborn zag haar blozen. 'Weet je wel wat je doet?'

'Ja, ik wil je graag een bad geven en in dat ding in je hotel dat ze een badkuip noemen, kun je nauwelijks een hondje wassen.'

'En hoe zit het dan met je "Fransoos?"'

'Noem hem niet zo.'

'Als je me vertelt hoe hij heet, zal ik het niet meer doen.'

Vera zweeg even. Toen zei ze: 'Ik trek me niets van hem aan.'

'Nee?' Osborn dacht dat ze hem plaagde.

'Nee.'

Osborn keek haar aandachtig aan. 'Je meent het.'

Ze knikte vastbesloten.

'Sinds wanneer is dat?'

'Sinds... ik weet het niet. Sinds ik het heb besloten, dat is alles.' Ze wilde zich er niet in verdiepen en haar stem stierf weg.

Osborn wist niet wat hij ervan moest denken. Maandag had ze nog gezegd dat ze hem nooit meer wilde zien. Ze had een minnaar, een belangrijk man in Frankrijk. Vandaag was het donderdag. Vandaag was híj ineens de man voor haar en lag de minnaar eruit. Gaf ze echt genoeg om hem voor zo'n ommezwaai? Of had dat verhaal over haar minnaar al-

leen gediend om van hem af te komen, als een handige manier om een korte affaire te beëindigen?
Het briesje vanaf de rivier blies in haar haar en ze duwde een lok achter haar oor. Ja, ze wist welk risico ze liep en het kon haar niets schelen. Ze wist alleen dat ze nu met Paul Osborn de liefde wilde bedrijven, in haar eigen appartement en in haar eigen bed. Ze wilde zo lang mogelijk helemaal bij hem zijn. Haar volgende dienst begon pas over achtenveertig uur. François, Osborns 'Fransoos', was in New York en had haar al een paar dagen niet gebeld. Wat haar betrof was ze vrij om te doen en laten wat ze wilde.'Ik ben moe. Ga je nu mee of niet?'
'Weet je het zeker?'
'Heel zeker,' zei ze. Het was vijf voor tien in de ochtend.

# 20

Ze werd gewekt door de telefoon. Eén ogenblik wist ze niet waar ze was. Door de deuren naar de patio die gedeeltelijk openstonden, viel een scherp licht naar binnen. Boven de Seine had de late namiddagzon het opgegeven door het weerbarstige wolkendek heen te breken en was erachter verdwenen. Nog half slapend kwam Vera op één elleboog overeind en keek om zich heen. Het beddegoed lag overal verspreid. Haar nylons en ondergoed lagen half onder het bed op de vloer. Toen kwam ze bij haar positieven en ze realiseerde zich dat ze in haar eigen slaapkamer was en dat de telefoon rinkelde. Ze bedekte zich met een deel van het laken, alsof degene aan de andere kant van de lijn haar zou kunnen zien, en griste de hoorn van de haak.
'*Oui*?'
'Vera Monneray?'
Het was een mannenstem. Een stem die ze nog nooit had gehoord.
'*Oui*?' zei ze weer, nu op verbaasde toon. Ze hoorde een duidelijke klik en de verbinding werd verbroken.
Ze hing op en keek om zich heen. 'Paul?' riep ze. 'Paul?'
Haar stem klonk nu bezorgd. Er kwam nog steeds geen antwoord en ze besefte dat hij weg was. Ze stapte uit bed en zag de weerspiegeling van haar naakte lichaam in de antieke spiegel boven haar kaptafel. Rechts

van haar was de open deur van de badkamer. Gebruikte badhanddoeken lagen op de wasbak en op de vloer naast de bidet. Het douchegordijn was naar beneden gekomen en lag half over de badkuip. Aan de andere kant ervan stond een van haar schoenen keurig op het gesloten deksel van het toilet. Iemand die hier zou binnenkomen, moest onvermijdelijk de conclusie trekken dat in deze twee kamers, en God mocht weten waar nog meer in het appartement, langdurig en heftig de liefde was bedreven. Zo iets als de afgelopen paar uur had ze nog nooit in haar leven meegemaakt. Haar hele lichaam deed pijn en de plaatsen die geen pijn deden, waren ruw en geïrriteerd. Ze had het gevoel alsof ze verstrengeld was geweest met een beest en dat daardoor een primitieve razernij was teweeggebracht die met iedere seconde en met iedere stoot sterker was geworden en zich had ontwikkeld tot een gigantische vuurstorm van fysieke en emotionele begeerte waaraan slechts door totale uitputting viel te ontsnappen.
Toen ze zich afwendde, zag ze zichzelf weer in de spiegel en ze liep ernaar toe. Ze wist niet waar het 'm in zat, maar op de een of andere manier zag ze er anders uit. Haar slanke figuur en haar kleine borsten waren onveranderd. Haar haar, al zat het dan volkomen in de war, was nog hetzelfde. Het was iets anders. Er was iets verdwenen en er was iets anders voor in de plaats gekomen.
Plotseling ging de telefoon weer. Geïrriteerd doordat ze werd gestoord, keek ze ernaar. Hij bleef rinkelen en ten slotte nam ze op.
'*Oui...*' zei ze gereserveerd.
'Een ogenblikje,' zei een stem.
Híj belde.
'Vera! *Bonjour!*' François' stem sprong door de telefoon op haar af. Hij klonk vrolijk, opgewekt en bezitterig.
Het duurde een ogenblik voor ze antwoordde. En in dat ogenblik besefte ze dat datgene wat ze was kwijtgeraakt het kind in haar was. Ze was een grens gepasseerd en er was geen terugkeer meer mogelijk. Ze was niet langer degene die ze was geweest en haar leven zou, hoe dan ook, nooit meer worden zoals het was geweest.
'*Bonjour,*' zei ze ten slotte. '*Bonjour*, François.'

Paul Osborn was even na twaalven uit Vera's appartement vertrokken en met de metro naar zijn hotel teruggegaan. Gekleed in een sweatshirt, een spijkerbroek en hardloopschoenen, reed hij tegen twee uur in een gehuurde, donkerblauwe Peugeot over de Avenue de Clichy. Hij keek zorgvuldig op de stratenkaart van het verhuurbedrijf en sloeg in de rue Martre rechtsaf de grote verkeersweg op die in noordoostelijke richting langs de Seine leidde. De volgende twintig minuten stopte hij drie keer bij vluchtstroken en zijwegen. Geen van die plaatsen leek geschikt. Toen passeerde hij om vijf over halfdrie een door bos omzoomde weg die naar de rivier leek te leiden. Hij maakte een U-bocht en reed de weg op. Vierhonderd meter verder kwam hij bij een afgelegen park dat op een heuvel vlak langs de oostelijke oever lag. Voor zover hij kon zien, was het park niet meer dan een groot, door bomen omringd veld waaromheen een onverharde weg liep. Hij reed die weg op tot deze in een bocht naar de snelweg terugliep. Toen zag hij wat hij zocht: een met zand en grind bedekte helling die naar het water glooide. Hij stopte, stapte uit en keek om. De grote verkeersweg was ruim achthonderd meter hiervandaan en werd aan het gezicht onttrokken door de bomen en het dichte struikgewas.

In de zomer trok het park met zijn toegang tot de rivier waarschijnlijk veel bezoekers, maar nu, om bijna drie uur 's middags op een regenachtige oktoberdag, was het er volledig uitgestorven.

Osborn liet de Peugeot staan, liep naar de helling en begon naar het water af te dalen. Tussen de bomen door kon hij onder aan de helling de rivier net zien. De donkere hemel en de motregen leken het gebied af te sluiten, zodat hij het gevoel kreeg alleen op de wereld te zijn. De helling was steil en zat vol voren die waren gemaakt door voertuigen die haar als een toegangsweg hadden gebruikt tot een steiger die ongetwijfeld dienst deed als vertrekpunt voor kleine boten.

Toen hij bijna onderaan was gekomen, waar de helling afvlakte, zag hij een rij oude verrotte palen langs de waterkant en hij nam aan dat de plek jaren geleden een veel grotere toegangsplaats tot de rivier was geweest. Hoe lang geleden en om welke redenen, wie zou het zeggen? Hoeveel legers zouden in de loop van de eeuwen deze weg zijn gegaan? Hoeveel mannen zouden gelopen hebben waar hij nu liep?

Een meter of vier van de waterkant vandaan ging het grind over in grijs zand dat vlak bij het water in roodachtige modder veranderde. Osborn testte hoe stevig de bodem daar was. Het zand hield hem, maar zodra hij de modder bereikte, zakten zijn schoenen erin weg. Hij trok zijn voeten los, schopte de modder van zijn schoenen en keek weer naar het water. Recht voor hem stroomde de Seine traag voorbij en kleine golfjes klotsten tegen de oever. Minder dan dertig meter verderop stak een met bomen begroeide rotspunt scherp uit, waardoor de stroom abrupt werd omgeleid.

Osborn keek er secondenlang naar, zich er maar al te goed van bewust waarop hij zich voorbereidde. Toen draaide hij zich doelgericht om en stak de landingsplaats over naar een groepje bomen aan de voet van de heuvel die vanaf het water omhoogliep. Hij zag een grote tak liggen, pakte die op, liep terug en gooide hem in het water. Eén ogenblik gebeurde er niets en de tak bleef gewoon op zijn plaats liggen. Toen werd hij door de stroming zachtjes in beweging gebracht en een paar seconden later werd hij meegesleurd naar de uitstekende rots en daarna naar de hoofdstroming. Osborn keek op zijn horloge. Het had tien seconden geduurd voordat de tak weggedreven en in de hoofdstroom opgenomen was. Na nog eens twintig seconden verdween hij om het rotsachtige uitsteeksel heen uit het gezicht. Vanaf het moment dat hij de tak in het water had gegooid, had het in totaal dus dertig seconden geduurd voordat hij hem uit het oog verloor.

Hij draaide zich om en liep weer over de landingsplaats naar de bomen aan de andere kant ervan. Hij had iets zwaarders nodig, iets waarvan het gewicht meer in de buurt van dat van een man zou komen. Binnen een paar seconden vond hij een ontwortelde boomstronk. Hij moest moeite doen om er greep op te krijgen, maar kon hem toen optillen en naar de waterkant dragen. Daar stapte hij de modder weer in en liet hem in het water vallen. Een ogenblik bleef hij, evenals de tak, roerloos liggen, maar toen werd hij door de stroming gegrepen en langs de oever naar voren gevoerd. Toen de stronk eenmaal bij de bocht van de uitstekende punt was gekomen, gleed hij snel en gelijkmatig door het water naar de hoofdstroom. Weer keek hij op zijn horloge. Tweeëndertig seconden voordat de stronk het midden van de rivier had bereikt en uit het gezicht verdween. Hij schatte dat Kanarack ongeveer tachtig kilo woog. De verhouding tussen het gewicht van de tak en dat van de boomstronk was veel groter dan de verhouding tussen het gewicht van de boomstronk en dat van Kanarack. Toch had het in beide gevallen ongeveer even lang geduurd voordat ze weggevoerd en in de hoofdstroming opgenomen waren.

Osborn voelde dat zijn hart sneller begon te kloppen en dat zijn oksels nat werden toen het tot hem begon door te dringen. Het zou werken, dat wist hij zeker! Osborn begon stroomafwaarts langs de oever en de bomen te rennen en liep toen het rotsachtig uitsteeksel op tot de plaats waar het land het verst naar het midden van de rivier uitstak. Het water was daar diep en de stroming werd niet door obstakels gehinderd. Door niets tegengehouden en verlamd door de succinylcholine zou Kanarack wegdrijven, net als de boomstronk, en steeds meer snelheid krijgen naarmate hij dichter bij het midden van de rivier zou komen. Nog geen zestig seconden nadat zijn lichaam vanaf de landingsplaats in het water geduwd zou zijn, zou het door de hoofdstroming van de Seine worden meegevoerd.

Nu moest hij nog controleren of het verder ook volgens plan zou gaan. Hij drong zich door een bosje hoog groeiend gras en liep meer dan achthonderd meter langs de waterkant, door struiken en kreupelhout. Hoe verder hij kwam, hoe steiler de oever en hoe sneller de stroming werd. Toen hij de top van een heuvel bereikte, bleef hij staan. De rivier bleef zo ver het oog reikte onbelemmerd doorstromen. Er waren geen eilandjes, geen zandbanken en geen dode bomen waarin alles zou blijven hangen. Er was niets dan snel stromend water dat het ruige landschap doorsneed. Bovendien waren er geen steden, fabrieken, huizen of bruggen. Voor zover hij kon nagaan, was er geen enkele plek waarvandaan iemand zou kunnen zien dat er iets door de stroming werd meegevoerd.
En zeker niet in het donker en in de regen.

# 21

Lebrun en McVey waren Osborn en Vera naar de tuinen van het Nationale Museum voor Natuurlijke Historie gevolgd. Daar had een andere, niet als zodanig herkenbare politieauto het van hen overgenomen en was hen naar Vera's appartement op het Île St. Louis gevolgd.
Zodra Vera en Osborn naar binnen waren gegaan, werd het adres over de mobilofoon aan Lebrun doorgegeven. Veertig seconden later hadden ze, via het computersysteem van de Posterijen, een uitdraai met de namen van de bewoners van het gebouw.
Lebrun keek de lijst snel door en overhandigde hem toen aan McVey, die zijn bril moest opzetten om hem te kunnen lezen. De lijst bevestigde dat alle zes de appartementen van Quai de Béthune 18 bewoond waren. Twee van de appartementen werden bewoond door mensen met slechts één voorletter, wat erop duidde dat het waarschijnlijk alleenstaande vrouwen waren. De ene was M. Seydrig, de andere V. Monneray. Uit de registratie van de *permis de conduire* – de rijbewijzen – bleek dat M. Seydrig de zestigjarige Monique Seydrig was en V. Monneray de zesentwintigjarige Vera Monneray. Nog geen minuut later kwam er over de fax in Lebruns Ford een kopie van Vera Monnerays rijbewijs binnen. De foto bevestigde dat ze Paul Osborns metgezellin was.

Op dat moment blies het hoofdbureau de surveillance abrupt af. Interpol en niet de Parijse politie had belangstelling voor dokter Paul Osborn, kreeg Lebrun te horen. Als Interpol wilde dat Osborn vanaf de overkant van de straat in de gaten werd gehouden terwijl hij met een dame aan het rotzooien was, moest zij er ook maar voor betalen, want de plaatselijke politie kon zich dat niet permitteren. McVey was maar al te goed op de hoogte van de manier waarop er met de stedelijke budgetten werd omgesprongen. Het bestuur probeerde te bezuinigen en de politici vochten om iedere franc om die in projecten te steken waarmee ze stemmen zouden kunnen winnen. Dus toen Lebrun hem onder verontschuldigingen een halfuur later bij het hoofdbureau afzette, kon hij alleen zijn schouders maar ophalen en in de wetenschap dat hij zelf het saaie routinewerk zou moeten doen naar de beige tweedeurs-Opel lopen die Interpol hem ter beschikking had gesteld.

McVey reed in kringetjes rond toen hij de weg terug naar het Île St.-Louis probeerde te vinden, zodat het ruim veertig minuten duurde voordat hij de parkeerplaats achter het flatgebouw waarin Vera Monneray woonde, opreed. Het bepleisterde stenen bouwsel dat langs de hele achterkant van het blok liep, was goed onderhouden en pas geverfd. De op regelmatige afstanden van elkaar geplaatste dienstingangen waren voorzien van zware deuren zonder ramen, waardoor de benedenverdieping er aan de achterkant uitzag als een militaire vesting. McVey stapte uit en liep over de met keien geplaveide straat naar de zijstraat aan het eind van het gebouw. Dat het regende en koud was, maakte het er allemaal niet aangenamer op. En evenmin dat de oude keistenen onder zijn brogues verdomd glad waren. Hij haalde een zakdoek uit zijn zak, snoot zijn neus, vouwde hem toen zorgvuldig op en stopte hem terug. Het maakte het er ook niet aangenamer op dat hij aan een warme, smogachtige dag op de tegenover het gebouw van Twentieth Century Fox gelegen baan van Rancho Park begon te denken. Wanneer de zon de boel om acht uur net een beetje begon te verwarmen, zou hij het balletje van de tee afslaan en de volgende paar uur een vriendschappelijk spelletje spelen met de andere drie spelers, rechercheurs van moordzaken van het bureau van de sheriff die zich op hun vrije dag drukten van huishoudelijke karweitjes.

Toen hij bij de zijstraat kwam, sloeg McVey rechtsaf en liep naar de voorkant van het gebouw. Tot zijn verbazing stond hij letterlijk met zijn neus vlak voor de Seine. Als hij een hand uitstak, zou hij bij wijze van spreken de langsvarende aken bijna kunnen aanraken. Aan de andere kant van de rivier lag de hele linkeroever onder een zwaar wolkendek dat zich zo ver hij kon zien naar links en rechts uitstrekte. Toen hij zijn

hoofd in zijn nek legde en omhoogkeek, realiseerde hij zich dat bijna elk appartement van het gebouw hetzelfde bijzondere uitzicht had. Hoe hoog zou de huur hier wel niet zijn? vroeg hij zich af en toen glimlachte hij. Dat zou hij ook hebben gevraagd aan zijn tweede vrouw Judy, de enige echte vriendin die hij ooit had gehad. Met Valerie, zijn eerste vrouw, was hij direct na de middelbare school getrouwd. Ze waren allebei te jong geweest. Valerie werkte als caissière in een supermarkt terwijl hij zich door de politieacademie en zijn eerste jaren bij het corps worstelde. Voor Valerie was werk of een carrière niet belangrijk, maar kinderen wel. Ze wilde twee jongens en twee meisjes hebben, net als haar ouders. En dat was alles wat ze wilde. McVey was ruim drie jaar bij de politie van L.A. toen ze zwanger werd. Vier maanden later, terwijl hij aan een autodiefstal werkte, kreeg ze bij haar moeder thuis een miskraam en bloedde op weg naar het ziekenhuis dood.
Waarom dacht hij daar in godsnaam aan?
Hij keek door het smeedijzeren hek voor de hoofdingang van het gebouw waarin Vera Monneray woonde. Een geüniformeerde portier keek terug en hij wist dat hij daar alleen met een huiszoekingsbevel zou kunnen binnenkomen. En zelfs als hij zou kunnen binnenkomen zonder dat hij dat had, wat dacht hij daar dan te vinden? Meneer Osborn en mevrouw Monneray, die nog met elkaar bezig waren? En hoe kwam hij erbij dat ze er nog steeds zouden zijn? Het was al bijna twee uur geleden sinds Lebrun en zijn team met de surveillance hadden moeten stoppen.
Hij wendde zich af en liep terug naar zijn auto. Vijf minuten later zat hij achter het stuur en probeerde te bedenken hoe hij vanaf het Île St.-Louis bij zijn hotel moest komen. Hij stond voor een stoplicht en had de moeilijke, maar definitieve beslissing genomen rechtsaf in plaats van linksaf te slaan toen hij naast hem op de hoek een telefooncel zag. Hij kreeg onmiddellijk een idee en hij sneed een taxi toen hij naar de stoep reed. Hij liep de telefooncel binnen, opende het telefoonboek, zocht het nummer van V. Monneray op en belde haar appartement. De telefoon bleef lang rinkelen en McVey wilde het net opgeven toen een vrouw opnam.
'Vera Monneray?' vroeg hij.
Er viel een stilte en toen...
'*Oui*,' zei ze.
Hij hing op. In ieder geval was een van hen er nog.

* * *

'Vera Monneray, Quai de Béthune 18? Een naam en een adres?'

McVey sloot de map en staarde Lebrun aan. 'Is dat het hele dossier...?'
Lebrun drukte een sigaret uit en knikte. Het was even na zessen en ze zaten in Lebruns kleine kantoortje op de derde verdieping van het hoofdbureau van politie.
'Een jongetje van tien jaar dat de tekst voor een tv-serie schrijft, zou nog met meer op de proppen komen,' zei McVey met een voor zijn doen ongewoon scherpe klank in zijn stem. Hij had een groot deel van de middag onwettig in Paul Osborns hotelkamer doorgebracht met het doorzoeken van diens spullen en hij had niets ontdekt dan een boel vuil linnengoed, travellerscheques, vitamines, antihistaminica, aspirines en condooms. Met uitzondering van de condooms had hij niets gevonden wat hij niet zelf in zijn hotelkamer had. Het was niet zo dat hij iets tegen condooms had, maar hij had echt geen interesse meer in seks sinds Judy vier jaar geleden was overleden. Tijdens hun hele huwelijk had hij de wildste fantasieën gehad waarin hij het met allerlei soorten vrouwen deed, van aantrekkelijke teenagers tot chique dames van middelbare leeftijd en hij had er heel wat ontmoet die meer dan bereid waren om ter plekke voor een rechercheur van moordzaken op hun rug te gaan liggen, maar hij had er nooit gebruik van gemaakt. Nadat Judy was overleden leek op dat terrein niets de moeite waard, zelfs de fantasieën niet. Hij leek zich in de situatie te bevinden van iemand die dacht dat hij uitgehongerd was en plotseling geen honger meer heeft.
Tussen Osborns spullen had hij iets gevonden dat in ieder geval een beetje interessant was en dat waren twee restaurantrekeningen die in het binnenvak van zijn agenda waren gestopt. Ze waren gedateerd vrijdag 29 en zaterdag 30 september. Vrijdag in Genève en zaterdag in Londen. Uit de rekeningen bleek dat er twee personen hadden gegeten. Maar dat was alles geweest. Osborn had in die twee steden dus iemand mee uit eten genomen, evenals honderdduizend andere mensen. Hij had de Parijse rechercheurs verteld dat hij in zijn eentje in het hotel in Londen had gelogeerd. Ze hadden hem waarschijnlijk niet gevraagd of hij met iemand uit eten was geweest en daarvoor hadden ze ook geen reden gehad. Net zomin als McVey nu nog reden had om hem met de onthoofdingsmoorden in verband te brengen.
Lebrun glimlachte om de verbijsterde, pijnlijke uitdrukking op McVeys gezicht. 'Je vergeet dat je in Parijs bent, vriend.'
'Wat bedoel je daarmee?'
'Daarmee bedoel ik, *mon ami*, dat een jongetje van tien jaar dat een tv-serie schrijft', Lebrun zweeg even om het effect te versterken, 'waarschijnlijk niet met de premier slaapt.'
McVeys mond zakte open. 'Je meent het niet.'

'Zeker wel,' zei Lebrun terwijl hij weer een sigaret opstak.
'Weet Osborn het?'
Lebrun haalde zijn schouders op.
McVey keek hem boos aan. 'Dus we moeten bij haar uit de buurt blijven?'
'*Oui.*' Lebrun glimlachte een beetje. Van ervaren rechercheurs van moordzaken verwachtte je niet dat ze zich verbaasden over *l'amour* en over de hopeloze complicaties die er het gevolg van zouden kunnen zijn, zelfs niet als ze uit Amerika kwamen.
McVey stond op. 'Als je me wilt excuseren; ik ga terug naar mijn hotel en daarna vertrek ik naar Londen. En als je nog meer veelbelovende verdachten hebt, trek je ze zelf maar na, oké?'
'Ik meen me te herinneren dat ik dat deze keer ook heb aangeboden,' zei Lebrun grijnzend. 'Misschien weet je nog dat het jouw idee was naar Parijs te komen.'
'Praat het me de volgende keer maar uit mijn hoofd,' zei McVey en hij liep naar de deur.
'McVey.' Lebrun drukte zijn sigaret uit. 'Ik kon je vanmiddag niet bereiken.'
McVey antwoordde niet. Zijn onderzoeksmethoden waren zijn zaak. Ze waren niet altijd helemaal legaal en evenmin betrok hij zijn collega's er altijd bij, of ze nu van de Parijse politie, Interpol, de Londense politie of de politie van L.A. waren.
'Ik had je graag willen bereiken,' zei Lebrun.
'Waarom?' vroeg McVey op vlakke toon. Hij vroeg zich af of Lebrun wist wat hij had gedaan en hem op de proef stelde.
Lebrun trok de bovenste lade van zijn bureau open en haalde nog een dossier te voorschijn. 'We waren hiermee bezig,' zei hij terwijl hij McVey het dossier overhandigde. 'We hadden graag van je deskundigheid gebruik willen maken.'
McVey keek hem even aan en opende toen het dossier. Hij zag op de plaats van het misdrijf gemaakte foto's van een man die, zo te zien in een appartement, op beestachtige wijze was vermoord. Op aparte foto's waren close-ups te zien van zijn knieën die allebei door één enkel schot uit een revolver van een zwaar kaliber kapotgeschoten waren.
'Er is een in de V.S. gefabriceerde Colt .38 met een geluiddemper gebruikt. We hebben het wapen naast het slachtoffer gevonden. De kolf was met tape omwikkeld. Geen vingerafdrukken. Geen identificatienummers,' zei Lebrun zacht.
McVey keek naar de volgende twee foto's. De eerste was van het gezicht van de man. Het was opgeblazen tot driemaal de normale grootte.

De ogen puilden vol afgrijzen uit de kassen. Het ijzerdraad waarmee hij was gewurgd zat nog strak om zijn nek. Het leek alsof het een kleerhangertje was geweest. De tweede foto was van zijn kruis. De geslachtsdelen van de man waren weggeschoten.
'Jezus,' mompelde McVey.
'Dat is met hetzelfde wapen gedaan,' zei Lebrun.
McVey keek op. 'Iemand heeft geprobeerd hem te laten praten.'
'Als ik het was geweest, zou ik hem alles hebben verteld wat hij wilde weten,' zei Lebrun. 'Al was het alleen maar in de hoop dat hij me zou doodschieten.'
'Waarom laat je me dit zien?' vroeg McVey. De eerste prefectuur van de Parijse politie had een schitterende staat van dienst wat het oplossen van moorden in de binnenstad betrof. Ze hadden McVeys adviezen beslist niet nodig.
Lebrun glimlachte. 'Omdat ik niet wil dat je al zo snel naar Londen teruggaat.'
'Ik snap het niet.' McVey keek weer naar het opengeslagen dossier.
'Hij heet Jean Packard. Hij werkte als privé-detective bij de Parijse vestiging van Kolb International. Maandag had dokter Paul Osborn hem ingehuurd om iemand op te sporen.'
'Osborn?'
Lebrun stak weer een sigaret op, blies de lucifer uit en knikte.
'Dit is door een professional gedaan, niet door Osborn,' zei McVey.
'Dat weet ik. De jongens van het lab hebben op een stuk gebroken glas een vlekkerige vingerafdruk gevonden. Die was niet van Osborn en hij zat niet in onze computer. Daarom hebben we hem naar het hoofdkwartier van Interpol in Lyon gestuurd.'
'En?'
'We hebben hem pas vanochtend gevonden, McVey.'
'Het was in ieder geval niet Osborn,' zei McVey overtuigd.
'Nee,' stemde Lebrun in. 'En het zou compleet toeval kunnen zijn en niets met hem te maken kunnen hebben.'
McVey leunde achterover.
Lebrun pakte het dossier op en legde het terug in zijn lade. 'Je vindt de zaken zo al ingewikkeld genoeg en je denkt dat die moord op Packard niets met onze hoofdloze lichamen en lichaamloze hoofd te maken heeft. Maar je bent ook vanwege Osborn naar Parijs gekomen omdat er een heel kleine kans bestond dat hij er iets mee te maken had. En nu gebeurt dit. Dus vraag je je af of er niet toch een verband zal blijken te bestaan als we lang en goed genoeg kijken... Klopt dat, McVey?'
McVey keek op. '*Oui*,' zei hij.

# 22

De donkere limousine wachtte buiten op haar.
Vera had de auto vanuit haar slaapkamerraam zien stoppen. Hoe vaak had ze niet voor haar raam staan wachten tot ze hem de hoek zag omslaan? Hoe vaak was haar hart niet opgesprongen bij de aanblik ervan? Nu wilde ze dat ze er niets mee te maken had, dat ze voor het raam van een ander appartement stond te kijken en dat iemand anders een geheime affaire had.
Ze droeg een zwarte jurk, zwarte nylons, pareloorbellen en een eenvoudige parelketting. Ze had een kort jasje van zilverkleurige nerts over haar schouders gegooid.
De chauffeur opende het achterste portier en ze stapte in. Even later ging hij achter het stuur zitten en reed weg.

Om vijf voor vijf waste Henri Kanarack in de bakkerij zijn handen in de wasbak en stak zijn tijdkaart in prikklok aan de muur. Hij stapte de gang in waar zijn jas hing en zag dat Agnes Demblon op hem stond te wachten.
'Wil je een lift?' vroeg ze.
'Waarom? Je geeft me toch nooit een lift naar huis? Je blijft altijd hier tot de dagrecette binnen is.'
'Ja, maar vanavond dacht ik...'
'Vanavond zeker niet,' zei Kanarack. 'Vandaag, vanavond is alles hetzelfde als altijd. Begrepen?'
Zonder naar haar te kijken trok hij zijn jasje aan, opende de deur en stapte naar buiten, de regen in. Het was maar een kort stukje lopen van de personeelsuitgang door de steeg naar de straat. Toen hij de hoek omsloeg, zette hij zijn kraag op tegen de regen. Het was precies twee minuten over vijf.
Aan de overkant van de straat stond twee huizen verderop een gehuurde donkerblauwe, pasgewassen Peugeot, waarop de regendruppels zich tot kleine kronkelige riviertjes aaneenregen. Paul Osborn zat in het donker achter het stuur.
Op de hoek sloeg Kanarack linksaf de Boulevard de Magenta op. Tegelijkertijd draaide Osborn het contactsleuteltje om, reed weg van de rand van het trottoir en volgde hem. Op de hoek sloeg hij eveneens linksaf. Hij keek op zijn horloge. Het was zeven over vijf en door de regen was het al donker. Toen hij voor zich uit keek, zag Osborn alleen

onbekenden en hij dacht even dat hij Kanarack was kwijtgeraakt, maar toen kreeg hij hem weer in het oog. Hij liep op het andere trottoir en had kennelijk geen haast. Uit zijn ontspannen houding leidde Osborn af dat hij het idee dat hij werd gevolgd, had laten varen. Hij was nu kennelijk van mening dat hij de vorige avond door een gek aangevallen en achtervolgd was en dat het niet meer dan een onverklaarbaar incident was geweest.

Voor hem stopte Kanarack voor een stoplicht. Osborn ook en terwijl hij dit deed voelde hij de emotie in zich oplaaien. 'Waarom doe je het nu niet?' vroeg een stemmetje in zijn hoofd. Wacht tot hij vanaf het trottoir de straat op stapt. Trap dan op het gaspedaal, overrijd hem en rijd weg! Niemand zal je zien. En wat maakt het uit als ze je wél zien? Als de politie je vindt, zeg je gewoon dat je op het punt stond naar hen toe te gaan. Dat je dacht dat je in het donker en de regen misschien iemand had overreden. Je wist het niet zeker. Je had gekeken, maar niemand gezien. Wat zouden ze kunnen zeggen? Hoe zouden ze kunnen weten dat het dezelfde man was? Ze hadden er geen idee van wie de man was die hij had aangevallen.

Nee! Haal het niet in je hoofd. Je had het de eerste keer ook bijna verknald doordat je je emoties de overhand liet krijgen. Bovendien zul je nooit antwoord op je vraag krijgen als je het zo doet en dat antwoord is minstens even belangrijk als het feit dat je hem doodt. Dus bedaar en houd je aan je plan, dan komt alles in orde.

De eerste injectie met succinylcholine zal haar eigen effect hebben. Hij zal het gevoel krijgen dat zijn longen in brand staan door zuurstofgebrek omdat hij geen beheersing meer over de spieren van zijn ademhalingsapparaat heeft. Hij zal het gevoel hebben dat hij stikt en hulpelozer en banger zijn dan hij ooit is geweest. Hij zal je alles willen vertellen, maar daartoe niet in staat zijn.

Daarna zal het middel langzamerhand zijn uitwerking verliezen en hij zal weer gaan ademen. Hij zal dankbaar glimlachen en denken dat hij nog een kans heeft. Dan zal hij zich plotseling realiseren dat je op het punt staat hem een tweede injectie toe te dienen. Veel sterker dan de eerste, zul je tegen hem zeggen. En hij zal alleen maar aan die tweede injectie denken en verlamd worden door de angst dat hij nog een keer zal moeten meemaken wat hij zonet heeft doorstaan. Alleen zal hij weten dat het deze keer erger zal zijn, veel erger, als dat tenminste mogelijk is. Dan zal hij je vraag beantwoorden, Paul. Dan zal hij je alles vertellen wat je wilt weten.

Osborns blik verplaatste zich naar zijn handen en hij zag dat zijn knokkels wit waren door de kracht waarmee hij het stuur omklemde. Hij

dacht dat het stuur in zijn handen zou breken als hij nog harder zou knijpen. Hij haalde diep adem en ontspande zich. De aandrang om nu toe te slaan, verdween.
Voor hem versprong het licht en Kanarack stak de straat over. Hij moest ervan uitgaan dat hij werd gevolgd, hetzij door de Amerikaan of anders door de politie, hoewel hij dat laatste betwijfelde. In ieder geval moest hij de indruk wekken dat alles precies zo was als het de afgelopen vijftien jaar vijf dagen per week, vijftig weken per jaar, was geweest. Om vijf uur weg uit de bakkerij, onderweg iets drinken en dan met de metro naar huis.
Halverwege het volgende blok was brasserie Le Bois. Hij bleef ongehaast en in hetzelfde tempo doorlopen. Voor de buitenwereld was hij een eenvoudige werkman die aan het eind van de dag uitgeput was. Hij stapte om een jonge vrouw die haar hond uitliet heen, bereikte Le Bois, trok de zware glazen deur open en liep naar binnen.
Het voorste gedeelte aan de straatkant zat vol mensen die zich na hun werk ontspanden en het was er lawaaiig en rokerig. Kanarack keek rond of er een tafel bij het raam vrij was waarvandaan hij de straat in de gaten zou kunnen houden, maar alles was bezet. Met tegenzin ging hij aan de bar zitten. Hij bestelde een espresso met pernod en keek naar de deur. Als er een stille zou binnenkomen, zou hij de man onmiddellijk aan zijn houding en lichaamstaal herkennen terwijl deze rondkeek. En wanneer het een vrouw zou zijn, gold dat ook. Of hij of zij nu in burger was of niet of een hoge of een lage rang had, iedere smeris ter wereld droeg witte sokken en zwarte schoenen.
De Amerikaan was een andere zaak. Zijn aanval op hem was zo onverwacht geweest dat hij zijn gezicht nauwelijks had gezien.
En toen de man hem de metro in was gevolgd, was Kanarack zelf door emotie overmand geweest en het was er overvol. Het weinige dat hij zich herinnerde, was dat de man bijna één meter vijfentachtig was, donker haar had en heel sterk was.
Kanaracks drankje werd gebracht en hij liet het even vóór zich op de bar staan. Toen pakte hij het op, nam een slokje en voelde de warmte van het mengsel van koffie en drank terwijl het door zijn keelgat gleed. Hij kon de handen van de Amerikaan nog om zijn nek voelen, de vingers die zich woest in zijn luchtpijp groeven om hem te wurgen. Dat begreep hij niet. Als de man hem had willen vermoorden, waarom zou hij het dan op die manier doen? Met een revolver of een mes, alla, maar met zijn blote handen in een drukke openbare gelegenheid? Het was niet logisch.
Jean Packard had het hem ook niet kunnen uitleggen.

* * *

Het was gemakkelijk genoeg geweest uit te zoeken waar de privé-detective woonde, hoewel hij niet in het telefoonboek stond. Kanarack had vlak voordat de werkdag ten einde was met een van emotie verstikte stem de centrale van Kolb International gebeld. Hij had Engels met een duidelijk Amerikaans accent gesproken en gezegd dat hij ergens in de buurt van Fort Wayne, Indiana, vanuit zijn auto belde. Hij was wanhopig op zoek naar zijn halfbroer Jean Packard, een werknemer van Kolb International, met wie hij het contact verloren had sinds deze naar Parijs was vertrokken. Packards tachtigjarige moeder was ernstig ziek en lag in een ziekenhuis in Fort Wayne en de artsen verwachtten niet dat ze de ochtend zou halen. Was er een manier waarop hij zijn halfbroer thuis zou kunnen bereiken?

In New York was het zes uur vroeger dan in Parijs. Als het zes uur in New York was, was het in Parijs middernacht en het kantoor van Kolb International was daar gesloten. De telefonist in New York nam het met zijn chef op. Door de ernst van de situatie was dit een legitiem verzoek. De vestiging in Parijs was gesloten. Wat moest hij doen? Omdat ze bijna gingen sluiten had zijn chef, net als iedereen, haast om weg te gaan. Na slechts een ogenblik te hebben geaarzeld, gaf de chef de internationale computercode vrij en verleende toestemming Jean Packards privé-nummer aan zijn halfbroer in Indiana door te geven.

Agnes Demblons neef werkte als coördinator bij de Parijse brandweer. Een telefoonnummer werd een adres. Zo gemakkelijk was het gegaan. Een uur later, donderdagochtend om kwart over een, stond Henri Kanarack in de Port de la Chapelle-wijk in het noorden van de stad voor het flatgebouw waarin Jean Packard woonde. Een bloedige twintig minuten later verliet Kanarack het huis via de achtertrap en lag wat er van Jean Packard over was uitgestrekt op de vloer van zijn woonkamer.

Uiteindelijk had hij Kanarack Paul Osborns naam en de naam van het hotel waar hij in Parijs logeerde, gegeven. Maar dat was alles. Packard had er geen idee van gehad waarom Osborn Kanarack in de brasserie had aangevallen en waarom hij Kolb International in de arm had genomen om hem op te sporen en hij wist evenmin of Osborn iemand anders vertegenwoordigde of voor iemand anders werkte. En Kanarack was er zeker van dat hij de waarheid had gesproken. Jean Packard was flink geweest, maar niet flink genoeg. Kanarack had de kneepjes van het vak in het begin van de jaren zestig goed geleerd bij de Special Forces van het Amerikaanse leger waar ze hem met trots en plezier hadden getraind. In de begintijd van de Vietnam-oorlog was hij als leider van een verkenningsgroep die over een groot gebied opereerde, grondig ge-

schoold in manieren om de geheimste informatie van zelfs de koppigste vijanden los te krijgen.
Het probleem was dat hij ten slotte alleen maar een naam en een adres van Jean Packard te horen had gekregen. Precies dezelfde informatie die Packard Osborn over hem had gegeven. Dus kon Osborn naar zijn mening maar één ding zijn: een vertegenwoordiger van de Organisatie die was gekomen om hem te liquideren. Hoewel zijn eerste poging klungelig was geweest, kon er geen andere reden zijn. Niemand anders zou hem herkennen of een motief hebben.
Het vervelende was dat ze gewoon iemand anders zouden sturen als hij Osborn doodde. Tenminste, als ze dat te weten zouden komen. Zijn enige hoop was dat Osborn freelancer was, een soort premiejager die een lijst met namen en gezichten had gekregen en aan wie een fortuin was beloofd als hij een ervan te pakken zou krijgen. Als Osborn hem toevallig had ontdekt en op eigen houtje Jean Packard had gehuurd, zou alles toch nog in orde kunnen komen.
Plotseling voelde hij een luchtstroom van buiten komen en hij keek op. Er was iemand binnengekomen en hij zag een man in een regenjas bij de deur staan. Hij was lang, droeg een hoed en keek rond. Eerst gleed zijn blik over het zitgedeelte en toen keek hij naar de bar. Toen hij dat deed, staarde Kanarack hem aan. De man wendde zijn blik snel af. Even later liep hij de deur uit en was verdwenen. Kanarack ontspande zich. De lange man was noch een smeris, noch Osborn geweest. Hij was niemand geweest.
Aan de overkant van de straat zat Osborn achter het stuur van de Peugeot en zag dezelfde man naar buiten komen, door de glazen deur omkijken en vervolgens weglopen. Osborn haalde zijn schouders op. Wie hij ook was, Kanarack was hij niet.
De bakker was om kwart over vijf Le Bois binnengegaan. Het was nu bijna kwart voor zes. Hij was in de drukte van het spitsuur in vijfentwintig minuten van het park aan de rivier teruggereden en had de auto even na vieren tegenover de bakkerij geparkeerd. Hij had daardoor de tijd gehad de buurt te verkennen en terug te lopen naar zijn auto voordat Kanarack naar buiten zou komen.
Osborn was een stuk of zes blokken in beide richtingen gelopen en was onderweg drie stegen en twee inritten die naar gesloten pakhuizen leidden, gepasseerd. Elk ervan zou voor zijn doel geschikt zijn en als Kanarack morgen dezelfde route zou nemen, zou de beste van de vijf aan de goede kant zijn. Het was een smalle onverlichte steeg waarop geen deuren uitkwamen en die een half blok van de bakkerij vandaan lag.
Hij zou dezelfde spijkerbroek en gympen dragen die hij nu droeg, een

zeemansmuts laag over zijn gezicht trekken en in het donker wachten tot Kanarack zou langskomen. Met een volle injectiespuit in zijn hand en een andere voor de zekerheid in zijn zak, zou hij Kanarack van achteren aanvallen. Hij zou zijn linkerarm om zijn nek slaan en Kanarack naar achteren het steegje in trekken terwijl hij tegelijkertijd de naald door zijn kleding heen in zijn rechterbil zou drijven. Kanarack zou zich hevig verzetten, maar Osborn had maar vier seconden nodig om de spuit volledig in hem te legen. Hij hoefde hem dan alleen maar los te laten en achteruit te stappen. Kanarack kon dan doen wat hij wilde. Hij kon hem aanvallen of vluchten, het zou geen verschil maken. In minder dan twintig seconden zou hij het gevoel in zijn benen gaan verliezen. Na nog twintig seconden zou hij niet meer kunnen staan. Als hij eenmaal in elkaar gezakt was, zou Osborn in actie komen. Als er mensen zouden langslopen, zou hij zeggen dat zijn vriend ziek was en dat hij hem met de Peugeot, die langs de stoep zou staan, naar het ziekenhuis zou brengen. En Kanarack, wiens skeletspieren dan bijna helemaal verlamd zouden zijn, zou niet in staat zijn te protesteren. Als Kanarack eenmaal in de auto zat en Osborn was weggereden, zou hij hulpeloos en doodsbang zijn en hij zou zich volledig moeten concentreren om nog enigszins te kunnen ademen.
Als ze daarna snel door Parijs naar de weg langs de rivier en het afgelegen park zouden rijden, zou het effect van de succinylcholine zwakker worden en Kanarack zou langzaam weer lucht beginnen te krijgen. En precies op het moment dat hij zich beter zou gaan voelen, zou Osborn de tweede spuit omhooghouden, zijn gevangene vertellen wie hij was en dreigen hem een tweede, veel sterkere, veel sneller werkende en absoluut onvergetelijke injectie te geven. Pas dan zou hij zich kunnen ontspannen en Kanarack vragen waarom hij zijn vader had vermoord. En hij twijfelde er geen moment aan dat Kanarack het hem zou vertellen.

## 23

Om vijf over zes kwam Henri Kanarack Le Bois uit, liep op zijn gemak twee blokken verder en ging het metrostation tegenover het Gare de L'Est binnen.

Osborn keek hem na, knipte toen het binnenlicht aan en keek op de kaart die naast hem lag. Zeventien kilometer en bijna dertig minuten later reed hij langs Kanaracks appartement in Montrouge. Hij liet de auto in een zijstraat achter, liep anderhalf blok terug en ging in de schaduw tegenover het flatgebouw waar Kanarack woonde staan wachten. Vijftien minuten later arriveerde Kanarack en liep naar binnen. Van het begin tot het eind, vanaf de bakkerij tot zijn huis, was uit niets gebleken dat Kanarack dacht dat hij gevolgd werd of dat hij gevaar liep. Hij gedroeg zich als iemand die gewoon zijn dagelijkse gangetje ging. Osborn glimlachte. Alles verliep precies volgens plan.
Om tien over halfacht stopte hij voor zijn hotel, gaf zijn autosleutels af aan een bediende en ging naar binnen. Hij liep de hal door en vroeg bij de portiersloge of er nog boodschappen voor hem waren.
'Nee, *monsieur*. Het spijt me.' De kleine brunette achter de balie glimlachte tegen hem.
Osborn bedankte haar en liep door. Hij had zo'n beetje gehoopt dat Vera had gebeld, maar hij was eigenlijk blij dat ze dat niet had gedaan. Hij wilde niet afgeleid worden. Hij moest alles zo overzichtelijk mogelijk houden en zich concentreren op wat hij aan het doen was. Hij vroeg zich af waarom hij inspecteur Barras had verteld dat hij over vijf dagen Parijs zou verlaten. Hij had net zo gemakkelijk kunnen zeggen dat hij over een week of tien dagen of zelfs over twee weken zou vertrekken. Alles was in die periode van vijf dagen zo samengeperst dat hij er bijna geen controle meer op kon uitoefenen. De dingen gebeurden te snel en de timing was te belangrijk. Er was geen ruimte voor fouten of onvoorziene gebeurtenissen. Als Kanarack nu eens plotseling ziek werd en zou besluiten niet naar zijn werk te gaan? Wat dan? Moest hij dan zijn appartement binnendringen en het daar doen? En hoe zat het met andere mensen? Kanaracks vrouw, familie, buren? Hij had zichzelf de ruimte niet gegeven om op zo iets onvoorziens adequaat te reageren. Hij had geen enkele speling. Het was alsof hij een staaf dynamiet waarvan de lont al brandde in zijn hand had. Maar wat kon hij anders doen dan doorzetten en er het beste van hopen?
Hij zette deze gedachten uit zijn hoofd, wendde zich van de liften af en liep de cadeauwinkel binnen om een Engelstalige krant te kopen. Hij pakte er een uit het rek, draaide zich om en ging in de rij voor de kassa staan. Eén ogenblik vroeg hij zich af wat er zou zijn gebeurd als Jean Packard Kanarack niet zo vlug gevonden zou hebben. Wat zou hij dan hebben gedaan? Zou hij het land hebben verlaten en later zijn teruggekomen? Maar wanneer? Hoe zou hij weten of de politie geen aantekening op de elektronische code in zijn paspoort had gemaakt, zodat ze

gewaarschuwd zou worden als hij binnen een bepaalde tijd terugkeerde? Hoe lang zou hij hebben moeten wachten voordat hij veilig zou kunnen terugkomen? En als de privé-detective Kanarack nu eens helemaal niet had kunnen vinden? Wat zou hij dan hebben gedaan? Maar gelukkig was dat niet aan de orde. Jean Packard had zijn werk goed gedaan en het was aan hem, Osborn, de zaak af te maken. Ontspan je, hield hij zichzelf voor. Hij schoof op in de richting van de kassa en keek intussen afwezig naar de krant.

Wat hij zag was onvoorstelbaar. Niets had hem kunnen voorbereiden op de aanblik van Jean Packards gezicht dat hem vanonder een vetgedrukte kop op de voorpagina aanstaarde: *PRIVE-DETECTIVE BEESTACHTIG VERMOORD!*

De onderkop luidde: 'Voormalige huursoldaat voor zijn dood gruwelijk gemarteld'.

De cadeauwinkel begon langzaam om hem heen te draaien. Eerst langzaam en daarna sneller en sneller. Ten slotte moest Osborn de toonbank van de snoepwaren vastpakken om er een eind aan te maken. Zijn hart bonkte en hij hoorde zichzelf diep ademen. Hij probeerde kalm te worden en keek weer naar de krant. Het gezicht was er nog steeds, evenals de kop en de woorden eronder.

Ergens ver weg hoorde hij de caissière vragen of alles in orde was. Hij knikte vaag en haalde wat kleingeld uit zijn zak. Nadat hij de krant had betaald, slaagde hij erin zich door de cadeauwinkel, de hal in en naar de liften te manoeuvreren. Hij was er zeker van dat Henri Kanarack had ontdekt dat hij door Jean Packard werd gevolgd, de rollen had omgedraaid en hem had vermoord. Hij las het artikel snel door om te kijken of Kanaracks naam werd genoemd. Dat was niet het geval. Er stond alleen dat de privé-detective de vorige nacht was vermoord en dat de politie geen mededelingen had willen doen over eventuele verdachten en het motief voor de moord.

Toen hij bij de liften kwam, wachtte Osborn samen met een groepje anderen dat hem nauwelijks opviel. Drie van hen waren misschien Japanse toeristen en de vierde was een onopvallende man in een gekreukeld grijs kostuum. Hij wendde zijn blik af en probeerde na te denken. Toen gingen de liftdeuren open en stapten er twee zakenlui naar buiten. De anderen liepen achter elkaar naar binnen en Osborn volgde hen. Een van de Japanners drukte op de knop voor de vierde verdieping, de man in het grijze kostuum op die voor de achtste en Osborn op die voor de zesde.

De deuren sloten zich en de lift ging omhoog.

Wat moest hij nu doen? Osborn dacht het eerst aan Packards dossiers.

Ze zouden de politie direct naar hem en vervolgens naar Henri Kanarack leiden. Toen herinnerde hij zich wat Jean Packard hem had verteld over de werkwijze van Kolb International. Dat Kolb er prat op ging dat de privacy van haar cliënten zo goed werd beschermd. Dat de medewerkers van het bedrijf ten opzichte van hun cliënten volledige geheimhouding in acht namen. Dat alle dossiers aan het eind van een onderzoek aan de cliënt ter hand werden gesteld en dat er geen kopieën van werden gemaakt. Dat de functie van Kolb slechts was de garantie te bieden dat er professioneel gewerkt zou worden en de financiële afwikkeling te verzorgen. Maar Packard had Osborn zijn dossiers niet gegeven. Waar waren ze?

Plotseling herinnerde Osborn zich dat hij er verbaasd over was geweest dat Packard nooit iets opschreef. Misschien waren er geen dossiers. Misschien was dat tegenwoordig de werkwijze van een privé-detective. Zorg dat niemand behalve jijzelf de informatie in handen kan krijgen. Kanaracks naam en adres had hij pas op het laatste moment gekregen en ze waren met de hand op een papieren servetje geschreven. Een servetje dat nog steeds in de zak van het jasje zat dat Osborn aanhad. Misschien was dat wel het volledige dossier.

De lift stopte op de vierde verdieping en de Japanners stapten uit. De deuren sloten zich en de lift zette zich weer in beweging. Osborn keek even naar de man in het grijze pak. Hij kwam hem vaag bekend voor, maar hij kon hem niet plaatsen. Even later bereikten ze de zesde verdieping. De deuren gingen open en Osborn stapte uit, evenals de man in het grijze pak. Osborn ging de ene kant op en de man de andere.

Toen hij door de gang naar zijn kamer liep, haalde Osborn weer wat gemakkelijker adem. Hij was enigszins over zijn aanvankelijke geschoktheid over Jean Packards dood heen. Hij had nu tijd nodig om over zijn volgende stap na te denken. Veronderstel dat Packard Kanarack over hem had verteld? Hem zijn naam en het adres van zijn hotel had gegeven? Hij had de privé-detective vermoord, waarom zou hij niet proberen hem ook te vermoorden?

Plotseling werd Osborn zich ervan bewust dat er iemand achter hem in de gang liep. Hij keek om en zag dat het de man in het grijze pak was. Tegelijkertijd herinnerde hij zich dat de man op de knop voor de achtste en niet op die voor de zesde verdieping had gedrukt. Maar hij was hier uitgestapt. Vóór hem opende een man de deur van zijn kamer en zette een room-serviceblad met vuile borden buiten. Hij keek op naar Osborn, sloot toen de deur en Osborn hoorde dat het kettingslot dichtgeschoven werd.

Nu waren hij en de man alleen in de gang. Er ging een alarm in zijn

hoofd af. Hij bleef abrupt staan en draaide zich om.
'Wat wilt u?' vroeg hij.
'Een paar minuten van uw tijd.' McVeys antwoord klonk rustig en niet bedreigend. 'Mijn naam is McVey. Ik kom evenals u uit Los Angeles.'
Osborn keek hem aandachtig aan. De man was ergens halverwege de zestig, bijna één meter tachtig lang en woog misschien een kilo of vijfentachtig. Zijn groene ogen waren verrassend vriendelijk en zijn bruine haar werd grijs en bovenop dunner.
Zijn kostuum was alledaags, waarschijnlijk had hij het in de Broadway of bij Silverwoods gekocht. Zijn lichtblauwe overhemd was van glanzend polyester en zijn stropdas paste niet bij zijn verdere kleding. Hij zag er eerder uit als iemands grootvader of als zijn eigen vader zoals die er misschien zou hebben uitgezien als hij nog in leven was geweest. Osborn ontspande zich een beetje. 'Ken ik u?' vroeg hij.
'Ik ben politieman,' zei McVey en hij liet hem zijn penning van de politie van L.A. zien.
Osborns hart begon in zijn keel te kloppen. Voor de tweede keer in een paar minuten dacht hij dat hij zou flauwvallen. Ten slotte hoorde hij zichzelf zeggen: 'Ik begrijp het niet. Is er iets niet in orde?'
Een echtpaar van middelbare leeftijd in avondkleding kwam de gang in. McVey stapte opzij. De man glimlachte en knikte. McVey wachtte tot ze voorbij waren en keek toen Osborn weer aan.
'Zullen we binnen praten?' McVey knikte naar de deur van Osborns kamer. 'Of, als u dat liever wilt, beneden in de bar.' McVey bleef zich rustig en ongedwongen gedragen. De bar was even geschikt als de kamer als Osborn zich daar meer op zijn gemak zou voelen. Hij zou niet vluchten, in ieder geval niet nu. Bovendien had McVey alles al gezien wat er in Osborns kamer te zien was.
Osborn was bang en hij moest zijn best doen dat niet te laten merken. Ten slotte had hij niets gedaan, nog niet tenminste. Het was zelfs niet echt onwettig geweest dat hij Vera had gebruikt om de succinylcholine in handen te krijgen. Hij had de wet misschien een beetje omzeild, maar het was geen misdaad geweest. Bovendien was deze McVey van de politie van L.A., dus welke bevoegdheden kon hij hier hebben? Gewoon kalm blijven, dacht hij. Wees beleefd en kijk wat hij wil. Misschien is het niets bijzonders.
'We kunnen hier praten,' zei Osborn. Hij opende de deur en ze gingen naar binnen.
'Gaat u zitten, alstublieft.' Osborn sloot de deur en legde zijn sleutels en de krant op een wandtafel. 'Als u er geen bezwaar tegen hebt, was ik even het vuil van de stad van mijn handen.'

'Niet in het minst.' McVey ging zitten en keek rond terwijl Osborn de badkamer binnenliep. De kamer zag er nog precies zo uit als eerder die middag toen hij zijn penning aan een kamermeisje had laten zien en haar tweehonderd francs had gegeven om hem binnen te laten.
'Wilt u iets drinken?' vroeg Osborn terwijl hij zijn handen afdroogde.
'Als u zelf ook iets drinkt.'
'Ik heb alleen whisky.'
'Dat is prima.'
Osborn kwam terug met een halflege fles Johnnie Walker Black. Hij pakte twee hygiënisch verpakte glazen van een blad dat op een imitatie Franse schrijftafel stond, trok het plastic eraf en schonk in.
'Ik heb helaas ook geen ijs,' zei Osborn.
'Ik ben niet kieskeurig.' McVeys blik richtte zich op Osborns gympen. Ze zaten vol opgedroogde modder.
'Een eindje wezen joggen?'
'Hoe bedoelt u?' vroeg Osborn terwijl hij McVey zijn glas overhandigde.
McVey knikte naar zijn voeten. 'Uw schoenen zijn modderig.'
'Ik...' – Osborn aarzelde en verborg dat snel achter een grijns – '... ben een eindje gaan wandelen. Ze zijn de tuinen voor de Eiffeltoren opnieuw aan het beplanten. Met al die regen kun je hier in de buurt nergens lopen zonder in de modder te trappen.'
McVey nam een slok van zijn whisky, waardoor Osborn een momentje de tijd had om zich af te vragen of McVey doorhad dat hij loog. Het was trouwens niet echt een leugen. De tuinen voor de Eiffeltoren waren omgewoeld; hij wist dat omdat hij er gisteren was geweest. Het was het beste snel er snel overheen te praten.
'Steekt u maar van wal,' zei hij.
McVey aarzelde even. 'Ik was in de hal toen u de cadeauwinkel binnenging,' zei hij toen. 'Ik zag hoe u op de krant reageerde.' Hij knikte naar de krant die Osborn op het wandtafeltje had gelegd.
Osborn nam een slok whisky. Hij dronk zelden. Pas na die eerste avond waarop hij Kanarack gezien en achtervolgd had en daarna door de Parijse politie was opgepakt, had hij de room service gebeld en de whisky besteld. Terwijl hij de drank naar binnen voelde glijden, was hij blij dat hij het had gedaan.
'Daarom bent u hier...' Osborn keek McVey strak aan. Oké, ze weten het dus. Wees eerlijk en blijf kalm. Probeer uit te vinden wat ze nog meer weten.
'Zoals u weet, werkte meneer Packard voor een internationaal bedrijf. Ik was in Parijs in samenwerking met de Parijse politie ergens mee bezig

dat hier niets mee te maken had, toen dit binnenkwam. Aangezien u een van meneer Packards laatste cliënten...'
McVey glimlachte en nam nog een slokje whisky. 'Hoe dan ook, de Parijse politie heeft me gevraagd bij u langs te gaan om er met u over te praten. Als Amerikanen onder elkaar. Om eens te kijken of u er enig idee van had wie het gedaan zou kunnen hebben. U begrijpt dat ik hier geen bevoegdheden heb, ik help alleen maar.'
'Dat begrijp ik. Maar ik denk niet dat ik u kan helpen.'
'Leek meneer Packard zich ergens zorgen om te maken?'
'Als dat zo was, heeft hij er niets over gezegd.'
'Mag ik u vragen waarom u hem hebt ingehuurd?'
'Ik heb hem niet ingehuurd. Ik heb Kolb International ingehuurd en ze hebben hem gestuurd.'
'Dat vroeg ik niet.'
'Als u het niet erg vindt, beantwoord ik die vraag niet. Het is persoonlijk.'
'Het gaat hier om moord, meneer Osborn.' McVey klonk alsof hij zich tot een jury richtte.
Osborn zette zijn glas neer. Hij had niets gedaan en kreeg het gevoel dat hij beschuldigd werd. Het beviel hem niet. 'Kijk eens, inspecteur McVey. Jean Packard werkte voor me. Hij is dood en dat spijt me, maar ik heb er geen flauw idee van wie het heeft gedaan en waarom hij is vermoord. Als u denkt dat van mij te weten te kunnen komen, hebt u de verkeerde voor!' Osborn stak boos zijn handen in zijn zakken. Hij voelde het zakje met de succinylcholine en de injectiespuiten die Vera hem had gegeven. Hij was van plan geweest het uit zijn zak te halen toen hij naar zijn hotel was teruggekeerd om zich te verkleden om naar de rivier te gaan, maar hij was het vergeten. Toen hij merkte dat de spullen nog in zijn zak zaten, veranderde zijn houding.
'Het spijt me. Het was niet de bedoeling zo tegen u te snauwen. Ik denk dat de schok doordat ik erachter ben gekomen dat hij op die manier is vermoord... Ik ben een beetje gespannen.'
'Laat me u dan vragen of meneer Packard uw opdracht heeft afgemaakt?'
Osborn weifelde. Wat moest hij in vredesnaam antwoorden? Wisten ze van Kanarack af of niet? Als je 'ja' zegt, wat dan? Als je 'nee' zegt, laat je het open.
'Ja of nee, meneer Osborn?'
'Ja,' zei Osborn ten slotte.
McVey keek hem een ogenblik aan en dronk zijn whisky op. Hij hield het lege glas nog even in zijn hand, alsof hij niet helemaal wist wat hij

ermee moest doen. Toen leek hij zijn gedachten geordend te hebben en richtte hij zijn blik weer op Osborn.
'Kent u iemand die Peter Hossbach heet?'
'Nee.'
'John Cordell?'
'Nee.' Osborn was stomverbaasd. Hij had er geen idee van waarover McVey het had.
'Friedrich Rustow?' McVey sloeg zijn benen over elkaar. Witte, onbehaarde kuiten werden zichtbaar tussen zijn sokken en zijn broekspijpen.
'Nee,' zei Osborn weer. 'Zijn dat verdachten?'
'Het zijn vermiste personen, meneer Osborn.'
'Ik heb die namen nog nooit gehoord,' zei Osborn.
'Geen enkele ervan?'
'Nee.'
Hossbach was een Duitser, Cordell een Engelsman en Rustow een Belg. Het waren drie van de onthoofde lijken. McVey stopte ergens in zijn computer dat Osborn geen spier had vertrokken en zelfs niet even had gezwegen toen hij de namen noemde. Hij herkende er echt geen enkele van. Natuurlijk kon hij een goed acteur zijn en liegen. Artsen deden dat altijd als ze het gevoel hadden dat het niet in het belang van een patiënt was dat deze iets wist.
'Ach, de wereld is groot en er gebeurt een heleboel,' zei McVey. 'Het is mijn werk uit te zoeken wat de onderlinge samenhang van gebeurtenissen is.'
McVey boog zich voorover naar de wandtafel, zette zijn glas naast Osborns sleutels en stond op. Er lagen twee stellen sleutels. Het ene was van Osborns hotelkamer. Het andere was van zijn auto en had als sleutelhanger een beeldje van een middeleeuwse leeuw. Het waren de sleutels van een Peugeot.
'Bedankt voor uw tijd, meneer Osborn. Het spijt me dat ik u heb lastiggevallen.'
'Dat geeft niet,' zei Osborn, die moeite moest doen niet te laten merken dat hij opgelucht was. Dit was slechts een routineondervraging. McVey hielp alleen de Franse politie, dat was alles.
McVey was bij de deur en had zijn hand al op de kruk toen hij zich omdraaide. 'Het klopt toch dat u op 3 oktober in Londen was?' vroeg hij.
'Wat?' Osborn reageerde verbaasd.
'Dat was...' – McVey haalde een klein plastic kaartje uit zijn portefeuille en keek erop – 'Vorige week maandag.'
'Ik begrijp niet wat u bedoelt?'

'U was toch in Londen?'
'Ja...'
'Waarom?'
'Ik... ik was op weg naar huis van een medisch congres in Genève.' Osborn merkte plotseling dat hij stotterde. Hoe wist McVey dat? En wat had dat met Jean Packard en de vermiste personen te maken?
'Hoe lang bent u daar geweest?'
Osborn aarzelde. Waar leidde dit in vredesnaam toe?
Waar was hij op uit? 'Ik begrijp niet wat dit er allemaal mee te maken heeft,' zei hij, terwijl hij probeerde niet afwerend te klinken.
'Het was maar een vraag, meneer Osborn. Dat is mijn werk. Vragen stellen.' McVey zou niet loslaten voordat hij antwoord had gekregen.
Ten slotte zwichtte Osborn. 'Anderhalve dag, ongeveer...'
'U hebt in het Connaught Hotel gelogeerd?'
'Ja.'
Osborn voelde een straaltje zweet vanonder zijn rechteroksel naar beneden glijden. Plotseling leek McVey niet meer op iemands grootvader.
'Wat hebt u daar gedaan?'
Osborn voelde dat zijn gezicht rood van woede werd. Hij werd in een positie gedrongen die hem niet beviel en hij begreep ook niet wat de bedoeling ervan was. Misschien weten ze toch van Kanarack af, dacht hij. Misschien was dit een list om hem zover te krijgen dat hij erover zou praten. Maar dat zou hij niet doen. Als McVey van Kanarack af wist, zou hij er zelf over moeten beginnen.
'Wat ik in Londen heb gedaan, zijn mijn zaken, inspecteur. Laten we het daar maar op houden.'
'Luister, meneer Osborn,' zei McVey kalm. 'Ik probeer niet in uw privé-zaken te wroeten. Ik zit met een aantal vermiste personen. U bent niet de enige met wie ik praat. Ik wil alleen dat u me vertelt hoe u uw tijd hebt doorgebracht terwijl u in Londen was.'
'Misschien moet ik een advocaat bellen.'
'Als u denkt dat u er een nodig hebt, ga uw gang. Daar is de telefoon.'
Osborn wendde zijn blik af. 'Ik ben zaterdagmiddag aangekomen en heb zaterdagavond een toneelvoorstelling bezocht,' zei hij op vlakke toon. 'Ik begon me ziek te voelen en ben teruggegaan naar mijn hotelkamer en daar ben ik tot maandagmorgen gebleven.'
'De hele zaterdagnacht en de hele zondag?'
'Inderdaad.'
'U hebt uw kamer niet verlaten?'
'Nee.'
'Room service?'

'Hebt u ooit zo'n hevige kortdurende buikgriep gehad? Ik had koude rillingen, koorts en diarree, afgewisseld met antiperistaltische bewegingen. Dat is in gewone taal kotsen. Dan heb je geen trek in eten.'
'Was u alleen?'
'Ja,' antwoordde Osborn snel en beslist.
'En niemand anders heeft u gezien?'
'Niet dat ik weet.'
McVey wachtte een ogenblik en vroeg toen zacht: 'Waarom liegt u tegen me, meneer Osborn?'
Het was nu donderdagavond. Voordat hij woensdagmiddag uit Londen was vertrokken, had McVey commandant Noble gevraagd in het Connaught Hotel navraag naar Osborn te doen. Donderdagochtend had Noble even na zevenen gebeld. Osborn was zaterdagmiddag in het Connaught aangekomen en maandagmorgen vertrokken. Hij had zich ingeschreven als Paul Osborn uit Los Angeles en was alleen naar zijn kamer gegaan. Een poosje later had een vrouw zich bij hem gevoegd.
'Pardon?' zei Osborn, die zijn ontsteltenis achter verontwaardiging probeerde te verbergen.
'U was niet alleen.' McVey gaf hem niet de kans nog een keer te ontkennen. 'U was met een jonge vrouw. Donker haar. Een jaar of vijfentwintig, zesentwintig. Ze heet Vera Monneray. U hebt afgelopen zaterdagavond seks met haar gehad in een taxi waarin u van Leicester Square naar het Connaught Hotel werd gebracht.'
'Jezus Christus.' Osborn was verbijsterd. Het was hem een raadsel hoe de politie daar allemaal achter was gekomen. Ten slotte knikte hij.
'Bent u voor haar naar Parijs gekomen?'
'Ja.'
'Ik neem aan dat zij ook de hele tijd ziek was.'
'Ja, ze was...'
'Kent u haar al lang?'
'Ik heb haar eind vorige week in Genève ontmoet. Ze is met me meegegaan naar Londen en toen naar Parijs teruggekeerd. Ze is hier coassistente.'
'Co-assistente?'
'Een arts. Ze wordt arts.'
'Arts?' McVey staarde Osborn aan. Verbazingwekkend wat je niet allemaal ontdekte als je alleen maar een beetje rondsnuffelde. Ondanks Lebruns waarschuwing dat ze 'verboden terrein' was.
'Waarom hebt u niet eerder over haar verteld?'
'Ik heb u al gezegd dat het privé was...'
'Ze is uw alibi, meneer Osborn. Ze kan bevestigen hoe u uw tijd in Lon-

den hebt doorgebracht...'
'Ik wil niet dat ze hierbij wordt betrokken.'
'Waarom niet?'
Osborn voelde het bloed weer naar zijn hoofd stijgen. McVeys beschuldigingen begonnen nu persoonlijk te worden en eerlijk gezegd beviel het Osborn niet dat er inbreuk op zijn privé-leven werd gemaakt. 'Luister. U hebt gezegd dat u hier geen bevoegdheden hebt. Ik hoef helemaal niet met u te praten!'
'Nee, dat klopt. Maar ik denk dat u dat toch wel zult willen doen,' zei McVey op vriendelijke toon. 'De Parijse politie heeft uw paspoort. Ze kan u ook ernstige mishandeling ten laste leggen als ze dat wil. Ik bewijs mijn Franse collega's een dienst. Als ze het idee zouden krijgen dat u het me lastig maakt, zouden ze u wel eens niet zo gemakkelijk kunnen laten gaan. Vooral niet nu uw naam in verband met een moord is opgedoken.'
'Ik heb u al verteld dat ik daarmee niets te maken heb!'
'Misschien niet,' zei McVey. 'Maar u zou lang in een Franse gevangenis kunnen zitten voordat ze zouden besluiten u gelijk te geven.'
Osborn kreeg plotseling het gevoel dat hij net uit een wasmachine was getrokken en nu in de droogtrommel gestopt zou worden. Hij kon nu alleen maar terugkrabbelen. 'Als u me zou vertellen wat u echt wilt weten, zou ik u misschien kunnen helpen,' zei hij.
'Er is in het weekeinde dat u daar was in Londen een man vermoord. Ik wil dat u aantoont wat u daar hebt gedaan en op welke tijdstippen. Mademoiselle Monneray lijkt de enige te zijn die uw verklaringen zou kunnen bevestigen, maar kennelijk wilt u haar er niet bij betrekken – en daardoor betrekt u haar er juist wél bij. Als u dat liever wilt, kan ik haar door de Parijse politie laten oppakken, dan kunnen we met zijn allen op het hoofdbureau een babbeltje maken.'
Tot nu toe had Osborn alles gedaan om Vera erbuiten te houden. Maar als McVey zijn dreigement ten uitvoer zou brengen, zouden de media erachter komen. En als dat gebeurde, zou alles – zijn connectie met Jean Packard, zijn heimelijke verblijf met Vera in Londen, Vera's eigen verhaal en met wie ze een relatie had – op de voorpagina breed worden uitgemeten. Politici konden met sterretjes en snollen doen wat ze wilden. Het ergste dat er kon gebeuren, was dat ze een verkiezing verloren of een benoeming misliepen, terwijl in alle supermarkten ter wereld sensatiebladen zouden liggen met een afbeelding van hun metgezellin op het omslag, hoogstwaarschijnlijk in bikini. Maar voor een vrouw die op het punt stond arts te worden, lagen de zaken heel anders. Het idee dat artsen menselijk waren, stond het publiek niet aan, dus als McVey

zou doorzetten, zou er alle kans op zijn dat Vera niet alleen haar co-assistentschap zou kwijtraken, maar ook haar carrière zou verspelen. Of het nu chantage was of niet, tot dusverre had McVey wat hij wist alleen tegen Osborn verteld en hij bood aan er verder met niemand over te praten.

'Het is...' begon Osborn. Hij schraapte zijn keel. 'Het is...' Plotseling besefte hij dat McVey hem onwillekeurig een kans had geboden. Niet alleen om te verklaren waarom hij Jean Packard had ingehuurd, maar ook om erachter te komen hoeveel de politie wist.

'Zegt u het maar?'

'De reden waarom ik een privé-detective in de arm heb genomen,' zei Osborn. Het was een bewuste leugen, maar hij moest het risico nemen. De politie zou ieder velletje papier in Jean Packards huis en kantoor hebben doorgelezen, maar hij wist dat Packard bijna niets opschreef. Dus zouden ze er erg op gebrand zijn wat voor aanwijzing dan ook te vinden en het kon hun niets schelen hoe ze dat deden, zelfs al moesten ze er een Amerikaanse politieman op uit sturen om hem de duimschroeven aan te draaien.

'Ze heeft een minnaar. Ze wilde niet dat ik het wist en ik zou het ook niet hebben geweten als ik haar niet naar Parijs was gevolgd. Toen ze het me vertelde, werd ik kwaad. Ik vroeg haar wie het was, maar ze wilde het me niet vertellen. Dus besloot ik het uit te zoeken.' McVey mocht dan nog zo slim en hard zijn, maar als hij zijn verhaal geloofde, zou dat betekenen dat de politie niets over Kanarack wist. En in dat geval was er geen reden waarom Osborn niet alsnog zijn plan zou kunnen uitvoeren.

'En Packard heeft het voor u uitgezocht.'

'Ja.'

'Wilt u me vertellen wie het is?'

Osborn wachtte net lang genoeg om McVey het idee te geven dat het pijnlijk voor hem was erover te praten. Toen zei hij zacht: 'Ze neukt met de Franse premier.'

McVey keek Osborn een ogenblik aan. Het was het juiste antwoord, het antwoord dat hij wilde horen. Als Osborn iets achterhield, zou McVey niet weten wat het was.

'Ik kom er wel overheen. Ik weet zeker dat ik er eens zelfs om zal kunnen lachen, maar nu niet.' Osborns antwoord was redelijk en zelfs sentimenteel. 'Is dat persoonlijk genoeg voor u?'

# 24

McVey verliet het hotel en stak de straat over naar zijn auto. Zijn intuïtie vertelde hem twee dingen over Osborn: ten eerste dat hij niets met de moord in Londen te maken had en ten tweede dat hij echt om Vera Monneray gaf, met wie ze ook sliep.

McVey sloot het portier van de Opel, deed zijn veiligheidsgordel om en startte de motor. Hij zette de ruitewissers aan tegen de regen die nog steeds viel, draaide en reed terug in de richting van zijn hotel. Osborn had niet veel anders gereageerd dan de meeste mensen die door de politie worden ondervraagd, vooral als ze onschuldig zijn. De opeenvolgende emoties die ze vertoonden waren gewoonlijk geschoktheid, angst en verontwaardiging. Meestal eindigde de ondervraging hetzij in een woedeuitbarsting – waarbij afwisselend gedreigd werd de rechercheur en het hele politiekorps voor de rechter te slepen – hetzij in een beleefd gesprekje waarin de politieman naar voren bracht dat zijn vragen niet persoonlijk bedoeld waren en dat hij gewoon zijn werk deed. Vervolgens verontschuldigde hij zich voor de overlast en vertrok. Precies datgene wat hij had gedaan.

Osborn was niet de man die hij zocht. Vera Monneray zou hij in gedachten kunnen houden als een mogelijke verdachte. Ze was iemand met een medische opleiding die waarschijnlijk ook enige ervaring met operaties had. In dat opzicht beantwoordde ze aan het profiel en ze was in Londen geweest toen de laatste moord was gepleegd, maar zij en Osborn zouden elkaar voor de tijd dat ze er waren geweest een alibi kunnen geven. Misschien waren ze ziek geweest, zoals Osborn had verteld, of misschien waren ze de hele tijd met elkaar in de weer geweest. Misschien was ze een paar uur weg geweest zonder dat iemand in het hotel haar had gezien en omdat Osborn dacht dat hij van haar hield, zou hij haar dekken, zelfs als hij het wist. Bovendien was hij er zeker van dat ze een blanco strafblad zou blijken te hebben als hij haar door de computer zou laten natrekken. Als hij de zaak verder zou doordrukken, zou niet alleen Lebrun in een slecht daglicht komen te staan, maar zou hij het hele politiekorps en waarschijnlijk heel Frankrijk in verlegenheid kunnen brengen.

Het ging harder regenen en McVey maakte zich er zorgen over dat hij nu niet meer over de onthoofde lijken wist dan toen hij drie weken geleden aan de zaak was begonnen. Maar zo ging het nu eenmaal meestal, tenzij je snel een meevaller had. Dat was het probleem met moord: de eindeloze details en de honderden valse aanwijzingen die steeds opnieuw nagetrokken moesten worden. De rapporten, het papierwerk, de talloze ondervragingen waarmee je inbreuk maakte op het privé-leven van vreemden. Soms had je geluk, maar meestal niet. De mensen werden boos op je en je kon het hen niet kwalijk nemen. Hoe vaak was hem niet gevraagd waarom hij het deed? Waarom hij zijn leven wijdde aan dit onaangename, frustrerende en akelige werk? Meestal haalde hij slechts zijn schouders op en antwoordde dat hij op een dag wakker was geworden en zich toen realiseerde dat hij daarmee nu eenmaal zijn brood verdiende. Maar in zijn hart wist hij waarom hij het deed. Hij wist niet waar het vandaan kwam, maar hij wist wat het was. Het gevoel dat de slachtoffers van moord ook hun rechten hadden, evenals hun vrienden en familieleden die van hen hielden. Moord was iets wat je niet ongestraft kon laten. Vooral niet als je dat zo voelde en de ervaring en de bevoegdheid had er iets aan te doen.

McVey maakte een ruime bocht naar links en merkte dat hij een brug over de Seine overstak. Dat was niet zijn bedoeling geweest. Nu was hij helemaal uit de richting en hij had er geen idee van waar hij was. Voor hij het wist, reed hij in een dichte verkeersstroom langs de Eiffeltoren. Op dat moment begon een van die kleine dingen die na een ondervraging altijd aan hem bleven knagen in dat speciale hoekje van zijn bewustzijn signalen uit te zenden. Het was iets dergelijks geweest wat hem er die middag toe had gebracht Vera Monnerays appartement te bellen om te kijken wie er zou opnemen.

Hij stuurde de linkerrijstrook op, keek uit naar de volgende zijstraat, sloeg daar af en reed terug. Hij bewoog zich langs de buitenrand van een park en in de verte zag hij tussen de bomen door de verlichte ijzeren structuur van het onderste deel van de Eiffeltoren. Vlak vóór hem kwam een parkeerplaats vrij. Hij passeerde de plek langzaam, reed toen achteruit en parkeerde. Hij stapte uit, zette de kraag van zijn regenjas op tegen de regen en wreef toen zijn handen over elkaar om ze warm te maken. Even later wandelde hij over een pad dat langs de rand van het Parc du Champs de Mars liep en hij zag de Eiffeltoren in de verte opdoemen.

Het was donker in het park en hij kon niet goed zien. De overhangende takken van de bomen aan weerszijden van het pad gaven hem enige bescherming tegen de regen en hij probeerde er zoveel mogelijk onder te blijven. Hij zag zijn adem in de schrale avondlucht en hij blies in zijn handen, maar ten slotte stak hij ze in de zakken van zijn regenjas.

Hij liep voorzichtig om een plek heen waar werkzaamheden aan het trottoir werden uitgevoerd en wandelde nog vijftig meter verder in de

richting van het verlichte gebied, tot hij de Eiffeltoren duidelijk in de avondhemel zag oprijzen. Hij gleed plotseling uit en viel bijna. Hij hervond zijn evenwicht en liep nog een stukje verder tot de plek waar een bank door een straatlantaarn werd beschenen. Het licht van de Eiffeltoren verspreidde zich over het grasachtige terrein waar hij zonet langs was gekomen. Het grootste deel ervan was omgespit en werd opnieuw beplant. Hij leunde met één hand tegen de bank, tilde een voet op en keek naar zijn schoen. Hij was nat en bedekt met modder, evenals zijn andere schoen. Tevredengesteld draaide hij zich om en liep terug naar de auto. Daarom was hij hierheen gegaan. Om een eenvoudig antwoord op een eenvoudige vraag te controleren.
Osborn had de waarheid verteld over de modder.

## 25

Michèle Kanarack had nog nooit meegemaakt dat haar echtgenoot zich zo afstandelijk en koud gedroeg.
Hij zat in zijn ondergoed, een versleten T-shirt en een boxershort, uit het keukenraam te kijken. Hij was om zeven uur thuisgekomen van zijn werk, had zijn kleren uitgetrokken en ze direct in de wasmachine gestopt. Daarna had hij onmiddellijk de wijn gepakt, maar hij had niet meer gedronken dan een half glas. Daarna had hij om zijn maaltijd gevraagd, zwijgend gegeten en daarna ook niets meer gezegd.
Michèle keek naar hem zonder te weten wat ze moest zeggen. Ze was er zeker van dat hij ontslagen was, al had ze er geen idee van waarom. Het laatste wat hij haar had verteld, was dat hij met meneer Lebec naar Rouen zou gaan om naar een mogelijke lokatie voor een nieuwe bakkerij te kijken. Nu, iets meer dan vierentwintig uur later, zat hij in zijn ondergoed naar buiten, het duister in, te staren.
Het duister was iets waarmee Michèles vader haar vertrouwd had gemaakt. Hij was automonteur in Parijs toen het Duitse leger de stad was binnengevallen. Hij zat in het verzet en bracht na zijn werk iedere dag drie uur op het dak van het flatgebouw waarin hij woonde door met het bespioneren en het registreren van het militaire verkeer van de nazi's in de straat beneden.

Hij was eenenveertig jaar toen Michèle werd geboren en de oorlog was al zeventien jaar afgelopen toen hij de vier jaar oude Michèle meenam naar de flat en met haar het dak op ging om haar te laten zien wat hij tijdens de bezetting had gedaan. Het verkeer in de straat beneden veranderde op magische wijze in Duitse tanks, halfrupsvoertuigen en motoren. De voetgangers werden nazi-soldaten met geweren en mitrailleurs. Dat Michèle niet had begrepen waarom hij dat had gedaan, was niet belangrijk. Door haar mee te nemen naar dat gebouw en in het donker met haar het dak op te gaan om haar te laten zien wat hij had gedaan, had hij haar kennis laten nemen van een geheim en gevaarlijk deel van zijn leven en dat was voor haar wél belangrijk. Hij had haar deelgenoot gemaakt van iets heel persoonlijks en heel bijzonders en in haar herinnering aan hem was dat wat telde.
Terwijl ze nu naar haar echtgenoot keek, wenste ze dat hij net zo kon zijn als haar vader. Als het nieuws slecht was, was het slecht. Ze hielden van elkaar, ze waren getrouwd, ze verwachtten een kind. De duisternis buiten maakte zijn afstandelijkheid alleen maar pijnlijker en moeilijker te begrijpen.
De wasmachine aan de andere kant van de kamer stopte. Henri stond onmiddellijk op, opende het deurtje van de wasmachine en trok zijn werkkleren eruit. Toen hij ernaar keek, vloekte hij luid, liep toen naar de andere kant van de kamer en trok woedend een kastdeur open. Even later stopte hij het nog natte wasgoed in een plastic vuilniszak en sloot die af met een plastic strip.
'Wat doe je?' vroeg Michèle.
Hij keek abrupt op. 'Ik wil dat je weggaat,' zei hij. 'Naar het huis van je zuster in Marseille. Neem je eigen achternaam weer aan en vertel iedereen dat ik je in de steek heb gelaten, dat ik een luis ben en dat je er geen idee van hebt waar ik naar toe ben gegaan.'
'Wat zeg je?' Michèle was verbijsterd.
'Doe wat ik je zeg. Ik wil dat je nu vertrekt. Vanavond nog.'
'Henri, vertel me alsjeblieft wat er aan de hand is.'
Als antwoord gooide Kanarack de vuilniszak op de grond en liep de slaapkamer in.
'Henri, alsjeblieft... Laat me je helpen...' Plotseling besefte ze dat hij het meende. Ze liep naar de slaapkamer en bleef doodsbang in de deuropening staan terwijl hij twee haveloze koffers onder het bed vandaan trok. Hij schoof ze naar haar toe.
'Neem deze maar,' zei hij. 'Daar gaat genoeg in.'
'Nee! Ik ben je vrouw. Wat is er in godsnaam aan de hand? Hoe kun je dit allemaal zonder enige uitleg zeggen?'

Kanarack keek haar secondenlang aan. Hij wilde iets zeggen, maar hij wist niet hoe. Toen werd er buiten eerst één keer en daarna twee keer getoeterd. Michèles blik vernauwde zich. Ze drong zich langs hem en liep naar het raam. Beneden in de straat zag ze Agnes Demblons witte Citroën met draaiende motor staan terwijl het gas uit de uitlaat in de avondlucht omhoogzweefde.
Henri keek haar aan. 'Ik houd van je,' zei hij. 'Ga nu naar Marseille. Ik stuur je wel geld daar.'
Michèle duwde hem van haar vandaan. 'Je bent helemaal niet naar Rouen geweest. Je was bij haar!'
Kanarack zei niets.
'Donder maar op, vuile schoft. Ga maar naar je vervloekte Agnes Demblon.'
'Jij moet weg,' zei hij.
'Waarom? Trekt ze bij je in?'
'Als je dat graag wilt horen. Goed dan, ja, ze trekt bij me in.'
'Val dan maar dood, klootzak, en ik hoop dat je eeuwig in de hel zult branden.'

# 26

'Ik begrijp het,' zei François Christian kalm en onbewogen. Hij had een glas cognac in zijn hand en keek in de vlammen van de open haard terwijl hij de drank zachtjes liet ronddraaien.
Vera zei niets. Het was al moeilijk genoeg om hem te verlaten. Ze was hem veel verschuldigd en wilde hem, en zichzelf, niet krenken door gewoonweg op te staan en weg te lopen alsof ze een hoer was, want dat was ze niet.
Het was even voor tienen. Ze hadden net gesoupeerd en zaten in de grote woonkamer van een chic appartement in de rue Paul Valéry, die tussen de Avenue Foch en de Avenue Victor Hugo in lag. Ze wist dat François ook een huis op het platteland had waar zijn vrouw en drie kinderen woonden. Ze vermoedde ook dat hij meer dan één appartement in de stad had, maar ze vroeg hem er nooit naar en ze vroeg hem evenmin of ze zijn enige minnares was, want ze verdacht hem ervan dat

hij er nog meer had.
Ze nam een slokje koffie en keek hem aan. Hij had zich nog steeds niet bewogen. Zijn keurig geknipte haar was nog donker, maar werd aan de slapen een beetje grijs. Hij droeg een donkere krijtstreep en de gesteven witte manchetten van zijn overhemd staken met gedistingeerde precisie onder de mouwen van zijn double breasted colbert uit. Hij zag eruit als een echte aristocraat en dat was hij ook. De trouwring aan zijn linkerhand glinsterde in het licht van de vlammen terwijl hij afwezig aan zijn drankje nipte en in het vuur bleef staren. Hoe vaak hadden zijn handen haar niet gestreeld? Haar aangeraakt op een manier zoals alleen hij haar kon aanraken?
Haar vader, Alexandre Baptiste Monneray, was een hoge officier bij de marine geweest. In haar jeugd had ze samen met haar moeder en haar jongere broer de wereld afgereisd om bij hem te kunnen blijven als hij weer een nieuwe standplaats of het bevel over een ander schip kreeg. Toen ze zestien was, was haar vader met pensioen gegaan en onafhankelijk defensieadviseur geworden en hadden ze zich permanent in een groot huis in Zuid-Frankrijk gevestigd.
François Christian, die toen staatssecretaris van Defensie was, was een van degenen die daar vaak op bezoek kwamen. En daar was hun relatie ook begonnen. François had lange gesprekken met haar gevoerd over kunst, het leven en de liefde. En, op een heel speciale middag, over wat ze wilde gaan studeren. Toen ze hem vertelde dat ze medicijnen had gekozen, was hij stomverbaasd geweest.
Ze meende het serieus, had ze hem verteld. Ze wilde graag arts worden en zou zich daar volledig voor inzetten, al was het alleen maar omdat ze dat op zesjarige leeftijd op uitdagende toon tegen haar vader had gezegd. Ze zaten toen op een zondag om de eettafel en haar ouders hadden het over geschikte beroepen voor vrouwen. Zomaar ineens had ze toen aangekondigd dat ze dokter zou worden. Haar vader had haar gevraagd of ze het meende en ze had 'ja' gezegd. Ze herinnerde zich zelfs nog hoe hij Vera's moeder had aangekeken en haar keus met een flauw glimlachje had geaccepteerd. De glimlach had ze als een uitdaging opgevat. Haar ouders geloofden geen van beiden dat het haar zou lukken. Op dat moment had ze zich voorgenomen te bewijzen dat ze ongelijk hadden. En toen ze dat besluit eenmaal had genomen, gebeurde er iets. Er begon een wit licht om haar heen te schijnen dat bleef stralen. Hoewel ze wist dat niemand anders het kon zien, gaf het haar een gevoel van warmte en geruststelling en ze voelde een grotere kracht in zich dan ooit tevoren. In haar ogen was dat de bevestiging dat haar bewering dat ze dokter zou worden klopte en dat haar lot bepaald was.

Toen ze die middag haar verhaal aan François vertelde, zag ze hetzelfde schijnsel en ze vertelde hem dat het er was. Hij glimlachte alsof hij het volkomen begreep, pakte haar hand vast en moedigde haar sterk aan haar droom te verwezenlijken.

Op haar twintigste haalde ze haar kandidaats aan de Universiteit van Parijs en werd onmiddellijk toegelaten tot de studie medicijnen in Montpellier. Haar vader liet toen zijn laatste reserves varen en gaf haar van harte zijn zegen. Een jaar later, nadat ze de kerstdagen bij haar grootmoeder in Calais had doorgebracht, ging ze naar Parijs om vrienden te bezoeken. Zonder aanwijsbare reden kreeg ze plotseling het idee François Christian, die ze al bijna drie jaar niet had gezien, een bezoekje te brengen.

Het was natuurlijk maar een aardigheidje en ze had er geen andere bedoeling mee dan even gedag te zeggen. Maar François was nu leider van de Franse Democratische Partij en een belangrijke politieke figuur. Ze had er geen idee van hoe ze hem via een hele reeks ondergeschikten zou moeten bereiken, dus ging ze maar naar zijn kantoor en vroeg of ze hem kon spreken. Tot haar verbazing werd ze bijna onmiddellijk bij hem toegelaten.

Zodra ze zijn kantoor binnenkwam en hij vanachter zijn bureau opstond om haar te begroeten, voelde ze dat er iets bijzonders gebeurde. Hij liet thee brengen en ze gingen aan een tafel voor het raam zitten, dat uitkeek op de tuin voor zijn kantoor. Hij had haar leren kennen toen ze zestien was en ze was nu bijna tweeëntwintig. In nog geen zes jaar was ze van een brutale puber veranderd in een verbluffend mooie, buitengewoon intelligente en zeer verleidelijke jonge vrouw. Als ze het zelf al niet geloofde, bevestigde zijn manier van optreden het wel en ze kon haar ogen niet van hem afhouden en hij evenmin van haar. Diezelfde avond had hij haar meegenomen naar dit appartement. Ze hadden gegeten en daarna had hij haar op de bank bij het haardvuur, waar hij nu ook zat, uitgekleed. Het was iets volkomen vanzelfsprekends geweest de liefde met hem te bedrijven en dat was het de volgende vier jaar gebleven, zelfs toen hij premier was geworden. Toen was Paul Osborn in haar leven gekomen en in wat slechts enkele ogenblikken had geleken, was alles veranderd.

'Goed,' zei hij zacht. Hij draaide zich naar haar toe en toen hij haar aankeek, had hij nog steeds een uitdrukking van diepe liefde en respect in zijn ogen. 'Ik begrijp het.' Toen zette hij zijn glas neer en stond op. Hij bleef secondenlang staan en keek haar aan alsof hij haar beeld voor altijd in zijn geheugen wilde griffen. Ten slotte draaide hij zich om en liep de deur uit.

# 27

Osborn zat op de rand van het bed naar Jake Berger te luisteren, die erover klaagde dat zijn ogen traanden, dat zijn neus liep en dat een hitte van tweeëndertig graden Los Angeles gaar stoofde voor smogalarmfase één. Berger zat ergens tussen Beverly Hills en zijn chique kantoor in Century City en ratelde maar door via zijn autotelefoon. Het maakte voor hem niets uit dat Osborn negenduizend kilometer van hem vandaan in Parijs was en misschien zijn eigen problemen zou hebben. Hij klonk meer als een verwend kind dan als een van de beste strafpleiters van Los Angeles en hij was degene die Osborn in eerste instantie met Kolb International en Jean Packard in contact had gebracht.
'Jake, luister naar me, alsjeblieft...' onderbrak Osborn hem ten slotte en hij vertelde hem wat er was gebeurd. Hij vertelde hem over de moord op Jean Packard en het plotselinge bezoek van McVey die met Interpol samenwerkte en hem persoonlijke vragen had gesteld. Hij liet weg dat hij gelogen had, toen hij had gezegd dat hij Jean Packard had ingehuurd om erachter te komen wie Vera's vriend was, zoals hij ook de eerste keer dat hij Berger had gebeld, verzwegen had waarom hij een privé-detective nodig had.
'Weet je zeker dat het McVey was?' vroeg Berger.
'Ken je hem?'
'Of ik McVey ken? Welke advocaat die ooit een verdachte van moord in Los Angeles heeft verdedigd, kent hem niet? Hij is hard en grondig en zo vasthoudend als een pitbull. Als hij eenmaal zijn tanden ergens in zet, laat hij niet meer los voordat hij de zaak rond heeft. Het is geen verrassing dat hij in Parijs is. De afdelingen moordzaken van politiekorpsen over de hele wereld proberen al jaren van McVeys deskundigheid gebruik te maken als ze ten einde raad zijn. De vraag is waarom hij in Paul Osborn geïnteresseerd is.'
'Dat weet ik niet. Hij stond ineens voor mijn neus en begon vragen te stellen.'
'Paul,' zei Berger onomwonden. 'McVey, Interpol. Hij ondervraagt je niet voor de aardigheid. Ik moet een eerlijk antwoord van je hebben. Wat is er aan de hand?'
'Ik weet het niet,' zei Osborn. Er klonk geen aarzeling in zijn stem. Berger zweeg een ogenblik en zei toen tegen Osborn dat hij er met niemand anders over moest praten. Als McVey terug zou komen moest Osborn tegen hem zeggen dat hij Berger in Los Angeles moest bellen. Intussen

zou hij proberen in Parijs iemand te vinden die ervoor kon zorgen dat hij zijn paspoort zou terugkrijgen zodat hij daar zo snel mogelijk zijn biezen kon pakken.
'Nee,' zei Osborn abrupt. 'Doe niets. Ik wilde alleen weten wie McVey was, dat is alles. Bedankt voor je tijd.'

Succinylcholine – Osborn bestudeerde het flesje onder de lamp in de badkamer, stopte het toen in zijn tasje met scheergerei naast het verzegelde pakje met injectiespuiten, sloot het en borg het weg in de koffer die hij nog niet had uitgepakt, onder een paar smokingoverhemden.
Hij poetste zijn tanden, slikte twee slaappillen, deed de deur op het dubbele slot, liep toen naar het bed en trok de dekens terug. Toen hij ging zitten, besefte hij pas hoe moe hij was. Iedere spier van zijn lichaam deed pijn van de spanning.
McVey had hem ongetwijfeld van zijn stuk gebracht en zijn telefoontje naar Berger was een kreet om hulp geweest. Maar toen hij er alles haastig had uitgegooid, had hij zich plotseling gerealiseerd dat hij de verkeerde had gebeld. Hij had iemand gebeld die uitstekend gekwalificeerd was om juridische adviezen te geven, maar niet om psychologische hulp te bieden. Eigenlijk had hij Berger gesmeekt hem uit Parijs weg te halen en zijn problemen op te lossen, zoals hij eerder had geprobeerd Jean Packard in te huren om Kanarack te vermoorden. In plaats van Berger had hij zijn psycholoog in Santa Monica moeten bellen om hem advies te vragen bij het hanteren van zijn emotionele crisis. Maar dat kon hij niet doen zonder toe te geven dat hij moordplannen had en als hij dat deed zou de psycholoog wettelijk verplicht zijn de politie te waarschuwen. De enige persoon met wie hij verder nog zou kunnen praten was Vera, maar dat kon hij niet doen zonder haar medeplichtig te maken.
Eigenlijk maakte het niets uit wie hij in vertrouwen nam, want de uiteindelijke beslissing zou hij toch alleen moeten nemen. Hij zou Kanarack met rust kunnen laten of hem doden.
Dat McVey was komen opdagen, had de druk verhoogd. Sluw en ervaren als hij was, had hij Kanarack geen enkele keer genoemd, maar hoe kon Osborn er zeker van zijn dat hij niet wist hoe de vork in de steel zat? Hoe kon hij er zeker van zijn dat hij niet door de politie in de gaten zou worden gehouden als hij zijn plan ten uitvoer probeerde te brengen?
Osborn knipte de lamp naast het bed uit en ging in het donker achteroverliggen. Buiten tikte de regen licht tegen zijn raam. De lichten beneden in de Avenue Kléber verlichtten de druppeltjes die over het glas liepen en vergrootten ze boven zijn hoofd op het plafond. Hij sloot zijn

ogen en liet zijn gedachten afdwalen naar Vera en hoe ze die middag de liefde hadden bedreven. Hij zag haar voor zich terwijl ze naakt boven op hem zat met haar hoofd in haar nek en haar rug gewelfd, zodat haar lange haar zijn enkels raakte. De enige beweging die ze maakte, was de langzame, sensuele, heen en weer gaande beweging van haar heupen terwijl ze hem bereed. Ze leek op een beeldhouwwerk. De essentie van alles wat vrouwelijk was. Meisje, vrouw, moeder. Tegelijkertijd vloeibaar en vast, oneindig sterk en toch zo teer dat ze bijna leek te verdwijnen.
De waarheid was dat hij van haar hield en om haar gaf op een manier die helemaal nieuw voor hem was. Het was alleen te bevatten als je de ervaring tegemoet trad vanuit je diepste innerlijk, vervuld van verlangen, begeerte en verwondering omdat de ultieme liefde tussen twee mensen echt kon bestaan. En hij was er absoluut zeker van dat als ze allebei op dat moment zouden sterven, ze nog datzelfde ogenblik herenigd zouden worden in de uitgestrektheid van het heelal en elke vorm of gedaante zouden aannemen die nodig was om voor eeuwig met elkaar verstrengeld te kunnen voortleven.
Het maakte geen verschil of dat visioen romantisch, kinderlijk of zelfs spiritueel was, want Paul Osborn geloofde in de waarheid ervan. En hij wist dat Vera op haar eigen manier precies hetzelfde voelde. Ze had dat eerder die dag bewezen toen ze hem had meegenomen naar haar appartement en daar de liefde met hem had bedreven. En daardoor was hem iets heel belangrijks duidelijk geworden. Als hij en Vera samen verder zouden gaan, kon hij niet toestaan dat die demon binnen in hem deze relatie, evenals alle andere relaties die hij had gehad sinds hij een jonge jongen was, zou vernietigen. Deze keer zou de demon zelf vernietigd moeten worden. Meedogenloos en voor altijd. Hoe moeilijk, hoe gevaarlijk en hoe riskant het ook zou zijn.
Toen de pillen ten slotte begonnen te werken en hij door slaap werd overmand, verscheen Paul Osborns demon vóór hem. Hij had een gebogen, dreigende gestalte en droeg een stoffige jas. Hoewel het donker was, zag hij hem zijn hoofd optillen. Hij had diepliggende, starende ogen en zijn oren stonden in een rechte hoek van zijn hoofd af. Het hoofd was opzij gedraaid en hij kon zijn gezicht niet duidelijk zien, maar toch wist hij instinctief dat hij een vierkante kin had en dat er een litteken vanaf zijn jukbeen naar zijn bovenlip liep.
En hij twijfelde er geen moment aan.
Het wezen dat hij zag, was Henri Kanarack.

# 28

*Klik.*
McVey wist zonder te kijken dat het 3.17 uur was, want de laatste keer dat hij had gekeken was het 3.11 uur geweest. Digitale klokken maakten zogenaamd geen geluid, maar als je goed luisterde, bleken ze dat wel te doen. En McVey had goed geluisterd en de klikken geteld terwijl hij nadacht.
Hij was om tien minuten voor elf in zijn hotel teruggekomen na zijn bezoek aan Osborn en zijn uitstapje in de regen in het gebied voor de Eiffeltoren. Het kleine restaurant van het hotel was gesloten en room service hadden ze er niet. Het was typisch het soort reis waarbij alle onkosten door Interpol werden betaald. Het hotel was nauwelijks bewoonbaar, de tapijten waren verkleurd, de bedden bultig en er werd alleen tussen zes en negen uur 's ochtends en zes en negen uur 's avonds eten geserveerd.
Hij had de keuze naar buiten, de regen in, te gaan om een restaurant te zoeken dat open was, of gebruik te maken van de 'servicebar', een klein koelkastje dat was weggestopt tussen een ding dat als kast dienst deed en de badkamer, waar de vloer iedere keer dat je een douche nam onder water kwam te staan.
McVey was niet van plan de regen in te gaan, dus het was de servicebar of niets. Hij opende het koelkastje met het sleuteltje dat aan de ring van zijn kamersleutel zat en zag dat er wat kaas en crackers en een driehoekig stuk Zwitserse chocolade in lagen. Toen hij nog wat verder keek, ontdekte hij ook een halve fles witte wijn die een heel lekkere Sancerre bleek te zijn. Toen hij na zijn karig maal achteloos de lade van het bureau opende om op de prijslijst van de servicebar te kijken, zag hij waarom de Sancerre zo lekker was geweest. De halve fles kostte honderdvijftig francs, ongeveer dertig dollar. Een schijntje voor een connaisseur, maar een vermogen voor een politieman.
Om halftwaalf was zijn woede gezakt. Hij had zijn kleren uitgetrokken en wilde net de douche in stappen toen de telefoon ging. Commandant Noble van Scotland Yard belde vanuit zijn huis in Chelsea.
'Wacht even, McVey,' had Noble gezegd. 'Ik heb Michaels, de patholoog-anatoom van Binnenlandse Zaken op de andere lijn en ik probeer uit te zoeken hoe ik hiervan een telefonische vergadering kan maken zonder met iedereen de verbinding te verbreken.'
McVey wikkelde een handdoek om zich heen en ging tegenover zijn bed

op het formica blad van het bureau zitten.
'McVey? Ben je daar nog?'
'Ja.'
'Dokter Michaels?'
McVey hoorde de stem van de jonge patholoog-anatoom op de lijn komen. 'Ik ben er,' zei hij.
'Goed dan, dokter Michaels, vertel onze vriend McVey maar wat u mij zonet verteld hebt.'
'Het gaat over het afgesneden hoofd.'
'Hebt u ontdekt wie het is?' McVeys stemming verbeterde onmiddellijk.
'Nog niet. Misschien zal datgene wat dokter Michaels te zeggen heeft duidelijker maken waarom de identificatie zo lastig is,' zei Noble. 'Gaat u alstublieft verder, dokter Michaels.'
'Ja, natuurlijk.' Dokter Michaels schraapte zijn keel. 'Zoals u zich zult herinneren, inspecteur McVey, zat er bijna geen bloed in het afgesneden hoofd toen we het vonden. Daarom was het heel lastig te bepalen wanneer de dood was ingetreden, omdat we moeite hadden de stollingstijd vast te stellen. Ik dacht echter dat ik u een redelijke schatting zou kunnen geven van de tijdsperiode waarbinnen de man vermoord moest zijn. Daarin bleek ik me vergist te hebben.'
'Dat begrijp ik niet,' zei McVey.
'Nadat u was vertrokken, heb ik de temperatuur van het hoofd gemeten en een paar weefselmonsters genomen die ik naar het lab heb gestuurd om te laten analyseren.'
'En...?' McVey gaapte. Het werd laat en hij begon meer aan slapen dan aan moord te denken.
'Het hoofd was ingevroren geweest. Ingevroren en daarna ontdooid voordat het in de steeg werd achtergelaten.'
'Weet u dat zeker?'
'Ja, meneer.'
'Dat heb ik wel vaker meegemaakt,' zei McVey. 'Maar gewoonlijk kun je het onmiddellijk vaststellen omdat het lang duurt voordat het binnenste hersenweefsel is ontdooid. Als je van binnen naar buiten werkt, merk je dat het binnenste deel kouder is dan de buitenste lagen.'
'Dat was niet het geval, inspecteur. Het hoofd was volledig ontdooid.'
'Maak uw verhaal af, dokter Michaels,' drong Noble aan.
'Toen in het laboratorium uit de weefselmonsters was gebleken dat het hoofd bevroren was geweest, zat me toch dwars dat de gelaatshuid onder druk van mijn vingers bewoog zoals normaal het geval zou zijn als het hoofd niet ingevroren was geweest.'

'Waar stuurt u op aan?'
'Ik heb het hoofd naar een zekere doctor Stephen Richards gestuurd, een deskundige op het gebied van de micro-pathologie van het Koninklijk Instituut voor Pathologie, om te kijken of hij me iets meer over het invriezen kon vertellen. Hij belde me zodra hij zich realiseerde wat er was gebeurd.'
'Wát was er dan gebeurd?' McVey begon ongeduldig te worden.
'Onze vriend had een metalen plaatje in zijn schedel. Ongetwijfeld ten gevolge van de een of andere hersenoperatie die jaren geleden is uitgevoerd. Uit het hersenweefsel hadden we geen enkele conclusie kunnen trekken, maar wél uit het metaal. Het hoofd was ingevroren, niet alleen tot het in een vaste toestand was geraakt, maar in een mate die het absolute nulpunt benaderde.'
'Ik ben een beetje traag van begrip op dit uur van de avond, dokter. Ik kan u niet volgen.'
'Het absolute nulpunt is een mate van kou die in de wetenschap onbereikbaar is. Het is een hypothetische temperatuur die wordt gekenmerkt door de volledige afwezigheid van warmte. Om die zelfs maar te benaderen, moet je uiterst geavanceerde laboratoriumtechnieken tot je beschikking hebben, waarbij gebruik wordt gemaakt van vloeibaar helium of magnetische koelmethoden.'
'Hoe koud is dat absolute nulpunt?' McVey had er nog nooit van gehoord.
'In technische termen?'
'In wat voor termen ook.'
'Min 273.15 graden Celsius of min 459.67 graden Fahrenheit.'
'Jezus Christus, dat is bijna vijfhonderd graden Fahrenheit onder nul.'
'Ja, inderdaad.'
'Aangenomen dat je het absolute nulpunt bereikt, wat gebeurt er dan?'
'Dat heb ik net opgezocht, McVey,' merkte Noble op. 'Dan houdt de geïnduceerde lineaire beweging van alle moleculen in een stof op.'
'Ieder atoom ervan is dan volkomen bewegingloos,' voegde Michaels eraan toe.

*Klik.*
Deze keer keek McVey wel naar de klok. Het was vrijdag 7 oktober 3.18 uur.
Commandant Noble, noch dokter Michaels had er enig idee van waarom iemand een hoofd in die mate zou invriezen om het vervolgens weg te gooien. En McVey evenmin. De mogelijkheid bestond dat het hoofd afkomstig was van een van die organisaties die mensen invriezen

die hopen dat er in de toekomst een geneeswijze gevonden zal worden voor de ziekte waaraan ze zijn overleden, zodat ze ontdooid, behandeld en tot leven gewekt zullen kunnen worden. Voor iedere wetenschapper ter wereld was het een hersenschim, maar de mensen wilden ervoor betalen en legitieme bedrijven leverden de service.
Er waren twee van die bedrijven in Groot-Brittannië. Een in Londen en een in Edinburgh, en Scotland Yard zou daar de volgende morgen meteen informatie inwinnen. Misschien was het ongeïdentificeerde slachtoffer niet vermoord, maar was zijn hoofd na zijn dood van zijn romp gescheiden en werd het legitiem bewaard voor een tijdstip in de toekomst. Misschien had hij al zijn spaargeld geïnvesteerd in het diepvriezen van zijn eigen hoofd. De mensen deden wel gekkere dingen.
Voordat McVey had opgehangen, had hij gezegd dat hij de volgende ochtend naar Londen zou komen en gevraagd of de zeven hoofdloze lijken met röntgenstralen onderzocht zouden kunnen worden om na te gaan of er operaties op hen waren uitgevoerd waarbij metalen voorwerpen in het skelet waren gezet, zoals kunstheupgewrichten of schroeven die gebroken botten bij elkaar hielden. Het metaal zou dan geanalyseerd kunnen worden zoals de stalen plaat in het ongeïdentificeerde hoofd. Lijken waarin metaal aangetroffen werd, moesten onmiddellijk naar doctor Richards van het Koninklijk Instituut worden gestuurd om vast te laten stellen of ook zij diepgevroren waren geweest.
Misschien was dit de doorbraak waarop ze hadden gehoopt, het soort bijkomstigheid dat degene die de zaak onderzoekt gewoonlijk de hele tijd onder zijn neus heeft, maar dat de eerste, tweede, derde en zelfs de tiende keer dat het bewijsmateriaal onder de loep wordt genomen, onopgemerkt blijft. Bij moeilijke moordzaken is zoiets bijna altijd een keerpunt, tenminste als de politieman die aan het onderzoek werkt volhardend genoeg is om die laatste keer ook nog eens goed te kijken.

*Klik.*
3.19 uur.
McVey stond op uit zijn stoel, liep naar zijn bed, sloeg de dekens terug en liet zich neerploffen. Het wás al ochtend. Hij kon zich donderdag nauwelijks herinneren. Ze betaalden hem niet genoeg om zulke lange uren te maken. Ze betaalden geen enkele politieman trouwens ooit genoeg.
Misschien zou het bevroren hoofd iets opleveren, maar waarschijnlijk niet, net zomin als de kwestie met Osborn iets had opgeleverd. Osborn was een aardige vent die verliefd was en het moeilijk had. Het was niet niks om op zakenreis te gaan en dan verliefd te worden op de vriendin

van de premier.
McVey wilde het licht uitdoen en onder de wol kruipen toen hij zijn modderige schoenen zag die onder de tafel stonden te drogen. Met een zucht kwam hij overeind, pakte ze op en liep naar de badkamer, waar hij ze op de vloer zette.

*Klik.*
3.24 uur.
McVey liet zich tussen de lakens glijden, draaide zich op zijn zij, deed het licht uit en vlijde zijn hoofd op het kussen.
Als Judy nog zou leven, zou ze nu op deze reis met hem zijn meegekomen. De enige plaats waar ze ooit samen naar toe waren gereisd, behalve dan naar Big Bear om te vissen, was Hawaï geweest. Twee weken in 1975. Een vakantie naar Europa hadden ze zich nooit kunnen permitteren. Deze keer hadden ze het zich wel kunnen permitteren. Ze zouden niet eersteklas hebben gereisd, maar wat maakte dat uit, Interpol zou hebben betaald.

*Klik.*
3.26 uur.
'Modder!' zei McVey plotseling hardop en hij ging rechtop zitten. Hij deed het licht aan, trok de dekens opzij en liep de badkamer binnen. Hij boog zich voorover, pakte zijn schoenen een voor een op en keek ernaar. De modder die eraan vastkoekte was grijs, bijna zwart. De modder op Osborns gympen was rood geweest.

# 29

Michèle Kanarack keek op naar de klok toen de trein uit het Gare de Lyon naar Marseille vertrok. Het was 6.54 uur in de ochtend. Ze had geen bagage bij zich, alleen een handtas. Ze had een kwartier nadat ze had gezien dat Agnes Demblons witte Citroën buiten stond te wachten een taxi naar het station genomen. Daar had ze een tweedeklas kaartje naar Marseille gekocht en was op een bank gaan zitten. Ze zou bijna negen uur moeten wachten, maar dat kon haar niet schelen.

Ze wilde niets meer van Henri, zelfs hun kind niet dat nog geen acht weken geleden in liefde verwekt was. Ze was helemaal van streek doordat het zo abrupt was gegaan, te meer daar het volkomen uit de lucht was komen vallen.
Toen de trein het station uit was, verhoogde hij zijn snelheid en Parijs werd een vage vlek. Vierentwintig uur geleden was haar wereld warm en vol belofte geweest. Haar zwangerschap vervulde haar iedere dag met meer vreugde en toen Henri haar had gebeld om te zeggen dat hij met meneer Lebec naar Rouen zou gaan om te kijken of daar een nieuwe bakkerij geopend kon worden, had ze gedacht dat hij daar misschien een leidinggevende functie zou krijgen. Toen was er aan alles in een handomdraai een eind gemaakt. Ze was bedrogen en er was tegen haar gelogen. En dat niet alleen, maar ze wist nu ook dat ze een dwaas was. Ze had moeten weten wat een macht die teef van een Agnes Demblon over haar echtgenoot had. Misschien had ze het al die tijd geweten, maar geweigerd het te accepteren. Daarvan kon ze alleen zichzelf de schuld geven. Welke vrouw zou haar man nu iedere dag door een ongetrouwde vrouw, hoe onaantrekkelijk ook, laten ophalen en naar zijn werk laten rijden? Maar hoe vaak had Henri niet geruststellend tegen haar gezegd: 'Agnes is alleen maar een oude vriendin, schat, een oude vrijster. Wat zou ik nu in haar kunnen zien?'
'Schat.' Ze kon nog de manier horen waarop hij het zei en het maakte haar nu misselijk. Zoals ze zich nu voelde zou ze hen allebei zonder enige scrupules kunnen vermoorden. Ze zag door het raam de stad overgaan in landschap. Er raasde een andere trein langs die naar Parijs ging. Michèle Kanarack zou nooit meer naar Parijs teruggaan. Henri en alles wat met hem te maken had, was verleden tijd. Afgelopen. Haar zuster zou dat moeten begrijpen en niet proberen haar over te halen terug te gaan.
Wat had hij ook al weer gezegd? 'Neem je meisjesnaam weer aan.'
En dat zou ze doen ook, zodra ze een baan had en geld om een advocaat te nemen. Ze leunde achterover, sloot haar ogen en luisterde naar het geluid van de trein die zijn snelheid weer verhoogde. Vandaag was het 7 oktober. Over precies een maand en twee dagen zouden zij en Henri acht jaar getrouwd zijn geweest.

In Parijs lag Henri Kanarack opgerold in de foetushouding te slapen in een zachte fauteuil in Agnes Demblons huiskamer. Om kwart voor vijf had hij Agnes naar haar werk gereden en was toen met de Citroën naar haar huis teruggekeerd. Zijn appartement op de Avenue Verdier 175 was leeg. Iemand die daarheen ging zou constateren dat er niemand

thuis was en geen enkele aanwijzing kunnen vinden over hun huidige verblijfplaats. De groene plastic vuilniszak met zijn werkkleren, ondergoed, schoenen en sokken erin had hij in de verbrandingsoven in de kelder gegooid en alles was binnen enkele seconden in rook opgegaan. Alle kleren die hij tijdens de moord op Jean Packard had gedragen, waren in microscopisch kleine deeltjes door de nachtlucht naar beneden gedwarreld en lagen verspreid over Montrouge.
Vijftien kilometer van hem vandaan, aan de overkant van de Seine, zat Agnes Demblon op de eerste verdieping van de bakkerij achter haar bureau de rekeningen uit te schrijven voor de uitstaande vorderingen die altijd de vijfde van de maand werden verstuurd. Ze had meneer Lebec en de andere werknemers er al van op de hoogte gesteld dat Henri Kanarack wegens een familiekwestie de stad uit was en waarschijnlijk minstens een week niet op zijn werk zou komen. Om halfzeven had ze met de hand geschreven briefjes bij de telefoniste en op de toonbank van de winkel gelegd waarin stond dat iedereen die informatie over meneer Kanarack vroeg onmiddellijk met haar doorverbonden moest worden.

Omstreeks dezelfde tijd liep McVey behoedzaam door het Parc Champ de Mars voor de Eiffeltoren. In het druilerige ochtendlicht zag hij de omgespitte rechthoekige tuin die hij de vorige avond had bezocht. Verderop zag hij andere paden die waren omgespit om verfraaid te worden. Erachter waren nog niet omgespitte paden die evenwijdig aan elkaar liepen en met tussenafstanden van ongeveer vijftig meter andere paden kruisten. Hij liep aan één kant het hele park langs, stak het toen over en liep langs de andere kant terug terwijl hij voortdurend de grond bestudeerde. Hij zag overal alleen maar de grijs-zwarte modder die weer aan zijn schoenen koekte.
Toen hij bleef staan en zich omdraaide om te kijken of hij niets had gemist, zag hij een terreinknecht naar hem toe komen. De man sprak geen Engels en McVeys Frans was miserabel. Toch probeerde hij het.
'Rode aarde. Begrijpt u me? Rode aarde? Is dat hier ergens?' vroeg McVey terwijl hij naar de grond wees.
'Rodaard?' vroeg de man.
'Nee. Rood! De kleur rood. R-o-o-d.' McVey spelde het woord voor hem.
'R-o-o-d,' herhaalde de man met een uitdrukking in zijn ogen alsof hij dacht hij McVey gek was.
Het was te vroeg in de ochtend voor dit soort dingen. Hij zou Lebrun halen en hem de vragen laten stellen. '*Pardon*,' zei hij met zijn beste

accent en hij wilde weglopen toen hij een rode zakdoek uit de achterzak van de man zag steken. Hij wees erop en zei: 'Rood.'
De man trok de zakdoek uit zijn zak en bood hem McVey aan.
'Nee. nee.' McVey wuifde het aanbod weg. 'De kleur.'
'Ah!' Het gezicht van de man klaarde op. '*La couleur!*'
'*La couleur!*' herhaalde McVey triomfantelijk.
'*Rouge*,' zei de man.
'*Rouge*,' herhaalde McVey en hij probeerde het woord van zijn tong te laten rollen als een Parijzenaar. Toen bukte hij zich en pakte een handvol van de grijze modder op. '*Rouge*?' vroeg hij.
'*Le terrain*?'
McVey knikte. '*Rouge terrain*?' vroeg hij terwijl hij naar de omringende tuinen gebaarde.
De man staarde hem aan. '*Rouge terrain*?' zei hij en hij maakte hetzelfde gebaar als McVey.
'*Oui!*' zei McVey stralend.
'*Non*,' antwoordde de man.
'Nee?'
'Nee!'

Teruggekomen in zijn hotel belde McVey Lebrun en vertelde hem dat hij zijn koffers ging pakken om naar Londen terug te keren en dat hij het onbehaaglijke gevoel had gekregen dat Osborn misschien toch niet zo koosjer was als hij aanvankelijk had gedacht en dat het misschien de moeite zou lonen hem in de gaten te houden tot de volgende dag, wanneer hij zijn paspoort zou komen ophalen om naar Los Angeles te kunnen vertrekken. 'O ja,' voegde hij eraan toe. 'Hij heeft sleutels van een Peugeot.'
Dertig minuten later, om vijf over acht, parkeerde er een particuliere auto van de politie op de Avenue Kléber tegenover Paul Osborns hotel. De rechercheur in burger die achter het stuur zat maakte zijn veiligheidsgordel los, leunde achterover en begon het hotel te observeren. Als Osborn naar buiten kwam en te voet zou vertrekken of voor de deur zou wachten tot zijn auto werd gebracht, zou de rechercheur hem zien. Ze hadden Osborns kamer gebeld om te controleren of hij nog binnen was en toen hij opnam, hadden ze gezegd dat ze tot hun spijt verkeerd verbonden waren. Door informatie in te winnen bij autoverhuurbedrijven waren ze achter het bouwjaar, de kleur en het kenteken van Osborns gehuurde Peugeot gekomen.
Om tien over acht werd McVey door een andere particuliere politieauto bij zijn hotel opgehaald en naar het vliegveld gebracht. Service van Le-

brun en de eerste prefectuur van de Parijse politie.
Vijftien minuten later zaten ze nog in het verkeer. McVey kende Parijs nu goed genoeg om te weten dat de chauffeur niet de snelweg naar het vliegveld nam. Hij had gelijk. Vijf minuten later reden ze de garage van het hoofdbureau van politie binnen.
Om kwart voor negen zat McVey, nog steeds gekleed in het gekreukelde grijze pak dat helaas zijn handelsmerk begon te worden, tegenover Lebrun aan diens bureau en bestudeerde een foto van twintig bij vijfentwintig centimeter van een vingerafdruk. Het was een duidelijke vergroting van de afdruk van een hele vinger die was gemaakt van een veeg op een stuk gebroken glas dat de labjongens van moordzaken in Jean Packards appartement hadden gevonden. Het stuk glas was naar het vingerafdrukkenlaboratorium van Interpol in Lyon gestuurd, waar een computerexpert de veeg had gezuiverd tot er een identificeerbare afdruk was overgebleven. De print was gescand, vergroot en gefotografeerd en daarna naar Lebrun opgestuurd.
'Ken je dr. Hugo Klass?' vroeg Lebrun terwijl hij een sigaret opstak en weer naar zijn lege computerscherm keek.
'Een Duitse vingerafdrukkenexpert,' antwoordde McVey terwijl hij de foto in het dossier terugstopte en het dichtklapte. 'Waarom?'
'Je wilde vragen hoe nauwkeurig de vergroting was, klopt dat?'
McVey knikte.
'Klass werkt nu in het hoofdkwartier van Interpol. Hij heeft samen met de computertekenaar aan de oorspronkelijke afdruk gewerkt tot ze een duidelijk ribbelpatroon hadden. Daarna heeft Rudolf Halder van Interpol in Wenen een validatietest uitgevoerd met een nieuw soort forensische optische comparator die hij en Klass samen hebben ontwikkeld. Een precisiebom zou niet nauwkeuriger kunnen zijn.'
Lebrun keek weer naar zijn computerscherm. Hij wachtte op antwoord op een verzoek om identificatie dat hij bij de afdeling strafbladen van het Centrale Archief van het datacentrum van Interpol in Lyon had gedaan. Op zijn aanvankelijke aanvraag had hij het antwoord 'niet geregistreerd in Europa' gekregen. Op zijn tweede aanvraag kreeg hij ten antwoord: 'niet geregistreerd in Noord-Amerika'. Bij zijn derde verzoek vroeg hij om 'automatische retrieval' waardoor de computer 'oude gegevens' checkte.
McVey leunde naar voren en pakte zijn kop zwarte koffie. Hoezeer hij ook zijn best deed een moderne politieman te zijn en gebruik te maken van het uitgebreide scala aan geavanceerde technologie dat hij tot zijn beschikking had, hij bleef toch iemand van de oude stempel. Voor hem was het nog steeds zo dat je moeizaam routinewerk deed tot je de dader

en voldoende bewijsmateriaal te pakken had. Daarna zette je hem onder druk tot hij doorsloeg. Toch wist hij dat hij zich vroeg of laat zou moeten aanpassen en het leven wat gemakkelijker voor zichzelf zou moeten gaan maken. Hij stond op, liep om het bureau heen, ging achter Lebrun staan en keek naar het scherm.
Op dat moment kwam er een 'retrieve' file van Interpol in Washington binnen. Zeven seconden later verscheen de naam MERRIMAN, ALBERT JOHN op het scherm. De man werd in Florida, New Jersey, Rhode Island en Massachusetts gezocht voor moord, poging tot moord, gewapende roofoverval en afpersing.
'Fijne jongen,' zei McVey. Toen verdween het beeld en even later verscheen de tekst: OVERLEDEN, 22 DECEMBER 1967, NEW YORK CITY.
'Overleden?' zei Lebrun verbaasd.
'Volgens die slimme computer van je vermoordt een dode man mensen in Parijs. Hoe moet je dat aan de media vertellen?' vroeg McVey met een uitgestreken gezicht.
Lebrun vatte het op als een belediging. 'Kennelijk heeft Merriman zijn dood in scène gezet en een valse identiteit aangenomen.'
McVey glimlachte weer. 'Een andere mogelijkheid is dat Krass en Halder niet zo goed zijn als hun reputatie doet verwachten.'
'Heb je een hekel aan Europeanen, McVey?' vroeg Lebrun ernstig.
'Alleen als ze een taal spreken die ik niet versta.' McVey liep weg, keek naar het plafond, draaide zich om en kwam terug. 'Veronderstel dat jij, Klass en Halder gelijk hebben en dat het Merriman is. Waarom zou hij dan na al die jaren boven water komen om een privé-detective te vermoorden?'
'Omdat iets hem daartoe heeft gedwongen. Waarschijnlijk iets waaraan die Jean Packard werkte.'
Het commando – SIGNALEMENT – POLITIEFOTO – VINGERAFDRUKKEN – J/N ? – verscheen op Lebruns scherm.
Lebrun drukte J in op zijn toetsenbord.
Het scherm werd blanco en even later verscheen een tweede commando. ALLEEN FAX – J/N –?
Weer drukte Lebrun J in. Twee minuten later werden een politiefoto, het signalement en de vingerafdrukken van Albert Merriman uitgeprint. De foto was van een dertig jaar jongere Henri Kanarack.
Lebrun bestudeerde de foto en overhandigde hem toen aan McVey.
'Ken ik niet,' zei McVey.
Lebrun veegde wat sigaretteas van zijn manchet, pakte de telefoon en zei tegen de man aan de andere kant van de lijn dat hij Jean Packards appartement en zijn kantoor bij Kolb International nog een keer moest

doorzoeken en nu nog nauwkeuriger dan de eerste keer.
'Ik stel ook voor dat je een politietekenaar laat proberen een tekening van Albert Merriman te maken zoals hij er nu zou kunnen uitzien.'
McVey pakte de versleten bruinleren tas op die dienst deed als koffer en bewaarplaats van de spullen die hij bij zijn moordonderzoeken gebruikte, bedankte Lebrun voor de koffie en voegde eraan toe: 'Je weet waar je me in Londen kunt bereiken als onze vriend Osborn, voordat hij naar L.A. vertrekt, nog iets zou doen wat niet mag.' Vervolgens liep hij naar de deur.
'McVey,' zei Lebrun toen McVey bijna bij de deur was gekomen. 'Albert Merriman is in New York overleden.'
McVey bleef staan, draaide zich langzaam om en zag nog net een grijns over Lebruns gezicht glijden.
'Uit collegialiteit, McVey. Bel, *s'il vous plaît*?'
'Uit collegialiteit.'
'*Oui*.'

# 30

Op minder dan een steenworp afstand van het gebouw in de rue de la Cité waar McVey probeerde de Newyorkse politie te bereiken om informatie over Albert Merriman in te winnen, wandelde Vera Monneray langs de Porte de la Tournelle terwijl ze afwezig naar het scheepvaartverkeer op de Seine keek.
Het was een juiste beslissing geweest haar relatie met François Christian te beëindigen. Ze wist dat het hem verdriet had gedaan dat ze uit elkaar waren gegaan, hoewel ze hem de reden ervoor zo aardig en respectvol mogelijk had verteld. Ze hield zichzelf voor dat ze een van de meest geachte leden van de Franse regering niet had verlaten voor een orthopedisch chirurg uit Los Angeles. In werkelijkheid was het zo dat zij noch François op dezelfde voet had kunnen doorgaan zonder hun persoonlijke ontwikkeling in de weg te staan. En een leven zonder ontwikkeling betekende dat je geestelijk zou wegkwijnen en ten slotte zou afsterven.
Wat ze had gedaan, had ze moeten doen om te kunnen overleven en

François zou uiteindelijk hetzelfde hebben gedaan als hij er ten slotte in had berust dat zijn vrouw en kinderen degenen waren die recht hadden op zijn liefde.
Toen ze boven aan een hoge trap was gekomen, draaide ze zich om en keek uit over Parijs. Het leek alsof ze de Seine en de prachtige bogen van de Notre Dame voor het eerst zag. De bomen, de daken en het verkeer op de boulevard waren volkomen nieuw voor haar. François Christian was een geweldige man en ze was blij dat ze hem zo intiem had gekend, maar nu was ze even dankbaar dat hun relatie voorbij was. Misschien kwam het doordat ze zich voor het eerst in haar leven volkomen vrij en ongebonden voelde.
Ze sloeg rechtsaf en liep de brug naar haar appartement over. Ze probeerde welbewust niet aan Paul Osborn te denken, maar het lukte haar niet. Haar gedachten bleven naar hem terugkeren. Ze wilde geloven dat hij had geholpen haar te bevrijden. Door haar aandacht te schenken en haar zelfs te adoreren, had hij haar een hernieuwd geloof in zichzelf gegeven als een onafhankelijke, intelligente en seksueel aantrekkelijke vrouw die heel goed in staat was een eigen leven op te bouwen. En dat had haar het zelfvertrouwen en de moed gegeven zich van François los te maken.
Maar dat was niet de hele waarheid en het zou zelfbedrog zijn als ze dat niet zou toegeven. Paul Osborn leed en ze bekommerde zich erom dat hij leed. Ze wilde best aannemen dat medeleven en bekommernis bij de instinctieve vrouwelijke neiging tot verzorgen hoorden. Vrouwen deden dat nu eenmaal wanneer ze aanvoelden dat iemand aan wie ze gehecht waren, verdriet had. Maar zo simpel was het niet en dat wist ze. Ze wilde hem liefhebben tot hij niet meer zou lijden en hem daarna nog meer liefhebben.
'*Bonjour, mademoiselle*,' zei een geüniformeerde portier met een rond gezicht opgewekt terwijl hij de smeedijzeren buitendeur voor haar openhield.
'*Bonjour*, Philippe,' zei ze glimlachend. Ze liep langs hem heen de hal in en haastte zich toen de glanzende marmeren trap op naar haar appartement op de eerste verdieping.
Toen ze binnen was, sloot ze de deur en liep door de gang naar de traditioneel ingerichte eetkamer. Op de tafel stond een vaas met vierentwintig rode rozen met een lange steel. Ze hoefde het kaartje niet uit de envelop te halen om te weten wie ze had gestuurd, maar ze deed het toch.
'*Au revoir*, François.'
Hij had de tekst zelf geschreven. François had gezegd dat hij het be-

greep en dat was ook zo. Het kaartje en de bloemen betekenden dat ze altijd vrienden zouden blijven. Vera hield het kaartje even vast, stopte het toen terug in de envelop en liep de huiskamer binnen. In één hoek stond een kleine vleugel. Ertegenover stonden twee grote banken in een rechte hoek op elkaar met ertussenin een lange tafel van ebbehout en glas. Rechts van haar was de deur naar de gang waarop twee slaapkamers en een studeerkamer uitkwamen. Links was de eetkamer. Daarachter was een werkruimte voor een butler en daarachter de keuken.
Buiten verduisterden de laaghangende wolken de stad. De grauwe bewolking maakte dat alles er treurig uitzag. Voor het eerst leek het appartement enorm groot en lelijk, troosteloos en zonder warmte, een woning voor iemand die vormelijker en veel ouder was dan zij.
Het leek alsof er een waas van eenzaamheid op haar neerdaalde dat even somber was als de hemel die Parijs overkoepelde en ze wilde dat Paul nu hier was. Ze wilde hem strelen en door hem gestreeld worden zoals ze gisteren hadden gedaan. Ze wilde samen met hem zijn in de slaapkamer, in de douche of waar hij haar maar wilde nemen. Ze wilde hem in haar voelen en steeds opnieuw de liefde met hem bedrijven tot hun lichaam pijn zou doen.
Ze wilde het evenzeer voor hem als voor zichzelf. Het was belangrijk dat hij begreep dat ze wist dat hij heimelijk leed. En zelfs al wist ze niet wat de oorzaak ervan was en al kon hij het haar niet vertellen, zelfs dan zou het goed voor hem zijn als hij haar vertrouwde. Want als het geschikte moment zou komen, zou hij het haar vertellen en samen zouden ze er dan wat aan doen. Maar voorlopig moest hij bovenal weten dat ze er voor hem zou zijn, op elk gewenst moment en zo lang hij maar wilde.

# 31

*West Side Story* uit 1961, met in de hoofdrol Natalie Wood, draaide in de niet nagesynchroniseerde versie in een kleine bioscoop aan de Boulevard des Italiens. De film duurde 151 minuten en Paul Osborn zou de tweede voorstelling, die om vier uur begon, bezoeken. Toen hij studeerde, had hij twee achtereenvolgende jaren colleges over filmgeschiedenis gevolgd en hij had een uitgebreide scriptie geschreven over

het maken van films naar theatermusicals. *West Side Story* had een belangrijke plaats in zijn verhandeling ingenomen en hij kende de film nog goed genoeg om wie dan ook ervan te kunnen overtuigen dat hij hem net had gezien.
De bioscoop aan de Boulevard des Italiens was halverwege zijn hotel en de bakkerij waar Kanarack werkte en er waren binnen een loopafstand van vijf minuten in drie richtingen metrostations.
Osborn omcirkelde de naam van de bioscoop met zijn pen, vouwde zijn krant dicht en stond op vanachter het tafeltje waaraan hij zat. Terwijl hij door de eetzaal van het hotel liep om zijn ontbijtrekening te betalen, keek hij even naar buiten. Het regende nog steeds.
Hij liep de hal in en keek rond. Er stonden drie medewerkers van het hotel achter de balie en buiten stonden twee mensen dicht bij elkaar onder de luifel van de ingang terwijl een portier een taxi aanhield. Verder was er niemand.
Hij liep naar de lift, drukte op de knop en de deur ging onmiddellijk open. Hij stapte naar binnen en ging in zijn eentje omhoog. Onderweg overdacht hij zorgvuldig de situatie met McVey. Hij wist zeker dat Kanarack Jean Packard had vermoord. De vraag was of de politie dat ook wist. Of, wat belangrijker was, wisten ze dat hij de privé-detective had ingehuurd om Kanarack te vinden? Zoals hij had gemerkt, ging wat de politie wist en hoe ze aan haar kennis kwam het begrip van gewone mensen, hemzelf inbegrepen, te boven.
In het slechtst mogelijke scenario – waarin de politie niets van Kanarack wist, maar Osborn ervan zou verdenken dat hij meer van de dood van de privé-detective wist dan hij had laten blijken – zou McVey of iemand anders het hotel in de gaten houden en hem volgen zodra hij vertrok.
De lift stopte en Osborn stapte de gang in. Een paar seconden later ging hij zijn kamer binnen en sloot de deur. Het was vijf voor halftwaalf in de ochtend en hij had nog vier uur de tijd voordat hij naar de bioscoop moest vertrekken.
Hij gooide de krant op het bed en liep de badkamer binnen. Hij poetste zijn tanden en nam een douche. Terwijl hij zich schoor, besloot hij dat de beste oplossing voor zijn probleem was zich te gedragen zoals de politie van hem zou verwachten. Hij zou de rol spelen van de treurige minnaar die zijn laatste dagen in Parijs alleen doorbracht. En hoe eerder hij daarmee begon, hoe groter de kans was dat hij iemand die hem volgde, zou kunnen afschudden. En welke plaats zou nu beter zijn om zijn eenzame tocht te beginnen dan het Louvre, met zijn drommen toeristen en talrijke uitgangen?
Hij trok zijn regenjas aan, knipte het licht uit en keerde zich om naar de

deur. Toen hij dat deed, zag hij zijn eigen donkere beeld in de spiegel en één heel kort ogenblik was hij zich van alles heel diep bewust. Dat de politie hem misschien in de gaten hield, maakte datgene wat hij wilde doen moeilijker. Als Kanarack binnen een redelijke termijn gearresteerd en veroordeeld was, hadden de zaken anders gelegen. Maar dat was nu eenmaal niet gebeurd. Bijna dertig jaar later en op een ander continent, was Kanaracks misdaad niet meer als een gewone misdaad te beschouwen. Er was geen rechtbank die hem zijn gerechte straf zou kunnen of willen geven. Omdat hij zich niet op het recht kon beroepen, restte hem niets anders dan het in eigen hand te nemen. En Osborn hoopte dat God, wat voor God dat ook mocht zijn, het zou begrijpen.
Hij besloot dat hij meer kans had een eventuele achtervolger kwijt te raken als hij te voet zou zijn. Hij liet de gehuurde Peugeot in de garage van het hotel achter en vroeg de portier of hij een taxi voor hem wilde aanhouden. Vijf minuten later reed hij over de Champs Elysées in de richting van het Louvre. Hij dacht dat hij had gezien dat een donkere auto zich van de stoeprand had losgemaakt en hem was gevolgd toen de taxi de oprijlaan van het hotel af was gekomen, maar nu hij omkeek, zag hij hem niet.
Even later stopte de taxi voor het Louvre. Osborn betaalde de chauffeur en stapte een lichte mist in. Toen de taxi wegreed, was zijn eerste aandrang zich om te draaien en te kijken of hij de donkere auto zag. Maar als de politie hem volgde, moest hij niet laten blijken dat hij dat wist. Hij stopte afwezig zijn handen in zijn zakken, wachtte tot het verkeer voorbij was, stak de rue de Rivoli over en liep het museum binnen. Toen hij binnen was, bracht hij ruim twintig minuten door met het bekijken van de werken van Giotto, Rafaël, Titiaan en Fra Angelico voordat hij de zaal verliet om een herentoilet te zoeken. Vijf minuten later voegde hij zich bij een groep Amerikaanse toeristen die op het punt stond in een bus naar Versailles te stappen, en liep door de hoofdingang met hen mee naar buiten. Bij de stoep maakte hij zich los uit de groep, liep een half blok verder en ging de metro binnen.
Binnen een uur was hij terug in zijn hotel en wachtte tot de Peugeot vanuit de garage bij hem gebracht zou worden. Als de politie hem was gevolgd, zou ze niet kunnen weten dat hij niet meer in het museum was. Toch keek hij nauwlettend in zijn achteruitkijkspiegel toen hij wegreed. Voor de zekerheid sloeg hij een zijstraat in en twee blokken verder nog een. Voor zover hij kon nagaan, werd hij niet gevolgd.
Twintig minuten later parkeerde hij de Peugeot in een zijstraat, anderhalf blok van de bioscoop vandaan. Hij sloot de auto af en liep weg. Hij nam de metro terug naar zijn hotel, wachtte tot de bediende die zijn

auto uit de garage had gehaald van de deur vandaan liep om een andere auto op te halen, glipte toen naar binnen en ging naar boven, naar zijn kamer.
Toen hij binnenkwam, keek hij op de klok op het nachtkastje. Het was precies kwart over een. Hij trok zijn regenjas uit en keek naar de telefoon. Die ochtend had hij hem opgepakt en was begonnen het nummer van de bakkerij te draaien om er zeker van te zijn dat er niets was misgegaan en dat Kanarack zoals het hoorde op zijn werk was. Toen had hij bedacht dat, als er iets fout mocht gaan, naderhand zou kunnen worden vastgesteld dat hij het gesprek vanuit zijn kamer had gevoerd en hij had onmiddellijk opgehangen. Terwijl hij nu naar de telefoon keek voelde hij weer de aandrang de bakkerij te bellen, maar hij besloot het niet te doen.
Hij kon maar beter vertrouwen op de schikgodinnen die hem al zo ver hadden gebracht en aannemen dat Kanarack vrijdag precies hetzelfde zou doen als donderdag en waarschijnlijk alle werkdagen van de afgelopen jaren; hij zou rustig zijn werk doen en zich zo onopvallend mogelijk gedragen.
Osborn trok zijn regenjas, zijn geelbruine katoenen broek en zijn donkere gebreide vest uit die hij had gedragen tijdens zijn uitstapje naar het Louvre en kleedde zich om in een onopvallende vale spijkerbroek en een oude trui met daaronder een geruit flanellen overhemd. Vervolgens reeg hij de veters van zijn gympen vast en stopte de donkerblauwe zeemansmuts die hij die ochtend in een dumpzaak had gekocht in de zijzak van zijn jasje. Ten slotte kwam het belangrijkste aan de beurt: hij vulde de drie injectiespuiten met de succinylcholine. Terwijl hij dit allemaal deed en de klok de seconden wegtikte tot het moment dat hij naar de bioscoop op de Boulevard des Italiens zou vertrekken, parkeerde Henri Kanarack de witte Citroën van Agens Demblon minder dan een half blok van zijn hotel vandaan.

# 32

Henri Kanarack droeg de lichtblauwe overall van een monteur van de airconditioning; zijn haar was netjes gekamd en hij had zich keurig geschoren. Hij kon zonder problemen door de dienstingang naar binnen lopen en ging met de dienstlift naar de verdieping waar de machinekamer was. Jean Packard had hem Paul Osborns naam en de naam van het hotel waar hij logeerde, gegeven. Packard had niet geweten wat Osborns kamernummer was, anders had hij hem dat zeker ook verteld. Hotels gaven het kamernummer van gasten niet en zeker niet als het vijfsterrenhotels, zoals dat van Osborn, met een rijke en internationale cliëntèle waren. De gasten werden daar goed beschermd tegen buitenstaanders die om persoonlijke of politieke redenen hun gram willen halen.
Kanarack pakte een gereedschapkist van de vloer van de machinekamer, liep een dienstgang door en de brandtrap naar de hal op. Hij duwde de deur open, bleef staan en keek rond. De hal was klein, had veel donker hout en koperwerk en was hoofdzakelijk met antiek ingericht. Aan zijn linkerkant was de ingang van de bar en recht ertegenover waren een kleine cadeauwinkel en een eetzaal. Rechts waren de liften en ertegenover was de receptiebalie waarachter een receptionist in een donker kostuum praatte met een buitengewoon lange, zwarte Afrikaan die zich kennelijk inschreef. Als Kanarack Osborns kamernummer te pakken wilde krijgen, moest hij achter de balie zien te komen. Kanarack liep doelbewust door de hal naar de receptionist toe en toen deze opkeek, nam hij onmiddellijk het initiatief.
'Ik kom de airconditioning repareren. Er schijnt een probleem te zijn met het elektrische systeem. We proberen de oorzaak ervan te lokaliseren,' zei hij.
'Daar weet ik niets van,' zei de receptionist verontwaardigd. Aan die hooghartige, superieure houding van Parijzenaars had Kanarack zich vanaf de eerste dag dat hij hier was geërgerd, vooral als het mensen waren die weinig meer verdienden dan hij en van hun salaris nauwelijks de eindjes aan elkaar konden knopen.
'Als u wilt dat ik wegga, is het mij best. Het is mijn probleem niet,' zei Kanarack schouderophalend.
In plaats van met hem in discussie te gaan, zei de receptionist koeltjes: 'Doe maar wat u moet doen' en hij wendde zich weer tot de Afrikaan.
'*Merci*,' zei Kanarack. Hij liep om en ging direct naast de receptionist

achter de balie staan. Op die plek kon hij de rij elektrische schakelaars recht boven het gastenboek bekijken. Terwijl hij zich vooroverboog om ze te bestuderen, voelde hij de druk van het .45 automatische pistool dat hij onder de wijde overall achter zijn broekband had gestopt. De korte geluiddemper die over de loop was geschoven, drukte tegen zijn dij. Er zat een volle patroonhouder in het magazijn en hij had nog een tweede in zijn zak.
'*Pardon*,' zei hij. Hij pakte het gastenboek op en schoof het opzij. Tegelijkertijd begon de telefoon op de balie te rinkelen en de receptionist nam op. Kanarack liep snel het boek na. Onder de O vond hij wat hij zocht. Paul Osborn had kamer 714. Hij legde snel het gastenboek terug op zijn plaats, pakte zijn gereedschapkist op en liep achter de balie vandaan.
'*Merci*,' zei hij weer.

* * *

McVey staarde vermoeid en vol weerzin door het raam naar de mist. Het vliegveld Charles de Gaulle was gesloten en alle vliegtuigen werden aan de grond gehouden. Hij wou dat hij kon zien of het buiten lichter of donkerder werd. Als het vliegveld de hele dag gesloten zou blijven, zou hij een hotel in de buurt nemen en naar bed gaan. Als zou blijken dat er een kans was dat hij zou kunnen vertrekken, zou hij doen wat iedereen de laatste twee uur had gedaan: wachten.
Voordat hij uit Lebruns kantoor was weggegaan, had hij met Benny Grossman in het hoofdbureau van de Newyorkse politie in Manhattan gebeld. Benny was pas vijfendertig, maar hij was een van de beste rechercheurs van moordzaken met wie McVey ooit had samengewerkt. Ze hadden twee keer samen een klus gedaan. Eén keer toen Benny naar L.A. was gekomen om een ontsnapte moordenaar uit New York op te sporen en een tweede keer toen de Newyorkse politie McVey had gevraagd naar New York te komen om te kijken of hij iets kon oplossen waar zij niet uit kwamen. Het bleek dat McVey er ook geen kans toe zag, maar hij en Benny hadden samen de mogelijkheden afgetast en daarna een paar biertjes gedronken en veel plezier met elkaar gehad. McVey was zelfs in Queens bij Benny thuis geweest voor een seider van het joodse paasfeest.
Benny was net binnen toen McVey belde en hij was onmiddellijk aan de lijn gekomen.
'Oi, McVey!' zei Benny. Hij zei dat altijd als hij McVey aan de lijn kreeg en nadat ze een beetje over koetjes en kalfjes hadden gepraat, kwam hij

ter zake met: 'Zo, ouwe gannef, wat kan ik voor je doen?' McVey had er geen idee van of hij probeerde te klinken als een ouderwetse Hollywood-impresario of dat hij dat tegen iedereen zei als hij ter zake kwam.
'Benny, schat,' had McVey gegrapt. Als Benny een gefrustreerde impresario was, kon hij het spelletje net zo goed meespelen. Daarna had hij hem verteld dat hij niet in Manhattan of L.A. was, maar in het hoofdbureau van de eerste prefectuur van de Parijse politie.
'Parijs in Frankrijk of in Texas?' vroeg Benny.
'In Frankrijk,' antwoordde McVey en hij hield de hoorn van zijn oor vandaan vanwege Benny's langgerekte gefluit. Daarna kwam hij met zijn verzoek op de proppen. McVey wilde weten wat Benny kon vinden over een zekere Albert Merriman, die zogenaamd in 1967 in New York door een gangsterbende uit de weg was geruimd. Omdat Benny in 1967 elf jaar was, had hij nooit van Albert Merriman gehoord, maar hij zou het uitzoeken en McVey terugbellen.
'Laat mij jou maar bellen,' zei McVey, die er geen idee van had waar hij zou zijn als Benny hem de informatie zou willen doorbellen.
Vier uur later belde McVey weer.
In de uren na hun telefoongesprek was Benny naar de afdeling Registratie en Informatie van de Newyorkse politie gegaan en had in de archieven redelijk wat informatie over Albert Merriman opgedoken. Merriman was in 1963 uit het Amerikaanse leger ontslagen en vormde heel kort daarop een span met een oude vriend, een veroordeelde bankrover, Willie Leonard genaamd, die pas uit de gevangenis in Atlanta was vrijgelaten. Merriman en Leonard pleegden daarna de ene misdaad na de andere en werden in een half dozijn staten gezocht wegens bankroof, moord, poging tot moord en afpersing. Ze werden er ook van verdacht dat ze voor een paar maffiafamilies in New Jersey en New England huurmoorden hadden gepleegd.
Op 22 december 1967 werd in een uitgebrande auto in de Bronx een met kogels doorzeefd en door het vuur onherkenbaar verminkt lijk gevonden, dat later werd geïdentificeerd als dat van Albert Merriman.
'Het leek op een bendemoord,' zei Benny.
'Wat is er met Willie Leonard gebeurd?' vroeg McVey.
'Die wordt nog steeds gezocht,' zei Benny Grossman.
'Hoe is Merrimans lijk geïdentificeerd?'
'Dat wordt niet vermeld. Misschien weet je dat niet, ouwe gannef, maar we bewaren geen uitgebreide dossiers over doden. Daarvoor kunnen we de opslagruimte niet missen.'
'Heb je enig idee wie het lijk heeft opgeëist?'

'Dat wel. Wacht even.' McVey hoorde geritsel van papieren toen Grossman zijn aantekeningen doorkeek. 'Hier heb ik het. Merriman scheen geen familie te hebben. Het lijk werd opgeëist door een vrouw die volgens mijn gegevens een middelbare-schoolvriendin van Merriman was. Agnes Demblon.'
'Heb je een adres van haar?'
'Nee.'
McVey schreef de naam Agnes Demblon op de achterkant van de envelop van zijn instappasje en stopte die in de zak van zijn colbert.
'Heb je er enig idee van waar Merriman begraven is?'
'Ook niet.'
'Ik wil om tien dollar tegen een Cola Light met je wedden dat zal blijken dat Willie Leonard in de doodkist ligt.'
McVey hoorde dat zijn vlucht in de verte werd omgeroepen. Verbaasd bedankte hij Benny en wilde ophangen.
'McVey!'
'Ja.'
'Het dossier van Merriman is in zesentwintig jaar niet opgevraagd.'
'Wat wil je daarmee zeggen?'
'Ik ben al de tweede in vierentwintig uur die het heeft gelicht.'
'Wat?'
'Er is vanmorgen een verzoek van Interpol in Washington binnengekomen. Een brigadier van Registratie en Informatie heeft het dossier gelicht en een kopie gefaxt.'
McVey vertelde Grossman dat Interpol bij het onderzoek in Parijs was betrokken en dat hij aannam dat dat de reden was. Op dat moment werd de passagiers voor McVeys vliegtuig voor de laatste maal verzocht aan boord te gaan. Hij zei tegen Grossman dat hij zich moest haasten en hing op.
Een paar minuten later gespte McVey zijn veiligheidsriemen vast en zijn straalvliegtuig van Air Europe reed achteruit van de pier vandaan. Hij keek weer naar de naam Agnes Demblon op de achterkant van de envelop van zijn instappasje, zuchtte, en leunde achterover terwijl het vliegtuig hobbelend de taxibaan opreed.
Hij keek uit het raam en zag rijen regenwolken boven het Franse landschap drijven. Het natte weer maakte dat hij aan de rode modder op Osborns schoenen dacht. Toen waren ze in de lucht en tussen de wolken.
Een steward vroeg hem of hij een krant wilde hebben. Hij nam er een aan, maar vouwde hem niet open. Zijn aandacht werd getrokken door de datum, vrijdag 7 oktober. Pas vanmorgen had Lebrun van Interpol in

Lyon te horen gekregen dat de vingerafdruk duidelijk zichtbaar was gemaakt. En in het bijzijn van McVey was Lebrun er zelf achter gekomen dat de vingerafdruk van Merriman was. Toch was er donderdag bij de Newyorkse politie door Interpol in Washington om het dossier van Albert Merriman gevraagd. Dat betekende dat Interpol in Lyon een hele dag geleden had vastgesteld dat de vingerafdruk van Merriman was en om gegevens over hem had gevraagd. Misschien was dat de werkwijze van Interpol, maar het leek een beetje vreemd dat Lyon een compleet dossier zou hebben, lang voordat ze de rechercheur die het onderzoek deed ook maar enige informatie hadden gegeven. Maar waarom zou dat trouwens enig verschil maken? Hij had met de interne gang van zaken bij Interpol niets te maken. Aan de andere kant zou het gênant kunnen worden als hem in de toekomst hetzelfde zou overkomen en Interpol zonder zijn medeweten in de verkeerde kringen informatie ging opvragen. Maar voordat hij het met commissaris Cadoux van Interpol in Lyon zou opnemen of Lebrun een seintje zou geven, moest hij zien dat hij alle feiten duidelijk op een rijtje kreeg. Hij kon dat op de simpelste manier doen door na te gaan wat er precies was gebeurd vanaf het tijdstip waarop Interpol in Washington op donderdag het dossier bij de Newyorkse politie had aangevraagd. Daarvoor zou hij Benny Grossman moeten bellen als hij in Londen aankwam.
Plotseling scheen er helder zonlicht in zijn gezicht en hij realiseerde zich dat ze door het wolkendek heen waren gebroken en nu boven Het Kanaal vlogen. Het was voor het eerst in een week dat hij de zon zag. Hij keek op zijn horloge.
Het was tien over halfdrie in de middag.

# 33

Een kwartier later, om vijf voor drie, zette Paul Osborn de televisie in zijn kamer uit en liet de drie met succinylcholine gevulde injectiespuiten in de rechterzijzak van zijn colbertje glijden. Hij had het jasje net aangetrokken en wendde zich naar de deur toen de telefoon ging. Hij schrok en zijn hart begon te bonken. Door zijn reactie besefte hij dat hij nog gespannener was dan hij dacht en dat beviel hem allerminst.

De telefoon bleef rinkelen. Hij keek op zijn horloge. Het was drie minuten voor drie. Wie probeerde hem te bereiken? De politie? Nee. Hij had inspecteur Barras al gebeld en die had hem verzekerd dat zijn paspoort bij de balie van Air France voor hem zou klaarliggen als hij zich morgenmiddag voor zijn vlucht zou melden. Barras was vriendelijk geweest en had zelfs grapjes gemaakt over het kloteweer, dus het was niet de politie, tenzij die met hem speelde, of McVey nog een vraag had. Maar hij had op dit moment geen zin om met McVey of wie dan ook te praten. Toen hield de telefoon op met rinkelen. Misschien had iemand een verkeerd nummer gedraaid. Of het was Vera geweest. Ja, Vera. Hij was van plan haar later te bellen, wanneer alles voorbij zou zijn. Hij wilde het niet van tevoren doen omdat ze misschien iets aan zijn stem zou horen of om een nadere reden naar hem toe zou willen komen.
Hij keek weer op zijn horloge. Het was nu bijna vijf over drie. *West Side Story* begon om vier uur. Hij moest daar dus op zijn laatst om kwart voor vier zijn om ervoor te zorgen dat de kaartjescontroleur hem later zou herkennen. En hij zou gaan lopen. Hij zou via de zijingang het hotel verlaten voor het geval iemand het gebouw in de gaten hield. Bovendien zou het lopen hem helpen helder in zijn hoofd te worden en zijn zenuwen tot bedaren te brengen.
Hij deed het licht uit, legde zijn hand even op zijn zak om te controleren of hij de injectiespuiten bij zich had, draaide de deurknop om en duwde de deur open. Plotseling werd de deur in zijn gezicht teruggeslagen. Door de kracht van de klap werd hij in een hoek tussen de badkamerdeur en de slaapkamer opzij geslingerd. Voordat hij zijn evenwicht kon hervinden, stapte een man in een lichtblauwe overall vanuit de gang naar binnen en sloot de deur achter hem. Het was Henri Kanarack en hij had een pistool in zijn hand.
'Als je één woord zegt, schiet ik je ter plekke dood,' zei hij in het Engels. Osborn was volledig overrompeld. Van zo dichtbij was Kanaracks haar donkerder en hij was steviger gebouwd dan Osborn zich herinnerde. Zijn ogen hadden een felle uitdrukking en het pistool dat recht tussen Osborns ogen was gericht, leek één met zijn lichaam. Osborn twijfelde er geen seconde aan dat hij zijn dreigement zou uitvoeren.
Kanarack draaide de deur achter hem op slot en stapte naar voren. 'Wie heeft je gestuurd?' vroeg hij.
Osborns keel was droog en hij probeerde te slikken. 'Niemand,' zei hij. Wat daarna gebeurde, ging zo snel dat Osborn zich er later bijna niets van herinnerde. Het ene moment stond hij nog en het volgende lag hij op de vloer met zijn hoofd tegen een muur geduwd terwijl Kanarack zijn pistool tegen zijn neus omhoogdrukte.

'Voor wie werk je?' vroeg Kanarack kalm.
'Ik ben arts, ik werk voor niemand.' Osborns hart ging zo wild tekeer dat hij vreesde dat hij een hartaanval zou krijgen.
'Arts?' Kanarack leek verbaasd.
'Ja,' zei Osborn.
'Wat wil je dan van me?'
Een straaltje zweet liep langs de zijkant van Osborns gezicht. Hij leek alles als in een waas te zien en het kostte hem veel moeite tot zich te laten doordringen dat dit hem echt overkwam. Toen hoorde hij zichzelf zeggen wat hij nooit had moeten zeggen. 'Ik weet wie je bent.'
Terwijl hij dit zei, leken Kanaracks ogen in zijn hoofd naar achteren te bewegen. De felheid maakte plaats voor een ijskoude uitdrukking en zijn vinger spande zich om de trekker.
'Je weet wat er met de privé-detective is gebeurd,' fluisterde Kanarack en hij liet de loop van het pistool naar beneden zakken tot hij op Osborns onderlip rustte. 'Het is op tv geweest en het heeft in alle kranten gestaan.'
Osborn huiverde onbedwingbaar. Het was al moeilijk genoeg om na te denken, maar het was bijna onmogelijk woorden te vinden en uit te spreken. 'Ja, dat weet ik,' wist hij ten slotte uit te brengen.
'Dan zul je begrijpen dat ik niet alleen goed ben in wat ik doe, maar dat ik het ook graag doe als ik eenmaal ben begonnen.' De zwarte stipjes die Kanaracks ogen waren, leken te glimlachen.
Osborn trok zijn hoofd opzij en zijn ogen schoten in de kamer rond om een uitweg te zoeken. Er was alleen het raam. Zes verdiepingen boven de straat. Toen werd de loop van het pistool tegen zijn wang gedrukt en Kanarack dwong Osborn hem aan te kijken.
'Uit het raam wil je niet,' zei hij. 'Dat geeft te veel rotzooi en het gaat veel te snel. Dit gaat namelijk een poosje duren. Tenzij je me direct wilt vertellen voor wie je werkt en waar ze zijn. Dan kan het heel snel voorbij zijn.'
'Ik werk voor nie...'
Plotseling rinkelde de telefoon. Kanarack schrok van het geluid en Osborn was er zeker van dat hij de trekker zou overhalen.
De telefoon ging nog drie keer over en toen werd het stil. Kanarack keek Osborn weer aan. Het was hier te gevaarlijk. Zelfs op dit moment zou de receptionist iemand kunnen vragen naar het probleem met de airconditioning en te horen krijgen dat er niets mee aan de hand was, dat niemand de monteur had gebeld. Misschien zou hij zelfs de beveiliging of de politie bellen.
'Luister heel goed,' zei hij. 'We gaan hier weg. Hoe meer je je verzet,

hoe moeilijker het voor je zal worden.' Kanarack stapte langzaam achteruit en gebaarde Osborn met het pistool dat hij op moest staan.
Osborn herinnerde zich weinig van wat er de volgende seconden gebeurde. Er stond hem vaag voor de geest dat ze de hotelkamer hadden verlaten, dat hij dicht naast Kanarack naar een brandtrap was gelopen en dat hij het geluid van hun voetstappen had gehoord terwijl ze naar beneden liepen. Ze gingen ergens een deur door die uitkwam op een binnengang die langs de installaties van de airconditioning, de verwarming en de elektriciteit leidde. Even later opende Kanarack een stalen deur. Ze waren buiten en liepen een betonnen trap op. Het regende en de lucht was fris en helder. Boven aan de trap bleven ze staan.
Osborns zintuigen begonnen geleidelijk aan weer te functioneren en hij was zich ervan bewust dat ze in een smal steegje achter het hotel waren gekomen. Kanarack stond direct links van hem en drukte zijn lichaam dicht tegen het zijne aan. Toen leidde Kanarack hem de steeg door en Osborn voelde het harde staal van het pistool tegen zijn ribbenkast drukken. Onder het lopen probeerde Osborn zijn zelfbeheersing terug te krijgen en te bedenken wat hij zou moeten doen. Hij was van zijn leven nog niet zo bang geweest.

# 34

In de straat waarop de steeg uitkwam stond een witte Citroën geparkeerd en Osborn hoorde Kanarack zeggen dat ze daar naar toe gingen. Toen sloeg een grote bestelwagen onverwachts de hoek van de steeg om en kwam in hun richting rijden. Als ze naast elkaar zouden blijven staan zoals nu, zou de bestelwagen hen niet kunnen passeren zonder hen te raken. Daardoor konden ze maar twee dingen doen: ieder naar een andere kant stappen of zich naast elkaar met hun rug tegen de muur van de steeg drukken om de bestelwagen te laten passeren. De bestelwagen minderde vaart en de chauffeur toeterde.
'Rustig,' zei Kanarack en hij trok Osborn achteruit tegen de muur van de steeg. De chauffeur schakelde en de bestelwagen schoot naar voren. Terwijl ze zich tegen de muur drukten, voelde Osborn hoe het pistool zich in zijn linkerzij boorde. Dat betekende dat Kanarack het wapen in

zijn rechterhand had en met zijn linkerhand Osborns arm uit het zicht van de chauffeur hield. Osborn berekende snel dat de bestelwagen er zes tot acht seconden over zou doen om hen te passeren. Diezelfde helderheid van denken maakte dat hij een kans zag. De injectiespuiten zaten in de rechterzak van zijn jasje. Als hij er een in zijn rechterhand zou kunnen krijgen terwijl Kanarack afgeleid was door de voorbijrijdende bestelwagen, zou hij zonder dat Kanarack het wist een wapen hebben. Hij draaide zijn hoofd voorzichtig opzij om naar Kanarack te kijken. Deze had zijn aandacht volledig gericht op de bestelwagen die hen bijna had bereikt. Osborn wachtte op het juiste moment. Zodra de bestelwagen bij hen was gekomen, verplaatste hij zijn gewicht wat meer tegen het pistool, alsof hij zich dichter tegen de muur wilde drukken. Terwijl hij dat deed, liet hij zijn rechterhand in zijn zak glijden en tastte naar de spuiten. Toen de bestelwagen hen passeerde, had hij er een te pakken.
'Oké,' zei Kanarack. Ze liepen door naar het eind van de steeg waar de Citroën geparkeerd was. Intussen trok Osborn langzaam de spuit uit zijn zak en drukte die stijf tegen zijn zij.
De afstand tussen de twee mannen en de auto was nu misschien nog twintig meter. Osborn had een rubberdopje over de punt van elke spuit gedrukt om de naald te beschermen. Hij probeerde nu koortsachtig met zijn vingers het dopje weg te schuiven zonder de hele spuit uit zijn hand te laten schieten.
Plotseling waren ze aan het eind van de steeg en de Citroën was minder dan drie meter van hen verwijderd. Het rubberdopje was nog steeds niet los en Osborn wist zeker dat Kanarack zou zien wat hij aan het doen was.
'Waar breng je me naar toe?' vroeg hij om Kanaracks aandacht af te leiden.
'Kop dicht,' fluisterde Kanarack.
Ze waren nu bij de auto gekomen. Kanarack keek naar links en naar rechts de straat in, liep toen met Osborn naar de chauffeurskant en trok het portier open. Terwijl hij dat deed, liet het rubberdopje los en viel op de grond. Kanarack zag het stuiteren en keek er niet-begrijpend naar. Op datzelfde moment trok Osborn hard naar rechts, duwde met zijn linkerarm het pistool weg, dreef de injectiespuit door de stof van de overall diep in het vlees van het bovenste deel van Kanaracks rechterbil. Hij had vier volle seconden nodig om alle succinylcholine te injecteren en Kanarack gaf hem er drie voordat hij zich losrukte en probeerde het pistool naar Osborn toe te draaien.
Maar toen had Osborn genoeg tegenwoordigheid van geest om het open portier hard tegen hem aan te duwen. Kanarack viel achterover op het

trottoir en liet het pistool vallen.
Hij sprong onmiddellijk weer overeind, maar het was te laat. Osborn had het pistool al in zijn hand en Kanarack bleef als verstijfd staan. Toen kwam er een taxi met piepende banden de hoek om, toeterde, zwenkte om hen heen en reed snel door. Daarna viel er een stilte en de twee mannen stonden tegenover elkaar op straat.
Kanaracks ogen waren wijd opengesperd, niet van angst, maar van vastberadenheid. Hij had zich al die jaren afgevraagd of ze hem ooit zouden vinden, maar nu was het voorbij. Uit noodzaak was hij een ander leven gaan leiden en was hij een ander, eenvoudiger mens geworden. Op zijn manier was hij zelfs aardig en gaf hij heel veel om zijn vrouw die hem spoedig een kind zou schenken. Hij had altijd gehoopt dat hij het op de een of andere manier had gered, maar diep in zijn hart wist hij dat dat niet zo was. Ze waren te goed, te efficiënt, en hun netwerk was te uitgebreid.
Zijn dagelijks leven leiden zonder gek te worden als een vreemde hem aankeek, als hij voetstappen achter zich hoorde of als er op de deur werd geklopt, was moeilijker geweest dan hij zich had kunnen voorstellen. Ook het verdriet om wat hij voor Michèle verborgen had moeten houden, had hem vaak tot wanhoop gedreven. Toch had hij het nog steeds in de vingers gehad, zoals hij met Jean Packard had bewezen. Maar dit was het einde en dat wist hij. Michèle was weg. Zijn leven was voorbij. Het zou gemakkelijk zijn om te sterven.
'Doe het dan,' fluisterde hij. 'Doe het nu!'
'Dat is niet nodig.' Osborn liet het pistool zakken en stak het in zijn zak. Er was nu bijna een volle minuut verstreken sinds hij de succinylcholine had geïnjecteerd. Kanarack had geen volle dosis gekregen, maar het was genoeg geweest en Osborn kon aan hem zien dat hij zich afvroeg wat er mis was. Waarom was het zo moeilijk om gewoon te ademen en zijn evenwicht te bewaren?
'Wat is er met me aan de hand?' Hij kreeg een verbijsterde uitdrukking op zijn gezicht.
'Dat merk je nog wel,' zei Osborn.

# 35

De Parijse politie was Osborn bij het Louvre kwijtgeraakt. Lebrun was zijn boekje toch al te buiten gegaan en toen het bij tweeën was geworden, moest hij een verhaal verzinnen om een nieuwe surveillance te rechtvaardigen of zijn mannen terugtrekken. Hoe graag hij McVey ook wilde helpen, modderige schoenen waren op zichzelf niet genoeg om iemand als een misdadiger te kunnen beschouwen en zeker niet wanneer de betrokkene een Amerikaanse arts was die morgenmiddag uit Parijs zou vertrekken en die een van zijn rechercheurs beleefd had gevraagd of hij zijn paspoort kon terugkrijgen om de stad te kunnen verlaten.
Omdat hij tegenover zijn superieuren de kosten die een verdere surveillance van Osborn met zich mee zou brengen niet kon rechtvaardigen, gaf Lebrun zijn mannen opdracht een paar van de andere dingen te doen die McVey had voorgesteld, zoals het grondig natrekken van Jean Packards antecedenten. In de tussentijd had hij een politietekenares laten werken met de foto van Albert Merriman die ze van de Newyorkse politie hadden ontvangen. Ze stond nu achter zijn bureau en keek over zijn schouder terwijl hij haar werk bestudeerde.
'Dus zo ziet hij er volgens jou zesentwintig jaar later uit?' vroeg Lebrun retorisch. Toen keek hij naar haar op. Ze was vijfentwintig jaar en had een rond gezicht dat een stralende glimlach vertoonde.
'Ja.'
Lebrun was er niet zo zeker van. 'Je moet de gerechtelijke antropoloog er eens naar laten kijken. Misschien kan hij je een duidelijker idee geven van hoe deze man zou verouderen.'
'Dat heb ik al gedaan, inspecteur.'
'En dit is 'm?'
'Ja.'
'Bedankt,' zei Lebrun. De tekenares knikte en vertrok. Lebrun keek weer naar de tekening. Hij dacht een ogenblik na, pakte de telefoon en belde de politievoorlichter. Als dit het beste beeld was dat ze zich zouden kunnen vormen van hoe Merriman er nu uitzag, waarom zou hij dan de tekening morgen niet in de eerste edities van de kranten laten plaatsen, zoals McVey in Engeland met de tekening van het gezicht van de onthoofde man had gedaan? Er woonden bijna negen miljoen mensen in Parijs. Er hoefde er maar één tussen te zitten die Merriman herkende en de politie belde.

Op datzelfde ogenblik lag Albert Merriman op zijn rug op de achterbank van Agnes Demblons Citroën en moest zich uit alle macht inspannen om alleen maar te kunnen ademen.
Paul Osborn schakelde, remde hard en trok toen op langs een zilverkleurige Range Rover. Hij passeerde het verkeer dat rondom de Arc de Triomphe reed en sloeg af naar de Avenue de Wagram. Een poosje later sloeg hij rechtsaf de Boulevard de Courcelles op en zette koers naar de Avenue de Clichy en de weg langs de rivier die naar het afgelegen park langs de Seine leidde.
Het had hem bijna drie minuten gekost om de wankelende, bange Kanarack achter in de Citroën te krijgen en de auto te starten. Drie minuten waren te lang geweest. Osborn wist dat de succinylcholine al uitgewerkt zou raken als hij nog maar nauwelijks onderweg zou zijn. Als dat gebeurde, zou hij te maken krijgen met een Kanarack die volledig bij zijn positieven was en bovendien het voordeel had dat hij achter hem in de auto zat. Hij had geen andere keus gehad dan de Fransman nog een injectie met het middel te geven en door die twee zo snel achter elkaar toegediende injecties was Kanarack onmiddellijk buiten westen geraakt. Een poosje vreesde Osborn dat het misschien te veel was geweest, dat Kanaracks longen niet langer zouden functioneren en dat hij zou stikken. Maar toen hoorde hij een schor gehoest, gevolgd door het geluid van zwoegende ademhaling en hij wist dat het in orde was.
Het probleem was nu dat hij nog maar één spuit over had. Als de auto panne zou krijgen of als ze in het verkeer zouden worden opgehouden, zou hij die moeten gebruiken. Daarna zou hij het zonder dat hulpmiddel moeten zien te redden.
Het was nu bijna kwart over vier en het begon harder te regenen. De voorruit begon te beslaan en Osborn tastte naar de ontdooier. Toen hij hem had gevonden, knipte hij de ventilator aan en veegde de binnenkant van de voorruit met zijn hand schoon. Hij wist zeker dat er op een dag als deze niemand in het park zou zijn. Het weer was in ieder geval iets waarvoor hij dankbaar kon zijn.
Hij keek over zijn schouder naar Kanarack. Iedere ademhaling kostte hem verschrikkelijk veel moeite en Osborn las in zijn ogen wat voor marteling hij doormaakte en dat hij zich bij iedere ademhaling afvroeg of hij nog de kracht zou hebben voor de volgende.
Vóór hem versprong een verkeerslicht van oranje naar rood en Osborn stopte achter een zwarte Ferrari. Hij keek weer over zijn schouder naar Kanarack. Hij verbaasde zich erover dat hij absoluut niet het gevoel van intense triomf had dat hij had verwacht. Hij zag slechts een hulpeloze, onvoorstelbaar bange man die er totaal geen idee van had wat er met

hem gebeurde en die met al zijn kracht vocht voor een beetje lucht om zich in leven te houden. Dat de man in- en inslecht was, de dood van twee mensen op zijn geweten had en Paul Osborns leven vanaf zijn jeugd gruwelijk en onontkoombaar had getekend, leek op dit moment weinig te betekenen. Het was genoeg dat hij het beest in deze situatie had weten te brengen. Als hij zijn plan volledig ten uitvoer zou brengen, zou hij zich verlagen tot het niveau van Kanarack en dat wilde hij niet. Als dat alles was geweest, zou hij de auto ter plekke kunnen laten staan en gewoon weglopen, waarmee Kanaracks leven zou zijn gered. Maar dat was niet alles. Die andere kwestie moest nog uit de wereld geholpen worden.

De vraag waarom Kanarack zijn vader had vermoord moest nog worden beantwoord.

Vóór hem sprong het licht op groen en het verkeer reed door. Het werd nu heel snel donker en de automobilisten zetten hun gele koplampen aan. Recht voor hem was de Avenue de Clichy. Daar aangekomen sloeg Osborn linksaf en zette koers naar de weg langs de rivier.

Minder dan achthonderd meter achter hem verliet een nieuwe, groene Ford zijn baan en trok op om te passeren. Hij draaide de Avenue de Clichy op, voegde zich snel in de rechterrijbaan, minderde vaart en bleef met drie auto's ertussen achter Osborns Citroën rijden. De chauffeur was een lange man met blauwe ogen en een lichte gelaatskleur. Zijn wenkbrauwen en het haar op de rug van zijn handen hadden dezelfde lichtblonde kleur als zijn haar. Hij droeg een geelbruine regenjas over een saai, geruit sportjasje, een donkergrijze pantalon en een grijze coltrui. Op de stoel naast hem lagen een hoed met een smalle rand, een diplomatenkoffertje en een teruggevouwen stratenplan van Parijs. Hij heette Bernhard Oven en vandaag was zijn tweeënveertigste verjaardag.

# 36

'Kun je me horen?' vroeg Osborn. Hij reed in noordoostelijke richting over de weg langs de rivier; het was harder gaan regenen en de ruitewissers bewogen zich in een gestaag ritme over de voorruit. Tussen de bomen langs de weg door was de Seine aan zijn linkerkant net zichtbaar. Ruim anderhalve kilometer verderop was de afslag naar het park.
'Kun je me horen?' herhaalde Osborn. Hij keek eerst in de achteruitkijkspiegel en draaide zich toen om naar de achterbank.
Kanarack lag naar het dak van de auto te staren. Zijn ademhaling werd regelmatiger.
'Uh huh,' kreunde hij.
Osborn keek weer vóór zich op de weg. 'Je hebt me gevraagd of ik wist wat er met Jean Packard was gebeurd. Ik heb gezegd dat ik dat wist. Misschien wil je ook graag weten wat er met jou is gebeurd. Je bent geïnjecteerd met een middel dat succinylcholine heet. Het is een stof die de skeletspieren verlamt. Ik heb je net genoeg gegeven om je te laten begrijpen wat het effect ervan op het menselijk lichaam is. Ik heb nog een andere spuit die met een veel grotere dosis gevuld is. Of ik je daarmee injecteer of niet, ligt helemaal aan jou.'
Kanarack fixeerde zijn blik op een knoop in de leren bekleding van het dak van de Citroën. Daardoor dacht hij aan iets anders dan aan de mogelijkheid dat hij nog een keer zou moeten doormaken wat hij zonet had doorgemaakt. Hij zou het niet meer kunnen verdragen.
'Ik heet Paul Osborn. Op vrijdag 12 april 1966 liep ik in Boston in Massachusetts met mijn vader, George Osborn, op straat. Ik was tien jaar oud. We waren op weg naar een sportwinkel om een nieuwe honkbalhandschoen voor me te kopen toen er een man met een mes tussen de drommen mensen uit opdook en mijn vader in zijn buik stak. De man rende weg, maar mijn vader viel op de grond en stierf. Ik wil graag dat jij me vertelt waarom die man mijn vader heeft vermoord.'
God! dacht Kanarack. Daar gaat het dus allemaal om. Zij zijn het helemaal niet! Ik had dit zo verdomd eenvoudig kunnen regelen. Het had allemaal voorbij kunnen zijn.
'Ik wacht,' zei de stem vanaf de voorbank. Kanarack voelde dat de auto plotseling vaart minderde. Hij ving een glimp op van bomen; de auto sloeg linksaf en hij voelde een schok toen ze door een kuil reden. Toen gingen ze weer sneller rijden en er flitsten nog meer bomen voorbij. Een minuut later kwamen ze slingerend tot stilstand en hij hoorde Osborn

schakelen. De Citroën reed onmiddellijk achteruit, helde toen scherp achterover en bleef naar beneden rijden. Een paar seconden later vlakte de helling af en de auto stopte.
Kanarack hoorde een metaalachtig geluid toen de auto op de handrem werd gezet. Het portier aan de chauffeurskant werd geopend en gesloten. Toen werd het portier naast Kanaracks hoofd opengerukt en daar stond Osborn met een injectiespuit in zijn hand.
'Ik heb je een vraag gesteld, maar ik heb geen antwoord gekregen,' zei hij.
Kanaracks longen leken nog in brand te staan. Zelfs de lichtste ademhaling was een marteling.
'Laat me je helpen te begrijpen wat er gaat gebeuren,' zei Osborn en hij stapte opzij. Kanarack bewoog zich niet.
'Ik wil dat je dáárheen kijkt!' Osborn greep plotseling Kanaracks haar vast en rukte zijn hoofd hard naar links zodat hij over zijn schouder kon kijken. Osborn probeerde zijn woede te beheersen, maar het lukte niet al te best. Kanarack verplaatste langzaam zijn blik en tuurde langs Osborn het halfduister in.
'Als je denkt dat je zonet door een hel bent gegaan,' zei Osborn zacht, 'stel je dan eens voor hoe het zal zijn als je daar met verlamde armen en benen in het water ligt. Je zult misschien tien, vijftien seconden blijven drijven. Je longen werken trouwens toch nauwelijks. Wat denk je dat er zal gebeuren wanneer je zinkt?'
Kanarack dacht in een flits terug aan Jean Packard. De privé-detective had informatie in zijn bezit gehad die hij wilde hebben en hij had gedaan wat nodig was om die te krijgen. Nu was iemand anders even vastbesloten informatie van hem los te krijgen. En evenals Jean Packard had hij geen andere keus dan die informatie te geven.
'Ik... was... een... huurmoordenaar.' Kanaracks stemgeluid was niet meer dan een schor gefluister.
Een ogenblik was Osborn er niet zeker van dat hij hem goed had verstaan. Of zou Kanarack hem in de maling nemen? Hij greep Kanaracks haar steviger vast en rukte zijn hoofd hard naar achteren. Kanarack schreeuwde het uit. Door de inspanning zoog hij lucht in zijn longen. Een gruwelijke pijn schoot door zijn lichaam en hij schreeuwde weer.
'Laten we het nog eens proberen,' zei Osborn met zijn gezicht naast dat van Kanarack.
'Ik werd betaald om het te doen... Geld!' Kanarack hoestte en de uitgestoten lucht verschroeide zijn droge keel als vuur.
'Betaald?' Osborn was ontzet. Iets dergelijks had hij absoluut niet verwacht! Hij had altijd gedacht dat de dood van zijn vader door een wille-

keurige daad van de een of andere gek was veroorzaakt. En omdat er geen motief te vinden was, had de politie dat ook gedacht. Het was de daad van een man die zijn eigen vader, moeder, broers of zusters haatte, hadden ze gezegd. Hij had altijd geloofd dat de daad een uiting was geweest van ondraaglijke woede en langdurig opgekropte haat die zich willekeurig en stompzinnig hadden ontladen. Zijn vader was gewoon op de verkeerde tijd op de verkeerde plaats geweest.
Maar nu vertelde Kanarack hem iets totaal anders. Iets wat niet logisch was. Zijn vader was ontwerper van gereedschappen. Een eenvoudige, rustige man die niemand een cent schuldig was en zijn hele leven zijn stem niet in woede had verheven. Niet het soort man dat iemand door een huurmoordenaar zou laten doden. Plotseling drong de gedachte zich aan hem op dat Kanarack loog.
'Vertel me de waarheid! Smerige leugenaar die je bent!' In blinde woede sleurde Osborn Kanarack aan zijn haar uit de auto. Kanarack schreeuwde het uit van pijn. Het geluid leek zijn keel en zijn longen uiteen te scheuren. Een ogenblik later stonden ze tot hun knieën in het water. Osborn bracht zijn hand met de injectiespuit omhoog en duwde Kanarack plotseling kopje-onder. Terwijl hij hem onder water gedrukt hield, telde hij tot tien en trok hem toen omhoog.
'Vertel me de waarheid, klootzak!'
Kanarack hoestte en kokhalsde. Hij was verbijsterd. Waarom geloofde deze man hem niet? Als hij hem wilde doden, moest hij dat maar doen, maar niet op deze manier!
'Ik ben...' zei hij schor. 'Je vader... en nog drie anderen... in Wyoming... New Jersey... en een in Californië. Allemaal voor dezelfde mensen. Daarna... probeerden... ze... mij te doden.'
'Welke mensen? Waar heb je het in jezusnaam over?'
'Je gelooft me toch niet...' Kanarack kokhalsde en probeerde het rivierwater uit te spuwen.
De stroming kolkte om hen heen en de regen kwam met bakken naar beneden. De toenemende duisternis maakte het bijna onmogelijk iets te zien. Osborn greep Kanaracks boord steviger vast en hield de injectiespuit vlak voor zijn ogen. 'Vertel het toch maar,' zei hij.
Kanarack schudde zijn hoofd.
'Vertel op!' schreeuwde Osborn en hij duwde Kanarack opnieuw onder water. Daarna trok hij hem omhoog, scheurde zijn overall open en drukte de punt van de spuit tegen zijn bovenarm.
'Ik zeg het nog één keer,' fluisterde Osborn. 'De waarheid.'
'God! Niet doen!' smeekte Kanarack. 'Alsjeblieft...'
Plotseling werd Osborn kalmer. Hij zag iets in Kanaracks ogen wat hem

vertelde dat deze de waarheid sprak, dat niemand in die situatie zou liegen.
'Geef me een naam,' zei Osborn. 'Van iemand die contact met je heeft opgenomen, die je de opdrachten heeft gegeven.'
'Scholl... Erwin Scholl.' Kanarack zag Scholls gezicht voor zich. Een lange, atletische man in tenniskleding. Kanarack was in 1966 naar een landgoed op Long Island gestuurd. Hij was voor de klus aanbevolen door een gepensioneerde kolonel van het Amerikaanse leger. Scholl was heel sympathiek geweest. Ze hadden de overeenkomst met een handdruk bezegeld. Kanarack zou voor iedere moord twintigduizend dollar in contanten krijgen. De helft vooraf en de andere helft als het karwei geklaard was. Na de moorden was hij teruggekomen om zijn geld te halen. Scholl had hem het verschuldigde bedrag betaald, hem hartelijk bedankt en uitgelaten. Vlak daarna, toen hij terugreed naar de stad, was Kanaracks auto door een limousine van de weg gedrukt. Twee mannen met automatische wapens stapten uit. Toen ze dichterbij kwamen, schoot Kanarack hen allebei neer met een revolver en vluchtte. Daarna hadden ze nog drie keer vlak achter elkaar geprobeerd hem te doden; in zijn appartement, in een restaurant en op straat. Iedere keer was hij hen te vlug af geweest, maar ze leken altijd te weten waar hij was, dus het zou slechts een kwestie van tijd zijn voordat ze hem te pakken kregen. Dus nam hij met hulp van Agnes Demblon de zaak in eigen hand. Hij doodde zijn maat en verbrandde het lijk in zijn eigen auto zodat het zou lijken alsof het een executie door de onderwereld was geweest. Daarna verdween hij.
'Waar woont die Erwin Scholl?' Osborn hield Kanaracks hoofd vlak boven het snelstromende water om hem te dwingen meer informatie te geven.
'Long Island... een groot huis aan Westhampton Beach,' zei Kanarack.
'Jezus Christus, vuile klootzak die je bent!' Er stonden tranen in Osborns ogen. Hij was volkomen van streek. Kanarack was geen waanzinnige dolleman geweest die zijn vader uit pure kwaadaardigheid had gedood. Hij was een beroepsmoordenaar geweest die een opdracht uitvoerde. Plotseling was de moord onpersoonlijk geworden. Menselijke emoties hadden er niets mee te maken. Het was niets méér geweest dan een zakelijke transactie.
En plotseling doemde de vraag weer levensgroot op. Het monsterachtige WAAROM? Toen schoot hem het antwoord te binnen. Het was een vergissing geweest. Dat was het. Het móest een vergissing zijn geweest.
Osborn verstevigde zijn greep. 'Wil je zeggen dat je de verkeerde hebt

vermoord, is dat het? Je hebt mijn vader voor iemand anders aangezien...'
Kanarack schudde zijn hoofd. 'Nee. Hij was degene die ik moest hebben. De anderen ook.'
Osborn staarde hem aan. Het was krankzinnig! Het was onmogelijk! 'Jezus Christus!' schreeuwde hij. 'Waaróm?'
Kanarack keek op van het snelstromende water. Hij ademde nu gemakkelijker en hij kreeg weer gevoel in zijn armen en benen. Misschien had hij nog een kans. Toen keek Osborn plotseling opzij, alsof hij van iets was geschrokken. Kanarack volgde zijn blik. Een lange, in een regenjas geklede man met een hoed op, kwam van de helling af naar hen toe. Hij had iets in zijn hand. De hand ging omhoog.
Een fractie van een seconde later klonk er een geluid alsof er een dozijn spechten tegelijk tegen een boom tikten. Plotseling kolkte het water overal om hen heen. Osborn voelde dat zich iets in zijn dijbeen boorde en hij viel achterover. Het water bleef kolken. Hij probeerde zich op te richten en zag dat de man met de hoed het water in waadde terwijl het ding in zijn hand nog steeds een ratelend geluid maakte.
Osborn wendde zich opzij, dook onder en zwom weg. Hij hoorde zachte geluidjes alsof hagelkorrels het water boven hem geselden. Onder water was helemaal geen licht meer en Osborn had er geen idee van in welke richting hij zwom. Er stootte iets tegen hem aan dat aan hem bleef vastzitten. Toen werd hij samen met wat het ook was dat aan hem vastzat door de stroming meegesleurd. Osborns longen klapten bijna van ademnood, maar door de kracht van de stroming werd hij naar de bodem van de rivier gesleurd. Weer voelde hij dat ding tegen hem aan botsen en hij besefte dat hij ermee verstrengeld was. Hij stak zijn arm uit en probeerde zich ervan te bevrijden. Het was zwaar, als een met gras begroeide boomstronk, en leek aan hem vastgeplakt te zijn. Hij had het gevoel alsof zijn longen naar binnen zouden klappen. Hij moest lucht hebben. Hij moest het ding waarmee hij verstrengeld was negeren en alleen maar proberen naar het oppervlak te komen. Hij trapte uit alle macht met zijn benen, sloeg zijn armen naar achteren en zwom omhoog.
Even later kwam hij boven. Naar adem snakkend zoog hij de frisse lucht zijn longen binnen. Bijna tegelijkertijd realiseerde hij zich dat hij met een flinke snelheid was meegesleurd. Hij keek om en kon net de andere oever onderscheiden. Hij draaide zijn hoofd naar de andere kant en zag het licht van de koplampen van de auto's over de weg langs de rivier bewegen. Hij besefte dat hij midden in de rivier was en door de snelle stroming van de Seine werd meegesleurd.

Het ding dat aan hem had vastgezeten, was losgeraakt toen hij boven water kwam; dat dacht hij tenminste omdat hij het niet langer voelde. Hij werd onbelemmerd door de stroom meegevoerd toen hij er plotseling weer tegenaan botste. Hij draaide zich opzij en zag een donker voorwerp met een grasachtige klomp aan het uiteinde ervan dat het dichtst bij hem was. Hij begon het weg te duwen en terwijl hij dat deed, kwam er een hand uit het water omhoog die zijn arm vastklemde. Hij schreeuwde van afgrijzen en probeerde zich los te rukken, maar de hand hield hem stevig vast. Toen zag hij dat datgene wat hij voor gras had aangezien, helemaal geen gras was, maar haar. In de verte hoorde hij het gerommel van onweer. Plotseling begon het te stortregenen. Terwijl hij verwoed probeerde de vingers van zijn arm los te wrikken, kwam het hele ding bovendrijven en rolde van opzij tegen hem aan. Schreeuwend probeerde hij het weg te duwen, maar het lukte hem niet. Toen bliksemde het en hij staarde in een bloederige oogkas die gruwelijk was doorboord door stukken van verbrijzelde tanden. Aan de andere kant was helemaal geen oog meer. Het gezicht was daar weggeschoten en er was slechts een bloederige massa over. Even later kwam het ding met een slingerende beweging omhoog en kreunde luid. Toen liet de hand zijn arm heel zachtjes los en wat er van Henri Kanarack over was, dreef weg op de stroming.

Toen Henri Kanarack, of Albert Merriman zoals hij eigenlijk heette, langs Paul Osborns schouder keek en de lange man met de regenjas en de hoed over de helling naar hen toe zag komen, dacht hij dat de man iets bekends had, dat hij hem al eens ergens had gezien. Toen herinnerde hij zich dat het de man was die de avond nadat hij Jean Packard had vermoord, Le Bois was binnengekomen. Hij herinnerde zich dat de man in de deuropening was blijven staan, zijn blik over de tafeltjes had laten glijden en zich toen naar de bar had gewend waar Kanarack had gezeten. Ze hadden elkaar één moment aangekeken. Hij herinnerde zich zijn opluchting omdat de man niet Osborn of een politieman was. Hij herinnerde zich dat hij had gedacht dat de man niemand was, helemaal niemand.
Hij had zich vergist.

# 37

*Vrijdag 5 oktober*
*New Mexico*

Om 1.55 uur, 20.55 uur in Parijs, zat Elton Lybarger met een plaid over zich heen in een leunstoel te kijken hoe de schaduwen die door het hoog oprijzende Sangre de Cristo-gebergte van New Mexico werden geworpen langzaam over de bodem van de vallei driehonderd meter beneden hem voortkropen. Hij droeg pantoffels, een geelbruine pantalon en een koningsblauwe trui. Een kleine gele koptelefoon was verbonden met een Sony-walkman die in zijn schoot lag. Hij was zesenvijftig jaar en luisterde naar de verzamelde toespraken van Ronald Reagan.
Elton Lybarger, een Zwitser, was op 3 mei uit San Francisco naar het exclusieve verpleegtehuis Rancho de Piñon gekomen, zeven maanden nadat hij een zware beroerte had gehad toen hij op zakenreis in de Verenigde Staten was. Na de beroerte was hij gedeeltelijk verlamd en hij kon niet praten. Nu, bijna een jaar later, kon hij met behulp van een stok lopen en goed verstaanbaar, zij het langzaam, spreken.
Tien kilometer verder reed een zilverkleurige Volvo vanuit het felle zonlicht van de hoge woestijn de donkere schaduw in van de met coniferen omzoomde Paseo del Norte-weg die vanuit de vallei naar Rancho de Piñon omhoogleidde. Achter het stuur zat Joanna Marsh, een onaantrekkelijke, iets te dikke tweeëndertigjarige fysiotherapeute die de laatste vijf maanden van haar huis in Taos vijf keer per week op en neer was gereden, wat haar twee uur per dag kostte. Dit zou de laatste keer zijn dat ze Elton Lybarger in Rancho de Piñon bezocht. Vandaag zouden ze naar Santa Fe rijden, waar een gecharterde helikopter die hen naar Albuquerque zou brengen, op hen wachtte. Daarna zouden ze naar Chicago vliegen waarvandaan ze met vlucht 38 van American Airlines naar Zürich zouden vliegen. Vanavond zou Elton Lybarger, vergezeld van Joanna Marsh, naar huis gaan.
Er werd afscheid genomen, het autoportier werd gesloten, Joanna wuifde naar de beveiligingsman bij de ingang, manoeuvreerde de Volvo door het hek van Rancho de Piñon en reed de Paseo del Norte-weg op. Joanna keek naar Lybarger en zag dat hij glimlachend naar het voorbijglijdende landschap keek. Zo lang ze hem kende, had ze hem nog nooit zien glimlachen.
'Weet u waar we naar toe gaan, meneer Lybarger?' vroeg ze.

Lybarger knikte.
'Waar naar toe dan?' plaagde ze hem.
Lybarger antwoordde niet, maar bleef naar het landschap staren terwijl ze de steile, kronkelige weg die als een mes door het dichte coniferenbos sneed, afdaalden.
'Kom op, meneer Lybarger. Waar gaan we naar toe?' Joanna wist niet zeker of hij haar de eerste keer had gehoord of dat hij het wel had gehoord maar dat het niet tot hem was doorgedrongen. Al had hij zich dan goed hersteld van de beroerte, er waren toch momenten waarop hij niet leek te verwerken wat er tegen hem werd gezegd.
Lybarger verplaatste zijn gewicht een beetje, leunde naar voren en steunde met zijn hand tegen het dashboard om zich in evenwicht te houden terwijl de Volvo een reeks bochten nam. Hij antwoordde nog steeds niet.
Onder aan de canyon draaide Joanna de Mexican Highway 3 naar Taos op. Ze stelde de snelheid in op honderd kilometer en wuifde naar een groepje kleurig geklede wielrenners.
'Vrienden van me uit Taos,' zei ze met een glimlach. Ze keek weer naar Lybarger en dacht dat zijn stilzwijgen misschien werd veroorzaakt door de emotie dat hij plotseling zijn vrijheid had teruggekregen.
Hij leunde naar voren en hing met zijn hele gewicht in zijn veiligheidsgordel terwijl hij haar aanstaarde alsof hij plotseling uit een lange slaap ontwaakt was.
'Is alles in orde met u?' vroeg ze. Plotseling werd ze bevangen door het angstige gevoel dat hij weer een beroerte had en dat ze onmiddellijk zou moeten omkeren en terugrijden naar het verpleegtehuis.
'Ja,' antwoordde hij zacht.
Joanna keek hem een ogenblik taxerend aan, ontspande zich toen en glimlachte. 'Gaat u nu maar gemakkelijk zitten en ontspan u, meneer Lybarger. We hebben een lange middag en avond voor de boeg.'
Lybarger deed wat ze vroeg en leunde achterover, maar toen draaide hij zijn hoofd opzij en keek haar weer aan. Hij had nog steeds een niet-begrijpende uitdrukking op zijn gezicht.
'Is er iets aan de hand, meneer Lybarger?'
'Waar is mijn familie?' vroeg hij.

* * *

'Waar is mijn familie?' vroeg Lybarger weer.
'Ik weet zeker dat ze u komen afhalen.' Joanna zat in first class met haar hoofd tegen het kussen geleund en sloot haar ogen. Ze waren nog geen

drie uur in de lucht en ze schatte dat Lybarger de vraag al elf keer had gesteld. Ze wist niet zeker of het nu een blijvend effect van de beroerte was dat hij steeds dezelfde vraag bleef stellen of dat hij zich plotseling ontheemd voelde nu hij uit Rancho de Piñon weg was. De familie waarnaar hij vroeg was misschien wel het personeel waarmee hij zoveel tijd had doorgebracht, maar het was ook heel goed mogelijk dat hij zich er echt zorgen over maakte dat er niemand op hem zou wachten als hij in Zürich aankwam. Voor zover ze wist, had hij in de hele periode dat ze hem had behandeld van niemand bezoek gehad, behalve dan van zijn eigen dokter, een Oostenrijkse arts die Salettl heette en vanuit Salzburg zes keer naar New Mexico was gereisd. Ze had er dus geen idee van of er op het vliegveld van Zürich al dan niet familie op hem zou wachten als ze daar aankwamen. Ze kon alleen maar aannemen dat dat zo zou zijn. Afgezien van Salettl had ze slechts met Lybargers advocaat contact gehad en dan alleen nog maar telefonisch toen hij haar thuis had opgebeld om te vragen of ze Lybarger naar Zwitserland wilde vergezellen.
Dat was op zichzelf een complete verrassing voor haar geweest en ze was er helemaal door uit haar doen geraakt. Joanna was zelden buiten New Mexico geweest en helemaal nooit buiten de Verenigde Staten en het aanbod, een first class ticket plus vijfduizend dollar, was te genereus geweest om af te slaan. Ze zou er de lening mee kunnen aflossen die ze had afgesloten om de Volvo te kunnen kopen en hoewel het maar een kort reisje was, zou het een ervaring worden die ze anders nooit zou hebben gehad. Maar bovendien deed ze het graag. Joanna ging er prat op dat ze zich sterk voor haar patiënten interesseerde en meneer Lybarger was geen uitzondering. Toen ze met hem begon, kon hij nauwelijks staan en wilde hij alleen naar bandjes op zijn walkman luisteren en televisie kijken. Hoewel hij nu nog naar zijn bandjes luisterde en gretig televisie keek, kon hij nu zonder enige hulp met zijn stok gemakkelijk achthonderd meter lopen.
Ze ontwaakte uit haar mijmering en realiseerde zich dat de cabine donker was en dat de meeste mensen sliepen, hoewel er op het scherm vóór hen nog een film werd gedraaid. Voor het eerst in lange tijd zweeg Elton Lybarger en ze dacht dat hij misschien ook sliep. Toen zag ze dat ze zich vergiste. Hij had de koptelefoon op en ging helemaal op in de film. Of het nu films, televisie, of geluidsbanden waren, Lybarger leek een onverzadigbare behoefte te hebben om dingen te leren en om te worden vermaakt en het was hem om het even of hij rotzooi of klassiekers, sport of politiek, opera of rock en roll te zien of te horen kreeg. Wat hij er zo intrigerend aan vond, kon ze niet begrijpen. Ze kon zich alleen voorstellen dat het een soort escapisme was, maar ze had er geen idee van

waarvoor hij probeerde te vluchten.
Joanna trok de deken die de luchtvaartmaatschappij verschaft had om hem heen omhoog en leunde achterover. Ze vond het alleen jammer dat ze Henry, haar tien maanden oude sint-bernard, voor de tijd dat ze weg was in een kennel had moeten onderbrengen. Omdat ze alleen woonde, had ze niemand om voor hem te zorgen en het ging te ver om vrienden te vragen een vijfenveertig kilo wegend brok ontembaar enthousiasme in huis te nemen. Maar ze zou maar vijf dagen wegblijven en dat kon Henry wel aan.

# 38

Vera had vanaf bijna drie uur 's middags vergeefs geprobeerd Paul Osborn te bereiken. Ze had hem vier keer gebeld, maar geen gehoor gekregen. De vijfde keer had ze de receptie van het hotel gebeld en gevraagd of dokter Osborn misschien was vertrokken. Dat bleek niet het geval te zijn. Had iemand hem die dag gezien? De receptionist verbond haar door met de portiersloge en ze stelde dezelfde vraag. Ze kreeg van een portier te horen dat hij meneer Osborn eerder die middag door de hal naar de liften had zien lopen; waarschijnlijk was hij toen op weg naar zijn kamer geweest.
De bezorgdheid die Vera bewust had weggedrukt, maakte plaats voor een duidelijk gevoel van angst. 'Ik heb zijn kamer sinds drie uur verscheidene malen gebeld, maar er werd niet opgenomen. Zou u misschien iemand naar boven kunnen sturen om te kijken of alles in orde is met hem?' vroeg ze kalm. Ze probeerde niet te denken aan de succinylcholine en aan de experimenten die Osborn daarmee op zichzelf wilde uitvoeren. Tenslotte was hij een zeer bekwame arts die precies wist wat hij deed. Maar iedereen kon een fout maken en met een middel als succinylcholine viel niet te spotten. Iemand die per ongeluk een overdosis nam, zou heel gemakkelijk kunnen stikken.
Vera hing op en keek op de klok. Het was kwart voor zeven.
Tien minuten later rinkelde de telefoon. Het was de portier van het hotel die haar terugbelde om te zeggen dat meneer Osborn niet op zijn kamer was. Zijn stem had een aarzelende klank en hij vroeg of ze fami-

lie was. Vera voelde dat haar hart sneller begon te kloppen.
'Ik ben een goede vriendin. Is er iets mis?' vroeg ze.
'Er schijnen...' – de portier zocht licht haperend naar het juiste woord – '... "problemen" in meneer Osborns kamer te zijn geweest. Er zijn wat meubels omgegooid.'
'Meubels omgegooid? Problemen? Waar hebt u het over?'
'Geeft u me alstublieft uw volledige naam, mademoiselle. De politie is gebeld en ze zullen u misschien willen ondervragen.'
De rechercheurs Barras en Maitrot van de eerste prefectuur van de Parijse politie hadden gereageerd op het telefoontje waarin de hoteldirectie had gemeld dat er in de kamer van een gast, de Amerikaanse arts Paul Osborn, sporen van geweld waren aangetroffen. Ze wisten geen van beiden wat ze ervan moesten denken. De deurstijl aan de binnenkant van Osborns kamer was uit de muur gerukt, kennelijk door iemand die vanaf de gang was binnengedrongen. De kamer zelf was een puinhoop. Het grote dubbele bed was hard naar één kant geduwd en een tafel was omvergegooid. Een bijna lege fles Johnnie Walker Black die op verbazingwekkende wijze heel was gebleven, lag ernaast op de grond. Een nachtlamp hing een klein stukje boven de vloer. Hij was van het nachttafeltje geslagen, maar net voordat hij de grond zou raken door zijn snoer tegengehouden.
Osborns kleren waren nog steeds in de kamer, evenals zijn toiletartikelen, zijn koffertje met zijn papieren, zijn traveller cheques, zijn vliegticket en een blocnote van het hotel waarop hij verscheidene telefoonnummers had geschreven. Op de vloer onder de televisie lag een krant van vandaag die was opengeslagen op de 'uit'-pagina en de naam van een bioscoop op de Boulevard des Italiens was met een pen omcirkeld. Barras ging met het blocnote in zijn handen zitten en bestudeerde de telefoonnummers. Een ervan herkende hij onmiddellijk. Het was zijn eigen nummer op het hoofdbureau. Een ander was dat van Air France en een derde van een autoverhuurbedrijf. De gesprekken met vier andere nummers moesten nog nagetrokken worden. Het eerste was van Kolb International, het privé-detectivebureau. Het tweede van een bioscoop op de Boulevards des Italiens waar films in het Engels werden vertoond en waarvan de naam in de krant omcirkeld was. Het derde was van een privé-woning op het Île St.-Louis dat in het telefoonboek op naam van Vera Monneray stond, dezelfde naam en hetzelfde nummer dat de portier van het hotel hun had opgegeven. Het laatste nummer was van een kleine bakkerij in de buurt van het Gare du Nord.
'Weet je wat dit is?' Barras keek op. Maitrot was net de badkamer uitgekomen en hield een klein medicijnflesje tussen de duim en de wijsvinger

van zijn linkerhand omhoog. Hoewel er geen bewijs voor was dat er een misdrijf in de kamer was gepleegd, was het wel Paul Osborns kamer en de janboel was er groot genoeg om de argwaan van de beide politiemannen te wekken. Daarom droegen ze allebei rubber wegwerphandschoenen om te voorkomen dat ze aanwezige vingerafdrukken zouden beschadigen of hun eigen vingerafdrukken zouden achterlaten.
Barras pakte het flesje van Maitrot aan en bestudeerde het nauwkeurig. 'Succinylcholine chloride,' las hij hardop van het etiket. Hij gaf het terug aan Maitrot en schudde zijn hoofd. 'Geen idee. Maar het is wel in Parijs voorgeschreven. Trek het maar na.'
Op dat moment leidde een geüniformeerde politieman de portier de kamer binnen. Vera was bij hem.
'Messieurs, dit is de jongedame die gebeld heeft.'

* * *

Paul Osborn lag ergens drijfnat voorover in het duister in sponsachtig zand. Hij had er geen idee van waar hij zich bevond en hoe laat het was. Ergens in de buurt hoorde hij het geruis van water en hij was dankbaar dat hij er niet meer in lag. Hij was uitgeput en werd overvallen door slaap die een duisternis met zich mee bracht die dieper was dan de duisternis om hem heen. De gedachte kwam bij hem op dat het de dood was en dat hij zou sterven als hij niet snel iets zou doen.
Hij tilde zijn hoofd op en schreeuwde om hulp. Maar hij hoorde niets dan stilte en het ruisende water. Wie zou hem trouwens in deze godvergeten uithoek in het pikkedonker horen? Maar door de doodsangst en de inspanning van zijn kreet om hulp was zijn hart sneller gaan kloppen en waren zijn zintuigen gescherpt. Voor het eerst voelde hij pijn, een diepe kloppende pijn vlak bij de achterkant van zijn linkerbovenbeen. Hij raakte de plek lichtjes aan en voelde warm plakkerig bloed.
'Verdomme,' vloekte hij hees.
Hij drukte zich op zijn ellebogen omhoog en probeerde te bepalen waar hij was. De grond onder hem was zacht en bestond uit mos op een ondergrond van papperig zand. Hij stak zijn linkerhand uit en raakte water aan. Met zijn rechterhand voelde hij vlak bij zijn hoofd iets wat aanvoelde als een omgevallen boom. Op de een of andere manier was hij aan land gekomen, hetzij op eigen kracht, hetzij aangespoeld door de stroming. Voor zijn geestesoog verscheen een flashback van de afschuwelijke aanblik van het verminkte lichaam van Kanarack dat zich midden in de rivier aan hem had vastgeklampt en daarna door de kracht van het water was meegesleurd en hij zag de man op de oever weer voor

zich. De lange man met de hoed op, die op hen had geschoten.
Plotseling drong de gedachte zich aan hem op dat de man hem misschien op de een of andere manier hierheen was gevolgd en vlakbij stilletjes wachtte tot het licht zou worden, om af te maken waaraan hij was begonnen. Osborn wist niet hoe ernstig hij gewond was, hoeveel bloed hij had verloren en of hij zelfs maar zou kunnen staan. Maar hij moest het proberen. Zelfs als de lange man in de buurt was, kon hij hier niet blijven liggen omdat de kans dan groot was dat hij zou doodbloeden.
Hij kroop centimeter voor centimeter vooruit, greep met één hand de gevallen boom vast en trok zichzelf ernaar toe. Terwijl hij dat deed, schoot een verschroeiende pijn door zijn lichaam en hij schreeuwde onbewust. Als de lange man in de buurt was, zou hij rechtstreeks op het geluid van Osborns schreeuw afkomen. Hij bleef met gespannen zintuigen roerloos liggen om zich te herstellen. Hij hield zijn adem in en luisterde, maar hij hoorde alleen het ruisen van de rivier.
Hij gespte zijn riem los, trok hem uit zijn broekband, wikkelde hem boven de wond om zijn linkerbovenbeen en gespte hem vast. Hij vond een tak, stak die achter de riem en draaide hem een paar keer rond zodat de riem als door een tourniquet vaster om zijn been werd aangedraaid. Er ging bijna een minuut voorbij voordat er gevoelloosheid begon in te treden en de pijn een beetje minder werd. Terwijl hij de tourniquet met zijn linkerhand op zijn plaats hield, zette hij zich met zijn rechterhand tegen de boom af. Met veel moeite kreeg hij zijn goede been onder zijn lichaam en na een minuut stond hij. Weer luisterde hij. Weer hoorde hij niets dan het geruis van de rivier.
Hij vond op de tast in het donker een tak ter dikte van zijn pols en brak die af. Terwijl hij dat deed, voelde hij iets zwaars in de zak van zijn colbert. Hij hield zich tegen de boom in evenwicht, stak zijn hand in de zak en zijn vingers sloten zich om het harde staal van het automatische pistool dat hij van Henri Kanarack had afgepakt. Hij was het wapen vergeten en verbaasde zich erover dat hij het niet had verloren toen hij door de stroming werd meegesleurd. Hij had er geen idee van of het nog zou werken. Maar door er alleen maar mee te dreigen, zou hij tegenover de meeste mannen in het voordeel zijn. Hij zou er misschien zelfs een ogenblik tijd mee kunnen winnen als hij tegenover de lange man zou komen te staan. Hij pakte de boomtak op die hij half als kruk en half als wandelstok gebruikte en begon van het geluid van de rivier vandaan het duister in te lopen.

# 39

*Zaterdag 8 oktober*
*3.15 uur*

Agnes Demblon zat in de huiskamer van haar appartement naar de telefoon te staren en was sinds middernacht al aan haar tweede pakje Gitanes bezig. Ze droeg nog steeds het verkreukelde mantelpakje dat ze de hele vrijdag op kantoor had gedragen. Ze had niet gegeten en zelfs haar tanden niet gepoetst. Henri had nu terug moeten zijn, of zou haar in ieder geval gebeld moeten hebben. Op de een of andere manier had ze iets van hem moeten horen, maar dat was niet gebeurd. Er was iets fout gegaan, daarvan was ze zeker. Maar wat? Zelfs als de Amerikaan een professional was geweest, zou Kanarack hem met dezelfde efficiëntie hebben aangepakt als waarmee hij Jean Packard uit de weg had geruimd.
Hoeveel jaar was het geleden sinds hij voor het eerst, waar iedereen bij was, op het speelterrein van de Second Street School in Connecticut aan haar haar had getrokken en haar rok had opgetild? Agnes had in de eerste en Henri Kanarack – nee, Albert Merriman! – in de vierde klas gezeten toen hij dat had gedaan. Daarna had hij gelachen en was toen stoer met zijn vriendjes weggelopen om een dikke jongen te plagen, te stompen en aan het huilen te maken. Diezelfde middag nam Agnes wraak. Ze volgde hem uit school naar huis en sloop naar hem toe toen hij bleef staan om ergens naar te kijken. Ze rekte zich met haar beide armen boven haar hoofd gestrekt uit en sloeg hem met een grote steen boven op zijn hoofd. Ze herinnerde zich dat hij op straat viel en dat er overal bloed was. Ze herinnerde zich dat ze zelfs dacht dat ze hem had doodgeslagen, tot hij plotseling zijn hand naar haar uitstak en probeerde haar enkel vast te pakken. Ze was weggerend. Het was het begin geweest van een relatie die meer dan veertig jaar had geduurd. Hoe kwam het toch dat soort altijd soort zocht, zelfs al in de kindertijd?
Agnes stond op en drukte een Gitane in een overvolle asbak uit. Het was nu halfvier in de ochtend. Zaterdags was de bakkerij een halve dag open. Over nog geen twee uur zou ze naar haar werk moeten. Toen herinnerde ze zich dat Henri de auto had. Dat betekende dat ze de metro zou moeten nemen, als die tenminste zo vroeg al reed. Ze wist het niet. Het was al zo lang geleden sinds ze dat voor het laatst had gedaan. Misschien zou ze een taxi moeten nemen. Ze liep naar haar slaapkamer,

trok haar kleren uit, deed een kamerjas aan, zette de wekker op kwart voor vijf en ging op bed liggen. Ze trok de bovenste deken over zich heen, deed het licht uit en strekte zich uit. Als ze zou kunnen slapen, waren vijfenzeventig minuten beter dan niets.

Aan de overkant van de straat zat Bernhard Oven, de lange man, achter het stuur van een donkergroene Ford en keek op zijn horloge. Het was 3.37 uur.
Op de stoel naast hem lag een klein zwart rechthoekig voorwerp dat eruitzag als de afstandsbediening van een televisietoestel. In de linkerbovenhoek ervan zat een digitale tijdontsteker. Hij pakte het op en stelde de tijdontsteker af op drie minuten en drieëndertig seconden. Daarna startte hij de Ford en drukte op een rood knopje rechts onder op de zwarte rechthoek. De tijdontsteker begon te lopen en in tienden van seconden af te tellen naar 0:0:00.
Bernhard Oven keek nog één keer naar het donkere flatgebouw, zette de auto in de versnelling en reed weg.
3:32:16.
Verspreid over de rommelige vloer van de kelder van het flatgebouw waarin Agnes Demblon woonde, lagen verscheidene pakjes zeer compact, licht ontvlambaar plastic die aan een primaire elektronische lont waren bevestigd. Even na tweeën was Oven door een kelderraam binnengekomen. Hij werkte snel en binnen vijf minuten had hij de springladingen tussen stapels oude meubels en opgeslagen kleding geplaatst, waarbij hij er speciaal op had gelet dat hij ze neerlegde in de buurt van de stalen ton die de bijna vierduizend liter stookolie voor het gebouw bevatte. Hij was langs dezelfde weg naar buiten geglipt en teruggelopen naar zijn auto. Om tien over halfdrie waren alle lichten in het gebouw op één na uit. Om vijf over halfvier deed Agnes Demblon het hare ook uit. Om drie uur, negendertig minuten en dertig seconden ontploften de plastic springladingen.

# 40

Vlucht 38 van American Airlines uit Chicago landde om 8.35 uur op het vliegveld Kloten, twintig minuten eerder dan gepland. De luchtvaartmaatschappij had voor een rolstoel gezorgd, maar Elton Lybarger wilde lopend het vliegtuig verlaten. Hij zou zijn familie voor het eerst in het jaar na zijn beroerte weer zien en hij wilde hun tonen dat hij was hersteld en geen invalide die hen tot last zou zijn.
Joanna pakte hun handbagage en stond achter Lybarger op toen de laatste passagiers het vliegtuig verlieten. Nadat ze hem zijn stok had overhandigd en hem had gewaarschuwd dat hij erop moest letten waar hij zijn voeten neerzette, liep hij abrupt weg.
Toen hij de slurf bereikte, negeerde hij de glimlach en de vriendelijke afscheidswoorden van de steward en plantte zijn stok stevig aan de andere kant van de deur. Hij haalde vastberaden adem, stapte door de deuropening de slurf binnen en verdween erin.
'Hij is een beetje gespannen, maar in ieder geval bedankt,' zei Joanna verontschuldigend in het voorbijgaan tegen de steward en ze liep snel achter Lybarger aan.
Toen ze in de terminal waren, gingen ze in de rij staan om de Zwitserse douane te passeren. Joanna pakte een karretje, haalde hun bagage op en daarna liepen ze door een gang naar de immigratiedienst. Plotseling vroeg ze zich af wat ze zouden doen als er niemand op hen zou wachten. Ze had er geen idee van waar Elton Lybarger woonde of wie ze zou moeten bellen. Toen waren ze de douane gepasseerd, duwden een glazen deur open en kwamen in het hoofdgedeelte van de terminal. Plotseling begon een zes man tellende hoempaband een Zwitserse versie van *For He's a Jolly Good Fellow* te spelen en ruim twintig buitengewoon goedgeklede mannen en vrouwen applaudisseerden. Achter hen applaudisseerden vier in livrei geklede chauffeurs mee.
Lybarger bleef staan en staarde naar hen. Joanna had er geen idee van of hij hen herkende of niet. Toen stapte een grote vrouw in een bontjas met een enorm boeket gele rozen snel op Lybarger af, sloeg haar armen om hem heen, smoorde hem met kussen en zei: 'Oom. O, oom! We hebben u zo gemist! Welkom thuis.'
De anderen voegden zich snel bij haar. Ze gingen om Lybarger heen staan en Joanna stond er een beetje verloren bij te kijken. Ze was verbijsterd door wat ze zag. Gedurende de vijf maanden van intensieve fysiotherapie had Lybarger haar geen enkele keer laten blijken hoe rijk

hij was of welke positie hij bekleedde. Waar was dit gevolg de hele tijd geweest? Het was niet logisch. Maar goed, het waren haar zaken niet.
'Mevrouw Marsh?' Een buitengewoon knappe man was uit de groep naar haar toe gekomen. 'Mijn naam is von Holden. Ik werk bij meneer Lybargers bedrijf. Mag ik u naar uw hotel begeleiden?'
Von Holden was in de dertig, slank, ruim één meter tachtig lang en had de schouders van een zwemmer. Hij had lichtbruin, kortgeknipt haar en droeg een double breasted blauwe krijtstreep van onberispelijke snit, een wit overhemd en een donkere stropdas met een familiewapen.
Joanna glimlachte. 'Dank u zeer.' Ze keek naar de groep en zag dat iemand een rolstoel had gebracht en dat twee van de chauffeurs Lybarger erin hielpen. 'Ik moet eigenlijk iets tegen meneer Lybarger zeggen.'
'Ik weet zeker dat hij het wel zal begrijpen,' zei von Holden vriendelijk. 'Bovendien zult u in zijn gezelschap dineren. Als u dan nu met me wilt meekomen. Deze kant uit, alstublieft.'
Von Holden pakte Joanna's bagage en ging haar door een zijdeur voor naar een wachtende lift. Vijf minuten later zaten ze op de achterbank van een Mercedes limousine en reden over verkeersweg N1B naar Zürich.
Joanna had nog nooit zulk mooi groen gezien. De bomen en weiden hadden de rijke kleur van smaragd en erachter, als geesten aan de horizon, lagen de Alpen, waarvan de toppen zelfs zo vroeg in het seizoen al besneeuwd waren. Haar eigen New Mexico bestond uit woestijnlandschap en ondanks de steden met hun hoogbouw en winkelcentra was het nog steeds ongerept en ruw en bruiste het van de rusteloosheid van een grensgebied. Het land was nog steeds van de coyotes, bergleeuwen en ratelslangen en de woestijnen en canyons herbergden nog steeds mannen die voor een leven in eenzaamheid hadden gekozen. De bergen en hooggelegen weiden waarin het aan het begin van de lente wemelde van de wilde bloemen, waren in deze tijd van het jaar bruin, stoffig en kurkdroog.
Zwitserland was volkomen anders. Joanna had dat door het raam al gezien toen ze erboven vlogen en ze voelde het nu nog sterker terwijl de limousine hen via de oude stad Zürich binnenreed. Dit was een stad met een rijke geschiedenis, vanaf de Romeinen tot de Habsburgers. Een wereld van middeleeuwse steegjes waarboven de vroeg gotische gebouwen van grijze steen verrezen die al eeuwenlang hadden bestaan voordat er één enkele petroleumlamp in een barak in New Mexico had gebrand.
In gedachten had Joanna zich al voorgesteld hoe het zou gaan als ze hier aankwamen. Elton Lybarger zou worden verwelkomd door een kleine,

maar medelevende en liefhebbende familie. Hij zou met een omhelzing, en misschien zelfs met een kus op de wang, afscheid van haar nemen. Daarna zou ze naar haar mooie kamer in een Holiday Inn-achtig hotel gaan. En misschien zou ze een tocht langs de bezienswaardigheden van de stad kunnen maken voordat ze de volgende dag zou vertrekken. De tijd zou kort zijn, maar ze zou er zo goed mogelijk gebruik van maken. En ze moest niet vergeten souvenirs te kopen! Voor haar vrienden in Taos en voor David, de logopedist uit Santa Fe met wie ze al twee jaar omging, maar met wie ze nog nooit naar bed was geweest.
'U bent nog nooit in ons land geweest?' vroeg von Holden terwijl hij haar glimlachend aankeek.
'Nee, nooit.'
'Als u zich in uw hotel hebt ingeschreven, zal ik u voor het diner wat van ons land laten zien, als u mij dat wilt toestaan,' zei von Holden vriendelijk. 'Tenzij u andere plannen hebt.'
'Nee, heel graag. Dat zou fantastisch zijn. Ik bedoel, dat zou ik heerlijk vinden.'
'Goed.'
De limousine sloeg linksaf de Bahnhofstrasse in en ze passeerden blok na blok met elegante winkels en exclusieve cafés, die in toenemende mate een sfeer van grote, maar ingetogen rijkdom uitstraalden. Aan het andere eind van de Bahnhofstrasse glinsterde een uitgestrekt turkooizen water – de 'Zürichsee' zei von Holden – waarop het krioelde van de stoomboten die lange linten van door de zon beschenen wit schuim in hun kielzog achterlieten.
Joanna raakte onmiddellijk betoverd door wat ze zag.
Zwitserland, zou ze thuis aan iedereen vertellen, was welig groen, voornaam en solide. Alles maakte er een warme, gastvrije en heel erg veilige indruk. Bovendien rook het er naar geld.
Ze wendde zich abrupt tot von Holden. 'Wat is je voornaam?'
'Pascal.'
'Pascal?' Ze had de naam nog nooit gehoord. 'Is dat een Spaanse of een Italiaanse naam?'
Von Holden haalde grijnzend zijn schouders op. 'Dat zou allebei kunnen,' zei hij. 'Ik ben in Argentinië geboren.'

# 41

Osborn staarde naar de telefoon en vroeg zich af of hij de kracht had nog een keer te bellen. Hij had al zonder succes drie pogingen gedaan. Hij betwijfelde of het hem nog drie keer zou lukken.
Toen hij bij zonsopgang het bos uit kwam, was hij terechtgekomen in wat in het vroege licht boerenland leek. Vlakbij stond een kleine schuur die op slot zat, maar er was buiten wel een kraan. Hij draaide hem open en dronk gulzig. Daarna trok hij zijn broek naar beneden en waste de wond zo goed mogelijk schoon. Het bloeden was grotendeels opgehouden en hij had de tourniquet kunnen losdraaien zonder dat het opnieuw was begonnen.
Daarna moest hij het bewustzijn hebben verloren, want hij herinnerde zich niets tot het moment dat er twee jongemannen die golfclubs droegen op hem neerkeken en hem in het Frans vroegen of alles in orde met hem was. Wat hij dacht dat boerenland was, was een golfterrein.
Nu zat hij in het clubhuis naar de telefoon aan de muur te staren. Hij kon alleen maar aan Vera denken. Waar was ze? Stond ze onder de douche? Nee, niet zo lang. Was ze op haar werk? Misschien. Hij kon zich haar rooster niet meer voor de geest halen en wist niet meer op welke dagen ze werkte of vrij was.
De bedrijfsleider van het clubhuis, een kleine, broodmagere man die Levigne heette, had de politie willen bellen, maar Osborn had hem ervan overtuigd dat hij alleen maar een ongeluk had gehad en dat iemand hem zou komen ophalen. Hij was bang voor de lange man, maar hij was ook bang voor de politie. Waarschijnlijk hadden ze Kanaracks auto al gevonden. Hij zou in bewaring genomen en als gestolen of achtergelaten geregistreerd zijn. Maar als Kanaracks lichaam ergens stroomafwaarts zou aanspoelen, zouden ze de auto centimeter voor centimeter uitkammen. Osborns vingerafdrukken zaten door de hele auto heen en ze hadden zijn vingerafdrukken. Barras had ze genomen nadat ze hem die eerste avond hadden opgepakt omdat hij Kanarack in het café had aangevallen en over de tourniquet van de metro was gesprongen om hem te volgen.
Wanneer was dat geweest?
Osborn keek op zijn horloge. Vandaag was het zaterdag. Maandag had hij Kanarack voor het eerst gezien. Zes dagen. Was dat alles? Na bijna dertig jaar? En nu was Kanarack dood. En uiteindelijk had hij ondanks zijn ingewikkelde plannen, het gedoe met de politie en de moord op

Jean Packard nog geen antwoord op zijn vraag. Zijn vaders dood was nog een even groot mysterie als voorheen.
Hij hoorde een geluid en keek op. Een zwaargebouwde man stond te bellen. Buiten waren de golfers op weg naar de eerste tee. De ochtendnevel had plaatsgemaakt voor heldere zonneschijn. Het was de eerste dag zonder bewolking sinds hij in Frankrijk was aangekomen. Het golfterrein was in de buurt van Vernon, vanaf Parijs over de snelweg ruim dertig kilometer rijden. De door het landschap kronkelende Seine had hem minstens twee keer zo ver meegevoerd. Hoe lang hij in het water had gelegen of hoe ver hij had gelopen, wist hij niet.
Hij keek naar het kopje sterke koffie voor hem op de tafel dat Levigne, de bedrijfsleider, hem had gebracht zonder er iets voor te rekenen. Er zat nog een beetje in. Hij draaide het kopje rond, pakte het op, dronk het leeg en zette het neer. Het optillen van het kopje en het drinken hadden hem al moe gemaakt.
Aan de andere kant van het clubhuis hing de man de hoorn op de haak en liep naar buiten. Als de lange man nu plotseling zou binnenkomen? Hij had nog steeds Kanaracks pistool in de zak van zijn jasje. Zou hij de kracht hebben het wapen te voorschijn te halen, te richten en te schieten? Hij had op de schietbanen in Santa Monica en in de valleien van San Fernando en Conejo jaren met een revolver geoefend en was er goed in. Waarom hij dat had gedaan, wist hij niet. Had hij er zijn agressie mee afgereageerd? Had hij het voor de sport gedaan? Om zich te kunnen verdedigen tegen de toenemende misdaad in de stad? Of was het iets anders geweest? Had hij zich voorbereid op een dag waarop hij zijn vaardigheid nodig zou hebben?
Hij keek weer naar de telefoon. Probeer het nog een keer. Je moet het doen!
Zijn been was nu stijf geworden en hij was bang dat het door de beweging weer zou gaan bloeden. Bovendien begon het shockeffect van zijn beproeving te verdwijnen en daarmee de bescherming van de natuurlijke verdoving die daardoor teweeggebracht werd. Zijn been begon daardoor zo hevig te kloppen dat hij niet wist hoe lang hij de pijn nog zonder medicijnen zou kunnen verdragen.
Hij legde zijn handen plat op de tafel en duwde zich omhoog. Door de plotselinge beweging werd hij licht in het hoofd en even kon hij alleen maar met opeengeklemde tanden blijven staan en bidden dat hij niet zou omvallen.
Een paar golfers die net binnenkwamen, zagen hem en liepen met een boog om hem heen. Hij zag een van hen met Levigne praten en naar hem gebaren. Wat kon hij ook anders verwachten zoals hij er nu uitzag?

Met zijn glazige blik, wankelend op zijn benen en in zijn gescheurde, doorweekte kleren die naar de rivier stonken, zag hij eruit als een zwerver uit de hel.
Maar hij moest zich over hen niet druk maken. Hij moest niet aan hen denken.
Hij keek weer naar de telefoon. Hij was er minder dan tien passen vandaan, maar het toestel zou net zo goed in Californië kunnen hangen. Hij pakte de boomtak die hij op weg hiernaar toe als stok had gebruikt, zette hem voor zich uit, leunde erop en deed een stap naar voren. Met zijn rechterhand verplaatste hij de stok en zette toen eerst zijn rechtervoet en daarna zijn linkervoet vooruit. Rechterhand, rechtervoet. Linkervoet bijtrekken. Stilstaan. Diep ademhalen.
De telefoon was nu iets dichterbij.
Klaar? Opnieuw beginnen. Rechterhand, rechtervoet. Linkervoet bijtrekken. Hoewel hij zich volledig op zijn bewegingen en op zijn doel concentreerde, was Osborn zich er scherp van bewust dat de mensen in het clubhuis naar hem keken. De gezichten vervaagden.
Toen hoorde hij een stem. Zijn eigen stem die tegen hem praatte! Duidelijk en afgemeten.
'De kogel zit ergens in de spieren aan de achterkant van mijn bovenbeen. Ik weet niet precies waar. Maar hij moet eruit gehaald worden. Rechterhand, rechtervoet. Linkervoet bijtrekken. Rechterhand, rechtervoet.
'Maak een verticale insnijding door het midden van de achterkant van de dij vanaf de onderste plooi van de bil.' Plotseling studeerde hij weer medicijnen en citeerde uit *Gray's Handboek der Anatomie*. Hoe was het mogelijk dat hij het zich nog letterlijk herinnerde?
Rechterhand, rechtervoet. Linkervoet. Stilstaan en uitrusten. Aan de andere kant van de ruimte staarden de gezichten nog steeds naar hem. Rechterhand, rechtervoet. Linkervoet bijtrekken.
De telefoon is recht voor je.
Uitgeput pakte Osborn langzaam de hoorn van de haak.
'Paul, er zit een kogel in de spieren aan de achterkant van je bovenbeen. Hij moet er nu uit.'
'Dat wéét ik, verdomme. Dat wéét ik. Haal hem eruit!'

* * *

'Hij ís er uit. Blijf maar stil liggen. Weet je wie ik ben?'
'Natuurlijk.'
'Welke dag is het?'

'Ik...' Osborn aarzelde. 'Zaterdag.'
'Je hebt je vliegtuig gemist.' Vera trok haar operatiehandschoenen uit, draaide zich om en liep de kamer uit.
Osborn ontspande zich en keek om zich heen. Hij was in haar appartement en lag naakt op zijn buik op het bed in haar logeerkamer. Even later kwam ze terug met een injectiespuit in haar hand.
'Wat is dat?' vroeg hij.
'Ik zou kunnen zeggen dat het succinylcholine is,' zei ze sarcastisch. 'Maar dan zou ik liegen.' Ze ging achter hem staan, veegde met een in alcohol gedrenkt watje een plekje op het bovenste gedeelte van zijn bil schoon, stak de naald erin en gaf hem de injectie.
'Het is een antibioticum. Je zou eigenlijk ook een tetanusinjectie moeten hebben. God mag weten wat er behalve Henri Kanarack nog meer in die rivier dreef.'
'Hoe weet je dat?' Plotseling schoot alles wat er gebeurd was hem te binnen.
Vera trok voorzichtig een deken tot aan zijn schouders over hem heen zodat hij het niet koud zou hebben. Toen ging ze op de ottomane van een leren fauteuil tegenover hem zitten.
'Je bent in het clubhuis van een golfterrein dat hier ongeveer veertig kilometer vandaan ligt buiten bewustzijn geraakt. Je bent even bijgekomen en hebt hun toen mijn nummer gegeven. Ik heb de auto van een vriend geleend. De mensen van de golfclub waren heel aardig. Ze hebben me geholpen je in de auto te leggen. Ik had alleen maar wat tranquillizers bij me. Ik heb ze je allemaal gegeven.'
'Allemaal?'
Vera glimlachte. 'Je praat veel wanneer je in de war bent. Voor het grootste deel over mannen. Henri Kanarack. Jean Packard. Je vader.'
In de verte hoorde ze de loeiende sirene van een ziekenwagen en haar glimlach vervaagde.
'Ik ben bij de politie geweest,' zei ze.
'De politie?'
'Gisteravond. Ik maakte me zorgen. Ze hebben je hotelkamer doorzocht en het flesje van de succinylcholine gevonden. Ze weten niet wat het is en waarvoor het bestemd was.'
'Maar jij wel...'
'Nu wel, ja.'
'Dat had ik je toch nooit kunnen vertellen?'
Osborns oogleden werden zwaar en hij begon weg te zakken. 'De politie?' zei hij zwakjes.
Vera stond op, liep de kamer door, knipte een lampje in een hoek aan

en deed het plafondlicht uit. 'Ze weten niet dat je hier bent. Dat denk ik tenminste. Als ze Kanaracks lijk en zijn auto met jouw vingerafdrukken erin vinden, zullen ze hierheen komen om te vragen of ik je gezien heb of iets van je heb gehoord.'
'Wat ga je hun dan vertellen?'
Vera kon zien dat hij probeerde de zaken op een rijtje te zetten, dat hij zich afvroeg of hij een fout had gemaakt door haar te bellen en of hij haar echt kon vertrouwen. Maar hij was te vermoeid. Zijn oogleden gleden over zijn ogen en hij zakte langzaam terug op het kussen.
Ze bukte zich en streek met haar lippen over zijn voorhoofd. 'Niemand zal het weten, dat beloof ik je,' fluisterde ze.
Osborn hoorde haar niet. Hij viel tuimelend in de diepte. Zijn psychische wonden waren niet geheeld. De waarheid was nog nooit zo naakt en angstaanjagend lelijk geweest. Hij was arts geworden omdat hij het verdriet en de pijn van de mensen wilde wegnemen, terwijl hij aldoor had geweten dat hij dat bij zichzelf niet zou kunnen. Wat de mensen van hem zagen, was een meevoelende, hulpvaardige arts. Ze zagen nooit de rest van zijn persoonlijkheid, omdat die niet bestond. Er was daar niets en er zou nooit iets zijn totdat de demonen in zijn binnenste dood waren. Wat Henri Kanarack wist, had hen kunnen doden, maar het had niet zo mogen zijn. Dat hij hem had gevonden, had slechts een tipje van de sluier opgelicht en het erger gemaakt dan het was. Plotseling hield het vallen op en hij opende zijn ogen. Het was herfst in New Hampshire en hij was met zijn vader in het bos. Ze lachten en scheerden stenen over het water van een vijver. De hemel was blauw, de bladeren glansden en de lucht was fris.
Hij was acht jaar oud.

# 42

'Oi, McVey!' zei Benny Grossman. Daarna vroeg hij direct of hij hem zo kon terugbellen en hing op. Het was zaterdagochtend in New York en halverwege de middag in Londen.
McVey, die terug was in het piepkleine kamertje in het hotel in Half Moon Street dat Interpol zo genereus voor hem had gereserveerd,

draaide twee vingers Famous Grouse-whisky zonder ijs – dat was er niet in het hotel – in een glas rond en wachtte tot Benny zou terugbellen.
Hij had de ochtend doorgebracht in gezelschap van Ian Noble, de jonge patholoog van Binnenlandse Zaken, dokter Michaels, en doctor Stephen Richman, de specialist in microbiologie die had ontdekt dat het afgesneden hoofd van hun onbekende slachtoffer aan extreme koude had blootgestaan.
Na op verzoek van Scotland Yard zorgvuldig inventaris te hebben opgemaakt, meldden Cryonetic Sepulture in Edinburgh en Cryo-Mastaba in Camberwell in Londen, de in Groot-Brittannië geregistreerde bedrijven die zich met het invriezen van lijken bezighielden, dat bij hen geen hoofd, en trouwens ook geen lichaam, van een opgeslagen 'gast' ontbrak. Dus tenzij er iemand een niet-geregistreerd lijkeninvriesbedrijf had of door Londen trok met een mobiele invriescabine met daarin lijken of delen van lijken die bij een temperatuur van meer dan min vierhonderd graden Fahrenheit ingevroren waren, moesten ze de mogelijkheid uitsluiten dat het hoofd van hun onbekende slachtoffer met diens toestemming was ingevroren.
Tegen de tijd dat McVey, Noble en dokter Michaels hadden ontbeten en in Richmans kantoor annex laboratorium in Gower Mews waren aangekomen, had Richman het lijk van John Cordell, het onthoofde lijk dat in een flatje tegenover het sportveld even voorbij Salisbury Cathedral was gevonden, al onderzocht. Röntgenonderzoek van Cordells lijk had uitgewezen dat een haarscheurtje onder in zijn bekken door twee schroeven werd dichtgehouden. Als het slachtoffer lang genoeg in leven was gebleven, zouden de schroeven waarschijnlijk zijn verwijderd als de fissuur goed geheeld was.
Metallurgische tests die Richman had uitgevoerd, onthulden dat er overal door de schroeven heen microscopische spinnewebachtige fracturen zaten waardoor afdoende werd bewezen dat het lijk, evenals het hoofd van hun onbekende slachtoffer, bij een temperatuur die het absolute nulpunt benaderde, was ingevroren.
'Waarom?' vroeg McVey.
'Dat is beslist een van de vragen die we ons moeten stellen, nietwaar?' antwoordde Richman. Hij opende de deur van zijn overvolle laboratorium waar ze bijeengekomen waren om de dia's te bekijken van de schroeven uit Cordells lichaam en de metalen plaat uit het hoofd van het onbekende slachtoffer en ging hen door een smalle, groengeel geverfde gang voor naar zijn kantoor.
Stephen Richman was een gezette, maar fitte man van voor in de zestig, met het soort stevige lichaamsbouw dat mensen hebben die in hun jeugd

zware lichamelijke arbeid hebben verricht. 'Let maar niet op de rommel,' zei hij terwijl hij de deur van zijn kantoor opende. 'Ik had er niet op gerekend dat we met genoeg mensen zouden zijn om een spelletje te pokeren.'
Zijn werkruimte was weinig meer dan een kast, ongeveer half zo groot als McVeys minuscule hotelkamer. Lukraak verspreid tussen boeken, tijdschriften, correspondentie, kartonnen dozen en stapels technische videobandjes stonden tientallen potten met geconserveerde organen, soms wel drie of vier in één pot, van God mocht weten hoeveel diersoorten. Ergens tussen de rommel in stonden Richmans bureau en zijn bureaustoel. Op twee andere stoelen lagen hoge stapels boeken en dossiermappen, die hij onmiddellijk voor zijn bezoekers weghaalde. McVey bood aan te blijven staan, maar daar wilde Richman niets van weten en hij verdween om een derde stoel te zoeken. Vijftien tergend langzaam verstrijkende minuten later verscheen hij weer. Hij zeulde een draaistoel waaraan één wieltje ontbrak mee. Die had hij in een opslagruimte in de kelder gevonden.
Toen ze ten slotte allemaal zaten, pikte Richman MacVeys vraag van bijna een halfuur geleden op alsof hij zonet was gesteld. 'De vraag, inspecteur McVey,' zei hij, 'is niet zozeer "waarom" als wel "hoe"?'
'Wat bedoelt u daarmee?' vroeg McVey.
'Hij bedoelt dat we het over menselijke weefsels hebben,' zei Michaels op vlakke toon. 'Experimenten met temperaturen die het absolute nulpunt benaderen, zijn hoofdzakelijk uitgevoerd met zouten en met sommige metalen, zoals koper.' Michaels realiseerde zich plotseling dat hij de grenzen van de beleefdheid had overschreden. 'Neem me niet kwalijk, meneer Richman,' zei hij verontschuldigend. 'Het was niet mijn bedoeling...'
'Dat geeft niet, dokter.' Richman glimlachte en keek toen McVey en commandant Noble aan. 'Wat u dient te beseffen, is dat het wetenschappelijke abracadabra de hele kwestie nogal vertroebelt. Maar de kwintessens ervan is de Derde Wet van de Thermodynamica, die erop neerkomt dat er in de wetenschap nooit een absoluut nulpunt bereikt kan worden omdat dat, onder andere, zou betekenen dat er een toestand van volmaakte orde zou zijn bereikt. Atomische orde.'
Noble had een niet-begrijpende uitdrukking op zijn gezicht, evenals McVey.
'Ieder atoom bestaat uit elektronen die draaien om een kern die uit protonen en neutronen is opgebouwd. Wanneer een stof kouder wordt, vertraagt de normale beweging van deze atomen en hun onderdelen. Hoe lager de temperatuur, hoe langzamer de beweging.

Als we nu een magneet nauwkeurig op die vertraagd bewegende atomen richtten, zouden we de atomen en hun onderdelen kunnen manipuleren en ze grotendeels laten doen wat we willen. Als we het absolute nulpunt zouden kunnen bereiken, zouden we theoretisch gezien nog verder zijn; we zouden ze dan precíes kunnen laten doen wat we willen omdat er geen enkele activiteit meer zou zijn.'
'Dan komen we weer bij McVeys vraag uit,' zei Noble. 'Waarom? Waarom zou je onthoofde lichamen en een hoofd in die mate invriezen, aangenomen dat je het absolute nulpunt zou kunnen bereiken?'
'Om ze aaneen te voegen,' zei Richman volkomen onbewogen.
'Aaneenvoegen?' zei Noble ongelovig.
'Het is de enige reden die ik ervoor zou kunnen verzinnen.'
McVey trok aan zijn oor terwijl hij zich afwendde en uit het raam keek. Het was een heldere, zonnige ochtend en in tegenstelling daarmee gaf Richmans kantoor hem het gevoel dat hij in een muffe doos zat. McVey draaide zijn stoel terug en kwam vlak tegenover de hersenen van een maltezerkat te zitten, die in een klokvormige pot met een etiket erop in het een of andere vloeibare conserveringsmiddel dreven. Hij keek Richman aan. 'U hebt het over atomische chirurgie, klopt dat?'
Richman glimlachte. 'In zekere zin. Simpel gezegd zouden we bij het absolute nulpunt in een sterk magnetisch veld alle atoomdeeltjes volmaakt naast elkaar kunnen leggen en we zouden er totale beheersing over hebben. In dat geval zouden we atomische cryochirurgie kunnen uitvoeren. Microchirurgie op een onvoorstelbaar hoog niveau.'
'Kunt u dat alstublieft nog wat toelichten?' zei Noble.
Richmans ogen lichtten op en McVey kon bijna voelen dat het hart van de geleerde sneller ging kloppen. Het gespreksonderwerp leek hem enorm te fascineren. 'Aangenomen dat we mensen in die mate zouden kunnen bevriezen, opereren en ontdooien zonder de weefsels schade te berokkenen, zou dat betekenen dat we atomen met elkaar kunnen verbinden, commandant. Er zou een chemische verbinding ontstaan waarbij een bepaald elektron door twee atomen wordt gedeeld. Er zou een naadloze aaneenvoeging tot stand gebracht zijn. De volmaakte naad, zo u wilt. Het zou lijken alsof die door de natuur was gecreëerd. Zoals een boom die op die manier groeit.'
'Probeert iemand dat te doen?' vroeg McVey zacht.
'Het is onmogelijk,' kwam Michaels tussenbeide.
McVey keek hem aan. 'Waarom?'
'Vanwege het Heisenberg Principe. Staat u me toe, meneer Richman?'
Richman knikte naar de jonge patholoog en Michaels wendde zich tot McVey. Om de een of andere reden wilde hij dat de Amerikaan wist dat

hij zijn vak beheerste, dat hij wist waarover hij het had. Het was belangrijk voor hun verdere gedachtenwisseling. En bovendien was het zijn manier om respect te betonen en tegelijkertijd erom te vragen.
'Een principe uit de quantummechanica zegt dat het onmogelijk is tegelijkertijd twee eigenschappen van een quantumobject – zoals een atoom of een molecule – met volmaakte nauwkeurigheid te meten. Je kunt dat wel met één eigenschap doen, maar niet met beide. Je zou wel de snelheid en de richting van een atoom kunnen meten, maar niet tegelijkertijd kunnen zeggen waar het zich precies bevindt.'
'Zou je dat wel bij het absolute nulpunt kunnen doen?' McVey toonde Michaels het respect dat deze van hem wilde hebben.
'Natuurlijk, want bij het absolute nulpunt zou er geen beweging meer zijn.'
'Inspecteur McVey,' kwam Richman ertussen, 'het is mogelijk een temperatuur te bereiken die minder dan een miljoenste graad boven het absolute nulpunt ligt. Dat is gelukt. Het absolute nulpunt is een theoretische abstractie, meer niet. Het kan niet worden bereikt. Dat is onmogelijk.'
'Mijn vraag, meneer Richman, was niet of het al dan niet kán worden bereikt, maar of iemand heeft geprobeerd het te bereiken?' McVeys stem had een besliste klank. Hij had genoeg van dat theoretische gepraat en wilde nu feiten horen. In afwachting van een antwoord staarde hij Richman aan.
Dit was een kant van de inspecteur uit L.A. die Noble niet eerder had gezien en hij begreep nu waarom McVey zo'n goede reputatie had.
'Tot dusver hebben we aangetoond dat er één lijk en één hoofd ingevroren zijn, inspecteur McVey. Röntgenonderzoek heeft uitgewezen dat er in slechts twee van de overblijvende lijken metaal zit. Als we dat metaal hebben geanalyseerd, kunnen we misschien een definitieve conclusie trekken.'
'Wat zegt uw intuïtie u, meneer Richman?'
'Wat mijn intuïtie me zegt, moet onder ons blijven. Als u dat accepteert, durf ik te beweren dat we hier te maken hebben met mislukte pogingen een zeer geavanceerd soort cryochirurgie te bedrijven.'
'Waarbij het hoofd van de ene persoon op het lichaam van een andere wordt gezet?'
Richman knikte.
Noble keek McVey aan. 'Probeert iemand een modern monster van Frankenstein te maken?'
'Frankensteins monster is gecreëerd uit de lichamen van doden,' zei Michaels.

'Goeie God!' zei Noble. Hij ging staan en stootte bijna de pot met het vergrote hart van een beroepsvoetballer om. Hij hield de pot nog net bijtijds overeind en keek van Michaels naar Richman. 'Zijn deze mensen levend ingevroren?'
'Het lijkt erop.'
'Hoe komt het dan dat bij hen allemaal sporen van vergiftiging met cyanide zijn gevonden?' vroeg McVey.
Richman haalde zijn schouders op. 'Gedeeltelijke vergiftiging? Misschien een onderdeel van de procedure, wie zal het zeggen?'
Noble keek McVey aan en zei toen: 'Dank u zeer, meneer Richman. We zullen niet langer beslag leggen op uw tijd.'
'Eén ogenblikje nog, Ian.' McVey wendde zich tot Richman. 'Nog één vraag, meneer Richman. Het hoofd van de onbekende was nog aan het ontdooien toen het werd gevonden. Zou het wat betreft zijn uiterlijk en de toestand van het weefsel verschil uitmaken wannéér het was ingevroren?'
'Ik kan u niet helemaal volgen,' zei Richman.
McVey leunde naar voren. 'We kunnen niet achter de identiteit van de onbekende komen. Veronderstel dat we verkeerd hebben gezocht. We hebben geprobeerd een man te vinden die de laatste paar dagen of weken wordt vermist. Als het nu eens maanden of zelfs jaren zou zijn? Is dat mogelijk?'
'Het is een hypothetische vraag, maar als iemand een manier zou hebben gevonden het hoofd tot het absolute nulpunt in te vriezen, zou dat op de moleculen geen enkele invloed hebben gehad. Als het daarna zou worden ontdooid, zou op geen enkele manier vast te stellen zijn of het een week of honderd of zelfs duizend jaar geleden zou zijn ingevroren.'
McVey keek Noble aan. 'Ik denk dat je rechercheurs weer naar vermiste personen op zoek moeten.'
'Ik denk dat je gelijk hebt.'

Het gerinkel van de telefoon die naast hem stond, bracht McVey terug in het heden en hij griste de hoorn van de haak.
'Oi, McVey!'
'Hallo Benny, en houd daarmee op alsjeblieft. Het begint vervelend te worden.'
'Ik heb het.'
'Wat heb je?'
'Datgene waarom je hebt gevraagd. Het verzoek van Interpol in Washington om het dossier van Albert Merriman is donderdag 6 oktober om 11.37 uur binnengekomen. Dat blijkt uit het stempel van de brigadier

die het heeft ontvangen.'
'Op dat tijdstip was het in Parijs 16.37 uur, Benny.'
'En wat zou dat?'
'Er werd alleen om dat dossier gevraagd, om niets anders...'
'Ja...'
'Pas *vrijdag* om acht uur in de ochtend, Parijse tijd, kreeg de inspecteur die de zaak voor de Parijse politie behandelt een fotokopie van de *vingerafdruk* in handen. Alleen een vingerafdruk. Verder niets. Maar vijftien uur daarvóór had iemand bij Interpol niet alleen de vingerafdruk, maar ook een bijbehorende naam en een bijbehorend dossier.'
'Het lijkt erop dat je interne problemen hebt. Iemand probeert de zaak in de doofpot te stoppen of is op eigen houtje bezig of God mag weten wat nog meer... Maar als er iets misgaat, krijgt de politieman die het onderzoek doet het voor zijn kiezen, want je kunt je hele hebben en houwen eronder verwedden dat niet te achterhalen valt wie de eerste fax van het dossier heeft ontvangen.'
'Benny...'
'Wat is er, ouwe gannef?'
'Bedankt.'

Interne problemen, iemand die de zaak in de doofpot probeerde te stoppen of op eigen houtje bezig was. McVey haatte dat soort dingen. Er was ergens intern bij Interpol iets gaande en Lebrun zou daarvan zonder het te weten de dupe worden. Lebrun zou het niet leuk vinden, maar McVey moest het hem vertellen. Het probleem was dat McVey er niet aan toe kwam toen hij hem twintig minuten later in Parijs eindelijk aan de lijn kreeg.
'McVey, *mon ami*,' zei Lebrun opgewonden. 'Ik wilde jóu net bellen. De boel is hier plotseling heel gecompliceerd geworden. Drie uur geleden is Albert Merriman uit de Seine gevist. Hij zag eruit als een grote kaas waarin met een automatisch wapen gaten zijn geschoten. De auto waarin hij reed, is ongeveer negentig kilometer stroomopwaarts in de buurt van Parijs gevonden. De hele binnenkant ervan zat vol met de vingerafdrukken van jouw dokter Osborn.'

# 43

Binnen een uur was McVey met een taxi op weg naar Gatwick. Bij Scotland Yard waren ze dossiers aan het doorploegen van vermiste personen die aan het signalement van hun onbekende slachtoffer beantwoordden en een hoofdoperatie hadden ondergaan waarbij een stalen plaat was geïmplanteerd. Tegelijkertijd checkten ze onopvallend alle ziekenhuizen en medische faculteiten in Zuid-Engeland om na te gaan of er werd geëxperimenteerd met revolutionaire chirurgische technieken. Hij had een tijdje met de gedachte gespeeld Interpol in Lyon te vragen of ze de politiekorpsen van heel het vasteland van Europa hetzelfde wilden laten doen. Maar vanwege de situatie met Lebrun en het dossier van Albert Merriman had hij besloten daarvan af te zien. Hij wist niet zeker of er intern bij Interpol iets aan de hand was, maar als dat zo mocht zijn, wilde hij niet dat dat zijn onderzoek zou beïnvloeden. Als McVey iets haatte, was het wel dat er achter zijn rug dingen gebeurden waarvan hij niets wist. In zijn herinnering waren die meestal kleinzielig, achterbaks, irritant en tijdverslindend, zij het in wezen ongevaarlijk, maar in dit geval was hij daarvan niet zo zeker. Het was beter rustig af te wachten waarmee Noble op de proppen zou komen zonder er ruchtbaarheid aan te geven.
Het was nu 17.30 uur, Parijse tijd. Vlucht 003 van Air France was precies op tijd, om vijf uur, vanaf het vliegveld Charles de Gaulle vertrokken. Paul Osborn had in het vliegtuig moeten zitten, maar hij was niet komen opdagen en dat betekende dat de Parijse politie zijn paspoort nog in handen had.
McVey begon in toenemende mate zijn eigen beoordeling van de man te wantrouwen. Osborn had gelogen over de modder op zijn schoenen. Waarover had hij nog meer gelogen? Toen McVey Osborn ondervroeg, leek de indruk die hij van hem kreeg precies met de werkelijkheid overeen te stemmen: een hoogopgeleide man die de middelbare leeftijd naderde en, zoals hij zelf had toegegeven, tot over zijn oren verliefd was geworden op een jongere vrouw. Dat was nauwelijks iets bijzonders te noemen. Maar nu was er iets bij gekomen. Er waren twee mannen op gewelddadige wijze om het leven gebracht en McVeys 'hoogopgeleide, verliefde man' had met beiden contact gehad.
Afgezien van de moord op Albert Merriman en Jean Packard zat McVey nog iets anders dwars, en dat was al het geval geweest voordat hij Lebrun had gesproken. Doctor Stephen Richman had hun in ver-

trouwen verteld dat hij vermoedde dat er mislukte pogingen waren gedaan om op de diepgevroren, hoofdloze lijken een zeer geavanceerde vorm van cryochirurgie uit te voeren met het doel een afgesneden hoofd aan een ander lichaam te zetten. En Paul Osborn was orthopedisch chirurg en moest daarom over een grote kennis van de bouw van het skelet beschikken. Het was best mogelijk dat hij wist hoe dit soort dingen konden worden gedaan.
Vanaf het begin had McVey gedacht dat de moorden door één man waren gepleegd. Misschien had hij hem al te pakken gehad en laten lopen.

* * *

Osborn ontwaakte uit een droom en wist heel even niet waar hij was. Toen verscheen Vera's gezicht plotseling verrassend duidelijk boven het zijne. Ze zat naast hem op het bed en veegde zijn voorhoofd af met een vochtig washandje. Ze droeg een zwarte broek met wijde pijpen en een ruimvallende trui van dezelfde kleur. Door de zwarte kleding en het zachte licht leek haar gezicht bijna breekbaar, als fijn porselein.
'Je had hoge koorts. Ik denk dat die nu gezakt is,' zei ze teder. Hij zag dezelfde glans in haar ogen als toen ze elkaar voor het eerst hadden ontmoet en om de een of andere reden berekende Osborn dat dat pas negen dagen geleden was geweest.
'Hoe lang heb ik geslapen?' vroeg hij.
'Niet lang. Misschien vier uur.'
Hij wilde rechtop gaan zitten, maar er schoot een scherpe pijn door de achterkant van zijn dij. Met een vertrokken gezicht ging hij weer liggen.
'Als je het goed had gevonden dat ik je naar het ziekenhuis bracht, zou je je nu wat prettiger voelen.'
Osborn staarde naar het plafond. Hij kon zich niet herinneren dat hij tegen haar had gezegd dat ze hem niet naar het ziekenhuis moest brengen, maar hij moest dat hebben gedaan. Toen herinnerde hij zich dat hij haar over Kanarack, zijn vader en de privé-detective Jean Packard had verteld.
Vera stond op, legde het washandje in de waskom met water waarin ze het vochtig had gehouden en liep naar een tafel onder een schelpvormig raampje waarvoor een donker gordijn hing.
Osborn keek niet-begrijpend in het rond. Rechts van hem was de deur van de kamer. Links van hem was een andere deur, die openstond en op een kleine badkamer uitkwam. Hij zag dat het plafond in een punt uitliep, zodat de zijmuren veel lager waren dan de voor- en achtermuur. Dit was niet de kamer waarin hij eerder was geweest. Hij was ergens

anders, in een soort zolderkamer.
'Je bent boven in het gebouw in een dakkamer. Hij is in 1940 gebouwd door het verzet. Bijna niemand weet ervan.'
Ze tilde een doek op van een blad dat op de tafel stond waarop ze de waskom had neergezet. Ze kwam ermee terug en zette het naast hem op het bed. Er stond een kop dampende soep op en ernaast lagen een lepel en een servet.
'Je moet wat eten,' zei ze. Osborn antwoordde niet en staarde haar alleen maar aan.
'De politie is je komen zoeken, dus ik heb je naar boven laten brengen.'
'Laten brengen?'
'Philippe, de portier, is een oude, vertrouwde vriend.'
'Ze hebben Kanaracks lichaam gevonden, hè?'
Vera knikte. 'De auto ook. Ik heb je verteld dat ze zouden komen als dat gebeurde. Ze kwamen ongeveer een uur nadat je in slaap was gevallen. Ze wilden naar boven naar het appartement komen, maar ik heb gezegd dat ik net wilde weggaan. Ik heb hen beneden in de hal gesproken.'
Osborn zuchtte zachtjes en wendde zijn blik van haar af.
Vera ging op het bed naast hem zitten en pakte de lepel op. 'Wil je dat ik je voer?'
'Nee, dat kan ik zelf nog wel.' Osborn grijnsde flauwtjes.
Hij pakte de lepel en begon te eten. Het was een soort bouillon. Hij vond de zoute smaak lekker en at een paar minuten achter elkaar door. Ten slotte legde hij de lepel neer, veegde zijn mond af met het servet en strekte zich uit.
'Ik ben niet in staat om te vluchten.'
'Nee, zeker niet.'
'Je zult er last mee krijgen dat je me helpt.'
'Heb je Henri Kanarack vermoord?'
'Nee.'
'Hoe kan ik dan last krijgen?' Vera stond op en pakte het blad van het bed. 'Je moet slapen. Ik kom later wel naar boven om het verband te verschonen.'
'Het gaat niet alleen om de politie.'
'Wat bedoel je?'
'Hoe ga je hém dit uitleggen, je Fransoos?'
Ze zette het blad tegen haar heup als een serveerster en keek op hem neer. 'De Fransoos', zei ze, 'is niet meer in beeld.'
'O nee?' Osborn was stomverbaasd.
'Nee...' Een glimlachje gleed over haar gezicht.

'Wanneer is dat gebeurd?'
'Op de dag dat ik jou ontmoette.' Vera bleef hem aankijken. 'Ga nu maar slapen. Ik kom over twee uur terug.'
Vera sloot de deur en Osborn vlijde zijn hoofd op het kussen. Hij was moe, zo moe als hij nog nooit was geweest. Hij keek op zijn horloge. Het was zaterdag acht oktober, vijf over halfacht in de avond.
Buiten het raam van zijn kleine kamer begon Parijs te bruisen van leven.

# 44

Op precies dezelfde tijd landde McVey in een Fokker 100 van Air Europe op het vliegveld Charles de Gaulle. Vijftien minuten later werd hij door een van Lebruns geüniformeerde agenten naar Parijs gereden. Hij had het idee dat hij nu zo langzamerhand ieder hoekje en gaatje van het vliegveld Charles de Gaulle kende. Dat moest ook wel, want hij was er nauwelijks vierentwintig uur geleden vertrokken en was nu al terug. Toen hij vlak bij Parijs was, stak Lebruns chauffeur de Seine over en zette koers naar de Porte d'Orléans. In zijn gebroken Engels vertelde hij McVey dat Lebrun op de plaats van een misdrijf was en graag wilde dat McVey hem daar trof.
Het was weer gaan regenen toen ze tussen dichte rijen toeschouwers door reden die door geüniformeerde gendarmes op afstand werden gehouden. Overal stonden brandweerauto's. Ze stopten voor een nog steeds smeulend, afgebrand flatgebouw en stapten uit. De chauffeur ging McVey voor naar het flatgebouw, waarbij ze over een wirwar van hogedrukspuiten moesten stappen en zich tussen zwetende brandweerlieden door moesten dringen die nog steeds bezig waren rokende brandhaarden te bespuiten.
Het gebouw was onherstelbaar beschadigd. Het dak en de hele bovenste verdieping waren verdwenen. Verwrongen stalen brandtrappen die door de extreme hitte als onafgemaakte delen van een verhoogde verkeersweg in tegengestelde richtingen gewelfd en gebogen waren, bungelden gevaarlijk aan de hoogste verdiepingen, op hun plaats gehouden door muren die ieder ogenblik konden instorten. Tussen de verdiepin-

gen was door de afgebrande raamlijsten het verbrande en verkoolde hout zichtbaar van wat eens de muren en plafonds van de afzonderlijke appartementen waren geweest. Over alles heen hing, ondanks de gestaag vallende regen, de onmiskenbare stank van verbrand vlees.
De chauffeur liep om een stapel wrakstukken heen en bracht McVey naar de achterkant van het gebouw, waar Lebrun samen met de rechercheurs Barras en Maitrot in het licht van mobiele werklampen met een zwaargebouwde man in brandweerjas stond te praten.
'Ah, McVey!' zei Lebrun luid toen deze het licht in stapte. 'Barras en Maitrot ken je al. Dit is hoofdinspecteur Chevallier, de ondercommandant van de Brandstichtingsbrigade van de Porte d'Orléans.'
McVey en Chevallier schudden elkaar de hand.
'Is de brand aangestoken?' vroeg McVey terwijl hij nogmaals naar het verwoeste gebouw opkeek.
'*Oui*,' zei Chevallier en hij vervolgde met een korte toelichting in het Frans.
'De brand was heel krachtig en greep zeer snel om zich heen. Hij is aangestoken met behulp van een of ander technisch uiterst geavanceerd onstekingsmechanisme waarbij waarschijnlijk een militair soort brandbom is gebruikt,' vertaalde Lebrun. 'Niemand had een kans. Er woonden tweeëntwintig mensen. Allemaal dood.'
McVey zweeg secondenlang. Ten slotte vroeg hij: 'Heb je er enig idee van waarom dit is gedaan?'
'Ja,' zei Lebrun op zeer besliste toon en zonder moeite te doen zijn woede te verbergen. 'De auto waarin Albert Merriman reed toen je vriend Osborn hem vond, was van een van de doden.'
'Osborn is mijn vriend niet, Lebrun,' zei McVey kalm. 'En als ik het goed heb, was de auto waarin Merriman reed van een vrouw.'
'Dat heb je zeker goed,' zei Barras in het Engels.
'En haar naam was Agnes Demblon.'
Lebruns wenkbrauwen gingen omhoog. 'Je doet me echt versteld staan, McVey.'
'Wat voor bewijs heb je tegen Osborn?' McVey reageerde niet op het compliment.
'We hebben zijn gehuurde Peugeot gevonden. Hij stond bijna twee kilometer van zijn hotel vandaan geparkeerd. Er zaten drie parkeerbonnen op, dus er was sinds gisteren vroeg in de middag niet meer in gereden.'
'Is hij sinds die tijd nergens meer gesignaleerd?'
'We hebben een opsporingsbevel voor de hele stad laten uitgaan en de provinciale politie zoekt in het gebied tussen de plaats waar Merrimans

lijk is aangespoeld en waar zijn auto gevonden is.'
Vlak bij hen sleepten twee forse brandweerlieden het restant van een kinderledikantje door een open deur naar buiten en gooiden het naast een uitgebrande springveren matras op de grond. McVey keek ernaar en wendde zich toen weer tot Lebrun.
'Die plaats waar Merrimans auto is gevonden, laten we daar eens gaan kijken.'

* * *

Het gele licht van de koplampen van Lebruns witte Ford boorde zich door het duister toen hij de weg langs de Seine opreed die naar het park leidde waar de politie Agnes Demblons Citroën had gevonden.
'Hij noemde zich Henri Kanarack en werkte al vijftien jaar in een bakkerij in de buurt van het Gare du Nord. Agnes Demblon was daar boekhoudster,' zei Lebrun en hij stak een sigaret aan met de aansteker uit het dashboard. 'Kennelijk bestond er een band tussen hen. Wat die precies inhield is niet duidelijk want hij was getrouwd met een Française die Michèle Chalfour heette.'
'Denk je dat zij de brand heeft aangestoken?'
'Dat wil ik niet uitsluiten tot we haar hebben ondervraagd. Maar als ze maar een gewone huisvrouw was, en dat was ze waarschijnlijk, betwijfel ik of ze toegang had tot het soort materialen waarmee de brand is gesticht.'

Barras en Maitrot hadden Henri Kanaracks appartement op de Avenue Verdier in Montrouge doorzocht, maar niets gevonden. De flat was bijna leeg. Wat kleren van Michèle Chalfour, een stapeltje reclamefolders over kinderkleding, een stuk of zes onbetaalde rekeningen en wat etenswaren in de kasten en de koelkast; dat was alles geweest. De Kanaracks hadden kennelijk hun spullen gepakt en waren in aller ijl vertrokken.
Op dit moment was het enige wat ze zeker wisten dat Henri Kanarack in het lijkenhuis lag. Waar Michèle Kanarack was, viel met geen mogelijkheid te zeggen. Navraag bij de ziekenhuizen, rehabilitatiecentra, lijkenhuizen en gevangenissen had niets opgeleverd. Ook naspeuringen naar Michèle onder haar meisjesnaam Chalfour waren vruchteloos geweest. Ze had op geen van beide namen een rijbewijs of een paspoort en zelfs geen bibliotheekkaart en er was noch in het appartement noch in de portefeuille van Merriman alias Kanarack een foto van haar gevonden. Zodoende hadden ze alleen maar een naam. Niettemin had Le-

brun door heel Frankrijk een opsporingsbevel voor haar laten uitgaan. Misschien zou daar iets uitkomen.

'Waarmee is Merriman gedood?' McVey prentte het landschap in zijn geheugen toen ze van de snelweg af de modderige weg insloegen die om het park heen liep.
'Met een Heckler & Koch MP-5K. Volledig automatisch. Waarschijnlijk met een geluiddemper.'
McVey vertrok zijn gezicht. Een Heckler & Koch was een moordenaarswapen. Het was een licht machinegeweer met een kaliber van negen millimeter en een magazijn dat dertig kogels bevatte. Het was een geliefd wapen van terroristen en ook grote drugshandelaren hadden er een voorkeur voor.
'Heb je het gevonden?'
Lebrun drukte zijn sigaret uit, minderde vaart tot ze met een slakkegangetje reden en manoeuvreerde de Ford tussen een reeks grote regenplassen door.
'Nee, dat weten we van het gerechtelijk laboratorium. Een team van duikers is het grootste deel van de middag zonder succes bezig geweest met zoeken op de rivierbodem. Er staat hier een sterke stroming die lang blijft doorgaan. Daarom is Merrimans lijk in zo'n korte tijd zo ver weggevoerd.'
Lebrun remde en stopte bij de rand van het bos. 'We gaan verder lopen,' zei hij en hij trok een zaklantaarn uit een klem onder de zitting. Het was opgehouden met regenen en de maan gluurde tussen voorbijdrijvende wolken door toen ze uitstapten en naar de met sintels en zand bedekte helling liepen die naar het water leidde. Onderweg keek McVey over zijn schouder. In de verte zag hij nog net de lichten van het verkeer op de snelweg die dicht langs de Seine liep.
'Kijk uit waar je je voeten neerzet; het is hier glad,' zei Lebrun toen ze de aanlegplaats onder aan de helling bereikten. Hij zwaaide de zaklantaarn heen en weer om McVey te laten zien wat er was overgebleven van de weggespoelde sporen die Agnes Demblons auto had gemaakt toen hij werd weggesleept.
'Het heeft te hard geregend,' zei Lebrun. 'Eventuele voetsporen waren waarschijnlijk al weggespoeld voordat we hier aankwamen.'
'Mag ik even?' McVey stak zijn hand uit en Lebrun overhandigde hem de zaklantaarn. Hij scheen ermee over het water en beoordeelde hoe snel de stroming een eindje van de oever vandaan was. Hij bescheen vervolgens de grond vóór hem, knielde en keek er aandachtig naar.
'Wat zoek je?' vroeg Lebrun.

'Dit.' McVey bracht een handvol aarde omhoog en scheen er met de zaklantaarn op om zich zekerheid te verschaffen.
'Modder?'
McVey keek op. 'Nee, *mon ami. Terrain rouge.* Róde modder.'

# 45

Vergeleken met de onstuimige ontvangst op het vliegveld Kloten was het diner dat ter ere van Elton Lybarger werd gegeven chic en intiem en de gasten zaten aan vier grote tafels rondom een dansvloer. Het was voor Joanna alsof ze een heel nieuwe wereld was binnengegaan en ze vond de omgeving zo bijzonder dat ze het nauwelijks kon geloven. Ze zat in de danszaal van een stoomboot die tuffend de kustlijn van het Meer van Zürich verkende en had het gevoel dat ze een hoofdrol speelde in het een of andere verbluffend elegante toneelstuk uit de tijd rond de eeuwwisseling.
Joanna zat aan een tafel voor zes personen naast Pascal von Holden, die er in zijn elegante donkerblauwe smoking en zijn gesteven, witte overhemd prachtig uitzag. En hoewel ze glimlachte, zich beleefd met de andere gasten onderhield en zo aandachtig mogelijk naar hen luisterde, kon ze haar ogen bijna niet afhouden van het landschap dat ze passeerden. De zon ging bijna onder en in het oosten, boven een schilderachtig dorpje met verspreid liggende villa's die tot aan de rand van het water waren gebouwd, verrezen hoge beboste heuvels die overgingen in de schitterende Alpen, waarvan de sneeuw op de hoogste toppen door de ondergaande zon een goudachtig roze kleur kreeg.
'Gevoelig, hè?' Van Holden keek haar glimlachend aan.
'Gevoelig? Ja, ik veronderstel dat dat een goed woord is, hoewel ik zelf prachtig gezegd zou hebben.' Joanna hield von Holdens blik een kort ogenblik vast en keek toen weer naar de anderen.
Naast haar zat een zeer aantrekkelijk en kennelijk zeer succesvol jong echtpaar uit Berlijn, Konrad en Margarete Peiper. Konrad Peiper was, voor zover ze had begrepen, algemeen directeur van een grote Duitse handelmaatschappij en Margarete had iets met de showbusiness te maken. Wat het was, wist Joanna niet precies en het was moeilijk het haar

te vragen omdat ze de meeste tijd met haar stoel van de tafel vandaan geschoven in een draadloze telefoon zat te praten.
Tegenover haar zaten Helmuth en Bertha Salettl, die broer en zus waren. Ze waren die middag per vliegtuig uit Oostenrijk gekomen en Joanna schatte dat ze allebei in de zeventig waren.
Helmuth Salettl was Elton Lybargers lijfarts en Joanna had hem vier van de zes keer dat hij Lybarger in Rancho de Piñon in New Mexico had bezocht, gezien. De dokter was, evenals zijn zuster nu, somber en nors geweest. Hij had weinig gezegd en haar slechts een paar gerichte vragen over Lybargers algemene gezondheidstoestand en behandeling gesteld. Hoewel ze dagelijks te maken had met rijke en beroemde mensen die naar Rancho de Piñon kwamen om in het geheim te herstellen van van alles en nog wat, van drug- en alcoholverslaving tot facelifts, had ze eigenlijk nog nooit iemand als Salettl ontmoet. Zijn aanwezigheid en zijn diepgewortelde arrogantie beangstigden haar. Maar ze had gemerkt dat alles in orde was zo lang ze zijn vragen maar beantwoordde en zich professioneel gedroeg, omdat hij nooit langer dan vierentwintig uur bleef.
Twee tafels verderop zat Elton Lybarger te praten met de mollige vrouw die hem op het vliegveld 'oom' had genoemd en met kussen had gesmoord. De angst die hij eerder om zijn familie had getoond, leek te zijn verdwenen en hij zag er ontspannen en op zijn gemak uit. Hij nam glimlachend de goede wensen in ontvangst van degenen die in de loop van de avond naar hem toe kwamen om een paar persoonlijke en bemoedigende woorden tegen hem te zeggen.
Naast Lybarger zat een gezette, onaantrekkelijke vrouw van achter in de dertig die, zoals Joanna had gehoord, Gertrude Biermann heette en activiste was van de Groenen, een radicale milieu- en vredesbeweging. Ze leek er veel genoegen in te scheppen zijn gesprekken met anderen te onderbreken om zelf met hem te kunnen praten. Naarmate de avond vorderde, begon Joanna steeds sterker te wensen dat ze niet zo hardnekkig zou volhouden en ze overwoog zelfs naar haar toe te gaan om er iets van te zeggen omdat ze zag dat meneer Lybarger moe begon te worden. Waarom hij bevriend was met zo'n slonzige politiek activiste was iets dat Joanna's nieuwsgierigheid prikkelde. Ze viel volkomen uit de toon in het gezelschap van Lybarger en zijn gasten, die allemaal uit de grote zakenwereld afkomstig leken te zijn.
Aan de derde tafel hield Uta Baur hof. Ze werd in de pers omschreven als 'de meest Duitse van alle Duitse modeontwerpers'. Nadat ze in het begin van de jaren zeventig was ingehaald op beurzen in München en Düsseldorf was ze nu in Parijs, Milaan en New York een instituut geworden. Ze was mager als een lat, geheel in het zwart gekleed, ge-

bruikte weinig of geen make-up en haar bijna gemillimeterde haar was witblond tot aan de wortels. Als ze niet zo geanimeerd zou gesticuleren en niet zo'n schittering in haar ogen zou hebben terwijl ze met haar tafelgenoten sprak, zou ze in Joanna's ogen voor een vrouwelijke versie van Magere Hein kunnen doorgaan. Ze was, zoals Joanna pas later ontdekte, maar wat alle andere aanwezigen wisten, vierenzeventig jaar.
Vlak bij de deur stonden twee mannen in smoking die eerder op het vliegveld een chauffeursuniform hadden gedragen. Ze waren gespierd, hadden kort haar en keken voortdurend oplettend de zaal rond. Joanna was er zeker van dat ze een soort lijfwachten waren en ze wilde von Holden er net naar vragen toen een ober in Lederhosen haar vroeg of hij kon afruimen.
Joanna knikte dankbaar. Het hoofdgerecht was Berner Platte geweest, een zuurkoolschotel die rijk gegarneerd was met krabbetjes, gekookte bacon, rundvlees, worstjes, tong en ham. Omdat ze één meter zestig lang en tien kilo te zwaar was, hield Joanna nauwlettend in de gaten wat ze at. Vooral de laatste tijd, omdat het haar begon op te vallen dat haar wielrennende vriendinnen nog net niet broodmager waren en gemakkelijk in wielrenpakjes van stretchstof pasten. Van boven, van onderen en in het midden.
Joanna was heimelijk begonnen naar kruizen te kijken, naar het kruis van de mannelijke wielrenners, iets wat ze slechts met haar enige echte vriend, haar sint-bernard Henry, besprak.
Joanna was in een klein stadje in West-Texas opgegroeid als het enige kind van eenvoudige, vrome mensen. Haar moeder was bibliothecaresse en bijna tweeënveertig toen Joanna werd geboren. Haar vader, een brievenbesteller, was toen vijftig jaar. Ze hadden allebei aangenomen, zoals alleen dat soort ouders kunnen doen, dat hun enig kind net zo zou worden als zij: hardwerkend, dankbaar voor wat ze hadden, doorsnee. En een tijdlang was Joanna dat ook geweest. Eerst als padvindster en lid van het kerkkoor, daarna als scholiere die het op school allemaal net kon bijhouden, en nadat ze van school af was gekomen, in navolging van haar beste vriendin, op de verpleegstersopleiding. Maar al leek ze dan gewoontjes en plichtsgetrouw – en zo zag ze zichzelf ook – van binnen was Joanna opstandig en zelfs eigenzinnig.
Ze had toen ze achttien was voor het eerst seks gehad met de hulppastoor van de kerk. Vervuld van afschuw en ervan overtuigd dat ze zwanger was, vluchtte ze daarna naar Colorado en vertelde iedereen, met inbegrip van haar vrienden, ouders en de hulppastoor, dat ze toegelaten was tot een verpleegstersopleiding die verbonden was aan de Universiteit van Denver. Het was geen van tweeën waar. Ze was niet tot de ver-

pleegstersopleiding toegelaten en ze was evenmin zwanger. Toch bleef ze in Colorado, waar ze hard werkte en fysiotherapeute werd. Toen haar vader ziek werd, keerde ze terug naar Texas om haar moeder te helpen hem te verzorgen. En toen haar ouders een paar weken na elkaar waren gestorven, had ze onmiddellijk haar spullen gepakt en was naar New Mexico vertrokken.
Op zaterdag 1 oktober, een week voor het welkomstdiner voor Elton Lybarger, was Joanna zesendertig geworden. Ze was na die ene nacht met de hulppastoor nooit meer met iemand naar bed geweest.
Er werd plotseling geapplaudisseerd voor twee kelners die een grote taart vol met kaarsen binnenbrachten. Toen ze die voor Elton Lybarger neerzetten, legde Pascal von Holden zijn hand op Joanna's arm.
'Kun je niet blijven?' vroeg hij.
Ze wendde haar blik af van de feestelijkheden aan Lybargers tafel en keek hem aan. 'Wat bedoel je?'
Von Holden glimlachte en de rimpels in zijn zonverbrande gezicht werden wit.
'Ik bedoel of je hier in Zwitserland kunt blijven om je behandeling van meneer Lybarger voort te zetten.'
Joanna streek nerveus met haar hand door haar pasgewassen haar.
'Ik hier blijven?'
Von Holden knikte.
'Voor hoe lang?'
'Een week, misschien twee. Tot meneer Lybarger zich thuis helemaal kan redden.'
Joanna was volkomen verrast. De hele avond had ze op haar horloge zitten kijken en zich afgevraagd wanneer ze naar haar kamer zou teruggaan om alle geschenken en snuisterijen voor haar vrienden in te pakken, die von Holden haar had helpen kopen toen hij haar die middag een rondleiding door Zürich had gegeven. Wanneer zou ze naar bed gaan? Hoe laat zou ze moeten opstaan om de volgende dag op tijd op het vliegveld te zijn?
'Mijn h...hond,' stamelde ze. Het idee dat haar verblijf in Zwitserland langer zou duren, was nooit bij haar opgekomen. De gedachte dat ze hoe dan ook haar zelfgebouwde nestje zou verlaten, was haar al bijna te veel geweest.
Von Holden glimlachte. 'Je hond zal natuurlijk worden verzorgd terwijl je weg bent. En in de tijd dat je hier bent, krijg je je eigen appartement op het landgoed van meneer Lybarger.'
Joanna wist niet wat ze ervan moest denken en hoe ze op het aanbod moest reageren. Er klonk applaus aan Lybargers tafel toen hij de kaar-

sen uitblies en daarna verscheen, als uit het niets, de hoempaband, die *For He's a Jolly Good Fellow* speelde.
Er werden koffie en digestieven geserveerd en Zwitserse chocolaatjes. De mollige vrouw hielp Lybarger met het aansnijden van de taart en kelners brachten de punten naar de tafels.
Joanna nam een slokje koffie en nipte aan de zeer goede cognac. De drank verwarmde haar en gaf haar een aangenaam gevoel.
'Hij zal zich zonder jou onbehaaglijk en onzeker voelen. Je blijft toch wel, hè?' Von Holdens glimlach was vriendelijk en oprecht. Door de manier waarop hij het vroeg, leek het bovendien of hijzelf en niet Lybarger wilde dat ze bleef. Ze nam nog een slokje cognac en voelde haar gezicht gloeien.
'Ja, dat is goed,' hoorde ze zichzelf zeggen. 'Als het voor meneer Lybarger zo belangrijk is, blijf ik natuurlijk.'
Op de achtergrond zette de hoempaband een Weense wals in en het jonge Duitse echtpaar stond op om te gaan dansen. Joanna keek in het rond en zag dat andere mensen hetzelfde deden.
'Joanna?'
Ze draaide zich om en zag dat von Holden achter haar stoel stond.
'Mag ik deze dans van je?' vroeg hij.
Ongewild gleed er een brede glimlach over haar gezicht. 'Natuurlijk. Waarom niet?' zei ze. Ze stond op en von Holden schoof haar stoel naar achteren. Even later leidde hij haar langs Elton Lybarger tussen de andere paren de dansvloer op en op de bizarre klanken van de hoempaband nam hij haar in zijn armen en ze begonnen te dansen.

## 46

'Ik zeg altijd tegen de kinderen dat het geen pijn doet. Gewoon een klein prikje onder de huid,' zei Osborn terwijl hij naar Vera keek die met een injectiespuit 0.5 ml. antigif tegen tetanus uit een flesje zoog. 'Zij weten dat ik lieg en ik weet dat ik lieg. Ik weet niet waarom ik het tegen hen zeg.'
Vera glimlachte. 'Je vertelt het hun omdat het bij je werk hoort.' Ze trok de naald terug, brak hem af, wikkelde de injectiespuit in een tissue,

deed hetzelfde met het flesje en stopte ze in de zak van haar jasje. 'De wond is schoon en geneest goed. Morgen beginnen we met je oefeningen.'
'En dan? Ik kan hier toch niet de rest van mijn leven blijven?' zei Osborn nors.
'Misschien verander je nog van gedachten.' Vera liet een opgevouwen krant voor hem op het bed vallen. Het was een late editie van *Le Figaro*. 'Pagina twee,' zei ze.
Osborn vouwde de krant open en zag twee korrelige foto's. De ene was de foto die de Parijse politie van hem had genomen, de andere was van geüniformeerde politiemannen die een met een deken bedekt lijk een steile rivieroever op droegen. Het Franse onderschrift luidde: 'Amerikaanse medicus verdacht van moord op Albert Merriman.'
Goed, ze hadden dus zijn vingerafdrukken in de Citroën gevonden. Hij had geweten dat dat zou gebeuren. Er was geen reden daarover verrast of geschokt te zijn. Maar Albert Merriman? Waar hadden ze dat vandaan?
'Het was Henri Kanaracks echte naam. Hij was Amerikaan. Wist je dat?'
'Ik had het kunnen raden door de manier waarop hij praatte.'
'Hij was huurmoordenaar.'
'Dat heeft hij me verteld...' Osborn zag plotseling Kanaracks gezicht voor zich, dat uit het snelstromende water naar hem omhoogstaarde, doodsbang dat hij hem nog een injectie met de succinylcholine zou geven. Tegelijkertijd hoorde hij Kanaracks van ontzetting vervulde stem, zo duidelijk alsof hij nu bij hem in de kamer was. 'Ik werd betááld...'
Weer voelde Osborn de geschoktheid en het ongeloof die hij had gevoeld toen hij te horen had gekregen dat de moord op zijn vader een zakelijke kwestie was geweest waaraan geen enkele emotie te pas was gekomen. 'Erwin Scholl...' hoorde hij Kanarack weer zeggen.
'Néé!' schreeuwde hij.
Vera keek met een ruk op. Osborn had zijn tanden op elkaar geperst en hij staarde strak voor zich uit in het niets.
'Paul...'
Osborn rolde zich op zijn zij en liet zijn benen over de rand van het bed glijden. Wankelend kwam hij overeind en bleef zwaaiend op zijn benen staan. Zijn gezicht was doodsbleek en hij had een volkomen uitdrukkingsloze blik in zijn ogen. Het zweet stond op zijn voorhoofd en zijn borst ging met iedere ademhaling zwoegend op en neer. Alles kwam weer terug. Hij was een zenuwinstorting nabij en dat wist hij, maar hij kon er niets aan doen.

'Paul.' Vera kwam naar hem toe. 'Het is in orde. Alles is in orde.'
Hij draaide zijn hoofd met een ruk naar haar toe en zijn ogen vernauwden zich. Ze was gek. Haar logica stamde uit de buitenwereld waar niemand het begreep. 'Het is verdomme helemaal niet in orde!' Zijn stem was schor van woede, maar het was de gekwelde woede van een kind. 'Je denkt dat ik het kan, hè? Nou, mooi niet.'
'Wat kun je niet?' Vera's stem klonk heel teder.
'Je begrijpt wel wat ik bedoel.'
'Nee...'
'Ik geloof er geen moer van!'
'Nee...'
'Wil je dat ik het zeg?'
'Wat?'
'Dat, dat...' stamelde hij, 'dat ik Erwin Scholl kan vinden! Nou, dat kan ik niet. Dat is alles! Ik kan het niet! Ik kan niet weer opnieuw beginnen. Dus vraag het me niet meer. Is dat duidelijk?' Osborn boog zich schreeuwend naar haar toe. 'Is dat duidelijk, Vera? Vraag het niet meer, want ik doe het niet! Ik doe het niet omdat ik het niet kan!'
Plotseling zag hij zijn broek, die over de rug van de stoel bij de tafel naast het raam hing, Hij dook erop af, maar zakte door zijn gewonde been en schreeuwde het uit van pijn. In een flits zag hij het plafond en kwakte toen op zijn rug op de vloer. Een ogenblik bleef hij roerloos liggen. Hij hoorde iemand huilen, zijn blik vertroebelde en hij zag niets meer. 'Ik wil alleen maar naar huis. Alsjeblieft,' hoorde hij iemand zeggen. Hij raakte in verwarring omdat het zijn eigen stem was, alleen veel jonger en verstikt door tranen. Hij draaide wanhopig zijn hoofd heen en weer om Vera te zoeken, maar hij zag niets dan een vaag grijs licht.
'Vera... Vera...' riep hij, plotseling doodsbang dat er iets met zijn ogen was gebeurd. 'Vera!'
Ergens vlak bij hem hoorde hij een kloppend geluid. Het was een geluid dat hij niet herkende. Toen voelde hij een hand door zijn haar strijken en hij realiseerde zich dat hij tegen haar borst leunde en dat het geluid dat hij hoorde het kloppen van haar hart was. Een tijdje later werd hij zich bewust van het ritme van zijn eigen ademhaling en hij besefte dat ze bij hem op de vloer zat. Dat ze hem vasthield en hem zachtjes in haar armen wiegde. Hij kon nog steeds niet goed zien en hij wist niet hoe dat kwam. Toen drong het tot hem door dat hij huilde.

* * *

'Weet u zeker dat dit de man is?'
'*Oui, monsieur.*'
'U ook?'
'*Oui.*'
Lebrun liet de politiefoto's van Osborn op zijn bureau vallen en keek McVey aan. Ze waren uit het park bij de rivier vertrokken en waren op de terugweg naar de stad toen het bericht over de mobilofoon binnenkwam. McVey hoorde de namen Osborn en Merriman, maar kon het Frans verder niet verstaan. Toen de mobilofoon zweeg, vertaalde Lebrun het bericht voor hem.
'We hebben Osborns foto bij het verhaal over Merriman in de krant laten zetten. De bedrijfsleider van het clubhuis van een golfclub heeft de foto gezien en herinnerde zich dat een Amerikaan die wel wat op Osborn leek vanmorgen vlak bij het golfterrein uit de rivier was gekomen. Hij heeft hem koffie gegeven en hem de telefoon laten gebruiken. Hij dacht dat het misschien dezelfde man was.'
Nu Osborn op de foto's was herkend, was er geen twijfel meer aan dat het Osborn was die uit de rivier was gekomen.
Pierre Levigne, de bedrijfsleider van het clubhuis, was door een vriend meegesleept naar het bureau. Levigne had er niet bij betrokken willen raken, maar zijn vriend had hem gewaarschuwd dat het hier om moord ging en dat hij grote moeilijkheden zou kunnen krijgen als hij zijn mond hield.
'Waar is hij nu? Wat is er met hem gebeurd? Wie heeft hij gebeld?' vroeg McVey en Lebrun vertaalde het in het Frans.
Levigne wilde eigenlijk nog steeds niet praten, maar zijn vriend bleef aandringen. Ten slotte stemde hij in onder voorwaarde dat de politie zijn naam uit de krant zou houden. 'Ik weet alleen dat een vrouw hem is komen ophalen en dat ze samen zijn vertrokken.'
Twee minuten later, nadat Lebrun hen had bedankt voor hun burgerzin, vertrokken Levigne en zijn vriend, geëscorteerd door een geüniformeerde politieman. Toen de deur achter hen dichtviel, keek McVey Lebrun aan.
'Vera Monneray.'
Lebrun schudde zijn hoofd. 'Barras en Maitrot hebben haar al gesproken. Ze had Osborn niet gezien en nog nooit van Albert Merriman of zijn alter ego Henri Kanarack gehoord.'
'Kom nou, Lebrun. Wat verwachtte je dan dat ze zou zeggen?' vroeg McVey cynisch. 'Hebben ze in haar appartement rondgekeken?'
Lebrun zweeg even en zei toen op zakelijke toon: 'Ze was op weg naar buiten om ergens de avond door te brengen. Ze hebben haar in de hal

van het gebouw gesproken.'
McVey kreunde en keek naar plafond. 'Lebrun, je moet me niet kwalijk nemen dat ik me met je werkwijze bemoei, maar je hebt Osborns foto in de krant laten zetten, half Frankrijk wringt zich in bochten om hem te vinden en nu beweer je dat niemand de moeite heeft genomen het appartement van het meisje te doorzoeken!'
Lebrun antwoordde door niet te antwoorden. Hij pakte de telefoon en gaf een team van rechercheurs opdracht het gebied rondom de plaats waar Osborn uit het water was gekomen uit te kammen om het moordwapen te zoeken. Toen legde hij de hoorn op de haak en stak bedaard een sigaret op.
'Heeft iemand toevallig nog gevraagd waar ze naar toe ging?' McVey probeerde zijn woede te beheersen.
Lebrun keek hem met een uitdrukkingsloos gezicht aan.
'Je zei dat ze uitging. Waar ging ze in godsnaam heen?'
Lebrun haalde diep adem en sloot zijn ogen. Dit was een botsing van culturen. Amerikanen waren echt boerenkinkels! Bovendien wisten ze absoluut niet hoe het hoorde!
'Laat ik het zo zeggen, *mon ami*. Je bent in Parijs en het is zaterdagavond. Mademoiselle Monneray was misschien op weg naar een rendez-vous met de premier. Hoe dan ook, ik vermoed dat de rechercheurs het enigszins onkies vonden het te vragen.'
McVey haalde ook diep adem, liep toen naar Lebruns bureau, leunde er met beide handen op en keek op hem neer. '*Mon ami*, ik wil dat je weet dat ik volledig begrip heb voor de situatie.'
McVeys gekreukelde colbert hing open en Lebrun zag de kolf van een .38 revolver met een veiligheidsriempje om de hamer uit de holster op zijn heup steken. Terwijl de politie bijna overal ter wereld 9mm automatische revolvers droeg met een magazijn met tien of vijftien kogels, had McVey een Smith & Wesson met zes kogels. Al had hij dan de pensioengerechtigde leeftijd bereikt, McVey was – *mon Dieu*! – een *cowboy*!
'Met alle respect voor jou en Frankrijk, Lebrun, ik wil met hem over Merriman praten. Ik wil met hem over Jean Packard praten. En ik wil met hem over onze hoofdloze lijken praten. En als je tegen me zegt, McVey dat heb je al gedaan en je hebt hem laten lopen, dan zal ik je antwoorden, Lebrun, ik wil het nog een keer doen! En met dat doel voor ogen en rekening houdend met ridderlijkheid en alles zou ik zeggen dat de meest directe weg naar de klootzak via Vera Monneray loopt, en het kan me verdomme niet schelen met wie ze neukt! *Comprenez-vous*?'

# 47

Dertig minuten later, om kwart voor twaalf, zaten beide inspecteurs in Lebruns Ford op de Quai de Béthune voor het flatgebouw op nummer 18 waarin Vera Monneray woonde.
Van het hoofdkwartier van de Parijse prefectuur van politie naar de Quai de Béthune is het, zelfs als het druk is, minder dan vijf minuten rijden. Om halftwaalf waren ze het gebouw binnengegaan en hadden met de portier gesproken. Hij had mademoiselle Monneray niet meer gezien nadat ze eerder op de avond was uitgegaan. McVey vroeg of ze nog op een andere manier het gebouw kon binnenkomen zonder door de hal te lopen. Ja, als ze de achteringang zou nemen en via de diensttrap naar boven zou gaan. Maar dat was hoogst onwaarschijnlijk.
'Mademoiselle Monneray maakt geen gebruik van diensttrappen.' Zo simpel was het.
'Vraag hem of hij er bezwaar tegen heeft dat ik naar boven bel,' vroeg McVey terwijl hij de huistelefoon oppakte.
'Daar heb ik geen bezwaar tegen,' zei de portier afgemeten in het Engels. 'Het nummer is twee-vier-vijf.'
McVey draaide het en wachtte. Hij liet de telefoon tien keer overgaan voordat hij ophing en Lebrun aankeek. 'Ze is niet thuis of neemt niet op. Zullen we naar boven gaan?'
'Laten we daarmee nog maar even wachten.' Lebrun wendde zich tot de portier en gaf hem zijn kaartje. 'Vraag haar of ze me belt als ze terugkomt. *Merci.*'
McVey keek op zijn horloge. Het was bijna vijf minuten voor twaalf. Aan de overkant van de straat was het raam van Vera's appartement donker. Lebrun keek McVey even aan.
'Ik voel dat je popelt om toch naar binnen te gaan,' zei Lebrun grijnzend. 'De diensttrap aan de achterkant op, als een inbreker een creditcard tussen het slot en je bent binnen.'
McVey wendde zijn blik van Vera's raam af en keerde zich naar Lebrun toe. 'Wat is je relatie met Interpol in Lyon?' vroeg hij kalm. Hij had nu voor het eerst de gelegenheid ter sprake te brengen wat hij van Benny Grossman te horen had gekregen.
'Ik heb dezelfde opdracht als jij,' zei Lebrun glimlachend. 'Ik ben je man in Parijs. Je Franse verbindingsman in de zaak van de afgesneden hoofden.'
'De zaak Merriman alias Kanarack staat daar los van, hè? Die heeft

daar niets mee te maken.'
Lebrun wist niet precies waar McVey naar toe wilde. 'Dat klopt. Zoals je weet, hebben ze ons alleen met hun technische middelen geholpen om van een vlek een duidelijke vingerafdruk te maken.'
'Je hebt me gevraagd met de Newyorkse politie te bellen, Lebrun. Ik heb eindelijk wat informatie gekregen.'
'Over Merriman?'
'In zekere zin. Meer dan vijftien uur voordat jij ervan op de hoogte werd gesteld dat ze een duidelijke vingerafdruk hadden, heeft Interpol in Lyon via hun centrale bureau in Washington zijn dossier opgevraagd.'
'Wat?' Lebrun was geschokt.
'Dat zei ík ook.'
Lebrun schudde zijn hoofd. 'Lyon heeft niets aan zo'n dossier. Interpol is in principe een doorgeefluik van informatie aan politie-instanties, maar doet zelf geen onderzoek.'
'Ik heb daar tijdens mijn vlucht uit Londen eens goed over nagedacht. Interpol vraagt en krijgt geheime informatie voordat de inspecteur die met het onderzoek is belast er zelfs maar van in kennis is gesteld dat er een vingerafdruk is die, als de inspecteur zijn vak verstaat, uiteindelijk misschien diezelfde informatie zal opleveren. Zelfs als dat je niet helemaal lekker zit, zou je kunnen zeggen, oké, misschien is het gewoon een interne procedure. Misschien controleren ze of hun communicatiesysteem werkt. Misschien willen ze weten of de inspecteur zijn werk goed doet. Misschien is er iemand met een nieuw computersysteem aan het prutsen. Wie zal het zeggen? En als dat alles was, zou je kunnen denken, vergeet het maar. Maar het probleem is dat diezelfde kerel, iemand die zogenaamd al een jaar of twintig dood is, een dag later uit de Seine wordt gevist en met een automatische Heckler & Koch helemaal aan flarden geschoten blijkt te zijn. Ik twijfel er oprecht aan dat dat het werk van een boze huisvrouw is.'
Lebrun keek hem ongelovig aan. 'Mijn vriend, je beweert dat iemand bij Interpol heeft ontdekt dat Merriman nog leefde, erachter is gekomen waar hij in Parijs woonde en hem heeft laten doden?'
'Ik zeg dat iemand bij Interpol, uren voordat jij ervan wist, die vingerafdruk in handen heeft gekregen. Die leverde een naam op en daarna is Merriman snel opgespoord. Misschien door gebruik te maken van het computersysteem van Interpol of op een andere manier. Maar hoe ze ook ontdekt hebben dat Merriman en Kanarack een en dezelfde persoon waren en dat hij in Parijs woonde, wat daarna gebeurde ging wel verschrikkelijk snel, want Merriman werd binnen enkele uren nadat zijn identiteit was vastgesteld vermoord.'

‘Maar waarom zouden ze een man doden die officieel al dood is? En waarom zo’n haast?’
‘Het is jouw land, Lebrun. Vertel jij het me maar.’ Instinctief keek McVey op naar Vera Monnerays raam. Het was nog steeds donker.
‘Waarschijnlijk om te verhinderen dat hij zou praten wanneer wij hem te pakken zouden krijgen.’
‘Dat idee heb ik ook.’
‘Maar na twintig jaar? Waar waren ze bang voor? Dat hij iets wist van hooggeplaatste mensen?’
‘Lebrun,’ – McVey zweeg even – ‘misschien ben ik gek, maar laat ik het er in ieder geval maar uitgooien. Dit is allemaal toevallig nu gebeurd, in Parijs. Misschien was het een samenloop van omstandigheden dat het iets te maken had met een man die we al volgden, misschien niet. Maar veronderstel dat dit niet de eerste keer was. Veronderstel dat degene die hierachter zit een lijst met namen heeft van oude vijanden die zijn ondergedoken. Iedere keer dat Lyon, als een soort internationaal informatiecentrum voor moeilijke opsporingsgevallen, een nieuwe vingerafdruk, een neushaar of iets anders vindt dat met een van die gevallen te maken heeft, wordt er automatisch een computercontrole uitgevoerd. Als daar een naam uitkomt die op de lijst staat, wordt die doorgegeven. En die naam wordt over de hele wereld doorgegeven, want Interpol bestrijkt de hele wereld.’
‘Je suggereert dat er een organisatie bestaat die een mol binnen het hoofdkwartier van Interpol in Lyon heeft.’
‘Ik zei toch dat ik misschien gek was...’
‘En je verdenkt Osborn ervan dat hij deel uitmaakt van die organisatie of erdoor betaald wordt?’
McVey grijnsde. ‘Wrijf me dat niet aan, Lebrun. Ik kan theoretiseren tot ik paars zie, maar ik leg geen verbanden zonder bewijs. En tot dusverre is dat er niet.’
‘Maar we zouden heel goed bij Osborn kunnen beginnen om het te vinden.’
‘Daarom zijn we hier.’
‘En het zou ook heel nuttig zijn uit te zoeken wie in Lyon het Merriman-dossier heeft opgevraagd,’ zei Lebrun met een flauwe glimlach.
McVeys aandacht dwaalde af toen er een auto de Quai de Béthune op draaide en in hun richting reed, terwijl het gele licht van zijn koplampen zich door de regen boorde die weer was gaan vallen.
Ze leunden achterover terwijl de taxi snelheid minderde en voor nummer 18 stopte. Even later ging de voordeur open en de portier kwam met een paraplu in zijn hand naar buiten. Toen ging het portier aan de

passagierskant open en Vera stapte uit. Ze dook onder de paraplu en liep samen met de portier naar binnen.
'Zullen we naar binnen gaan?' vroeg Lebrun en hij beantwoordde zijn eigen vraag. 'Ik denk dat we dat maar moeten doen.' Toen hij het portier wilde openen, legde McVey een hand op zijn arm.
'*Mon ami*, er is meer dan één Heckler & Koch op de wereld en meer dan één man die weet hoe hij ermee moet omgaan. Ik zou heel voorzichtig zijn als je in Lyon een onderzoek gaat instellen.'
'Albert Merriman was een crimineel van het allersmerigste soort. Denk je dat ze het zouden aandurven een politieman te doden?'
'Ik zou nog maar een keertje naar het lijk van Albert Merriman gaan kijken. Tel de kogelwonden, kijk waar hij is geraakt en stel jezelf daarna dezelfde vraag nog eens.'

# 48

Vera stond op de lift te wachten toen McVey en Lebrun binnenkwamen en ze zag hen door de hal naar haar toe komen.
'U moet inspecteur Lebrun zijn,' zei ze terwijl ze naar zijn sigaret keek. 'De meeste Amerikanen zijn gestopt met roken. De portier heeft me uw kaartje gegeven. Wat kan ik voor u doen?'
'*Oui, mademoiselle*,' zei Lebrun en hij drukte onhandig zijn sigaret uit in een stenen asbak naast de lift.
'*Parlez-vous anglais*?' vroeg McVey. Het was ruim na middernacht. Kennelijk wist Vera wie ze waren en waarom ze haar een bezoek brachten.
'Ja,' zei ze terwijl ze oogcontact met hem maakte.
Lebrun stelde McVey voor als een Amerikaanse politieman die met de Parijse prefectuur van politie samenwerkte.
'Hoe maakt u het?' zei Vera.
'Dokter Paul Osborn. Ik geloof dat u hem kent.' McVey liet de beleefdheden achterwege.
'Ja.'
'Wanneer hebt u hem voor het laatst gezien?'
Vera keek van McVey naar Lebrun en keek toen McVey weer aan.

'Misschien kunnen we beter in mijn appartement praten.'
De lift was oud en smal en bekleed met gepoetst koper. Hij leek op een kleine kamer waarvan de muren spiegels waren. Vera boog zich voorover en drukte op een knopje. De deuren sloten zich, er klonk een diep gezoem, de raderen grepen in elkaar en de lift zette zich in beweging. Op weg naar boven zei niemand van hen iets. Dat Vera zelfverzekerd en mooi was en in de hal heel kalm was gebleven, maakte geen indruk op McVey. Tenslotte was ze de maîtresse van een van de belangrijkste ministers van Frankrijk. Dat moest op zichzelf al een opleiding in zelfbeheersing zijn. Maar dat ze hen in haar appartement uitnodigde, getuigde van lef. Ze liet hun weten dat ze niets te verbergen had, of dat nu waar was of niet. Daardoor was één ding zeker. Als Paul Osborn al in het appartement was geweest, was hij er nu niet meer.
De lift ging omhoog tot de eerste verdieping. Daar trok Vera de deur zelf open en ging hen door de gang voor naar haar appartement.
Het was nu kwart over twaalf. Om vijf over halftwaalf had ze eindelijk de dekens over een volledig uitgeputte Paul Osborn getrokken, een klein elektrisch kacheltje aangezet zodat hij het niet koud zou krijgen en de verborgen kamer onder het dak van het gebouw verlaten. Een steile, smalle trap in een koker waar de leidingen doorheen liepen, leidde naar een bergkast die op een nis op de derde verdieping uitkwam. Vera was net uit de kast gestapt en wilde zich omdraaien om hem op slot te doen toen ze aan de politie dacht. Die was al eerder geweest, dus was er een grote kans dat ze zou terugkomen, te meer daar de speurtocht naar Osborn niets opgeleverd zou hebben. De rechercheurs zouden haar opnieuw willen ondervragen en willen weten of ze intussen al iets van hem had gehoord. Ze zouden verder doorvragen om te kijken of ze iets over het hoofd hadden gezien en te controleren of zij iets voor hen verborgen hield.
De eerste keer had ze hun verteld dat ze net wilde weggaan. Als ze nu eens buiten wachtten tot ze zou terugkomen? En als ze haar nu eens niet zagen terugkomen en haar later slapend in haar appartement zouden aantreffen? Als dat zou gebeuren, zouden ze eerst het gebouw doorzoeken. De zolderkamer was weliswaar verborgen, maar sommige van de oudere politiemannen die vaders en ooms hadden die in het verzet tegen de nazi's hadden gezeten, zouden zich herinneren dat er zulke schuilplaatsen bestonden en ook op minder voor de hand liggende plaatsen gaan zoeken.
Ze moest ervan uitgaan dat de politie inderdaad zou doen wat ze dacht en daarom nam ze de diensttrap naar de straat achter het gebouw en belde de hal vanuit een openbare telefooncel op de hoek. Philippe be-

vestigde niet alleen haar vermoedens, maar las haar ook Lebruns kaartje voor. Ze drukte hem op het hart dat hij niets moest zeggen als de politie kwam, stak de Quai des Célestins over, sloeg de rue de l'Hotel de Ville in en ging het metrostation bij Pont Marie binnen. Ze reed één halte mee naar Sully Morland, liep het station uit en nam een taxi terug naar haar appartement op de Quai de Béthune. Het had alles bij elkaar niet langer dan dertig minuten geduurd.

'Komt u alstublieft binnen, heren,' zei ze. Ze opende de deur, knipte het ganglicht aan en ging hen voor de huiskamer binnen.

McVey sloot de deur en volgde hen. Links, in het halfduister, zag hij een ruimte die eruitzag als een eetkamer. Verderop, aan de rechterkant, zag hij de open deur van een andere kamer en ertegenover was nog een open deur. Overal waar hij keek zag hij antieke meubelen en oosterse tapijten. Zelfs de loper in de lange gang was oosters.

De huiskamer was bijna twee keer zo lang als breed. Een grote art-decoposter in een lijst van bladgoud – een Mucha, als McVey zich zijn kunstgeschiedenislessen goed herinnerde – bedekte een groot deel van de muur aan de andere kant van de kamer. Er kon geen enkele twijfel over bestaan dat het een origineel was. Aan de ene kant, tegenover een lange met wit linnen overtrokken bank, stond een ouderwetse fauteuil die helemaal opnieuw gestoffeerd was. De sierkrullen van de poten en de armleuningen waren met de hand in hetzelfde veelkleurige patroon beschilderd als de stof en de stoel zag eruit alsof hij zo van de set van *Alice in Wonderland* kwam. Maar het was geen rekwisiet of een stuk speelgoed, het was een *objet d'art*, ook een origineel.

Verder was de kamer, op een stuk of zes zorgvuldig geplaatste antiquiteiten en een rijk oosters tapijt na, opzettelijk spaarzaam gemeubileerd. De muren waren behangen met vezelig goud- en zilverkleurig brokaatpapier dat niet was bezoedeld door het vuil dat in een stad met de grootte van Parijs vroeg of laat alles verontreinigde. Het plafond en het houtwerk waren crèmekleurig en pas geschilderd. De hele kamer straalde uit dat hij dagelijks zorgvuldig werd schoongehouden en McVey veronderstelde dat dat ook voor de rest van het appartement gold.

Hij keek door een van de twee grote ramen die op de Seine uitkeken en zag Lebruns witte Ford aan de overkant van de straat geparkeerd staan. Dat betekende dat iemand anders vanaf de plek waar hij nu stond de auto ook gezien zou kunnen hebben. Hiervandaan zou iemand hebben kunnen zien dat de auto stopte, dat de lichten werden gedoofd, maar dat er niemand uitstapte. Dat wil zeggen, totdat Vera Monneray met een taxi arriveerde en naar binnen ging.

Vera deed een paar lampen aan en keek toen op naar haar gasten. 'Kan ik u iets te drinken aanbieden?' zei ze in het Frans.
'Ik zou liever ter zake komen, als u dat niet erg vindt, mevrouw Monneray,' zei McVey.
'Natuurlijk,' zei Vera in het Engels. 'Gaat u alstublieft zitten.'
Lebrun liep naar de witte bank en ging zitten, maar McVey bleef liever staan.
'Is dit uw appartement?' vroeg hij.
'Het is van mijn familie.'
'Maar u woont hier alleen?'
'Ja.'
'U bent vandaag in het gezelschap van Paul Osborn geweest. U hebt hem met een auto dertig kilometer hiervandaan bij een golfterrein in de buurt van Vernon opgepikt.'
Vera zat in de Alice in Wonderland-stoel en McVey keek haar recht aan. Hij wist dat ze te slim zou zijn om te ontkennen, nu de politie dat allemaal bleek te weten.
'Ja,' zei ze kalm.
Vera Monneray was zesentwintig jaar, mooi, zelfverzekerd en al een eind op weg om arts te worden. Waarom zette ze haar toekomst en haar carrière op het spel door Osborn te beschermen? Dat zou ze alleen doen als er iets aan de hand was wat McVey niet wist of wanneer ze echt verliefd was.
'Toen u eerder door de politie werd ondervraagd, hebt u ontkend dat u meneer Osborn hebt gezien.'
'Ja.'
'Waarom?'
Vera keek van McVey naar Lebrun en toen weer naar McVey. 'Ik zal eerlijk tegen u zijn. Ik was bang. Ik wist niet wat ik moest doen.'
'Hij was hier in het appartement, hè?' vroeg McVey.
'Nee,' zei Vera koeltjes. 'Dat was hij niet.' Dat was een leugen waarop ze haar moeilijk zouden kunnen betrappen. Als ze de waarheid vertelde, zouden ze willen weten waar hij naar toe was gegaan en hoe hij daar was gekomen.
'Dan zult u er geen bezwaar tegen hebben dat we rondkijken,' zei Lebrun.
'Helemaal niet.' Alles in de logeerkamer was schoongemaakt en opgeborgen. De lakens en de bebloede handdoeken die ze had gebruikt toen ze de kogel uit Osborns been had verwijderd, waren opgevouwen en opgeborgen in de geheime zolderkamer en de instrumenten waren gesteriliseerd en teruggestopt in haar artsenkoffer.

Lebrun stond op en liep de kamer uit. Hij bleef in de gang staan om zijn sigaret aan te steken en liep toen verder.
'Waarom was u bang?' McVey ging in een stoel met een rechte leuning tegenover Vera zitten.
'Meneer Osborn was gewond. Hij had het grootste deel van de nacht in de rivier gelegen.'
'Hij heeft een man die Albert Merriman heette, vermoord. Wist u dat?'
'Nee, dat heeft hij niet gedaan.'
'Heeft hij u dat verteld?'
'Ik heb u verteld dat hij gewond was, inspecteur. Niet doordat hij in de rivier had gelegen, maar doordat hij was neergeschoten door dezelfde man die Albert Merriman heeft vermoord. Hij is in de achterkant van zijn dij geraakt.'
'Is dat zo?' vroeg McVey.
Vera staarde hem een ogenblik aan, stond toen op en liep naar een tafel bij de deur. Terwijl ze dat deed, kwam Lebrun terug. Hij keek McVey even aan en schudde zijn hoofd. Vera trok een lade open, haalde er iets uit en kwam terug.
'Dit heb ik uit zijn been gehaald,' zei ze en ze legde de kogel in McVeys hand.
McVey rolde hem rond in zijn handpalm en hield hem toen tussen zijn duim en wijsvinger omhoog. 'Een dumdumkogel. Hij zou kaliber negen millimeter kunnen zijn...' zei hij tegen Lebrun.
Lebrun zei niets, maar knikte alleen lichtjes. Het knikje was voldoende om McVey te vertellen dat hij het ermee eens was, dat het hetzelfde soort kogel kon zijn die ze uit Merrimans lichaam hadden gehaald.
McVey keek Vera aan. 'Wanneer hebt u de kogel verwijderd?'
Zeg maar wat er in je hoofd opkomt, dacht ze. Vertrek geen spier. Houd het eenvoudig. 'Langs de kant van de weg toen we terugreden naar Parijs.'
'Welke weg?'
'Dat weet ik niet meer. Hij bloedde en ijlde.'
'Waar is hij nu?'
'Dat weet ik niet.'
'Dat weet u ook niet... u lijkt meer niet dan wel te weten.'
Vera keek hem aan, maar krabbelde niet terug. 'Ik wilde hem hiernaar toe brengen. Of eigenlijk wilde ik dat hij naar een ziekenhuis zou gaan. Maar dat wilde hij niet. Hij was bang dat degene die had geprobeerd hem te vermoorden het nog een keer zou proberen als hij erachter kwam dat hij nog leefde. Het zou gemakkelijk genoeg zijn hem in een ziekenhuis te doden en hij was bang dat ik gevaar zou lopen als hij met

me mee naar huis zou gaan. Daarom drong hij erop aan dat we het langs de weg zouden doen. De wond was niet diep. Het was een betrekkelijk eenvoudige ingreep. Als medicus wist hij dat...'
'Hoe bent u aan water gekomen? U weet wel, om alles schoon te houden.'
'Ik heb water uit flessen gebruikt. Die heb ik bijna altijd bij me in de auto. Dan doen een heleboel mensen tegenwoordig. Zelfs in Amerika, geloof ik.'
McVey staarde haar aan, maar zei niets. Lebrun deed hetzelfde. Ze wachtten tot ze verder zou gaan.
'Ik heb hem om ongeveer vier uur vanmiddag bij het Gare Montparnasse afgezet. Dat had ik niet moeten doen, maar dat wilde hij nu eenmaal.'
'Waar ging hij naar toe?' vroeg McVey.
Vera schudde haar hoofd.
'Dat weet u ook al niet.'
'Het spijt me. Ik heb u verteld dat hij zich zorgen om me maakte. Hij wilde niet dat ik er verder bij betrokken zou raken dan ik al was.'
'Kon hij lopen?'
'Hij had een wandelstok, een oude wandelstok die nog in de auto lag. Het was niet ideaal, maar hij kon er de druk mee van zijn been houden. Hij is gezond. Zo'n soort wond geneest snel.'
Vera zag McVey opstaan en naar het raam lopen om naar buiten te kijken.
'Waar was u vanavond? Vanaf het moment dat u bent weggegaan tot nu?' vroeg hij met zijn rug naar haar toe. Vervolgens draaide hij zich om.
Tot nu toe was McVey weliswaar direct geweest, maar hij was over het algemeen vriendelijk gebleven. Maar bij deze vraag was zijn toon veranderd en hard, onaangenaam en beslist beschuldigend geworden. Vera had zoiets nog nooit meegemaakt. Dit was geen politieman uit een Hollywood-film, dit was echt. Hij intimideerde haar niet alleen, maar maakte haar doodsbang.
McVey hoefde niet naar Lebrun te kijken om te weten dat hij geschokt was.
En hij had gelijk. Lebrun wás geschokt. McVey had haar recht op de man af gevraagd of ze een clandestien rendez-vous met François Christian had gehad. Helaas had Vera zijn reactie ook gezien. Daardoor begreep ze dat ze van haar relatie met François Christian af wisten. Maar ze begreep ook dat ze niet wisten dat de relatie verbroken was.
'Dat zeg ik liever niet,' zei ze met een uitdrukkingsloos gezicht. Ze sloeg

haar benen over elkaar en keek Lebrun aan. 'Moet ik een advocaat bellen?'
Lebrun antwoordde haastig: 'Nee, mademoiselle. Nu niet, vanavond niet.' Hij stond op en keek McVey aan. 'Het is al zondagochtend. Ik denk dat het tijd is om op te stappen.'
McVey bestudeerde Lebrun een ogenblik en zwichtte toen voor het diepgewortelde gevoel voor discretie van de Fransman. 'Laat me nog even wat vragen.' Hij wendde zich tot Vera.
'Wist Osborn wie hem had neergeschoten?'
'Nee.'
'Heeft hij u verteld hoe de man eruitzag?'
'Alleen dat hij lang was,' zei Vera beleefd. 'Heel lang en slank.'
'Had hij hem ooit eerder gezien?'
'Ik geloof het niet.'
Lebrun knikte naar de deur.
'Nog één vraag, inspecteur,' zei McVey, die Vera nog steeds aankeek. 'Die Albert Merriman of Henri Kanarack zoals hij zich noemde. Weet u waarom meneer Osborn zo in hem geïnteresseerd was?'
Vera zweeg. Wat voor kwaad zou het kunnen als ze het hun vertelde? In feite zou het kunnen helpen hen te laten begrijpen onder wat voor spanning Osborn had gestaan en hen te laten beseffen dat hij alleen had geprobeerd Kanarack te ondervragen en niets met de schietpartij te maken had. Aan de andere kant had de politie de succinylcholine in Osborns kamer gevonden. Als ze hun vertelde dat Kanarack Osborns vader had vermoord, zouden ze aannemen dat hij op wraak uit was geweest in plaats van sympathie voor hem te voelen. Als ze dan bovendien zouden ontdekken waarvoor het middel werd gebruikt, zouden ze Kanaracks lijk opnieuw onderzoeken en de prikwondjes van de injectiespuit vinden.
Al was Osborn dan op dit ogenblik op de vlucht, hij was slechts een slachtoffer, maar als ze de prikwondjes zouden vinden, zouden ze hem van poging tot moord kunnen beschuldigen en dat zouden ze dan waarschijnlijk doen ook.
'Nee,' zei ze ten slotte. 'Ik heb er echt geen idee van.'
'En die rivier?' vroeg McVey.
'Ik begrijp niet wat u bedoelt.'
'Waarom waren Osborn en Merriman daar?'
Lebrun voelde zich niet op zijn gemak en Vera had zich tot hem om hulp kunnen wenden, maar dat deed ze niet.
'Zoals ik u al heb gezegd, inspecteur McVey... ik heb er echt geen idee van.'

Een minuut later sloot Vera de deur achter hen. Ze ging de huiskamer weer binnen, deed de lichten uit en liep toen naar het raam. Ze zag hen naar buiten komen en naar de witte Ford lopen, die aan de overkant van de straat geparkeerd was. Ze stapten in, de portieren werden gesloten en ze reden weg. Ze slaakte een diepe zucht. Voor de tweede keer die avond had ze tegen de politie gelogen.

# 49

Joanna lag bevend in het donker. Ze had zich nooit kunnen voorstellen dat seks zó zou kunnen zijn. Dat er zulke gevoelens bij haar opgeroepen zouden kunnen worden. Pascal von Holden was bijna een uur weg, maar ze rook de geur van zijn reukwater en zijn zweet nog steeds op haar lichaam en ze wilde die nooit meer kwijtraken. Ze probeerde terug te denken aan hoe het was gebeurd. Hoe het een tot het ander had geleid.

De stoomboot was de haven binnengevaren en de mannen in de smokings waren weggegaan om te controleren of de loopplank goed lag en of Elton Lybargers limousine op de kade wachtte. Zij en Pascal waren opgehouden met dansen en ze was meneer Lybarger het goede nieuws, dat ze zou blijven om zijn fysiotherapeutische behandeling voort te zetten, gaan vertellen.

Toen ze bij hem kwam, gebaarde hij haar hem in zijn rolstoel weg te rijden. Ze had naar von Holden gekeken die buiten op het dek op haar wachtte. Ze had niet van zijn zijde willen wijken, zelfs geen moment, maar hij had geknikt en geglimlacht en Joanna had Lybarger weggereden. Toen ze op veilige afstand van de andere gasten waren, had Lybarger plotseling haar hand vastgepakt. Hij leek vermoeid en in verwarring en zelfs een beetje bang. Ze keek hem vriendelijk glimlachend aan en zei tegen hem dat ze nog een poosje langer zou blijven om hem te helpen zich aan zijn nieuwe omgeving aan te passen. Toen had hij haar tegen zich aan getrokken en haar gevraagd wat hij haar al eerder had gevraagd.

'Waar is mijn familie?' vroeg hij. 'Waar is mijn familie?'

'Ze zijn hier, meneer Lybarger. Ze hebben u op het vliegveld afgehaald.

Ze zijn vanavond hier, meneer Lybarger, overal om u heen. U bent thuis, in Zwitserland.'
'Nee!' zei hij nadrukkelijk en hij staarde haar met boze ogen aan. 'Nee! Mijn familie. Waar zijn ze?'
Toen waren de mannen in de smokings teruggekomen. Het was tijd dat meneer Lybarger naar zijn auto werd gebracht. Ze had tegen hem gezegd dat hij met hen moest meegaan en zich geen zorgen hoefde te maken. Ze zouden er morgen over praten.
Lybarger werd de loopplank af gereden en voorzichtig de limousine in geholpen en terwijl ze hem nakeken had Von Holden geruststellend zijn arm om haar heen geslagen. Ze moest wel heel moe zijn, zei hij. Ze was nog steeds op de tijd van New Mexico ingesteld. 'Ja, inderdaad,' had ze gezegd, dankbaar voor zijn bezorgdheid.
'Mag ik je naar je hotel brengen?'
'Ja, dat is heel aardig van je. Dank je.' Ze had nog nooit iemand ontmoet die zo oprecht, warm en vriendelijk was.
Daarna herinnerde ze zich vaag de terugrit vanaf het meer omhoog en door Zürich. Het schoot haar te binnen dat ze gekleurde lichten had gezien en ze herinnerde zich dat von Holden had gezegd dat hij morgenochtend een auto zou sturen om haar met haar bagage naar het landgoed van Lybarger te brengen.
Om de een of andere reden herinnerde ze zich dat ze de deur van haar hotelkamer had geopend en dat von Holden de sleutel uit haar hand had gepakt en de deur achter hen had gesloten. Hij had haar geholpen haar jas uit te trekken en had die netjes in de kast gehangen. Toen had hij zich omgedraaid en ze hadden elkaar in het donker omhelsd. Hij had zijn lippen op de hare gedrukt, teder, maar tegelijkertijd hartstochtelijk.
Ze herinnerde zich dat hij haar had uitgekleed, haar borsten had gekust en haar tepels een voor een met zijn lippen had omvat, waardoor ze harder werden dan ze ooit waren geweest. Toen had hij haar opgetild en op het bed gelegd. Zonder zijn ogen een moment van haar af te wenden, had hij zich uitgekleed. Langzaam en sensueel. Zijn stropdas, zijn colbert, zijn schoenen, zijn sokken en toen zijn overhemd. Het haar op zijn gespierde borst was even licht van kleur als dat op zijn hoofd. Haar borsten deden pijn en ze voelde dat ze nat werd terwijl ze naar hem keek. Ze was het niet van plan geweest, alsof het onbeschoft zou zijn of zo, maar haar blik haakte zich vast aan zijn handen toen ze zijn riem losmaakten en weloverwogen de gulp van zijn broek openritsten.
Plotseling gooide Joanna haar hoofd in het donker achterover en lachte. Ze was alleen, maar ze lachte luid en hees. Het kon haar niets schelen

dat iemand in de aangrenzende kamer haar zou kunnen horen. Het was alsof de oude schuine mop die de meisjes elkaar al sinds de brugklas hadden verteld, werkelijkheid was geworden.
'Mannen hebben ze in drie formaten,' ging de mop, 'klein, middelmatig en O MIJN GOD!'

# 50

*Parijs, 3.30 uur. Zelfde hotel, kamer, klok als de vorige keer.*
*Klik.*
*3.31 uur.*

Het was altijd halfvier, met een speling van zo'n twintig minuten. McVey was uitgeput, maar hij kon niet slapen. Alleen denken deed al pijn, maar hij kon zijn verstand niet uitschakelen. Dat had hij nooit gekund, al niet vanaf de dag dat hij zijn eerste lijk met weggeschoten hoofd in een steeg had zien liggen. De talloze details die je van het slachtoffer naar de moordenaar konden leiden, maakten dat je opgefokt raakte en wakker bleef.
Lebrun had zijn rechercheurs naar het Gare Montparnasse gestuurd om te proberen Osborn op het spoor te komen. Maar het zou verloren moeite zijn en dat had hij Lebrun ook verteld. Vera Monneray had gelogen toen ze zei dat ze hem bij het station had afgezet. Ze had hem ergens anders heen gebracht en wist waar hij was.
Hij had voorgesteld dat ze later die ochtend zouden teruggaan om tegen haar te zeggen dat ze graag op het hoofdbureau verder met haar wilden praten. Een verhoorkamer kan wonderen doen als het erom gaat mensen de waarheid te laten vertellen, of ze nu willen of niet. Lebrun had nadrukkelijk 'non!' gezegd. Osborn werd dan misschien verdacht van moord, maar de vriendin van de premier van de Franse Republiek zeer beslist niet!
McVeys incasseringsvermogen voor dit soort gevoeligheden was bijna uitgeput. Hij had langzaam tot tien geteld en toen een andere oplossing voorgesteld. Een test met een leugendetector. Een onbetrouwbare getuige zou er niet alles door onthullen, maar er werd een emotioneel ge-

laden situatie door gecreëerd die een goede basis was voor het tweede verhoor dat daarop onmiddellijk volgde. Vooral als degene die de test afnam buitengewoon grondig en de verdachte een heel klein beetje nerveus was en dat waren ze bijna allemaal.
Maar Lebrun had weer 'nee' gezegd en McVey had niet meer van hem kunnen loskrijgen dan een surveillance van zesendertig uur. En zelfs dat was een harde dobber geweest omdat het duur was en Lebrun drie rechercheursteams van twee man moest inzetten die haar gangen anderhalve dag lang dag en nacht zouden moeten volgen.
Klik.
Deze keer nam McVey niet de moeite op de klok te kijken. Hij deed het licht uit, ging in het donker op zijn rug liggen en staarde naar de vage schaduwen op het plafond terwijl hij zich afvroeg of het hem allemaal eigenlijk wel wat kon schelen: Vera Monneray, Osborn, die 'lange man', als hij tenminste bestond, die Albert Merriman gedood en Osborn verwond zou hebben, en zelfs de diepgevroren hoofdloze lichamen en het diepgevroren hoofd die een of andere onbekende dokter Frankenstein met gebruikmaking van de meest geavanceerde technieken aan elkaar probeerde te zetten. Dat Osborn die Frankenstein zou kunnen zijn was ook van ondergeschikt belang, want op dit moment was McVey maar in één ding geïnteresseerd – slaap – en hij vroeg zich af of het hem nog zou lukken onder zeil te gaan.
Klik.

Vier uur later zat McVey achter het stuur van een beige Opel en reed naar het park bij de rivier. De zon was opgegaan en hij moest de zonneklep naar beneden doen om het licht uit zijn ogen te houden terwijl hij op zoek naar de afslag naar het park langs de Seine reed. Hij kon zich niet herinneren of hij nu wel of niet nog had geslapen.
Vijf minuten later herkende hij het bosje bomen dat de toegangsweg tot het park markeerde.
Hij reed het park binnen en stopte. Rondom een grasveld liep een modderige weg die was omzoomd met bomen, waarvan sommige net van kleur begonnen te veranderen. Hij keek naar de grond en zag de bandensporen van één auto die het park was binnengereden en het via dezelfde weg had verlaten.
Hij moest aannemen dat ze van Lebruns Ford waren, omdat hij en de Franse inspecteur waren aangekomen nadat het was opgehouden met regenen. Als er een ander voertuig het park was binnengegaan, zou er een tweede stel sporen te zien moeten zijn.
McVey verhoogde langzaam zijn snelheid en reed om het park heen tot

aan de plek waar de bomen de top van de helling bereikten die naar het water glooide. Hij stopte en stapte uit. Recht vóór hem leidden twee stel overspoelde voetafdrukken langs de helling omlaag naar de rivier. Die van hem en Lebrun. Hij bestudeerde de helling en de aanlegplaats aan de voet ervan en probeerde zich voor te stellen waar Agnes Demblons witte Citroën aan de rand van het water geparkeerd zou zijn geweest, en te bedenken wat Osborn en Albert Merriman daar te zoeken hadden gehad. Werkten ze samen? Waarom zouden ze naar de aanlegplaats zijn gereden? Zat er iets in de auto wat ze wilden uitladen? Drugs wellicht? Of waren ze met de auto zelf iets van plan? Wilden ze hem lozen? De onderdelen eraf slopen? Maar waarom? Osborn was een redelijk welvarende medicus. Het was allemaal niet logisch.

Als het klopte dat de rode modder die hij de avond voor de moord op Osborns gympen had gezien dezelfde modder was die hij hier zag, moest hij aannemen dat Osborn hier gisteren was geweest. Omdat bovendien de vingerafdrukken van Osborn, Merriman en Agnes Demblon in de auto waren gevonden, was McVey er redelijk zeker van dat Osborn de plaats bij de rivier had uitgekozen en Merriman erheen had gebracht.

Lebrun had vastgesteld dat Agnes Demblon vrijdag de hele dag in de bakkerij had gewerkt en daar laat in de middag, toen Merriman was vermoord, nog was geweest.

Al had Lebrun nog geen rapport van het lab ontvangen over de kogel die Vera Monneray volgens haar zeggen uit Osborns been had gehaald, McVey was voorlopig bereid haar verhaal dat een lange man de schoten had afgevuurd, te geloven. En tenzij hij handschoenen had gedragen en zowel Merriman als Osborn onder schot had weten te houden, was het logisch aan te nemen dat hij niet met hen in dezelfde auto naar het park was gekomen. Aangezien de Citroën hier was achtergelaten, moest hij met een andere auto zijn gekomen of – in het onwaarschijnlijke geval dat hij toch met Osborn en Merriman was meegereden – later door een andere auto zijn opgepikt. Er was zo ver buiten de stad geen openbaar vervoer en het was evenmin waarschijnlijk dat hij naar de stad teruggelopen was. Het was mogelijk, maar heel onwaarschijnlijk, dat hij had gelift. Een man die een Heckler & Koch gebruikte en net twee mannen had neergeschoten, was niet het soort man dat met zijn duim omhoog langs de kant van de weg zou gaan staan om daarmee te zorgen voor een getuige die hem later zou kunnen herkennen.

Gezien het spoor dat van Interpol in Lyon naar het archief van de Newyorkse politie leidde, moest Merriman en niet Osborn het doelwit van de lange man zijn geweest. Zou er in dat geval een connectie zijn tussen

Osborn en de lange man? Zou de lange man, nadat hij Merriman had gedood, Osborn hebben bedrogen en ook op hem hebben geschoten? Of had de lange man Merriman misschien vanaf de bakkerij geschaduwd naar de plaats waar deze Osborn had ontmoet en was hij hen vervolgens hierheen gevolgd?
Als je die theorie doordacht en aannam dat de verwoestende brand in het flatgebouw waarin Agnes Demblon woonde in de eerste plaats was gesticht om haar te doden, leek het een redelijke veronderstelling dat de lange man opdracht had niet alleen Merriman, maar iedereen die hem goed had gekend uit de weg te ruimen.
'Zijn *vrouw*!' zei McVey plotseling hardop.
Hij draaide zich om en begon tussen de bomen door naar de Opel te lopen. Hij had er geen idee van waar de dichtstbijzijnde telefoon was en hij vervloekte Interpol omdat ze hem een auto zonder mobilofoon of telefoon hadden gegeven. Lebrun moest gewaarschuwd worden dat Merrimans vrouw, waar ze ook was, in ernstig gevaar verkeerde.
Hij bereikte de rand van het bosje en was bijna bij zijn auto toen hij abrupt bleef staan en zich omdraaide. Hij was zojuist haastig tussen de bomen door van de plaats van de moord vandaan gelopen. Precies wat de schutter gedaan zou kunnen hebben. McVey en Lebrun waren de vorige dag om het bosje heen en niet tussen de bomen door naar de helling gelopen. Het team van Lebruns rechercheurs en de technische mensen hadden niets gevonden waaruit bleek dat er hier op de avond van de moord een derde man was geweest. Vandaar dat ze hadden aangenomen dat Osborn de schutter was geweest. Maar hadden ze hier boven tussen de bomen, zo ver van de helling vandaan, ook gezocht?
Het was nu een heldere, zonnige dag na bijna een week van regen. McVey stond voor een dilemma. Als hij zou vertrekken om Lebrun te waarschuwen dat Merrimans vrouw in gevaar was, liep hij het risico dat er één of zelfs een heel stel mensen die te lang binnen hadden gezeten, naar het park zouden komen en onbewust bewijsmateriaal zouden vernietigen. Omdat de Franse politie haar nog moest zien te vinden, ging McVey er maar van uit dat de lange man met hetzelfde probleem geconfronteerd zou worden en hoewel het hem niet helemaal beviel, besloot hij de tijd die hij nodig had maar te nemen en te blijven waar hij was. Hij draaide zich om en keerde voorzichtig tussen de bomen op zijn schreden terug naar de helling. De grond onder de bomen was bedekt met een dikke deken van natte dennenaalden. Als hij erop stapte, veerden ze terug als een tapijt, wat betekende dat het gewicht van een man lang niet genoeg was om er een afdruk in achter te laten.
Toen hij de helling had bereikt, draaide McVey zich om. Hij had niets

gevonden. Hij liep een meter of tien in oostelijke richting en stak weer over naar de bomen. Nog steeds niets.
Hij keerde zich naar het westen, koos een plek halverwege zijn eerste en zijn tweede oversteek en liep terug naar de helling. Hij had nog geen twaalf passen gelopen toen hij iets zag. Een platte, in tweeën gebroken tandenstoker die door de naalden bijna aan het oog onttrokken was. Hij haalde zijn zakdoek te voorschijn, bukte zich en pakte de tandenstoker op. Hij keek ernaar en zag dat de breuk erin in het midden lichter van kleur was dan aan de randen, wat erop duidde dat hij kort geleden was gebroken. Hij wikkelde hem in de zakdoek, stak die in zijn zak en liep terug naar zijn auto. Deze keer liep hij langzaam en bestudeerde de grond zorgvuldig. Hij was bijna bij de rand van het bosje toen zijn oog ergens op viel. Hij bleef staan en hurkte neer. De dennenaalden recht voor hem waren een tikkeltje lichter van kleur dan die eromheen. In de regen zouden ze er precies hetzelfde hebben uitgezien, maar nu ze in de ochtendzon waren opgedroogd, zagen ze er meer uit alsof ze opzettelijk verspreid waren. McVey pakte een gevallen twijg op en veegde ze voorzichtig opzij. Eerst zag hij tot zijn teleurstelling niets, maar toen hij bleef doorgaan, werd er iets zichtbaar dat op de afdruk van een band leek. Toen hij opstond en het spoor volgde, vond hij een duidelijke afdruk in de zanderige bodem vlak bij de rand van een rijtje bomen. Iemand had een auto onder de bomen gereden en daar geparkeerd. Een tijdje later was de chauffeur achteruitgereden en had zijn eigen sporen gezien. Hij was uitgestapt en had dennenaalden verzameld die hij had rondgestrooid om zijn sporen te verbergen. Maar daardoor had hij verzuimd erop te letten waar hij had geparkeerd. Buiten het rijtje bomen waren de sporen door de regen uitgewist, maar er vlak bij was de bodem door de overhangende takken beschermd geweest waardoor er een kleine, maar duidelijke afdruk in de grond was achtergebleven. Hij was niet meer dan tien centimeter lang en anderhalve centimeter diep. Het was niet veel, maar voor een technisch team van de politie zou het genoeg zijn.

# 51

SCHOLL!
Osborn had net geürineerd en trok het toilet door toen de naam zich plotseling aan hem opdrong. Hij draaide zich onhandig om en vertrok zijn gezicht van pijn toen hij zijn gewicht op zijn gewonde been zette. Van de rand van de wasbak pakte hij de wandelstok die Vera voor hem had achtergelaten, verplaatste zijn gewicht en liep terug de kamer binnen. Iedere stap kostte hem moeite en hij moest zich langzaam bewegen, maar hij besefte dat de pijn meer werd veroorzaakt door stijfheid en verkramping van de spieren dan door de wond zelf en dat betekende dat die aan het genezen was.
Toen hij het hokje dat als toilet dienst deed uit hinkte, leek de kamer kleiner dan toen hij had gelegen. Door het zwarte gordijn dat voor het raam hing was het er niet alleen donker, maar ook muf en benauwend en het rook er naar ontsmettingsmiddel. Hij bleef bij het raam staan, zette de wandelstok neer en trok het gordijn opzij. Onmiddellijk stroomde het heldere licht van een dag vroeg in de herfst de kamer binnen. Hij schoof moeizaam en knarsetandend van de pijn in zijn been het kleine raam open en keek naar buiten. Hij zag alleen het dak van het gebouw dat steil naar beneden liep en verderop de top van de torens van de Notre Dame die in de ochtendzon glinsterden. Wat hem het meest van alles opviel, was de frisheid van de ochtendlucht die over de Seine heen werd aangevoerd. De lucht was geurig en verfrissend en hij zoog zijn longen ermee vol.
Vera was in de loop van de nacht naar boven gekomen en had zijn verband verschoond. Ze had geprobeerd hem iets te vertellen, maar hij was te bedwelmd geweest om het te begrijpen en weer in slaap gevallen. Later, toen hij wakker werd en weer bij zijn positieven kwam, had hij zijn gedachten geconcentreerd op de lange man en de politie en zich afgevraagd hoe hij ervoor kon zorgen dat ze hem niet te pakken zouden krijgen. Maar nu beheerste Erwin Scholl zijn gedachten. Henri Kanarack had in zijn angst voor een nieuwe injectie met de succinylcholine gezworen dat deze man hem had ingehuurd om zijn vader te vermoorden. Hij herinnerde zich dat dat bijna op hetzelfde moment was gebeurd dat de lange man uit het duister was gekomen en op hen had geschoten.
Erwin Scholl. Waar woonde hij? Kanarack had hem dat ook verteld.
Hij wendde zich van het raam af, hinkte terug naar zijn bed, trok de

deken een beetje glad, draaide zich toen om en liet zich voorzichtig zakken. De afstand van zijn bed naar de badkamer en terug had hem meer vermoeid dan hem aanstond. Nu zat hij hier op de rand van het bed en was tot weinig meer in staat dan in- en uitademen.
Wie was Erwin Scholl? En waarom had hij zijn vaders dood gewild? Plotseling sloot hij zijn ogen. Het was dezelfde vraag die hij zich al bijna dertig jaar had gesteld. De pijn in zijn been was niets, vergeleken met de pijn in zijn ziel. Hij herinnerde zich het smartelijke gevoel waardoor hij was overmand toen Kanarack hem had verteld dat hij was betaald om het te doen. In één ogenblik was het hele drama waardoor zijn leven vol eenzaamheid, verdriet en woede was geweest, veranderd in iets wat zijn begrip te boven ging. Doordat hij Henri Kanarack per toeval had ontdekt en erachter was gekomen waar hij woonde en waar hij werkte, had hij gedacht dat God ten slotte zijn bede had verhoord en dat er eindelijk een eind aan zijn lijden zou komen. Maar dat was niet gebeurd. Alleen de oorzaak ervan leek verschoven te zijn. Wreed en snel, als een bal die door de ene speler aan een andere wordt doorgegeven terwijl hij er zelf vergeefs achter aan rende, al zoveel jaren.
Het avontuur bij de rivier had hem in ieder geval iets geleerd. Hij wist nu dat de dood te prefereren was boven de situatie waarin hij opnieuw terechtgekomen was, een situatie waarin hem geen rust vergund zou worden, waarin hij altijd woedend zou zijn en waarin het hem onmogelijk was te beminnen of bemind te worden zonder de vreselijke angst dat hij die liefde zou vernietigen. Zijn probleem was helemaal niet verdwenen, maar slechts van gedaante veranderd. Henri Kanarack was Erwin Scholl geworden. Deze keer was het zelfs een man zonder gezicht van wie hij alleen de naam kende. Hoe lang zou het duren voor hij hem zou hebben gevonden? Nog eens dertig jaar? En als hij de moed en de kracht zou kunnen opbrengen om hem te zoeken en hem uiteindelijk zou vinden, wat dan? Een volgende deur die weer ergens anders heen leidde?
Een geluid aan de andere kant van de deur deed Osborn met een schok uit zijn sombere gemijmer ontwaken. Er kwam iemand aan. Hij keek snel om zich heen om een plaats te zoeken waar hij zich kon verbergen. Die was er niet. Waar was Kanaracks revolver? Wat had Vera ermee gedaan? Hij keek weer naar de deur. De kruk werd omgedraaid. Zijn enige wapen was de wandelstok die naast hem stond. Hij sloot zijn hand eromheen en de deur zwaaide open.
Vera droeg haar witte werkkleding.
'Goeiemorgen,' zei ze en ze stapte naar binnen. Ze had weer een blad in haar handen, ditmaal met dampende koffie, croissants en een plastic

koeldoos met fruit, kaas en een klein brood. 'Hoe voel je je?'
Osborn slaakte een zucht van opluchting en legde de stok op het bed. 'Prima,' zei hij. 'Vooral nu ik weet wie ik op de trap hoorde.'
Vera zette het blad op het tafeltje onder het raam, draaide zich om en keek hem aan. 'De politie is gisteravond teruggekomen. Er was een Amerikaanse politieman bij die je heel goed leek te kennen.'
Osborn schrok. 'McVey!' Mijn God, hij was nog steeds in Parijs.
'Jij lijkt hem ook te kennen...' Vera kreeg een vaag, bijna gevaarlijk glimlachje om haar mond, alsof dit alles haar op de een of andere krankzinnige manier amuseerde.
'Wat wilden ze?' vroeg hij snel.
'Ze zijn erachter gekomen dat ik je bij het golfterrein heb opgepikt. Ik heb toegegeven dat ik een kogel uit je been heb gehaald. Ze wilden weten waar je was. Ik heb gezegd dat ik je bij een treinstation heb afgezet, dat ik niet wist waar je naar toe ging en dat je niet wilde dat ik dat wist. Ik weet niet zeker of ze me geloofden.'
'McVey zal je scherp in de gaten laten houden en wachten tot je contact met me opneemt.'
'Dat weet ik. Daarom ga ik aan het werk. Ik heb zesendertig uur dienst. Tegen de tijd dat ik klaar ben, zullen ze zich hopelijk vervelen en aannemen dat ik de waarheid heb gesproken.'
'En als ze dat nu eens niet doen? Als ze nu eens besluiten eerst je appartement en daarna het gebouw te doorzoeken?' Osborn was plotseling bang. Hij zat in de val en er was geen uitweg. Hoe het met zijn been ging, was niet eens belangrijk. Als hij naar buiten zou gaan, zouden ze hem in zijn kraag grijpen voordat hij een half blok verder was. Als ze besloten het gebouw te doorzoeken, zouden ze uiteindelijk zijn schuilplaats vinden en dan was hij er ook bij.
'We kunnen niets anders doen.' Vera was sterk en onverstoorbaar. Ze steunde en beschermde hem niet alleen, maar had ook de touwtjes volledig in handen. 'Je hebt water in de badkamer en voldoende te eten tot ik terugkom. Ik wil dat je met je oefeningen begint. Strekken en je been omhoogbrengen als dat lukt. Anders moet je maar om de vier uur zo lang in de kamer heen en weer lopen als je kunt. Als we weggaan, zul je moeten lopen. En zorg ervoor dat je het gordijn dichttrekt als het donker wordt. De dakkapel is verborgen in het dak, maar als iemand het gebouw in de gaten houdt, zal het licht je ogenblikkelijk verraden. Hier pak aan – '
Vera drukte een sleutel in zijn hand.
'Die is van mijn appartement... voor het geval je me moet bereiken. Het telefoonnummer staat op een blocnote die naast de telefoon ligt. De

trap komt één verdieping lager in een kast uit. Neem de diensttrap naar de eerste verdieping.' Vera aarzelde en keek hem aan. 'Ik hoef je niet te vertellen dat je voorzichtig moet zijn.'
'En ik hoef jou niet te vertellen dat je nog steeds de mogelijkheid hebt hier buiten te blijven. Ga naar je grootmoeder en ontken dat je ooit hebt geweten wat hier gebeurd is.'
'Nee,' zei ze en ze draaide zich om naar de deur.
'Vera.'
Ze bleef staan en keek om. 'Wat is er?'
'Er lag hier een revolver. Waar is die gebleven?'
Osborn zag aan Vera's gelaatsuitdrukking dat zijn vraag haar allerminst beviel.
'Vera...' hij zweeg even. 'Wat zou ik moeten doen als de lange man me vindt?'
'Hoe zou hij je kunnen vinden? Hij kan op geen enkele manier te weten zijn gekomen wie ik ben of waar ik woon.'
'Dat wist hij van Merriman ook niet, maar toch is hij dood.'
Ze aarzelde.
'Vera, alsjeblieft?' Osborn keek haar recht aan. Hij had de revolver nodig om zich te verdedigen, niet om een politieman dood te schieten.
Ten slotte knikte ze naar de tafel onder het raam. 'Hij ligt in de la.'

# 52

*Marseille*
Tien minuten nadat de mis van acht uur was begonnen, verliet Marianne Chalfour-Rouget de kerk met tegenzin. Ze deed het alleen omdat de andere parochieleden, van wie ze de meeste goed kende, door het gehuil van haar zuster hun hoofd naar hen omdraaiden. Michèle Kanarack was nu achtenveertig uur bij haar en ze had al die tijd haar tranen nog niet kunnen bedwingen.
Marianne was drie jaar ouder dan haar zuster en had vijf kinderen, van wie de oudste veertien jaar was. Haar echtgenoot, Jean Luc, was een visser wiens inkomen per seizoen varieerde en die een groot deel van de tijd van zijn gezin vandaan was. Maar als hij thuis was, zoals nu, wilde

hij bij zijn vrouw en kinderen zijn.
Vooral bij zijn vrouw.
Jean Luc had een uitermate sterke geslachtsdrift en hij schaamde zich daar niet voor. Maar het kon weleens problemen geven en zelfs gênant worden, wanneer hij door zijn begeerte werd overmand en zijn vrouw plotseling de slaapkamer van hun kleine driekamerappartement binnendroeg waar ze wild en luid de liefde bedreven, naar het leek soms wel uren achter elkaar.
Waarom Michèle plotseling bij hen was komen wonen begreep hij niet en hij wist evenmin hoe lang ze zou blijven. Alle echtparen hadden hun problemen. Maar gewoonlijk wisten ze die met de hulp van een priester op te lossen. Daarom was hij er zeker van dat Henri ieder moment zou kunnen verschijnen en Michèle zou smeken hem te vergeven en met hem mee terug te gaan naar Parijs.
Maar Michèle hield onder het huilen door stug vol dat zij er even zeker van was dat hij dat niet zou doen. Ze was daar nu twee dagen en had geprobeerd op de bank in hun piepkleine huiskamer annex keuken te slapen. Ze werd bijna omvergelopen door de kinderen als ze zich rondom de kleine zwartwit tv verdrongen en ruzie maakten over welk programma er aangezet moest worden terwijl in de andere kamer de echtelieden luidruchtig de liefde bedreven zonder dat iemand er aandacht aan schonk, behalve Michèle dan.
Zondagochtend had Jean Luc genoeg van haar tranen en hij zei dat ook onomwonden tegen Marianne waar Michèle bij was. Neem haar mee naar de kerk en laat haar voor het oog van God ophouden met huilen! En zo niet voor het oog van God, dan in ieder geval voor dat van *monseigneur*.
Maar het had niet gewerkt. En nu, terwijl ze de kerk verlieten en in de warme mediterrane zon over de boulevard d'Athènes naar de Canebière liepen, pakte Marianne haar zusters hand vast.
'Michèle, je bent de niet enige vrouw op de wereld wier echtgenoot plotseling weggelopen is. En je bent ook niet de eerste die daarbij ook nog zwanger is. Ja, je bent gekwetst, dat begrijp ik. Maar het leven gaat door, dus nu moet het genoeg zijn! Je kunt op ons rekenen. Zoek een baan en krijg je kind. En zoek dan een fatsoenlijke man.'
Michèle keek haar zuster aan en staarde toen naar de grond. Marianne had natuurlijk gelijk. Maar de gekwetstheid, de angst voor het alleenzijn en het gevoel van leegte werden er niet minder door. Verdriet werd nu eenmaal nooit weggenomen door verstandig te zijn. Alleen de tijd kon de wonden helen.
Nadat Marianne dat tegen haar zuster had gezegd, bleef ze bij de kleine

openluchtmarkt bij de Quai des Belges staan om een soepkip en wat verse groente voor het avondeten te kopen. Zelfs om deze tijd was het al druk op de markt en het trottoir en de mensen en het passerende verkeer maakten veel lawaai. Toen hoorde Marianne een vreemd 'knalletje' dat boven de andere geluiden leek uit te stijgen. Toen ze zich omdraaide om Michèle te vragen of zij wist wat het geweest was, zag ze dat haar zuster achteroverleunde tegen een kraam die volgestapeld was met meloenen. Ze had een uitdrukking op haar gezicht alsof ze ergens stomverbaasd over was. Toen zag Marianne onder aan de witte kraag bij Michèles keel een helderrode vlek verschijnen, die zich snel verspreidde. Tegelijkertijd voelde ze iemands aanwezigheid en ze keek op. Er stond een lange man voor haar die glimlachte. Toen bracht hij zijn hand, die iets omvat hield, omhoog en weer hoorde ze het knalgeluidje. De man verdween snel en plotseling leek het of het donker werd. Ze keek om zich heen en zag gezichten. Toen, vreemd genoeg, vervaagde alles.

# 53

Bernhard Oven had terug naar Parijs ook het vliegtuig kunnen nemen, zoals hij op de heenreis naar Marseille had gedaan, maar een retourticket dat de tijd aangaf waarbinnen een meervoudige moord was gepleegd, was voor de politie te gemakkelijk traceerbaar. De TGV supersneltrein deed vier uur en drie kwartier over de afstand Marseilles – Parijs. Daardoor had Oven de tijd zich in zijn eersteklascoupé te ontspannen, te evalueren wat er was gebeurd en te overdenken wat zijn volgende stap zou zijn.
Het traceren van Michèle Kanarack naar het huis van haar zuster in Marseille was een fluitje van een cent geweest. Hij was haar de ochtend dat ze uit Parijs vertrok eenvoudigweg naar het station gevolgd en had gekeken welke trein ze nam. Toen hij eenmaal wist wat haar bestemming was, had de Organisatie de rest gedaan. Ze was tussen de andere reizigers uit gepikt toen ze uit de trein stapte en naar het huis van haar zuster in de Le Panier-wijk gevolgd. Daarna was ze nauwlettend in de gaten gehouden en er was inventaris opgemaakt van degenen die ze in

vertrouwen zou kunnen nemen. Met die informatie in zijn bezit had Oven een vlucht van Air Inter uit Parijs naar Marseille genomen en op het vliegveld Provence een huurauto opgehaald. In het foedraal van de reserveband zaten een Tsjechische CZ .22 automatische revolver, extra ammunitie en een geluiddemper.
'*Bonjour. Ah, le billet, oui.*'
Oven overhandigde de controleur zijn kaartje en wisselde de nietszeggende beleefdheden met hem uit die nu eenmaal gebruikelijk zijn tussen een kaartjescontroleur en de succesvolle zakenman die hij leek te zijn. Daarna leunde hij achterover en keek naar het Franse landschap terwijl de trein snel door de groene Rhône-vallei naar het noorden reed. Hij schatte dat ze met een snelheid van ongeveer tweehonderdzeventig kilometer per uur voortraasden.
Het was maar goed dat hij de vrouwen op die plaats te grazen had genomen. Als ze hem op de een of andere manier waren ontlopen en thuisgekomen waren... nou ja, hysterische mensen waren altijd een lastig doelwit. En door de aanblik van Mariannes doodgeschoten echtgenoot en vijf kinderen, hoe keurig hij het ook had gedaan, zouden beide vrouwen buiten zinnen zijn geraakt zodat de buren en iedereen binnen gehoorsafstand op het geschreeuw afgekomen zou zijn.
Natuurlijk zouden de echtgenoot en de kinderen worden gevonden, als dat al niet was gebeurd, en dat zou tot gevolg hebben dat de politie en de politici uit alle hoeken en gaten te voorschijn zouden komen. Maar Oven had geen keus gehad. De echtgenoot had op het punt gestaan te vertrekken om zich bij zijn vrienden in het buurtcafé te voegen en dat zou hebben betekend dat hij had moeten wachten tot later op de dag, wanneer iedereen weer thuis zou zijn. Daardoor zou een vertraging zijn veroorzaakt die hij zich niet kon permitteren omdat hij nog dringender zaken in Parijs moest afhandelen, zaken waarbij de Organisatie hem tot dusver nog niet had kunnen helpen.
Antenne 2, de staatstelevisieomroep, had een interview gehouden met de bedrijfsleider van het clubhuis van een golfclub waarvan het terrein in de buurt van Vernon aan de Seine lag. Een Californische arts die de politie verdacht van de moord op een naar Frankrijk geëmigreerde Amerikaan, Albert Merriman genaamd, was zaterdagochtend vroeg uit de rivier gekropen. Hij was een tijdje in het clubhuis gebleven om een beetje op krachten te komen voordat hij door een donkerharige Franse vrouw opgehaald was. Tot nu toe had Bernhard Oven iedereen die nauwe betrekkingen met Albert Merriman had onderhouden, snel en efficiënt geliquideerd. Maar op de een of andere manier had de Amerikaanse medicus die als Paul Osborn was geïdentificeerd, het overleefd.

En nu bleek er een vrouw bij betrokken te zijn. Ze moesten allebei gevonden en uit de weg geruimd worden voordat de politie hen zou hebben opgespoord. Dat zou allemaal niet zo moeilijk zijn als de tijd plotseling niet de grote vijand was geworden. Vandaag was het zondag 9 oktober. Hij moest de hele zaak uiterlijk vrijdag 14 oktober rond hebben.

* * *

'Hebt u meneer Lybarger ooit behandeld terwijl hij naakt was, juffrouw Marsh?'
'Nee, dokter, natuulijk niet,' zei Joanna, verbaasd door de vraag. 'Daarvoor was geen reden.'
Joanna vond Salettl in Zürich niet symapthieker dan in New Mexico. Zijn afstandelijke houding en de bruuske manier waarop hij haar behandelde, waren meer dan intimiderend. Hij boezemde haar angst in.
'Dus u hebt hem nooit zonder kleren gezien?'
'Nee, dokter.'
'Misschien wel in zijn ondergoed?'
'Ik begrijp niet wat u bedoelt, dokter Salettl.'
Die ochtend was Joanna precies om zeven uur gewekt door een telefoontje van von Holden. Hij was kortaf en zakelijk geweest en leek een ander mens dan de warme, liefdevolle minnaar van de vorige nacht. Er zou over vijfenveertig minuten een auto arriveren om haar en haar spullen naar het landgoed van meneer Lybarger te brengen en ze moest dan klaarstaan. Verbaasd door zijn afstandelijkheid kon ze aanvankelijk alleen maar 'ja' zeggen, maar even later had ze hem nog gevraagd wat ze moest doen met haar hond die in Taos in een kennel zat.
'Dat is al geregeld,' zei von Holden en daarna hing hij op.
Precies drie kwartier later zat Joanna, die nog steeds een beetje katerig was door de combinatie van haar jet lag, het diner, de drankjes en de marathonseks met von Holden, achter in Lybargers Mercedes-limousine. Na een kwartier verlieten ze de snelweg en stopten bij een hek. De chauffeur drukte op een knopje, waardoor het raampje aan de passagierskant precies zo ver naar beneden ging dat de geüniformeerde bewaker naar binnen kon kijken. Tevredengesteld gebaarde hij de chauffeur dat hij kon doorrijden en de limousine zette over een lange, door bomen omzoomde oprijlaan koers naar wat Joanna later alleen maar als een kasteel kon beschrijven.
Een vriendelijk glimlachende huishoudster van middelbare leeftijd had Joanna naar haar verblijf gebracht. Het was een grote slaapkamer met

een eigen badkamer op de begane grond, die uitkeek op een uitgestrekt gazon dat bij de rand van een dicht bos eindigde.
Tien minuten later werd er geklopt en Joanna deed open. Het was dezelfde vrouw en ze bracht haar naar dokter Salettls spreekkamer op de eerste verdieping van een apart gebouw en daar was ze nu.
'Te oordelen naar uw rapporten bent u even sterk onder de indruk van meneer Lybargers vooruitgang als wij allemaal.'
'Ja, dokter.' Joanna was vastbesloten zich niet door dokter Salettls manier van optreden te laten intimideren. 'Toen ik hem pas onder behandeling kreeg, had hij nauwelijks enige beheersing over zijn motorische functies en was het zelfs moeilijk voor hem een duidelijke gedachtengang te volgen. Maar daarna bleef hij me voortdurend verbazen. Hij heeft ongelooflijk veel wilskracht.'
'Hij is fysiek ook sterk.'
'Ja, dat ook.'
'Hij voelt zich op zijn gemak en ontspannen in het gezelschap van andere mensen en kan op een intelligente manier met hen converseren.'
'Ik...' Joanna wilde zeggen dat Lybarger voortdurend naar zijn familie vroeg.
'Hebt u bedenkingen?'
Joanna aarzelde. Het had geen zin iets te vermelden dat alleen tussen haar en Lybarger was voorgevallen. Daar kwam nog bij dat hij alleen over zijn familie was begonnen als hij moe was of wanneer zijn dagelijkse routine werd verstoord doordat hij op reis was. 'Hij wordt alleen snel moe. Daarom wilde ik gisteravond dat de rolstoel op de boot...'
'Die stok waarmee hij loopt,' onderbrak Salettl haar. 'Kan hij staan en lopen als hij die niet zou hebben?'
'Hij is eraan gewend.'
'Beantwoord de vraag alstublieft. Kan hij zonder die stok lopen?'
'Ja, maar...'
'Maar wat?'
'Niet erg ver en hij zal zich dan onzeker voelen.'
'Hij kleedt zich zelf aan, scheert zich zelf, gaat alleen naar het toilet. Dat klopt toch?'
'Ja.' Joanna begon te wensen dat ze von Holdens aanbod had afgeslagen en vandaag naar huis was gegaan, zoals oorspronkelijk de bedoeling was geweest.
'Kan hij een pen oppakken en zijn eigen naam duidelijk schrijven?'
'Behoorlijk duidelijk.' Ze forceerde een glimlach.
'En hoe staat het met zijn andere functies?'
Joanna fronste haar voorhoofd. 'Ik begrijp niet wat u met andere func-

ties bedoelt.'
'Is hij in staat een erectie te krijgen? Kan hij geslachtsverkeer hebben?'
'Dat... dat... weet ik niet,' stamelde ze. Ze was in verlegenheid gebracht. Er was haar nog nooit zoiets over een van haar patiënten gevraagd. 'Ik denk dat die vraag beter door een medicus beantwoord kan worden.'
Salettl staarde haar een ogenblik aan en vroeg toen: 'Als u het vanuit uw eigen standpunt bekijkt, hoe lang zal het dan duren voordat hij al zijn fysieke vermogens terug heeft en weer kan functioneren alsof hij die beroerte nooit heeft gehad?'
'Als... als we het alleen over zijn motorische basisfuncties hebben; staan, lopen en praten zonder moe te worden... Die andere dingen zijn, zoals ik al zei, mijn afdeling niet...'
'Alleen de motorische functies. Hoe lang denkt u dat dat nog zal duren?'
'Dat... dat weet ik niet precies.'
'Doet u alstublieft eens een schatting.'
'... Dat... kan ik echt niet.'
'Dat is geen antwoord.' Salettl keek haar boos aan alsof ze een ondeugend kind was in plaats van de fysiotherapeute van zijn patiënt.
'Als... als ik veel met hem oefen en hij blijft even goed op de behandeling reageren als tot nu toe, zou ik zeggen misschien nog een maand... Maar u moet begrijpen dat het maar een schatting is. Het hangt er allemaal van af hoe hij...'
'Ik zal u een doel stellen. Aan het eind van de week wil ik hem zonder stok zien lopen.'
'Ik weet niet of dat wel mogelijk is.'
Salettl drukte op een knopje en sprak in een intercom. 'Juffrouw Marsh is gereed om meneer Lybarger te behandelen.'

# 54

McVey staarde uit het raam van Lebruns kantoor. Vijf verdiepingen lager zag hij de Place du Parvis, het open plein tegenover de Notre Dame, waar het wemelde van de toeristen. Het was halftwaalf en het begon voor de tijd van het jaar een warme dag te worden.

'Acht doden onder wie vijf kinderen. Allemaal één keer door het hoofd geschoten met een .22 revolver. Niemand heeft iets gehoord of gezien. De buren niet en de mensen op de markt niet.' Lebrun liet het gefaxte rapport van de politie van Marseille op zijn bureau vallen en pakte een verchroomde thermosfles die achter hem op een tafel stond.
'Een professional met een geluiddemper,' zei McVey zonder moeite te doen zijn woede te verbergen. 'Weer acht op de lijst van de lange man.'
'Als het de lange man was.'
McVey keek met een ruk op. 'Merrimans weduwe? Wat denk jij dan?'
'Ik denk dat je waarschijnlijk gelijk hebt, *mon ami*,' zei Lebrun bedaard.
McVey was na zijn bezoek aan het park bij de rivier even voor acht uur in zijn hotel teruggekomen en had onmiddellijk Lebrun thuis gebeld. Lebrun had direct naar de plaatselijke politie in het hele land een waarschuwing laten uitgaan dat het leven van Michèle Kanarack in gevaar was. Het probleem was natuurlijk dat ze nog gevonden moest worden. En omdat Lebrun weinig meer tot zijn beschikking had dan haar signalement – de rechercheurs Barras en Maitrot hadden dat eindelijk van de bewoners van het flatgebouw gekregen – was zijn waarschuwing niet veel waard. Als je niet wist waar iemand was, kon je haar heel moeilijk beschermen.
'Hoe hadden we dat nu kunnen weten, mijn vriend? Mijn mannen zijn vóór jou een volle dag bij de rivier bezig geweest en ze hebben niets gevonden dat op de aanwezigheid van een derde man duidde.'
Lebrun probeerde hem op te beuren, maar de gevoelens van bitterheid, schuld en machteloosheid die McVeys maag deden samenkrimpen, werden er niet door verlicht. Acht mensen zouden nog in leven kunnen zijn als hij en de Franse politie een klein beetje beter in hun werk waren geweest. Michèle Kanarack was vlak nadat hij Lebrun had gebeld om hem te waarschuwen dat ze in levensgevaar was, doodgeschoten. Zou het enig verschil hebben gemaakt als hij zijn ontdekking eerder zou hebben gedaan en Lebrun drie, vier of vijf uur eerder zou hebben gebeld? Misschien wel, maar het was niet waarschijnlijk. Ze zou nog steeds een naald in een hooiberg zijn geweest.
'Om te beschermen en te dienen', was de leus die op het uniform van de politie van L.A. stond. Gewone mensen lachten erom, staken er de draak mee of negeerden het. 'Dienen?' Wie wist er nu wat dat betekende? Maar als je je om mensen bekommerde, zoals McVey, was hen beschermen iets anders. Als hun iets overkwam doordat jij, je partner of het korps nalatig was geweest, leed jij er ook zwaar onder. Niemand wist het en je praatte er niet over. Behalve dan tegen jezelf of tegen het

gezicht dat je in de bodem van een fles zag als je probeerde het te vergeten. Het was geen idealisme – dat raakte je kwijt de eerste keer dat je iemand zag die in zijn gezicht was geschoten. Het was iets anders. Het was datgene waarom je al die jaren nog steeds met volledige inzet je werk deed. Michèle Kanarack en haar zuster met haar gezin waren geen kapotte tv die je kon repareren. De mensen in het flatgebouw waarin Agnes Demblon gewoond had, waren geen auto waarover je met de handelaar ruzie kon maken omdat het een miskoop was. Het waren mensen en als je bij de politie werkte, moest dat iedere werkdag van je leven vooropstaan, in voor- en tegenspoed.
'Is dat koffie?' McVey knikte naar de thermosfles die Lebrun in zijn hand had.
'*Oui.*'
'Ik drink 'm zwart,' zei McVey. 'Het is tenslotte ook een zwarte dag.'
Tegen halftien uur had Lebrun al een team van het lab in het park gehad om een gipsafgietsel van het bandenspoor te maken en het dennenbosje af te speuren naar eventuele andere sporen die McVey over het hoofd had gezien.
Om 10.45 uur had McVey Lebrun in zijn kantoor opgezocht en ze waren samen naar het lab gegaan om te kijken of er al iets over het bandenspoor bekend was. Toen ze binnenkwamen, was een technicus bezig de al hard wordende gipsafdruk met een föhn droog te blazen. Vijf minuten later was het gips droog genoeg om er een inktafdruk op een vel papier van te maken.
Daarna werd de verzameling bandenprofielen die aan de Parijse politie door bandenfabrikanten ter beschikking was gesteld erbij gehaald. Vijftien minuten later wisten ze het. De inktafdruk van het gipsafgietsel dat in het park was gemaakt, kwam duidelijk overeen met die van een in Italië gefabriceerde Pirelli-band, maat P205/70R14, die om een autovelg van 14 bij 5 1/2 inch paste. De volgende ochtend, maandagmorgen, zou er een expert van de Pirelli-fabriek bijgehaald worden om het afgietsel te onderzoeken en te kijken of er nog nadere kenmerken konden worden vastgesteld.
Toen ze terugliepen naar Lebruns kantoor vroeg McVey of het lab al iets over de tandenstoker kon zeggen.
'Dat gaat langer duren,' zei Lebrun. 'Misschien weten ze morgen of overmorgen iets. Eerlijk gezegd betwijfel ik of er iets uit zal komen.'
'Misschien hebben we mazzel. Misschien is er bloed op gekomen toen hij hem gebruikte. Of misschien heeft hij de een of andere infectie of ziekte die in het speeksel sporen nalaat. We kunnen alles gebruiken, want nu hebben we helemaal niets.'

'We kunnen op geen enkele manier nagaan of de lange man de tandenstoker heeft gebruikt. Het zou ook Merriman, Osborn of een volslagen onbekende kunnen zijn geweest.' Lebrun opende de deur van zijn kantoor.
'Je bedoelt een mogelijke getuige?' vroeg McVey terwijl ze naar binnen liepen.
'Nee, dat bedoelde ik helemaal niet. Maar het is een idee, McVey. En nog een goed idee ook. Touché.'
Op dat moment was er op de deur geklopt en een geüniformeerde politieman was met de fax van de politie van Marseille binnengekomen.

McVey dronk zijn koffie op en liep naar de andere kant van de kamer. Op een mededelingenbord was een exemplaar van *Le Figaro* geplakt met een kwartpagina grote foto van Levigne die zijn verhaal aan de media vertelde. McVey prikte er duidelijk geërgerd met zijn vinger naar. 'Waar ik me nu kwaad om kan maken, is dat die vent van het clubhuis eerst bang is dat we zijn naam aan de media zullen doorgeven en vervolgens doet hij het zelf. Het leidt er alleen maar toe dat onze vriend nu weet dat er nog een ooggetuige in leven is.'
McVey wendde zich van het bord af en trok aan zijn oor. 'Het is te gek voor woorden, Lebrun. Wij kunnen haar niet vinden, maar híj wel.' Hij draaide zich om en keek de Franse inspecteur recht aan. 'Hoe wist hij dat ze in Marseille was terwijl niemand anders dat wist? En hoe wist hij waar hij haar in Marseille kon vinden?'
Lebrun drukte zijn vingertoppen tegen elkaar. 'Je denkt weer aan de Interpol-connectie. Degene in Lyon die bij de Newyorkse politie het dossier over Merriman heeft opgevraagd, kan over dezelfde middelen hebben beschikt om háár op te sporen.'
'Ja, daaraan denk ik inderdaad.'
Lebrun zette zijn kopje neer, stak een sigaret aan en keek op zijn horloge. 'Je wist het nog niet, maar ik neem de rest van de dag vrij,' zei hij kalm. 'Ik ga helemaal in mijn eentje een treinreisje naar Lyon maken. Niemand weet waar ik heen ga, zelfs mijn vrouw niet.'
McVey fronste zijn voorhoofd. 'Neem me niet kwalijk als ik het niet begrijp. Jij duikt straks in Lyon op en begint vragen te stellen. Denk je nu echt dat degene die het heeft gedaan zijn of haar hand zal opsteken en zeggen: "Ik ben het?" Je kunt net zo goed eerst een persconferentie houden.'
'*Mon ami*,' zei Lebrun glimlachend. 'Ik zei dat ik naar Lyon ging. Ik heb niet gezegd dat ik naar het hoofdkwartier van Interpol ging. In feite heb ik een heel oude vriend voor een heel rustig souper uitgenodigd.'

'Ga verder,' zei McVey.
'Zoals je weet, is Groep D, waaraan jouw onderzoek naar de hoofdloze lijken is toegewezen, een subgroep van Divisie Twee van Interpol. Divisie Twee is de politieafdeling die helemaal draait om naspeuringen en analyse. Degene die het Merriman-dossier heeft aangevraagd, zal bij Divisie Twee werken, waarschijnlijk in een hoge functie.
Divisie Een daarentegen is de afdeling die zich met de algemene leiding bezighoudt en de verantwoordelijkheid heeft over de financiën, de staf, de aanschaf van apparatuur, het beheer van de gebouwen en zaken als personeelsbeleid, boekhouding, onderhoud van gebouwen en andere dagelijkse activiteiten, zoals de beveiliging van het hoofdkwartier. Voor dit laatste bestaat een subgroep en degene die daarover de leiding heeft, zal toegang hebben tot de gegevens waaruit blijkt welke werknemer het Merriman-dossier heeft aangevraagd.'
Lebrun glimlachte tevreden over zijn plan. McVey staarde hem aan.
'Ik wil niet cynisch lijken, *mon ami*, maar als degene die je uit aardigheid mee uit eten neemt nu eens degene blijkt te zijn die de aanvraag heeft gedaan? Besef je niet dat jij de man bent voor wie ze in eerste instantie de informatie hebben achtergehouden zodat ze tijd zouden hebben Merriman te lokaliseren? Je hebt me al eerder gevraagd of ik dacht dat deze mensen het zouden aandurven een politieman te vermoorden. Als je daaraan toen twijfelde, hoef je nu alleen maar nog een keer naar het rapport uit Marseille te kijken.'
'Bedankt voor je waarschuwing.' Lebrun glimlachte en drukte zijn sigaret uit. 'Mijn vriend, ik waardeer je bezorgdheid. En onder andere omstandigheden zou ik het grondig met je eens zijn dat mijn aanpak onvoorzichtig is. Ik twijfel er echter ten zeerste aan of de chef van de Interne Beveiliging zijn oudste broer van kant zou maken.'

# 55

Een nieuwe donkergroene Ford met Pirelli-banden nummer P205/70R14 en wielen van 14 bij 5½ inch reed langzaam langs het flatgebouw op de Quai de Béthune, sloeg de hoek bij de Pont de Sully om en stopte in de rue Saint-Louis en l'Île achter een witte Jaguar-cabriolet.

Even later ging het portier open en de lange man stapte uit. Het was een warme middag, maar toch droeg hij handschoenen. Vleeskleurige operatiehandschoenen.
Bernhard Ovens trein was om kwart over twaalf op het Gare de Lyon aangekomen. Vanaf het station had hij een taxi naar het vliegveld Orly genomen, waar hij de groene Ford had opgehaald. Om tien voor drie was hij terug in Parijs en stond voor het flatgebouw waarin Vera Monneray woonde, geparkeerd.
Om zeven minuten over drie opende hij het slot, stapte haar appartement binnen en sloot de deur achter zich. Niemand had hem de straat zien oversteken of met de pas nagemaakte sleutel de deur van de dienstingang zien openen. Toen hij binnen was, liep hij de diensttrap op en ging het appartement via het achterportaal binnen.
Het eerst door Antenne 2 uitgezonden en later door alle nadere media overgenomen verhaal over de mysterieuze, donkerharige vrouw die de Amerikaanse verdachte van de moord op Merriman bij het golfterrein had opgehaald nadat hij uit de Seine was geklommen, vonden de meeste Fransen sappig, romantisch en zeer intrigerend. Wie ze was en wie de Amerikaan zou kunnen zijn, was het onderwerp van wilde speculaties. Zij zou een bekende Franse actrice, een filmregisseuse, een schrijfster, een internationale tennisster of zelfs een Amerikaanse rockzangeres zijn die een zwarte pruik droeg en Frans sprak. Over de chirurg werd beweerd dat hij helemaal geen chirurg was – de foto die de pers had gekregen zou vals zijn – maar een bekende filmacteur uit Hollywood die op dit moment in Parijs een film aan het promoten was. In nog onwaarschijnlijker verhalen was hij een Amerikaanse senator met een lange staat van dienst wiens ster door weer een nieuwe tragedie dalende was.
Vera Monnerays naam en adres stonden in blokletters op een kaartje dat, samen met de sleutels van de dienstdeur en haar appartement, in het handschoenenkastje van Bernhard Ovens auto had gezeten toen hij die op het vliegveld van Orly had opgehaald. In de ruim vijf uur sinds hij uit Marseille was vertrokken, had de Organisatie bewezen uitermate efficiënt te zijn, evenals in het geval van Merriman.

Op de sierklok op de tafel naast Vera Monnerays bed was het elf minuten over drie in de middag.
Mademoiselle Monneray, wist Oven, was die ochtend om zeven uur naar haar werk gegaan en zou pas de volgende avond om zeven uur met haar dienst klaar zijn. Dat betekende dat hij, afgezien van de mogelijkheid dat er een dienstmeisje of een klusjesman zou binnenkomen, niet

gestoord zou worden als hij het appartement doorzocht. Het betekende ook dat hij, als de Amerikaan er toevallig was, met hem alleen zou zijn. Vijf minuten later wist Oven dat de Amerikaan er niet was. Het appartement was even leeg als vlekkeloos schoon. Hij verliet het appartement, deed zorgvuldig de deur weer op slot, liep de diensttrap af en bleef staan op de overloop die leidde naar de dienstingang die op straat uitkwam. Maar in plaats van naar buiten te gaan, liep hij de trap naar de kelder af.
Hij vond een schakelaar, knipte het licht aan en keek om zich heen. Hij zag een lange gang die naar achteren onder het gebouw doorliep en waarop talrijke deuren en donkere opslagruimten uitkwamen. Aan zijn rechterkant stonden, weggestopt onder een laag afdak van zwaar hout, de vuilnisbakken van de bewoners van het gebouw.
Wat waren de upper-class Parijzenaars in hun onschuld toch hulpvaardig. Ieder appartement had zijn eigen vuilnisbakken en op elk ervan was het huisnummer geschilderd. Toen hij de ruimte nader onderzocht, had hij snel de vier afvalbakken gevonden die bij Vera's appartement hoorden. Slechts één ervan was vol.
Oven tilde het deksel eraf, spreidde een krant op de grond uit en begon de inhoud systematisch te onderzoeken. Hij verwijderde achtereenvolgens vier lege blikjes Diet Coke, een lege plastic flacon Gelave-haarversteviger, een leeg doosje Tic Tac-pepermuntjes, een lege doos Today-anticonceptiesponsjes, vier lege flesjes Amstel light-bier, een exemplaar van het tijdschrift *People*, een leeg en gedeeltelijk verbogen blikje rundvleesbouillon, een gele plastic flacon Joy-afwasmiddel en... Oven stopte, er rammelde iets in de flacon.
Hij stond op het punt de dop eraf te schroeven toen hij boven een deur hoorde dichtslaan. Even later hoorde hij iemand de trap afkomen. De voetstappen stopten even op de overloop die naar de dienstingang leidde en klonken toen op de trap naar de kelder. Oven draaide het licht uit, ging in de schaduw achter de trap staan en trok tegelijkertijd een automatische .25 kaliber Walther achter zijn broekband vandaan.
Een ogenblik later kwam een mollig dienstmeisje in een gesteven zwart-met-wit uniform klossend de trap af met een uitpuilende plastic vuilniszak in haar handen. Ze knipte het licht aan, tilde het deksel van een van de vuilnisbakken, liet de zak erin vallen, zette het deksel terug en draaide zich om naar de trap. Toen zag ze de rommel die Oven op de krant had uitgespreid. Ze mompelde iets, liep erheen, pakte de krant met de troep op en liet alles in Vera's vuilnisbak vallen. Ze zette het deksel terug, deed abrupt het licht uit en stommelde de trap op.
Oven hoorde het geluid van haar voetstappen verdwijnen. Toen hij ze-

ker wist dat ze weg was, liet hij de Walther achter zijn broekband glijden en knipte het licht aan. Hij lichtte het deksel van de afvalbak, haalde de gele plastic flacon eruit, schroefde de dop eraf, keerde hem om en schudde ermee. Wat erin zat rammelde, maar viel er niet uit. Hij trok een lang smal mes uit zijn mouw, trok het lemmet naar buiten en wipte een klein, met zeperig slijm bedekt flesje uit de flacon. Hij veegde het schoon en hield het in het licht omhoog. Het was een medicijnflesje van Wyeth Farmaceutische Produkten en op het etiket stond 0.5 ml tetanusserum.

Een flauw glimlachje gleed over Ovens gezicht. Vera Monneray was co-assistente. Ze had de beschikking over farmaceutische middelen en wist hoe ze een injectie moest geven. Een gewonde man die uit een vervuilde rivier kwam, zou heel waarschijnlijk een tetanusinjectie nodig hebben, niet alleen om tetanus, maar ook om difterie te voorkomen. En iemand die een injectie gaf, zou dat niet ergens anders hebben gedaan om vervolgens het lege flesje mee naar huis te nemen en het in een lege flacon afwasmiddel te verbergen. Nee, de injectie moest hier zijn toegediend, in Vera's appartement. En omdat de Amerikaan nu niet in haar appartement was, moest hij ergens dicht in de buurt zijn, misschien in een ander gebouw, misschien in dit gebouw zelf.

* * *

Vijfeneenhalve verdieping boven de kelder waar Bernhard Oven stond, boog Paul Osborn zich over de kleine tafel onder zijn raam en keek over het schuine dak naar de middagschaduw die over de gotische torens van de Notre Dame gleed.

In de uren waarin hij niet had geslapen, had hij in het kamertje beurtelings heen en weer gelopen om zijn gewonde been de noodzakelijke oefening te geven of hij had, zoals nu, wezenloos uit het raam gestaard terwijl hij probeerde zijn gedachten te ordenen.

Er waren bepaalde waarheden waar hij niet omheen kon, had hij geconcludeerd.

Ten eerste zocht de politie hem nog steeds in verband met de moord op Albert Merriman. Van Vera wist hij dat ze de overgebleven succinylcholine gevonden en uit zijn hotelkamer gehaald hadden. Zodra ze zouden ontdekken waartoe het middel diende, was er een grote kans dat ze – hij wilde hem nog steeds Kanarack noemen – Merrimans lijk opnieuw zouden onderzoeken. McVey zou daar dan vast en zeker op staan. Als ze dat deden zouden ze de prikwondjes vinden. Het zou niets uitmaken dat hij Merriman niet had vermoord. Ze zouden hem toch van poging

tot moord beschuldigen. En als ze daarvoor het bewijs zouden leveren, en dat zou geen probleem zijn, zou hij God weet hoeveel jaar in een Franse gevangenis moeten doorbrengen en hij zou ook zijn medische bevoegdheid in de Verenigde Staten kwijtraken.
Ten tweede was het niet onopgemerkt gebleven dat hij uit de rivier was gekomen en vroeg of laat zou de lange man, wie hij ook was, erachter komen dat hij nog leefde en hem opsporen om hem te doden.
Ten derde had de politie nog steeds zijn paspoort in handen, ook al zou hij op de een of andere manier uit Parijs kunnen wegkomen. Dus feitelijk zat hij in Frankrijk vast, want zonder zijn paspoort kon hij niet naar een ander land vertrekken, zelfs niet naar zijn eigen land.
Ten vierde, en dat was misschien het wreedste en pijnlijkste van alles, had de dood van Albert Merriman niets veranderd. Hoe hij er ook over piekerde, deze conclusie was onontkoombaar. De demon die hem kwelde was nog ongrijpbaarder en schimmiger geworden. Alsof dat na al die jaren van verschrikking nog mogelijk was.
Zijn hele wezen schreeuwde uit alle macht NEE! Zet de achtervolging niet opnieuw in, want achter de volgende deur waarop de naam Erwin Scholl staat, zal bijna zeker weer een andere deur zijn! En als je tegen die tijd nog in leven bent, zal dat alleen tot krankzinnigheid kunnen leiden. Erken in plaats daarvan, Paul Osborn, dat je nooit een antwoord zult krijgen. Dat het je karma is te leren dat er op de vragen waarop je in dit leven een antwoord zoekt, misschien geen antwoord bestaat dat aanvaardbaar voor je is. Alleen als je dat begrijpt, zul je in het volgende leven rust en vrede vinden. Aanvaard deze waarheid en probeer jezelf te veranderen.
Maar hij wist dat dat argument slechts een vermijdingsreactie was en daarom deugde het niet. Hij was nu net zomin in staat zichzelf te veranderen als voorheen. De dood van Kanarack alias Merriman was een verschrikkelijke emotionele klap geweest, maar had wel geholpen zijn toekomst eenvoudiger en duidelijker te maken. Hiervoor had hij zich alleen een gezicht herinnerd. Nu kende hij een naam. Als hij deze Erwin Scholl zou vinden en hij zou weer naar iemand anders worden geleid, dan was daar niets aan te doen. Hij zou ten koste van alles net zo lang doorgaan tot hij de waarheid over zijn vaders dood zou hebben achterhaald. Want als hij dat niet deed, zou hij Vera verliezen en zijn leven zou zonder betekenis zijn, zoals het al sinds zijn jongensjaren was. Hij zou in dit leven rust en vrede vinden of helemaal niet. Dát waren zijn karma en zijn waarheid.
Buiten waren de torens van de Notre Dame nu helemaal in schaduw gehuld. Spoedig zou de stadsverlichting aan gaan. Het was tijd om het

gordijn dicht te trekken en de lamp aan te doen. Nadat hij dat had gedaan, hinkte hij naar zijn bed en ging liggen. Zijn vastberadenheid van een ogenblik geleden verdween en de pijn kwam weer opzetten, heviger dan al die tijd daarvoor.
'Waarom is dit mijn familie overkomen? Waarom is dit mij overkomen?' zei hij hardop. Hij had deze vraag als jongen, als puber, als volwassen man en als succesvol chirurg gesteld. Wel duizend keer. Soms kwam de vraag bij hem op als een kalme gedachte of als onderdeel van een lucide gesprek tijdens een therapiezitting. Andere keren, als hij plotseling door emotie werd overmand, had hij de vraag luidkeels uitgeschreeuwd, waar hij op dat moment ook was, en daarmee ex-vrouwen, vrienden en vreemden in verlegenheid gebracht.
Hij tilde zijn kussen op, pakte Kanaracks revolver en woog het wapen in zijn hand. Hij draaide het naar zich toe en zag het gat waaruit de dood kwam. Het leek gemakkelijk. Het was zelfs verleidelijk. De eenvoudigste manier om overal een eind aan te maken. Geen angst meer voor de politie en de lange man. En het mooiste was nog dat de pijn onmiddellijk verdwenen zou zijn.
Hij vroeg zich af waarom hij daar niet eerder aan had gedacht.

# 56

Vijftien minuten later, om kwart voor zes, belde Bernhard Oven aan op Quai de Béthune nummer 18 en wachtte. Hij had besloten eerst in het pand waar Vera Monneray woonde naar de Amerikaan te gaan zoeken en als hij hem daar niet vond, zijn speurtocht in de directe nabijheid voort te zetten.
Er klonk een klik van de grendel en Philippe opende de deur terwijl hij onder zijn dubbele onderkin de bovenste knoop van de tuniek van zijn groene uniform dichtknoopte.
'*Bonsoir, monsieur*,' zei hij en hij verontschuldigde zich omdat hij Oven had laten wachten.
'Ik kom een pakje brengen van de apotheek in het Sainte Annéziekenhuis, dat door dokter Monneray is besteld. Ze zei dat ik moest doorgeven dat het dringend was,' zei Oven.

'Bij wie moest u het afleveren?' vroeg Philippe verbaasd.
'Bij u veronderstel ik. Bij de portier op dit adres. Dat is alles wat ik weet.'
'Het komt van de apotheek? Weet u dat zeker?'
'Zie ik eruit als een bezorger? Natuurlijk weet ik het zeker, monsieur. Het is een medicijn dat dringend nodig is. Daarom ben ik, de assistent-bedrijfsleider, op een zondagavond helemaal naar de andere kant van de stad gestuurd.'
Philippe zweeg. Gisteren had hij Vera geholpen Paul Osborn vanuit een auto die in de achterstraat geparkeerd was via de diensttrap naar haar appartement te dragen. Later die dag had hij haar geholpen Osborn, die na een operatie zwaar verdoofd was, naar de verborgen dakkamer te brengen.
Osborn, wist hij, had medische verzorging nodig gehad en dat was ongetwijfeld nog het geval. Waarom zou de ziekenhuisapotheek anders op Vera's verzoek op zondagavond een bestelling komen afleveren?
'*Merci, monsieur*,' zei hij en Oven overhandigde hem een officieel kwitantieboekje en een pen.
'Wilt u alstublieft even tekenen?'
'*Oui.*' Philippe knikte en tekende.
'*Bonsoir*,' zei Oven. Hij draaide zich om en liep weg.
Philippe sloot de deur, keek naar het pakje en liep snel naar de balie. Hij pakte de telefoon en draaide Vera's nummer op haar werk.
Vijf minuten later tilde Bernhard Oven de stalen dekplaat van het telefoonpaneel in de kelder van Quai de Béthune nummer 18, stopte de stekker van een kleine oortelefoon in het contact van een microrecorder die was verbonden met de telefoonlijn van de balie en drukte op de afspeelknop. Hij hoorde de portier vertellen wat er was gebeurd en vervolgens antwoordde een gealarmeerde vrouwenstem, die van mademoiselle Monneray moest zijn.
'Ik heb helemaal geen pakje met een medicijn laten bezorgen, Philippe,' zei ze. 'Maak het eens open en kijk wat het is.'
Er klonk geritsel van papier, gevolgd door een gebrom en daarna hoorde hij de stem van de portier weer. 'Het is smerig... Het... het ziet eruit als een medicijnflesje zoals artsen gebruiken wanneer ze je een...'
Vera onderbrak hem. 'Kijk eens wat er op het etiket staat.' Oven hoorde dat haar stem bezorgd klonk en hij glimlachte.
'Er staat... Neem me niet kwalijk. Ik moet even mijn bril pakken.' Er klonk een bons toen Philippe de telefoon neerlegde. Even later kwam hij weer aan de lijn. 'Er staat "0.5 ml tetanusserum".'
'Jezus Christus!' stootte Vera uit.

'Wat is er, mademoiselle?'
'Heb je die man herkend, Philippe? Was hij een van de politiemannen?'
'Nee, mademoiselle.'
'Was hij lang?'
'*Très*. Heel lang.'
'Stop het flesje in je eigen vuilnisbak en doe verder niets. Ik ga nu uit het ziekenhuis weg. Ik heb je hulp nodig wanneer ik thuiskom.'
'*Oui, mademoiselle.*'
Er klonk een duidelijke klik toen Vera ophing en het werd stil.
Bernhard Oven trok kalm de stekker van de oortelefoon uit de microrecorder en haakte de recorder los van de telefoonkabel.
Even later zette hij de dekplaat terug voor het telefoonpaneel, draaide het licht uit en liep de diensttrap op.
Het was zestien minuten over zes. Hij hoefde nu alleen nog maar te wachten.

* * *

Nog geen tien kilometer daarvandaan zat McVey alleen aan een tafeltje op een terras op de Place Victor Hugo. Rechts van hem zat een jonge vrouw in een spijkerbroek op haar ellebogen geleund in het niets te staren. Vóór haar stond een glas wijn dat ze nog niet had aangeraakt en een klein hondje lag aan haar voeten te dommelen.
Links van hem zaten twee bejaarde, zeer goed geklede en kennelijk zeer rijke matrones onder het genot van een kopje thee met elkaar te kletsen. Ze waren opgewekt en geanimeerd en zagen eruit alsof ze hier al een halve eeuw iedere dag om deze tijd kwamen.
McVey wiegde zijn glas Bordeaux in zijn handen en wenste dat hij zo zou sterven. Niet noodzakelijkerwijs rijk, maar wel opgewekt en geanimeerd en tevreden met de wereld om hem heen.
Toen raasde er een politieauto met flitsende zwaailichten langs en McVey besefte dat hij zich niet zozeer druk maakte om zijn eigen verscheiden als wel om Osborn. Hij had gelogen over de modder op zijn schoenen omdat hij in het nauw gedreven was. Hij was verliefd en had als toerist kort daarvoor waarschijnlijk dicht genoeg in de buurt van de Eiffeltoren gelopen om te weten dat de tuinen omgespit en modderig waren. Toen hem naar de modder op zijn schoenen werd gevraagd, had hij snel zijn smoesje klaar gehad. Het probleem was dat de modder daar grijszwart was, niet rood.
Osborn was die donderdagmiddag – nauwelijks vier dagen geleden – op de rivieroever bij het park geweest. Dezelfde plaats waar de volgende

dag Merriman was vermoord en Osborn was neergeschoten.
Wat was Osborns plan geweest dat was misgelopen? Had hij Merriman zelf willen vermoorden of had hij hem voor de lange man in de val laten lopen? Als hij Merriman zelf had willen doden, hoe paste de lange man dan in de gebeurtenissen? Als hij Merriman voor de lange man in de val had laten lopen, hoe kon het dan dat Osborn zelf ook slachtoffer was geworden? En waarom een man als Osborn, een keurige, zij het wat opvliegende orthopedisch chirurg uit Californië?
En dan was er ook nog het middel dat de Franse politie had gevonden. Succinylcholine.
Door een telefoontje naar doctor Richman van het Koninklijk Instituut voor Pathologie in Londen, was hij erachter gekomen dat succinylcholine een vóór een operatie gebruikt verdovingsmiddel was, een synthetisch curare dat werd gebruikt om de spieren te ontspannen. Richman had beklemtoond dat het toepassen van het middel door onbevoegden zeer gevaarlijk kon zijn. Het middel bracht de skeletspieren tot volledige ontspanning en kon tot verstikking leiden als het in een te grote dosis werd toegediend.
'Is het ongebruikelijk dat een chirurg zo'n middel in zijn bezit heeft?' had McVey hem gevraagd.
Richmans antwoord was ondubbelzinnig geweest. 'In zijn hotelkamer, terwijl hij zogenaamd op vakantie was? Dat is zeker zeer ongebruikelijk, zou ik zeggen!'
McVey had gezwegen, eventjes nagedacht en toen de hamvraag gesteld: 'Zou u het gebruiken voordat u een hoofd ging afsnijden?'
'Misschien. In combinatie met andere verdovingsmiddelen.'
'En hoe zit het met diepvriezen? Zou u het daarvoor gebruiken?'
'McVey, u moet begrijpen dat noch ik noch de collega's bij wie ik ernaar heb gevraagd ooit iets dergelijks zijn tegengekomen. We hebben niet genoeg informatie over wat er is geprobeerd en wat er in feite is gebeurd om ook maar iets zinnigs over de werkwijze te kunnen zeggen.'
'Doe me een plezier, meneer Richman,' zei McVey. 'Wilt u met dokter Michaels de lijken nog een keer onderzoeken?'
'Het heeft geen zin om naar succinylcholine te zoeken, inspecteur. Het middel wordt een paar minuten nadat het is geïnjecteerd in het lichaam afgebroken. Je zult er geen spoor meer van terugvinden.'
'Maar u zou misschien wel prikwondjes vinden waaruit we kunnen afleiden dat ze ergens mee geïnjecteerd zijn?'
McVey hoorde Richman een duidelijk instemmend geluid maken en de verbinding werd verbroken. Toen drong het zich plotseling in een flits aan hem op. 'Klootzak!' zei hij hardop. Het hondje onder de tafel naast

de zijne werd uit zijn slaap gerukt en begon te blaffen terwijl de twee bejaarde dames, die kennelijk voldoende Engels spraken om geschokt te zijn, hem woedend aankeken.
'Neem me niet kwalijk,' zei McVey. Hij stond op en liet een biljet van twintig franc op de tafel achter. 'En jij ook niet,' zei hij tegen de hond terwijl hij wegliep.
Hij stak de Place Victor Hugo over, kocht een kaartje en liep het metrostation binnen. 'Lebrun,' hoorde hij zichzelf zeggen, alsof hij al in het kantoor van de inspecteur was. 'We hebben hen nooit alle drie met elkaar in verband gebracht, hè?'
McVey keek op een grote kaart waarop de routes van de metro waren aangegeven, koos de trein waarvan hij dacht dat die hem zou brengen waar hij moest zijn en liep door terwijl hij nog steeds zijn denkbeeldige gesprek met Lebrun voerde.
'We hebben Merriman gevonden omdat hij zijn vingerafdruk heeft achtergelaten toen hij Jean Packard vermoordde, nietwaar? We wisten dat Osborn Packard had gehuurd om iemand te vinden. Osborn vertelde me dat het Vera Monnerays vriend was en dat leek toen geloofwaardig. Maar als hij daarover nu eens heeft gelogen, net zoals over de modder op zijn schoenen? Als het nu eens Merriman was die hij probeerde te vinden? Hoe hebben we dat in godsnaam over het hoofd kunnen zien?'
Hij perste zich een treincoupé binnen, vond een staanplaatsje en greep de stang boven zijn hoofd vast. Al was hij er razend over dat hij zo iets voor de hand liggends niet eerder had gezien, hij zette zijn gedachtengang geestdriftig voort.
'Osborn ziet Merriman in de brasserie, misschien toevallig, en herkent hem. Hij probeert hem te grijpen, maar de kelners komen tussenbeide en Merriman weet te ontkomen. Osborn achtervolgt hem tot in het metrostation, waar hij door de metropolitie opgepakt en aan jou overgedragen wordt. Hij speldt jullie op de mouw dat Merriman had geprobeerd zijn zakken te rollen; je mannen trappen erin en laten hem gaan. Niet onlogisch. Daarna neemt Osborn contact op met Kolb International en hij krijgt Packard toegewezen. Packard en Osborn steken de koppen bij elkaar en een paar dagen later heeft Packard Merriman, die de valse naam Henri Kanarack heeft aangenomen, gevonden.'
De trein minderde vaart in de tunnel, reed een station binnen, minderde nog meer snelheid en stopte. McVey keek naar het stationsbord en ging een stukje opzij toen een stelletje lawaaiige tieners instapte. Zodra de deuren zich hadden gesloten zette de trein zich weer in beweging. De hele tijd hoorde McVey niets anders dan de stem in zijn hoofd.
'Ik denk dat we rustig kunnen aannemen dat Merriman erachter is ge-

komen dat Packard achter hem aan zat en toen de rollen heeft omgedraaid om uit te vinden wat er in vredesnaam aan de hand was. En Packard, een harde ex-huursoldaat, laat niet met zich sollen en zeker niet in zijn eigen huis. Er ontstaat een hevig gevecht waaruit Merriman als overwinnaar te voorschijn komt. Maar hij maakt een foutje door een vingerafdruk achter te laten. Daarmee begint die heel andere kwestie. Daarna wordt het allemaal een beetje onduidelijk, maar als ik het goed heb, is de sleutel dat Merriman degene was die die eerste avond in het café door Osborn werd aangevallen. Je mannen hebben vastgesteld dat Osborn de dader was, maar niemand heeft ooit geweten wie het slachtoffer was. Behalve dan misschien Packard en zo is hij Merriman aanvankelijk op het spoor gekomen. Maar als het Merriman was die door Osborn werd aangevallen en als we zouden kunnen uitvinden waarom, zouden we misschien bij de lange man uitkomen en de cirkel zou rond zijn.'

De trein minderde weer snelheid en weer keek McVey hoe het station heette toen ze er binnenreden. Hier was het! Hier moest hij overstappen: Charles de Gaulle – Etoile.

Hij stapte uit, drong zich door de drommen mensen heen, klom een trap op, passeerde een venter die gesuikerde maïs verkocht en liep snel een andere trap af. Hij sloeg rechtsaf, volgde de mensenmassa het station in, drong zich naar voren en keek of de trein die hij moest hebben er al stond.

Twintig minuten later liep hij het St.-Paul-metrostation uit en de rue St.-Antoine in. Brasserie Stella was een half blok verderop in de straat, aan zijn rechterhand.

Het was zondag 9 oktober, tien over zeven 's avonds.

# 57

Bernhard Oven stond voor het donkere slaapkamerraam in Vera Monnerays appartement en zag de taxi stoppen. Een ogenblik later stapte Vera uit en liep het gebouw binnen. Oven wilde van het raam vandaan stappen toen hij een auto met gedoofde koplampen de hoek om zag komen. Hij drukte zich naar achteren tegen het gordijn en keek naar de

bijna nieuwe Peugeot die door het duister de straat in kwam, naar de stoeprand reed en stopte. Hij haalde langzaam een kijkertje ter grootte van zijn handpalm uit de zak van zijn colbert en richtte die op de auto. Er zaten twee mannen voorin.
Politie.
Dus zij deden hetzelfde als hij, zij gebruikten Vera ook om de Amerikaan te vinden. Ze hadden haar in de gaten gehouden en toen ze plotseling het ziekenhuis verliet, waren ze haar gevolgd. Dat had hij moeten voorzien.
Hij bracht de kijker weer omhoog en zag een van hen de mobilofoon pakken. Hoogstwaarschijnlijk meldden ze zich om instructies te vragen. Oven glimlachte. De politiemensen waren niet de enigen die op de hoogte waren van de persoonlijke relatie die mademoiselle Monneray met de premier had. De Organisatie was er al van op de hoogte sinds François Christian benoemd was. En daardoor en vanwege de pijnlijke politieke gevolgen die het zou kunnen hebben als er iets misging, was de kans bijna nihil dat de surveillerende rechercheurs, wat hun verdenkingen ook waren, toestemming zouden krijgen achter haar aan naar binnen te gaan. Ze zouden blijven waar ze waren en de surveillance vanaf de straat voortzetten of wachten tot hun superieuren zouden arriveren. Dat uitstel zou Oven alle tijd geven die hij nodig had.
Hij ging snel weg uit de slaapkamer, liep de gang door en, op het moment dat de deur van het appartement werd geopend, de donkere keuken binnen. Hij hoorde twee mensen praten en zag een licht in de huiskamer aangaan. Hij kon niet verstaan wat er werd gezegd, maar hij was er zeker van dat het de stemmen van Vera en de portier waren.
Plotseling kwamen ze de huiskamer uit en liepen door de gang rechtstreeks naar de keuken. Oven liep om de consoletafel in het midden heen, stapte een grote open voorraadkast in, trok de Walther vanachter zijn broekband vandaan en wachtte in het donker.
Even later kwam Vera, gevolgd door de portier, de keuken binnen en deed het licht aan. Ze was al half op weg naar de dienstdeur achter in de keuken toen ze bleef staan.
'Wat is er, mademoiselle?' vroeg de portier.
'Ik ben een stommeling, Philippe,' zei ze op ijzige toon. 'En de politie is slim. Ze hebben het flesje gevonden en het bij jou bezorgd in de veronderstelling dat je mij zou waarschuwen en ik zou doen wat ik heb gedaan. Ze nemen aan dat ik weet waar Paul is, dus sturen ze een lange rechercheur in de hoop dat ik zal denken dat het de man is die op Paul heeft geschoten en dat ik bang genoeg zal worden om hen naar Paul te leiden.'

Philippe was er niet zo van overtuigd. 'Hoe kunt u daar zo zeker van zijn? Niemand, zelfs monsieur Osborn niet, heeft de lange man van dichtbij gezien. Als deze man een politieman was, was het er een die ik nog nooit heb gezien.'
'Heb je alle politiemensen van Parijs gezien? Dat lijkt me niet...'
'Bekijkt u het eens van de andere kant, mademoiselle. Als hij nu eens toch degene was die meneer Osborn heeft neergeschoten, en geen politieman?'
Oven hoorde hem over de keukenvloer teruglopen. Het licht werd uitgedaan en hun stemmen werden langzaam zachter terwijl ze door de gang liepen.
'Misschien moeten we monsieur Christian waarschuwen,' zei Philippe toen ze bij de deur van de huiskamer kwamen.
'Nee,' zei Vera kalm. Tot nu toe wist alleen Paul Osborn dat ze haar relatie met de premier had verbroken. Ze had nog niet besloten hoe ze degenen die van hun relatie op de hoogte waren, zou vertellen dat er een eind aan was gekomen en zelfs niet óf ze dat zou doen. Bovendien was het laatste wat ze wilde dat François nu bij zoiets als dit betrokken zou raken. François Christian was een van de drie mogelijke opvolgers van Mitterrand en de verborgen machtsstrijd met het oog op de volgende verkiezingen werd door ingewijden al als een 'politiek bloedbad' beschreven. Als hij op dit moment in een schandaal verwikkeld zou raken, en zeker als het een schandaal was waarbij moord een rol speelde, zou hij geruïneerd zijn en al waren ze dan geen minnaars meer, ze gaf toch nog veel te veel om hem om te riskeren dat zijn carrière verwoest zou worden.
'Wacht hier.' Ze liet Philippe in de gang achter en liep de slaapkamer binnen.
Philippe keek haar na. Het was zijn werk mademoiselle Monneray te dienen en haar zo nodig te beschermen. Niet met zijn leven, maar door hulp in te roepen. Achter de balie in de hal bewaarde hij het privénummer van de premier dat hij dag en nacht mocht bellen als mademoiselle in moeilijkheden zat.
'Philippe, kom eens hier,' riep ze vanuit de donkere slaapkamer.
Toen hij binnenkwam, zag hij dat ze vanachter het gordijn door het raam naar buiten tuurde.
'Kijk zelf maar.'
Philippe liep naar binnen, ging naast haar staan en keek naar buiten. Aan de overkant van de straat stond een Peugeot geparkeerd. Een straatlantaarn die een eindje verderop stond, verpreidde voldoende licht om de twee mannen op de voorbank zichtbaar te maken.

'Ga terug naar de balie,' zei Vera. 'Doe normaal je werk alsof er niets is gebeurd. Bel over een paar minuten een taxi voor me. Zeg maar dat de bestemming het ziekenhuis is. Mochten die politiemannen binnenkomen, vertel hun dan dat ik naar huis ben gekomen omdat ik me ziek voelde, maar dat ik kort daarna weer opgeknapt was en besloot weer aan het werk te gaan.'
'*Oui, mademoiselle.*'
Vanuit de halfduistere deuropening van de keuken zag Oven Philippe de badkamer uitkomen en in zijn richting de gang in lopen. Hij trok onmiddellijk de Walther en stapte achteruit zodat Philippe hem niet zou kunnen zien. Even later hoorde hij dat de deur van het appartement geopend en gesloten werd. Daarna bleef het stil.
Dat kon maar één ding betekenen. De portier was weggegaan en Vera Monneray was alleen in het appartement.

# 58

Als ze vanuit hun onverlichte Peugeot omhoogkeken, konden de rechercheurs Barras en Maitrot het licht in Vera's huiskamer zien. Lebruns instructies aan alle rechercheurs van het team dat haar schaduwde, waren duidelijk geweest. Als ze het ziekenhuis verlaat, volgen jullie haar en vervolgens melden jullie je. Laat je niet in de kaart kijken tenzij de omstandigheden dat rechtvaardigen. 'Rechtvaardigen' betekende 'tenzij ze jullie naar Osborn leidt' of 'naar iemand van wie jullie vermoeden dat hij jullie naar hem zal leiden'.
Tot dusver hadden ze een huiszoekingsbevel en een arrestatiebevel voor Osborn, maar dat was dan ook alles. Het volgen van Vera was een makkie geweest. Ze was zondagmorgen vroeg uit haar appartement weggegaan, om vijf voor zeven bij het Centre Hospitalier Ste. Anne aangekomen en daar gebleven. Barras en Maitrot hadden de dienst om vier uur overgenomen en er was nog steeds niets gebeurd.
Toen was er om kwart over zes een taxi naar de hoofdingang gereden, Vera was naar buiten komen rennen en de taxi was met haar vertrokken. Barras en Maitrot hadden via de mobilofoon gemeld dat ze haar volgden en een tweede auto reed ter ondersteuning achter hen aan.

Maar de achtervolging had hen alleen naar haar appartement teruggevoerd en ze was naar binnen gegaan. De politiemannen konden niets anders doen dan hun hooggespannen verwachtingen laten varen, af en toe naar het helder verlichte raam omhoogkijken en wachten tot er misschien toch nog iets zou gebeuren.
Boven liet Vera het gordijn los en wendde zich in het donker af van haar slaapkamerraam. Op de sierklok op haar nachttafeltje was het tien voor halfacht. Ze was net iets langer dan een uur uit het ziekenhuis weg. Het was een stille avond geweest en ze had als reden voor haar vertrek opgegeven dat ze hevige menstruatiekrampen had. Als zich een spoedgeval voordeed, zou ze in een mum van tijd terug kunnen zijn.
Als het alleen maar de Parijse politie was geweest, zouden de zaken anders liggen. Dat was gisteravond bevestigd door Lebruns reactie op McVeys dringende vragen. Maar McVey liet zich niet misleiden. Ze had dat al de eerste keer dat ze hem ontmoette in zijn ogen gelezen. En dat maakte hem uiterst gevaarlijk als hij je tegenstander was. Hij mocht dan Amerikaan zijn, maar de Parijse politie, of in ieder geval de rechercheurs die aan deze zaak werkten, stonden volledig onder zijn invloed, of ze dat nu beseften of niet. Als hij wilde dat ze iets deden, zouden ze dat op de een of andere manier doen. Daarom geloofde ze nu dat de lange man die het pakketje bij Philippe had bezorgd, nep was. Het was een truc om haar zo bang te maken dat ze zou geloven dat Osborn in gevaar was en hen vervolgens naar zijn schuilplaats zou leiden. En de aanwezigheid van de politie – ze was er zeker van dat de mannen in de auto buiten politiemannen waren – bewees dat ze gelijk had.
De telefoon naast haar rinkelde en ze nam op.
'*Oui*? – Merci, Philippe.'
Haar taxi stond beneden te wachten.
Ze liep de badkamer in en opende een doos Tampax. Ze haalde een tampon uit de verpakking, spoelde die door het toilet en gooide de verpakking in de prullenbak onder de wasbak. Als de politie nadat ze was vertrokken haar appartement zou doorzoeken en haar later zou ondervragen, zou ze in ieder geval bewijsmateriaal hebben achtergelaten dat ze naar huis was gegaan vanwege menstruatiepijnen. Met het oog op wie ze was, zouden ze dan niet verder doorvragen.
Ze keek in de spiegel, fatsoeneerde haar haar zo'n beetje en bleef een ogenblik staan. Alles wat er tussen haar en Paul Osborn was gebeurd, had vanzelfsprekend geleken, zelfs tot op dit moment. De eerste keer dat ze hem tijdens de lezing in Genève had gezien, was ze overmand door het gevoel dat haar leven onvermijdelijk zou veranderen. De eerste nacht dat ze met hem had geslapen, had ze niet sterker het gevoel

gehad dat ze François bedroog dan wanneer hij haar broer was geweest. Ze had zichzelf voorgehouden dat ze François niet voor Osborn had verlaten. Maar dat was niet waar, want dat had ze wel gedaan. En daarom was wat ze nu deed, juist. Osborn zat in moeilijkheden en het maakte haar niet uit of ze de wet overtrad.
Ze deed het licht in de badkamer uit en liep in het donker door de slaapkamer, waarbij ze nog één keer bleef staan om door het raam te kijken. De politieauto was er nog steeds en de taxi stond recht onder het raam. Ze pakte haar tasje op, liep de gang in en bleef toen staan. Schaduwen van de straatlantaarn dansten over het plafond van de huiskamer en de gang.
Er was iets mis.
Het licht in de huiskamer was aan geweest, maar nu niet meer. Ze had het niet uitgedaan en Philippe ook niet. Misschien was de lamp doorgebrand. Ja, natuurlijk. De lamp. Plotseling flitste de gedachte door haar hoofd dat ze zich vergiste. Dat de mannen buiten geen politiemannen waren. Ze waren zakenlui die met elkaar zaten te praten, of vrienden of minnaars. Misschien was de lange man helemaal geen politieman geweest. Misschien was haar eerste gedachte juist geweest. Het was de moordenaar die het flesje met tetanusserum had gevonden en bij Philippe bezorgd had. Híj had gewild dat ze hem naar Osborn zou leiden. O God! Haar hart bonkte alsof het uit elkaar zou barsten.
Waar was hij nu? Ergens in het gebouw? Misschien zelfs hier in haar appartement? Hoe had ze zo dom kunnen zijn Philippe weg te sturen? De telefoon! Bel Philippe. Snel!
Ze draaide zich om en stak haar had uit naar de muurschakelaar. Plotseling werd er een sterke hand over haar mond geslagen en ze werd tegen het lichaam van een man aan naar achteren getrokken. Tegelijkertijd voelde ze dat de scherpe punt van een mes onder haar kin werd gedrukt. 'Ik wil je niet graag pijn doen, maar ik zal het doen als je niet precies doet wat ik zeg. Begrijp je dat?'
Zijn stem klonk heel kalm en hij sprak Frans, maar met een Nederlands of Duits accent. Doodsbang probeerde Vera zichzelf te dwingen na te denken, maar de gedachten wilden niet komen.
'Ik vroeg je of je het begreep.'
De punt van het mes werd dieper in haar vlees gedrukt en ze knikte.
'Goed,' zei hij. 'We gaan via de diensttrap achter in de keuken het appartement verlaten.' Hij was heel beheerst en formuleerde zorgvuldig. 'Ik ga mijn hand voor je mond vandaan halen. Als je ook maar één kik geeft, snijd ik je keel door. Begrepen?'
Denk na, Vera! Denk na! Als je met hem meegaat, zal hij je dwingen

hem naar Paul te brengen. De taxi! De chauffeur zal ongeduldig worden! Als je tijd weet te rekken, zal Philippe opnieuw bellen. Als je niet opneemt, zal hij naar boven komen.
Plotseling klonk er een meter of vier van hen vandaan een geluid bij de voordeur. Vera voelde hoe hij achter haar verstijfde en het mes gleed over haar keel naar beneden. Tegelijkertijd ging de deur open en Vera slaakte een kreet onder de hand voor haar mond.
Osborn stond in de deuropening. In zijn ene hand had hij de sleutel van haar appartement, in zijn andere Henri Kanaracks automatische pistool. Hij stond in het volle licht. Vera en de lange man stonden bijna volledig in het donker. Het maakte niet uit. Ze hadden elkaar al gezien.
Een flauw glimlachje deed Ovens mondhoeken omkrullen. Hij duwde Vera razendsnel opzij en zijn hand met het mes ging omhoog. Op datzelfde moment bracht Osborn het pistool omhoog terwijl hij tegen Vera schreeuwde dat ze zich moest laten vallen. Terwijl hij dat riep, wierp Oven het mes naar zijn keel. Instinctief bracht Osborn zijn linkerhand omhoog. De stiletto trof zijn hand met volle kracht en pinde die tegen de open deur.
Osborn kronkelde van pijn en schreeuwde het uit. Oven duwde Vera opzij en greep naar de Walther achter zijn broekband. Vera's gil ging verloren in een steekvlam die onmiddellijk werd gevolgd door een enorme knal. Oven liet zich opzij vallen en Osborn, wiens hand nog steeds aan de deur was vastgepind, vuurde weer. Het grote automatische pistool knalde drie maal snel achtereen, waardoor het leek alsof er een loeiende vuurstorm in de gang woedde die werd onderbroken door het oorverdovende geknal van de schoten.
Vanaf de vloer ving Vera een glimp op van Oven terwijl hij de gang door rende en via de keukendeur vluchtte. Toen rukte Osborn zijn hand los van de deur en hinkte langs haar achter hem aan.
'Blijf hier!' schreeuwde hij.
'Paul, niet doen!'
Het bloed stroomde over Ovens gezicht terwijl hij door de keuken rende. Hij gooide een rek met potten en pannen om, zwaaide de dienstdeur open en stormde de trap af.
Een paar seconden later verscheen Osborn behoedzaam in het vaag verlichte trapgat en luisterde. Hij hoorde niets. Hij rekte zijn nek uit en keek naar de trap achter hem omhoog en vervolgens weer naar beneden.
Niets.
'Waar is hij in jezusnaam?' fluisterde hij. Wees voorzichtig. Wees heel voorzichtig.

Op dat moment hoorde hij beneden een heel zacht krakend geluid. Toen hij omlaagkeek, dacht hij dat hij de deur naar de straat zag dichtzwaaien. Ertegenover, aan de andere kant van de overloop, was een gapend zwart gat, daar waar de trap in een bocht naar de kelder liep.
Osborn zwaaide het pistool in de richting van de deur en deed een behoedzame stap naar beneden. En toen nog een en nog een. Een trede kraakte onder zijn voet en hij bleef abrupt stilstaan terwijl zijn blik zich in het duister tegenover de deur boorde.
Is hij naar buiten gegaan? Of wacht hij beneden in de kelder en hoort hij me de trap afkomen?
Zijn linkerhand voelde koud en plakkerig aan. Hij keek naar beneden en zag dat het mes van de lange man er nog in stak. Maar hij kon er niets aan doen. Als hij het eruit trok, zou het bloed uit de wond stromen en hij had niets om het bloeden te stelpen. Hij had geen andere keus dan het te laten zitten.
Nog één stap en hij was op de overloop tegenover de deur. Hij hield zijn adem in en boog zijn hoofd schuin opzij om geluid uit de kelder te kunnen opvangen. Hij hoorde nog steeds niets. Zijn blik schoot naar de deur naar de straat en daarna weer naar het donkere trapgat. Hij voelde dat zijn hand rondom het mes begon te kloppen. Spoedig zou de shock wegebben en de pijn komen opzetten. Hij verplaatste zijn gewicht en deed een stap naar beneden. Hij had er geen idee van hoeveel treden hij moest afdalen voordat hij de vloer van de kelder zou hebben bereikt. Hij bleef staan en luisterde weer, in de hoop dat hij de ademhaling van de lange man zou kunnen horen.
Plotseling werd de stilte verscheurd door het geronk van de motor van een auto en het gegier van banden in de straat. In een oogwenk had Osborn zich met zijn goede been afgezet en was hij bij de deur. Het licht van koplampen scheerde over zijn gezicht toen hij naar buiten kwam. Hij bracht een arm omhoog en vuurde blindelings op de auto, die als een groene vlek langs hem schoot. Toen reed de wagen met piepende banden de hoek aan het eind van de straat om, schoot onder het licht van een lantaarn door en was verdwenen.
Hij liet het pistool langs zijn zij zakken en keek de auto na. Hij hoorde aanvankelijk niet dat de deur achter hem langzaam werd geopend. Toen hij het plotseling wel hoorde, draaide hij zich in doodsangst razendsnel om en bracht het pistool omhoog om te vuren.
'Paul!' Vera stond in de deuropening.
Osborn zag haar net op tijd. 'Jezus Christus!'
Ergens in de buurt klonk het geloei van sirenes. Vera pakte hem bij zijn arm, trok hem naar binnen en sloot de deur.

'De politie. Ze stonden buiten te wachten.'
Osborn aarzelde, alsof hij gedesoriënteerd was. Toen zag ze het mes uit zijn hand steken.
'Paul!' riep ze geschrokken.
Boven hen ging een deur open en daarna hoorden ze het geluid van voetstappen. 'Mademoiselle Monneray!' Barras' stem echode door het trapgat.
De aanwezigheid van de politie bracht Osborn weer bij zijn positieven. Hij stopte het pistool onder zijn arm, boog zich voorover, greep het handvat van het mes en trok het uit zijn hand. Het bloed spetterde op de vloer.
'Mademoiselle!' Barras' stem klonk nu van dichterbij. Zo te horen kwam er meer dan één man naar beneden.
Vera trok de zijden sjaal van haar hals en bond die om Osborns hand. 'Geef me het pistool,' zei ze. 'Ga dan naar de kelder en blijf daar.' De voetstappen waren nu luider. De beide rechercheurs hadden de verdieping boven hen bereikt en kwamen naar beneden.
Osborn aarzelde en gaf haar toen het pistool. Hij wilde iets zeggen, maar toen keken ze elkaar aan en een ogenblik was hij bang dat hij haar nooit meer zou zien.
'Schiet op!' fluisterde ze. Hij draaide zich om, liep hinkend de trap af en verdween om de bocht in de donkere kelder. Anderhalve seconde later bereikten Barras en Maitrot de overloop.
'Mademoiselle, is alles in orde met u?'
Met Henri Kanaracks pistool in haar hand draaide Vera zich naar hen om.

# 59

Het was al twintig minuten over negen voordat McVey het hele verhaal te horen kreeg. Zijn uitstapje naar Brasserie Stella in de rue St.-Antoine van twee uur geleden was als een mislukking begonnen, bijna op een fiasco uitgelopen en toen uiterst succesvol geëindigd.
Toen hij er om zeven uur aankwam, bleek de zaak stampvol te zijn en de kelners renden als mieren rond. De gerant, die de enige leek die zelfs

maar een beetje Engels sprak, deelde hem mee dat hij minstens een uur op een tafeltje zou moeten wachten. Toen McVey probeerde uit te leggen dat hij geen tafel wilde hebben maar alleen de bedrijfsleider wilde spreken, had de gerant met zijn ogen gerold, zijn handen in de lucht gegooid en gezegd dat vanavond zelfs de bedrijfsleider hem niet aan een tafel zou kunnen helpen, omdat de eigenaar een feest gaf en de hele grote zaal in beslag had genomen. Daarna liep hij op een holletje weg. Dus bleef McVey daar maar zo'n beetje staan met in zijn zak de politietekening die hij van Lebrun had gekregen en probeerde een andere aanpak te bedenken. Hij moest een eenzame of verdwaalde indruk hebben gemaakt, want vlak daarna pakte een kleine, lichtelijk dronken Française in een felrode jurk hem bij zijn arm, leidde hem naar een tafel in de grote zaal waar het feest werd gehouden en begon hem als haar 'Amerikaanse vriend' voor te stellen. Terwijl hij beleefd probeerde zich van haar te bevrijden, vroeg iemand anders hem in gebroken Engels waar in de States hij vandaan kwam. Toen hij zei 'uit Los Angeles' begonnen twee andere gasten vragen op hem af te vuren over de Rams en de Raiders. Een derde vroeg hem iets over de UCLA. Daarna drong een uitermate magere jonge vrouw die eruitzag en zich kleedde als een mannequin zich tussen hen in. Ze glimlachte verleidelijk en vroeg hem of hij iemand van de Dodgers kende. Een zwarte man vertaalde het voor haar en staarde McVey in afwachting van een antwoord aan. McVey wilde zich nu alleen nog maar zo snel mogelijk uit de voeten maken, maar om de een of andere reden zei hij: 'Ik ken Lasorda.' Dat was ook zo, want de manager van de Dodgers, Tommy Lasorda, was betrokken geweest bij de organisatie van een aantal benefietwedstrijden voor de politie en in de loop van de jaren waren ze min of meer vrienden geworden. Toen hij de naam Lasorda noemde, draaide een andere man zich om en zei in perfect Engels: 'Ik ken hem ook.'
De man was de eigenaar van Brasserie Stella en binnen een kwartier zaten twee van de drie kelners die Osborn van Albert Merriman hadden afgetrokken in het kantoor van de bedrijfsleider te kijken naar de tekening die McVey van hem had.
'*Oui*,' zei de eerste en hij overhandigde de tekening aan de tweede. De tweede bestudeerde de schets een ogenblik en gaf hem toen terug aan McVey.
'*L'homme*,' zei hij. De man.

Los Angeles.
'Roofovervallen-Moordzaken, Hernandez,' had de stem geantwoord. Rita Hernandez was jong en sexy. Te sexy voor een politievrouw. Ze

was vijfentwintig jaar, had drie kinderen en een echtgenoot die rechten studeerde en was de nieuwste en waarschijnlijk de intelligentste rechercheur van het korps.
'*Buenas tardes*, Rita.'
'McVey! Waar hang jij in vredesnaam uit?' Rita leunde achterover in haar stoel en grijnsde.
'Ik zit in Parijs, in Frankrijk.' McVey ging op het bed in zijn hotelkamer zitten en trok een schoen uit. Kwart voor negen 's avonds in Parijs was kwart voor een 's middags in L.A..
'Parijs? Wil je dat ik naar je toe kom? Ik laat mijn man, mijn kinderen, alles achter. Alsjeblieft, McVey!'
'Het zou je hier niet bevallen.'
'Waarom niet?'
'Er is hier geen fatsoenlijke tortilla te krijgen. Mij is het tenminste niet gelukt. Niet zoals jij ze maakt in ieder geval.'
'Die tortilla's kunnen me gestolen worden. Ik neem wel een brioche.'
'Hernandez, ik heb uitgebreide informatie nodig over een orthopedisch chirurg uit Pacific Palisades. Heb je tijd?'
'Breng maar een brioche voor me mee.'

Om 8.53 uur hing McVey op, opende met zijn sleutel het koelkastje en vond wat hij zocht: een halve fles van de Sancerre die hij had gedronken toen hij de vorige keer in het hotel logeerde. Of hij het wilde of niet, hij begon van Franse wijn te houden.
Hij opende de fles, schonk een half glas in, trok zijn andere schoen uit en legde zijn voeten op het bed.
Waar zochten ze naar? Wat had Osborn zo graag van Merriman gewild dat hij er, na zijn aanval op de man en diens ontsnapping, het geld en de moeite voor over had gehad een privé-detective te huren om Merriman te laten opsporen?
Het was mogelijk dat Merriman Osborn in Parijs op de een of andere manier razend had gemaakt. Misschien was Osborns verhaal dat Merriman hem in het metrostation had afgetuigd en geprobeerd had zijn portefeuille te stelen, waar. Maar McVey betwijfelde dat omdat Osborn Merriman in de brasserie te plotseling en te gewelddadig had aangevallen. Hoe opvliegend Osborn ook was, hij was toch medicus en slim genoeg om te beseffen dat je in vreemde landen mensen niet zomaar in het openbaar kon aanvallen zonder het risico te lopen dat je daarvoor de rekening gepresenteerd zou krijgen, vooral als de man alleen maar had geprobeerd je van je portefeuille te beroven.
Dus tenzij Merriman eerder op de dag Osborns woede had gewekt door

hem iets ernstigs aan te doen, was het redelijk naar een andere oorzaak te zoeken. Zijn intuïtie zei hem dat wat er tussen Osborn en Merriman aan de hand was, zijn wortels in het verleden had.
Maar wat zou een chirurg in L.A. voor connectie kunnen hebben met een huurmoordenaar die zijn eigen dood in scène had gezet, van wie bijna dertig jaar niets meer was gehoord en die zich de laatste tien jaar in Frankrijk onder de naam Henri Kanarack had schuilgehouden? Voor zover Lebrun had kunnen vaststellen, had Merriman als Henri Kanarack al die tijd niets strafbaars gedaan. Wat het ook was dat Osborn en Merriman met elkaar te maken hadden, het moest dus dateren uit de tijd dat Merriman nog in de Verenigde Staten woonde.
McVey stond op, liep naar de schrijftafel en opende zijn diplomatenkoffertje. Hij pakte de aantekeningen die hij van zijn telefoongesprekken met Benny Grossman over Merriman had gemaakt en liet zijn vinger langs de bladzijde lopen tot hij de datum had gevonden waarop Merriman zogenaamd in New York was vermoord.
'1967?' zei hij hardop. Hij nam een slok van zijn Sancerre en schonk zijn glas een beetje bij. Osborn was misschien veertig, waarschijnlijk jonger. Als hij Merriman in 1967 of daarvoor had gekend, moest hij toen nog een kind geweest zijn.
McVey vertrok zijn gezicht en overwoog de mogelijkheid dat Merriman Osborns vader was. Een vader die het gezin in de steek gelaten had en verdwenen was. Maar hij liet de gedachte even snel weer varen. Gezien Osborns leeftijd zou Merriman vroeg in zijn tienerjaren vader moeten zijn geworden. Nee, het moest iets anders zijn.
Hij dacht na over de succinylcholine, het verdovingsmiddel dat Lebruns mannen hadden gevonden, en hij vroeg zich af of dat iets met de kwestie tussen Osborn en Merriman te maken had, en zo ja, wat.
Toen hij daarover nadacht, realiseerde hij zich dat hij niets meer van commandant Noble had gehoord. Het was weliswaar nauwelijks vierentwintig uur geleden sinds hij uit Londen was vertrokken, maar vierentwintig uur zou voor de Londense politie ruimschoots genoeg tijd moeten zijn om ziekenhuizen en medische opleidingen in Zuid-Engeland te checken waar werd geëxperimenteerd met geavanceerde chirurgische technieken. Het natrekken van vermiste personen over een lange periode, om degene te vinden van wie het afgesneden hoofd met de metalen plaat erin zou kunnen zijn, zou heel lang kunnen duren en ze zouden misschien nog niets vinden.
En hoe zat het met zijn verzoek aan Richman en Michaels om de hoofdloze lichamen te onderzoeken op prikwondjes die misschien over het hoofd waren gezien vanwege de diverse stadia van ontbinding waarin de

lijken verkeerden? Prikwondjes die misschien waren veroorzaakt door een injectie met succinylcholine.
Dit was iets waaraan McVey een hekel had. Hij werkte het liefst alleen, waarbij hij de nodige tijd nam om te verwerken wat hij had ontdekt, om daar vervolgens naar te handelen. Toch mocht hij niet klagen over het team waarmee hij samenwerkte. Noble en zijn medewerkers en de medische experts in Londen deden precies wat hij vroeg, evenals Lebrun in Parijs. Benny Grossman in New York was buitengewoon behulpzaam geweest en nu zou Rita Hernandez in L.A. hopelijk op de proppen komen met gedegen achtergrondinformatie over Osborn die McVey een idee zou kunnen geven over wat er in het verleden was gebeurd, iets wat Osborns connectie met Merriman kon verklaren.
Maar dat was nu juist het probleem. Osborn, Merriman, de dode privédetective Jean Packard, de moordende lange man en de geheimzinnige gebeurtenissen waarbij Interpol in Lyon betrokken was, hadden één zaak moeten vormen. De verspreid over Noord-Europa aangetroffen lijken en het losse hoofd dat in Londen was gevonden, allemaal bij extreem lage temperaturen diepgevroren ten behoeve van het een of andere bizarre medische experiment, had een andere zaak moeten zijn. Toch had hij het idee dat deze twee volkomen van elkaar verschillende zaken op de een of andere manier met elkaar verweven waren. En de connectie – hoewel hij daarvoor geen enkel bewijs had – moest Osborn zijn.
Het beviel McVey niets. Hij had het gevoel dat de hele zaak hem tussen de vingers door glipte.
'Breek de zaak Osborn/Merriman open en je zult de andere zaak openbreken,' zei hij hardop. Tegelijkertijd zag hij dat de grote teen van zijn linkervoet zich door zijn sok begon te dringen. Voor het eerst in jaren voelde hij zich plotseling heel erg eenzaam.
Op dat moment werd er op de deur geklopt. McVey stond verbaasd op en liep naar de deur. 'Wie is daar?' vroeg hij. Hij opende de deur, maar liet het kettingslot erop zitten. Er stond een geüniformeerde politieman in de gang.
'Agent Sicot van de eerste prefectuur van de Parijse politie. Er heeft een schietpartij plaatsgevonden in het appartement van mevrouw Monneray.'

# 60

McVey keek naar het automatische kaliber .45 pistool dat Barras zo keurig op een linnen servet op Vera Monnerays eettafel had gelegd. Hij haalde een balpen uit de zak van zijn colbert, stak die in de loop en tilde het wapen op. Het was een in de v.s. gefabriceerde Colt die ten minste tien of vijftien jaar oud was.
Hij legde het wapen terug op de tafel, stak de balpen in zijn zak en keek om zich heen naar wat er allemaal gaande was. Zondagavond of niet, de Parijse politie had kans gezien het huis met technische deskundigen te vullen.
Aan de andere kant van de gang, in de huiskamer, zag hij de rechercheurs Barras en Maitrot met Vera Monneray praten. Naast hen stond een geüniformeerde agente en in de Alice in Wonderland-stoel zat de portier, die door iedereen opeens Philippe werd genoemd.
McVey liep de gang in en zag een pezig, bebrild lid van het technisch team opgedroogd bloed van de muur schrapen. Verderop was een kalende fotograaf net klaar met foto's maken. Daarna stapte een man die eruitzag als een beroepsworstelaar naar voren en haalde voorzichtig een afgeschoten kogel uit het versplinterde blad van een kersehouten tafel.
Uiteindelijk zou door deze activiteiten een redelijk nauwkeurig beeld van wat er was gebeurd worden verkregen. Maar op het ogenblik was het pistool op de eettafel het belangrijkst, in ieder geval voor McVey. Hij zou kunnen begrijpen dat er een klein pistool ter grootte van een handpalm was gebruikt. Een wapen van kaliber .25 of .32, misschien een Walther of een Beretta of, wat waarschijnlijker was, een in Frankrijk gemaakte Mab. Dat zou het wapen zijn dat een vooraanstaand lid van de Franse ministerraad voor zijn vriendin zou uitkiezen om in een noodsituatie te gebruiken. Maar een automatische Colt .45 was een mannenwapen. Het was groot en zwaar en gaf een gemene terugstoot als het werd afgevuurd. Zo op het oog klopte het niet.
Hij liep langs de fotograaf, die nu foto's maakte van de open deur naar de buitengang, en keek de huiskamer in. Barras had Vera Monneray kennelijk net iets gevraagd, want ze schudde haar hoofd. Ze keek op, zag dat McVey haar observeerde en wendde zich onmiddellijk weer naar Barras.
Het eerste dat Barras McVey had verteld toen deze binnenkwam, was dat François Christian op de hoogte was gesteld, Vera telefonisch had gesproken, maar niet hierheen zou komen. Dat was Barras' manier om

hem iets duidelijk te maken. Hij liet McVey daarmee weten dat er grotere belangen op het spel stonden en dat McVey zich het best op de achtergrond kon houden, vooral waar het Vera Monneray betrof.
Als Lebrun hier was zouden de zaken misschien anders liggen, maar hij was er nu eenmaal niet. Hij was laat op de dag de stad uitgegaan voor een privé-kwestie – niemand, zelfs zijn vrouw niet, leek te weten waarom het ging of waar hij naar toe was. Hij was onbereikbaar en zelfs niet op te piepen. Daarom was McVey erbij gehaald. Ze hadden het kennelijk met tegenzin gedaan, want Barras en Maitrot waren na de schietpartij onmiddellijk ter plaatse geweest omdat ze deel van het surveillanceteam uitmaakten en pas twee uur later was Sicot naar McVeys hotel gestuurd.
Het verbaasde McVey niets. Zo ging het bij alle politiekorpsen. Politieman of niet, je was niet een van hen, dus hoorde je er niet echt bij. Als je wilde meedoen, moest je uitgenodigd worden en dat kostte tijd. Meestal werd je vriendelijk behandeld, maar je moest alles zelf maar uitzoeken en werd er soms als laatste bijgehaald.
McVey liep terug de gang in en de keuken binnen. Er was door de hele stad een aanhoudingsbevel uitgegaan voor een ruim één meter negentig lange, blonde man die gekleed was in een grijze pantalon en een donker jasje en Frans sprak met een Nederlands of Duits accent. Het was niet veel, maar het was tenminste iets. Tenzij Vera het had verzonnen, wat hij betwijfelde, was er nu in ieder geval bewijs dat de lange man bestond.
Hij liep de keuken uit door een open deur die op een diensttrap uitkwam. Er waren technische teams aan het werk op de trap en op de twee verdiepingen lager gelegen overloop die uitkwam op de dienstingang. Terwijl hij zijn ogen goed de kost gaf, liep McVey de trap af naar de overloop en keek door de open deur naar buiten, waar geüniformeerde politiemannen de wacht hielden.
Vera had Barras en Maitrot verteld dat ze uit het ziekenhuis naar huis was gegaan nadat ze last van hevige menstruatiekrampen had gekregen. Ze was naar binnen gegaan, had een speciaal pijnstillend middel ingenomen dat ze thuis bewaarde en was gaan liggen. Een poosje later was ze zich beter gaan voelen en ze had besloten naar haar werk terug te gaan. Ze had Philippe gevraagd een taxi voor haar te bellen en toen hij haar had verteld dat deze voor stond, was ze de gang opgelopen om haar tasje te pakken. Ze had zich afgevraagd hoe het kwam dat het zo donker was en zich gerealiseerd dat het licht in de huiskamer was uitgedaan. Op dat moment had de man haar vastgegrepen.
Ze had zich losgerukt en was de eetkamer binnengerend om het pistool

dat François Christian daar voor noodsituaties had neergelegd, te pakken. Ze had zich razendsnel omgedraaid en verscheidene schoten – hoeveel precies wist ze niet – afgevuurd op de lange man, die toen via de dienstdeur en de achtertrap de straat op was gevlucht. Ze was hem achternagegaan omdat ze dacht dat ze hem misschien had geraakt en toen hadden Barras en Maitrot haar gevonden, terwijl ze met het pistool in haar hand bij de deur stond. Ze zei dat ze een auto had horen wegrijden, maar ze had hem niet gezien.
McVey stapte naar buiten, het felle licht van de blauwwitte politiewerklampen in en zag dat het technisch team in de straat de rubberbandensporen die evenwijdig aan en bijna recht tegenover de deur liepen die hij net was uitgekomen, aan het opmeten was.
Hij liep langzaam van het trottoir af de straat op, keek in de richting waarin de auto was weggereden en volgde toen de vluchtweg ervan tot hij buiten het schijnsel van de werklampen in het donker was gekomen. Na nog vijftien meter te hebben gelopen, draaide hij zich om. Hij hurkte neer en bestudeerde de straat. Het wegdek bestond uit met asfalt beklede klinkers. Hij tilde zijn hoofd op en bracht zijn ogen op gelijke hoogte met de werklampen. Vijf meter van hem vandaan glinsterde iets op de straat. Hij stond op, liep erheen en raapte het op. Het was een scherf van een verbrijzelde spiegel, van een buitenspiegel van een auto. Hij liet de scherf voorzichtig in de borstzak van zijn colbert glijden en liep terug naar de lampen tot hij precies recht tegenover de dienstingang stond, en keek toen over zijn schouder. Aan de overkant van de straat brandde overal achter de ramen licht en hij zag de sihouetten van de bewoners die keken naar wat er op straat gebeurde.
Hij liep in het verlengde van de dienstingang naar het gebouw aan de overkant van de straat. De enige verlichting hier kwam van een lantaarn die een meter of tien verderop stond. Hij stapte voorzichtig om een pasgeverfd ijzeren hek heen, liep op het gebouw af en bestudeerde het bakstenen oppervlak ervan zo nauwkeurig als in het beschikbare licht mogelijk was. Hij zocht naar een verse barst in het steen, naar een plek die was geraakt door een kogel die vanaf de overkant van de straat op een voorbijrijdende auto was afgevuurd. Maar hij zag niets. Misschien had hij zich vergist en was de scherf toch niet afkomstig van een door een kogel verbrijzelde autospiegel. Misschien had de scherf al een tijd op straat gelegen.
De mannen van het technische team waren klaar met hun opmetingen en gingen terug naar binnen. McVey wilde zich bij hen voegen en draaide zich al om toen hij zag dat het bovenste stuk van een van de sierpunten van het pasgeverfde hek ontbrak. Hij liep om het hek heen,

boog zich voorover en keek naar de grond achter de ontbrekende punt. Toen zag hij in de schaduw van een regenpijp aan de rand van het gebouw liggen wat hij zocht. Hij bukte zich en pakte het op. De voorste helft van de punt was geplet en verbogen door een zware klap. En op de plek waar de punt was geraakt, was de verse zwarte verf verdwenen, waardoor het glanzende staal zichtbaar was.

# 61

Bernhard Ovens besluit om zich terug te trekken was juist geweest. Het eerste schot van de Amerikaan, dat niet helemaal zuiver was geweest vanwege het mes dat in zijn hand stak, had een bloedige streep over de onderkant van zijn kaak getrokken. Hij had geluk gehad. Zonder het mes zou Osborn hem waarschijnlijk tussen zijn ogen hebben geraakt. Als Oven de Walther in plaats van het mes in zijn hand had gehad, zou hij bij Osborn hetzelfde hebben gedaan en daarna het meisje hebben gedood.

Maar zo was het nu eenmaal niet gegaan en hij was evenmin gebleven om het met de Amerikaan uit te vechten, omdat de politie die buiten wachtte ongetwijfeld snel op het geluid van de schoten zou afkomen. Het laatste dat Oven wilde was de strijd aanbinden met een woedende man met een pistool terwijl de politie achter hem door de voordeur naar binnen kwam.

Zelfs als hij Osborn had gedood, was de kans groot geweest dat de politie hem te pakken zou krijgen of verwonden. Als dat was gebeurd, zou hij in de gevangenis op zijn hoogst een dag in leven blijven voordat de Organisatie een manier had gevonden om haar probleem uit de wereld te helpen. Dat was nóg een reden waarom het juist was geweest dat hij zich tijdig had teruggetrokken.

Maar zijn vertrek had een ander probleem gecreëerd. Hij was voor het eerst duidelijk gezien. Door Osborn en door Vera Monneray, die hem tegenover de politie zouden beschrijven als een zeer lange man van minstens één meter negentig met blond haar en blonde wenkbrauwen.

Het was nu bijna halftien, iets meer dan twee uur na de schietpartij. Hij stond op van de stoel met rechte rug waarop hij had zitten nadenken,

liep de slaapkamer van het tweekamerappartement in de rue de l'Église binnen, opende de kast en pakte er een pasgeperste blauwe spijkerbroek met een lengtemaat van tweeëndertig inch uit. Hij legde de broek op het bed, trok zijn grijze flanellen pantalon uit en hing die zorgvuldig op een knaapje in de kast.
Hij trok de blauwe spijkerbroek aan, ging op de rand van het bed zitten en maakte de klittebandriempjes los waarmee zijn vijfentwintig centimeter lange been- en voetprothesen aan de stompjes van zijn halverwege de enkel en de knie geamputeerde benen waren bevestigd.
Hij opende een reiskoffer van hard plastic en haalde er een tweede stel prothesen uit die identiek waren aan het eerste, maar vijftien centimeter korter. Hij drukte ze tegen de beide stompen, bevestigde de klittebandriempjes en trok witte sportsokken en hoge Reebok-sportschoenen aan.
Hij stond op, zette de doos met de prothesen in een lade en liep de badkamer in. Daar zette hij een kortharige pruik op en maakte zijn wenkbrauwen met mascara van dezelfde kleur donker.
Om 9.42 uur verliet de één meter achtenzeventig lange Bernhard Oven, met een lichtkleurige pleister over de plek op zijn kaak waar de kogel zijn gezicht had geschampt, zijn appartement in de rue de l'Église. Hij liep een half blok naar het Jo Goldensberg-restaurant in de rue Rosiers, waar hij aan een tafel bij het raam ging zitten. Hij bestelde een fles Israëlische wijn en de specialiteit van de avond, opgerolde druivebladeren gevuld met gemalen rundergehakt en rijst.

* * *

Paul Osborn lag opgerold in het donker boven op de oude verwarmingsketel in de kelder van Quai de Béthune nr. 18 op een plek van ruim een halve vierkante meter, waar hij vanaf de vloer niet gezien kon worden. Zijn hoofd was maar een klein stukje verwijderd van het stoffige plafond van oude balken en gips waar het krioelde van de spinnen. Hij had de plek slechts enkele ogenblikken voordat de eerste rechercheurs de kelder in kwamen gevonden en nu, bijna drie uur later, lag hij er nog steeds. Hij was een tijdje geleden opgehouden met het tellen van de keren dat rondrennende ratten naar boven waren gekomen om aan hem te snuffelen en met hun afzichtelijke rode knaagdiereoogjes naar hem te staren. Als hij ergens dankbaar voor moest zijn, was het wel dat het een warme avond was en dat nog niemand in het gebouw de verwarming had aangezet zodat de ketel heet zou worden.
De eerste twee uur leek het in de kelder te wemelen van de politie.

Overal waren geüniformeerde agenten en politiemannen in burger met naamplaatjes op hun jasje geprikt. Sommigen van hen vertrokken en kwamen later terug. Ze spraken op heftige toon in het Frans en lachten af en toe om een grap die hij niet begreep. Hij bofte dat ze geen honden hadden meegebracht.
Het bloeden van zijn hand was opgehouden, maar de pijn was gruwelijk en hij verkrampte, had dorst en was verschrikkelijk moe. Hij was verscheidene keren in slaap gesukkeld, om dan weer te worden gewekt door de politie die overal zocht behalve op de plaats waar hij lag.
Het was nu al een hele tijd stil en hij vroeg zich af of ze er nog waren. Dat moest wel, anders was Vera wel naar beneden gekomen om hem te zoeken. Toen bedacht hij dat ze dat misschien niet zou kunnen doen. De politie had misschien bewaking achtergelaten om haar te beschermen als de lange man zou terugkomen. Wat moest hij doen? Hoe lang moest hij hier blijven voordat hij in ieder geval een poging zou kunnen wagen hier weg te komen?
Plotseling hoorde hij boven een deur opengaan. Vera! Zijn hart sprong op en hij duwde zich omhoog. Hij hoorde voetstappen naar beneden komen. Hij wilde iets zeggen, maar hij durfde niet. Toen hoorde hij dat degene die de trap afkwam op de overloop bleef stilstaan. Het móest Vera zijn. Waarom zou een politieman alleen naar beneden gaan als de kelder al grondig doorzocht was? Misschien was het iemand die kwam controleren of de dienstingang wel goed afgesloten was. Als dat het geval bleek te zijn, zou hij weer weggaan.
Plotseling hoorde hij een scherp gekraak toen iemand zijn gewicht op een trede van de trap die naar beneden leidde, zette. Het was niet de voetstap van een vrouw.
De lange man! Als hij nu eens, net als Osborn, aan de politie was ontkomen en nog steeds hier was? Of een manier had gevonden om terug te komen? In paniek keek Osborn om zich heen om een wapen te zoeken. Dat was er niet.
De trap kraakte weer en de voetstappen kwamen dichterbij. Osborn hield zijn adem in en door zijn hals uit te rekken, kon hij net de onderste treden zien. Hij hoorde nog een stap en toen verscheen er eerst één en toen een tweede mannenvoet. De man stapte de kelder in.
McVey.
Osborn ging liggen en drukte zich plat tegen de verwarmingsketel. Hij hoorde het geluid van McVeys voetstappen dichterbij komen en toen ophouden. Daarna liep hij verder. Hij bewoog zich van de verwarmingsketel vandaan, verder de kelder in die een heel blok lang was.
Een paar seconden hoorde hij niets. Toen hoorde hij een klik en er ging

een licht aan. Even later hoorde hij een tweede klik en er werd een groter deel van de kelder verlicht. Het weinige dat hij kon zien, had hij al gezien toen de Franse politie was binnengekomen. De kelder leek op een klein pakhuis. Aan weerskanten langs de muren stonden oude houten kolenbakken die nu waren volgepropt met meubilair en persoonlijke bezittingen van de huurders. Waar het licht ophield, verdwenen ze in het duister. Als hij zo ver had kunnen komen, dacht Osborn, in het deel van de kelder waar geen licht meer brandde, had hij zich overal kunnen verbergen. Hij zou aan de andere kant van de kelder misschien zelfs een uitgang hebben gevonden.
Op dat moment hoorde hij een geluid boven zijn hoofd en er viel iets op zijn borst. Het was een rat. Hij was dik en warm. Osborn kon zijn klauwtjes in de huid onder zijn overhemd voelen drukken terwijl het dier over zijn borst liep en snuffelde aan Vera's sjaal om zijn gewonde hand, die plakkerig nat van het opdrogende bloed was.
'Meneer Osborn!'
McVeys stem weergalmde door de hele kelder heen. Osborn maakte een schrikbeweging en de rat viel van hem af op de vloer. McVey hoorde de bons en zag de rat in het donker onder de trap verdwijnen.
'Ik ben niet dol op ratten. Wat vindt u van die beesten? Ze bijten als ze in het nauw zitten, hè?'
Osborn drukte zich een klein stukje omhoog en zag McVey halverwege de verwarmingsketel en de plek waar het licht ophield staan. Aan weerskanten van hem stonden stoffige kisten en spookachtige, met beschermende lappen stof bedekte meubelen tot aan het plafond opgestapeld. De hoogte van de stapels maakte dat McVey bijna minuscuul klein leek.
'Behalve de geüniformeerde teams aan de voor- en achterkant van het gebouw, is de Franse politie vertrokken. Mevrouw Monneray is met hen meegegaan naar het hoofdbureau. Ze willen haar fotoboeken laten zien om te kijken of ze de lange man kan herkennen. Als het in Parijs net zo gaat als in L.A. zal ze daar lang blijven. Er zijn heel veel boeken.'
McVey draaide zich om en keek naar de meubelen achter hem.
'Laat me u vertellen wat ik weet.' Hij draaide zich weer om en begon langzaam in Osborns richting terug te lopen. Zijn voetstappen echoden zwakjes en hij keek zoekend rond of hij ergens beweging kon bespeuren.
'Mevrouw Monneray loog toen ze de Franse politie vertelde dat zíj met het pistool op de lange man had geschoten. Ze is een zeer ontwikkelde vrouw met opmerkelijk goede connecties en ook nog co-assistente. Zelfs als het haar zou lukken zo'n groot .45 automatisch pistool op een

aanvaller te richten en zelfs als ze op hem heeft geschoten, betwijfel ik zeer of ze op een smerige achtertrap achter hem aan zou gaan, hem de straat op zou volgen en op hem zou blijven schieten terwijl hij wegreed.'
McVey stond stil, keek over zijn schouder en liep toen weer langzaam verder in de richting van Osborns schuilplaats terwijl hij luid genoeg praatte om zowel voor als achter hem verstaan te kunnen worden.
'Ze zegt trouwens dat ze een auto voorbij hoorde rijden, maar dat ze hem niet heeft gezien. Als ze hem niet heeft gezien, hoe is het haar dan gelukt met één schot de achteruitkijkspiegel te verbrijzelen en met een ander een punt van een ijzeren hek aan de overkant van de straat af te schieten?'
McVey moest weten dat de Franse politie de hele kelder had doorzocht zonder iets te vinden. Dat betekende dat hij erop gokte dat Osborn hier was. Maar het was maar een gok en hij wist het niet zeker.
'Er zaten verse bloedvlekken op de gangdeur boven en ook op de keukenvloer en de overloop bij de dienstingang die op straat uitkomt. De mensen van het gerechtelijk laboratorium van de Parijse politie zijn behoorlijk goed. Ze hebben in korte tijd vastgesteld dat er twee soorten bloed waren, met bloedgroep O en B. Mevrouw Monneray was niet gewond en bloedde dus niet. Daarom moet het bloed van u en de lange man zijn en ik durf erom te wedden dat een van jullie beiden bloedgroep O en de ander bloedgroep B heeft. We zullen er nog wel achter komen hoe zwaar jullie gewond zijn, denk ik.'
McVey stond nu recht onder Osborn en hij keek in het rond. Om de een of andere reden glimlachte Osborn. Als McVey een hoed zou hebben gedragen, zoals de rechercheurs van moordzaken in L.A. in de jaren veertig, zou Osborn die zo van zijn hoofd hebben kunnen plukken. Hij stelde zich voor hoe McVey zou kijken als dat gebeurde.
'Tussen haakjes, meneer Osborn, de politie van Los Angeles is uitgebreide informatie over u aan het verzamelen. Als ik in mijn hotel terugkom, ligt er een fax op me te wachten met de voorlopige gegevens. Ergens op dat vel papier zal uw bloedgroep vermeld staan.'
McVey wachtte en luisterde. Toen begon hij langzaam en geduldig via dezelfde weg als hij was gekomen terug te lopen terwijl hij wachtte tot Osborn, als hij daar was, de fout zou maken die hem zou verraden.
'Voor het geval u zich dat afvraagt, ik weet niet wie de lange man is en wat hij in zijn schild voert. Maar ik vind dat u moet weten dat hij direct verantwoordelijk is voor de dood van een aantal andere mensen die een man kenden die Albert Merriman heette en die u misschien onder de naam Henri Kanarack hebt gekend.
Merrimans vriendin, een vrouw die Agnes Demblon heette, is omgeko-

men bij een brand die de lange man in het flatgebouw waar ze woonde, heeft gesticht. Er zijn ook nog negentien andere volwassenen en twee kinderen in de vlammen omgekomen, van wie waarschijnlijk niemand ooit van Albert Merriman had gehoord.
Daarna is hij naar Marseille gegaan, waar hij Merrimans vrouw heeft gevonden. Hij heeft haar, haar zuster, de echtgenoot van haar zuster en hun vijf kinderen allemaal door het hoofd geschoten.'
McVey bleef staan en draaide een batterij lichten uit.
'Hij zat achter ú aan, meneer Osborn, niet achter mevrouw Monneray. Maar na vanavond, nu ze hem heeft gezien, zal hij zich ook met haar gaan bezighouden.'
Er klonk een doffe klik toen McVey de tweede batterij lichten uitdraaide. Toen hoorde Osborn dat hij in het donker zijn richting uit kwam lopen.
'Eerlijk gezegd, meneer Osborn, denk ik dat u verdomd lelijk in de knoei zit. Ik zoek u, de Parijse politie zoekt u en de lange man zoekt u. Als de politie u te pakken krijgt, kunt u uw hoofd eronder verwedden dat de lange man een manier zal vinden om u in de gevangenis uit de weg te ruimen. En daarna zal hij achter mevrouw Monneray aan gaan. Dat zal niet direct gebeuren, omdat ze een tijdje beschermd zal worden. Maar na verloop van tijd, als ze boodschappen aan het doen is, met de metro reist, bij de kapper is of om drie uur 's ochtends in de kantine van het ziekenhuis zit...'
McVey kwam dichterbij. Toen hij recht onder Osborn stond, draaide hij zich om en keek de donkere kelder in.
'Behalve u en ik weet niemand dat ik hier ben. Als we zouden praten, zou ik u misschien kunnen helpen. Denk daar maar eens over na.'
Toen viel er een stilte. Osborn wist dat McVey luisterde of hij ook maar het geringste geluid kon opvangen en hij hield zijn adem in. Het duurde ruim veertig seconden voordat Osborn hoorde dat hij zich omdraaide, naar de trap liep en naar boven begon te klimmen. Toen bleef hij weer staan.
'Ik logeer in een goedkoop hotel in de rue Git le Coeur dat Vieux Paris heet. De kamers zijn klein, maar ze hebben een muffige Franse charme. Laat daar een bericht achter als u me wilt ontmoeten. Ik zal niemand meebrengen. We zullen maar met zijn tweeën zijn. Als u bang bent, gebruik dan uw eigen naam niet. Zeg gewoon dat Tommy Lasorda heeft gebeld en geef me een tijd en een plaats op.'
Toen beklom McVey de resterende treden en was verdwenen. Even later hoorde Osborn dat de dienstdeur naar de straat geopend en gesloten werd. Daarna was alles stil.

# 62

Ze heetten Eric en Edward en Joanna had nog nooit zulke volmaakte mannen gezien. Ze waren vierentwintig jaar en zo te zien exemplaren van de mannelijke sekse zonder één enkel schoonheidsfoutje. Ze waren allebei één meter tachtig lang en wogen exact hetzelfde, vijfenzeventig kilo.
Ze had hen voor het eerst vroeg in de middag gezien toen ze met Elton Lybarger oefende in het ondiepe deel van het binnenbad in het gebouw dat de sportruimte van zijn landgoed herbergde. Het zwembad had olympische afmetingen, vijftig meter lang en vijfentwintig breed. Eric en Edward trokken snelle baantjes met de vlinderslag. Joanna had die slag al eerder zien zwemmen, maar meestal over korte afstanden, omdat de techniek zo vermoeiend was. Aan de ene kant van het bad was een apparaatje dat automatisch de baantjes die de zwemmers trokken, telde.
Toen Joanna en Lybarger in het bad kwamen, hadden ze al acht keer op en neer gezwommen, wat neerkwam op achthonderd meter. Tegen de tijd dat zij en Lybarger klaar waren, zwommen ze nog steeds naast elkaar de vlinderslag. De teller gaf tweeënzestig baantjes aan, ruim zes kilometer. Zes kilometer vlinderslag zonder te stoppen? Dat was ongelooflijk, zo niet onmogelijk. Maar er was geen twijfel aan, want ze was er zelf bij geweest.
Een uur later, toen een verpleger Lybarger kwam ophalen voor een spraakles, waren Eric en Edward uit het zwembad gekomen en bereidden zich voor om in het bos te gaan hardlopen. Von Holden stelde hen aan elkaar voor.
'De neven van meneer Lybarger,' zei hij glimlachend. 'Ze studeerden aan het Oostduitse Instituut voor Lichamelijke Ontwikkeling tot bekendgemaakt werd dat het gesloten zou worden. Dus zijn ze naar huis gekomen.'
Ze waren allebei buitengewoon beleefd. 'Hallo. Aangenaam met u kennis te maken,' hadden ze gezegd en toen waren ze weggerend.
Joanna had von Holden gevraagd of ze voor de Olympische Spelen trainden en hij had glimlachend geantwoord: 'Nee, niet voor de Olympische Spelen. Voor de politiek! Meneer Lybarger heeft hen daarin sinds hun jeugd gestimuleerd, vanaf het moment dat hun vader is overleden. Hij dacht toen dat Duitsland eens herenigd zou worden en hij heeft gelijk gekregen.'

'Duitsland? Ik dacht dat meneer Lybarger Zwitser was.'
'Nee, Duitser. Hij is in Essen geboren.'

Om precies zeven uur verzamelden de gasten en de familie zich in de eetzaal van het landhuis van meneer Lybarger dat, zoals Joanna had gehoord, *Anlegeplatz* heette. De naam betekende dat iemand die daarvandaan vertrok, altijd zou terugkeren.
Toen Joanna na een langdurige oefensessie met meneer Lybarger in haar kamer terugkwam, vond ze daar een avondjapon die was uitgekozen door de beroemde ontwerpster Uta Baur, aan wie Joanna de vorige avond op de stoomboot snel was voorgesteld en die een gast in *Anlegeplatz* bleek te zijn. Uta had slechts aan de hand van een foto haar maten bepaald en de jurk paste perfect. Het kledingstuk was lang en nauwsluitend en in plaats dat haar gevulde figuur er nadelig in uitkwam, flatteerde het haar juist door haar zwakke punten te verhullen en haar positieve te accentueren. Het kledingstuk was volkomen uniek, op een elegante manier erotisch en zo gewaagd dat het zonder ondergoed gedragen moest worden, zodat er geen strepen en bobbels van strak elastiek zichtbaar zouden zijn.
Het was gemaakt van zwart fluweel, sloot een klein stukje onder de hals en had een ingeweven, veerachtig, goudkleurig patroon dat vanaf de achterkant van haar nek over haar boezem en terug naar achteren liep, zodat het leek of ze een soort strakzittende boa droeg. Bij de schouders hingen heel kleine goudkleurige kwastjes, een volmaakte finishing touch.
Eerst aarzelde Joanna. Ze had nooit verwacht dat ze zoiets zou dragen, maar ze had niets gekleeds meegenomen en in *Anlegeplatz* werd er bij het diner avondkleding gedragen, dus er zat weinig anders op dan het aan te trekken.
Toen ze dat had gedaan, leek ze een metamorfose te hebben ondergaan. Het was een wonder. Toen ze zich had opgemaakt en haar haar had opgestoken, was ze niet langer de mollige, muisgrijze fysiotherapeute uit New Mexico, maar een elegant en sexy lid van de beau-monde dat zich gracieus en met zwier wist te gedragen.

De grote eetzaal van *Anlegeplatz* was een ruimte die had kunnen dienen als decor van het een of andere middeleeuwse kostuumstuk. De twaalf gasten zaten in met de hand gemaakte stoelen met een hoge rugleuning tegenover elkaar aan weerskanten van een lange smalle eettafel die gemakkelijk aan dertig gasten ruimte kon bieden, terwijl een stuk of zes obers hen op hun wenken bedienden. De zaal zelf was twee verdiepin-

gen hoog en geheel van steen. Vlaggen met het wapen van belangrijke families hingen aan het plafond als krijgsbanieren, waardoor de indruk werd versterkt dat hier vroeger koningen en ridders hadden gewoond. Elton Lybarger zat aan het hoofd van de tafel, met Uta Baur direct rechts van hem. Ze praatte op haar geanimeerde toon met hem alsof zij tweeën de enige aanwezigen waren. Ze was helemaal in het zwart gekleed en dat was, zoals Joanna later te horen kreeg, haar handelsmerk. Ze droeg kniehoge laarzen, een strakke zwarte broek en een zwarte blazer met één rij knopen die alleen bij haar borstbeen gesloten was. De huid van haar handen was strak en iriserend alsof ze nog nooit in de zon was geweest. De gleuf tussen haar vrij kleine borsten, die werden omhooggedrukt door een verstevigde beha, had dezelfde melkwitte kleur en was getekend door lichtblauwe aderen als scheurtjes in fijn porselein. Onder haar extreem korte witte haar werden haar trekken slechts geaccentueerd door haar geëpileerde wenkbrauwen. Ze droeg geen make-up of sieraden. Met haar uiterlijk en persoonlijkheid had ze dat niet nodig.
Het diner zelf duurde lang en verliep ongehaast. Hoewel ook dokter Salettl, de tweeling Eric en Edward en verscheidene andere mensen aan wie Joanna was voorgesteld maar die ze verder niet kende, bij haar in de buurt zaten, praatte ze hoofdzakelijk met von Holden over Zwitserland, over de geschiedenis van het land, zijn spoorwegnet en zijn geografie. Von Holden leek er alles van te weten, maar wat Joanna betrof had hij net zo goed over de achterkant van de maan kunnen praten. Zijn koele, korte telefoontje van die ochtend waarin hij haar had gevraagd zich gereed te maken om te worden opgehaald, had haar het gevoel gegeven dat ze goedkoop en lelijk was, dat ze de vorige avond was gebruikt. Maar toen ze hem die middag in de tuin was tegengekomen, was hij even warm en hartelijk geweest als de vorige avond en nu, tijdens het diner, gedroeg hij zich op dezelfde manier. Hoewel ze haar best deed het niet te laten merken, was de waarheid dat ze met het verstrijken van de avond steeds meer naar zijn aanraking begon te verlangen.
Na het diner vertrokken dokter Salettl en de andere gasten naar de bibliotheek op de eerste verdieping om koffie te drinken en naar een pianorecital van Eric en Edward te luisteren.
Als werknemers werden Joanna en von Holden daarvoor niet uitgenodigd en ze konden verder doen wat ze wilden.
'Dokter Salettl heeft me gezegd dat hij verwacht dat meneer Lybarger vóór aanstaande vrijdag zonder stok zal kunnen lopen,' zei Joanna terwijl ze naar Uta keek die meneer Lybargers arm pakte en hem de trap op hielp.

Von Holden keek haar aan. 'Lukt dat ook?' vroeg hij.
'Ik hoop het, maar het hangt van meneer Lybarger af. Ik weet niet waarom het zo belangrijk is dat hij het vrijdag zal kunnen. Wat zou een paar dagen meer nu voor verschil maken?'
'Ik wil je iets laten zien,' zei von Holden zonder op haar vraag in te gaan en hij leidde haar naar een zijdeur vlak bij de andere kant van de eetzaal. Ze gingen een met hout gelambrizeerde gang binnen en liepen naar een kleine deur die op een trap uitkwam. Von Holden gaf haar een hand en leidde haar een paar treden op naar een andere deur, die op een smalle gang uitkwam die, onder de oprijlaan door, van het huis vandaan liep.
'Waar gaan we naar toe?' vroeg Joanna zacht.
Von Holden antwoordde niet en Joanna huiverde van opwinding terwijl ze doorliepen. Pascal von Holden was een man die bijna iedere vrouw die hij hebben wilde, zou kunnen krijgen. Hij leefde in een wereld van buitengewoon rijke en mooie mensen die bijna een soort koningshuis vormden. Joanna was maar een doodgewone fysiotherapeute die met de neusklank van het zuidwesten van Amerika sprak. Ze had gisternacht haar pleziertje met hem gehad en ze wist dat het voor hem niets bijzonders kon zijn geweest. Dus waarom zou hij nog een keer willen? Als dat tenminste zijn bedoeling was.
Aan het eind van de gang leidde een trap omhoog. Bovenaan was weer een deur en von Holden opende die. Hij stapte opzij, duwde haar zachtjes naar binnen en sloot de deur achter hen.
Joanna keek met open mond omhoog. Ze waren in een ruimte die bijna helemaal in beslag werd genomen door een enorm waterwiel dat werd aangedreven door een diepe, snelstromende rivier.
'Door dit systeem is het landgoed onafhankelijk van energievoorziening van buitenaf,' zei von Holden. 'Wees voorzichtig, de vloer is heel glad.'
Hij pakte haar bij een arm en leidde haar naar een andere deur. Hij opende hem, stak zijn hand naar binnen en draaide het licht aan. Ze kwamen in een kamer van hout en steen van zes bij zes meter. In het midden was een poel kolkend water die door de rivier werd gevoed en omringd was door stenen banken. Von Holden wees op een houten deur en zei: 'Daarachter is een sauna. Heel natuurlijk en heel goed voor de gezondheid.'
Joanna voelde dat ze bloosde en tegelijkertijd raakte ze seksueel opgewonden.
'Ik heb niets meegenomen om me in om te kleden,' zei ze.
Von Holden glimlachte. 'Ah, maar dat is nu juist het wonder van Uta's

ontwerpen.'
'Dat snap ik niet.'
'De jurk is nauwsluitend en moet zonder onderkleding gedragen worden, nietwaar?'
Joanna bloosde weer. 'Ja, maar...'
'De vorm volgt altijd de functie.' Von Holden pakte voorzichtig een van de goudkleurige kwastjes aan de schouder van haar jurk tussen zijn vingers. 'Dit sierkwastje.'
Joanna wist dat hij iets deed, maar ze had er geen idee van wat. 'Wat is daarmee?'
'Als je hier heel zachtjes aan trekt...'
Plotseling gleed Joanna's jurk van haar lichaam en hij zakte zo elegant als een toneelgordijn op de vloer.
'Zie je, klaar voor het bad en de sauna.' Von Holden stapte achteruit en liet zijn blik over haar heen glijden.
Joanna voelde een begeerte zoals ze nog nooit had gevoeld, zo mogelijk nog sterker dan de vorige avond. Nog nooit had ze de aanwezigheid van een man zo intens erotisch gevonden. Op dat moment zou ze alles hebben gedaan wat hij vroeg, en meer.
'Wil je mij uitkleden? Ieder op zijn beurt, dat is niet meer dan eerlijk.'
'Ja...' hoorde Joanna zichzelf fluisteren. 'God, ja.'
Toen raakte van Holden haar aan. Ze kwam naar hem toe, kleedde hem uit en ze bedreven de liefde in het bad, op de stenen banken en daarna in de sauna.
Toen rustten ze uit en streelden elkaar en daarna nam von Holden haar weer, langzaam en weloverwogen, op manieren die haar stoutste verbeelding te boven gingen. Joanna keek omhoog en zag zichzelf weerspiegeld in het spiegelplafond en daarna in de spiegelwand aan haar linkerkant en die beelden maakten dat ze moest lachen van vreugde en ongeloof. Voor het eerst in haar leven voelde ze zich aantrekkelijk en begeerd. Ze genoot ervan en von Holden stond haar dat toe. Ze kon de tijd nemen zo lang ze wilde.

Op de eerste verdieping van het hoofdgebouw van *Anlegeplatz* zaten Uta Baur en dokter Salettl in een met donkerkleurig hout gelambrizeerde studeerkamer geduldig in leunstoelen te kijken naar het liefdesspel van von Holden en Joanna, dat te zien was op drie high definition grootbeeldtelevisiemonitors die signalen ontvingen van camera's die achter het spiegelglas waren opgesteld. Elke camera had zijn eigen monitor, zodat wat er gebeurde vanuit verschillende hoeken werd opgenomen, zodat ze niets zouden missen.

Het was twijfelachtig of ze fysiek in opwinding raakten door wat ze zagen, niet omdat ze allebei in de zeventig waren, maar omdat hun observatie zuiver klinisch was.
Von Holden was slechts een instrument in de studie en ze concentreerden zich hoofdzakelijk op Joanna.
Ten slotte stak Uta een hand uit en drukte met haar lange vingers op een knop. De monitors werden donker en ze stond op.
'Ja,' zei ze tegen Salettl. 'Ja', en daarna liep ze de kamer uit.

## 63

Op Osborns horloge was het maandag 10 oktober 2.11 uur in de ochtend.
Dertig minuten geleden was hij naar boven gegaan en nadat hij de verborgen trap naar de dakkamer beklommen had, was hij uitgeput de badkamer binnengegaan, had de kraan opengedraaid en gulzig gedronken. Daarna had hij Vera's van bloed doordrenkte sjaal van zijn hand gehaald en de wond schoongemaakt. De wond klopte hevig en het kostte hem veel moeite zijn hand te openen. Toch was de pijn welkom omdat die erop duidde dat noch de zenuwen, noch de belangrijke pezen ernstig beschadigd waren. Het mes had hem flink verwond en was tussen de middenhandsbeentjes net onder de knokkels van zijn middel- en ringvinger blijven steken.
Omdat hij zijn hand kon openen en sluiten, vermoedde hij dat er geen blijvende schade was aangericht. Toch zou hij een röntgenfoto moeten laten maken om er helemaal zeker van te zijn. Als er een bot gebroken of versplinterd was, zou hij geopereerd moeten worden en daarna moest de hand in het gips. Als hij zich niet zou laten behandelen, liep hij het risico dat de hand misvormd zou genezen, waardoor hij een eenhandige chirurg zou worden en zijn carrière verder wel zou kunnen vergeten. Dat wil zeggen als hij tegen die tijd nog zou leven, anders viel er niet eens wat te vergeten.
Hij pakte de antiseptische zalf, dezelfde die Vera op zijn been had gesmeerd, wreef zijn hand ermee in en deed er een schoon verband om. Daarna ging hij de kamer in, liet zich op het bed zakken en trok onhan-

dig met één hand zijn schoenen uit.
Nadat McVey was vertrokken, had hij een vol uur gewacht voordat hij zich van de verwarmingsketel had laten glijden en de donkere diensttrap beklommen had. Hij had behoedzaam, voetje voor voetje, gelopen omdat hij half en half verwachtte dat hij door een politieman met een revolver zou worden verrast. Maar dat was niet gebeurd, dus het was duidelijk dat de politiemensen die het huis nog bewaakten, buiten stonden.
McVey had gelijk gehad. Als de Franse politie hem te pakken zou krijgen en in de gevangenis zou zetten, zou de lange man een manier vinden om hem te daar te vermoorden. En daarna zou hij achter Vera aan gaan. Osborn zat in de tang en McVey was waarschijnlijk zijn laatste kans.
Hij maakte zijn overhemd los, deed het licht uit en ging in het donker achteroverliggen. Het ging weliswaar beter met zijn been, maar het begon nu stijf te worden door de overmatige inspanning. Hij merkte dat het kloppen in zijn hand minder was als hij die iets hoger hield en hij legde er een kussen onder. Hij was zo vermoeid dat hij onmiddellijk in slaap had moeten vallen, maar er tolden te veel gedachten in zijn hoofd rond.
Dat hij zo onverwacht was binnengekomen toen de lange man Vera had vastgegrepen, was zuiver toeval geweest. In de overtuiging dat ze op haar werk was en dat het appartement leeg zou zijn, had hij het erop gewaagd naar beneden te gaan om op te bellen. Hij had urenlang liggen piekeren voordat hij ten slotte tot de conclusie was gekomen dat hij het beste de Amerikaanse ambassade kon bellen, uitleggen wie hij was, en om hulp vragen. In wezen zou hij zich dan aan de genade van de Amerikaanse regering overleveren. Als hij geluk had, zou zij hem beschermen tegen gerechtelijke stappen van de Franse autoriteiten, die in het gunstigste geval misschien de omstandigheden in aanmerking zouden nemen en hem voor wat hij had gedaan alleen het land zouden uitzetten. Tenslotte had híj Henri Kanarack niet vermoord. Maar, wat belangrijker was, daardoor zou de aandacht volledig op hém worden gericht zodat Vera buiten het schandaal zou worden gehouden waarbij ze betrokken dreigde te raken en dat haar zou kunnen ruïneren. Zijn eigen privéoorlog was al bijna dertig jaar aan de gang. Het zou juist noch eerlijk zijn dat zijn demonen Vera's leven zouden vernietigen, wat er verder ook tussen hen was. Dat waren zijn gedachten geweest tot op het moment dat hij de deur had geopend en gezien had dat de lange man haar een mes op de keel had gezet. Op dat moment was zijn eenvoudige, duidelijke plan van de baan en veranderde alles. Vera was er nu bij betrokken, of ze wilde of niet. Als hij nu naar de Amerikaanse ambassade

zou gaan, zou dat net zo goed het einde zijn als wanneer de politie hem te pakken kreeg. Hij zou minstens voor zijn eigen veiligheid in hechtenis worden genomen terwijl de zaak werd uitgezocht. En door de publiciteit over de moord op Kanarack alias Merriman zouden de media zich op dit nieuws storten, waardoor ze de lange man en zijn medeplichtigen zouden vertellen waar hij was. En als ze hem uit de weg hadden geruimd zouden ze achter Vera aan gaan, zoals McVey had gezegd.
Terwijl hij met zijn kloppende hand in zijn hooggelegen kamertje in het donker op het bed lag, begon hij over McVey en zijn aanbod na te denken. En hoe langer hij wikte en woog en zich afvroeg of hij McVey wel kon vertrouwen, of zijn voorstel oprecht was of slechts een list om hem voor de Franse politie uit zijn tent te lokken, hoe meer hij ervan doordrongen raakte dat hij verder heel weinig keus had.

* * *

Om 6.45 uur lag McVey met één voet onder de dekens uit in zijn pyjamabroek op zijn buik en deed vergeefs zijn best om te slapen.
Hij had een idee uitgeprobeerd omdat dat alles was wat hij nog kon doen. Zonder de aanwezigheid van Lebrun zouden de Franse rechercheurs hem niet hebben toegestaan Vera Monneray uitvoerig te ondervragen, dus had hij het niet eens geprobeerd. Zelfs als Lebrun er was geweest, zou het moeilijk zijn geweest te achterhalen wat er was gebeurd, want mademoiselle Monneray was slim genoeg om zich achter het respect voor *l'amour* te verbergen, of, beter gezegd, achter de premier van Frankrijk.
Zelfs als hij zich had vergist en ze, zoals hij wel eerder had meegemaakt, uit angst, woede of verontwaardiging al schietend de lange man had achtervolgd, werd haar verhaal ontkracht door haar verklaring dat ze de auto niet had gezien. Want iemand was zeer beslist de straat opgegaan en had op de auto geschoten terwijl die voorbijraasde.
Als ze wél had gedaan wat ze zei, waarom zou ze dan liegen en zeggen dat ze de auto niet had gezien? De enige reden kon zijn dat ze te laat buiten was gekomen om te weten wat er was gebeurd. En dat betekende natuurlijk dat er iemand anders op de auto had geschoten.
Aangezien het technisch team bloed met twee verschillende bloedgroepen had gevonden en Vera zelf niet gewond was, moesten er minstens drie mensen in het appartement zijn geweest toen de schietpartij plaatsvond. Een van hen was weggereden en een tweede was nog steeds in het appartement. Dus ontbrak er nog een.
Bij het eerste pistoolschot hadden Barras en Maitrot hun oren gespitst.

Bij het tweede en het derde waren ze naar het gebouw gerend en had Barras via de radio om hulp gevraagd. De lange man was in een snelle auto ontkomen. Even later krioelde het in het gebied van de geüniformeerde politie. Ieder appartement in het gebouw en binnen een straal van drie blokken was doorzocht, evenals elke steeg, elk dak, elke geparkeerde auto en elke langsvarende schuit op de Seine waarop iemand die was gevlucht vanaf een brug of de kade had kunnen springen.

Dat kon maar één ding betekenen. De derde persoon was daar nog steeds ergens. Omdat de politie zo snel had gereageerd en omdat de schoten net buiten de dienstdeur waren afgevuurd, was de kelder de meest waarschijnlijke plaats waar deze persoon zich zou verbergen.

De kelder was weliswaar grondig doorzocht en beveiligd, maar er waren geen honden gebruikt. Hij wist uit ervaring dat wanhopige mensen buitengewoon slim kunnen zijn of soms gewoon dom geluk kunnen hebben. Daarom had hij de Franse politie haar werk laten afmaken en was toen teruggegaan.

Om 6.50 uur opende hij één oog, keek op de klok en kreunde. Hij had viereneenhalf uur in bed gelegen en wist zeker dat hij nog geen twee uur had geslapen. Eens zou hij acht volle uren nachtrust krijgen, maar hij had er geen idee van wanneer dat zou zijn.

Hij wist dat de mensen hem tot zeven uur met rust zouden laten. Daarna zouden ze hem gaan bellen. Lebrun zou hem vertellen dat hij op de terugweg uit Lyon was en een afspraak met hem maken en commandant Noble en dr. Richmond zouden uit Londen bellen.

Dan verwachtte hij nog twee telefoontjes uit L.A.. Een van rechercheur Hernandez die hij, toen hij om twee uur 's nachts in zijn kamer terugkwam, had gebeld omdat er geen fax met gegevens over Osborn voor hem klaarlag. Hernandez was er niet geweest en verder wist niemand iets over zijn verzoek.

Het tweede telefoontje uit L.A. zou van de loodgieter zijn, die McVeys buren hadden gebeld toen zijn automatische tuinsproeiers dag en nacht om de vier minuten aan en uit begonnen te gaan. De loodgieter zou hem bellen om hem een schatting te geven van de kosten van het installeren van een geheel nieuw systeem. Het oude had McVey twintig jaar geleden zelf aangelegd met een bouwpakket van Sears, waarvan de onderdelen inmiddels niet meer in de handel waren.

Dan verwachtte hij nog een telefoontje – of beter gezegd daarop hóópte hij en dat was ook de reden dat hij het grootste deel van de nacht had liggen woelen en draaien – dat van Osborn zou moeten komen. Weer dacht hij terug aan de kelder. De ruimte was groter dan ze leek en er waren talloze schuilplaatsen. Maar misschien had hij zich vergist en had hij in het donker tegen de muren staan praten.

6.52 uur. Nog acht minuten, McVey. Doe gewoon je ogen dicht, probeer nergens aan te denken en ontspan alle spieren, zenuwen en de rest.
Toen rinkelde de telefoon. Hij draaide zich kreunend om en nam op.
'McVey.'
'Met inspecteur Barras. Neem me niet kwalijk dat ik u stoor.'
'Dat geeft niet. Wat is er?'
'Inspecteur Lebrun is neergeschoten.'

# 64

Het was kort na zessen bij het Gare la Part Dieu in Lyon gebeurd. Lebrun was net uit een taxi gestapt en liep het station binnen toen een motorrijder met een automatisch wapen het vuur op hem opende en daarna onmiddellijk wegreed. Drie anderen waren ook geraakt. Twee van hen waren dood en de derde was ernstig gewond.
Lebrun was in zijn keel en borst getroffen en naar het Hôpital la Part Dieu gebracht. Zijn toestand was volgens de eerste berichten kritiek, maar er werd verwacht dat hij zou blijven leven.
McVey had zich de bijzonderheden laten vertellen, gevraagd of ze hem op de hoogte wilden houden en toen snel de telefoon neergelegd. Onmiddellijk daarna had hij Ian Noble in Londen gebeld.
Noble was net op kantoor gekomen en zat zijn eerste kopje thee van die dag te drinken toen hij McVey aan de lijn kreeg. Hij merkte direct dat McVey op zijn woorden lette.
In dit stadium had McVey er geen idee van wie hij kon vertrouwen en wie niet. Tenzij de lange man direct van Parijs naar Lyon was gegaan nadat hij uit Vera Monnerays huis was ontsnapt – wat heel onwaarschijnlijk was omdat hij zou weten dat de politie onmiddellijk een vangnet zou uitgooien – betekende dit niet alleen dat degenen die hier achter zaten ergens anders ook over bekwame schutters beschikten, maar ook op de een of andere manier van alles wat de politie deed op de hoogte

waren. Behalve McVey zelf had niemand geweten dat Lebrun naar Lyon ging, toch hadden ze daarover zoveel informatie dat ze zelfs precies wisten met welke trein hij naar Parijs zou teruggaan.
McVey had er geen flauw idee van wie ze waren en waarom ze deden wat ze deden. Maar als ze Lebrun te pakken hadden genomen toen deze dreigde hun mannetje in Lyon te ontmaskeren, moest hij ervan uitgaan dat ze ook zouden weten dat hij en de Parijse inspecteur aan de zaak Merriman hadden samengewerkt en aangezien er tot dan toe nog geen aanslag op hem was gepleegd, kon hij op zijn minst verwachten dat zijn hoteltelefoon werd afgeluisterd. Daarom vertelde hij Noble alleen wat iemand die hen afluisterde, zou verwachten. Dat Lebrun was neergeschoten en in kritieke toestand in het Hôpital La Part Dieu lag. McVey zou een douche nemen, zich scheren, vlug een broodje eten en zo snel mogelijk naar het hoofdbureau van politie gaan. Wanneer hij meer nieuws had, zou hij weer bellen.
In Londen had Ian Noble de hoorn zachtjes op de haak gelegd en zijn vingertoppen tegen elkaar gedrukt. McVey had hem duidelijk gemaakt hoe de zaken ervoor stonden. Lebrun lag in het ziekenhuis, McVey was bang dat zijn telefoon werd afgeluisterd en zou hem later vanuit een openbare telefooncel bellen.
Tien minuten later nam hij zijn privé-telefoon op.
'Er zit een soort mol bij Interpol in Lyon,' zei McVey vanuit een telefooncel in een klein café dat een blok van zijn hotel vandaan was. 'Het heeft met de moord op Merriman te maken. Lebrun is erheen gegaan om te kijken of hij iets kon ontdekken. Als ze weten dat hij nog leeft, zullen ze alsnog proberen hem te doden.'
'Dat begrijp ik.'
'Kun je hem naar Londen laten brengen?'
'Ik zal doen wat ik kan...'
'Ik neem aan dat dat "ja" betekent,' zei McVey en hij hing op.

Twee uur en zeventien minuten later landde er een Brits vliegtuig met medische voorzieningen aan boord op het kleine vliegveld van Lyon-Bron. Een ziekenauto met een Britse diplomaat die een hartaanval had gehad, reed er met hoge snelheid over het tarmac naar toe.
Vijftien minuten later was Lebrun op weg naar Engeland.

* * *

Om vijf over zeven stopte er een auto voor Vera's appartement op de Quai de Béthune nummer 18 en Philippe, die er vermoeid en afgetobd

uitzag na een lange nacht vergeefs naar foto's van bekende criminelen te hebben gestaard, stapte uit.
Hij knikte naar de vier geüniformeerde politieagenten die bij de voordeur stonden en liep de hal in.
'*Bonjour*, Maurice,' zei hij tegen de nachtportier die achter de balie stond. Hij had Maurice eigenlijk al eerder moeten aflossen, maar hij smeekte hem of hij nog een uur langer wilde blijven zodat hij de tijd had zich te scheren en nog even te slapen.
Hij opende een deur, liep een dienstgang door en ging een trap af naar zijn bescheiden appartement in de kelder aan de achterkant van het gebouw. Hij had zijn sleutel al te voorschijn gehaald toen hij een geluid achter zich hoorde en iemand zijn naam riep. Hij draaide zich angstig en geschrokken om en verwachtte half dat hij de lange man zou zien met een revolver op zijn hart gericht.
'Monsieur Osborn,' zei hij opgelucht toen Osborn vanachter een deur vandaan stapte die toegang gaf tot een ruimte waarin de meterkasten van het gebouw hingen. 'U had niet uit uw kamer moeten weggaan. Er is overal politie.' Toen zag hij Osborns verbonden hand, die hij als een klauw naast zijn middel hield.
'Monsieur...'
'Waar is Vera? Ze is niet in haar appartement. Waar is ze?' Osborn zag er niet alleen uit of hij nauwelijks had geslapen, maar hij leek bovendien bang.
'Komt u binnen, *s'il vous plaît*.'
Philippe opende snel de deur en ze gingen zijn kleine appartement binnen.
'De politie heeft haar naar haar werk gebracht. Dat wilde ze per se. Ik wilde alleen even naar het toilet gaan, daarna was ik naar boven gekomen om te kijken of u er was. Mademoiselle was ook erg bezorgd om u.'
'Ik moet haar spreken. Heb je telefoon?'
'*Oui*, natuurlijk. Maar de politie luistert misschien mee. Ze zullen het gesprek naar hier traceren.'
Philippe had natuurlijk gelijk. 'Bel jij haar dan. Zeg haar dat je bang bent dat de lange man haar zal vinden. Zeg tegen haar dat ze de rechercheurs die haar bewaken moet vragen of ze haar naar het huis van haar grootmoeder in Calais brengen. Ga er niet met haar over in discussie. Zeg haar dat ze daar moet blijven tot...'
'Tot wanneer?'
'Dat weet ik niet...' Osborn staarde hem aan. 'Tot... het veilig is.'

# 65

'Ik zet 'm even op "veilig".' McVey drukte op een knop op het bovenmaatse beveiligde telefoontoestel in Lebruns privé-kantoor op het hoofdbureau van politie. Het knipperen van het lichtje bevestigde dat de lijn niet afgeluisterd kon worden. 'Kun je me nog horen?'
'Ja.'
'Lebrun is veertig minuten geleden gearriveerd, dank zij de RAF,' zei Noble over een soortgelijke telefoon in het communicatiecentrum van Special Branch. 'We hebben hem onder een fictieve naam in het Westminster Hospital ondergebracht. Hij is er niet best aan toe, maar de artsen denken dat hij het wel zal halen.'
'Kan hij praten?'
'Nog niet. Maar hij kan schrijven of in ieder geval iets neerkrabbelen. Hij heeft ons twee namen gegeven. "Klass" en "Antoine". Achter Antoine staat een vraagteken.'
Klass was doctor Hugo Klass, de Duitse vingerafdrukkenexpert die bij Interpol in Lyon werkte.
'Hij vertelt ons daarmee dat Klass het dossier van Merriman bij de Newyorkse politie heeft aangevraagd. Antoine is Lebruns broer. Hij is hoofd van de Interne Beveiliging in het hoofdkwartier in Lyon,' zei McVey. Hij vroeg zich af of het vraagteken achter Antoines naam betekende dat hij zich zorgen maakte om de veiligheid van zijn broer of dat deze met de schietpartij te maken had.
'Nu ik je toch aan de lijn heb, wil ik je nog iets anders vertellen,' zei Noble. 'We hebben een naam bij ons keurig afgesneden hoofd gevonden.'
'Je meent het.' McVey was langzamerhand gaan denken dat het woord mazzel uit zijn vocabulaire was geschrapt.
'Timothy Ashford, een huisschilder uit Clapham South, wat zoals je misschien weet een arbeiderswijk in Zuid-Londen is. Hij woonde alleen en deed in losse dienst allerlei schilderklusjes. Zijn enige familielid is zijn zuster die in Chicago woont, maar kennelijk hadden ze niet veel contact met elkaar. Het is volgende maand twee jaar geleden dat hij verdween. Zijn huisbazin heeft het gemeld. Ze is naar de politie gegaan toen ze hem een paar weken niet had gezien en hij achter was met zijn huur. Ze had de flat verhuurd, maar wist niet wat ze met zijn bezittingen moest doen. Ze hebben bij een knokpartij in een café zijn schedel ingeslagen met een biljartkeu. We hebben de mazzel dat hij ook een bobby

heeft geslagen. Dat ze hem hebben opgelapt en een metalen plaat in zijn hoofd hebben gezet, werd in het politiedossier opgenomen.'
'Dat betekent dat je zijn vingerafdrukken hebt.'
'Dat is volkomen juist, inspecteur McVey. We hebben zijn vingerafdrukken. Het probleem is echter dat we alleen zijn hoofd hebben.'
Er ging een zoemer over en Noble drukte op de knop van de intercom om te horen wat zijn secretaresse te zeggen had.
'Ja, Elizabeth,' zei hij. Hij zweeg en luisterde. 'Dank je,' hoorde McVey hem zeggen en daarna kwam hij weer aan de lijn. 'Cadoux belt uit Lyon.'
'Ian,' zei McVey kalm. 'Voordat je opneemt. Kun je hem vertrouwen? Onvoorwaardelijk?'
'Ja,' zei Noble.
'Zit hij op een beveiligde lijn?'
'Nee.'
'Vraag hem of hij op het hoofdkwartier is. Als dat zo is, probeer dan een manier te vinden om hem te vertellen dat hij het gebouw moet verlaten en je vanuit een openbare telefooncel op je privé-lijn moet bellen. Als je hem aan de lijn hebt, schakel mijn lijn dan in, zodat we met zijn drieën kunnen praten.'

Een kwartier later kwam het gesprek op Nobles privé-lijn door en hij nam snel op. 'Yves, McVey zit op de lijn uit Parijs. Ik zet hem er nu ook op.'
'Cadoux, McVey hier. Lebrun is in Londen, we hebben hem voor zijn eigen veiligheid weggehaald.'
'Dat vermoedde ik al. Hoewel ik je moet vertellen dat de beveiligingsmensen van het ziekenhuis en de politie van Lyon helemaal niet te spreken zijn over de manier waarop het is gegaan. Hoe gaat het met hem?'
'Hij redt het wel.' McVey zweeg even. 'Luister goed, Cadoux. Jullie hebben een mol in het hoofdkwartier. Hij heet doctor Hugo Klass.'
'Klass?' Cadoux was van zijn stuk gebracht. 'Hij is een van onze briljantste geleerden. Hij was degene die de vingerafdruk van Albert Merriman op de glasscherf die we in het huis van Jean Packard hebben gevonden zichtbaar heeft weten te maken. Waarom zou...?'
'Dat weten we niet.' McVey zag Cadoux voor zich zoals hij ergens in Lyon met zijn forse lichaam in een openbare telefooncel geperst stond terwijl hij aan zijn krulsnor draaide, begrijpelijkerwijs even verbijsterd als zij.
'Maar we weten wél dat hij Merrimans dossier, vijftien uur voordat hij Lebrun zelfs maar had meegedeeld dat hij een vingerafdruk had, via

Interpol in Washington bij de Newyorkse politie heeft aangevraagd. Vierentwintig uur later was Merriman dood. En heel kort daarna werd in Parijs ook zijn vriendin gedood en in Marseille zijn vrouw en haar hele familie. Op de een of andere manier moet Klass hebben ontdekt dat Lebrun naar Lyon was gekomen en had nagetrokken wie het dossier had aangevraagd. Dus heeft hij hem het zwijgen laten opleggen.'
'Nu begint het duidelijk te worden.'
'Wat?' vroeg Noble.
'Lebruns broer Antoine, de chef van onze Interne Beveiliging, is vanmorgen dood aangetroffen met een kogel in zijn hoofd. Het leek erop dat het zelfmoord was, maar misschien was het dat niet.'
McVey vloekte inwendig. Lebrun was er al slecht genoeg aan toe zonder dat ze hem moesten vertellen dat zijn broer dood was.
'Ik twijfel er sterk aan dat het zelfmoord was, Cadoux. Er is iets aan de hand waarmee Merriman te maken had, maar dat veel verder gaat. En wat het ook mag zijn, degene die erachter zit is nu politiemannen aan het vermoorden.'
'Ik denk dat het het beste is als je Klass zo snel mogelijk in hechtenis neemt, Yves,' zei Noble onomwonden.
'Neem me niet kwalijk, Ian, maar dat denk ík niet.' McVey was opgestaan en liep nu achter Lebruns bureau heen en weer. 'Zoek iemand die je kunt vertrouwen, Cadoux, misschien zelfs iemand uit een andere stad. Klass vermoedt niet dat we hem in de smiezen hebben. Tap de telefoon bij hem thuis af en laat hem schaduwen. Kijk waar hij naar toe gaat en met wie hij praat. Werk daarna terug vanaf het tijdstip van Antoines dood. Kijk of je erachter kunt komen wat Antoine heeft gedaan vanaf het moment dat hij zondag Lebrun heeft gesproken, tot aan zijn dood. We weten niet aan welke kant hij stond. Probeer verder heel voorzichtig uit te vinden wie Klass bij Interpol in Washington bij de Newyorkse politie om Merrimans dossier heeft laten vragen.'
'Ik begrijp het,' zei Cadoux.
'Cadoux... pas goed op jezelf,' waarschuwde McVey.
'Dat zal ik doen. *Merci. Au revoir.*'
Er klonk een klik toen Cadoux ophing.
'Wie is die doctor Klass?' vroeg Noble.
'Behalve dat wat hij lijkt te zijn? Dat weet ik niet.'
'Ik ga contact opnemen met MI6. Misschien kunnen we zelf wat over doctor Klass aan de weet komen.'
Noble hing op en McVey staarde naar de muur, woedend omdat hij geen greep kon krijgen op wat er gebeurde. Het was alsof hij plotseling incapabel was geworden. Direct daarna werd er geklopt en een geüni-

formeerde politieman stak zijn hoofd om de deur om hem te vertellen dat de portier van zijn hotel voor hem belde. 'Lijn twee.'
'Merci.' De man vertrok en McVey nam de hoorn van de haak en drukte op het knopje van lijn twee. 'Met McVey.'
'Dave Gifford, Hotel Vieux,' zei een mannenstem. Toen hij eerder op de ochtend uit zijn hotel was vertrokken, had McVey de portier, een geëmigreerde Amerikaan, een biljet van tweehonderd franc gegeven en hem gevraagd eventuele boodschappen of faxen door te geven.
'Is er een fax uit L.A. gekomen?'
'Nee, meneer.'
Wat deed Hernandez in vredesnaam met die informatie? Kwam ze die soms persoonlijk in Parijs bezorgen? McVey ging zitten, sloeg een blocnote open en pakte een potlood. Hij was met een tussentijd van een uur twee keer gebeld door inspecteur Barras en één keer door de loodgieter uit Los Angeles, die bevestigde dat hij de sproeiers had geïnstalleerd en dat ze werkten. Hij wilde nu dat McVey terugbelde om hem te laten weten welke sproeitijden hij moest instellen.
'Jezus,' fluisterde McVey.
Tenslotte was er een telefoontje geweest waarvan de portier dacht dat het van een maniak afkomstig was. De man had in feite drie keer gebeld en wilde McVey persoonlijk spreken. Hij had telkens geen boodschap achtergelaten, maar elke keer ook wat wanhopiger geklonken.
Hij had wel een naam genoemd: Tommy Lasorda.

# 66

Joanna had het gevoel alsof ze gedrogeerd was geweest en een nachtmerrie had gehad.
Na haar seksuele marathonregatta met von Holden in de kamer met het bad en de spiegelwanden, had hij haar uitgenodigd met hem mee te gaan naar Zürich. Ze had zich eerst met een glimlach willen verontschuldigen. Ze was uitgeput. Ze had die dag zeven uur hard, en vaak tegen zijn zin, met meneer Lybarger geoefend om hem genoeg zelfvertrouwen te geven om zonder zijn stok te lopen, zodat hij Salettls krankzinnige vrijdagdeadline zou kunnen halen. Om halfvier had ze gezien dat hij gedaan had

wat hij kon en had ze hem naar zijn slaapkamer gebracht om te rusten. Ze had verwacht dat hij een dutje zou gaan doen, daarna een lichte maaltijd op zijn kamer zou gebruiken en vervolgens heel vroeg naar bed zou gaan. Maar hij had opgewekt en helder in avondkleding aan het diner gezeten en nog voldoende reserves gehad om naar Uta Baurs eindeloze gebabbel te luisteren en daarna naar de eerste verdieping te lopen om een pianorecital van Eric en Edward bij te wonen.
Als meneer Lybarger dat allemaal kon, plaagde von Holden haar, moest Joanna toch zeker met hem kunnen meegaan naar Zürich om wat van die schandelijk lekkere Zwitserse chocolade te eten? Bovendien was het nauwelijks tien uur.
Ze waren eerst in de Ramistrasse in een van de lievelingsrestaurants van James Joyce geweest, waar ze chocola gegeten en koffie gedronken hadden. Toen had von Holden haar meegenomen naar het een of andere krankzinnige café op de Munzplatz vlak bij de Bahnhofstrasse om met het nachtleven kennis te maken. Daarna waren ze naar de Champagnebar van het Central Plaza Hotel gegaan en vervolgens naar een café in de Pelikanstrasse. Ten slotte waren ze gaan wandelen om de zon boven het Meer van Zürich te zien opgaan.
'Wil je mijn appartement zien?' Von Holden glimlachte ondeugend terwijl hij zich over de leuning boog en voor de mazzel een munt in het water gooide.
'Maak je een grapje?' Joanna dacht dat ze nooit meer zou kunnen lopen.
'Ik meen het serieus.' Von Holden strekte zijn hand uit en streelde haar haar.
Joanna was verbaasd doordat ze zo opgewonden raakte. Ze moest er zelfs om giechelen.
'Wat is er zo grappig?' vroeg hij.
'Niets...'
'Kom dan mee.'
Joanna staarde hem aan. 'Je bent een schoft.'
'Ik kan er niets aan doen,' zei hij glimlachend.
Ze dronken cognac op zijn balkon dat uitkeek over de oude stad en hij vertelde haar verhalen over zijn jeugd en hoe het was om op een grote veeranch in Argentinië op te groeien. Daarna had hij haar meegenomen naar bed en hadden ze de liefde bedreven.
Joanna wist nog dat ze zich had afgevraagd hoe vaak ze het die avond hadden gedaan. Toen herinnerde ze zich hoe hij met zijn penis, die zelfs in slappe toestand nog enorm was, over haar heen gebogen had gestaan en haar glimlachend en verlegen had gevraagd of ze het erg zou vinden

als hij haar polsen en enkels aan de bedstijlen zou vastbinden. Toen had hij in een kast gerommeld en er de zachte fluwelen riemen die hij wilde gebruiken uitgehaald. Hij wist niet waarom hij het wilde, maar hij had het verlangen altijd al gehad. De gedachte eraan wond hem enorm op. En toen ze opkeek en zag hoé enorm, had ze gegiecheld en gezegd dat hij zijn gang kon gaan als hij dat graag wilde.
Voordat hij dat deed, had hij haar verteld dat er nog nooit een vrouw was geweest die hem zoveel deed als Joanna. Hij had cognac over haar borsten gedruppeld en ze, als een bronstige Cheshire-kat, langzaam schoongelikt. In extase lag Joanna op haar rug terwijl hij haar aan de bedstijlen bond. Tegen de tijd dat hij naast haar op het bed ging liggen, zag ze heldere fonkelende speldeknoppen van licht voor haar gesloten ogen dansen en ze voelde een lichtzinnigheid die ze nog nooit eerder had ervaren. Toen voelde ze zijn gewicht op haar en zijn enorme penis gleed bij haar naar binnen. Met iedere stoot werden de speldeknoppen van licht groter en helderder en erachter zag ze fantastische, gekleurde wolken in wilde en groteske formaties langsdrijven. En terwijl ze werd overweldigd door de surrealistische, caleidoscopische beelden had ze diep vanbinnen het gevoel gehad dat von Holden weg was en dat een andere man zijn plaats had ingenomen. Ze verzette zich tegen haar eigen droom en probeerde haar ogen te openen om te kijken of het waar was. Maar daartoe bleek ze niet in staat te zijn en ze zakte dieper weg in de erotische draaikolk van licht, kleur en haar lichamelijke gewaarwordingen.
Toen ze wakker werd, was het al middag en ze realiseerde zich dat ze in haar eigen bed in haar kamer in *Anlegeplatz* lag. Toen ze opstond zag ze dat de kleren die ze de vorige avond had gedragen, netjes opgevouwen op haar toilettafel lagen. Had ze waanzinnig gedroomd of was het iets anders geweest? Korte tijd later, toen ze onder de douche stond, zag ze de schrammen op haar dijen en toen ze in de spiegel keek, zag ze dat er ook schrammen op haar billen zaten, alsof ze naakt door een veld met doornstruiken had gelopen. Toen herinnerde ze zich heel vaag dat ze naakt en vol afgrijzen uit von Holdens appartement was gevlucht. Ze was de trap af gerend en via de achterdeur naar buiten gelopen. Von Holden was haar achternagekomen en had haar ten slotte in de rozentuin achter het gebouw ingehaald.
Plotseling voelde ze zich helemaal niet goed en een golf van misselijkheid overspoelde haar. Ze had het tegelijkertijd ijskoud en onverdraaglijk warm. Kokhalzend zwaaide ze het deksel van het toilet omhoog en kotste uit wat er nog van de chocola en het diner van gisteravond in haar maag zat.

# 67

Het was tien over halfdrie in de middag. Osborn had McVey driemaal in zijn hotel gebeld, maar had slechts te horen gekregen dat meneer McVey er niet was en niet had gezegd wanneer hij terug zou zijn, maar dat hij wel zijn boodschappen zou opvragen. Toen hij voor de derde keer belde, ging Osborn uit zijn dak; de opgehoopte nervositeit over het besluit dat hij had genomen werd nog verergerd doordat McVey niet te bereiken was. Rationeel en emotioneel had hij zijn lot al in handen van de politieman gelegd en daardoor had hij zich voorbereid op wat dat ook voor hem zou kunnen betekenen: een landgenoot die hem zou begrijpen en helpen of een snelle rit naar een Franse gevangenis. Hij voelde zich als een ballon die tegen het plafond is blijven hangen, gevangen en tegelijkertijd vrij. Hij wilde alleen maar naar beneden gehaald worden, maar er was niemand om aan het touwtje te trekken.

Hij had net gedoucht en zich geschoren en stond alleen in Philippes appartement in de kelder te piekeren over wat hij nu moest doen. Vera was op weg naar haar grootmoeder in Calais, waar ze door de politie die haar had bewaakt naar toe werd gereden. Hoewel Philippe haar had gebeld, hoopte Osborn dat ze zich had gerealiseerd dat de boodschap van hem afkomstig was en dat Philippe slechts zijn spreekbuis was. Hij hoopte dat ze zou begrijpen dat hij haar niet alleen voor haar eigen veiligheid had gevraagd daarheen te gaan, maar ook omdat hij van haar hield.

Philippe had hem eerder op de middag aangekeken en gezegd dat hij zijn appartement mocht gebruiken om zich op te knappen. Hij had schone handdoeken neergelegd, een nieuw stuk zeep uitgepakt en hem een nieuw scheermesje gegeven om zich te scheren. Toen had de portier gezegd dat Osborn alles kon pakken wat hij in de koelkast vond en vervolgens had hij zijn das gestrikt en was aan het werk gegaan. Vanuit zijn positie in de hal kon hij goed in de gaten houden wat de politie in haar schild voerde. Als er iets gebeurde, zou hij Osborn direct bellen.

Philippe had hem inderdaad fantastisch geholpen, maar hij was moe en Osborn had het gevoel dat er niet veel voor nodig was om de portier te laten instorten. Er was de laatste vierentwintig uur te veel gebeurd waardoor niet alleen zijn loyaliteit, maar ook zijn geestelijk evenwicht op de proef werd gesteld. Philippe was weliswaar edelmoedig, maar tenslotte was hij maar gewoon portier. En niemand, en zeker Philippe zelf niet, verwachtte dat hij altijd zo moedig zou blijven. Als Osborn

naar zijn dakkamer zou teruggaan, viel het niet te zeggen hoe lang hij daar veilig zou zijn. Vooral niet als de lange man een manier zou vinden om de politie te omzeilen en hem zou komen zoeken.
Ten slotte had hij zich gerealiseerd dat hem maar één optie restte. Hij pakte de telefoon, belde Philippe bij de balie en vroeg of de politie er nog was.
'*Oui, monsieur*. Twee man aan de voorkant en twee aan de achterkant.'
'Is er een andere weg naar buiten dan via de voordeur of de dienstingang, Philippe?'
'*Oui, monsieur*. Precies waar u nu bent. De keukendeur komt uit op een gangetje en aan het eind ervan is een trap die naar het trottoir leidt. Maar waarom wilt u dat weten? Hier bent u veilig en...'
'*Merci*, Philippe. *Merci beaucoup*,' zei Osborn. Hij hing op en belde daarna nog één keer Hôtel Vieux. Als McVey zijn boodschappen opvroeg, zou hij blij zijn met deze. Osborn zou hem zeggen waar en wanneer ze elkaar konden ontmoeten.
Om zeven uur op het overdekte terras van La Coupole aan de Boulevard de Montparnasse. Daar had hij de privé-detective, Jean Packard, voor het laatst levend gezien en het was het enige café in Parijs dat hij goed genoeg kende om te weten dat het er om die tijd druk zou zijn. De lange man zou niet het risico durven nemen daar op hem te schieten.
Vijf minuten later opende hij een buitendeur en beklom de korte trap naar het trottoir. Het was een frisse, heldere middag en er voeren aken langs op de Seine. Verderop zag hij de politie voor het gebouw op wacht staan. Hij draaide zich om en liep in de tegenovergestelde richting weg.

Om tien voor halfzes kwam Osborn Aux Trois Quartiers, een chic warenhuis aan de Boulevard de la Madeleine, uit en liep naar het metrostation dat een half blok verder was. Zijn haar was kortgeknipt en hij droeg een nieuwe donkergrijze krijtstreep en een wit overhemd met een stropdas. Hij zag er beslist niet uit als iemand die voortvluchtig was.
Op weg naar het warenhuis was hij langsgegaan bij de particuliere praktijk van dokter Alain Cheysson in de rue de Bassano, vlak bij de Arc de Triomphe. Cheysson was uroloog en twee of drie jaar jonger dan Osborn, die in Genève tijdens de lunch bij hem aan tafel had gezeten. Ze hadden hun kaartjes uitgewisseld en beloofd elkaar te bellen wanneer ze elkaars woonplaats zouden bezoeken. Osborn was dat helemaal vergeten tot hij besloot dat hij iemand naar zijn hand moest laten kijken en probeerde te bedenken hoe hij dat het beste kon aanpakken.
'Wat is er gebeurd?' vroeg Cheysson nadat zijn assistent röntgenfoto's had gemaakt en hij zijn onderzoekkamer was binnengekomen.

'Dat zeg ik liever niet,' zei Osborn met een geveinsde glimlach.
'Goed,' had Cheysson begripvol geantwoord terwijl hij een schoon verband om de hand legde. 'Het was een mes. Misschien pijnlijk, maar als chirurg heb je veel geluk gehad.'
'Ja, dat weet ik...'

Osborn kwam om tien voor zes het metrostation uit en liep de Boulevard Montparnasse op. La Coupole was minder dan drie blokken verder en daardoor had hij meer dan een uur speling. In die tijd kon hij proberen te controleren of de politie een val voor hem had opgezet. Hij ging een telefooncel binnen, belde McVeys hotel en kreeg te horen dat meneer McVey de boodschap inderdaad had doorgekregen.
'*Merci.*'
Hij hing op, duwde de deur open en stapte naar buiten. Het werd al donker en de straten waren gevuld met rusteloze drommen mensen die van hun werk kwamen. Schuin aan de overkant was La Coupole en direct links van hem was een klein café met een raam dat groot genoeg was om te kunnen zien wat er zich allemaal aan de overkant afspeelde.
Hij ging naar binnen en koos een tafeltje vlak bij het raam uit zodat hij een goed uitzicht had, bestelde een glas witte wijn en leunde achterover in zijn stoel.
Hij had geboft. Op de röntgenfoto's van zijn hand waren, zoals hij al had gedacht, geen ernstige beschadigingen te zien geweest en Cheysson, die weliswaar uroloog was en niet echt deskundig op dit terrein, had hem verzekerd dat er geen blijvende schade was aangericht. Dankbaar voor Cheyssons hulp en begrip had hij geprobeerd voor het bezoek te betalen, maar Cheysson wilde daar niet van horen.
'*Mon ami*,' zei hij spottend, 'als ik ooit door de politie in L.A. word gezocht, weet ik dat ik daar een vriend heb die me zal behandelen en zijn mond zal houden. Die zelfs mijn afspraak niet op papier zal vastleggen. Waar of niet?'
Cheysson had hem onmiddellijk willen ontvangen en hem zonder vragen te stellen behandeld terwijl hij al die tijd wist dat Osborn door de politie werd gezocht en dat hij zichzelf in gevaar bracht door hem te helpen. Toch had hij niets gezegd. Ten slotte omhelsden ze elkaar en de Fransman had hem op de Franse manier gekust en hem gelukgewenst. Het was wel het minste geweest dat hij voor een collega met wie hij in Genève een week lang iedere dag had geluncht, kon doen, had hij nog gezegd.
Plotseling zette Osborn zijn glas neer en leunde naar voren. Aan de overkant van de straat was een politieauto gestopt. Onmiddellijk

daarna stapten twee geüniformeerde agenten uit en liepen La Coupole binnen. Even later kwamen ze naar buiten met een goedgeklede, geboeide man tussen hen in. Hij was geagiteerd, vechtlustig en kennelijk dronken. Voorbijgangers keken toe terwijl hij achter in de politieauto werd gewerkt. De ene gendarme ging naast hem zitten en de andere nam achter het stuur plaats. Toen reed de auto met loeiende sirene en ronddraaiende zwaailichten weg.
Zo snel zou het dus kunnen gebeuren.
Osborn pakte zijn glas op en keek op zijn horloge. Het was kwart over zes.

# 68

Om 18.50 uur kroop McVeys taxi met een slakkegangetje door het verkeer. Toch was dit beter dan wanneer hij zelf zou hebben geprobeerd zich in zijn Opel dwars door Parijs te worstelen.
Hij haalde een gehavende agenda uit zijn zak en keek naar zijn aantekeningen van die dag, maandag 10 oktober. Vooral naar de laatste: Osborn – La Coupole, boulv. Montparnasse 19.00. Erboven was een aantekening gekrabbeld van een boodschap van Barras. De deskundige van de Pirelli-bandenfabriek had de gipsafdruk van het bandenspoor dat in het park bij de rivier was gevonden, onderzocht. Het profiel van die band was kenmerkend voor banden die speciaal werden gefabriceerd voor een grote autodealer. Volgens een lopend contract voorzag Pirelli al zijn nieuwe auto's van deze banden. Het was nu de standaardband van tweehonderd nieuwe Ford Sierra's, waarvan er in de afgelopen zes weken 87 waren verkocht. Er werd een lijst van de kopers samengesteld, die dinsdagmorgen klaar zou zijn. Bovendien was de scherf van de autospiegel die McVey na de schietpartij bij Vera Monnerays appartement van de straat had opgeraapt door het politielaboratorium onderzocht. De scherf was eveneens afkomstig van een Ford, hoewel het onmogelijk viel te zeggen van welk type of model. De Dienst Parkeerbeheer was gewaarschuwd en de medewerkers daarvan zouden het onmiddellijk rapporteren als ze een Ford of een Sierra met een kapotte buitenspiegel zouden signaleren.

De laatste aantekening op de bladzijde van 10 oktober in McVeys agenda had betrekking op het laboratoriumrapport over de gebroken tandenstoker die hij tussen de dennenaalden had gevonden voordat hij het bandenspoor had ontdekt. Degene die de tandenstoker in zijn of haar mond had gehad, was een 'afscheider' geweest, wat wil zeggen dat hij tot de zestig procent van de bevolking behoorde die een specifieke stof in de bloedstroom heeft waaruit de eigenschap van andere lichaamsvochten zoals urine, zaadvocht en speeksel kan worden vastgesteld. De 'afscheider' in het bos had dezelfde bloedgroep als degene die in het appartement van Vera Monneray op de keukenvloer bloed had verloren. Bloedgroep 'O'.

De taxi stopte om precies zeven minuten over zeven voor La Coupole. McVey betaalde de chauffeur, stapte uit en liep het restaurant binnen. De grote achterruimte werd in gereedheid gebracht voor de drommen gasten voor het diner die nog moesten arriveren en er waren maar een paar tafeltjes bezet. Maar in de glazen uitbouw aan de voorkant was het druk en lawaaiig.

McVey bleef in de deuropening staan en keek in het rond. Als Osborn er was, zag hij hem niet. Hij drong zich langs een groepje zakenlui, vond een leeg tafeltje vlak bij de achterruimte en ging zitten. Vanaf zijn plaats kon hij zowel de voorbijgangers buiten op het trottoir zien als degenen die binnenkwamen.

De tentakels van de Organisatie strekten zich overal uit en daarbij werd niet alleen van de diensten van de leden ervan gebruik gemaakt. Zoals de meeste professionele organisaties besteedde ze werk uit en huurde daarvoor vaak mensen die er geen idee van hadden voor wie ze werkten. Colette en Sami waren middelbare-schoolmeisjes die uit rijke families kwamen. Ze waren aan de drugs en deden daarom alles wat nodig was om hun verslaving te bekostigen en die tegelijkertijd voor hun familie verborgen te houden. Daarom waren ze op bijna elk tijdstip en voor de meest uiteenlopende klusjes oproepbaar.

De opdracht voor maandag was eenvoudig: houd de enige uitgang van het adres Quai de Béthune 18 die de politie niet bewaakt in de gaten, namelijk de buitendeur van het appartement van de portier. Meld het wanneer er een knappe man van een jaar of vijfendertig naar buiten komt en volg hem.

De beide meisjes waren Osborn gevolgd naar de praktijk van dokter Cheysson in de rue de Bassano. Daarna was Sami hem gevolgd naar Aux Trois Quartiers op de boulevard de la Madeleine en ze had zelfs met hem geflirt en hem gevraagd haar te helpen bij het uitzoeken van

een stropdas voor haar oom toen hij stond te wachten tot zijn kostuum klaar was. Daarna was Colette hem de metro in gevolgd en bij hem gebleven tot hij het café tegenover La Coupole was binnengegaan.
Toen had Bernhard Oven het overgenomen en hij had gezien hoe Osborn het café verliet, de boulevard du Montparnasse overstak en om vijf over zeven La Coupole binnenging.
Met zijn één meter achtenzeventig, donkere haar en gekleed in een spijkerbroek, een leren jasje en Reebok-sportschoenen was hij geen lange, blonde man meer. Hij was echter nog steeds levensgevaarlijk. In de rechterzak van zijn jasje had hij de automatische Cz. .22 die hij met zoveel succes in Marseille had gebruikt.

Om tien voor halfacht was Osborn er zeker van dat McVey alleen was gekomen. Hij stond op en liep met zijn verbonden hand voorzichtig tegen zijn zij gedrukt langs een paar drukke tafels naar McVey toe.
McVey keek naar Osborns verbonden hand, gebaarde toen naar de stoel naast de zijne en Osborn ging zitten.
'Ik zei dat ik alleen zou zijn en dat ben ik ook,' zei McVey.
'U zei dat u me kon helpen. Wat bedoelde u daarmee?' vroeg Osborn. Zijn nieuwe pak en kapsel hadden geen verschil gemaakt. McVey had al die tijd geweten dat hij er was.
McVey negeerde zijn vraag. 'Wat is uw bloedgroep, meneer Osborn?'
Osborn aarzelde. 'Ik dacht dat u dat zou uitzoeken.'
'Ik wil het van u horen.'
Op dat moment kwam een kelner in een wit overhemd en een zwarte broek bij hun tafel staan. McVey schudde zijn hoofd.
'Koffie,' zei Osborn en de kelner liep weg.
'Bloedgroep B.'
Vlak voordat McVey uit Londen vertrok, had hij het voorlopige rapport van rechercheur Hernandez eindelijk per fax in Nobles kantoor ontvangen. Er bleek onder andere uit dat Osborn bloedgroep B had. Dat betekende niet alleen dat Osborn de waarheid had gesproken, maar ook dat de lange man bloedgroep O had.
'Doctor Hugo Klass. Vertel me eens over hem.'
'Ik ken geen doctor Hugo Klass,' zei Osborn behoedzaam. Hij vroeg zich nog steeds angstig af of er geen rechercheurs in burger in de zaak waren die op McVeys teken wachtten.
'Hij kent u wel,' loog McVey.

'Dan ben ik het vergeten. Waarin is hij gespecialiseerd?'
Osborn was óf heel goed óf volkomen onschuldig. Maar hij had ook

over de modder op zijn schoenen gelogen, dus het was heel goed mogelijk dat hij nu weer loog. 'Hij is doctor in de natuurwetenschappen. Een vriend van Timothy Ashford.' McVey verhoogde de druk om Osborn uit zijn evenwicht te brengen.
'Wie?'
'Kom nou, meneer Osborn. Timothy Ashford. Een huisschilder uit Zuid-Londen. Een knappe kerel. Vierentwintig jaar. U weet heus wel wie hij is.'
'Het spijt me. Ik weet het echt niet.'
'Nee?'
'Nee.'
'Dan kan ik u ook gerust vertellen dat ik zijn hoofd in Londen in de diepvries heb liggen.'
Een vrouw van middelbare leeftijd in een geruit mantelpakje, die aan de tafel naast hen zat, reageerde heftig. McVey hield zijn blik op Osborn gericht. Zijn opmerking was in een opwelling gemaakt, maar had een sterke emotionele lading. Hij had er bij Osborn eenzelfde soort reactie als de vrouw had vertoond mee willen wekken, maar Osborn had geen spier van zijn gezicht vertrokken.
'U hebt al eerder tegen me gelogen. U wilt dat ik u help. U moet me iets vertellen waaraan ik wat heb. Ik moet een reden hebben om u te vertrouwen.'
De kelner kwam terug met Osborns bestelling. Hij zette de koffie voor Osborn op tafel en liep weg. McVey keek hem na. Een paar rijen tafels verderop bleef hij bij de tafel van een donkerharige man in een leren jasje staan. De man had er al tien minuten in zijn eentje gezeten en tot nu toe niets besteld. Hij had een diamanten knopje in zijn linkeroor en een sigaret in zijn linkerhand. De kelner was al een keer eerder bij hem geweest, maar de man had hem weggewuifd. Deze keer keek de man in McVeys richting en zei toen iets tegen de kelner. De kelner knikte en liep weg.
McVey keek Osborn weer aan. 'Wat is er, meneer Osborn? Voelt u zich hier niet op uw gemak? Wit u ergens anders heen om te praten?'
Osborn wist geen raad met de situatie. McVey stelde hem dezelfde soort vragen als de eerste keer dat ze elkaar hadden gesproken. Hij probeerde kennelijk achter iets te komen waarbij Osborn volgens hem betrokken was, maar had er geen idee van het was. En dat maakte het allemaal des te moeilijker, omdat ieder antwoord dat Osborn gaf de indruk zou kunnen wekken dat hij probeerde McVey doelbewust te misleiden, terwijl hij in feite alleen maar de waarheid sprak.
'McVey, u moet me geloven als ik zeg dat ik absoluut niet weet waar-

over u het hebt. Als dat wel zo was, zou ik u misschien kunnen helpen, maar ik weet het gewoon niet.'
McVey trok aan een oor en wendde zijn blik af. Toen keek hij Osborn weer aan. 'Misschien moeten we de zaak anders aanpakken,' zei hij. Hij zweeg even en vroeg toen: 'Waarom hebt u Albert Merriman volgespoten met succi-nyl-choline? Zeg ik het zo goed?'
Osborn raakte niet in paniek en zijn hart begon zelfs niet sneller te kloppen. McVey was te intelligent om zoiets te missen en Osborn had zich erop voorbereid. 'Weet de Parijse politie het ook?'
'Beantwoordt u alstublieft de vraag.'
'Albert Merriman... heeft mijn vader vermoord.'
'Uw vader?' Dat verbaasde McVey. Hij had de mogelijkheid moeten overwegen dat Osborn Merriman had achtervolgd om wraak op hem te nemen.
'Ja.'
'Hebt u de lange man gehuurd om hem te vermoorden?'
'Nee, die dook daar plotseling op.'
'Hoe lang geleden heeft Merriman uw vader vermoord?'
'Toen ik tien jaar was.'
'*Tien*?'
'In Boston. Op straat. Ik was erbij. Ik zag het gebeuren. Ik ben zijn gezicht nooit vergeten. Ik heb hem daarna nooit meer gezien tot ik een week geleden hier in Parijs aankwam.'
In een mum van tijd had McVey de stukjes van de legpuzzel in elkaar gepast. 'U hebt het niet aan de Parijse politie verteld omdat u nog niet klaar met hem was. U hebt Packard gehuurd om hem te vinden. En toen hij dat had gedaan, hebt u een plek gezocht waar u hem kon doden en dat is de rivieroever geworden. U zou hem een paar injecties met het verdovingsmiddel geven en hem in het water duwen. Hij zou niet kunnen ademen en zijn spieren niet kunnen gebruiken, zodat hij zou wegdrijven en verdrinken. De stroming is daar sterk, het middel wordt in het lichaam snel afgebroken en hij zou zo opgezwollen zijn dat niemand eraan zou denken naar prikwondjes te zoeken. Was dat het idee?'
'Min of meer.'
'Hoezo min of meer?'
'Ik wilde er eerst achter komen waarom hij mijn vader had vermoord.'
'O ja?' Plotseling dwaalde McVeys blik af. De man in het leren jasje zat niet meer aan de tafel waar hij eerst had gezeten. Hij was dichterbij gekomen. Hij zat nu twee tafels verderop, direct links van Osborn, met een open ruimte tussen hen in. Hij had nog steeds een sigaret in zijn linkerhand, maar zijn rechterhand was onder de tafel verborgen.

Osborn wilde zich net omdraaien om te zien waarnaar McVey keek toen McVey plotseling overeind kwam en tussen hem en de man aan de tafel in ging staan.
'Sta op en loop door die deur daar voor me uit naar buiten. Vraag niet waarom. Doe gewoon wat ik zeg.'
Osborn stond op en terwijl hij dat deed, realiseerde hij zich naar wie McVey had gekeken. 'McVey, dat is'm. De lange man!'
McVey draaide zich razendsnel om. Bernhard Oven stond nu en hij bracht zijn hand met daarin de Tsjechische Cz omhoog. Iemand schreeuwde.
Plotseling klonken er vlak na elkaar twee daverende knallen die bijna onmiddellijk werden gevolgd door een hagelstorm van brekend glas.
Bernhard Oven begreep niet helemaal waarom de oudere Amerikaan hem zo hard op zijn borst had geslagen en waarom hij het twee keer had gedaan. Toen besefte hij dat hij plat op zijn rug buiten op het trottoir lag terwijl zijn benen nog binnen over het kozijn van het raam bungelden waar hij doorheen geknald was. Overal lag glas. Toen hoorde hij mensen schreeuwen, maar hij had er geen idee van waarom. Hij keek nietbegrijpend op en zag dezelfde Amerikaan over hem heen gebogen staan. De man had een staalblauwe .38 Smith & Wesson-revolver in zijn hand, waarvan de loop op zijn hart was gericht. Oven schudde zwakjes zijn hoofd. Toen werd alles donker.
Osborn kwam naar voren en voelde Ovens halsslagader. Om hen heen was het een pandemonium. Mensen gilden, schreeuwden en huilden van schrik en afgrijzen. Sommigen bleven een eindje uit de buurt staan kijken, anderen drongen zich naar de deur om weg te komen en weer anderen kwamen dichterbij om alles beter te kunnen zien. Even later keek Osborn naar McVey op.
'Hij is dood.'
'Weet u zeker dat het de lange man is?'
'Ja.'
Er kwamen onmiddellijk twee gedachten bij McVey op. De eerste was dat er ergens in de buurt een nieuwe Ford Sierra met Pirelli-banden en een kapotte spiegel geparkeerd moest zijn. De tweede was: Hij is geen één meter vijfennegentig.
McVey knielde en schoof een broekspijp tot boven de sok van de dode man omhoog.
'Prothesen,' zei Osborn.
'Dat heb ik nog nooit meegemaakt.'
'U denkt toch niet dat hij het opzettelijk heeft gedaan?'
'Zijn benen halverwege laten amputeren zodat hij zijn lengte kon ver-

anderen?' McVey haalde een zakdoek uit zijn achterzak, boog zich voorover en wikkelde hem om de revolver die Oven nog steeds in zijn hand had. Hij trok het wapen los en keek ernaar. De kolf was met tape afgeplakt, het nummer was weggevijld en over de loop was een geluiddemper geschoven. Het was het gereedschap van een beroepsmoordenaar.
McVey keek naar Osborn op. 'Ja,' zei hij. 'Dat denk ik wel. Ik denk dat hij zijn benen opzettelijk heeft laten amputeren.'

# 69

McVey stapte van Ovens lichaam vandaan en keek Osborn aan. 'Bedek zijn gezicht.' Toen liet hij zijn penning zien aan een groepje kelners dat een meter van hen vandaan gefascineerd en vol afschuw naar het tafereel stond te staren. Hij vroeg of iemand de politie wilde bellen als dat nog niet was gebeurd en stuurde de toeschouwers weg.
Osborn trok een wit tafelkleed van een naburige tafel en bedekte daarmee Bernhard Ovens gezicht terwijl McVey in de zakken van het lijk naar papieren zocht. Toen hij die niet vond, haalde hij zijn zakboekje uit zijn binnenzak en scheurde het harde kartonnen omslag eraf. Hij pakte Ovens hand vast, drukte diens duim tegen het van bloed doordrenkte overhemd en drukte die vervolgens tegen het omslag zodat hij een duidelijke duimafdruk had.
'Wegwezen hier,' zei hij tegen Osborn.
Ze drongen zich snel tussen de achtergebleven toeschouwers heen, liepen de eetzaal en de keuken door en stapten door een achterdeur een steeg in. Toen ze buiten kwamen, hoorden ze de eerste loeiende sirenes.
'Deze kant op,' zei McVey, die eigenlijk niet precies wist waar ze heen zouden gaan. Vanaf het moment dat hij in actie was gekomen, had hij gedacht dat Oven op het punt stond Osborn neer te knallen. Maar nu ze de Boulevard de Montparnasse op stapten en naar de Boulevard Raspail begonnen te lopen, realiseerde hij zich dat hijzelf evengoed het doelwit had kunnen zijn.
De lange man had Albert Merriman binnen een paar uur nadat was ont-

dekt dat deze nog leefde en in Parijs woonde, vermoord. Daarna waren in snelle opeenvolging Merrimans vriendin, zijn vrouw en haar familie gevonden en afgeslacht. De laatste moorden waren in Marseille gepleegd, bijna zevenhonderd kilometer naar het zuiden. Maar in een mum van tijd was de moordenaar terug in Parijs en in Vera Monnerays appartement op zoek naar Osborn.
Hoe had hij iedereen zo snel achter elkaar kunnen vinden? Merrimans vrouw bijvoorbeeld, naar wie de hele landelijke politie vergeefs op zoek was geweest. En Osborn – hoe had hij zo snel ontdekt dat Vera Monneray de 'onbekende vrouw' was die Osborn, nadat hij uit de Seine was gekropen, van het golfterrein had opgehaald, terwijl de media daarover nog speculeerden en de politie als enige haar identiteit kende? En daarna waren bijna in één ruk Lebrun en zijn broer in Lyon aangevallen. Maar dat had de lange man waarschijnlijk niet gedaan. Zelfs hij kon niet op twee plaatsen tegelijk zijn.
Het was duidelijk dat de gebeurtenissen in een stroomversnelling waren geraakt. En het dodelijke net werd steeds strakker aangetrokken. Dat de lange man plotseling van het toneel was verdwenen, zou waarschijnlijk weinig uitmaken. Wat hij had gedaan, had hij niet kunnen doen zonder de hulp van een complexe, perfect functionerende organisatie met uitstekende connecties. Als ze Interpol hadden geïnfiltreerd, waarom dan de Parijse politie niet?
Er schoot een patrouillewagen langs en toen nog een. Het geluid van sirenes leek uit alle richtingen te komen.
'Hoe wist hij dat we daar zouden zijn?' vroeg Osborn terwijl ze zich tussen de mensen door drongen die opgewonden waren geraakt door het geloei van de sirenes.
'Blijf doorlopen,' zei McVey dringend. Osborn zag hem omkijken naar de politieauto's die de Boulevard Montparnasse aan beide kanten van het blok afsloten.
'U bent bang voor de politie, hè?' vroeg Osborn.
McVey antwoordde niet.
Ze kwamen op de boulevard Raspail aan, sloegen rechtsaf en liepen de straat uit. Vóór hen was een metrostation. McVey overwoog even de metro te nemen, besloot toen het niet te doen en ze liepen door.
'Waarom zou een politieman bang voor de politie zijn?' wilde Osborn weten.
Plotseling sloeg een blauwzwarte vrachtwagen de hoek van een zijstraat om en kwam met een ruk tot stilstand op de kruising vlak achter hen. De achterdeur werd met een klap geopend en een stuk of twaalf leden van de antiterreurpolitie, de Compagnie de Securité Républicaine, spron-

gen naar buiten. Ze droegen kogelvrije vesten over hun parachutistenpakken en zwaaiden met automatische wapens.
McVey keek zachtjes vloekend in het rond. Twee huizen verderop was een café. 'Daar naar binnen,' zei hij terwijl hij Osborn bij een arm pakte en hem naar de deur leidde.
De mensen stonden voor de ramen te kijken naar wat er op straat gebeurde en besteedden nauwelijks aandacht aan hen toen ze binnenkwamen. McVey vond een hoekje aan het eind van de bar, duwde Osborn daarheen en stak twee vingers naar de barman omhoog.
'*Un vin blanc*,' zei hij.
Osborn leunde achterover. 'Wilt u me vertellen wat er aan de hand is?'
De barkeeper zette twee glazen voor hen neer en schonk ze vol met witte wijn.
'*Merci*,' zei McVey. Hij pakte een glas op en gaf dat aan Osborn. Hij nam een grote slok, draaide zijn rug naar de caféruimte toe en keek Osborn aan.
'Hoe hij wist dat we daar zouden zijn? Doordat een van ons tweeën is gevolgd. Of doordat iemand de telefooncentrale in Hôtel Vieux Paris heeft afgeluisterd en vermoedde dat ik niet met de echte Tommy Lasorda wat zou gaan drinken. Een vriend van me, een Parijse inspecteur, is vanochtend beschoten en zwaar gewond geraakt en zijn broer, ook een politieman, is vermoord omdat hij erachter probeerde te komen wie er, behalve u, na ongeveer een kwart eeuw opeens in Albert Merriman geïnteresseerd was. Misschien is de politie erbij betrokken, misschien ook niet. Ik weet het niet. Maar ik weet wel dat er iets aan de gang is waardoor iedereen die ook maar in de verste verte met Albert Merriman te maken had, in levensgevaar verkeert. En op dit moment geldt dat ook voor u en mij, dus het slimste dat we kunnen doen is van de straat blijven.'
'McVey...' Osborn was plotseling gealarmeerd. 'Er is nog iemand die van Albert Merriman af weet.'
'Vera Monneray.' In de commotie was McVey haar helemaal vergeten.
Osborn werd door angst bevangen. 'De Franse rechercheurs die haar hier bewaakten... ik heb geregeld dat ze haar naar haar grootmoeder in Calais zouden brengen.'

# 70

'Dat hebt ú geregeld!' riep McVey ongelovig.
Osborn antwoordde niet. Hij zette zijn glas op de bar en liep door een smerige gang langs de toiletten naar een telefoon achter in het café. Hij was er bijna toen McVey hem inhaalde.
'Wat gaat u doen? Gaat u proberen haar te bellen?'
'Ja.' Osborn bleef doorlopen. Hij had er nog niet echt goed over nagedacht, maar hij moest weten of alles met haar in orde was.
'Osborn.' McVey greep hem stevig bij een arm en draaide hem om. 'Als ze daar is, zal het waarschijnlijk goed met haar zijn, maar de rechercheurs zullen de lijn hebben afgetapt. Ze zullen u laten praten terwijl ze het gesprek traceren. Als de Franse politie erbij betrokken is, zullen we nog geen meter ver komen als we die deur uitgaan.' McVey knikte naar de voordeur. 'En als ze er niet is, zult u niets kunnen doen.'
Osborn viel woedend uit. 'U begrijpt het niet, hè? Ik móet het weten.'
'Maar hoe wilt u het dan te weten komen?'
Osborn had nu een oplossing. 'Philippe.' Osborn zou hem bellen; Philippe zou Vera bellen en hem daarna terugbellen.
'De portier van het gebouw?'
Osborn knikte.
'Hij heeft u geholpen het gebouw uit te komen, hè?'
'Ja.'
'En er misschien voor gezorgd dat u bent gevolgd toen u wegging?'
'Nee, dat zou hij nooit doen. Hij is...'
'Hij is wát? Iemand heeft de lange man laten weten dat Vera de onbekende vrouw is en iemand heeft hem verteld waar ze woont. Waarom hij niet? U zult u voorlopig moeten inhouden, al is dat niet goed voor uw gemoedsrust, Osborn.' McVey keek hem lang genoeg dreigend aan om het goed tot hem te laten doordringen. Toen gleed zijn blik langs hem om te kijken of er een achteruitgang was.

Een halfuur later schreef McVey hen in Hôtel Saint-Jacques op de avenue Saint-Jacques in en nam twee met elkaar verbonden kamers. Het was een toeristenhotel dat ongeveer anderhalve kilometer van La Coupole en de Boulevard de Montparnasse vandaan lag. Hij betaalde contant en gebruikte een vals visitekaartje en een valse naam.
Omdat hij duidelijk een Amerikaan was en geen bagage had, werkte McVey op de nationale welwillendheid jegens *l'amour*. Toen ze de ka-

mer binnengingen, gaf McVey de piccolo een extra grote tip en zei verlegen, maar heel oprecht tegen hem dat ze onder geen beding gestoord wilden worden.
'*Oui, monsieur.*' De piccolo glimlachte veelbetekenend tegen Osborn, sloot de deur achter hem en vertrok.
McVey controleerde onmiddellijk beide kamers, de kasten en de badkamers. Toen hij gerustgesteld was, trok hij de gordijnen dicht en wendde zich toen tot Osborn.
'Ik ga naar de hal om te bellen. Ik wil het niet van hieruit doen omdat ik niet wil dat het gesprek naar deze kamer getraceerd kan worden. Als ik terugkom, wil ik alles met u doornemen wat u zich over Albert Merriman herinnert, vanaf het moment dat hij uw vader heeft vermoord tot aan zijn laatste seconde in de rivier.'
McVey haalde Bernhard Ovens automatische revolver uit zijn zak en drukte die in Osborns hand. 'Normaal zou ik vragen of u ermee kunt omgaan, maar ik weet het antwoord al.' McVeys blik was al genoeg, maar de scherpe klank in zijn stem deed er nog een schepje bovenop. Hij wendde zich naar de deur. 'Laat behalve mij niemand binnen, om wat voor reden ook.'
McVey deed voorzichtig de deur open, keek naar buiten en stapte de verlaten gang in. De lift was ook leeg. Toen de lift bij de hal stopte, gingen de deuren open en hij stapte naar buiten. Op een groepje Japanse toeristen na dat uit een bus was gestapt en hun reisleider die een kleine, groen-witte vlag droeg naar binnen volgde, was de hal verlaten. McVey liep de hal door terwijl hij om zich heen keek of hij een telefoon zag. Hij vond er een naast de cadeauwinkel. Hij gebruikte een op naam van een postnummer in Los Angeles uitgeschreven AT&T-creditcard om Nobles nummer bij Scotland Yard te bellen. Een antwoordapparaat nam zijn boodschap aan.
Hij hing op, liep de cadeauwinkel binnen, keek even naar de verzameling prentbriefkaarten en kocht een verjaardagskaart met een groot geel konijn erop en een envelop. Toen hij terug was in de hal haalde hij het omslag van zijn zakboekje met de opgedroogde duimafdruk van Bernhard Oven erop te voorschijn, liet dat bij de kaart in de envelop glijden en adresseerde die aan een postadres in Londen ten name van Billy Noble. Toen liep hij naar de balie en vroeg de portier de kaart met de nachtpost mee te sturen.
Hij had net de portier betaald en draaide zich al om naar de hal toen er twee geüniformeerde gendarmes vanaf de straat naar binnen kwamen en vervolgens bleven staan rondkijken. Links van McVey lag een aantal tourbrochures. Hij liep er nonchalant naar toe. Terwijl hij dat deed,

keek een van de politiemannen in zijn richting. McVey negeerde hem en bladerde de brochures door. Ten slotte koos hij er drie uit en liep in het volle zicht van de politie terug door de hal. Hij ging in de buurt van de telefoon zitten en begon de brochures door te kijken. Rondvaarten, tours door Versailles en de wijngebieden. Hij telde tot zestig en keek toen op. De gendarmes waren verdwenen. Vier minuten later belde Ian Noble vanuit een particuliere woning waar hij en zijn vrouw een diner bijwoonden dat werd gegeven voor een Britse generaal die met pensioen ging.
'Waar ben je?'
'In Parijs. In Hôtel Saint-Jacques. Jack Briggs. San Diego. Groothandelaar in sieraden,' zei McVey op vlakke toon zodat Noble de plaats en de naam wist waaronder hij ingeschreven was. Een beweging links van hem trok zijn aandacht. Hij veranderde van houding en zag drie in kostuum geklede mannen door de hal in zijn richting komen. Een van hen leek hem recht aan te kijken, de andere twee praatten met elkaar.
'Je herinnert je Mike toch nog wel?' vroeg McVey geestdriftig. Hij speelde de extroverte Amerikaanse verkoper terwijl hij zijn jasje opende en zijn hand vlak bij de .38 achter zijn broekband hield. 'Ja, ik heb hem meegebracht.'
'Heb je Osborn?'
'Jazeker.'
'Zit hij in moeilijkheden?'
'Nee hoor. Nog niet tenminste.'
De mannen passeerden hem en liepen de nis in waar de liften waren. McVey zweeg even en wachtte tot ze naar binnen waren gegaan en de deuren zich hadden gesloten. Daarna sprak hij verder, vatte snel samen wat er was gebeurd en voegde eraan toe dat hij de duimafdruk van de lange man met de nachtpost had laten versturen.
'We zullen hem direct natrekken,' zei Noble. Toen vertelde hij dat de Franse zaakgelastigde hem had gebeld en op hoge toon had gevraagd waar de Britten in godsnaam de brutaliteit vandaan haalden om een ernstig gewonde Parijse inspecteur van politie uit zijn ziekenhuiskamer in Lyon te ontvoeren. Ze wilden hem met gezwinde spoed terug hebben. Noble had gezegd dat hij geschokt was, dat hij niets van een dergelijk incident had gehoord en dat hij er onmiddellijk een onderzoek naar zou instellen. Daarna veranderde hij van onderwerp en zei dat ze in Groot-Brittannië niemand hadden kunnen vinden die met een geavanceerde vorm van cryochirurgie experimenteerde. Als zulke praktijken plaatsvonden, gebeurde dat in het diepste geheim.
McVey keek rond in de hal. Hij haatte paranoia. Het verlamde je en

maakte dat je dingen zag die er niet waren. Maar hij moest onder ogen zien dat iedereen, al dan niet in uniform, voor de Organisatie zou kunnen werken. De lange man zou er geen been in hebben gezien hem hier in de hal neer te knallen en hij moest wel aannemen dat voor zijn vervanger hetzelfde zou gelden. En als die hem niet direct zou neerschieten, zou hij in ieder geval rapporteren waar McVey was. Door hier langer te blijven, nam hij hoe dan ook een te groot risico.
'McVey, ben je daar nog?'
Hij wendde zich weer naar de telefoon. 'Wat ben je over Klass aan de weet gekomen?'
'MI6 heeft niets kunnen vinden dat in zijn nadeel was. Een voorbeeldige staat van dienst. Een vrouw en twee kinderen. Geboren in München en opgegroeid in Frankrijk. Kapitein geweest bij de Duitse luchtmacht en daarna gerekruteerd door de Westduitse inlichtingendienst, de Bundesnachrichtendienst, waar hij zich heeft ontwikkeld tot een vingerafdrukkenexpert met een grote reputatie. Daarna is hij bij het hoofdkwartier van Interpol in Lyon gaan werken.'
'Nee, daar hebben we niets aan,' antwoordde McVey. 'Ze hebben iets over het hoofd gezien. Je moet verder zoeken. Kijk met wat voor mensen hij buiten zijn dagelijks werk omgaat. Wacht even...' McVey probeerde zich te herinneren wat Lebrun hem had verteld toen ze Merrimans vingerafdruk net van Interpol in Lyon hadden ontvangen. Er had iemand anders met Klass samengewerkt. Hal, Hall, Hald... Halder!
'Halder... voornaam Rudolf. Interpol, Wenen. Hij heeft met Klass samen aan de vingerafdruk van Merriman gewerkt. Luister, Ian, ken je Manny Remmer?'
'Die bij de Duitse federale politie werkt?'
'Hij is een oude vriend van me. Hij werkt in het hoofdkwartier in Bad Godesberg. Hij woont in een gebied dat Rungsdorf heet. Het is nog niet te laat. Bel hem thuis op. Vertel hem dat ik heb gezegd dat je moest bellen. Zeg hem dat je alles wilt weten wat hij over Klass en Halder kan vinden. Als er iets te vinden is, zal hij het boven water halen. Je kunt hem vertrouwen.'
'McVey...' Nobles stem had een bezorgde klank. 'Ik denk dat het je is gelukt een enorme beerput te openen. En eerlijk gezegd vind ik dat je verdomd snel uit Parijs moet vertrekken.'
'Hoe? In een kist of in een limousine?'
'Waar kan ik je over anderhalf uur bereiken?'
'Nergens. Ik bel jou wel.'

Het was al halftien geweest toen McVey op de deur van Osborns kamer

klopte. Osborn opende de deur zonder het kettingslot eraf te halen en gluurde naar buiten.
'Ik hoop dat u van kipsalade houdt.'
In zijn ene hand balanceerde McVey een blad met kipsalade in witte plastic kommen met plasticfolie strak over de bovenkant getrokken en in zijn andere hand goochelde hij met een pot koffie en twee koppen die hij had gekocht van een geïrriteerde bediende in de coffeeshop van het hotel die net wilde sluiten.
Om tien uur waren de kipsalade en de koffie op. Osborn liep te ijsberen terwijl hij afwezig met de vingers van zijn gewonde hand oefende en McVey zat gebogen over het bed dat hij als werktafel gebruikte naar zijn aantekeningen in zijn zakboekje te staren.
'Merriman heeft u verteld dat een zekere Erwin Scholl die in Westhampton Beach, New York, woonde hem had gehuurd om omstreeks 1967 uw vader en drie andere mensen te vermoorden.'
'Dat klopt,' zei Osborn.
'De andere drie woonden respectievelijk in Wyoming, Californië en New Jersey. Hij had het werk gedaan en was betaald. Daarna probeerden Scholls mensen hem te vermoorden.'
'Ja.'
'Is dat alles wat hij heeft gezegd? Heeft hij alleen de namen van de staten genoemd? Niet de namen van de slachtoffers, geen steden?'
'Alleen de staten.'
McVey stond op en liep de badkamer binnen. 'Bijna dertig jaar geleden huurt een zekere Erwin Scholl Albert Merriman om een paar moorden te plegen. Daarna geeft Scholl bevel hem te mollen. Het spelletje van "vermoord de moordenaar". Zorg ervoor dat de zaken eens en voor altijd geregeld zijn, dat er geen losse eindjes overblijven en dat niemand later kan gaan praten.'
McVey trok de hygiënische verpakking van een waterglas, vulde het, liep terug de kamer in en ging weer zitten. 'Maar Merriman was Scholls mensen te slim af. Hij zette zijn eigen dood in scène en wist te ontkomen. En Scholl, die aannam dat Merriman dood was, vergat hem. Dat wil zeggen totdat u op het toneel verscheen en Jean Packard huurde om Merriman te vinden.' McVey nam een slok water en wist nog net te voorkomen dat hij doctor Klass van Interpol in Lyon zou noemen. Osborn hoefde niet alles te weten.
'Denkt u dat Scholl achter de gebeurtenissen hier in Parijs zit?' vroeg Osborn.
'En in Marseille en Lyon? Dertig jaar later? Ik weet nog niet wie meneer Scholl is. Misschien is hij dood of heeft hij nooit bestaan.'

'Wie laat dit dan allemaal doen?'
McVey boog zich weer over het bed, maakte een aantekening in zijn boekje met ezelsoren en keek Osborn toen aan. 'Wanneer hebt u de lange man voor het eerst gezien?'
'Bij de rivier.'
'Niet daarvoor?'
'Nee.'
'Denk eens goed na. Niet eerder op die dag, de dag ervoor of de dag daarvoor?'
'Nee.'
'Hij heeft u neergeschoten omdat u bij Merriman was en hij geen getuige wilde hebben. Is dat wat u denkt?'
'Wat voor andere reden zou er kunnen zijn?'
'Nou, bijvoorbeeld dat het andersom was, dat hij daar was om u te vermoorden en niet Merriman.'
'Waarom? Hoe zou hij me moeten kennen? En zelfs als dat wel zo was, waarom zou hij dan daarna Merrimans hele familie vermoorden?'
Osborn had gelijk. Klaarblijkelijk had niemand geweten dat Merriman nog leefde totdat Klass zijn vingerafdruk ontdekte. Daarna werd hij te grazen genomen. Hoogstwaarschijnlijk, zoals Lebrun had geopperd, om te verhinderen dat hij zou praten, want ze wisten dat de politie hem in een mum van tijd te pakken zou hebben als ze de vingerafdruk eenmaal hadden. Klass zou misschien de vingerafdruk een tijdje hebben kunnen vasthouden, maar hij kon het bestaan ervan niet ontkennen omdat te veel mensen bij Interpol ervan af wisten. Dus moest Merriman het zwijgen worden opgelegd om wat hij zou kunnen zeggen nadat hij gegrepen zou zijn. En aangezien hij al een jaar of vijfentwintig niet meer in zijn oude handwerk actief was, moest dat betrekking hebben op wat hij had gedaan toen hij nog wél actief was. En precies in die periode was hij gehuurd door Erwin Scholl. Daarom was Merriman, samen met iedereen die hij goed genoeg had gekend om in vertrouwen te nemen, geliquideerd. Om te verhinderen dat hij, of zij, zou praten over wat hij had gedaan toen hij voor Scholl werkte, of op zijn minst dat Scholl ervan beschuldigd zou worden dat hij een moordenaar had gehuurd. Dat betekende dat ze niet wisten wie Osborn was of over het hoofd hadden gezien dat hij de zoon was van een van Merrimans slachtoffers en...
'Verdomme!' mompelde McVey. Waarom had hij zich dat in vredesnaam niet eerder gerealiseerd? De verklaring voor wat er gebeurde was niet bij Merriman of Osborn te vinden, maar bij de vier mensen die hij dertig jaar geleden had vermoord, onder wie Osborns vader!
McVey stond op terwijl zijn bloed vol adrenaline werd gepompt. 'Wat

deed uw vader voor de kost?'
'Zijn beroep?'
'Ja.'
'Hij... bedacht dingen,' zei Osborn.
'Wat moet ik me daar in vredesnaam bij voorstellen?'
'Voor zover ik me herinner, werkte hij bij wat destijds een soort geavanceerde denktank was. Hij vond dingen uit en bouwde daarna prototypes. Ik geloof dat zijn werk hoofdzakelijk bestond uit het ontwerpen van medische instrumenten.'
'Herinnert u zich de naam van het bedrijf nog?'
'Het heette Microtab. Ik herinner me de naam zo goed omdat ze een grote rouwkrans naar het graf van mijn vader hebben gestuurd. De naam van het bedrijf stond op het kaartje, maar er kwam niemand van het bedrijf opdagen,' zei Osborn afwezig.
McVey wist toen hoeveel verdriet Osborn moest hebben gehad. Hij wist dat hij de begrafenis nog steeds vóór zich zag alsof ze gisteren had plaatsgevonden. Dat moest ook gebeurd zijn toen hij Merriman in de brasserie had gezien.
'Was Microtab in Boston gevestigd?'
'Nee, in Waltham. Dat is een voorstad.'
McVey pakte zijn pen en schreef op: *Microtab – Waltham Mass.* – 1967.
'Hebt u er enig idee van hoe hij werkte? In zijn eentje? Of in groepjes waarin hij samen met vier, vijf anderen deze dingen uitdacht?'
'Pa werkte alleen. Iedereen deed dat. De werknemers mochten niet praten over de dingen waarmee ze bezig waren, zelfs niet met elkaar. Ik herinner me dat mijn moeder er eens met hem over sprak. Ze vond het belachelijk dat hij niet mocht praten met degene die in het kantoor naast het zijne zat. Later bedacht ik dat het misschien met patenten of zo te maken had.'
'Hebt u er enig idee van waaraan hij werkte toen hij werd vermoord?'
Osborn grijnsde. 'Ja, hij was er net mee klaar en had het mee naar huis genomen om het me te laten zien. Hij was trots op wat hij deed en wilde me graag laten zien waaraan hij werkte, hoewel ik er zeker van was dat dat eigenlijk niet mocht.'
'Wat was het?'
'Een scalpel.'
'Een scalpel? Zo'n ding dat chirurgen gebruiken?' McVey voelde dat de haren in zijn nek overeind gingen staan.
'Ja.'
'Herinnert u zich hoe dat scalpel eruitzag? Waarin verschilde het van andere scalpels?'

'Het was gegoten en gemaakt van een speciale legering die extreme temperatuurverschillen kon verdragen zonder dat het scalpel zijn scherpte zou verliezen. Het zou gebruikt moeten worden in combinatie met een door een computer gestuurde elektronische arm.'
Niet alleen stonden de haren in McVeys nek overeind, maar hij had nu ook het gevoel alsof iemand ijsblokjes over zijn ruggegraat liet glijden.
'Iemand zou operaties bij extreme temperaturen gaan uitvoeren waarbij een of ander computergestuurd ding gebruikt zou worden dat het scalpel van uw vader zou vasthouden en het eigenlijke werk zou doen?'
'Dat weet ik niet. U moet bedenken dat de computers in die tijd enorm groot waren. Ze namen hele kamers in beslag, dus ik weet niet of het praktisch haalbaar zou zijn geweest, zelfs als het had gewerkt.'
'Hoe zat het met die temperaturen?'
'Wat is daarmee?'
'U zei extreme temperaturen. Bedoelt u daarmee warm of koud of allebei?'
'Dat weet ik niet. Maar er waren al experimenten uitgevoerd met laserchirurgie, wat in principe neerkomt op het omzetten van lichtenergie in warmte. Dus als ze nieuwe concepten in de chirurgie wilden testen, neem ik aan dat ze in de andere richting werkten.'
'Met extreem lage temperaturen dus.'
'Ja.'
Plotseling waren de ijsblokjes verdwenen en McVey voelde hoe het bloed krachtig door zijn aderen werd gepompt. Dít was datgene waarnaar hij steeds had gezocht en dat hem steeds weer naar Osborn toe had getrokken. De connectie tussen Osborn, Merriman en de hoofdloze lijken.

# 71

*Berlijn, maandag 10 oktober 22.15 uur.*

'*Es ist spät*, Uta.' Het is laat, Uta, zei Konrad Peiper geïrriteerd.
'Mijn excuses, Herr Peiper, maar u zult begrijpen dat ik er niets aan kan doen,' zei Uta Baur. 'Ze zullen vast zo komen.' Ze keek dokter Salettl

aan, die niet reageerde.
Zij en Salettl waren eerder die avond met het bedrijfsvliegtuig van Elton Lybarger uit Zürich gekomen en bij aankomst direct hierheen gereden om de laatste voorbereidingen te treffen voordat de anderen zouden arriveren. In een normale situatie zou ze een halfuur geleden zijn begonnen. Ze zaten in de privé-kamer op de bovenste verdieping van Galerie Pamplemousse, een galerie van vijf verdiepingen voor *neue Kunst*, op de Kurfürstendamm en het soort gasten dat hier bijeen was kon je nu eenmaal niet laten wachten, vooral niet zo laat op de avond. Maar wie je ook was, de twee mannen die te laat waren, waren geen mannen die je kon beledigen door te vertrekken voordat ze waren gearriveerd. Bovendien waren de aanwezigen hier op hun uitnodiging.
Uta, die zoals altijd in het zwart gekleed was, stond op en liep naar een wandtafel met daarop een grote zilveren samovar die was gevuld met Arabische koffie van versgemalen bonen, schalen met allerlei canapés, zoetigheid en flesjes bronwater. De voorraad werd regelmatig aangevuld door twee verrukkelijke jonge gastvrouwen die een strakke spijkerbroek en cowboylaarzen droegen.
'Vul de samovar bij, alsjeblieft,' snauwde ze tegen een van hen. Het meisje deed onmiddellijk wat haar was gezegd en liep door een deur een dienstkeuken binnen.
'Ik wacht nog een kwartier, niet langer. Ik heb het ook druk, beseffen ze dat dan niet?' Hans Dabritz zette zijn stopwatch, legde een paar canapés op een bord en liep terug naar zijn plaats.
Uta schonk een glas mineraalwater voor zichzelf in en keek de kamer rond naar haar ongeduldige gasten. Hun namen lazen als een *Who's Who* van de elite van het hedendaagse Duitsland. Ze zag de korte beschrijvingen al voor zich.
De kleine, bebaarde Hans Dabritz, 50. Projectontwikkelaar en makelaar in politieke macht. Zijn projecten omvatten enorme appartementencomplexen in Kiel, Hamburg, München en Düsseldorf en loodsen, torenflats en kantoorgebouwen in Berlijn, Frankfurt, Essen, Bremen, Stuttgart en Bonn. Bezit hele huizenblokken in het centrum van Bonn, Frankfurt, Berlijn en München. Heeft zitting in de raad van bestuur van Frankfurts Deutsche Bank, de grootste bank van Duitsland. Schenkt met grote regelmaat grote bedragen aan lokale politici van wie een meerderheid naar zijn pijpen danst. Een veelvertelde grap is dat een van de kleinste mannen van Duitsland de grootste invloed uitoefent op de Duitse Tweede Kamer, de Bundestag. In de koude en sobere zalen waarin de Duitse politiek wordt bedreven, wordt Dabritz beschouwd als iemand die aan de touwtjes trekt. Krijgt bijna altijd wat hij wil.

Konrad Peiper, 38 (was twee avonden terug met zijn vrouw Margarete aan boord van de stoomboot in Zürich te gast op het welkomstfeest voor Elton Lybarger), president en algemeen directeur van Goltz Development Group GDG, de op één na grootste handelmaatschappij van Duitsland. Onder zijn leiding werd in Londen Lewsen International opgericht, in feite een houdstermaatschappij. Met Lewsen als façade bouwde GDG een netwerk van vijftig kleine en middelgrote Duitse bedrijven op die de belangrijkste leveranciers van Lewsen International werden. Tussen 1981 en 1990 leverde GDG, via de Londense façade, aan het zeer liquide Irak in het geheim de belangrijkste grondstoffen voor chemische en biologische oorlogvoering, de materialen om ballistische raketten te moderniseren en de onderdelen voor kernwapens. Dat Irak het meeste van wat Lewsen had geleverd bij Operatie Desert Storm zou verliezen, was van weinig belang. Peiper had de naam van GDG als een wapenleverancier van wereldklasse gevestigd.
Margarete Peiper, 29, Konrads vrouw. Tenger, betoverend, verslaafd aan werk. Op haar twintigste muziekarrangeur, platenproducent en impresario van drie van de beste rockbands van Duitsland. Op haar vijfentwintigste enige eigenares van het reusachtige Cinderella, de grootste opnamestudio van Duitsland en twee platenmaatschappijen. Bezat toen al huizen in Berlijn, Londen en Los Angeles. Momenteel voorzitter, grootste aandeelhouder en drijvende kracht achter A.E.A., *Agency for the Electric Arts*, een reusachtige, wereldwijde organisatie die toptekstschrijvers, acteurs, directeuren en platenartiesten vertegenwoordigt. Ingewijden beweren dat Margarete Peipers genialiteit er hoofdzakelijk in bestaat dat ze geestelijk volkomen is afgestemd op de jonge generatie. Haar critici beschouwen haar vermogen om greep te houden op een uitgebreid en groeiend hedendaags jong publiek eerder als angstaanjagend dan als bijzonder omdat wat ze doet het wankele midden houdt tussen briljante creativiteit en regelrechte manipulatie. Een beschuldiging die ze altijd heeft ontkend. Ze houdt vol dat haar grote kracht een intense, levenslange toewijding aan mensen en kunst is.
Gepensioneerd luchtmachtgeneraal Matthias Noll, 62. Gerespecteerd politiek lobbyist. Briljant spreker. Kampioen van de machtige Duitse vredesbeweging. Uitgesproken criticus van snelle constitutionele veranderingen. Wordt zeer gerespecteerd door een grote groep ouder wordende Duitsers die nog steeds gekweld wordt door de schaamte en het schuldgevoel over het Derde Rijk.
Henryk Steiner, 43. Activist die bij de arbeidsonrust die in het nieuwe Duitsland behoorlijk begint te gisten, een belangrijke rol speelt. Kort en gedrongen en uitermate sympathiek. Vader van elf kinderen. Uit

hetzelfde hout gesneden als Lech Walesa. Dynamische en buitengewoon populaire organisator van politieke acties. Kan rekenen op de emotionele en fysieke steun van een paar honderdduizend arbeiders uit de auto- en staalindustrie die in het voormalige Oost-Duitsland voor hun economisch voortbestaan vechten. Heeft acht maanden in de gevangenis gezeten voor het leiden van een proteststaking van driehonderd vrachtwagenchauffeurs tegen gevaarlijke en slecht onderhouden wegen. Toen hij pas twee weken vrij was, leidde hij vijfhonderd Potsdamse politiemannen bij een symbolische vier uur durende prikactie nadat ze door bureaucratisch geklungel bijna een maand geen salaris hadden ontvangen.

Hilmar Grunel, 57, directeur van HGS-Beyer, de grootste uitgeverij van kranten en tijdschriften van Duitsland. Voormalig ambassadeur bij de Verenigde Naties en uitgesproken conservatief. Heeft de dagelijkse leiding van en de redactionele verantwoordelijkheid over elf belangrijke uitgaven die allemaal een krachtige en meeslepende rechtse visie hebben.

Rudolf Kaes, 48. Specialist monetaire zaken bij het Instituut voor Economisch Onderzoek in Heidelberg en belangrijkste economisch adviseur van de regering Kohl. De enige kandidaat om Duitsland te vertegenwoordigen bij de raad van beheer van de nieuwe centrale bank van de Europese Economische Gemeenschap die 1 januari 1994 geopend zal worden. Hartstochtelijk pleitbezorger van één Europese munteenheid. Weet heel goed hoe dominant de positie van de Duitse mark in Europa is en is zich er scherp van bewust dat de Duitse economische macht alleen maar zal worden vergroot als er één munteenheid komt die daarop is gebaseerd.

Gertrude Biermann (ook te gast op de stoomboot in Zürich), 39. Alleenstaande moeder van twee kinderen. Een belangrijke figuur bij de Groenen, een radicale linkse vredesbeweging die haar wortels heeft in het verzet tegen plaatsing van Amerikaanse Pershing-raketten in West-Duitsland aan het begin van de jaren tachtig. De beweging heeft een diepgaande invloed op die Duitsers die zich verzetten tegen iedere poging Duitsland te bewegen zich aan te sluiten bij een westers militair verbond.

Er ging een zoemer over en Uta zag dat Salettl de telefoon die naast hem stond opnam. Hij luisterde, legde de hoorn op de haak en keek Uta even aan.

'Ja,' zei hij.

Een ogenblik later ging de deur open en von Holden kwam binnen. Hij keek snel rond in de kamer en stapte toen opzij. '*Hier sind sie*,' zei Uta

tegen de gasten en tegelijkertijd keek ze de gastvrouwen scherp aan, die onmiddellijk door een zijdeur verdwenen.
Even later kwam een verbluffend knappe en buitengewoon goedgeklede man van zeventig jaar of ouder de kamer binnen. 'Dortmund zit vast in Bonn. We zullen zonder hem beginnen,' zei Erwin Scholl tegen niemand in het bijzonder en vervolgens ging hij naast Steiner zitten. Dortmund was Gustav Dortmund, de president van de Federale Bundesbank, de centrale bank van Duitsland.
Von Holden sloot de deur en liep naar de tafel. Hij schonk een glas mineraalwater in, overhandigde dat aan Scholl, stapte toen naar achteren en ging bij de deur staan.
Scholl was een lange, slanke man van vijfenzeventig jaar met kortgeknipt grijs haar, een diepgebruinde huid en verrassend blauwe ogen. Zijn leeftijd en grote voorspoed hadden alleen maar meer karakter gegeven aan zijn toch al gebeeldhouwde gezicht met het brede voorhoofd, de aristocratische neus en de kin met het diepe kuiltje. Hij had een ouderwetse militaire houding, waardoor hij de aandacht trok zodra hij ergens verscheen. En als hij een kamer binnenkwam, zoals net was gebeurd, richtten alle blikken zich op hem en werd het onmiddellijk stil.
'De presentatie, alsjeblieft,' zei hij zacht tegen Uta. Met zijn merkwaardige mengeling van bestudeerde verlegenheid en totale arrogantie was Erwin Scholl hét voorbeeld van een Amerikaans succesverhaal; een straatarme Duitse immigrant die zich had opgewerkt tot eigenaar van een reusachtig uitgeversimperium en die filantroop, geldinzamelaar voor goede doelen en de vertrouwde vriend van Amerikaanse presidenten, van Dwight Eisenhower tot Bill Clinton, was geworden. Zoals de meeste andere aanwezigen was hij voor zijn rijkdom en invloed afhankelijk van de grote massa van het volk, maar hij had er doelbewust voor gezorgd dat hij bij hen nauwelijks bekend was.
'Ga je gang,' zei Uta over een intercom. Het werd onmiddellijk donker in de kamer en een wand met abstracte schilderijen recht voor hen werd verdeeld in drie driehoekige vlakken die automatisch naar opzij en omhoogschoven waardoor een high definition televisiescherm van tweeëneenhalve bij drieëneenhalve meter zichtbaar werd.
Er verscheen direct een messcherp beeld. Het was een close-up van een voetbal. Plotseling schoot er een voet naar voren die ertegen trapte. De camera zoomde naar achteren zodat de goed onderhouden gazons van *Anlegeplatz* en Elton Lybargers neven Eric en Edward, die speels de voetbal naar elkaar schopten, in beeld kwamen. Toen bewoog de camera zich opzij, naar Elton Lybarger die samen met Joanna naar hen stond te kijken. Plotseling schopte een van de jongens de bal in Lybar-

gers richting en deze trapte hem krachtig naar zijn neven terug. Toen keek hij Joanna aan en glimlachte trots. Joanna glimlachte, even tevreden over zijn prestatie, terug.
Daarna werd de video afgebroken en even later zagen de aanwezigen Lybarger in zijn stijlvolle bibliotheek zitten. Hij zat, nonchalant gekleed in een trui en een pantalon, voor een opvlammend haardvuur en besprak met iemand die buiten beeld was tot in details de belangrijke rol die Parijs en Bonn hadden gespeeld bij het tot stand komen van de Europese Economische Gemeenschap. Ter zake kundig en helder formulerend bracht hij naar voren dat de houding van 'afstandelijke morele superioriteit' die Groot-Brittannië had aangenomen er slechts voor zorgde dat dit land ontevreden bleef met de ontwikkelingen. En als het in deze rol bleef volharden, zou dat noch Groot-Brittannië, noch de Europese Gemeenschap ten goede komen. Naar zijn mening móest er toenadering tussen Bonn en Londen komen, wilde de Gemeenschap de grote economische macht worden die de lidstaten voor ogen had gestaan. Zijn betoog eindigde luchtig met een grap die geen grap was. 'Natuurlijk wilde ik eigenlijk zeggen dat er toenadering tussen *Berlijn* en Londen moet komen, want zoals iedereen weet, hebben verstandige parlementariërs bij de stemming van 20 juni Berlijn weer tot de zetel van de regering en daardoor opnieuw tot het hart van Duitsland gemaakt.'
Toen vervaagde Lybargers beeld en werd het door iets anders vervangen. Het stond rechtop, was lichtgewelfd en bijna even hoog als het beeldscherm zelf. Even gebeurde er niets, toen draaide het ding zich om, aarzelde even, en bewoog zich toen vastberaden naar voren. Op dat moment herkende iedereen het. Het was een penis in volledige erectie.
Abrupt verplaatste de camera zich naar het silhouet van een andere man die in het donker stond toe te kijken. Toen veranderde de opnamehoek opnieuw en de toeschouwers zagen Joanna die languit naakt op een groot bed lag. Haar handen en voeten waren met weelderige fluwelen linten aan de bedstijlen vastgebonden. Haar volle borsten leken op meloenen, haar benen waren ontspannen gespreid en de donkere driehoek op de plek waar ze samenkwamen golfde zachtjes op het onbewuste ritme van haar heupen. Haar lippen waren vochtig en haar open, glazige ogen waren omhooggedraaid alsof haar hemelse verrukkingen te wachten stonden. Ze straalde tevredenheid en instemming uit en uit niets bleek dat er ook maar iets van dit alles tegen haar wil gebeurde.
Toen ging de man met de stijve penis op haar liggen en ze ontving hem gewillig. Met een rijke variatie aan invalshoeken registreerde de ca-

mera de authenticiteit van wat er gebeurde. De stoten met de penis waren lang en krachtig, doelmatig, maar ongehaast en Joanna reageerde met toenemend genot.
De camera liet de andere man zien, die zich op de achtergrond hield. Het was von Holden en hij was volkomen naakt. Met zijn armen over zijn borst gevouwen keek hij onverschillig toe.
De camera keerde terug naar het bed en in de rechterbovenhoek van het scherm verscheen een elektronische tijdregistratie die weergaf hoeveel tijd er verliep tussen het binnendringen van de penis en het orgasme.
Om 4.12.04 uur kreeg Joanna zichtbaar haar eerste orgasme.
Om 6.00.03 uur verscheen er boven in het midden van het scherm een elektro-encefalogram dat haar hersengolven registreerde. Tussen 6.15.43 en 6.55.03 uur werden er zeven afzonderlijke excessieve oscillaties in haar hersengolven geregistreerd. Om 6.57.23 verscheen er in de linkerbovenhoek van het scherm een elektro-encefalogram van haar mannelijke partner. Vanaf dat moment tot 7.02.07 uur waren zijn hersengolven normaal. In die tijd werden er bij Joanna nog drie perioden van excessieve hersenactiviteit gemeten. Om 7.15.22 uur nam de hersenactiviteit van de man drievoudig toe. Terwijl dat gebeurde zoomde de camera in op Joanna's gezicht. Haar ogen waren in hun kassen omhooggedraaid zodat alleen het wit zichtbaar was en haar mond was in een geluidloze schreeuw geopend.
Om 7.19.19 uur kreeg de man een volledig orgasme.
Om 7.22.20 uur stapte von Holden in beeld en leidde de man de kamer uit. Terwijl ze vertrokken, richtten twee camera's zich tegelijkertijd op de man die seks met Joanna had gehad. Er kon geen twijfel aan bestaan dat de man die nu de kamer uitliep dezelfde man was die met Joanna in bed had gelegen. En het was ook zeker wie hij was en dat hij de geslachtsdaad volledig en succesvol had volbracht.
Het was Elton Lybarger.

'*Eindrücksvoll*!' zei Hans Dabritz toen de lichten aangingen en de driehoekige panelen met abstracte schilderijen weer op hun plaats voor het videoscherm gleden.
'Maar we zullen geen videofilm vertonen, Herr Dabritz,' zei Erwin Scholl op scherpe toon. Zijn blik verplaatste zich abrupt naar Salettl. 'Zal hij in staat zijn te doen wat we van hem verwachten, dokter?'
'Ik had graag meer tijd willen hebben, maar hij is in opmerkelijk goede conditie, zoals we hebben gezien.' In een willekeurige andere kamer zou er om die opmerking zijn gelachen, maar hier niet. Deze mensen hadden geen gevoel voor humor. Ze waren getuige geweest van een kli-

nische studie op grond waarvan een besluit moest worden genomen. Verder niets.
'Ik heb u gevraagd of hij in staat zal zijn te doen wat er van hem wordt verlangd, dokter. Ja of nee?' Salettl leek onder Scholls doordringende blik ineen te schrompelen.
'Ja, daartoe zal hij in staat zijn.'
'Zonder stok! Zonder dat iemand hem bij het lopen helpt!' hield Scholl aan.
'Ja. Zonder stok en zonder dat iemand hem bij het lopen helpt.'
'*Danke*,' zei Scholl minachtend. Hij stond op en wendde zich tot Uta. 'Dan heb ik verder geen bedenkingen.' Na die woorden opende von Holden de deur voor hem en hij liep naar buiten.

## 72

Scholl nam de lift niet, maar liep de vijf trappen van de galerie af met von Holden naast hem. Toen ze bij de straat kwamen, opende von Holden de deur en ze stapten de frisse avondlucht in.
Een geüniformeerde chauffeur opende het portier van een Mercedes. Scholl stapte eerst in en daarna von Holden.
'Naar de Savignyplatz,' zei Scholl toen ze wegreden.
'Langzaam rijden,' zei hij toen de Mercedes een met bomen omzoomd plein op draaide en met een slakkegangetje langs een blok met volle restaurants en bars reed. Scholl leunde naar voren en staarde naar buiten. Hij keek naar de mensen op straat, naar hoe ze liepen en met elkaar praatten en hij bestudeerde hun gezicht en hun gebaren. Door de intense aandacht waarmee hij het deed, leek het alsof het allemaal nieuw voor hem was, alsof hij het voor de eerste keer zag.
'Rijd de Kantstrasse in.' De chauffeur reed een straat vol nachtclubs met opzichtige reclames en luidruchtige cafés in.
'Stop, alsjeblieft,' zei Scholl ten slotte. Zelfs als hij beleefd was, sprak hij kortaf en afgemeten, alsof alles wat hij zei een militair bevel was.
Een half blok verderop vond de chauffeur een plekje op de hoek en hij parkeerde. Scholl leunde achterover, vouwde zijn handen onder zijn kin en keek naar het gedrang van de jonge Berlijners die zich gestaag

tussen de neonreclames van hun lawaaiige pop-artwereld door voortbewogen.
Achter de getinte ruiten leek hij op een voyeur die verlangde naar de geneugten van de wereld die hij gadesloeg, maar er toch afstand van hield.
Von Holden vroeg zich af wat hij aan het doen was. Hij had vanaf het moment dat hij Scholl bij het vliegveld Tegel afgehaald en naar de galerie gebracht had, geweten dat hem iets dwarszat. Hij vermoedde wat het was, maar Scholl had niets gezegd en von Holden dacht dat wat het ook geweest was misschien inmiddels was opgelost.
Maar je kon van Scholl geen hoogte krijgen. Hij was een raadsel dat was verborgen achter een masker van onverzettelijke arrogantie. Het was een karaktertrek die hij niet kon of wilde veranderen, omdat die hem gemaakt had tot wat hij was. Het was niet ongebruikelijk dat hij zijn stafleden weken achtereen achttien uur per dag liet werken om hen daarna de mantel uit te vegen omdat ze niet harder hadden gewerkt of hen te belonen met een dure vakantie naar het andere eind van de wereld. Hij was verscheidene keren op het laatste moment bij cruciale arbeidsonderhandelingen weggelopen en verdwenen. Hij ging dan in zijn eentje naar een museum of een bioscoop en bleef urenlang weg. Als hij dan terugkwam, verwachtte hij dat het probleem in zijn voordeel zou zijn opgelost. Gewoonlijk was dat ook zo, omdat beide partijen wisten dat hij zijn hele onderhandelingsstaf zou ontslaan als dat niet het geval was. Als hij dat deed, werd er een nieuwe staf benoemd en de onderhandelingen begonnen van voren af aan, een proces dat zowel Scholl als de tegenpartij een vermogen aan honoraria voor advocaten kostte. Het verschil was dat Scholl zich dat kon permitteren.
In beide gevallen was het meer dan gewoon gedaan krijgen wat hij wilde. Het was een manier om anderen aan zich te onderwerpen, om weloverwogen zijn kolossale ego te laten gelden. En Scholl wist dat niet alleen, hij genoot er ook van.
Von Holden was al acht jaar *Leiter der Sicherheit* – hoofd van de beveiliging – van Scholls Europese bedrijven – twee drukkerijen in Spanje, vier televisiestations waarvan drie in Duitsland en een in Frankrijk, en GDG, Goltz Development Group, waarvan Konrad Peiper president was. Hij nam persoonlijk het beveiligingspersoneel aan en hield toezicht op hun opleiding. Von Holdens verantwoordelijkheid eindigde daar echter niet. Scholl had duisterder investeringen op geheel andere terreinen en het was ook von Holdens taak die te beschermen.
De situatie in Zürich bijvoorbeeld. Het behagen van Joanna was een kwestie van manipulatie geweest die bekwaamheid en tact had vereist.

Salettl achtte Elton Lybarger in staat tot volledig herstel, zowel fysiek als emotioneel en psychologisch. Maar in het begin had hij zijn bezorgdheid erover uitgesproken dat het weleens zou kunnen misgaan wanneer de tijd gekomen was om Lybargers voortplantingsvermogen te testen. Lybarger ging nauwelijks met vrouwen om en bij een vrouw die hij niet kende zou hij zich wel eens zo slecht op zijn gemak kunnen voelen dat hij misschien zou weigeren geslachtsverkeer met haar te hebben of dat zijn seksuele prestatie er ernstig onder te lijden zou hebben.
Een vrouw die een langere periode zijn fysiotherapeute was geweest en hem helemaal naar Zwitserland had vergezeld om hem daar verder te behandelen, zou hij vertrouwen en hij zou zich bij haar op zijn gemak voelen. Hij zou aan haar aanraking gewend zijn en zelfs haar geur kennen. En hoewel hij misschien nooit seksueel in haar geïnteresseerd was geweest, zou hij onder invloed van een sterk afrodisiacum zijn wanneer hij bij haar zou worden gebracht om geslachtsgemeenschap met haar te hebben. Hij zou dan in een staat van seksuele opwinding verkeren zonder zich helemaal van de omstandigheden bewust te zijn en instinctief voelen dat ze hem vertrouwd was. Daardoor zou hij zich ontspannen en zijn taak kunnen volbrengen.
Daarom was Joanna gekozen. Omdat ze ver van huis was, geen naaste familie had en niet bijzonder aantrekkelijk was, zou ze zich er lichamelijk en emotioneel goed voor lenen door een plaatsvervanger te worden verleid. Deze verleiding zou alleen tot doel hebben haar gereed te maken om met Elton Lybarger te copuleren. Dat er behoefte aan een plaatsvervanger bestond, was een goed overwogen taxatie van Salettl geweest. Hij had er met Scholl over gesproken en Scholl had zich tot zijn *Leiter der Sicherheit* gewend. Von Holdens persoonlijke deelname zou niet alleen Lybargers veiligheid en privacy garanderen, maar ook verder een blijk zijn van von Holdens loyaliteit aan de Organisatie.
Aan de overkant van de straat gaf een digitale neonklok boven de ingang van een disco 22.55 uur aan. Vijf voor elf. Ze stonden hier nu al een half uur en nog steeds ging Scholl zwijgend op in zijn observatie van de drommen jonge mensen die de straat vulden.
'De massa,' zei hij zacht. 'De massa.'
Von Holden wist niet zeker of Scholl het tegen hem had of niet. 'Het spijt me, meneer. Ik heb u niet verstaan.'
Scholl draaide zijn hoofd naar hem toe en keek von Holden recht in de ogen. 'Herr Oven is dood. Wat is er met hem gebeurd?'
Von Holden had toch gelijk gehad. Het had Scholl de hele tijd dwarsgezeten dat Bernhard Oven in Parijs had gefaald, maar hij kon er nu pas over praten.

'Ik zou zeggen dat hij een beoordelingsfout heeft gemaakt.'
Scholl leunde plotseling naar voren en zei tegen de chauffeur dat hij moest doorrijden. Hij wachtte tot ze weer in het verkeer zaten voordat hij verder sprak.
'We hebben heel lang geen problemen gehad, tot Albert Merriman opdook. Dat hij en de personen uit zijn naaste omgeving zo snel en efficiënt geliquideerd zijn, bewees alleen maar dat ons systeem nog steeds naar behoren functioneert. Nu is Oven gedood. Dat risico bestaat in zijn beroep natuurlijk altijd, maar het is verontrustend dat we daaruit moeten concluderen dat het systeem misschien niet zo efficiënt werkt als we hebben aangenomen.'
'Herr Oven werkte alleen en op basis van informatie die hem werd verschaft. De situatie is nu in handen van de Parijse afdeling,' zei von Holden.
'Oven is door jou getraind, niet door de Parijse afdeling!' snauwde Scholl boos. Hij deed hetzelfde als altijd; hij maakte er een persoonlijke kwestie van. Bernhard Oven werkte voor von Holden en daarom was von Holden verantwoordelijk voor zijn falen.
'Je weet dat ik Uta Baur groen licht heb gegeven.'
'Ja, meneer.'
'Dan besef je ook dat alles voor vrijdagavond al geregeld is. Het zou moeilijk zijn om de boel nu nog terug te draaien en bovendien gênant.' Scholls blik boorde zich in die van von Holden, net als hij bij Salettl had gedaan. 'Je begrijpt wel wat ik bedoel.'
'Ik begrijp het.'
Von Holden leunde achterover. Het zou een lange nacht worden. Hij had net bevel gekregen naar Parijs te gaan.

# 73

Het was gaan misten en er warrelde een vochtige nevel rond. De gele koplampen van de weinige auto's die nog op straat waren, wierpen een spookachtige baan van licht voor zich uit wanneer ze langs de telefooncel over de Boulevard St.-Jacques reden.
'Oi, McVey!' Benny Grossmans stemgeluid plantte zich als heldere zon-

neschijn door de viereneenhalfduizend kilometer vezeloptische onderwaterkabel voort. Het was in Parijs dinsdagnacht kwart over twaalf dus in New York moest het nu maandagavond kwart over zes zijn en Benny was na een lange dag in de rechtszaal net zijn kantoor binnengekomen om te kijken of er boodschappen voor hem waren.
Als McVey over de heuvel naar beneden keek, kon hij door de motregen en de bomen die langs de boulevard stonden, nog net zijn hotel zien. Hij had niet uit zijn kamer durven bellen en hij wilde ook niet in de hal zijn als de politie eventueel zou terugkomen.
'Benny, ik weet het, je wordt gek van me...'
'Dat dacht je maar, McVey!' Benny lachte. Benny lachte altijd. 'Stuur me gewoon mijn kerstgratificatie maar in honderdjes op. Dus ga je gang maar, maak me maar gek.'
Terwijl McVey snel de boulevard afspeurde, voelde hij ter geruststelling even aan de kolf van de .38 revolver onder zijn jasje en keek toen naar zijn aantekeningen.
'Benny, het gaat om 1967, Westhampton Beach. Ik wil weten wie Erwin Scholl is en waar hij woont als hij nog leeft. Ik wil ook informatie over drie onopgeloste moorden die in de lente van 1967 of misschien zelfs in de late herfst van 1966 door een beroeps zijn gepleegd in de staten...' McVey keek weer naar zijn aantekeningen – 'Wyoming, Californië en New Jersey.'
'Een fluitje van een cent, ouwe gannef. Waarom zou ik gelijk ook niet eventjes uitzoeken wie Kennedy eigenlijk heeft vermoord?'
'Benny, als ik de informatie niet echt nodig had...' McVey keek in de richting van het hotel. Osborn zat net als de eerste keer gewapend met de revolver van de lange man in de kamer en had ook nu instructies de telefoon niet op te nemen en niemand behalve McVey binnen te laten. Dit was het soort situatie waarvan McVey een grondige afkeer had. Hij was in gevaar zonder er enig idee van te hebben van welke kant en in welke vorm het zou komen. De laatste jaren had hij grotendeels doorgebracht met het opruimen van de rommel en het verzamelen van bewijsmateriaal nadat drugdealers op een gewelddadige manier hun zakelijke transacties hadden afgehandeld. Het was meestal veilig werk, omdat doden gewoonlijk niet probeerden je te vermoorden.
'Benny...' – McVey draaide zich terug naar de telefoon – 'de slachtoffers waren waarschijnlijk werkzaam op een of ander technisch geavanceerd terrein. Uitvinders, ontwerpers van precisie-instrumenten, misschien wetenschappers of wellicht zat er zelfs een professor bij. Iemand die experimenteerde met extreem lage temperaturen van drie-, vier- of vijfhonderd graden Fahrenheit onder het vriespunt. Of misschien de-

den ze het tegenovergestelde en werkten ze met extreem hoge temperaturen. Wie waren ze? Waaraan werkten ze toen ze werden vermoord? Dan nog één ding: de Microtab Corporation in Waltham, Massachusetts, in 1967. Bestaat het bedrijf nog? En zo ja, wie is dan de eigenaar ervan? Mocht het niet meer bestaan, wat is er dan mee gebeurd en wie was er in 1967 eigenaar van?'
'Wie denk je dat ik ben, McVey? Wall Street? De Fiod? De Opsporingsdienst van Vermiste Personen? Denk je dat de antwoorden er zomaar uit komen rollen als ik dit even in de computer stop? Wanneer wil je het in vredesnaam weten? Met nieuwjaar 1995?'
'Ik bel je morgenochtend.'
'Wat?'
'Het is heel erg belangrijk, Benny. Als je er niet uitkomt of als je hulp nodig hebt, bel dan Fred Haney van de FBI in L.A.. Zeg hem dat het voor mij is, dat ik om zijn hulp heb gevraagd.' McVey zweeg even. 'Nog één ding. Als je morgenmiddag om twaalf uur jullie tijd nog niets van me hebt gehoord, bel dan Ian Noble bij Scotland Yard en geef hem alle informatie die je hebt.'
'McVey...' Benny Grossmans liet zijn quasi-geïrriteerde, uitgelaten toontje varen. 'Zit je in de penarie?'
'Behoorlijk.'
'*Behoorlijk*? Wat betekent dat in jezusnaam?'
'Hé, Benny, ik sta bij je in het krijt...'

Osborn stond voor het donkere raam naar buiten te kijken. Er hing een dichte mist en er was bijna geen verkeer. Niemand liep op de trottoirs. De mensen lagen thuis te slapen en wachtten tot het dinsdag zou worden. Toen zag hij iemand onder een straatlantaarn door lopen en de boulevard oversteken naar het hotel. Hij dacht dat het McVey was, maar hij wist het niet zeker. Hij trok de gordijnen dicht, ging zitten en knipte een kleine nachtlamp aan, waardoor Bernhard Ovens revolver werd verlicht. Hij had het gevoel dat hij zich al een halve eeuw schuilhield, maar toch was het pas zeven dagen geleden sinds hij Albert Merriman in brasserie Stella tegenover zich had zien zitten.
Hoeveel mensen waren er in die zeven dagen vermoord? Tien? Twaalf? Nee, meer. Als hij Vera nooit had ontmoet en niet naar Parijs was gekomen, zouden die mensen allemaal nog in leven zijn geweest. Was dat zijn schuld? Op die vraag was geen antwoord omdat het geen redelijke vraag was. Hij hád Vera ontmoet en hij wás naar Parijs gekomen en wat er daarna was gebeurd, kon nooit meer ongedaan gemaakt worden.
In de afgelopen uren dat McVey er niet was geweest, had hij geprobeerd

niet aan Vera te denken. Maar op de momenten dat hij dat wel deed, wanneer hij niet anders kon, moest hij zichzelf voorhouden dat alles met haar in orde was, dat de rechercheurs die haar naar haar grootmoeder in Calais hadden gebracht goede, betrouwbare politiemannen waren en geen handlangers van wat voor organisatie het ook was die hier achter zat.
Hij was op jeugdige leeftijd met geweld in aanraking gekomen en hij had daarvan sinds die tijd de gevolgen moeten dragen. De nachtmerries nadat Merriman was doodgeschoten en de verlammende zenuwinzinking die in Vera's armen op de vloer van de zolderkamer was geëindigd, waren niet veel meer geweest dan een wanhopig verzet tegen de verschrikkelijke waarheid dat de dood van Albert Merriman niets had opgelost. De angstaanjagende moordenaar met het litteken op zijn gezicht die hij vanaf zijn jeugd had achtervolgd, was eenvoudigweg vervangen door een naam en niet veel meer dan dat. Door uit het flatgebouw waar Vera woonde weg te gaan, door uit zijn schuilplaats te komen, door het risico te nemen dat de lange man hem zou doden, dat de Parijse politie hem zou vinden en dat McVey hem, wanneer hij eenmaal tegenover hem zat, ter plekke zou arresteren, had hij toegegeven dat hij het niet langer alleen aankon. Hij was niet naar McVey toe gegaan om genade te vragen, maar om hulp te krijgen.
Er werd op de deur geklopt en hij schrok alsof er een pistoolschot was afgevuurd. Zijn hoofd kwam met een ruk omhoog en hij draaide het zo snel om alsof hij met zijn broek op zijn enkels betrapt was. Hij staarde naar de deur en wist niet of hij zijn oren wel kon geloven.
Er werd weer geklopt.
Als het McVey was, zou hij iets zeggen of zijn sleutel gebruiken. Osborns vingers klemden zich om de revolver toen de deurknop werd omgedraaid. Iemand drukte net hard genoeg tegen de deur om te kunnen constateren dat hij op slot was. De druk hield even plotseling op.
Osborn liep de kamer door en leunde vlak naast de deur tegen de muur. Hij voelde hoe de kolf van de revolver nat van het zweet in zijn hand werd. Wat er zou gaan gebeuren, hing af van degene die in de gang stond.
'Sorry, schat, je hebt de verkeerde kamer,' hoorde hij McVey luid en temerig op de gang zeggen. Zijn woorden werden gevolgd door een vrouwenstem die in het Frans een stortvloed van woorden uitbraakte.
'De verkeerde kamer, schat. Geloof me nou. Probeer het boven eens – misschien ben je op de verkeerde verdieping!'
Hij werd boos en verontwaardigd in het Frans van repliek gediend.
Toen hoorde Osborn dat de sleutel in het slot werd gestoken. De deur

ging open en McVey kwam binnen. Hij had een donkerharig meisje bij haar arm vast en er stak een opgerolde krant uit de zak van zijn colbert.
'Als je dan zo nodig wilt binnenkomen, kom dan maar binnen,' zei hij tegen het meisje en toen keek hij Osborn aan.
'Doe de deur op slot.'
Osborn deed de deur op slot en schoof het kettingslot ervoor.
'Oké, schat, je bent binnen. Wat nu?' zei McVey tegen het meisje dat met een hand op haar heup in het midden van de kamer stond. Haar blik verplaatste zich naar Osborn. Ze was een jaar of twintig, ongeveer één meter vijfenvijftig lang en in het geheel niet bang. Ze droeg een strakke zijden blouse, een heel kort zwart rokje, netkousen en hoge hakken.
'Fucky, fucky,' zei ze in het Engels. Ze glimlachte verleidelijk en keek van Osborn naar McVey.
'Wil je met ons allebei neuken. Bedoel je dat?'
'Prima, waarom niet?' Ze glimlachte en haar Engels werd een stuk beter.
'Wie heeft je gestuurd?'
'Het gaat om een weddenschap.'
'Wat voor weddenschap?'
'De nachtportier zei dat jullie nichten waren. De piccolo zei van niet.'
McVey lachte. 'En ze hebben jou naar boven gestuurd om erachter te komen.'
'*Oui.*' Ze trok een paar honderd franc uit haar beha om het te bewijzen.
'Wat is er in godsnaam aan de hand?' vroeg Osborn.
McVey glimlachte. 'Ach, we hebben hen gewoon een beetje in de maling genomen, schat. De piccolo heeft gelijk.' Hij keek Osborn aan.
'Wil jij haar eerst neuken?'
Osborn schrok. 'Wat?'
'Waarom niet? Ze is al betaald.' McVey glimlachte tegen haar. 'Trek je kleren maar uit...'
'Natuurlijk.' Het was haar ernst en ze was goed in wat ze deed. Ze keek hen de hele tijd in de ogen. Eerst de een en dan de ander, alsof het uittrekken van ieder kledingstuk een speciale show was voor degene die ze op dat moment aankeek. Ze trok langzaam alles uit.
Osborn keek met open mond toe. McVey zou het toch niet echt doen? Zomaar terwijl hij erbij stond? Hij had, net als iedereen, verhalen gehoord over wat politiemannen in bepaalde situaties hadden gedaan. Maar hij had ze nooit geloofd, laat staan dat hij had verwacht er ooit ooggetuige van te worden.
McVey keek hem aan. 'Dan ga ik maar eerst, hè?' zei hij grijnzend. 'Je vindt het toch niet erg als we de badkamer in gaan, hè?'

Osborn staarde hem aan. 'Ga je gang.'
McVey opende de deur van de badkamer en het meisje ging naar binnen. McVey volgde haar en sloot de deur. Een seconde later hoorde Osborn een scherpe gil, gevolgd door een harde bons tegen de deur. Daarna ging de deur weer open en McVey kwam volledig gekleed naar buiten.
Osborn was stomverbaasd.
'Ze is naar boven gekomen om ons eens goed te bekijken. Ze heeft mij in de hal gezien, dat was genoeg voor haar.'
McVey trok de krant uit de zak van zijn colbert, overhandigde hem die en begon toen de kleren van het meisje op te rapen. Osborn rolde de krant uit. Hij lette er niet eens op welke krant het was. Hij zag alleen maar de vette kop in het Frans – POLITIEMAN UIT HOLLYWOOD GEZOCHT NA SCHIETPARTIJ IN LA COUPOLE! Eronder stond in kleinere letters: 'Connectie met Amerikaanse chirurg in moordzaak Merriman!' Osborn zag dezelfde politiefoto die eerder in *Le Figaro* had gestaan en ernaast was een twee of drie jaar oude foto van een glimlachende McVey afgedrukt.
'Die hebben ze van het L.A. *Times Magazine*. Ze hebben me geïnterviewd over het dagelijks leven van een rechercheur van moordzaken. Ze waren uit op bloed en sensatie en ze kregen alleen maar te horen hoe geestdodend het werk meestal is. Maar ze hebben het toch geplaatst.'
McVey stopte de kleren in een waszak van het hotel en opende de deur. Hij speurde behoedzaam de gang af en hing de zak toen buiten.
'Hoe wisten ze dit? Hoe hebben ze ons kunnen vinden?' vroeg Osborn ongelovig.
McVey sloot de deur en deed hem weer op slot. 'Ze wisten wie hun mannetje was en dat hij een van ons volgde. Ze wisten dat ik met Lebrun samenwerkte. Ze hoefden alleen maar iemand met een paar foto's naar het restaurant te sturen en te vragen: "Zijn dit die kerels?" Niks aan. Daarom is het meisje gestuurd. Ze wilden weten of ze de goede Jut en Jul hadden voordat ze jongens met revolvers naar boven zouden sturen. Ze hoopte waarschijnlijk dat ze ons goed zou kunnen bekijken, een verhaaltje verzinnen en vertrekken. Maar kennelijk was ze bereid alles te doen wat nodig was als dat niet zou werken.'
Osborn keek langs McVey naar de gesloten deur van de badkamer. 'Wat heb je met haar gedaan?'
McVey haalde zijn schouders op. 'Ik vond het niet zo'n goed idee haar direct terug naar beneden te laten gaan.'
Osborn stak McVey de krant toe en opende de badkamerdeur. Het meisje zat spiernaakt op het toilet met haar handen geboeid aan de wa-

terpijp die langs de muur naast haar liep. Er was een washandje in haar mond gestopt en het leek of haar ogen van woede uit haar hoofd zouden springen. Zonder iets te zeggen sloot Osborn de deur.
'Ze is een driftkikker,' zei McVey met een vage grijns. 'Ze zal tegen degene die haar vindt een hoop herrie schoppen over haar kleren voordat ze hem de kans geeft te bellen. Hopelijk zal die vertraging onze toch al beperkte levensduur met een paar seconden rekken.'

# 74

Tien seconden later stapte McVey, gevolgd door Osborn, behoedzaam de gang op en sloot de deur achter hen. Ze hadden allebei hun revolver in hun hand, maar het was niet nodig – de gang was leeg.
Voor zover ze wisten, wachtten degenen die het meisje naar boven hadden gestuurd nog steeds op haar, waarschijnlijk beneden. Dat betekende dat ze slechts vermoedden wie ze waren, maar het niet zeker wisten. Ze zouden haar ook de tijd geven. Ze was beroeps en als ze seks met hen moest hebben, zou ze dat doen. Maar McVey wist dat ze haar niet al te lang de tijd zouden geven.
De gangen op de vierde verdieping van Hôtel St. Jacques waren grijs geschilderd en er lag een rood tapijt op de vloer. Aan het eind van elke gang was een brandtrap en vlak bij de liften, in het midden van de gang, was er nog een. McVey koos de brandtrap aan het eind van de gang die het verst van de liften vandaan was. Als er iets zou gebeuren, wilde hij niet dat ze in het midden van het gebouw vast zouden komen te zitten. Het duurde viereneenhalve minuut voordat ze de kelder hadden bereikt, door een dienstdeur naar buiten waren gegaan en via een steegje op straat waren uitgekomen. Ze sloegen rechtsaf en liepen door een dichter wordende mist de Boulevard St.-Jacques af. Het was dinsdag 11 oktober, kwart over twee 's nachts.

Om 2.42 uur zoemde de rode telefoon naast Ian Nobles bed twee keer en zweeg toen terwijl het lichtje bleef flikkeren. Hij glipte voorzichtig uit bed om zijn vrouw, die aan pijnlijke gewrichtsreuma leed en nauwelijks sliep, niet te storen en liep door de zwarte notehouten deur zijn

studeerkamer binnen. Even later nam hij de hoorn van de haak. 'Ja.'
'McVey.'
'Die negentig minuten hebben verdomd lang geduurd. Waar ben je in godsnaam?'
'Op straat in Parijs.'
'Is Osborn nog bij je?'
'We zijn net een Siamese tweeling.'
Noble drukte op een knopje onder de rand van zijn bureau, het blad gleed naar achteren en er werd een beeldscherm met een luchtkaart van Groot-Brittannië zichtbaar. Na een tweede druk op het knopje verscheen er een gecodeerd menu en toen hij er voor de derde keer op had gedrukt, had hij een gedetailleerde kaart van Parijs en omgeving vóór zich.
'Kun je de stad uitkomen?'
'Waar?'
Noble keek weer op de kaart. 'Ongeveer twintig kilometer naar het oosten bij autoroute N3 ligt een stad die Meaux heet. Vlak daarvoor is een klein vliegveld. Kijk uit naar een burgervliegtuig, een Cessna, met het kenteken ST95 op de staart. Als het weer het toestaat, moet het er tussen acht en negen uur zijn. De piloot zal tot tien uur wachten. Als je het mist, kijk er dan de volgende dag om dezelfde tijd naar uit.'
'*Gracias, amigo.*' McVey hing op, stapte de telefooncel uit en liep naar Osborn toe. Ze waren in een gang voor een van de ingangen van een treinstation, het Gare de Lyon op de Boulevard Diderot, in het noordwestelijke kwadrant van de stad, even ten noorden van de Seine.
'En?' vroeg Osborn vol verwachting.
'Wat zou je ervan zeggen als we gingen slapen?' vroeg McVey.
Vijftien minuten later liet Osborn zijn hoofd achteroverleunen en bekeek hun accommodatie, een uitstekende stenen rand onder de Austerlitz-brug over de Quai Henri IV, vanwaar ze een uitstekend uitzicht over de Seine hadden.
'Voor een paar uur voegen we ons bij de clochards.' McVey zette in het donker zijn kraag op en rolde zich op zijn schouder. Osborn had ook moeten gaan liggen, maar hij deed het niet. McVey tilde zijn hoofd op en zag dat hij met zijn benen voor zich uitgestrekt tegen het graniet geleund naar het water zat te staren, alsof hij net in de hel was gegooid en te horen had gekregen dat hij daar tot in de eeuwigheid moest blijven zitten.
'Osborn,' zei McVey zacht, 'het is altijd nog beter dan het lijkenhuis.'

* * *

Von Holdens Lear-jet landde om 2.50 uur op een privé-landingsbaan die een kilometer of dertig ten noorden van Parijs lag. Om 2.37 uur had hij over de radio te horen gekregen dat de Parijse afdeling had gezien dat het doelwit om ongeveer 2.10 uur hotel St.-Jacques had verlaten. Daarna was het niet meer gezien. Zodra ze meer wisten, zou de informatie worden doorgegeven.
De Organisatie had in een dozijn grote steden in Europa ogen en oren op straat, in politiebureaus, vakbondsgebouwen, ziekenhuizen, ambassades en directiekamers en nog eens in half zoveel steden in de rest van de wereld. Via die ogen en oren waren Albert Merriman, Agnes Demblon, Merrimans vrouw en Vera Monneray gevonden. En zo zouden mettertijd ook Osborn en McVey worden gevonden. De vraag was alleen: wanneer?
Om 3.10 uur zat von Holden op de achterbank van een donkerblauwe BMW op autoroute N2. Ze passeerden de afslag naar Aubervilliers en reden Parijs binnen. Hij leek op een opperbevelhebber die ongeduldig wachtte tot hij iets van zijn generaals in het veld zou horen.
Om Bernhard Oven te doden, moest die Amerikaanse politieman McVey veel geluk hebben gehad of heel goed zijn. En dat hij hen, vlak nadat hij was ontdekt, tussen de vingers door was geglipt, duidde daar ook op. Het beviel hem niets. De Parijse afdeling had eersteklas mensen, stond in hoog aanzien en was zeer gedisciplineerd en Bernhard Oven was altijd een van de besten geweest.
En von Holden kon het weten. Hoewel hij enkele jaren jonger dan Oven was, was hij diens superieur geweest, zowel in het Sovjet-leger als later bij de Stasi, de Oostduitse geheime politie, in de jaren voor de eenwording en de ontbinding van de Stasi.
Von Holdens eigen carrière was op jeugdige leeftijd begonnen. Toen hij achttien jaar was, had hij zijn ouderlijk huis in Argentinië verlaten en was hij naar Moskou vertrokken om daar zijn opleiding af te maken. Onmiddellijk daarna was hij in Leningrad onder leiding van de KGB met zijn militaire training begonnen. Vijftien maanden later was hij compagniescommandant in het Sovjet-leger en toegewezen aan het Garderegiment van de Vierde Pantserbrigade, die belast was met de bewaking van de Russische ambassade in Wenen. Daar werd hij officier bij de speciale verkenningseenheden van Spetsnaz die waren getraind in terreuraanslagen en terrorisme. Daar had hij ook Bernhard Oven leren kennen, die een van de zes luitenants was die bij het garderegiment onder zijn bevel stonden.
Twee jaar later werd von Holden officieel uit het Sovjet-leger ontslagen. Hij trad bij het Oostduitse Departement voor Sportzaken in dienst

als adjunct-directeur van het Instituut voor Lichamelijke Ontwikkeling in Leipzig, waar hij de supervisie had over de training van Oostduitse topatleten, onder wie Eric en Edward Kleist, de neven van Elton Lybarger.

In Leipzig werd von Holden ook 'officieus medewerker' van de dienst voor staatsveiligheid, de Stasi. Met gebruikmaking van zijn training als Spetsnaz-soldaat leidde hij rekruten op voor het uitvoeren van clandestiene operaties tegen Oostduitse staatsburgers en kweekte hij 'specialisten' in terrorisme en moord. In die tijd diende hij bij het garderegiment een verzoek in om Bernhard Oven toestemming te geven bij de Stasi in dienst te treden. Von Holdens waardering voor Ovens talenten werd beloond. Binnen achttien maanden was Oven een van hun topagenten in het veld en hun beste moordenaar.

Von Holden herinnerde zich levendig hoe er, toen hij een jongetje van zes jaar was, op een middag in Argentinië over zijn toekomst was beslist. Hij was met de compagnon van zijn vader gaan paardrijden en tijdens de rit had de man hem gevraagd wat hij wilde gaan doen als hij groot was. Geen ongebruikelijke vraag van een volwassen man aan een kleine jongen. Zijn antwoord en wat hij daarna had gedaan, waren echter wel ongebruikelijk.

'Bij u werken, natuurlijk!' had de kleine Pascal stralend uitgeroepen. Daarna had hij zijn paard de sporen gegeven en was over de pampa gesneld. De man keek het kleine figuurtje met de vaste handen en een al vrijpostige aard vanaf zijn paard na en zag hoe hij zijn grote paard met een vliegende sprong over een hoge bos struiken liet springen en uit het gezicht verdween. Op dat moment was von Holdens toekomst bezegeld. De man met wie hij uit rijden was gegaan en die hem de vraag had gesteld, was Erwin Scholl geweest.

# 75

Het ritmische geklik van de wielen over de rails was kalmerend en Osborn leunde doezelig achterover. Als hij in de twee uur die ze ineengedoken onder de Austerlitz-brug hadden doorgebracht nog wat had geslapen, kon hij het zich niet herinneren. Hij wist alleen dat hij heel erg

moe was en hij voelde zich vuil en smerig. Tegenover hem leunde McVey dommelend tegen het raam. Osborn verbaasde zich erover dat McVey overal leek te kunnen slapen.
Ze waren om vijf uur van hun hoge plek boven de Seine naar beneden geklommen en teruggegaan naar het station, waar was gebleken dat de treinen naar Meaux vertrokken vanaf het Gare de L'Est dat daarvandaan per taxi vijftien minuten rijden was. Nu de tijd drong, waren ze bereid het risico te nemen een taxirit door de stad te maken in de hoop dat de willekeurig gekozen chauffeur niet iemand anders was dan hij leek.
Toen ze bij het station aankwamen, gingen ze apart en door verschillende ingangen naar binnen. Ze waren zich allebei maar al te goed bewust van de vroege edities die de rekken van alle krantenkiosken vulden en die met hun vette zwarte koppen, waaronder hun foto's in het oog springend waren afgedrukt, het nieuws over de schietpartij in La Coupole uitschreeuwden.
Even later pakten hun nerveuze handen van verschillende loketten hun kaartje aan, maar de beide bedienden hadden niets anders gedaan dan een kaartje geruild voor geld en daarna de volgende klant in de rij geholpen.
Daarna hadden ze apart, maar binnen elkaars gezichtsafstand, twintig minuten gewacht. Er gebeurde niets tot er tot hun schrik plotseling vijf gendarmes verschenen die vier gevangenen met harde gezichten geboeid en geketend naar een wachtende trein leidden. Het leek erop dat ze op de trein naar Meaux zouden stappen, maar op het laatste ogenblik veranderden ze van richting en duwden het norse viertal een andere trein binnen.
Om vijf voor halfzeven staken ze samen met een groep andere reizigers het perron over en gingen apart van elkaar in dezelfde wagon zitten. De trein zou om halfzeven uit het Gare de L'Est vertrekken en om tien over zeven in Meaux aankomen. Ze zouden dus gemakkelijk op het vliegveld kunnen zijn voordat Nobles piloot daar met zijn Cessna zou landen.
De trein was een boemeltrein met acht wagons en een onderdeel van de EuroCity-lijn. In hun tweedeklascoupé zaten ruim twintig andere mensen, grotendeels forenzen die vroeg naar hun werk gingen. Het eersteklasgedeelte was leeg, iets waarop McVey zorgvuldig had gelet voordat hij kaartjes kocht. De conducteur zou zich de twee enige passagiers in een heel treingedeelte gemakkelijk herinneren, zelfs als ze bij elkaar uit de buurt in een lege coupé zaten. Het was minder waarschijnlijk dat hij zich twee mannen die tussen andere reizigers in zaten, zou herinneren.

Osborn trok zijn mouw omhoog en keek op zijn horloge. 6.59 uur. Nog elf minuten voordat ze in Meaux zouden aankomen. Buiten ging op deze grijze dag de zon op, waardoor het Franse boerenland er nog glooiender en groener uitzag dan het was.
Het contrast ervan met het droge, door de zon verschroeide, met dicht struikgewas begroeide Zuidcalifornische landschap was verontrustend. Het deed hem denken aan wie McVey was en riep beelden op van de lange man. Ze wekten bij hem allebei associaties met de dood en voor de dood was hier geen plaats. Deze treinreis, dit groene land, deze geboorte van een nieuwe dag, hoorden in liefde en verwondering gekoesterd te worden. Plotseling werd Osborn overweldigd door een bijna ondraaglijk verlangen naar Vera. Hij wilde haar voelen, haar aanraken, haar geur inademen. Hij sloot zijn ogen en zag haar zachte haar en haar gladde huid voor zich. Hij glimlachte toen hij dacht aan de bijna onzichtbare donzige haartjes op haar oorlelletjes. Het ging allemaal om Vera. Dit was haar land waar hij doorheen reed. Het was haar ochtend, haar dag.
Ergens bij hem uit de buurt hoorde hij een zware, gedempte knal en hij werd plotseling met kracht tegen de jonge priester naast hem aan geslingerd, die even daarvoor een krant had zitten lezen. Toen sloeg de wagon waarin ze zaten om en ze vielen allebei. De wagon bleef doorrollen en Osborn had het gevoel alsof hij in een op hol geslagen draaimolen zat. Glas werd verbrijzeld en het geluid van verwrongen staal vermengde zich met het geschreeuw van de passagiers. Hij ving een glimp van het plafond op toen een aluminiumstang zijn hoofd schampte. Een ogenblik later lag Osborn ondersteboven met iemand anders boven op hem. Daarna explodeerde er glas boven hem en hij werd overdekt met bloed. De wagon draaide weer rond en degene die op hem lag, gleed van zijn borst. Het was een vrouw en het bovenste stuk van haar bovenlichaam was helemaal verdwenen. Toen klonk er een afschuwelijk gekners van staal over staal, gevolgd door een enorme klap. Osborn werd naar achteren geslingerd en alles werd stil.
Seconden of misschien wel minuten daarna opende Osborn zijn ogen. Tussen bomen waarboven een vogel rondcirkelde zag hij een grijze lucht. Een tijdje bleef hij liggen zonder veel meer te doen dan ademhalen. Ten slotte probeerde hij zich te bewegen. Eerst zijn linker- en daarna zijn rechterbeen. Toen zijn arm tot hij zijn linkerhand, die nog steeds in het verband zat, kon zien. Als door een wonder had hij het overleefd.
Hij ging voorzichtig rechtop zitten en zag een massa verwrongen staal. Wat er van een treinwagon over was, lag halverwege een helling op zijn

kant. Pas toen besefte hij dat hij uit de trein geslingerd was. Hoger op de helling zag hij de andere wagons liggen, waarvan sommige als een harmonika in elkaar gedrukt waren. Andere lagen bijna ondersteboven op elkaar gestapeld. Er lagen overal lichamen. Sommige ervan bewogen, maar de meeste niet. Boven aan de heuvel kwam een groepje jongens in zicht die wijzend naar de ravage keken.
Pas toen begon Osborn te begrijpen wat er was gebeurd. 'McVey!' hoorde hij zichzelf luid zeggen.
'McVey!' zei hij weer en hij krabbelde overeind. Toen zag hij de eerste redders die zich langs de jongens drongen en de heuvel afkwamen.
Het staan maakte hem duizelig. Hij sloot zijn ogen, greep zich vast aan een boom om in evenwicht te blijven en haalde diep adem. Hij bracht zijn hand omhoog en voelde de hartslag in zijn hals. Krachtig en regelmatig. Toen zei er iemand, een brandweerman dacht hij, iets tegen hem in het Frans. 'Alles is in orde met me,' zei hij in het Engels en de man liep door.
Plotseling werd hij zich ervan bewust dat mensen schreeuwden en dat er overal chaos heerste. Reddingswerkers stroomden de helling af, klommen de wagons binnen en begonnen mensen door de verbrijzelde ramen naar buiten te tillen en voorzichtig onder de wrakken vandaan te trekken. Dekens werden haastig over de doden gegooid. Overal heerste koortsachtige activiteit.
Naast het geschreeuw, het gegil, het geloei van sirenes in de verte en de kreten om hulp, drong zich de geur het sterkst aan Osborn op, de allesoverheersende geur van hete remvloeistof die uit de gescheurde leidingen lekte.
Osborn bedekte zijn neus tegen de stank terwijl hij zich tussen de reddingswerkers en de wrakstukken door naar voren drong.
'McVey!' riep hij weer. 'McVey! McVey!'
'Sabotage,' hoorde hij iemand in het voorbijgaan zeggen. Hij draaide zich om en keek in het gezicht van een reddingswerker.
'Een Amerikaan,' zei Osborn. 'Een oudere man. Hebt u die gezien?'
De man staarde hem aan alsof hij hem niet verstond. Toen kwam er een brandweerman naar de man toe en ze renden terug de heuvel op.
Osborn liep van het ene slachtoffer naar het andere terwijl hij over gebroken glas en gescheurd en verwrongen staal heen stapte. Hij keek naar de artsen die de overlevenden behandelden en tilde dekens op om naar het gezicht van de doden te kijken. McVey was er niet bij.
Toen hij een keer de deken van het gezicht van een dode lichtte, zag hij de man één keer met zijn ogen knipperen. Osborn voelde of zijn hart nog klopte en dat bleek zo te zijn.

Hij keek op en zag een verpleger staan.
'Help!' riep hij. 'Deze man leeft nog!'
De verpleger kwam naar hem toe rennen en Osborn stapte naar achteren. Toen hij dat deed, kreeg hij het koud en hij voelde zich licht in zijn hoofd worden. Hij wist dat de shock spoedig zou inzetten. Zijn eerste gedachte was de verpleger te vragen waar hij een deken kon krijgen, maar hij had genoeg tegenwoordigheid van geest om te beseffen dat als er sabotage was gepleegd, hij en McVey daarvan wel eens het doelwit geweest konden zijn. Als hij om een deken zou vragen, zouden ze weten dat hij in de trein had gezeten. Ze zouden zijn naam vragen en er zou worden doorgegeven dat hij tot de overlevenden behoorde.
Nee, dacht hij. Ik kan me maar beter ergens verborgen houden.
Hij keek om zich heen en zag niet ver van hem vandaan bij de top van de helling een bosje dicht op elkaar groeiende bomen staan. De verpleger had zijn rug naar hem toe gedraaid en de andere reddingswerkers waren verder naar beneden op de helling bezig. Het kostte hem de grootst mogelijke inspanning om de twee meter naar de bomen af te leggen en hij was bang dat het te lang zou duren en dat hij gezien zou worden. Ten slotte was hij er en hij draaide zich om. Er keek nog steeds niemand in zijn richting. Gerustgesteld verborg hij zich in het dichte struikgewas. Weg van de hectische opwinding ging hij op de vochtige bladeren liggen, gebruikte zijn arm als kussen en sloot zijn ogen. Bijna onmiddellijk zakte hij weg in een diepe slaap.

# 76

Het nieuws van de ontsporing van de trein van Parijs naar Meaux bereikte Ian Noble minder dan een uur nadat de ramp had plaatsgevonden. Het eerste rapport wees op sabotage. Een tweede rapport bevestigde dat er een explosief recht onder de locomotief tot ontploffing was gebracht.
Dat McVey en Osborn juist omstreeks die tijd op weg waren naar de landingsbaan in Meaux waar Nobles piloot hen zou oppikken, was te toevallig. En aangezien de piloot was geland, tot de afgesproken tijd had gewacht en vervolgens was vertrokken zonder hen te hebben ge-

zien, was er alle reden om aan te nemen dat McVey en Osborn in die trein hadden gezeten.
Noble belde onmiddellijk commissaris Cadoux thuis in Lyon op en vertelde hem wat er was gebeurd. Het was belangrijk dat hij wist wat Cadoux bij zijn onderzoek naar de Duitse vingerafdrukkenexpert Hugo Klass en naar de dood van Lebruns broer, Antoine, had ontdekt. Noble ging uit van de veronderstelling dat McVey en Osborn in de trein hadden gezeten en dat de organisatie waarvoor Klass werkte en waarbij Antoine misschien betrokken was, verantwoordelijk was voor de ontsporing van de trein. Het demonstreerde eens te meer hoe ver hun spionagenetwerk reikte. Dat ze Merriman, Agnes Demblon en de anderen hadden gevonden en dat ze hadden geweten wie Vera Monneray was en waar ze woonde, was tot daaraan toe, maar dat ze precies op de hoogte waren geweest van McVeys geheime ontmoeting met Osborn in La Coupole en vervolgens hadden ontdekt dat ze in de trein van Parijs naar Meaux zaten, was verbijsterend.
Cadoux was sprakeloos en door deze informatie werd zijn eigen frustratie nog versterkt. Dat hij Klass had laten schaduwen had tot dusver geen sinisterder zaken opgeleverd dan dat Klass zijn vrouw zaterdagavond mee uit eten had genomen, zondag naar de kerk was geweest en op maandag, zoals gewoonlijk, naar zijn werk was gegaan. Dat zijn telefoon was afgeluisterd, had ook niets opgeleverd. Wat Antoine betrof, hij was zondagavond na het late diner met zijn broer regelrecht naar huis gegaan en direct zijn bed in gedoken. Om de een of andere reden was hij voor zonsopgang opgestaan en naar zijn studeerkamer gegaan, wat niet zijn gewoonte was. Daar had zijn vrouw hem om halfacht gevonden. Hij lag op de vloer naast zijn bureau met zijn 9mm Beretta naast hem. De revolver was één keer afgevuurd en hij had één schotwond in zijn rechterslaap. Uit sectie en een rapport van de afdeling ballistiek was gebleken dat de kogel uit zijn eigen wapen was gekomen. De deuren die naar buiten leidden waren op slot, maar de grendel voor een keukenraam was opengeschoven. Dus het was mogelijk dat er iemand via die weg binnengekomen en weggegaan was, hoewel er niets was gevonden dat daarop wees.
'Of alleen naar buiten gegaan,' zei Noble.
'Ja, daaraan hebben we ook gedacht,' zei Cadoux met zijn zware Franse accent. 'Dat Antoine iemand door de voordeur heeft binnengelaten en daarna de deur weer op slot heeft gedaan. Om die tijd moet hij hebben geweten wie het was, anders had hij hem niet binnengelaten. Daarna is hij vermoord en de dader zou door het raam gevlucht kunnen zijn. Daarvan zijn echter geen sporen gevonden en de lijkschouwer heeft of-

ficieel vastgesteld dat het zelfmoord was.'
Noble was stomverbaasd. Iedereen die Merriman had gekend was dood of was het doelwit van aanslagen en de man die via een vingerafdruk had ontdekt dat Merriman nog leefde, leek volkomen onschuldig.
'Cadoux, door wie heeft Klass bij Interpol in Washington het dossier over Merriman bij de Newyorkse politie laten opvragen?'
'Door niemand.'
'Wat?'
'Er is in Washington niets van bekend.'
'Dat is onmogelijk. De gegevens over Merriman zijn door New York rechtstreeks naar Washington gefaxt.'
'Oude codes, mijn vriend,' zei Cadoux. 'In het verleden hadden de topmensen van Interpol persoonlijke codes die hun toegang gaven tot informatie waar niemand anders aan kon komen. Die praktijk is nu van de baan. Er zijn echter mensen die de codes nog kennen en weten hoe ze ze moeten gebruiken en we kunnen op geen enkele manier traceren of dat ook is gebeurd. De Newyorkse politie mag dan de gegevens naar Washington hebben gefaxt, maar ze zijn rechtstreeks naar Lyon gegaan. Washington is daarbij op de een of andere manier elektronisch omzeild.'
'Cadoux...' Noble aarzelde. 'Ik weet dat McVey ertegen is, maar ik denk dat we in tijdnood raken. Laat Klass in het geheim arresteren en ondervraag hem. Als je wilt, kom ik zelf naar Lyon. Hij is het enige aanknopingspunt dat we hebben.'
'Dat begrijp ik, mijn vriend. En ik ben het met je eens. Laat het me weten zodra je iets over McVey hoort. Of het nu goed of slecht nieuws is.'
'Ja, natuurlijk. Dat zal ik zeker doen.'
Noble hing op, dacht een ogenblik na en draaide zijn stoel toen om naar een pijpenrek dat achter zijn bureau stond. Hij koos een versleten en vergeelde kalebaspijp uit, stopte hem, drukte de tabak aan en stak hem aan.
Als McVey en Osborn niet in de trein van Parijs naar Meaux hadden gezeten en alleen het vliegtuig op de landingsbaan van Meaux niet hadden gehaald, zouden ze er zijn wanneer hij daar morgen landde. Maar vierentwintig uur was te lang om te wachten. Hij had tegen Cadoux gezegd dat hij ervan moest uitgaan dat ze in de trein zaten. En daaraan zou hij zich houden. Als ze dood waren was er niets aan te doen, maar als ze nog leefden, moesten ze daar zo snel mogelijk vandaan worden gehaald voordat de tegenpartij dat ook ontdekte.

Om ruim kwart voor elf, bijna vier uur na de ontsporing, parkeerde een lange, slanke, zeer aantrekkelijke verslaggeefster van *Le Monde* haar auto op de eenbaansweg naast de auto's van de andere mensen van de media en voegde zich bij de zwerm journalisten die al op de plaats van de ramp waren.
Soldaten van de Garde Nationale ondersteunden de politie en de brandweer van Meaux bij hun reddingspogingen. Tot dusverre waren er dertien doden geborgen, onder wie de machinist van de trein. Zesendertig mensen waren gewond, van wie twintig ernstig, en naar het ziekenhuis gebracht. Vijftien anderen waren voor lichte verwondingen behandeld en konden gaan. De rest van de passagiers zat nog vast in de wrakstukken en de schattingen van de tijd die het zou kosten om hen allemaal te bevrijden, liepen uiteen van uren tot dagen.
'Is er een lijst met namen en nationaliteiten?' vroeg ze nadat ze een grote perstent was binnengelopen die vijftien meter van de spoorlijn vandaan was opgezet. Pierre André, een grijzende medisch adjudant van de Garde Nationale die de leiding had over de identificatie van de slachtoffers, keek van een werktafel op naar de perskaart van *Le Monde* die om haar nek hing. Toen keek hij haar aan en glimlachte, misschien voor het eerst die dag. Avril Rocard was inderdaad een stoot.
'*Oui, Madame...*' Hij wendde zich onmiddellijk tot een ondergeschikte. 'Luitenant, een lijst met slachtoffers voor madame, *s'il vous plaît*.'
De officier pakte een vel papier uit een van de mappen die voor hem lagen, ging keurig staan en overhandigde haar de lijst.
'Merci,' zei ze.
'Ik moet u waarschuwen dat de lijst verre van compleet is, madame, en hij mag evenmin gepubliceerd worden voordat u ervan in kennis bent gesteld dat de naaste verwanten zijn ingelicht,' zei Pierre André, deze keer zonder te glimlachen.
'Natuurlijk.'
Avril Rocard was een Parijse rechercheur die aan de Franse overheid was toegewezen als specialiste op het gebied van vervalsingen. Maar ze was hier niet op verzoek van de Franse overheid of de Parijse prefectuur van politie aanwezig in de rol van correspondente van *Le Monde*. Ze was hier vanwege Cadoux. Ze waren al tien jaar minnaars en hij vertrouwde haar als zichzelf.
Ze liep weg en bekeek de lijst. De meeste van de geïdentificeerde passagiers hadden de Franse nationaliteit. Er waren echter ook twee Duitsers, een Zwitser, een Zuidafrikaan, twee Ieren en een Australiër onder de doden. Geen Amerikanen.

Ze liep naar haar auto, opende het portier en stapte in. Ze pakte de draadloze telefoon op, draaide een nummer in Parijs en wachtte tot er via dezelfde verbinding een telefoon in Lyon begon te rinkelen.
'*Oui*?' Cadoux' stem klonk duidelijk.
'Tot dusver niets. Er staan helemaal geen Amerikanen op de lijst.'
'Hoe ziet het er daar uit?'
'Alsof je in de hel bent. Wat moet ik doen?'
'Twijfelt iemand eraan dat je van de pers bent?'
'Nee.'
'Blijf daar dan tot alle slachtoffers zijn geïdentificeerd...'
Avril Rocard verbrak de verbinding en legde langzaam de hoorn op de haak. Ze was drieëndertig jaar oud. Ze had nu een huis en een baby moeten hebben, of in ieder geval een echtgenoot. Waarom deed ze dit in vredesnaam?

# 77

Het was acht uur in de ochtend en Benny Grossman was net van zijn werk thuisgekomen. Hij had zijn zoons Matt en David, allebei tieners, nog net gezien voordat ze naar school vertrokken. Na een snel 'hallo pa, dag pa' waren ze verdwenen. En nu stond zijn vrouw Estelle op het punt om te vertrekken naar de kapsalon in Queens waar ze werkte.
'Jezus,' hoorde ze Benny vanuit de slaapkamer zeggen.
Hij stond in zijn boxer shorts voor de televisie met een blikje bier in de ene en een sandwich in de andere hand. Hij was de hele nacht op de afdeling Registratie en Informatie met telefoons en computers in de weer geweest en hij had de hulp van enkele zeer ervaren computerhackers ingeroepen om in particuliere databases te kunnen inbreken, zodat hij aan McVeys verzoek om informatie over de mensen die in 1967 waren vermoord, zou kunnen voldoen.
'Wat is er?' vroeg Estelle terwijl ze de kamer binnenkwam. 'Waar is dat gejezus om?'
'Ssst!' zei hij.
Estelle draaide zich om naar de televisie. CNN vertoonde een reportage over een treinontsporing buiten Parijs.

'Wat verschrikkelijk,' zei ze toen ze brandweerlieden moeizaam een met bloed overdekte vrouw op een brancard een helling op zag dragen. 'Maar waar maak jij je zo druk om?'
'McVey is in Parijs,' zei hij met zijn blik op het toestel gericht.
'McVey is in Parijs,' herhaalde Estelle op vlakke toon. 'Dat zijn een miljoen andere mensen ook. Ik wou dat wíj in Parijs waren.'
Hij draaide zich met een ruk naar haar om. 'Estelle, ga naar je werk, oké?'
'Weet jij iets wat ik niet weet?'
'Estelle, schat, ga naar je werk. Alsjeblieft...'
Estelle Grossman staarde haar echtgenoot aan. Als hij zo praatte, praatte hij als politieman en bedoelde hij dat het haar niets aan ging.
'Ga slapen.'
'Ja.'
Estelle bleef een minuutje naar hem staan kijken, schudde toen haar hoofd en liep weg. Ze vond soms dat hij te veel om zijn vrienden en zijn familie gaf. Hij zou alles doen wat ze hem vroegen, al moest hij zich ervoor afbeulen. Maar als hij moe was, zoals nu, draaide zijn fantasie net zoveel overuren als hijzelf.

'Commandant Noble, met Benny Grossman van de Newyorkse politie.'
Benny stond nog in zijn ondergoed en had zijn aantekeningen vóór zich op de keukentafel uitgespreid. Hij had Noble gebeld omdat McVey hem had gezegd dat hij dat moest doen als hij hem niet voor de afgesproken tijd zou hebben teruggebeld. En hij had er een sterk, bijna paranormaal voorgevoel van dat McVey niet zou bellen, in ieder geval niet vandaag.
Binnen tien minuten had hij verteld wat hij had ontdekt:
– Alexander Thompson was een computerprogrammeur die zeer geavanceerde programma's ontwikkelde. Hij was om gezondheidsredenen met pensioen gegaan en in 1962 uit New York vertrokken om zich in Sheridan, Wyoming, te vestigen. Daar werd hij benaderd door een scenarioschrijver die research deed voor een science fiction-film over computers, die door een studio in Hollywood gemaakt zou worden. De scenarioschrijver heette Harry Simpson en de studio American Pictures. Alexander Thompson kreeg vijfentwintigduizend dollar, waarvoor hij een computerprogramma moest ontwikkelen dat een apparaat in staat zou stellen tijdens een operatie een scalpel vast te houden en nauwkeurige bewegingen te maken waardoor in feite de chirurg werd vervangen. Het was natuurlijk allemaal theorie, science fiction en futurisme. Het hoefde alleen iets te zijn wat echt werkte, al was het maar op een primi-

tief niveau. Acht maanden later, in januari 1967, leverde Thompson zijn programma af. Drie dagen later werd hij levenloos op een landweg aangetroffen. De politie ontdekte dat Harry Simpson in Hollywood niet bekend was en dat het bedrijf American Pictures niet bestond. Het computerprogramma van Alexander Thompson werd evenmin ooit teruggevonden.

– David Brady ontwierp precisie-instrumenten voor een kleine firma in Glendale, Californië. In 1964 werd een meerderheid van de aandelen gekocht door Alama Steel N.V. uit Pittsburg, Pennsylvania. David Brady kreeg opdracht een mechanische arm te ontwikkelen die elektronisch gestuurd kon worden, hetzelfde bewegingsbereik had als de pols van een mens en tijdens een operatie een scalpel uiterst nauwkeurige bewegingen kon laten maken. Achtenveertig uur nadat Brady zijn ontwerptekeningen voltooid en ter beoordeling ingeleverd had, werd hij in zijn eigen zwembad gevonden. Verdrinking werd uitgesloten geacht. Er stak een ijspriem in zijn hart. Twee weken later staakte Alama Steel zijn activiteiten en het bedrijf werd opgeheven. Brady's tekeningen werden nooit gevonden. Voor zover Benny had kunnen vaststellen, had Alama Steel nooit bestaan. De loonstrookjes werden getraceerd naar een bedrijf dat Wentworth Products N.V. heette en in Ontario in Canada gevestigd was. Wentworth Products werd in dezelfde week opgeheven als Alama Steel.

– Mary Rizzo York werkte als natuurkundige bij Standard Technologies, dat gevestigd was in Perth Amboy in New Jersey. Het bedrijf was gespecialiseerd in invriezingstechnieken en stond onder contract bij T.L.T. International in Manhattan, een firma die ingevroren vlees uit Australië en Nieuw-Zeeland naar Groot-Brittannië verscheepte. In de zomer van 1966 ging het bedrijf zijn activiteiten spreiden en Mary York werd gevraagd technieken te ontwikkelen waardoor vloeibaar gemaakt gas in koelsupertankers kon worden verscheept. Gas kon niet via een pijplijn door oceanen vervoerd worden, maar als het mogelijk was het door kou vloeibaar te maken, zou het in die vorm met koelschepen getransporteerd kunnen worden. Mary York begon te experimenteren met extreem lage temperaturen, waarbij ze eerst vloeibaar nitrogeen gebruikte, een gas dat bij min 196 graden Celsius of ongeveer min 385 graden Fahrenheit vloeibaar wordt. Daarna experimenteerde ze met vloeibaar hydrogeen en later met helium, een gas dat bij min 269 graden Celsius of min 526 graden Fahrenheit vloeibaar wordt. Bij die temperatuur kon het vloeibare helium worden gebruikt om andere stoffen dezelfde temperatuur te laten aannemen. Mary York werkte op 16 februari 1967 in haar laboratorium over toen ze verdween. Ze was toen zes maanden zwanger. Haar laboratorium was in brand gestoken. Vier dagen later spoelde ze aan onder de Steel Pier in Atlantic City. Ze was gewurgd. Aantekeningen, formules en plannen die ze achtergelaten zou kunnen hebben, waren in vlammen opgegaan of samen met haar verdwenen. Twee maanden later ging T.L.T. failliet nadat de directeur zelfmoord had gepleegd.

'Ik heb nog twee andere dingen die McVey wilde weten, commandant,' zei Benny. 'Microtab in Waltham in Massachsetts ging in mei van hetzelfde jaar op de fles. En ten tweede wilde hij weten...'

Ian Noble had alles wat Benny zei opgenomen. Toen ze klaar waren liet hij een kopie maken voor zijn eigen archief en ging vervolgens met de band en de bandrecorder naar Lebruns zwaar bewaakte kamer in het Westminster Hospital.

Hij sloot de deur, ging naast het bed zitten en zette de bandrecorder aan. De volgende vijftien minuten luisterde Lebrun, met de zuurstofslangen nog in zijn neus, zwijgend. Ten slotte hoorden ze Benny Grossman met zijn Newyorkse accent zeggen:

'Ten tweede wilde hij weten wat voor informatie we hadden over een man die Erwin Scholl heette en in 1967 een groot landhuis had op Westhampton Beach op Long Island.

Erwin Scholl heeft dat landhuis daar nog steeds. En ook één in Palm Beach en in Palm Springs. Hij houdt zich op de achtergrond, maar is een van de echte topmensen in de uitgeverijwereld en spendeert kapitalen aan zijn kunstverzameling. Hij speelt ook golf met Bob Hope, Gerry Ford en af en toe met de president zelf. Zeg tegen McVey dat hij achter de verkeerde aan zit. Die Scholl is een heel grote jongen. En onaantastbaar. En dat komt, tussen haakjes, van McVeys gabber Fred Hanley van de FBI in L.A..'

Noble zette de bandrecorder uit. Benny had nog iets gezegd waaruit bleek dat hij zich ernstig zorgen maakte om McVey en Noble wilde niet dat Lebrun dat zou horen. Ze hadden Lebrun nog niet over het treinongeluk verteld. Hij had het nieuws over de dood van zijn broer slecht opgenomen en Noble wilde hem niet nog meer van streek maken.

'Ian,' fluisterde Lebrun, 'ik weet van de trein af. Ik mag dan neergeschoten zijn, maar ik ben nog niet dood. Ik heb nog geen twintig minuten geleden zelf met Cadoux gesproken.'

'Ga je de stoere politieman uithangen?' vroeg Noble glimlachend. 'Dan heb ik nog iets voor je wat je niet weet. McVey heeft de man doodgeschoten die Merriman heeft vermoord en die ook heeft geprobeerd Osborn en het meisje, Vera Monneray, te doden. Hij heeft me een duim-

afdruk van de dode gestuurd. Die hebben we gecheckt. Hij had geen strafblad, dus we konden zijn identiteit niet vaststellen.
Om voor de hand liggende redenen kon ik geen gebruik maken van de diensten van Interpol om ons verder te helpen. Daarom heb ik een beroep gedaan op de Militaire Inlichtingendienst die zo vriendelijk was me de volgende informatie te geven...' Noble haalde een klein aantekenboekje te voorschijn en bladerde dat door tot hij had gevonden wat hij zocht.
'Onze moordenaar heette Bernhard Oven. Adres onbekend. Ze hebben echter wel een oud telefoonnummer van hem gevonden. 0372-885-7373. Het is heel toepasselijk het nummer van een slagerij.'
'0372 was vóór de hereniging het kengetal van Oost-Berlijn,' zei Lebrun.
'Klopt. En onze vriend was een vooraanstaand lid van de Stasi voordat die werd opgeheven.'
Lebrun legde een hand op de slangen die zijn keel in- en uitliepen en fluisterde hees: 'Wat doet de Oostduitse geheime politie in godsnaam in Frankrijk? Terwijl ze niet eens meer bestaan.'
'Ik hoop en bid maar dat McVey spoedig opduikt om het ons te vertellen,' zei Noble ernstig.

# 78

In de nacht zag het gemangelde wrak van de trein van Parijs naar Meaux er nog weerzinwekkender uit dan overdag. Enorme werklampen verlichtten het gebied terwijl twee reusachtige hijskranen vanaf lage, platte goederenwagons die op de rails stonden, moeizaam de verwrongen, samengeperste wagons die op de helling lagen, omhooghesen.
Laat in de middag had zich een lichte mist gevormd en Osborn, die nog steeds in het nabijgelegen bosje lag te slapen, werd door de vochtige kilte gewekt. Hij ging rechtop zitten, voelde zijn pols en constateerde dat zijn hartslag normaal was. Zijn spieren deden pijn en zijn rechterschouder was flink gekneusd, maar verder was hij in verrassend goede conditie. Hij stond op en liep tussen de bomen door naar de rand van het bosje waarvandaan hij de reddingsoperatie kon gadeslaan terwijl hij

toch verborgen bleef. Hij kon er op geen enkele manier achter komen of McVey, levend of dood, gevonden was en hij durfde het bosje niet te verlaten om ernaar te informeren, uit angst zelf te worden ontdekt. Hij kon alleen maar vanaf de plaats waar hij nu was, blijven toekijken in de hoop iets te zien of te horen. Het gaf hem een afschuwelijk, machteloos gevoel, maar hij kon nu eenmaal niets anders doen.
Hij hurkte in de drijfnatte bladeren, trok zijn jasje om zich heen en stond zich voor het eerst in lange tijd toe aan Vera te denken. Hij keerde in gedachten terug naar hun eerste ontmoeting in Genève en hij stelde zich haar glimlach, haar haar en de betoverende uitdrukking in haar ogen waarmee ze hem aankeek, voor. En terwijl hij dat deed, werd ze voor hem alles wat liefde was of zou kunnen zijn.

Toen de avond viel, had Osborn van passerende reddingswerkers en leden van de Nationale Garde genoeg gehoord om te kunnen concluderen dat de trein inderdaad door een bom was verwoest en hij was er nu zekerder van dan ooit dat hij en McVey het doelwit van de aanslag waren geweest. Hij overwoog zijn schuilplaats te verlaten om naar de commandant van de Nationale Garde te gaan in de hoop McVey te vinden, toen een brandweerman die bij hem in de buurt was om de een of andere reden zijn pet afzette en zijn jas uittrok, ze over een politiebarricade hing en wegliep. Het was een kans die hij niet kon laten lopen. Hij stapte snel uit het bosje en griste de kledingstukken weg.
Hij schoot het jasje aan, trok de pet laag over zijn voorhoofd en daalde tussen de ravage door de helling af. Hij vertrouwde erop dat hij er nu officieel genoeg uitzag om niet staande gehouden te worden. Vlak bij een tent die als commandopost voor de media dienst deed, passeerde hij verscheidene verslaggevers en een televisieteam en vond een lijst met namen van slachtoffers. Hij keek die snel door en zag dat er maar één Amerikaan was geïdentificeerd, een tiener uit Nebraska. Dat McVey er niet op stond, betekende dat hij evenals Osborn weggelopen was, of dat hij nog onder het afzichtelijke beeldhouwwerk van verwrongen staal begraven lag. Toen hij opkeek, zag hij een lange, zeer aantrekkelijke vrouw met een perskaart om haar nek. Ze had kennelijk naar hem staan staren en kwam nu naar hem toelopen. Hij pakte een bijl op, zwaaide die over zijn schouder en liep terug, het werkterrein op. Hij keek één keer over zijn schouder om na te gaan of ze hem volgde, maar dat was niet het geval. Hij legde de bijl op de grond en liep het duister in.
In de verte zag hij de lichten van Meaux. Het aantal inwoners was veertigduizend, meende hij ergens te hebben zien staan. Af en toe zag hij een vliegtuig op het kleine nabijgelegen vliegveld landen of ervan op-

stijgen. Daar zou hij heen gaan zodra het licht werd. Hij had er geen idee van wie McVey in Londen had opgebeld. En zonder geld en zonder paspoort kon hij het beste naar het vliegveld gaan en hopen dat de Cessna volgens het oorspronkelijke plan zou terugkomen.
Plotseling klonk er een luid knarsend en scheurend geluid toen een van de hijskranen een wagon uit het wrak lostrok, hoog optilde en over de top van de heuvel zwaaide, waar hij niet meer te zien was. Even later werd de tweede hijskraan boven het wrak gedraaid en reddingswerkers klommen erop om kabels vast te maken aan de volgende wagon die weggehaald moest worden. Ontmoedigd wendde Osborn zich af en liep terug naar het donkere bosje boven aan de heuvel. Hij hurkte neer en wendde zijn blik af.
Hoe lang kende hij McVey nu? Vijf, op zijn hoogst zes dagen sinds hij hem voor het eerst voor zijn hotelkamer in Parijs had ontmoet. Hij werd overspoeld door herinneringen. Hij was doodsbang geweest en had er geen idee van gehad waar McVey naar op zoek was en waarom hij zelfs maar met hem wilde praten, maar hij was vastbesloten geweest dat niet te laten merken. Hij had zijn vragen kalm ontweken en zelfs gelogen over de modder op zijn schoenen terwijl hij de hele tijd hoopte dat McVey hem niet zou vragen zijn zakken leeg te maken en dan zou willen dat hij vertelde wat hij met succinylcholine en de injectiespuiten van plan was. Hoe konden ze toen hebben geweten hoe snel het net aangespannen zou worden en dat ze in de complexe, bloedige wirwar van intriges en geweld gestort zouden worden die hier in deze afschuwelijke, angstaanjagende doolhof van verwrongen staal abrupt een tragisch hoogtepunt had gevonden. Hij wilde geloven dat de nacht zonder incidenten voorbij zou gaan en dat hij morgen McVey op het vliegveld van Meaux zou zien staan terwijl deze hem naar de wachtende Cessna wuifde die hen in veiligheid zou brengen. Maar dat was een wens, een droom, en dat wist hij. Naarmate de tijd verstreek, zou de werkelijkheid grimmiger worden; hoe langer het in dit soort rampsituaties duurde voordat iemand gevonden werd, hoe kleiner de kans was dat hij nog in leven zou zijn. McVey was hier inderdaad ergens, misschien zelfs binnen een armslengte van hem vandaan en uiteindelijk zou hij gevonden worden. Hij kon alleen maar hopen dat het einde snel en pijnloos geweest was.
Die hoop had iets definitiefs, alsof McVey al gevonden en officieel doodverklaard was. McVey was iemand die hij pas had ontmoet en nog niet goed kende, maar hij had hem graag beter leren kennen. Op de manier zoals een opgroeiende jongen zijn vader steeds beter leert kennen. Plotseling realiseerde Osborn zich dat er tranen in zijn ogen ston-

den en hij vroeg zich af waarom die gedachte in hem was opgekomen. McVey als zijn vader. Het was een grillige, merkwaardige gedachte die in zijn hoofd bleef hangen. En hoe langer het duurde, hoe sterker hij werd bevangen door het gevoel een enorm verlies geleden te hebben. Terwijl hij probeerde uit de ban van deze gedachte te raken, besefte hij dat hij al enige tijd zijn blik van de reddingsactiviteiten afgewend had gehouden en zich had geconcentreerd op iets wat tussen een groepje bomen onder aan de helling lag. Door het dichte gebladerte en het vale licht van de bewolkte hemel kon het overdag gemakkelijk over het hoofd zijn gezien. Pas nu, in het duister, werd in het schijnsel van de werklampen hoger op de helling de rechthoekige schaduw van het voorwerp zichtbaar.

Struikelend en uitglijdend op het grind daalde hij zo snel mogelijk de steile helling af terwijl hij zich onderweg aan boompjes vastgreep om zijn evenwicht te bewaren.

Toen hij onder aan de helling was gekomen, zag hij dat het voorwerp een stuk van een treinstel was, een deel van een passagierswagon die op de een of andere manier als één geheel van de trein was gerukt. Het lag achterover met de binnenkant omhoog in het struikgewas in de lengte op de heuvel. Toen hij dichterbij kwam, zag hij dat het een volledig compartiment was en dat de deur, waarin een enorme deuk zat, geblokkeerd was. Toen zag hij wat het was. Het toilet van de wagon.

'O nee!' zei hij hardop, maar in plaats van afgrijzen klonk er hilariteit in zijn stem door.

'Het kan niet waar zijn.' Hij liep er dichter naar toe en begon te lachen.

'McVey?' riep hij toen hij erbij was gekomen. 'McVey, zit je daar?'

Even bleef het stil en toen...

'...Osborn?' werd er gedempt en onzeker vanuit het toilet geantwoord.

Angst, opluchting, de absurditeit van de situatie. Wat het ook was, de ballon was lek geprikt en Osborn barstte in lachen uit. Hij leunde bulderend tegen het compartiment aan, sloeg er met zijn vlakke handen op, bonkte toen met zijn vuisten op zijn dijen en veegde daarna de tranen van het lachen zijn wangen.

'Osborn! Wat doe je in vredesnaam? Maak die godvergeten deur open!'

'Is alles in orde met je?' schreeuwde Osborn terug.

'Zorg jij nou maar dat ik hier uit kom!'

Zijn lachbui hield even plotseling op als ze was begonnen. Met zijn jasje van de brandweer nog steeds aan, haastte Osborn zich de heuvel op. Hij liep vastberaden langs met machinegeweren patrouillerende Franse soldaten naar het centrum van de reddingsactiviteiten. In het felle licht van de werklampen vond hij een breekijzer met een kort handvat. Hij

liet het onder zijn jasje glijden en liep dezelfde weg terug. Boven aan de heuvel bleef hij staan en keek om zich heen. Toen hij er zeker van was dat niemand naar hem keek, begon hij de helling af te dalen.
Vijf minuten later schoot de ingedeukte deur met een luide knal en geknars van staal los van zijn scharnieren en McVey stapte de frisse lucht in. Zijn haar zat in de war en zijn kleren waren verfomfaaid, hij stonk verschrikkelijk en had een lelijke buil ter grootte van een honkbal onder zijn ene oog. Maar op een zilverkleurige baardschaduw na zag hij er verbazingwekkend goed uit.
Osborn grijnsde. 'Je bent toch niet die Livingstone?'
McVey wilde iets zeggen, maar zag toen door het duister heen de vanachteren verlichte reusachtige hijskranen die bezig waren de rest van de ravage op te ruimen. Hij bewoog zich niet en staarde er alleen maar naar.
'Jezus Christus...' zei hij.
Ten slotte keek hij Osborn aan. Wie ze waren en waarom ze hier waren, was op dat moment niet belangrijk. Ze leefden terwijl anderen dood waren. Ze omhelsden elkaar krachtig en bleven elkaar secondenlang omklemmen. Het was meer dan een spontaan gebaar van opluchting en kameraadschap. Ze deelden op dat moment een ervaring die alleen degenen die in de schaduw van de dood hebben gestaan en gespaard zijn gebleven, kunnen begrijpen.

# 79

Von Holden zat alleen achter in de art deco-bar in Hôtel Meaux een Pernod met soda te drinken en te luisteren naar de verhalen die de luidruchtige mensen van de media die overdag verslag van de treinramp hadden gedaan, erover vertelden. De in het vak doorknede verslaggevers hadden de bar uitgekozen als plaats om zich aan het eind van de dag te ontspannen en de meesten stonden nog met een pieper of walkietalkie in verbinding met hun collega's die op de plaats van de ramp waren gebleven. Als er nieuwe ontwikkelingen waren, zouden zij – en von Holden – het direct te horen krijgen.
Von Holden keek op zijn horloge en daarna op de klok aan de muur.

Zijn analoge LeCoultre-horloge liep al vijf jaar gelijk met een cesiumatoomklok in Berlijn. Een cesiumatoomklok loopt met een afwijking van plus of min één seconde in drieduizend jaar. Op von Holdens horloge was het 21.17 uur. De klok boven de bar liep één minuut en acht seconden achter. Aan de andere kant van de bar zat een meisje met kort blond haar in een kort rokje met twee mannen van een jaar of vijfentwintig te praten en wijn te drinken. De ene was mager, droeg een bril met een zwaar montuur en leek op een ouderejaars student. De andere, die steviger gebouwd was, droeg een dure broek en een kastanjebruine kasjmieren trui en had een dikke bos lang krullend haar. De manier waarop hij praatte en gebaarde en zijn stoel op de achterste poten schuin achterover liet hellen, gaf hem het lichtelijk verwende voorkomen van een rijke playboy op vakantie. Hij zweeg nu even om een nieuwe sigaret op te steken en gooide de lucifer in de richting van de asbak op de tafel. Het meisje heette Odette. Ze was tweeëntwintig jaar en de explosievenexpert die de springladingen langs de spoorlijn had aangebracht. De magere man met de bril en de playboy waren internationale terroristen. Ze werkten alle drie voor de Parijse afdeling en wachtten op von Holdens instructies voor het geval Osborn of McVey nog in levenden lijve ontdekt zou worden.
Von Holden vond dat ze geluk hadden gehad dat ze hier nu toch waren. Het had de Parijse afdeling een paar uur gekost om McVey en Osborn te lokaliseren. Maar kort na zes uur in de ochtend had een kaartjesverkoper van EuroCity hen op het Gare de l'Est ontdekt en von Holden was ervan op de hoogte gebracht dat ze kaartjes voor de trein van halfzeven naar Meaux hadden gekocht. Von Holden had kort overwogen hen in het station te doden, maar daar toch maar van afgezien. Er was te weinig tijd een goede aanslag voor te bereiden. En zelfs als ze wél tijd genoeg hadden gehad, was succes niet gegarandeerd en zouden ze het risico lopen dat de antiterreurpolitie zou toestromen. Het was beter om het anders te doen.
Om 6.20 uur, tien minuten voordat de trein van Parijs naar Meaux zou vertrekken, reed een eenzame motorrijder over de autoroute N3 Parijs uit naar een spoorwegkruising drie kilometer ten oosten van Meaux, waar hij Odette zou ontmoeten. Hij had drie pakjes C4-plastic explosieven bij zich.
Ze plaatsten samen de explosieven en stelden de springlading af vlak voordat de trein de kruising zou bereiken. Drie minuten later drukte het volle gewicht van de locomotief de detonators samen, de springladingen ontploften en de hele trein buitelde met een snelheid van meer dan honderd kilometer per uur de helling af.

Je zou kunnen zeggen dat ze net zo gemakkelijk hetzelfde effect hadden kunnen bereiken door een van de rails weg te halen, waardoor de ontsporing bovendien op een ongeluk zou hebben geleken.
Ja en nee.
Een treinramp ten gevolge van een ongeluk of een aanslag garandeerde niet dat degenen die het doelwit waren, zouden omkomen. Bij een voorlopig onderzoek zou gemakkelijk over het hoofd kunnen worden gezien dat er een rail was verwijderd en het was ook niet zeker dat dat bij een vervolgonderzoek zou worden ontdekt. Maar een schandelijke terreurdaad zou wel aan honderd verschillende groepen toegeschreven kunnen worden. En door later een bom in een ziekenhuiszaal met overlevenden te gooien, zou worden bevestigd dat het een terreuraanslag was geweest.
Von Holden keek weer op zijn horloge en stond op. Hij liep de bar uit zonder zelfs maar een blik op het drietal te werpen en nam de lift naar zijn kamer. Voordat hij uit Parijs was vertrokken, had hij vergrotingen van de voorpaginafoto's van Osborn en McVey laten maken. Tegen de tijd dat hij in Meaux aankwam, had hij ze zorgvuldig bestudeerd en hij had er nu een veel beter idee van met wie hij te maken had.
Paul Osborn, had hij geconcludeerd, was betrekkelijk ongevaarlijk als het ooit zo ver zou komen dat hij persoonlijk met hem zou moeten afrekenen. Ze waren ongeveer even oud en naar zijn magere gezicht te oordelen was Osborn in redelijk goede conditie. Maar daarmee eindigde de overeenkomst tussen hen. Een man die in de gewapende strijd of zelfs in een zelfverdedigingssport getraind was, had een bepaalde gelaatsuitdrukking. Osborn had die niet en hij maakte hooguit een 'verdwaalde' indruk.
Met McVey zat het anders. Dat hij al ouder was en misschien een beetje te dik had niets te betekenen. Von Holden zag ogenblikkelijk wat hem in staat had gesteld Bernhard Oven te doden. Hij straalde iets uit wat andere mannen niet hadden. Wat hij tijdens zijn lange loopbaan als politieman had gezien en gedaan, stond in zijn ogen te lezen en von Holden wist intuïtief dat hij nooit meer zou loslaten wanneer hij je, letterlijk of figuurlijk, eenmaal te pakken had. Zijn Spetsnaz-training had hem geleerd dat er maar één manier was om met een man als McVey af te rekenen. Je moest hem doden zodra je hem zag. Als je dat niet deed, zou je er eeuwig spijt van hebben.
Von Holden ging zijn kamer binnen, deed de deur op slot en ging aan een tafeltje zitten. Hij opende een koffertje en haalde er een kleine korte-golfradio uit. Hij zette hem aan, drukte een code in en wachtte. Het zou acht seconden duren voordat hij een vrij kanaal zou hebben.

'Lugo,' meldde hij zich met zijn codenaam.
'Extase,' zei hij daarna. Dat was de codenaam voor de operatie die was begonnen met het opsporen van Albert Merriman en zich nu op McVey en Osborn concentreerde.
'A.E.B.' – Afdeling Europees Blok – vervolgde hij. '*Nichts*.'
Von Holden toetste de code in waarmee hij zich moest afmelden en zette de radio uit. Hij had de Afdeling Europees Blok van de Organisatie zojuist meegedeeld dat ze geen bevestiging van de liquidatie van het doelwit van Operatie Extase ontvangen hadden. Officieel waren ze nog 'op vrije voeten' en alle veldagenten binnen de A.E.B. moesten in staat van alarm worden gebracht.
Von Holden stopte de radio weg, deed het licht uit en keek door het raam naar buiten. Hij was moe en gefrustreerd. Ze hadden nu zo langzamerhand in ieder geval een van hen beiden moeten vinden. Ze waren gezien toen ze in de trein stapten en hij was nergens gestopt. Ze moesten nog in de wrakstukken vastzitten of als tovenaars zijn verdwenen.
Von Holden ging op het bed zitten, deed de lamp aan, pakte de telefoon en belde Joanna in Zürich. Hij had haar niet meer gezien sinds de avond dat ze naakt en hysterisch uit zijn appartement was gerend.
'Joanna, met Pascal. Gaat het beter met je?' Er viel een korte stilte. 'Joanna?'
'...Ik voel me niet goed,' zei ze.
Haar stem klonk afstandelijk en angstig. Er was haar die nacht natuurlijk iets overkomen. Maar ze zou het zich niet echt herinneren door de complexe samenstelling van de drugs die hij haar van tevoren had gegeven. Haar reactie erop was te vergelijken geweest met een slechte LSD-trip en dat herinnerde ze zich.
'Ik maakte me nogal zorgen over je. Ik had je al eerder willen bellen, maar ik heb de gelegenheid niet gehad... Eerlijk gezegd deed je een beetje gek die nacht. Misschien gaan een jetlag en te veel cognac niet goed samen. En misschien is de hartstocht ook een beetje te hoog opgelaaid, denk je niet?' Hij lachte.
'Nee, Pascal. Dat was het niet.' Ze was boos. 'Ik heb met meneer Lybarger heel hard moeten werken. Opeens moet hij voor aanstaande vrijdag zonder stok kunnen lopen. Waarom weet ik ook niet. Ik weet niet wat er die nacht is gebeurd. Ik vind het niet prettig om meneer Lybarger zo zwaar te laten oefenen. Het is niet goed voor hem. En de manier waarop dokter Salettl me behandelt en de mensen loopt te commanderen bevalt me ook niet.'
'Joanna, laat me je alsjeblieft iets uitleggen. Ik denk dat dokter Salettl zich zo gedraagt omdat hij nerveus is. Aanstaande vrijdag moet meneer

Lybarger een toespraak houden voor de belangrijkste aandeelhouders van zijn bedrijf. De financiële positie en de toekomst van het hele bedrijf hangen ervan af of zij het gevoel hebben dat hij in staat is zijn positie als voorzitter van de raad van bestuur weer in te nemen. Salettl staat onder zware druk omdat hij verantwoordelijk was voor de supervisie over meneer Lybargers herstel. Begrijp je dat?'
'Ja... Nee. Het spijt me, dat wist ik niet... Maar het is nog steeds geen reden om...'
'Joanna, meneer Lybarger moet zijn toespraak in Berlijn houden. Vrijdagmorgen vliegen jij en ik, meneer Lybarger en Eric en Edward erheen met meneer Lybargers bedrijfsvliegtuig.'
'Berlijn?' Joanna had de rest niet gehoord, alleen Berlijn. Von Holden merkte aan haar reactie dat het idee haar van streek maakte. Hij voelde dat ze er genoeg van had en zo snel mogelijk naar haar geliefde New Mexico wilde teruggaan.
'Ik begrijp dat je moe bent, Joanna. Misschien ben ik persoonlijk te hard met je van stapel gelopen. Ik geef om je, dat weet je. Het ligt nu eenmaal in mijn aard mijn gevoelens te volgen. Alsjeblieft, Joanna, probeer het nog even vol te houden. Voordat je het weet is het vrijdag, en zaterdag kun je naar huis vliegen, rechtstreeks vanuit Berlijn als je dat wilt.'
'Naar huis? Naar Taos?' Hij voelde dat ze opgewonden raakte.
'Ben je daar blij om?'
'Ja zeker.' Door modeontwerpsters gemaakte kleren en kastelen waren mooi, maar ze was tot de conclusie gekomen dat ze een eenvoudig plattelandsmeisje was en van haar simpele leventje in Taos hield en liefst zo snel mogelijk zou teruggaan.
'Kan ik er dan op rekenen dat je dit afmaakt?' Von Holdens stem klonk warm en geruststellend.
'Ja Pascal. Je kunt erop rekenen dat ik er zal zijn.'
'Dank je, Joanna. Het spijt me als ik je ongemak heb bezorgd. Dat was niet de bedoeling. Als je wilt, zal ik graag nog één avond in Berlijn met je doorbrengen. Wij met zijn tweetjes. We kunnen gaan dansen en afscheid nemen. Welterusten, Joanna.'
'Welterusten, Pascal.'
Von Holden zag haar in gedachten glimlachen terwijl ze ophing. Zijn woorden hadden hun doel niet gemist.

# 80

Benny Grossman werd door geklingel uit een diepe slaap gewekt. Het was kwart over drie in de middag. Waarom rinkelde de deurbel in vredesnaam? Estelle was nog aan het werk. Matt had Hebreeuwse les en David was op footballtraining. Hij was niet in de stemming om een verkoper te woord te staan. Wie het ook was, moest maar bij iemand anders bellen. Hij was al bijna weer in slaap gevallen toen de bel weer ging.
'Jezus,' zei hij. Hij stond op en keek door het raam. Er stond niemand in de tuin en de voordeur, die recht onder hem was, kon hij niet zien.
'Oké!' zei hij toen er weer werd gebeld. Hij trok een trainingsbroek aan, liep de trap naar de voordeur af en keek door het kijkgaatje. Er stonden twee rabbi's, de een jong en gladgeschoren, de ander oud en met een lange, grijzende baard.
O mijn God, dacht hij. Wat is er in 's hemelsnaam gebeurd? Met bonkend hart rukte hij de deur open.
'Ja?' vroeg hij.
'Inspecteur Grossman?' vroeg de oude rabbi.
'Ja, dat ben ik.' Al werkte hij al heel lang bij de politie en al had hij nog zoveel meegemaakt, als het om zijn gezin ging, was Benny zo kwetsbaar als een kind. 'Wat is er mis? Wat is er gebeurd? Is het Estelle? Matt? Toch niet David...'
'Ik ben bang dat u het bent, inspecteur,' zei de oude rabbi.
Benny had geen tijd om te reageren. De jonge rabbi bracht zijn hand omhoog en schoot hem tussen de ogen. Benny viel als een blok beton naar binnen. De jonge rabbi ging achter hem aan en schoot hem voor de zekerheid nog een keer door het hoofd.
Tegelijkertijd liep de andere rabbi het huis in. Boven, op het bureau, vond hij de aantekeningen die Benny had gebruikt toen hij Scotland Yard had gebeld. Hij vouwde ze zorgvuldig op, stak ze in zijn zak en liep terug naar beneden.
De buurvrouw, mevrouw Greenfield, vond het vreemd dat er twee rabbi's uit het huis van de familie Grossman kwamen die de deur achter zich sloten, vooral omdat het middag was.
'Is er iets mis?' vroeg ze toen ze het tuinhek openden en over het trottoir haar richting uit kwamen.
'Nee hoor. Sjalom,' zei de jongste rabbi vriendelijk, terwijl ze langs haar liepen.
'Sjalom,' zei mevrouw Greenfield en ze keek toe terwijl de jonge rabbi

het portier van een auto voor de oudere man openhield. Hij glimlachte nog een keer naar haar, ging achter het stuur zitten en reed even later weg.

* * *

De Cessna met zes zitplaatsen daalde door het zware wolkendek en bleef in een vlakke baan boven het Franse boerenland vliegen.
Piloot Clark Clarkson, een knappe voormalige RAF-piloot van een bommenwerper, met enorme handen en een vlotte glimlach, hield het kleine vliegtuig in de diverse turbulenties in balans terwijl ze nog verder daalden. Ian Noble zat in de veiligheidsgordel naast hem op de plaats van de co-piloot en keek met zijn hoofd tegen het raam gedrukt naar de grond. Recht achter Clarkson zat majoor Geoffrey Avnel, die in burger was. Hij was niet alleen veldchirurg, maar ook commando van de Britse Speciale Strijdkrachten en hij sprak vloeiend Frans. Noch de Britse militaire inlichtingendienst, noch Avril Rocard, de vrouw die commissaris Cadoux eropuit had gestuurd, was erin geslaagd informatie te krijgen over het lot van McVey en Paul Osborn. Als ze in de trein hadden gezeten, waren ze er hoe dan ook uit verdwenen.
Noble vertrouwde op zijn theorie dat een van hen, of beiden, gewond was geraakt en uit angst voor degene die de trein had opgeblazen van het wrak vandaan was gekropen. Ze wisten allebei dat de Cessna vandaag zou terugkomen en als Noble gelijk had, zouden ze overal tussen het vliegveld en de plaats van de ramp, drie kilometer verderop, kunnen zijn. Dat was ook de reden dat majoor Avnel was meegekomen.
Voor hen uit lag Meaux en aan hun rechterkant het vliegveld van de stad. Clarkson nam radiocontact op met de verkeerstoren en kreeg toestemming om te landen. Vijf minuten later, om 8.01 uur, zette hij de Cessna aan de grond.
Ze kwamen taxiënd in de buurt van de toren tot stilstand en Noble en Avnel stapten uit en liepen het kleine gebouw in dat als terminal fungeerde.
Noble had er geen idee van wat hij zou aantreffen. De risico's van het werk werden iedere politieman vanaf de eerste dag dat hij dienst had, ingehamerd. Londen verschilde niet van Detroit of Tokio en het verlies van een politieman die tijdens de uitoefening van zijn plicht werd gedood, greep alle dienders aan want ze wisten dat zij het net zo goed geweest hadden kunnen zijn. Het kon hun allemaal iedere dag overkomen, in welke stad ter wereld ze ook werkten. Als je aan het eind van de dag nog ongedeerd was, had je geluk gehad. En zo leefde je ook, bij de

dag. Als je je pensioen haalde, trok je je terug en werd je een oude man terwijl je probeerde niet aan al die andere politiemensen te denken, aan degenen die niet zo gelukkig zouden zijn. Zo was het leven van een politieman nu eenmaal. Maar voor McVey gold dat niet. Hij was anders; hij was het soort politieman dat iedereen zou overleven en nog steeds zijn werk zou doen als hij vijfennegentig was. Dat was een feit. Zo werd hij door anderen gezien en hij geloofde dat zelf ook, hoe vaak hij ook mopperend het tegendeel beweerde. Het verontrustende was dat Noble een voorgevoel had. Er hing een tragedie in de lucht. Misschien was hij daarom met Clarkson meegegaan en had hij majoor Avnel meegenomen, omdat hij het gevoel had dat hij het aan McVey verplicht was er te zijn.

Zijn tred was zwaar toen hij naar de immigratiebalie liep en de beambte zijn legitimatie van de Londense politie liet zien. Zijn voorgevoel werd sterker toen hij en Avnel met een grimmig gezicht de glazen deuren openduwden en de eigenlijke terminal opliepen.

Daarom was het een volslagen verrassing voor hem toen hij McVey zag die tegenover hem met een Mickey Mouse-honkbalpet op zijn hoofd en gekleed in een EuroDisneyland-sweatshirt de ochtendkrant zat te lezen.

'Goeie God!' riep Noble uit.

'Morgen, Ian,' zei McVey glimlachend. Hij stond op, vouwde de krant onder zijn arm en stak zijn hand uit.

Zes meter verderop keek Osborn, die zijn haar strak achterover gekamd had en nog steeds het jasje van de Franse brandweerman droeg, op van *Le Figaro*. Hij zag dat Noble McVeys hand greep, zijn hoofd schudde, achteruitstapte en een derde man aan McVey voorstelde. Op dat moment keek McVey in Osborns richting en knikte. Bijna onmiddellijk daarna liepen Noble, McVey en majoor Avnel terug naar de deur die naar de startbaan leidde.

Osborn voegde zich bij hen en ze liepen de twintig meter naar de Cessna. Clarkson startte de motor en vroeg toestemming om te vertrekken. Om 8.27 uur waren ze, zonder dat er zich problemen hadden voorgedaan, in de lucht.

# 81

Terwijl de Cessna het wolkendek boven Meaux in klom en uit het zicht van de verkeerstoren verdween, vertelde McVey hoe ze de treinramp hadden overleefd, de nacht in het bos bij het vliegveld hadden doorgebracht en daarna vlak voor halfacht de terminal waren binnengekomen. Hij had zich als toerist voorgedaan en de pet, het sweatshirt en toiletartikelen gekocht. Vervolgens was hij het herentoilet binnengegaan waar Osborn op hem wachtte. Hij had zich in een toilet omgekleed en zich daarna geschoren en zijn colbertje gedumpt. Osborn had zijn uiterlijk veranderd door eenvoudigweg zijn haar strak naar achteren te kammen. Met zijn stoppelbaard en brandweerjasje zag hij eruit als een uitgeputte reddingswerker die iemand die per vliegtuig zou arriveren, kwam afhalen. Daarna hoefden ze alleen maar te wachten.

Noble schudde zijn hoofd en glimlachte. 'McVey, je bent een wonderbaarlijke kerel.'

'Welnee.' McVey schudde zijn hoofd. 'Ik heb gewoon geluk gehad.'

'Dat is hetzelfde.'

Noble gaf McVey een paar minuten de tijd om zich te ontspannen en haalde toen een uitgetikte versie van het gesprek met Benny Grossman te voorschijn. Toen ze twee uur later landden, had McVey het verslag twee keer gelezen, het goed tot zich laten doordringen en het met de anderen doorgenomen.

Ze hadden de volgende feiten tot hun beschikking:

Paul Osborns vader had een prototype ontworpen en gebouwd van een scalpel die zelfs bij de buitenissigste temperaturen, hoogstwaarschijnlijk extreme koude, messcherp zou blijven.

Categorie: GEREEDSCHAP.

Volgens Benny Grossman waren ook de volgende gegevens feitelijk juist: Alexander Thompson uit Sheridan in Wyoming ontwikkelt een programma dat een door de computer gestuurd apparaat in staat stelt tijdens geavanceerde microchirurgie een scalpel vast te houden en er nauwkeurige bewegingen mee te maken. Categorie: SOFTWARE.

David Brady uit Glendale, Californië, ontwerpt en bouwt een elektronisch bestuurd apparaat met het bewegingsbereik van de pols van een mens dat een scalpel tijdens een operatie kan vasthouden en sturen. Categorie: APPARATUUR.

Mary Rizzo York uit New Jersey experimenteert met gassen waarmee andere materialen tot een temperatuur van ten minste 516 graden Fah-

renheit kunnen worden bevroren. Categorie: RESEARCH & ONTWIKKELING.
Dit vond allemaal plaats in de periode van 1962 tot en met 1967. Elke wetenschapper werkte alleen. Als een project was voltooid, werd de uitvinder of de wetenschapper door Albert Merriman geliquideerd. Zoals Merriman aan Paul Osborn had toegegeven, was Erwin Scholl de man die hem voor dit werk gehuurd en betaald had. Scholl, de immigrant die zeer vermogend was geworden, beschikte toen over de middelen en het zakelijk inzicht om de experimentele projecten via nepbedrijven te financieren. Dit was dezelfde Erwin Scholl die volgens de FBI tientallen jaren lang, tot op de dag van vandaag, een gewaardeerde persoonlijke vriend en vertrouweling van de opeenvolgende Amerikaanse presidenten is geweest en daarom bijna onaantastbaar is.
Toch lagen er in de vriesruimte in de kelder van het Londense lijkenhuis zeven hoofdloze lijken en een lichaamloos hoofd. Van vijf daarvan was bevestigd dat ze waren ingevroren bij een temperatuur die het absolute nulpunt naderde, dicht genoeg bij de temperaturen die Mary Rizzo York in haar experimenten gebruikte om een aanzienlijke betekenis te hebben.
McVey had de eminente micropatholoog doctor Stephen Richards eerder gevraagd: 'Aangenomen dat het absolute nulpunt op de een of andere manier bereikt zou kunnen worden, waarom zou je dan hoofdloze lichamen en losse hoofden bij die temperatuur invriezen?'
Richmans ondubbelzinnige antwoord had geluid: 'Om ze aan elkaar te zetten.'
Had Erwin Scholl bijna dertig jaar geleden onderzoek naar cryochirurgie gefinancierd om diepgevroren hoofden aan diepgevroren lichamen te zetten? En als dat het geval was, wat was er dan zo geheim aan dat hij zijn onderzoekers had laten vermoorden?
Patenten?
Misschien.
Maar uit het onderzoek dat Special Branch van de Londense politie in heel Engeland had gedaan en uit Nobles onlangs gevoerde telefoongesprekken met dr. Edward L. Smith, directeur van de Cryonische Vereniging van Amerika, en Akito Sato, directeur van het Cryonisch Instituut in het Verre Oosten, was niet gebleken dat er ergens ter wereld dergelijke cryochirurgische experimenten werden uitgevoerd.

Nu, terwijl de schemering over Londen viel, zaten Noble, McVey en Osborn tegenover elkaar in Nobles kantoor bij Scotland Yard. McVey had de Mickey Mouse-honkbalpet weggegooid, maar droeg nog wel

zijn EuroDisney-sweatshirt en Osborn had zijn brandweerjasje met Noble geruild voor een versleten donkerblauw vest met een goudkleurig embleem van de Londense politie op de linkerzak gestikt.
Uit een onderzoek van RDI International in Londen was niet gebleken dat er wereldwijde patenten waren aangevraagd voor gereedschap of software die waren ontwikkeld voor het soort geavanceerde microchirurgie waarover zij het hadden.
Bij de afdeling Ernstige Fraude was informatie aangevraagd over de geschiedenis van de bedrijven waarbij Albert Merrimans slachtoffers hadden gewerkt, maar de gegevens waren nog niet binnengekomen.
Er werd zachtjes op de deur geklopt en Nobles drieënveertigjarige, ruim één meter tachtig lange, nooit getrouwde secretaresse Elizabeth Welles kwam binnen. Ze had een blad in haar handen met kopjes en lepeltjes, een klein kannetje melk, een zilveren schaaltje met suikerklontjes en een pot thee en een pot koffie.
'Dank je, Elizabeth,' zei Noble.
'Tot uw dienst, commandant.' Ze strekte zich in haar volle lengte uit, wierp Osborn een zijdelingse blik toe en vertrok.
'Ze vindt u echt een knappe vent, meneer Osborn. En ze is er lang niet vies van. Thee of koffie?'
Osborn grijnsde. 'Thee, alstublieft.'
McVey staarde uit het raam en keek afwezig naar een kleine man die twee grote honden uitliet. Hij was zich maar vaag bewust van de kleine komedie die zojuist achter hem was opgevoerd.
'Koffie, McVey?' hoorde hij Noble vragen.
Hij draaide zich abrupt om en liep naar hen toe. Zijn ogen hadden een scherpe uitdrukking en er klonk woede in zijn stem door.
'Ik heb in de loop der jaren regelmatig meegemaakt dat ik me op een bepaald moment tijdens een onderzoek een verdomde idioot voelde omdat zich plotseling iets aan me opdrong dat ik al in het begin had moeten zien. Maar ik kan je wel vertellen, Ian, dat we deze keer de boot helemaal hebben gemist. Jij, ik, dokter Michaels en zelfs meneer Richman.'
'Waar heb je het over?' Noble hield een suikerklontje net boven de rand van zijn theekopje.
'Over het leven, verdomme.' McVey keek Osborn even aan om hem erbij te betrekken en leunde toen op Nobles bureau. 'Denk je ook niet dat iemand die al die jaren bezig is geweest een techniek te perfectioneren om een afgesneden hoofd aan een lichaam te zetten, dat op zichzelf niet als einddoel zal hebben, maar dat hij het eindresultaat tot leven zal willen wekken? Dat hij dit wezen, dit monster van Frankenstein, wil

laten leven en ademen?'.
'Ja, maar waarom anders?' Noble liet het klontje in zijn kopje vallen.
'Geen idee. Maar waarom zou iemand het anders doen?' McVey wendde zich tot Osborn. 'Stel je je het hele proces eens vanuit medisch oogpunt voor. Hoe zou het gaan?'
'Eenvoudig. In theorie in ieder geval.' Osborn leunde naar achteren, tegen de rugleuning van een roodleren stoel. 'Je brengt het bevroren wezen weer op normale temperatuur. Van ongeveer 273 graden Celsius onder nul naar 37 graden Celsius boven nul. Om de operatie te kunnen uitvoeren, moest het bloed er eerst aan onttrokken zijn. Als het wezen ontdooit, wordt er weer bloed in het lichaam gepompt. Het moeilijkste zou zijn het wezen overal even snel te laten ontdooien.'
'Maar zou het te doen zijn?' vroeg Noble.
'Als ze een manier hebben gevonden om het eerste te doen, zou ik zeggen dat ze voor het tweede deel al eerder een oplossing gehad moeten hebben.'
Direct daarna maakte de fax op de antieke secretaire achter Nobles bureau een geluid. Het lampje ging branden en even later begon het apparaat te printen.
Het was het rapport dat ze bij de afdeling Ernstige Fraude hadden aangevraagd.
McVey en Osborn gingen achter Noble staan en lazen de informatie die binnenkwam:

> Microtab – Waltham, Massachusetts. Opgeheven juli 1967. Eigendom van Wentworth Products, N.V., Ontario, Canada. Raad van beheer: Earl Samules, Evan Hart, John Harris. Allen woonachtig in Boston, Massachusetts. Allen overleden in 1967.
> Wentworth Products N.V., Ontario, Canada. Opgeheven augustus 1967. Particulier bedrijf. Eigenaar was James Tallmadge uit Windsor, Ontario. Overleden in 1967.
> Alama Steel N.V., Pittsburgh, Pennsylvania. Opgeheven in 1967. Dochteronderneming van Wentworth Products N.V., Ontario, Canada. Raad van beheer, Earl Samules, Evan Hart, John Harris.
> Standard Technologies, Perth Amboy, New Jersey. Dochteronderneming van T.L.T. International, Park Avenue 10, New York, New York. Raad van beheer: Earl Samules, Evan Hart, John Harris.
> T.L.T. International. Dochteronderneming in volledige eigendom van Omega Shipping Lines, Hanover Square 17, Mayfair, Londen, Verenigd Koninkrijk. Belangrijkste aandeelhouder Harald Erwin Scholl, Hanover Square 17, Mayfair, Londen, Verenigd Koninkrijk.

'Daar heb je 'm' zei Noble triomfantelijk toen Scholls naam op de fax verscheen.

T.L.T. werd in 1967 opgeheven.
T.L.T. Shipping Lines werd in 1966 opgekocht door Goltz Development Group, S.A., Düsseldorf, Duitsland. Goltz Development Group GDG is een vennootschap. Belangrijkste vennoten zijn Harald Erwin Scholl, Hanover Square 17, Londen, Verenigd Koninkrijk en Gustav Dortmund, Friedrichstadt, Düsseldorf, Duitsland. Directeur sinds 1978, Konrad Peiper, Reichsstrasse 52, Charlottenburg, Berlijn, Duitsland. (n.b. – GDG kocht in 1981 Lewsen International, Bayswater Road, Londen, Verenigd Koninkrijk, een holding company.)
EINDE

Noble draaide met zijn stoel rond en keek op naar McVey. 'Wel, misschien is onze beste meneer Scholl toch niet zo onaantastbaar als de FBI denkt. Je weet wie Gustav Dortmund is...'
'De directeur van de Centrale Bank van Duitsland,' zei McVey.
'Juist. En Lewsen International was in de jaren tachtig een belangrijke leverancier van staal en wapenonderdelen aan Irak. Ik durf te wedden dat de heren Scholl, Dortmund en Peiper in die jaren heel rijk zijn geworden, als ze dat al niet waren.'
'Mag ik even?' Osborn kwam naar voren met een recent nummer van het tijdschrift *People* dat hij tussen verscheidene andere nummers die op Nobles zijtafel lagen uit had gepakt. McVey keek stomverbaasd toe terwijl hij Nobles theekopje opzij schoof, het blad op het bureau legde en het bij een twee pagina's grote advertentie opensloeg. Het was een uitdagende advertentie voor de laatste plaat van een jonge, zeer populaire rockzangeres. Ze was drijfnat, droeg een nauwsluitende doorkijkjurk en zat op de rug van een orka die spectaculair uit het water omhoogschoot.
McVey en Noble keken Osborn niet-begrijpend aan.
'Jullie weten het niet, hè?' vroeg Osborn glimlachend.
'Wat niet?' vroeg McVey.
'Van jullie Konrad Peiper,' zei Osborn.
'Wat is er met hem?' McVey had er geen idee van waarop Osborn doelde.
'Zijn vrouw is Margarete Peiper, een van de machtigste vrouwen in de showbusiness. Ze leidt een gigantisch impresariaat en is manager en producer van deze jongedame op de orka, evenals van een dozijn van de grootste andere jonge sterren in de rock- en videowereld. En,' hij zweeg

even, 'ze doet dat allemaal vanuit haar kantoor in het penthouse van haar gerestaureerde zeventiende-eeuwse herenhuis in Berlijn.'
'Hoe weet u dat in 's hemelsnaam?' vroeg Noble verbaasd.
Osborn pakte het tijdschrift op, sloeg het dicht en gooide het op Nobles zijtafel. 'Commandant, ik ben orthopedisch chirurg in L.A. Zowat de helft van mijn patiënten bestaat uit jongelui van onder de vijfentwintig die bij sportbeoefening ernstig geblesseerd zijn geraakt. Ik heb al die trendy tijdschriften niet voor niets in mijn spreekkamer liggen.'
'En u leest ze ook echt?'
Osborn grijnsde. 'Wat dacht u dan?'

# 82

Vanwege het verminderde zicht was Clarkson van zijn vluchtplan afgeweken en in de buurt van Ramsgate aan Het Kanaal geland, ongeveer honderdvijftig kilometer ten zuidoosten van zijn oorpronkeijke bestemming. Door deze toevallige manoeuvre had hij von Holden afgeschud.
Een uur nadat de Cessna uit Meaux was vertrokken, had een medewerker van het vliegveld McVeys weggegooide colbert op de bodem van een afvalbak in het herentoilet gevonden. Binnen enkele minuten was de Parijse afdeling gewaarschuwd en twintig minuten daarna was von Holden gearriveerd om bij de afdeling gevonden voorwerpen het jasje dat zijn oom was kwijtgeraakt op te eisen. McVey was zo slim geweest het label eruit te scheuren voordat hij het jasje had weggegooid. Hij had zich echter niet gerealiseerd dat door het voortdurend schuren van de kolf van zijn .38 de voering net voldoende was afgesleten om zichtbaar te zijn en von Holden kende dit verschijnsel uit eigen ervaring.
Von Holden ging terug naar zijn hotel in Meaux terwijl de Parijse afdeling de vluchtplannen van vliegtuigen die Meaux tussen zonsopgang en het tijdstip waarop het jasje was gevonden, hadden verlaten. Om half tien wist hij dat een Cessna met zes zitplaatsen en het kenteken ST95 die ochtend uit Bishop's Stortford in Engeland was vertrokken, om 8.01 uur was geland en zesentwintig minuten later, om 8.27 uur, met dezelfde bestemming was vertrokken. Het was geen garantie, maar ge-

noeg om tegen de Londense afdeling te zeggen dat ze zich paraat moesten houden. Om drie uur hadden veldagenten de Cessna ST95 op het vliegveld van Ramsgate gevonden en het kantoor van de Londense afdeling had achterhaald dat het vliegtuig het eigendom was van een klein Brits landbouwbedrijf waarvan het hoofdkantoor in Bath was gevestigd. Daarna was het spoor doodgelopen. De Cessna was neergezet op het vliegveld van Ramsgate en de piloot had de boodschap achtergelaten dat hij zou terugkomen als het weer beter was geworden. Daarna was hij weggegaan en had samen met een andere man de bus naar Londen genomen. Geen van beiden had aan het signalement van McVey of Osborn beantwoord. Die informatie werd onmiddellijk doorgegeven aan de Parijse afdeling die 'Lugo', die naar Berlijn was teruggekeerd, ervan op de hoogte zou brengen. Om 18.15 uur had de Londense afdeling de vergrotingen van de foto's van beide mannen in haar bezit en was ze gereed om met de zoekactie te beginnen.

Om 20.35 uur zat McVey in zijn eentje in zijn hemd op de rand van zijn bed in zijn piepkleine kamertje in Half Moon Street. Hij had zijn schoenen uitgetrokken en een glas Famous Grouse-whisky stond onaangeroerd op armslengte van hem vandaan op het telefoontafeltje. Osborn had zich niet ver daar vandaan onder de naam Richard Green uit Chicago in het Forum Hotel in Kensington ingeschreven en Noble was naar zijn woning in Chelsea gegaan.
Hij had een fax van Bill Woodward, het hoofd van de recherche van de politie van Los Angeles, in zijn hand met het nieuws van de moord op Benny Grossman. De eerste vertrouwelijke onderzoeken van de Newyorkse politie concentreerden zich op de mogelijkheid dat de moord was gepleegd door twee mannen die zich voor rabbi's uitgaven.
McVey probeerde te doen wat Benny zou doen. Zijn gevoelens opzij zetten en logisch nadenken. Benny was ongeveer zes uur nadat hij Ian Noble had gebeld om hem de informatie te geven waarom McVey had gevraagd, in zijn huis vermoord. De rest was nu niet belangrijk. Niet dat Benny de hele laatste nacht voor zijn dood met het verzamelen van de gegevens bezig was geweest omdat McVey tegen hem had gezegd dat het dringend was. Niet dat hij Noble had opgebeld om de informatie door te geven omdat hij op tv een reportage had gezien over de treinramp en in een moment van helderziendheid het idee had gekregen dat McVey in de trein had gezeten en dat hij daarom moest zorgen dat Noble de informatie zo snel mogelijk in handen kreeg.
Het feit was dat hij Noble vanuit zijn huis had gebeld om hem de gedetailleerde lijst met namen door te geven. Dat betekende dat de agenten

van de Organisatie in de Verenigde Staten niet alleen over zeer geavanceerde technologie beschikten waarmee ze zich toegang tot geheime computersystemen van de politie konden verschaffen, maar dat ze ook in staat waren erachter te komen wie welke informatie had verzameld en waar die informatie vandaan kwam. Als ze dat konden, zouden ze ook gegevens van de telefoonmaatschappijen kunnen achterhalen en weten waar Benny naar toe had gebeld en hoogstwaarschijnlijk ook met wie, omdat hij Nobles privé-nummer zou hebben gebruikt. En als ze in Frankrijk en de Verenigde Staten opereerden, zouden ze dat zeker ook hier in Engeland doen.
McVey nam een grote slok whisky, zette het glas neer, trok een schoon overhemd aan, deed een andere stropdas om en pakte zijn enige andere pak uit de kast. Een paar minuten later liet hij de .38 in zijn heupholster glijden, nam nog een flinke slok whisky en vertrok. Hij hoefde niet in de spiegel te kijken; hij wist wat hij zou zien.
Hij duwde de glanzende koperen voordeur van het hotel open en besloot het halve blok naar het Knightsbridge-metrostation te lopen.
Twintig minuten later was hij in Nobles smaakvol ingerichte huis in Chelsea en wachtte tot Noble over zijn directe lijn New Scotland Yard had gebeld om een auto voor zijn vrouw te laten komen. Een kwartier later namen ze afscheid en ze vertrok naar het huis van haar zuster in Cambridge.
'Ach, ze heeft het allemaal al eerder meegemaakt,' zei Noble toen ze weg was. 'De IRA, weet je wel? Dat is ook alleen maar ellende.'
McVey knikte. Hij maakte zich zorgen om Osborn. Hij was door rechercheurs van de Londense politie ingeschreven in het Forum Hotel en McVey had hem op het hart gedrukt op zijn kamer te blijven tot hij iets van hem zou horen. Hij had hem één keer gebeld voordat hij uit zijn hotel was weggegaan, maar er werd niet opgenomen. Hij probeerde het nu weer, met hetzelfde resultaat.
'Nog niets?' vroeg Noble.
McVey schudde zijn hoofd en legde de hoorn op de haak. Onmiddellijk daarna begon Nobles rode telefoon te rinkelen, de directe lijn met het hoofdkwartier van Scotland Yard.
Noble nam op. 'Ja. Ja, hij is hier.' Hij keek McVey aan. 'Een zekere Dale Washburn uit Palm Springs heeft geprobeerd je te bereiken.'
'Is ze aan de lijn?'
Noble informeerde daarnaar en kreeg een nummer door waarop Washburn te bereiken was. Hij noteerde het, hing op en gaf het velletje papier aan McVey.
McVey liep de gang in, pakte Nobles huistelefoon en draaide het num-

mer in Palm Springs. 'Probeer Osborn nog eens,' zei hij tegen Noble. Het was even na elf uur 's avonds in Londen. In Palm Springs zou het iets over tweeën in de middag zijn.
'Met Dale,' zei een zachte stem.
'Hallo engel,' met McVey. 'Wat heb je?'
'Wil je het nu weten?'
'Nu direct.'
'Wil je dat ik het nu zomaar zeg? Er zijn hier nog een paar andere mensen.'
'Dan moeten het vrienden van je zijn. Vertel me maar wat je hebt.'
'Twee paren, schat. Twee azen en twee achten. De dodemanshand. Nu weet je het, ben je blij dat ik het heb verklapt?'
'Poker...'
'Precies, schat. Ik speel poker. Tenminste tot ik jou belde. Wacht even, dan ga ik naar de andere kamer.' McVey hoorde haar iets tegen iemand anders zeggen en een minuutje later pakte ze de hoorn van een ander toestel op en de andere telefoon werd neergelegd.
Dale Washburn kon zo uit een boek van Raymond Chandler zijn weggelopen. Ze was vijfendertig jaar, had echt platinablond haar, een fantastisch lichaam en een stel hersens dat daar niet voor onderdeed. Ze had vijf jaar als undercoveragente bij de politie van Los Angeles gewerkt tot ze haar dekmantel kwijtraakte bij een mislukte inval bij drugdealers in een chic deel van Brentwood. Omdat er een kogel in haar onderrug was blijven steken die operatief niet verwijderd kon worden, had ze een arbeidsongeschiktheidsuitkering gekregen en was naar Palm Springs vertrokken. Daar speelde ze kaart met een paar rijke gescheiden mannen en vrouwen en hing een bescheiden bordje op haar deur waarop stond dat ze privé-detective was. McVey had haar gebeld zodra hij zich weer in zijn hotel in Half Moon Street had ingeschreven. Hij wilde dat ze in twee uur zoveel mogelijk informatie over meneer Harald Erwin Scholl zou opduikelen.
'Niets.'
'Kom nou... níets...' McVey hoorde de woede in zijn eigen stem doorklinken. Hij verwerkte de moord op Benny Grossman niet zo goed als hij dacht.
'Niets, schat. Het spijt me. Erwin Scholl is degene die hij lijkt te zijn. Een stinkend rijke uitgever en kunstverzamelaar die dikke maatjes is met de allerbelangrijkste mensen, zoals presidenten en premiers. Als er meer is, zit het heel diep begraven in de zandbak waarin alleen de heel grote kinderen spelen en kleine meisjes en jongetjes zoals jij en ik zullen het niet vinden.'

'En zijn voorgeschiedenis?' vroeg McVey.
'Hij is vlak na de Tweede Wereldoorlog als arme immigrant uit Duitsland gekomen. Hij heeft zich uit de naad gewerkt en de rest is wat ik je al heb verteld.'
'Getrouwd?'
'Nooit, schat. Dat heb ik in die paar uur tenminste niet kunnen vinden. En mocht je denken dat hij homo is, schat, dan moet ik je ook teleurstellen, want daarvoor is geen enkele aanwijzing.'
'Het is allemaal niet veel soeps, engel.'
'Ik kan je één feit geven en daarmee kun je doen wat je wilt: de man is tot zondag in Berlijn voor de een of andere grote herdenking of zoiets in... wacht, ik moet even mijn aantekeningen inkijken... ze moeten hier ergens liggen... Ja, ik heb ze... in een soort paleis dat Charlottenburg heet.'
'Charlottenburg?' McVey keek Noble aan.
'Een museum in Berlijn.'
'Speel maar verder, engel. Zodra ik terug ben, neem ik je een keer mee uit eten.'
'Als er nog eens iets is, kun je me altijd bellen, McVey.'
McVey hing op. Noble staarde hem aan.
'Engel?' zei Noble grijnzend.
'Ja, engel,' zei McVey op vlakke toon. 'Heb je Osborn te pakken gekregen?'
Nobles glimlach vervaagde en hij schudde zijn hoofd.
'Nee.'

# 83

'Vera...'
'O God, Paul!'
Osborn hoorde de opluchting en de vreugde in haar stem doorklinken. Ondanks alles was Vera nooit langer dan een moment uit zijn gedachten geweest. Op de een of andere manier moest hij haar te pakken zien te krijgen, met haar praten en haar horen zeggen dat alles in orde met haar was.

Hij wist dat hij de telefoon in zijn kamer niet kon gebruiken, dus was hij naar beneden naar de hal gegaan. Het zou McVey niet bevallen als hij erachter kwam, maar wat hemzelf betrof had hij geen andere keus.
Toen hij in de hal kwam, zag hij dat de telefoons bij de ingang in gebruik waren. Hij had het erop gewaagd en aan de balie gevraagd of er nog andere telefoons waren. Een receptionist had hem de weg gewezen naar een gang vlak bij de bar waar hij een rij ouderwetse telefooncellen had aangetroffen.
Hij stapte een cel in, sloot de deur achter zich en haalde het adresboekje waarin hij het telefoonnummer van Vera's grootmoeder in Calais had opgeschreven, te voorschijn. Om de een of andere reden waren het oude glanzende hout en de gesloten deur geruststellend. Hij hoorde iemand in de cel naast hem zijn gesprek beëindigen, ophangen en weggaan. Hij keek door het glas en zag een jong stel langslopen, op weg naar de liften. Daarna bleef de gang leeg. Hij draaide zijn hoofd om, nam de hoorn van de haak, gebruikte de creditcard van zijn praktijk en draaide het nummer.
Hij hoorde de telefoon aan de andere kant van de lijn overgaan. Het duurde nogal lang en hij wilde net ophangen toen de oude vrouw hem verbaasde door op te nemen. Ten slotte bleek hij niet meer van haar aan de weet te kunnen komen dan dat Vera er niet was en er ook niet was geweest. Hij voelde dat hij de controle over zijn emoties begon te verliezen en hij wist dat hij gek zou worden als hij ze niet in bedwang zou krijgen. Toen bedacht hij dat ze misschien nog in het ziekenhuis was, dat ze nooit was vertrokken. Hij gebruikte weer zijn creditcard en belde haar nummer in het ziekenhuis. Er werd opgenomen en hij hoorde haar stem.
'Vera...' zei hij en zijn hart sprong op. Maar ze bleef maar in het Frans doorpraten en hij besefte dat het een antwoordapparaat was. Toen hoorde hij een klik en een opgenomen stem zei dat hij een '0' moest draaien. Een ogenblik later kreeg hij een vrouw aan de lijn. '*Parlez-vous anglais*?' vroeg hij. Ja, de vrouw sprak een beetje Engels. Vera, zei ze, was twee dagen geleden weggeroepen vanwege een ziektegeval in haar familie; het was niet bekend wanneer ze zou terugkomen. Wilde hij misschien een andere arts spreken? 'Nee, nee, dank u wel,' zei hij en hij hing op. Secondenlang staarde hij naar de muur. Er was nog maar één mogelijkheid over. Misschien was ze om de een of andere reden teruggegaan naar haar appartement.
Hij gebruikte voor de derde maal zijn creditcard en vroeg zich deze keer af of hij niet naar een andere telefoon zou moeten gaan, een die buiten het gebouw was. Voordat hij kon ophangen, kreeg hij contact en toen

de telefoon voor de tweede keer was overgegaan, nam een man op.
'Met het huis van mevrouw Monneray, *bonsoir*.'
Het was Philippe, die het gesprek via de centrale aannam. Osborn zweeg. Waarom nam Philippe Vera's gesprekken aan zonder de telefoon zo lang te laten rinkelen dat ze zelf kon opnemen? Misschien had McVey gelijk gehad en was het Philippe geweest die de Organisatie had verteld wie Vera was en waar ze woonde. Daarna had hij hem weliswaar geholpen onder de neus van de politie te ontsnappen, maar niet zonder eerst de lange man te hebben gewaarschuwd.
'Met het huis van mevrouw Monneray,' zei Philippe weer. Deze keer klonk zijn stem hol, alsof hij plotseling achterdocht koesterde jegens degene die belde. Osborn wachtte nog een halve seconde en besloot het er toen op te wagen.
'Philippe, met Osborn.'
Philippes reactie was allesbehalve voorzichtig. Hij was enthousiast en opgetogen dat hij iets van hem hoorde. Het klonk alsof hij zich ernstige zorgen over hem had gemaakt.
'O monsieur. Die schietpartij in La Coupole. Het was allemaal op de televisie. Twee Amerikanen, zeiden ze. Is alles in orde met u? Waar bent u?'
Mondje dicht, hield Osborn zichzelf voor. Vertel het hem niet.
'Waar is Vera, Philippe? Heb je iets van haar gehoord?'
'*Oui, oui!*' Vera had eerder op de dag gebeld en een telefoonnummer achtergelaten. Het mocht alleen aan Osborn gegeven worden als hij belde en aan niemand anders.
Osborn hoorde een geluid buiten de telefooncel en hij draaide zich om. Een kleine zwarte vrouw in een hoteluniform stofzuigde de gang. Ze was oud en doordat haar haar onder een helderblauwe sjaal was opgestoken, zag ze eruit als een Haïtiaanse. Het gezoem van de stofzuiger werd luider toen ze dichterbij kwam.
'Het telefoonnummer, Philippe,' zei hij terwijl hij zijn rug naar de gang draaide.
Hij grabbelde in zijn zak naar een pen en zocht iets om op te schrijven. Hij vond niets, dus schreef hij het nummer op zijn handpalm en herhaalde het daarna voor de zekerheid.
'*Merci*, Philippe.' Hij hing op zonder de portier de kans te geven nog een vraag te stellen.
Met het geluid van de stofzuiger van de oude vrouw in zijn oren, pakte Osborn de hoorn van de haak terwijl hij weer overwoog naar een andere telefoon te gaan. 'Ach wat,' zei hij hardop. Hij draaide het op zijn handpalm geschreven nummer en wachtte tot er opgenomen zou worden.

'*Oui*?' Hij schrok toen hij een stoere, krachtige mannenstem aan de lijn kreeg.
'Mademoiselle Monneray, alstublieft,' zei Osborn.
Toen hoorde hij Vera iets in het Frans zeggen en er de naam Jean Claude aan toevoegen. De verbinding met de eerste lijn werd verbroken en hij hoorde Vera zijn naam zeggen.
'Jezus, Vera...' fluisterde hij. 'Wat is er in godsnaam aan de hand...? Waar ben je?' Van alle vrouwen die hij ooit had gekend, had niemand hem zoveel gedaan als Vera, geestelijk, emotioneel en lichamelijk. Wat hij allemaal had opgekropt, kwam er nu verward en onbeheerst uit, alsof hij een puber was.
'Ik heb je grootmoeder gebeld omdat ik zo bezorgd om je was, maar haar Engels is slechter dan mijn Frans en ik begreep alleen dat ze niets van je had gehoord. Toen begon ik over de Parijse rechercheurs na te denken. Ik dacht dat zij er misschien bij betrokken waren en dat ik je aan hen had overgeleverd. ...Vera, waar ben je in vredesnaam? Zeg me dat alles goed met je is...'
'Alles is in orde met me, Paul, maar...' – ze aarzelde – 'ik kan je niet vertellen waar ik ben.' Vera keek om zich heen in de kleine, vrolijke, geel-met-wit geschilderde slaapkamer met één raam dat uitkeek op een lange met schijnwerpers verlichte oprijlaan. Erachter waren bomen en duisternis. Ze opende de deur en staarde naar de stevig gebouwde man die in de gang stond. Hij droeg een zwarte trui, had een pistool achter zijn broekband gestoken en nam het gesprek op een draadloze bandrecorder op. Naast hem tegen de muur stond een geweer. Hij keek op en zag dat ze met haar hand om het mondstuk van de telefoon naar hem stond te staren.
'Jean Claude, alsjeblieft...' zei ze in het Frans. Hij aarzelde een ogenblik en zette het apparaat toen uit.
'Met wie praat je? Dat is geen politie. Wie was de man die de telefoon opnam?' snauwde Osborn plotseling. Hij voelde de jaloezie als een verterend vuur in zich oplaaien. Buiten de telefooncel leek het ononderbroken gezoem van de stofzuiger luider dan ooit. Hij draaide zich boos om en zag dat de oude vrouw naar hem staarde. Toen ze elkaar aankeken, liet ze abrupt haar hoofd zakken en liep weg. Het gezoem van de stofzuiger verdween met haar.
'Verdomme, Vera!' Osborn draaide zich terug naar de telefoon. Hij was boos, gekwetst en in verwarring. 'Wat is er in godsnaam aan de hand?'
Vera zei niets.
'Waarom kun je me niet vertellen waar je bent?' vroeg hij.

'Omdat...'
'Waarom?'
Osborn keek door het glas. De gang was nu leeg. Toen realiseerde hij het zich plotseling met een schok. 'Je bent bij hem! Je bent bij de Fransoos, hè?'
Ze hoorde de woede in zijn schorre stem en ze haatte hem erom. Hij vertelde haar eigenlijk dat hij haar niet vertrouwde. 'Nee, ik ben niet bij hem. En noem hem niet zo!' snauwde ze.
'Verdomme, Vera. Lieg niet tegen me. Niet nu. Als hij daar is, zeg het me dan gewoon!'
'Paul! Hou op! Als je zo tegen me blijft praten, betekent dat het eind van onze relatie.'
Plotseling besefte hij dat hij niet luisterde en zelfs niet nadacht. Hij deed weer wat hij sinds de dag dat zijn vader was vermoord, altijd had gedaan. Hij reageerde op zijn eigen verlammende angst liefde te verliezen. Met razernij, woede en jaloezie verdedigde hij zich tegen verdriet, beschermde hij zichzelf. Tegelijkertijd stootte hij daarmee degenen die van hem hadden kunnen houden af en liet hun geen andere gevoelens over dan droefheid en medelijden. Daarna gaf hij hun de schuld en sloop, zoals hij altijd had gedaan, naar een donkere hoek van zijn eigen ballingsoord, waar hij als een geslagen hond zijn wonden likte, vervreemd van al het menselijke op de wereld.
Als iemand die zich er plotseling van bewust wordt dat hij verslaafd is, besefte hij dat hij alleen een eind aan zijn zelfvernietiging zou kunnen maken als hij dat nu, op dit moment, deed. En hoe moeilijk het ook was, hij kon dat alleen doen door de moed te vinden haar te vertrouwen en er maar het beste van te hopen.
Hij groef diep in zijn binnenste en bracht de hoorn terug naar zijn mond.
'Het spijt me... ' zei hij.
Vera streek met haar hand door haar haar en ging aan een klein houten bureau zitten. Er stond een beeldje van klei van een ezel op dat onmiskenbaar door een kind was gemaakt. Het was onbeholpen en primitief, maar volkomen puur. Ze pakte het op, keek ernaar en drukte het toen uit een verlangen naar troost tegen haar borst.
'Ik was bang voor de politie, Paul. Ik wist niet wat ik moest doen. Uit wanhoop heb ik François gebeld. Besef je hoe moeilijk dat voor me was nadat ik hem had verlaten? Hij heeft me hierheen gebracht, naar een huis op het platteland, en is toen naar Parijs teruggegaan. Hij heeft drie agenten van de geheime dienst bij me achtergelaten om me te beschermen. Niemand mag weten waar ik ben, daarom kan ik het je niet vertel-

len. Voor het geval er iemand meeluistert...'
Plotseling verdween de nevel van jaloezie die zijn denken had vertroebeld en de diepe bezorgdheid die hij daarvóór had gevoeld, kwam terug. 'Ben je veilig, Vera?'
'Ja.'
'Ik denk dat we een eind aan het gesprek moeten maken,' zei hij. 'Laat me je morgen weer bellen.'
'Paul, ben je in Parijs?'
'Nee, waarom...?'
'Het zou daar gevaarlijk voor je zijn.'
'De lange man is dood. McVey heeft hem doodgeschoten.'
'Dat weet ik. Maar je weet niet dat hij lid van de Stasi was, de vroegere Oostduitse geheime politie. Ze kunnen wel zeggen dat die ontmanteld is, maar ik geloof het niet.'
'Heb je dat van François gehoord?'
'Ja.'
'Waarom zou de Stasi Albert Merriman hebben willen vermoorden?'
'Paul, luister naar me, alsjeblieft.' Haar stem had een dringende klank. 'François neemt ontslag. Het zal morgenochtend bekendgemaakt worden. Hij doet het omdat hij vanuit zijn eigen partij onder druk wordt gezet. Het heeft te maken met de nieuwe economische gemeenschap, met de nieuwe Europese politiek.'
'Wat bedoel je?' Osborn begreep het niet.
'François denkt dat alle landen naar het pijpen van Duitsland zullen moeten dansen en dat Duitsland ten slotte de financiële touwtjes van heel Europa in handen zal krijgen. Het bevalt hem helemaal niet en hij vindt dat Frankrijk er voor zijn eigen bestwil niet zo sterk bij betrokken zou horen te raken.'
'Je zegt eigenlijk dat hij wordt gedwongen ontslag te nemen.'
'Ja... heel erg tegen zijn zin, maar hij heeft geen keus. Het wordt langzamerhand heel erg onaangenaam.'
'Vreest François voor zijn leven als hij geen ontslag neemt, Vera?'
'Daarover heeft hij nooit met me gesproken...'
Osborn had een gevoelig punt geraakt. Misschien hadden ze er niet over gepraat, maar ze had erover nagedacht. En waarschijnlijk kon ze het niet uit haar hoofd zetten. François Christian had haar ergens op het land ondergebracht onder bewaking van drie geheime agenten. Had het feit dat de lange man een Stasi-agent was geweest misschien te maken met wat er in de Franse politiek aan de hand was? Of werd ze verborgen en beschermd vanwege haar connectie met Osborn en McVey en om wat er in Lyon met Lebrun en zijn broer was gebeurd?

'Vera... het kan me geen moer schelen of ze meeluisteren,' zei hij. 'Ik wil dat je heel goed nadenkt. Kun je uit wat François heeft gezegd concluderen dat er een verband is tussen Albert Merriman en mij en de situatie met François?'
'Ik weet het niet...' Vera keek naar de kleine geboetseerde ezel die ze nog steeds in haar hand had en zette hem toen terug op het bureau. 'Ik herinner me wat mijn grootmoeder me heeft verteld over hoe het in Frankrijk was tijdens de oorlog. Toen de nazi's het land bezet hielden,' zei ze zacht. 'De mensen leefden voortdurend in angst. Ze werden zonder enige verklaring weggehaald en kwamen nooit meer terug. De mensen bespioneerden elkaar, soms zelfs binnen dezelfde families, en rapporteerden wat ze zagen aan de autoriteiten. En er waren overal mannen met wapens. Paul...' – ze aarzelde en hij hoorde hoe bang ze eigenlijk was – 'ik voel nu dezelfde donkere schaduw over...'
Plotseling hoorde Osborn een geluid achter hem. Hij draaide zich snel om. McVey stond samen met Noble voor de telefooncel. McVey rukte de deur open.
'Ophangen,' zei hij. 'Nu!'

# 84

Osborn werd door de bar en via een uitgang de straat op geduwd. Hij had nog geprobeerd afscheid van Vera te nemen, maar McVey had zijn hand naar binnen gestoken en de verbinding verbroken.
'Het meisje, hè? Vera Monneray,' zei McVey terwijl hij het portier van een Rover die langs het trottoir geparkeerd stond, opentrok.
'Ja,' zei Osborn. McVey was zijn privé-wereld binnengedrongen en dat beviel hem niet.
'Is de Parijse politie bij haar?'
'Nee, de geheime dienst.'
De portieren werden dichtgeslagen en Nobles chauffeur voegde zich in de verkeersstroom. Vijf minuten laten reden ze om Piccadilly Circus heen en sloegen op Haymarket af naar Trafalgar Square.
'Niet-geregistreerd nummer?' vroeg McVey uitdrukkingsloos terwijl hij naar de cijfers staarde die Osborn in zijn handpalm had gekrabbeld.

'Wat bedoel je?' vroeg Osborn.
McVey staarde hem aan. 'Ik hoop dat je haar dood niet op je geweten hebt.'
Noble, die naast de chauffeur zat, draaide zich naar hen om. 'Hebt u gevraagd waar de telefoon was die u gebruikte of hebt u die zelf gevonden?'
Osborn wendde zich van McVey af. 'Wat maakt dat voor verschil?'
'Hebt u gevraagd waar de telefoon was of hebt u hem zelf gevonden?'
'De telefoons in de hal waren in gebruik. Ik heb gevraagd of er nog andere waren.'
'En iemand heeft u dat verteld?'
'Kennelijk.'
'Heeft iemand gezien dat u belde? Of welke cel u binnenging?'
McVey liet Noble zijn gang gaan.
'Nee,' zei Osborn snel, maar toen schoot het hem te binnen. 'Iemand die in het hotel werkte, een oude zwarte vrouw. Ze was aan het stofzuigen in de gang.'
'Het is niet moeilijk om een gesprek vanuit een openbare cel te traceren,' zei Noble. 'Vooral niet als je weet welke telefooncel is gebruikt. Een geheim nummer of niet, als je vijftig pond in de juiste handen stopt, heb je het nummer, de stad, het adres en hoogstwaarschijnlijk wat er die avond wordt gegeten. Allemaal in een mum van tijd.'
Osborn bleef lange tijd zwijgend zitten en keek door het raampje naar het avondlijke Londen dat voorbijflitste. Hij vond het niet leuk wat Noble zei, maar deze had gelijk.
Het was een dwaze, domme streek van hem geweest. Maar dit was zijn wereld niet. Een wereld waarin je alles moest wikken en wegen en waarin iedereen onder verdenking stond, wie hij ook was.
Ten slotte keek hij McVey aan. 'Wie doet dit? Wie zijn ze?'
McVey schudde zijn hoofd.
'Wist je dat de man die je hebt doodgeschoten, lid van de Stasi was?' vroeg Osborn.
'Heeft zij je dat verteld?'
'Ja.'
'Ze heeft gelijk.'
'Wisten jullie dat?' vroeg Osborn ongelovig.
McVey antwoordde niet en Noble evenmin.
'Laat me je dan iets vertellen wat je waarschijnlijk níet weet. De Franse premier heeft zijn functie neergelegd. Het zal morgenochtend bekendgemaakt worden. Hij is daartoe gedwongen door mensen in zijn eigen partij, vanwege zijn verzet tegen de te kleine rol die Frankrijk in de

nieuwe Europese Unie speelt. Hij vindt dat de Duitsers te veel macht hebben en zij zijn het niet met hem eens.'
'Dat is niets nieuws.' Noble haalde zijn schouders op en wendde zich af om iets tegen de chauffeur te zeggen.
'Het is wel iets nieuws dat hij denkt dat ze hem zullen vermoorden als hij niet aftreedt. Of Vera zullen vermoorden om hem en zijn gezin duidelijk te maken dat het menens is.'
McVey en Noble wisselden een blik van verstandhouding.
'Denk je dat maar of heeft ze dat gezegd?' vroeg McVey.
Osborn keek hem boos aan. 'Ze is bang, snap je? Om een heleboel redenen.'
'Je hebt haar niet minder reden gegeven. De volgende keer dat ik je zeg dat je iets moet doen, doe je het ook!' McVey wendde zich af en keek uit het raampje. Daarna viel er een stilte in de auto en ze hoorden alleen het gezoem van de banden over het wegdek. Af en toe werden de mannen verlicht door de koplampen van de tegenliggers, maar de meeste tijd zaten ze in het donker.
Osborn leunde achterover. Hij was nog nooit in zijn leven zo moe geweest. Al zijn ledematen deden pijn en iedere ademhaling kostte hem moeite, alsof zijn longen van lood waren. Slaap.Hij kon zich niet herinneren wanneer hij voor het laatst had geslapen. Afwezig streek hij met zijn hand over zijn stoppelige kaak. Het scheren was er bij ingeschoten. Hij keek naar McVey en zag dat hij even moe was. Hij had diepe kringen onder zijn ogen en een grijswitte stoppelbaard. Zijn kleren zagen eruit alsof hij er een week in had geslapen, al had hij ze dan pas schoon aangetrokken. En Noble zag er niet veel beter uit.
De Rover minderde vaart, sloeg een smalle zijstraat in en reed een blok verder een ondergrondse garage binnen. Osborn realiseerde zich plotseling dat hij niet wist waar ze naar toe gingen en hij wilde het vragen.
'Berlijn.' McVey voelde zijn vraag aankomen.
'Berlijn?!'
Twee geüniformeerde politiemannen kwamen naar de auto toen ze waren gestopt en openden de portieren.
'Deze kant uit, alstublieft, heren.' De agenten gingen hen voor door een gang en openden een deur. Ze kwamen uit in een uithoek van een vliegveld. In de verte stond een tweemotorig vliegtuig met brandende binnenlichten te wachten en onder de open deur in de romp stond een verplaatsbare trap.
'De reden dat je meegaat,' zei McVey terwijl ze ernaar toe liepen, 'is dat ik je voor een Duitse rechter een getuigenverklaring wil laten afleggen. Ik wil dat je hem vertelt wat Albert Merriman vlak voordat hij werd

doodgeschoten tegen je heeft gezegd.'
'Je hebt het over Scholl.'
McVey knikte.
Osborns hart begon sneller te kloppen. 'Is hij in Berlijn?'
'Ja.'
Noble liep voor hen de trap op en ging het vliegtuig in.
'Dient mijn verklaring ervoor om een arrestatiebevel tegen hem te krijgen?'
'Ik wil met hem praten.' McVey liep de trap op.
Osborn werd euforisch. Daarom had hij in eerste instantie het risico genomen met McVey af te spreken. Hij wilde Scholl vinden en had daarbij McVeys hulp nodig.
'Ik wil erbij zijn als je met hem praat.'
'Dat dacht ik wel.' McVey verdween in het vliegtuig.

# 85

'Ziet u, er zijn geen tekenen van een worsteling en niets duidt op een misdrijf. De hekken om het terrein worden door videocamera's gecontroleerd en zijn door patrouilles met honden gecheckt. Uit niets blijkt dat de beveiliging tekortgeschoten is.' Georg Springer, de slanke, kalende chef van de beveiliging van *Anlegeplatz*, liep door de kamer naar Elton Lybargers beslapen, maar nu lege bed terwijl hij naar een gewapende beveiligingsman luisterde.
Springer was even na drieën gewekt en had te horen gekregen dat Lybarger niet in zijn kamer was. Hij had onmiddellijk contact opgenomen met de centrale van de beveiliging, waar via monitoren de hoofdpoort, de dertig kilometer hek om het terrein en de enige andere toegangen, zoals de bewaakte dienstingang vlak bij de garage en de ingang voor het onderhoudspersoneel achthonderd meter achter het huis, aan het eind van een kronkelig weggetje, werden gecontroleerd. In de afgelopen vier uur was niemand naar binnen of naar buiten gegaan.
Springer keek nog een laatste keer rond in Lybargers kamer en liep naar de deur. 'Hij is misschien ziek geworden en hulp gaan zoeken of hij is in een soort slaaptoestand geraakt waarin hij niet meer weet waar hij is.

Hoeveel mensen hebben er dienst?'
'Zeventien.'
'Roep hen allemaal op. Zoek het terrein zorgvuldig af, ook de kamers en de slaapkamers. Het kan me niet schelen of de mensen slapen of niet. Ik ga Salettl wakker maken.'

Elton Lybarger zat in een rechte stoel naar Joanna te kijken. Ze zat al vijf minuten volkomen roerloos. Als haar borsten onder haar nachtjapon zich niet licht op en neer hadden bewogen, zou hij uit angst dat ze ziek was hulp hebben gehaald.
Het was minder dan een uur geleden dat hij de videofilm had gevonden. Hij kon niet slapen en was naar de bibliotheek gegaan om iets te lezen te halen. Hij kon de laatste tijd moeilijk in slaap komen en als het lukte, sliep hij onrustig en had vreemde dromen waarin hij alleen rondliep tussen allerlei mensen en plaatsen die hem bekend voorkwamen, maar die hij niet echt kon thuisbrengen. En de tijdperken waarin hij zich bevond, verschilden even duidelijk van elkaar als de mensen en varieerden van het vooroorlogse Europa tot het heden waarin hij dingen meemaakte, zoals die ochtend.
In de bibliotheek had hij verscheidene tijdschriften en kranten doorgebladerd. Hij had nog steeds geen slaap en was het terrein op gewandeld. In de bungalow waarin zijn neven Eric en Edward woonden, brandde licht. Hij liep naar de deur en klopte. Toen er niemand opendeed, ging hij naar binnen.
De luxueuze huiskamer, die klein leek door de reusachtige stenen haard, stond vol duur meubilair en ultramoderne geluids- en videoapparatuur en de kasten waren gevuld met sporttrofeeën. Er was niemand en de deuren van de slaapkamers achter in de bungalow waren gesloten. Omdat hij aannam dat zijn neven sliepen, wilde Lybarger weggaan, maar toen zich hij omdraaide zag hij op een boekenplank vlak bij de deur een grote envelop liggen die waarschijnlijk voor een boodschapper was achtergelaten. Er stond 'Oom Lybarger' op. Omdat hij dacht dat de envelop voor hem was, opende hij hem en zag dat er een videocassette in zat. Hij was nieuwsgierig geworden en naar zijn studeerkamer gegaan, waar hij de cassette in zijn video had gestopt. Hij had zijn tv aangezet en was gaan zitten om te kijken naar wat de jongens hem hadden willen geven.
Hij zag zichzelf terwijl hij met Eric en Edward tegen een voetbal trapte en vervolgens zag hij zichzelf een gesprek over politiek voeren waarvoor hij door zijn logopedist, een dramaturg aan de universiteit van Zürich, zorgvuldig was voorbereid. En toen zag hij tot zijn ontsteltenis

beelden van hemzelf en Joanna in bed terwijl er allerlei cijfers op het scherm werden vertoond en von Holden spiernaakt bij hen in de buurt stond.
Joanna was zijn vriendin en gezelschapsdame. Hij ging met haar om als met een zuster of een dochter. Wat hij zag, had hem met afschuw vervuld. Hoe was dat mogelijk? Hoe had dit kunnen gebeuren? Hij herinnerde zich er helemaal niets van. Hij wist dat er iets verschrikkelijk mis was.
De vraag was of Joanna ervan af wist. Was dit een ziek soort spel dat ze samen met von Holden speelde? Geschokt en woedend was hij onmiddellijk naar haar kamer gegaan. Hij had haar uit een diepe slaap gewekt en op luide toon verontwaardigd geëist dat ze direct naar de tape zou kijken.
In verwarring en behoorlijk van streek door zijn manier van optreden en zijn aanwezigheid in haar kamer, had ze gedaan wat hij zei. En nu, terwijl de tape teruggespoeld werd, was ze even overstuur als hij. Haar angstaanjagende droom van een paar dagen geleden was helemaal geen nachtmerrie geweest, maar een levendige herinnering aan wat er was gebeurd.
Toen de tape was teruggespoeld, zette Joanna het apparaat uit en draaide zich naar Lybarger toe. Hij was bleek en beefde en was even ontdaan als zij.
'U wist het niet, hè? U had er geen idee van dat dit is gebeurd?' vroeg ze.
'En jij evenmin...'
'Nee, meneer Lybarger. Absoluut niet.'
Plotseling werd er luid op de deur geklopt. Hij werd onmiddellijk geopend en Frieda Vossler, een vrouw van vijfentwintig jaar met een vierkante kin die lid was van de beveiligingsdienst van *Anlegeplatz*, kwam binnen.
Salettl en Springer, het hoofd van de beveiliging, kwamen enkele minuten later binnen en troffen daar een verontwaardigde Lybarger aan die met de videotape in de palm van zijn hand sloeg en op luide toon van Frieda Vossler een verklaring voor haar onbeschofte gedrag eiste.
Salettl pakte kalm de tape uit Lybargers hand en zei tegen hem dat hij zich rustig moest houden omdat zijn opwinding een tweede beroerte teweeg zou kunnen brengen. Hij liet Joanna in gezelschap van de beveiligingsmensen achter en bracht Lybarger terug naar zijn kamer. Hij nam daar zijn bloeddruk op en gaf hem voordat hij naar bed ging een sterk kalmeringsmiddel vermengd met een lichte psychedelische drug. Lybarger zou een tijdje slapen en zou surrealistische en beeldende dromen hebben. Salettl vertrouwde erop dat Lybarger die dromen zou ver-

warren met het incident met de tape en zijn bezoek aan Joanna's kamer. Joanna was daarentegen minder meegaand en Salettl overwoog haar ter plekke te ontslaan en met het eerste het beste vliegtuig naar Amerika terug te sturen. Maar hij besefte dat haar afwezigheid nog schadelijker zou kunnen zijn. Lybarger was aan haar gewend en was voor zijn lichamelijk welzijn van haar afhankelijk. Ze had hem zo ver gebracht dat hij zelfs vrijelijk zonder stok kon lopen en het viel niet te zeggen wat hij zou doen als ze er niet meer was. Nee, besloot Salettl, haar ontslaan was uitgesloten. Het was van cruciaal belang dat ze Lybarger naar Berlijn zou vergezellen en bij hem zou blijven tot hij zou vertrekken om zijn toespraak te houden. Hij had haar beleefd weten over te halen in Lybargers belang naar bed te gaan en haar beloofd dat ze in de ochtend een verklaring zou krijgen voor wat ze op de tape had gezien.
Bang, boos en emotioneel uitgeput als ze was, had Joanna toch de tegenwoordigheid van geest gehad niet aan te dringen.
'Vertelt u me alleen', zei ze, 'wie er behalve Pascal nog meer van af wist. Wie heeft die rotopnamen gemaakt?'
'Ik weet het niet, Joanna. Ik heb de tape in ieder geval niet gezien, dus ik weet er verder niets van. Daarom vraag ik je te wachten tot ik je morgen een afdoend antwoord kan geven.'
'Goed,' zei ze. Ze wachtte tot ze vertrokken waren en deed de deur achter hen op slot.
Salettl had onmiddellijk de beveiligingsagente Frieda Vossler voor haar deur geposteerd en haar geïnstrueerd dat er niemand zonder toestemming naar binnen of naar buiten mocht.
Vijf minuten later ging hij achter het bureau in zijn kantoor zitten. Het was al donderdagochtend. Over minder dan zesendertig uur zou Lybarger in Berlijn zijn om in Charlottenburg gepresenteerd te worden. Dat er na alle moeite en nu ze zo dicht bij hun doel waren in *Anlegeplatz* nog iets fout zou kunnen gaan, hadden ze geen van allen zelfs maar overwogen. Hij pakte de telefoon en draaide Uta Baurs nummer in Berlijn.
'*Guten Morgen*.' Haar stem klonk fris en wakker. Om vier uur 's ochtends was ze al aan het werk.
'Er is iets wat je moet weten... Er is hier in *Anlegeplatz* enige commotie ontstaan.'

# 86

Op Osborns horloge was het donderdag 13 oktober en bijna halfdrie in de ochtend.
Naast hem zag hij Clarkson in het donker het instrumentenpaneel met de rode en groene lampjes van de Beechcraft Baron in de gaten houden, terwijl hij het vliegtuig met een constante snelheid van tweeduizend knopen liet vliegen. Achter hen sliepen McVey en Noble onrustig en ze leken meer op vermoeide grootvaders dan op ervaren rechercheurs van moordzaken. Onder hen glansde de Noordzee in het licht van een wassende halve maan en haar sterke branding beukte tegen de Nederlandse kust.
Een poosje later helden ze over naar rechts en kwamen het Nederlandse luchtruim binnen. Vervolgens vlogen ze over de donkere spiegel van het IJsselmeer en spoedig daarna zetten ze boven weelderig boerenland koers naar het oosten, naar de Duitse grens.
Osborn probeerde zich voor te stellen in wat voor huis Vera op het Franse platteland verborgen gehouden werd. Het zou een boerderij zijn met een lange oprijlaan, zodat de gewapende mannen die haar beschermden iedereen lang van tevoren zouden zien aankomen. Of misschien ook niet. Misschien was het een modern huis met twee verdiepingen langs de spoorlijn van een kleine stad, waar een dozijn keer per dag treinen langskwamen. Een onopvallend, doodgewoon huis zoals er nog duizenden andere in Frankrijk waren, met een vijf jaar oude auto voor de deur. De laatste plaats waar een Stasi-agent zijn doelwit zou zoeken.
Osborn moest zelf ook in slaap gesukkeld zijn, want het volgende dat hij zag, was het vage licht van de zonsopgang aan de horizon terwijl Clarkson de Beechcraft door een licht wolkendek heen liet dalen. Recht onder hen was de Elbe, zei hij. De rivier strekte zich donker en glad vóór hen uit, als een verwelkomend baken zo ver als het oog reikte.
Ze daalden nog verder en volgden de zuidelijke oever van de rivier nog dertig kilometer tot ze in de verte de lichten van de plattelandsstad Havelberg zagen.
McVey en Noble waren nu wakker en keken toe terwijl Clarkson de rechtervleugel naar beneden liet duiken en het vliegtuig scherp liet overhellen. Hij keerde, schakelde de benzinetoevoer uit en maakte een lage, bijna geluidloze duik over het schaduwachtige landschap. Terwijl hij dat deed, knipperde een licht op de grond tweemaal en ging toen uit.
'Zet ons maar aan de grond,' zei Noble.

Clarkson knikte en bracht de neus van de Baron omhoog. Hij liet de twee 300 pk motoren even snel draaien en voerde een steile tonneau naar rechts uit, minderde toen snelheid en daalde weer. Ze hoorden een dreun toen het landingsgestel werd uitgeklapt; daarna trok Clarkson het vliegtuig horizontaal en naderde de landingsbaan vlak boven de bomen. Tegelijkertijd begon een rij blauwe lichten te branden en vóór hen werd een landingsbaan van gras zichtbaar. Een minuut later raakten de wielen de grond en er klonk een oorverdovend geronk toen Clarkson de propellers met volle kracht de tegenovergestelde kant uit liet draaien. Tachtig meter verder kwam de Baron tot stilstand.
'McVey!'
De uitroep met het zware Duitse accent werd gevolgd door een bulderende lach toen McVey een kilometer of negentig ten noordwesten van Berlijn het van de dauw natte gras van de weide langs de Elbe op stapte. Hij werd onmiddellijk onstuimig omhelsd door een enorme man in een zwart leren jasje en een spijkerbroek.
Inspecteur Manfred Remmer van het Bundeskriminalamt, de Duitse federale politie, was bijna één meter vijfennegentig lang en woog honderdenzeven kilo. Hij was emotioneel en openhartig en als hij tien jaar jonger was geweest, zou hij als *linebacker* voor elk team in de National Football League gespeeld kunnen hebben. Zijn lichaamsbouw was nog steeds massief en zijn bewegingen goed gecoördineerd. Hij was zevenendertig jaar, had een vrouw en vier dochters en kende McVey uit de tijd toen hij, een jaar of twaalf geleden, als jonge rechercheur via een internationaal uitwisselingsprogramma van politiemensen bij de politie van Los Angeles had gewerkt.
Twee dagen nadat hij aan een stage van drie weken bij Roofovervallen-Moordzaken was begonnen, was hij McVeys partner in opleiding geworden. In die drie weken was Manfred Remmer aanwezig bij zes rechtszittingen, negen secties, zeven arrestaties en tweeëntwintig ondervragingen en verhoren. Hij werkte zes dagen per week, vijftien uur per dag waarvan zeven onbetaald. Hij sliep op een stretcher in McVeys studeerkamer in plaats van in de hotelkamer die tot zijn beschikking stond, voor het geval er iets zou gebeuren dat hun onmiddellijke en onverdeelde aandacht eiste. In de ongeveer zestien dagen die hij en McVey in elkaars gezelschap hadden doorgebracht, arresteerden ze vijf keiharde, wegens moord gezochte drugdealers en spoorden een man op die acht jonge vrouwen had vermoord. Ze arresteerden hem en wisten een volledige bekentenis uit hem te krijgen. Deze man, Richard Homer, zat momenteel in een dodencel van San Quentin op zijn executie te wachten na in de loop van tien jaar alle mogelijkheden om in hoger be-

roep te gaan te hebben uitgeput.
'Ik ben blij je te zien, McVey. Ik ben blij dat je gezond bent en ik vond het fantastisch toen ik hoorde dat je zou komen,' zei Remmer terwijl hij een zilverkleurige Mercedes slingerend van het grasland af een onverharde weg op reed. 'Ik heb namelijk wat informatie over je vrienden bij Interpol, Herr Klass en Herr Halder, opgeduikeld. Er was niet gemakkelijk aan te komen. Het is beter dat ik je het persoonlijk vertel dan over de telefoon... Hij is toch wel oké?' Remmer wierp een blik over zijn schouder naar Osborn die met Noble achterin zat.
'Hij is oké, ja,' zei McVey met een knipoog naar Osborn. Het was niet langer nodig hem onwetend te houden over wat er nog meer aan de hand was.
'Herr Hugo Klass is in 1937 in München geboren. Na de oorlog vertrok hij met zijn moeder naar Mexico City. Later verhuisden ze naar Brazilië, eerst naar Rio de Janeiro en later naar São Paulo.' Remmer ragde met de Mercedes door een afvoergreppel en verhoogde zijn snelheid op een geplaveide weg. Voor hen uit klaarde de hemel op en ze konden heel vaag de barokke skyline van Havelberg zien.
'In 1958 kwam hij terug naar Duitsland en nam eerst dienst bij de Duitse Luchtmacht en kwam daarna terecht bij de Bundesnachrichtendienst, de Westduitse inlichtingendienst, waar hij een reputatie verwierf als vingerafdrukkenexpert. Vervolgens...'
Noble leunde over de voorbank. 'Ging hij bij het hoofdkwartier van Interpol werken. Precies wat we ook van MI6 hebben gehoord.'
'Heel goed.' Remmer glimlachte. 'Vertel ons dan nu de rest maar.'
'Welke rest? Meer is er niet te vertellen.'
'Geen achtergrondinformatie. Geen familiegeschiedenis.'
Noble leunde achterover. 'Sorry, dat is alles wat ik weet,' zei hij droogjes.
'Kom er maar mee voor den dag.' McVey zette zijn zonnebril op toen de opgaande zon de horizon vulde.
In de verte zag Osborn een grijze Mercedes uit een zijweg komen en in dezelfde richting als zij de verkeersweg op rijden. De auto reed langzamer dan zij, maar toen ze hem hadden ingehaald, verhoogde hij zijn snelheid, maar Remmer bleef er vlak achter. Even later, toen hij achterom keek, zag hij dat er net zo'n auto achter hen was gaan rijden en daar bleef. Er zaten twee mannen op de voorbank. Toen merkte hij pas op dat er in een houder aan de deur naast Remmers elleboog een machinegeweer hing. De mannen in de auto's voor en achter hen waren kennelijk van de federale politie. Remmer nam geen risico's.
'Klass is niet zijn echte naam. Hij heet eigenlijk Haussmann. Tijdens de

oorlog was zijn vader, Erich Haussmann, lid van de Schutzstaffel, de SS, identificatienummer 337795. Hij was ook lid van de Sicherheitsdienst, de SD, de veiligheidsdienst van de nazipartij.' Remmer volgde de voorste Mercedes in zuidelijke richting de *Überregionale Fernverkehrsstrasse* op en alle drie de auto's gingen harder rijden.
'Twee maanden voor het eind van de oorlog verdween Herr Haussmann. Frau Bertha Hausmann nam toen haar meisjesnaam, Klass, aan. Frau Haussmann was niet rijk toen ze in 1946 met haar zoon naar Mexico City vertrok. Toch woonde ze daar in een villa en had ze een kok en een dienstmeisje, die ze later meenam naar Brazilië.'
'Denk je dat ze na de oorlog door uitgeweken nazi's werd onderhouden?' vroeg McVey.
'Misschien, wie zal het bewijzen? Ze kwam in 1966 bij een auto-ongeluk buiten Rio om het leven. Ik kan jullie echter wel vertellen dat Erich Haussmann zijn vrouw en zijn zoon een keer of vijfentwintig heeft bezocht toen ze in Brazilië woonden.'
'En je zei dat de oude man vóór het einde van de oorlog was verdwenen.' Noble leunde weer naar voren.
'Maar hij is toen rechtstreeks naar Zuid-Amerika vertrokken, samen met de vader en een oudere broer van Rudolf Halder, de man die de leiding heeft bij Interpol in Wenen. De man die Klass zo goed heeft geholpen met het reconstrueren van Albert Merrimans vingerafdruk op het stukje glas dat in het Parijse appartement van de dode privédetective, Jean Packard, is gevonden.' Remmer haalde een pakje sigaretten uit het dashboard, schudde er een uit en stak hem aan.
'Halders echte naam was Otto,' zei hij, de rook uitblazend. 'Zijn vader en zijn oudere broer zaten allebei bij de SS en de SD, evenals Klass' vader. Halder en Klass zijn even oud, 55 jaar. Hun vroege jeugd brachten ze niet alleen in nazi-Duitsland door, maar bovendien in de gezinnen van fanatieke nazi's. Hun tienerjaren brachten ze door in Zuid-Amerika, waar ze werden opgevoed en onderhouden door uitgeweken nazi's.'
Noble keek McVey aan. 'Je denkt toch niet dat we hier met een neonazistische samenzwering te maken hebben...?'
'Een interessant idee, tel het allemaal maar op. De moord op Albert Merriman door een Stasi-agent, de dag nadat een man die een strategische positie inneemt bij een instantie waar vanuit de hele wereld de hele dag door politiegegevens binnenkomen, heeft ontdekt dat hij nog leeft. Het opsporen van Merrimans vriendin en de moord op zijn vrouw en haar familie in Marseille. De aanslag op Lebrun en de dood van zijn broer wanneer ze willen onderzoeken wat Klass in Lyon in zijn schild

voerde, het lichten van het dossier over Merriman bij de Newyorkse politie door een oude Interpol-code te gebruiken waarvan de meeste mensen het bestaan niet eens kennen. Het opblazen van de trein waarin Osborn en ik zaten. Het neerknallen van Benny Grossmann in zijn huis in Queens nadat hij informatie had verzameld en aan Noble doorgegeven had over mensen die Erwin Scholl dertig jaar geleden vermoord zou hebben. Je hebt gelijk, Ian. Als je het allemaal bij elkaar optelt, klinkt het als het werk van een spionage-eenheid. Het soort operatie zoals de KGB ook uitvoerde.' McVey wendde zich tot Remmer.
'Wat denk jij, Manny? Maakt de connectie tussen Klass en Halder hiervan een soort neonazistische samenzwering?'
'Wat bedoel je in vredesnaam, neonazistisch?' snauwde Remmer. 'Opgefokte Sieg Heil roepende, skinheads die met spijkers gevulde aardappelen in hun zak hebben? Klootzakken die immigranten in elkaar slaan, hun onderkomens in brand steken en iedere avond op de tv zijn?' Remmer keek van McVey naar Noble achter hem en toen naar Osborn. Hij was boos.
'Merriman, Lebrun, de trein van Parijs naar Meaux, Benny Grossman die toen ik hem belde om te vragen waar ik het beste kon logeren toen ik met de kinderen naar New York ging, zei dat hij thuis wel plaats voor ons had! Ik denk dat we hier niet met neonazi's te maken hebben, maar met neonazi's die met *oude* nazi's samenwerken! Een voortzetting van datgene dat zes miljoen joden het leven heeft gekost en Europa vernietigd heeft. Neonazi's zijn de tepel op de tiet, ze stellen geen moer voor. Op het moment zijn ze ergerlijk, maar verder niets. De ziekte broeit nog steeds onderhuids, achter de glimmende gezichten van bankbedienden en cocktailserveersters die het zelf niet eens weten, als een zaadje dat op het juiste moment wacht, op de juiste combinatie van omstandigheden die het tot leven zullen wekken. Als je net zoveel tijd in de straten en de achterafzaaltjes van Duitsland had doorgebracht als ik, zou je het ook weten. Niemand zal het ooit zeggen, maar het is er, als de wind.' Remmer keek McVey boos aan, drukte zijn sigaret uit en richtte zijn blik weer op de weg vóór hem.
'Manny,' zei McVey kalm. 'Ik hoor je over je privé-oorlog praten. Over schuldgevoel en schaamte en al het andere dat je aan het gedrag van een andere generatie hebt overgehouden. Wat er is gebeurd, was hun schuld, niet de jouwe, maar je voelt je er toch verantwoordelijk voor. Misschien kun je niet anders. En ik zeg niet dat ik het niet eens ben met wat je zegt, maar emoties zijn geen feiten, Manny.'
'Als je me vraagt of ik informatie uit de eerste hand heb, dan is het antwoord "nee".'

'En het Bundeskriminalamt of de Bundesnachrichtendienst?'
Remmer keek om. 'Wil je weten of er harde bewijzen zijn gevonden voor een georganiseerde pro-nazibeweging die groot genoeg is om invloed te hebben?'
'Zijn die er?'
'Hetzelfde antwoord. Nee. Tenminste niet voor zover ik of mijn superieuren weten. Zulke dingen worden namelijk continu door politie-instanties onderling besproken. Het is regeringsbeleid om *wachsam* te blijven. Dat betekent waakzaam, altijd waakzaam.'
McVey bestudeerde hem een ogenblik. 'Maar wat zou je er persoonlijk van zeggen? De stemming is rijp...'
Remmer aarzelde en knikte toen. 'Er zal nooit over worden gesproken. Als het gebeurt, zul je nooit het woord nazi horen, maar ze zullen evengoed de macht hebben. Ik geef het nog twee, drie jaar, hooguit vijf.'
Na die uitspraak vielen de mannen in de auto stil en Osborn dacht aan wat Vera hem had verteld over het ontslag van François Christian en het nieuwe Europa. De gekwelde herinneringen van haar grootmoeder aan de nazi-bezetting van Frankrijk; mensen die zonder reden werden weggehaald en nooit meer terugkwamen, buren en gezinsleden die elkaar bespioneerden en overal mannen met wapens. 'Ik voel nu diezelfde donkere schaduw...' Het geluid van haar stem was zo duidelijk alsof ze naast hem zat en de angst die erin doorklonk, deed hem huiveren.
De auto's minderden vaart toen ze een kleine stad bereikten en er binnenreden. Osborn keek naar buiten en zag dat de vroege zon over de daken begon te schijnen en dat herfstbladeren de straten met een helder rood en goudkleurig tapijt bedekten. Schoolkinderen wachtten op straathoeken en een bejaard echtpaar wandelde over het trottoir. De oude vrouw liep met een stok en had haar vrije arm trots door die van haar echtgenoot gestoken. Een verkeersagent stond bij een kruising met een vrachtwagenchauffeur te ruziën en overal stalden winkeliers hun waren uit. Het was moeilijk te zeggen hoe groot de stad was. Ze had misschien twee- of drieduizend inwoners als je de zijstraten en de buurten meetelde die je niet kon zien, maar waarvan je wist dat ze er waren. Hoeveel steden als deze ontwaakten er op het ogenblik in Duitsland? Honderden, duizenden? Steden, dorpjes, stadjes in elk waarvan de mensen hun dagelijks leven leidden, ergens tussen hun geboorte en hun dood in. Was het mogelijk dat sommigen van hen nog steeds in het geheim verlangden naar marcherende S.A.-mannen met strakke overhemden en armbanden met swastika's, of hunkerden naar het geluid van hun opgepoetste laarzen dat tegen elke deur en raam in het *Vaterland* weerkaatste?

Hoe zou dat kunnen? Dat verschrikkelijke tijdperk was een halve eeuw voorbij. De morele aspecten ervan waren uitgemolken en alledaagse thema's geworden. Het collectieve schuldgevoel en de schaamte drukten nog steeds op de schouders van generaties die tientallen jaren later waren geboren.
Het Derde Rijk en wat het vertegenwoordigde was dood. Misschien wilde de rest van de wereld het zich altijd blijven herinneren, maar terwijl Osborn om zich heen keek, wist hij zeker dat Duitsland het wilde vergeten. Remmer moest zich vergissen.
'Ik heb nog een andere naam voor jullie,' zei Remmer, de stilte verbrekend. 'Van de man die ervoor heeft gezorgd dat Klass en Halder vaste posities bij Interpol kregen. Een van de kopstukken in Lyon, een voormalige functionaris bij de eerste prefectuur van de Parijse politie. Ik denk wel dat jullie hem kennen.'
'Cadoux? Nee, dat kan niet waar zijn! Ik ken hem al jaren!' Noble was geschokt.
'Ja, dat klopt.' Remmer leunde naar achteren en stak nog een sigaret op. 'Cadoux.'

# 87

Om 6.45 uur stond Erwin Scholl voor het raam van het kantoor op de bovenste verdieping van het Grand Hotel Berlin en keek naar de zon die boven de stad opging. Hij had een grote, grijze langharige angorakat in zijn armen die hij afwezig streelde.
Achter hem was von Holden aan het telefoneren met Salettl in *Anlegeplatz*. Hij hoorde dat zijn secretaresses in het aangrenzende kantoor door allerlei mensen uit het buitenland werden gebeld, maar hij had gezegd dat hij geen gesprekken aannam.
Buiten op het balkon stond Viktor Sjevtsjenko een sigaret te roken. Hij keek uit over wat Oost-Berlijn was geweest en wachtte op instructies. Sjevtsjenko was tweeëndertig jaar en had de stevige, gespierde lichaamsbouw van een straatvechter. Hij was, evenals Bernhard Oven, uit het Sovjet-leger gerekruteerd en door von Holden de Stasi binnengehaald om vuile klusjes waarbij geweld gebruikt moest worden op te

knappen. Na de hereniging was hij naar de Organisatie overgestapt en hoofd van de Berlijnse afdeling geworden.
'*Nein*!' zei von Holden op scherpe toon en Scholl draaide zich om.
'Nee, dat is niet nodig!' zei hij in het Duits en hij schudde zijn hoofd.
Scholl draaide zich weer naar het raam terwijl hij nog steeds de kat streelde. Hij had aan het begin van von Holdens gesprek de enige woorden gehoord die hij wilde horen: Elton Lybarger sliep rustig en zou morgen volgens plan in Berlijn aankomen.
Over zesendertig uur zouden honderd van de invloedrijkste burgers van Duitsland uit het hele land naar het Charlottenburgpaleis komen om hem te zien. Even na negen uur zouden de deuren van de eetzaal opengaan, de gesprekken zouden verstommen en Lybarger zou zijn entree maken. Hij zou er in zijn avondkleding schitterend uitzien en zonder stok door het met linten versierde middenpad lopen zonder degenen die naar hem keken een blik waardig te keuren. Aan het eind van de zaal zou hij de zes treden naar het podium beklimmen en bovengekomen zou hij zich, onder een ovationeel applaus, als een koning naar hen toe keren. Ten slotte zou hij zijn armen omhoogbrengen om hen tot stilte te manen en daarna zou hij de belangrijkste en indrukwekkendste toespraak van zijn leven houden.
Scholl hoorde dat von Holden zijn gesprek beëindigde en hij ontwaakte uit zijn mijmering. Hij liet de kat op een stoel vallen en ging aan zijn bureau zitten.
'Meneer Lybarger heeft per ongeluk de videoband gevonden en hem voor Joanna afgedraaid,' zei von Holden. 'Vanochtend wist hij er weinig of niets meer van, maar zíj veroorzaakt nog steeds wat problemen. Salettl zal het regelen.'
'Wilde hij dat jij het zou doen? Dat jij daar naar toe zou gaan om het op te lossen? Ging het daarom?'
'Ja, maar het is niet nodig.'
'Dokter Salettl heeft gelijk, Pascal. Als het meisje van streek blijft, zal dat zijn weerslag op Lybarger hebben en dat is volkomen onacceptabel. Salettl kan haar misschien geruststellen, maar lang niet zo goed als jij. Het is het verschil tussen denken en voelen. Het is veel moeilijker een gevoel te veranderen dan een gedachte. Zelfs als het hem lukt haar van gedachte te doen veranderen, kan ze daar op terugkomen en problemen veroorzaken die we niet kunnen hebben. Maar als ze door jou gerustgesteld en gestreeld wordt, zal ze net zo tevreden zijn en net zo snorren als de kat die nu zo vredig op de stoel ligt te slapen.'
'Dat kan wel waar zijn, Herr Scholl, maar op dit moment is mijn plaats hier in Berlijn.' Von Holden keek Scholl recht aan. 'U was er bezorgd

over dat onze organisatie misschien minder efficiënt is dan we dachten. Dat is tegelijkertijd waar en niet waar. De Londense afdeling heeft ontdekt dat de gewonde Franse politieman, Lebrun, in het Westminster Hospital in Londen ligt. Hij wordt dag en nacht bewaakt door de Londense politie. De Londense afdeling heeft in samenwerking met Parijs een telefoongesprek getraceerd dat de Amerikaan, Osborn, vanuit Londen heeft gevoerd met een boerderij buiten Nancy. Vera Monneray is daar en wordt bewaakt door de Franse geheime dienst.' Scholl zat met zijn handen voor hem op het bureau gevouwen roerloos te luisteren.
'Een commandant van Special Branch van de Londense politie heeft zich bij Osborn en McVey gevoegd,' vervolgde von Holden.
'Hij heet Noble. Ze zijn voor zonsopgang met een privé-vliegtuig in Havelberg aangekomen en zijn daar afgehaald door een inspecteur van het Bundeskriminalamt die Remmer heet. Ze werden geëscorteerd door twee auto's van het Bundeskriminalamt. We moeten aannemen dat ze hierheen komen, naar Berlijn.'
Von Holden stond op en liep naar een wandtafel, waar hij een glas mineraalwater inschonk. 'Niet het beste nieuws, maar wel kloppend en op tijd. Het probleem is dat ze zo ver zijn gekomen. In dat opzicht functioneert ons systeem niet meer. Bernhard Oven had hen allebei in Parijs moeten doden. In plaats daarvan werd hij door de Amerikaanse politieman doodgeschoten. Ze hadden bij de treinexplosie moeten omkomen of gedood moeten worden door de agenten van de Parijse afdeling die in Meaux bij me waren om in actie te kunnen komen zodra we de lijst met slachtoffers in handen hadden. Het is niet gebeurd en nu komen ze hier, anderhalve dag voordat meneer Lybarger gepresenteerd zal worden.'
Von Holden dronk het glas leeg en zette het terug op de wandtafel. 'Ik kan dat probleem niet oplossen als ik in Zürich ben.'
Scholl leunde achterover en bestudeerde von Holden. Terwijl hij dat deed, sprong de kat uit de stoel waarop hij had liggen slapen en wipte met een vederlichte sprong op zijn schoot.
'Als je nu vertrekt, Pascal, ben je vanavond terug.'
Von Holden staarde hem aan alsof hij dacht dat Scholl gek was geworden. 'Herr Scholl, deze mannen zijn gevaarlijk. Is dat niet duidelijk?'
'Weet je waarom ze naar Berlijn komen, Pascal? Ik kan het je in twee woorden zeggen: Albert Merriman. Hij heeft hun over mij verteld.' Scholl glimlachte – hij leek gevleid door het idee.
'Toen ik in de zomer van 1946 in Palm Springs aankwam, leerde ik een man kennen die toen negentig jaar was. In de jaren zeventig van de vorige eeuw was hij een Indiaanse krijger. Een van de vele dingen die hij me vertelde, was dat de Indiaanse krijgers altijd de Indiaanse jongetjes

doodden als ze hen vonden. Ze deden dat, zei hij, omdat ze anders eens mannen zouden worden.'
'Wat wilt u daarmee zeggen, Herr Scholl?'
'Ik wil daarmee zeggen dat ik aan dat verhaal had moeten denken toen ik Albert Merriman huurde, Pascal.' Scholls lange vingers streelden als verfijnde scheermessen de zijdeachtige vacht van de kat. 'Een poosje geleden heb ik mijn persoonlijke archief doorgenomen. Een van de mensen die Herr Merriman voor me uit de weg heeft geruimd was een man die medische instrumenten ontwierp. Hij heette Osborn. Ik moet aannemen dat het zijn zoon is die samen met de politiemannen naar Berlijn komt.'
Scholl schoof zijn stoel naar achteren, stond met de kat in zijn ene arm op en liep naar de deur die op het balkon uitkwam. Toen hij zijn hand naar de deurknop uitstak, opende Viktor Sjevtsjenko de deur aan de andere kant.
'Laat ons alleen,' zei Scholl terwijl hij langs hem heen het zonlicht in stapte.
Voor de buitenwereld was Erwin Scholl een elegante, charismatische man die zich op eigen kracht had opgewerkt. Terwijl zijn eigen persoonlijkheid nagenoeg ondoorgrondelijk was, had hij een bijna bovennatuurlijk vermogen de drijfveren van anderen te doorzien. Voor de presidenten en staatslieden met wie hij omging, was het een gave van onschatbare waarde omdat hij hun inzicht kon verschaffen in de heimelijkste ambities van hun tegenstanders. Tegenover degenen die hij niet onder zijn bekoring wenste te brengen, gedroeg hij zich koud en arrogant en hij manipuleerde hen door hen te intimideren en angst aan te jagen. En het handjevol mensen dat dicht bij hem stond – onder wie von Holden – maakte hij dienstbaar aan de duisterste kant van zijn aard.
Scholl keek over zijn schouder en zag dat von Holden het balkon op was gekomen en achter hem stond. Hij liet even zijn blik vallen op het verkeer in de Friedrichsstrasse, acht verdiepingen lager. Hij vroeg zich af waarom hij jongemannen waardeerde en hen tegelijkertijd wantrouwde. Misschien was dat de reden waarom hij zich nooit naakt aan hen vertoonde. Over minder jaren dan hem lief was, zou hij tachtig worden en zijn seksuele begeerte was nog even sterk als altijd. Toch had hij nog nooit zijn kleren uitgetrokken tijdens seks, noch met mannen, noch met vrouwen. Zijn partner ontkleedde zich natuurlijk wel, maar voor hem zou dat ondenkbaar zijn omdat het hem kwetsbaar zou maken en een mate van vertrouwen vereiste die hij onmogelijk kon geven. Hij had zich sinds hij een kind was nooit meer naakt aan een ander mens vertoond. En het enige kind dat hem naakt had gezien, had hij met een

hamer doodgeslagen en het lijk in een grot verborgen. Hij was toen zes jaar.
'Ze komen niet naar Berlijn vanwege meneer Lybarger of omdat ze enig idee hebben van wat er in het Charlottenburgpaleis gebeurt. Ze komen hier vanwege mij. Als de politie er echt bewijzen voor had dat Merriman ooit voor me heeft gewerkt, zouden ze al lang gehandeld hebben. Ze weten alleen iets dat een man die nu dood is heeft verteld, hoogstwaarschijnlijk aan Osborn. Als gevolg daarvan zullen ze slechts een voorzichtig onderzoek kunnen instellen. Strategisch verantwoord en weloverwogen, maar voorspelbaar. Mijn advocaten zullen zich er gemakkelijk tegen kunnen verweren en ervoor zorgen dat we verder geen last van hen zullen hebben. Osborn, dat ben ik met je eens, is een andere kwestie. Hij komt vanwege zijn vader. Hij voelt zich niet verbonden met de politie en ik neem aan dat hij hen alleen heeft gebruikt in de hoop dat ze hem op de een of andere manier naar mij zullen leiden. Als hij eenmaal hier is, zal hij risico's nemen. En ik vrees dat zijn roekeloosheid de boel in de war zal kunnen sturen.' Scholl draaide zich naar hem om en in het heldere zonlicht zag von Holden de diepe rimpels die de tijd in zijn gezicht had gegrift.
'Ze zullen goed beschermd worden als ze hier komen. Vind uit waar ze zijn en houd hen in de gaten. Op een bepaald moment zullen ze proberen met mij in contact te komen om een tijd en een plaats voor een gesprek af te spreken. Dat zal onze kans zijn hen te isoleren en jij en Viktor zullen dan weten wat jullie te doen staat. Intussen ga jij naar Zürich.'
Von Holden wendde zijn blik af en keek Scholl toen weer aan. 'Herr Scholl, u onderschat deze mannen.'
Tot nu toe was Scholl kalm en zakelijk geweest. Terwijl hij de kat in zijn armen aaide, had hij eenvoudigweg een actieplan uitgestippeld. Maar nu werd zijn gezicht plotseling rood. 'Denk je dat ik het leuk vind dat deze mannen, zoals jij ze noemt, nog in leven zijn en dat meneer Lybargers fysiotherapeute moeilijkheden maakt? En dat is allemaal jouw schuld, Pascal!' De kat kwam in Scholls armen geschrokken overeind, maar hij hield hem stevig vast en aaide hem bijna werktuiglijk.
'En na al die mislukkingen spreek je me tegen. Heb jíj uitgezocht waarom deze mannen naar Berlijn komen? Heb jíj begrepen waar ze op uit waren en een plan ontwikkeld om er wat aan te doen?'
Scholl fixeerde von Holden met zijn blik. De gekoesterde zoon die niets verkeerds kon doen, had plotseling fouten gemaakt. Het was meer dan een teleurstelling; zijn vertrouwen was beschaamd en von Holden wist dat. Scholl had met Dortmund, Salettl en Uta Baur strijd moeten leveren om hem tot hoofd van de beveiliging van de hele Organisatie te laten

benoemen en hem in het groepje ingewijden te laten opnemen. Het had maanden geduurd en het was hem ten slotte gelukt door hen ervan te overtuigen dat ze de laatsten van de hiërarchie waren die nog leefden. Ze waren al oud, had hij tegen hen gezegd, en hadden geen voorzieningen voor de toekomst getroffen. De grootste imperia uit de geschiedenis waren bijna van de ene dag op de andere ten onder gegaan omdat er geen duidelijk plan was geweest om de macht door te geven. Te zijner tijd zouden anderen hun plaats aan de top van de Organisatie innemen. De Peipers misschien, of Hans Dabritz, Henryk Steiner of zelfs Gertrud Biermann. Maar zover was het nog niet en tot die tijd moest de Organisatie van binnenuit worden beschermd. Scholl kende von Holden al vanaf zijn kindertijd. Hij had de juiste achtergrond en training en had al lang bewezen dat hij bekwaam en loyaal was. Ze moesten hem vertrouwen en de leiding over de beveiliging geven, al was het alleen maar om alles wat ze met hard werken hadden bereikt, in de toekomst veilig te stellen.
'Het spijt me dat ik u teleurgesteld heb, meneer,' zei von Holden op een fluistertoon.
Scholl raakte milder gestemd. 'Je weet dat je bijna een zoon voor me bent, Pascal,' zei hij zacht. De kat ontspande zich in zijn armen en Scholl begon hem weer te aaien. 'Maar vandaag kan ik het me niet permitteren tegen je te praten als tegen een zoon. Je bent *Leiter der Sicherheit* en je draagt de volle verantwoordelijkheid voor de veiligheid van de Organisatie.'
Plotseling sloot Scholls hand zich om het nekvel van de kat. Hij tilde hem met een ruk van de arm waarop hij lag en hield hem over de rand van het balkon boven het verkeer dat vijfentwintig meter lager langsraasde. Het dier krijste en verzette zich heftig. Jammerend rolde het zich op tot een bal en klauwde wanhopig naar Scholls arm en hand om zich eraan vast te kunnen klampen.
'Je moet de juistheid van mijn bevelen nooit in twijfel trekken, Pascal.' Plotseling schoot de rechtervoorpoot van de kat uit en trok een bloederige, gekartelde baan over de rug van Scholls hand.
'Nooit. Is dat duidelijk?' Scholl negeerde de kat. Nu hij eenmaal het vlees had opengehaald, bleef de kat klauwen tot het bloed over Scholls arm en pols stroomde, maar Scholl bleef von Holden aankijken. Hij voelde geen pijn omdat er buiten von Holden niets voor hem bestond. De kat niet en het verkeer beneden niet. Alleen von Holden. Scholl eiste volledige loyaliteit, niet alleen nu, maar voor zo lang hij leefde.
'Ja, meneer, dat is duidelijk,' fluisterde von Holden.
Scholl staarde hem nog even aan. 'Dank je, Pascal,' zei hij zacht. Toen

opende hij zijn hand en de kat viel krijsend van angst als een steen naar beneden. Scholl trok zijn hand met de palm omhoog terug. Het bloed stroomde in een halve cirkel om zijn pols voordat het onder zijn spierwitte mouw verdween.
'Pascal,' zei hij, 'als de tijd komt, toon dan respect voor de jonge dokter. Dood hem eerst.'
Von Holden richtte zijn blik op de hand vóór hem en toen keek hij Scholl weer aan. 'Ja, meneer,' fluisterde hij weer.
Toen, alsof het een duister en oud ritueel was, liet Scholl zijn hand zakken en von Holden zonk op zijn knieën en pakte de hand in de zijne. Hij bracht hem omhoog naar zijn mond en begon het bloed eraf te likken. Hij likte eerst de vingers schoon, bewerkte daarna met zijn tong de handpalm en vervolgens de pols. Hij deed het weloverwogen en met geopende ogen omdat hij wist dat Scholl als verstijfd toekeek. Hij bleef met zijn tong en lippen aan de wonden zuigen tot Scholl ten slotte intens huiverde en zijn hand terugtrok.
Von Holden stond langzaam op en staarde Scholl een ogenblik aan. Toen draaide hij zich snel om, liep terug naar binnen en liet Scholl alleen om na de vervulling van zijn verlangen tot zichzelf te komen.

## 88

*Londen, 7.45 uur*
Millie Whitehead, Lebruns favoriete verpleegster vanwege haar buitengewoon grote boezem, had hem net afgesponst en was zijn hoofdkussens aan het opschudden toen Cadoux in volledig uniform binnenkwam.
'Zo is het veel gemakkelijker om de douane op het vliegveld te passeren,' zei hij met een brede glimlach terwijl hij op zijn uniform wees.
Lebrun bracht een hand omhoog om die van zijn oude vriend te schudden. Hij kreeg nog steeds via slangen zuurstof door zijn neus toegediend en doordat ze over zijn mond hingen, ging het praten hem moeilijk af.
'Natuurlijk kom ik jou niet bezoeken, ik kom een dame bezoeken,' schertste Cadoux terwijl hij tegen zuster Whitehead glimlachte. Ze

bloosde en giechelde, knipoogde naar Lebrun en liep toen de kamer uit. Cadoux schoof een stoel bij en ging naast Lebrun zitten. 'Hoe gaat het met je, vriend? Hoe behandelen ze je hier?'
De volgende tien minuten bleef Cadoux over vroeger praten; hij haalde herinneringen op aan de jaren waarin ze samen in dezelfde buurt waren opgegroeid en elkaars beste vriend waren geweest. Toen hadden ze het over de meisjes die ze hadden gekend, hun echtgenotes en hun kinderen. Hij lachte luid toen hij vertelde hoe levendig hij zich nog herinnerde dat ze waren weggelopen om dienst te nemen bij het vreemdelingenlegioen en hoe ze vervolgens waren afgewezen en door twee echte legionairs naar huis waren geëscorteerd omdat ze pas veertien waren. Cadoux glimlachte breed en lachte veel, in een poging zijn gewonde kameraad op te vrolijken.
Terwijl ze praatten, rustte de wijsvinger van Lebruns rechterhand op de roestvrijstalen trekker van een onder het beddegoed verborgen automatisch .25 pistool dat op Cadoux' borst was gericht. De gecodeerde waarschuwing van McVey was volkomen duidelijk geweest. Het maakte niet uit dat Cadoux een oude, dierbare vriend was, alles wees erop dat hij voor de 'groep', zoals die nu genoemd werd, werkte. Hoogstwaarschijnlijk was hij degene die de geheime operaties binnen Interpol in Lyon leidde en achter de moord zat op Lebruns broer en de mislukte aanslag op Lebrun zelf voor het station in Lyon.
Als McVey gelijk had, was Cadoux hem maar met één reden komen bezoeken: om zelf het karwei-Lebrun af te maken.
Maar hoe langer hij praatte, hoe hartelijker hij werd en Lebrun begon zich af te vragen of McVey zich misschien had vergist of dat de informatie waarop hij zich baseerde, onjuist was geweest. Hoe zou hij het trouwens durven proberen terwijl er vierentwintig uur per dag gewapende politiemannen vlak voor de open deur op wacht stonden?
'Neem me niet kwalijk, vriend,' zei Cadoux terwijl hij opstond, 'maar ik móet even een sigaret roken en ik weet dat ik dat hierbinnen niet kan doen.' Hij pakte zijn pet en liep naar de deur. 'Ik ga naar beneden naar de hal en ben zó terug.'
Cadoux vertrok en Lebrun ontspande zich. McVey moest het bij het verkeerde eind hebben. Even later kwam een van de politiemannen die voor de deur stonden, binnen.
'Is alles in orde, meneer?'
'Ja, dank u.'
'Er is hier iemand om uw bed te verschonen.' De politieman stapte opzij toen een grote man in de kleding van een ziekenbroeder met schoon beddegoed binnenkwam.

'Goedendag, meneer,' zei de man met een Cockney-accent en de politieman liep terug de gang op.
De man legde het beddegoed op een stoel naast het bed en zei: 'Ik zal ons een beetje privacy geven, meneer.' Hij deed twee stappen en sloot de deur.
In Lebruns hoofd ging het alarm voor gevaar af. 'Waarom doet u de deur dicht?' riep hij in het Frans. De man draaide zich om en glimlachte. Toen stak hij plotseling zijn hand uit en rukte de slangen uit Lebruns neus. Een fractie van een seconde later werd er een kussen op Lebruns gezicht gedrukt en de man duwde er met zijn volle gewicht op.
Lebrun verzette zich heftig en met zijn rechterhand probeerde hij het pistool te pakken. Maar door het gewicht van de grote man, in combinatie met zijn eigen zwakte, was het een ongelijke strijd. Ten slotte wist hij zijn hand om het pistool te sluiten en hij spande zich tot het uiterste in om het wapen omhoog te brengen zodat hij de man in zijn buik zou kunnen schieten. Plotseling verplaatste de man zijn gewicht en de loop van het pistool raakte verstrikt in de lakens. Lebrun kreunde en probeerde koortsachtig het pistool los te trekken. Zijn longen schreeuwden om lucht, maar die was er niet. In dat ene moment besefte hij dat hij ging sterven. Alles werd grijs en toen nog donkerder grijs, bijna zwart. Hij dacht dat hij iemand het pistool uit zijn hand voelde pakken, maar hij wist het niet zeker. Toen hoorde hij een gedempte knal en hij zag het helderste licht dat hij ooit had gezien.
Lebrun had onmogelijk kunnen zien hoe de ziekenbroeder de lakens terugtrok, het pistool uit zijn hand rukte en onder het kussen tegen zijn oor drukte. Evenmin kon hij zien hoe daarna zijn bloederige hersens en stukken van zijn schedel tegen de muur naast zijn bed spatten en als gevlekte, vuurrode pudding aan het witgeverfde gips bleven plakken.
Vijf seconden later werd de deur geopend. Geschrokken richtte de broeder het pistool in die richting. Cadoux kwam binnen, stak een hand omhoog en sloot de deur achter hem. Gerustgesteld liet de broeder het pistool zakken en knikte in de richting van Lebrun. Terwijl hij dat deed, zag hij de revolver die Cadoux uit zijn holster trok.
'Wat is dat?' schreeuwde hij. Zijn kreet werd overstemd door een daverende knal.
De politieagenten die vanuit de gang naar binnen kwamen rennen, hoorden nog twee schoten en zagen Cadoux over de dode broeder die Lebruns pistool nog in zijn hand had, heen gebogen staan. 'Deze man heeft net inspecteur Lebrun doodgeschoten,' zei hij.

# 89

*Brandenburg, Duitsland*

'Dat Charlottenburg waar Scholl dat feest bijwoont, wat is dat eigenlijk?' McVey leunde op de achterbank naar voren terwijl Remmer de voorste auto volgde en langs de vijftiende-eeuwse Brandenburgse koopmanshuizen reed over een met schitterende bomen omzoomde boulevard reed.

'Wat het is?' Remmer keek in de spiegel naar McVey op. 'Een schatkamer van barokkunst. Een museum, een mausoleum, een tehuis voor talloze schatten die de Duitsers bijzonder na aan het hart liggen. Het was de zomerresidentie van bijna alle Pruisische koningen, van Friedrich I tot Friedrich Wilhelm IV. Als de kanselier daar nu zou wonen, zou het lijken alsof het Witte Huis en alle grote musea van Amerika in één gebouw verenigd waren.'

Osborn wendde zijn blik af. De ochtendzon klom verder omhoog, waardoor de donkerblauwe kleuren van een stel meren in helderblauw veranderden. Het verwerken van alles wat er in de afgelopen tien dagen was gebeurd – zo snel, zo meedogenloos en na zoveel jaren – verdoofde hem en de gedachte aan wat in Berlijn zou gebeuren nog meer. Aan de ene kant had hij het gevoel of hij werd meegesleurd in een vloedgolf waarover hij geen controle had. Toch had hij tegelijkertijd het geruststellende gevoel dat hij zo ver was gekomen omdat een geheimzinnige hand hem had geleid en dat wat er ook vóór hem lag, hoe duister, gevaarlijk en angstaanjagend het ook zou zijn, een reden had. In plaats van zich ertegen te verzetten, zou hij er vertrouwen in moeten hebben. Hij vroeg zich af of dat voor de anderen ook gold. McVey, Noble en Remmer verschilden sterk van elkaar; ze kwamen uit andere werelden en de oudste en de jongste scheelden dertig jaar. Waren hun leven en het zijne door dezelfde kracht waarvan hij zich nu bewust was, met elkaar verbonden geraakt? Hoe zou dat kunnen, terwijl hij hen een week geleden nog geen van drieën had ontmoet? Maar welke andere verklaring was er?

Osborn liet zijn gedachten afdwalen en richtte zijn blik weer op het voorbijglijdende landschap, een glooiend, licht bebost, arcadisch land vol verspreid liggende meren. Plotseling werd zijn zicht heel even belemmerd door een bosje coniferen. Even snel verdween het en in de verte zag hij dat het zonlicht de hoogste torens van een vijftiende-eeuwse kathedraal beroerde. Toen maakte zich plotseling het gevoel van hem meester dat hij inderdaad gelijk had, dat zij allemaal, McVey, Noble, Remmer en hijzelf, hier waren vanwege het een of andere grotere plan, dat ze deel uitmaakten van iets onbekends dat door het lot was beschikt.

* * *

*Nancy, Frankrijk*
De ochtendzon gluurde over de heuvels heen en verlichtte de bruin-met-witte boerderij als op een schilderij van Van Gogh.
Buiten ontspanden Alain Cotrell en Jean Claude Dumas, de agenten van de geheime dienst, zich op de veranda. Dumas had een beker koffie in zijn ene hand en een 9mm karabijn in de andere. Tweehonderd meter van hen vandaan, op de lange oprijlaan halverwege de snelweg en de boerderij, leunde agent Jacques Montand met een Frans Famas-geweer over zijn schouder tegen een boom en keek naar een parade van mieren die een gat aan de voet ervan in en uit marcheerden.
Binnen zat Vera aan een antieke kaptafel vlak bij het slaapkamerraam aan de voorkant en had al vijf bladzijden van een lange, met de hand geschreven liefdesbrief aan Paul Osborn klaar. In de brief probeerde ze een verklaring te vinden voor alles wat er was gebeurd sinds ze elkaar hadden ontmoet en tegelijkertijd schreef ze de brief om haar gedachten af te leiden van de abrupte manier waarop hun telefoongesprek van de vorige avond was afgebroken.
Eerst had ze gedacht dat er een storing op de lijn was en dat hij later zou terugbellen. Maar dat had hij niet gedaan en naarmate de uren verstreken, raakte ze er meer van overtuigd dat er iets was gebeurd. Ze had geweigerd erover na te denken wat het zou kunnen zijn en ze had de rest van de avond en het grootste deel van de nacht doorgebracht met het lezen van twee medische tijdschriften die ze de vorige avond in een opwelling had gekocht toen ze Parijs zo gehaast had verlaten. Bezorgdheid en angst waren onaangename metgezellen en ze was bang geweest dat ze op deze reis weleens voortdurend aanwezig zouden kunnen zijn. Toen ze bij zonsopgang nog niets van hem had gehoord, besloot ze met Paul te gaan praten. Ze zou dingen op papier zetten die ze zou zeggen als hij hier bij haar zou zijn. Alsof niets van dit alles was gebeurd en ze gewone mensen waren die elkaar onder alledaagse omstandigheden hadden leren kennen. Ze deed het natuurlijk allemaal om te verhinderen dat ze door haar eigen angstfantasieën overweldigd zou worden.
Ze legde haar pen neer om te lezen wat ze had geschreven en barstte

plotseling in lachen uit. Wat recht uit het hart had moeten komen, was in werkelijkheid een onsamenhangend, langdradig en pseudo-intellectueel betoog over de zin van het leven. Ze had een liefdesbrief willen schrijven, maar wat ze op papier had gezet, leek meer een schrijfproeve voor een baan als lerares Engels op een particuliere meisjesschool. Nog steeds glimlachend scheurde ze de vellen papier in vieren en gooide ze in de prullenmand. Op dat moment zag ze de auto van de snelweg afslaan en de lange oprijlaan naar het huis op rijden.
Toen de auto dichterbij kwam, zag ze dat het een zwarte Peugeot was met een blauw zwaailicht op het dak. Toen hij halverwege was, zag ze dat agent Montand de weg op stapte en de auto met opgeheven handen gebaarde te stoppen. Toen de auto stilstond, liep Montand naar het raampje aan de bestuurderskant. Even later zei hij iets in de microfoon van zijn radio en wachtte op antwoord. Hij knikte en de auto reed door.
Toen hij het huis naderde, liep Alain Cotrell naar buiten. Hij ging de auto tegemoet en evenals agent Montand gebaarde hij hem te stoppen. Jean Claude Dumas liep achter hem aan terwijl hij de karabijn van zijn schouder liet glijden.
'*Oui, madame*,' zei Alain toen het raampje naar beneden werd gedraaid en een zeer aantrekkelijke vrouw met donker haar haar hoofd naar buiten stak.
'Mijn naam is Avril Rocard,' zei ze terwijl ze een legitimatiebewijs met foto liet zien. 'Ik ben van de eerste prefectuur van de Parijse politie. Ik kom mademoiselle Monneray halen om haar op verzoek van inspecteur McVey naar Parijs te brengen. Ze weet wel wie ik bedoel,' zei ze en ze haalde een officieel bevel op papier van de Franse regering te voorschijn. 'Op bevel van commissaris Cadoux van Interpol en op verzoek van de premier, François Christian.'
Agent Cotrell pakte het papier aan, keek ernaar en gaf het terug. Intussen liep Jean Claude Dumas naar de andere kant van de auto en keek naar binnen. Op de vrouw na was hij leeg.
'Eén ogenblik,' zei Cotrell. Hij pakte zijn radio uit zijn jasje en liep weg. Intussen liep Dumas terug naar de chauffeurskant van de auto.
Avril keek in haar achteruitkijkspiegel en zag agent Montand dertig meter terug op de oprijlaan staan.
Even later stopte Cotrell abrupt de radio terug, draaide zich om en liep op de auto af. Zijn hele lichaamstaal was veranderd en Avril zag dat hij zijn hand achter zijn rug bracht.
'Is het goed als ik mijn tasje opendoe om een sigaret te pakken?' vroeg Avril terwijl ze Dumas aankeek.
'*Oui*.' Dumas knikte en keek toe terwijl Avril haar rechterhand naar

haar tasje bracht. Hij werd verrast door haar linkerhand. Er klonken twee snelle knallen en hij viel naar achteren tegen Cotrell aan. Cotrell was een ogenblik uit zijn evenwicht en hij zag alleen de Beretta die Avril in haar hand had. Het wapen schokte één keer en Cotrell greep naar zijn nek. Haar tweede schot, dat hem recht tussen zijn ogen trof, doodde hem.
Toen ze zag dat Montand naar haar toe rende terwijl hij het Famas-geweer omhoogbracht, richtte ze de Beretta op hem. Haar eerste schot raakte hem in zijn been, waardoor hij tegen de grond sloeg en het geweer buiten zijn bereik over de oprijlaan kletterde. Hij probeerde er tandenknarsend van pijn naar toe te kruipen terwijl ze naar hem toe liep. Ze keek op hem neer en bracht het pistool langzaam omhoog. Ze gaf hem een ogenblik om tot hem te laten doordringen wat er ging gebeuren en schoot hem toen dood met één kogel onder zijn linkeroog en één door zijn hart.
Daarna trok ze haar jasje glad, draaide zich om en liep naar het huis.

# 90

Vera had door het slaapkamerraam alles gezien. Ze had onmiddellijk de telefoon gepakt, maar ze kreeg alleen de kiestoon en ze kon geen contact krijgen met een telefoniste, wat ze ook deed.
Toen François haar hier had gebracht, had ze hem om een pistool gevraagd om zich te kunnen verdedigen als er iets misging. Er kan niets misgaan, had hij haar gezegd. De mannen die haar beschermden waren de beste van de Franse geheime dienst. Ze had tegengeworpen dat er al te veel was gebeurd, dat deze mensen, wie ze ook waren, zeer beslist over de mogelijkheden beschikten om ervoor te zorgen dat er dingen misgingen. François antwoordde dat ze daarom hier was, driehonderd kilometer van Parijs vandaan, veilig verborgen en bewaakt door zijn beste en loyaalste mannen. En daarmee was de kous af.
En nu lagen zijn beste en loyaalste mannen uitgestrekt op de oprijlaan en de vrouw die hen had gedood, was bijna in het huis.
Avril Rocard kwam aan het eind van de oprijlaan, liep een klein gazon over en stapte de veranda op. Tot dusver was de informatie van de Or-

ganisatie juist gebleken. Het huis werd door drie mannen bewaakt. Ze was ervoor gewaarschuwd dat er misschien een vierde agent over het hoofd was gezien en dat hij ergens in het huis wachtte. Het was ook mogelijk dat de tweede agent over zijn radio alarm had geslagen voordat ze hem had gedood. Als dat waar was, moest de rest snel gebeuren, of er nu een vierde agent was of niet.
Ze stopte een nieuw magazijn in de Beretta, liep naar de voordeur, ging ernaast staan, draaide met haar linkerhand de knop om en duwde er zachtjes tegen. De eikehouten deur zwaaide gedeeltelijk open. Binnen was het stil. Het enige geluid dat ze hoorde klonk achter haar, waar de vogels weer waren gaan zingen nadat ze na de eerste schoten abrupt stil waren geworden.
'Vera,' zei ze op indringende toon. 'Ik heet Avril Rocard en ik ben van de politie. De telefoons werken niet. François Christian heeft me gestuurd om je te halen. De mannen die je beschermden waren misdadigers die in de geheime dienst waren geïnfiltreerd.'
Stilte.
'Is er iemand bij je, Vera? Kun je daarom niets zeggen?'
Avril duwde de deur langzaam zo ver open dat ze naar binnen kon stappen. Aan haar linkerkant stond een lange bank tegen een blinde muur. Verderop zag ze door een open deur de huiskamer. Voorbij de deur liep de gang door tot ze hem in het halfduister niet meer kon zien.
'Vera?' zei ze weer.
Er kwam nog steeds geen antwoord.
Vera stond vlak achter de gangdeur. Ze wilde door de achterdeur weglopen, maar realiseerde zich dat ze dan op een groot gazon zou uitkomen dat naar de eendenvijver leidde. Als ze naar buiten liep, zou ze een gemakkelijk doelwit vormen.
'Vera,' zei Avril weer en Vera hoorde de brede vloerplanken onder haar voeten kraken.
'Wees niet bang, Vera. Ik ben hier om je te helpen. Als iemand je vast heeft, beweeg je dan niet. Verzet je niet. Blijf gewoon waar je bent, dan kom ik naar je toe.'
Vera zoog haar longen vol lucht en hield haar adem in. Rechts van haar was een klein raam en ze keek erdoor naar buiten in de hoop dat iemand de oprijlaan op zou komen. Agenten die de bewakers kwamen aflossen, een postbode, wie dan ook.
'Vera.' Avrils stem klonk nu dichterbij. Ze kwam naar haar toe. Vera keek naar de grond. Ze was arts en ervoor opgeleid levens te redden. Ze was er niet voor opgeleid mensen van het leven te beroven. Toch zou ze zich hier niet laten doden als ze ook maar iets kon doen om het te verhin-

deren. In haar handen had ze een stuk donkerblauw gordijnkoord dat ze van de gordijnen in de slaapkamer had gehaald.
'Als je alleen bent en je verbergt, kom dan alsjeblieft te voorschijn, Vera. François wacht tot hij te horen krijgt dat je veilig bent.'
Vera spitste haar oren. Avrils stemgeluid klonk nu verder weg. Misschien was ze de huiskamer binnengegaan. Ze ademde uit en ontspande zich. Op dat moment werd het raampje naast haar verbrijzeld.
Avril stond daar, vlakbij! Er klonk een scherpe knal en er vlogen houtsplinters in het rond. Vera gilde toen de splinters op haar nek en gezicht hagelden. Toen stak Avril haar hand door de raamlijst en richtte haar pistool op Vera voor het beslissende schot. Blindelings schoten Vera's handen naar voren en ze sloeg het donkerblauwe koord om Avrils hand. Tegelijkertijd trok ze het koord strak en rukte het met al haar kracht naar achteren. Verrast door Vera's actie, schoot Avrils hoofd recht vooruit door het gebroken glas. Er klonk een doffe plof toen de Beretta voor Vera's voeten viel.
Met een bloedend, door de scherven opengehaald gezicht probeerde Avril zich wild los te rukken. Maar haar verzet maakte Vera alleen maar vastberadener. Ze trok aan het koord tot Avrils arm volledig gestrekt was. Avril stond nu met haar lichaam tegen de buitenkant van het huis gedrukt en Vera rukte haar met beide handen uit alle macht naar achteren. Er klonk een knalletje toen haar arm uit de kom werd getrokken en Avril schreeuwde. Toen liet Vera los en Avril gleed langzaam terug door het raam en zakte huilend van de pijn op de grond in elkaar.
'Wie ben je?' vroeg Vera toen ze buiten op haar af liep. Ze had Avrils Beretta in haar hand en richtte het wapen recht op de gedaante met de zwarte rok en de lange benen die met haar ontwrichte arm in een vreemde stand onder zich gedraaid in elkaar gedoken op de grond lag.
'Geef antwoord. Wie ben je? Voor wie werk je?'
Avril zei niets. Vera liep heel voorzichtig naar voren. De vrouw op de grond was een professional. In de afgelopen vijf minuten had ze drie mannen doodgeschoten en geprobeerd haar te doden.
'Steek je goede hand uit en rol je om zodat ik allebei je handen kan zien,' beval ze.
Avril bewoog zich niet. Toen zag Vera een vuurrood stroompje bloed op de plaats waar Avrils borst en schouder de grond raakten. Vera schopte tegen Avrils voet. Er gebeurde niets.
Trillend kwam ze met het pistool in de aanslag verder naar voren, gereed om te schieten. Ze boog zich voorzichtig voorover, pakte Avrils schouder beet en rolde haar op haar rug. Bloed stroomde onder haar kin vandaan op haar blouse. Haar linkerhand was gebald. Vera liet zich

voorzichtig op één knie zakken en opende de hand. Ze slaakte een kreet en sprong achteruit. Avril had een scheermes in haar hand. In de tijd die Vera nodig had gehad om Avrils pistool op te rapen en naar buiten te gaan, had Avril Rocard haar keel doorgesneden.

# 91

*Berlijn, 11.00 uur*
Een blonde serveerster in Beierse klederdracht glimlachte even tegen Osborn, zette toen een dampende pot koffie op de tafel en vertrok. Ze waren over de autobahn Berlijn binnengekomen en direct naar een klein restaurant in de Waisenstrasse gereden, dat zichzelf erop liet voorstaan een van de oudste restaurants van Berlijn te zijn. De eigenaar, Gerd Epplemann, een tengere, kalende man die een wit gesteven schort voor had, bracht hen onmiddellijk naar beneden, naar een besloten eetzaaltje, waar Diedrich Honig op hen wachtte.
Honig had donker, golvend haar en een keurig verzorgde baard vol grijze plekjes. Hij was bijna even lang als Remmer, maar door zijn tengere bouw en doordat zijn armen uit de te korte mouwen van zijn colbert staken, leek hij langer. Daardoor, en door zijn lichtelijk kromme houding en zijn vanaf de nek naar voren gebogen hoofd, zag hij eruit als een Duitse Abraham Lincoln.
'Ik wil dat u goed over de risico's nadenkt, Herr McVey, Herr Noble,' zei Honig terwijl hij door de ruimte heen en weer liep met zijn blik strak gericht op de mannen tegen wie hij sprak.
'Erwin Scholl is een van de invloedrijkste mannen van het Westen. Als jullie hem dwarszitten, zullen jullie ergens in verzeild raken wat in jullie ervaring ongekend is. Jullie lopen het risico op een afschuwelijke manier in verlegenheid te worden gebracht. En niet alleen jullie, maar ook de politiekorpsen waarvoor jullie werken. Het zal er zelfs op kunnen uitdraaien dat je wordt ontslagen of gedwongen wordt ontslag te nemen. En daarmee zou het nog niet afgelopen zijn, want zodra jullie niet meer onder de bescherming van jullie organisaties staan, zullen hopen advocaten je voor het gerecht slepen voor het overtreden van wetten waarvan jullie nooit hebben gehoord, en daarbij methoden gebruiken

waarvan jullie geen benul hebben. Ze zullen je volkomen uitkleden. Ze zullen een manier vinden om jullie huis, jullie auto en alles wat jullie hebben af te pakken. En als ze daarmee klaar zijn, zullen jullie boffen als jullie je pensioen nog hebben. Zo'n macht heeft een man als hij.'
Toen hij dat had gezegd, ging Honig aan een lange tafel zitten en schonk voor zichzelf een kop van de sterke, zwarte koffie in die de Beierse serveerster had achtergelaten. De nu gepensioneerde commissaris van de Berlijnse politie was een man naar wiens diensten door de zeer rijken en zeer machtigen op het hoogste niveau van de Duitse industrie werd gedongen.
Ook in de latere stadia van de koude oorlog was de dodelijke vastberadenheid van het internationale terrorisme niet afgenomen. Daarom was het voor de topmensen uit het Europese bedrijfsleven absoluut noodzakelijk zichzelf en hun gezin te beschermen. In Berlijn was de bescherming van de captains of industry in handen van Honig. Dus als iemand in een positie was om te beoordelen hoe de rijken en machtigen zich in benarde situaties verdedigden, vooral in Berlijn, was het Diedrich Honig wel.
'Met alle respect, Herr Honig,' zei McVey geïrriteerd. 'Ik ben wel vaker bedreigd en tot dusverre heb ik het overleefd en dat geldt ook voor commandant Noble en inspecteur Remmer. Dus laten we dat maar vergeten en het hebben over de reden waarom we hier zijn. Moorden. Een serie moorden die een jaar of dertig geleden is begonnen en momenteel nog doorgaat. Een ervan is in de afgelopen vierentwintig uur in New York gepleegd. Het slachtoffer was een kleine joodse man die Benny Grossman heette. Hij was ook politieman en een heel goede vriend van me.'
McVeys stem klonk zwaar van woede. 'We werken er al een tijdje aan, maar pas de laatste dag beginnen we er enig idee van te krijgen in welke richting we moeten zoeken. En de naam Erwin Scholl duikt steeds vaker op. Het huren van een moordenaar, Herr Honig, is bijna overal ter wereld een misdaad waarop een zeer lange gevangenisstraf en zelfs de doodstraf staat.'
Recht boven hun hoofd hoorden ze gelach, gevolgd door het gekraak van de vloerplanken, toen een aantal mensen binnenkwam voor de lunch. Tegelijkertijd kregen ze de doordringende geur van zuurkool in hun neusgaten.
'Ik wil met Scholl praten,' zei McVey.
Honig aarzelde. 'Ik weet niet of dat mogelijk is, inspecteur. U bent Amerikaan. U hebt in Duitsland geen bevoegdheden. En tenzij u er harde bewijzen voor hebt dat hier een misdaad is gepleegd, kan ik...'
McVey negeerde zijn terughoudendheid. 'Het gaat als volgt. Er komt

een arrestatiebevel uit naam van inspecteur Remmer, waarin van Scholl wordt geëist dat hij zich overgeeft aan de federale politie om in hechtenis te worden gehouden tot hij naar de Verenigde Staten wordt uitgewezen. De beschuldiging is het huren van een moordenaar. Het Amerikaanse consulaat zal ervan op de hoogte worden gesteld.'
'Zo'n arrestatiebevel betekent voor een man als Scholl niets,' zei Honig kalm. 'Zijn advocaten zullen er de vloer mee aanvegen.'
'Dat weet ik,' zei McVey, 'maar ik wil het toch hebben.'
Honig legde zijn handen op de tafel over elkaar en haalde zijn schouders op. 'Heren, ik kan u alleen zeggen dat ik mijn best zal doen.'
McVey leunde naar voren. 'Als u het niet kunt regelen, kunt u het beter nu zeggen, dan zoek ik iemand die het wél kan. Het moet vandaag gebeuren.'

# 92

Von Holden was om tien voor acht uit Scholls suite in het Grand Hotel Berlin weggegaan. Om tien voor halfelf landde zijn privé-vliegtuig op het vliegveld van Zürich. Om acht voor elf reed von Holden in zijn limousine het terrein van *Anlegeplatz* op en om elf uur klopte hij zachtjes op de deur van Joanna's slaapkamer. Hij zou Joanna moeten overreden en strelen en alles doen wat maar nodig was om ervoor te zorgen dat ze weer even goed meewerkte en meneer Lybarger weer even graag wilde behandelen als voorheen. Daarom had von Holden de pikzwarte sintbernardpuppy bij zich. Hij had het personeel geïnstrueerd dat het hondje er zou moeten zijn als hij aankwam.
'Joanna,' zei hij toen er op zijn kloppen niet werd gereageerd. 'Ik ben het, Pascal. Ik weet dat je overstuur bent. Ik moet met je praten.'
'Ik heb niets tegen jou of wie dan ook te zeggen!' snauwde ze door de gesloten deur.
'Alsjeblieft...'
'Nee! Verdomme! Ga weg!'
Von Holden pakte de deurknop en draaide hem om.
'Ze heeft de deur op slot gedaan,' zei beveiligingsagente Frieda Vossler op ruwe toon.

Von Holden draaide zich om en keek haar aan. Ze had een vierkante kin en zag er sterk en autoritair uit. Ze zou zich moeten ontspannen en glimlachen en zich zo mogelijk vrouwelijker maken voordat een man met een ander gevoel dan minachting naar haar zou kijken.
'Je kunt gaan,' zei von Holden.
'Ik heb bevel gekregen...'
'Je kunt gaan.' Von Holden keek haar dreigend aan.
'Ja, Herr von Holden.' Frieda Vossler haakte haar walkie-talkie aan haar riem, keek hem even scherp aan en liep weg. Von Holden keek haar na. Als ze een man was geweest en onder hem in de Spetsnaz had gediend, zou hij haar alleen al om die blik hebben gedood. Toen jankte en wriggelde de puppy in zijn armen en hij draaide zich om naar de deur.
'Joanna,' zei hij vriendelijk, 'ik heb een cadeautje voor je, of eigenlijk voor Henry.'
'Wat is er met Henry?' De deur werd plotseling opengezwaaid en Joanna stond, gekleed in een spijkerbroek en een sweatshirt, op haar blote voeten voor hem. De gedachte dat iemand haar hond, die nog steeds in de kennel in Taos zat, kwaad zou hebben gedaan, joeg haar de stuipen op het lijf. Toen zag ze de puppy.
Vijf minuten later had von Holden de tranen van haar gezicht gekust en zat ze op de grond met de vijf weken oude sint-bernard te spelen. De videoband die ze had gezien van haar seksuele escapade met meneer Lybarger, had hij haar verteld, was een wrede test geweest waartegen hij heftig had geprotesteerd maar waarop Lybargers raad van bestuur had aangedrongen nadat ze hun ernstige twijfel erover hadden uitgesproken of Lybarger in staat was de leiding over zijn multinational, met een waarde van vijftig miljard, weer op zich te nemen. Uit angst dat hij weer een hartaanval of een beroerte zou krijgen, hadden de verzekeraars van het bedrijf een ondubbelzinnig bewijs willen hebben van zijn kracht en lichamelijk uithoudingsvermogen onder de zwaarste omstandigheden die in zijn dagelijks leven zouden kunnen voorkomen. De gebruikelijke tests waren ontoereikend en de verzekeraars hadden het hoofd van hun medische afdeling gevraagd er in samenwerking met Salettl een te ontwerpen.
Salettl, die wist dat Lybarger op dat moment geen vrouw of vriendin had en besefte hoeveel hij om Joanna gaf en hoe diep hij haar vertrouwde, had geconcludeerd dat zij de enige was bij wie hij zich op zijn gemak zou voelen. Uit angst dat ze het niet zouden willen doen als het hun werd voorgesteld, had Salettl hen allebei in het geheim gedrogeerd. Het experiment was uitgevoerd en op videoband vastgelegd en de resultaten waren aan de raad van bestuur doorgegeven. Er was maar één video-

band van gemaakt en die was later vernietigd. Er was verder niemand bij geweest, de camera's waren op afstand bediend.
'Voor hen was het gewoon een zakelijke kwestie, Joanna, verder niets. Ik heb me er net zo lang tegen verzet tot ze zeiden dat ik het bedrijf zou moeten verlaten als ik bleef protesteren. Dat kon ik omwille van meneer Lybarger en jou onmogelijk doen. Want ik wist dat ík er dan in ieder geval bij zou zijn en niet een of andere vreemde. Het spijt me...' zei hij teder toen de tranen in haar ogen opwelden. 'Blijf nog één dag, Joanna. Voor meneer Lybarger. Ga alleen nog mee naar Berlijn, dan kun je daarna naar huis.'
Von Holden ging naast haar op de grond zitten en wreef over de buik van de puppy toen het diertje zich op zijn rug rolde. 'Als je nu wilt vertrekken, heb ik daar begrip voor en zal ik zorgen dat je door een auto naar het vliegveld wordt gebracht. We kunnen een tijdelijke fysiotherapeute huren en zien dat we ons morgen met meneer Lybarger zo goed mogelijk redden.'
Joanna staarde von Holden aan en wist niet wat ze moest doen. Ze was woedend en verontwaardigd over wat haar zo meedogenloos was aangedaan, maar ze was ook in verwarring omdat ze besefte dat Elton Lybarger evenzeer slachtoffer was geweest als zij en zijn welzijn ging haar nog steeds zeer aan het hart.
Von Holden stak een hand uit en de zwarte wollige bal krabbelde overeind en likte zijn vingers. Von Holden aaide over zijn kop en wreef over zijn oren met dezelfde warme, liefhebbende glimlach op zijn gezicht die haar hart de eerste dag dat ze hem had gezien, had doen smelten. Op dat moment besloot Joanna dat alles wat hij haar had verteld waar was en dat zijn verzoek onder de omstandigheden niet onredelijk was.
'Ik zal met je meegaan naar Berlijn,' zei ze met een treurige, verlegen glimlach.
Von Holden leunde naar voren, streek met zijn lippen over haar voorhoofd en bedankte haar voor haar begrip.
'Ik moet vandaag terug naar Berlijn om de laatste voorbereidingen te treffen, Joanna. Het spijt me, maar ik heb geen andere keus. Jij komt morgen, samen met meneer Lybarger en de anderen.'
Joanna aarzelde en hij dacht een ogenblik dat ze van gedachten zou veranderen, maar toen zwichtte ze. 'Dan zie ik je daar toch wel?'
'Natuurlijk,' zei von Holden met een grijns.
Joanna merkte dat ze glimlachte en voor het eerst sinds ze de video had gezien, ontspande ze zich. Von Holden wreef nog een keertje speels over de oren van de puppy, stond op en pakte Joanna's hand om haar overeind te helpen. Onderwijl haalde hij een envelop uit zijn zak en

legde die op het bureau dat naast haar stond.
'Op deze manier wil het bedrijf je helpen je gêne te verlichten en je leed te verzachten. Het is niet erg persoonlijk, vrees ik, maar beslist nuttig. Ik zie je in Berlijn,' fluisterde hij.
Joanna staarde naar de envelop terwijl de puppy aan haar voeten jankte. Ten slotte pakte ze de envelop op en opende hem. Toen ze zag wat erin zat, stokte haar adem van verbazing. Het was een op haar naam uitgeschreven cheque ter waarde van vijfhonderdduizend dollar.

# 93

Remmer reed de Mercedes van de Hardenbergstrasse af de ondergrondse garage van het gemeentegebouw van glas en beton op nummer 15 in. Een van de grijze auto's van het escorte van de federale politie volgde hen naar binnen en parkeerde tegenover hen. Toen Osborn uitstapte en samen met de anderen naar de lift liep, kon hij de gezichten van de rechercheurs zien. Ze waren jonger dan hij verwachtte, waarschijnlijk nog geen dertig jaar. Om de een of andere reden verbaasde hem dat en hij zag plotseling een hele voorhoede van mensen in allerlei beroepen voor zich die jonger waren dan hij. Hij voelde zich er niet zozeer oud door, maar de zaken kwamen er wel door in een ander perspectief te staan. Politiemannen waren altijd ouder geweest dan hij en hij had altijd in de voorhoede gestaan van jongemannen die in opkomst waren; de anderen waren nog kinderen die op school zaten. Maar plotseling waren ze dat niet meer. Waarom hij daaraan dacht wist hij niet; misschien probeerde hij alleen niet te denken aan de plaats waar ze naar toe gingen en wat er zou kunnen gebeuren wanneer ze daar aankwamen.
Ze waren meer dan twee uur in het besloten zaaltje van het restaurant gebleven waar ze geluncht, koffie gedronken en gewacht hadden. Toen had Honig hun laten weten dat rechter Otto Gravenitz hen om drie uur in zijn raadkamer zou ontvangen.
Op weg ernaar toe had McVey hem geadviseerd over wat hij in zijn verklaring moest zeggen. Alleen wat Merriman vlak voor zijn dood had gezegd was belangrijk, en Osborn moest alleen in essentie weergeven

wat er was gebeurd. Met andere woorden, hij moest niet praten over Jean Packard, de privé-detective die hij had gehuurd, en niet over het verdovingsmiddel dat hij hem had toegediend. McVey probeerde op die manier Osborns onuitgesproken, maar ongetwijfeld zeer reële angst te verlichten voor een situatie waarin hij gedwongen zou kunnen worden zulke belastende feiten over zichzelf naar voren te brengen dat hij van poging tot moord beschuldigd zou kunnen worden.
McVeys gebaar was edelmoedig bedoeld en van Osborn werd verwacht dat hij het op prijs stelde en dat deed hij ook; alleen wist hij dat er nog iets anders achter zat. McVey maakte zich niet zozeer zorgen over de mogelijkheid dat Osborn zich in de nesten zou werken, als wel over de kans dat de zaken zo gecompliceerd zouden worden dat een eventueel arrestatiebevel tegen Scholl wegens het huren van een moordenaar erdoor in gevaar zou komen. Dat betekende dat wat ze tijdens de hoorzitting naar voren zouden brengen, simpel en op Scholl gericht moest blijven, zowel ten behoeve van de rechter als van Honig, wiens mening kennelijk veel gewicht in de schaal legde. Als Osborn te veel zou zeggen, zouden ze terechtkomen in een heel andere zaak, waarin de aandacht op Osborn in plaats van op Scholl zou worden geconcentreerd, en dat zou hun positie ernstig verzwakken.
'Wat denk je?' vroeg McVey aan Remmer toen de liftdeuren dichtgleden. 'Weten ze dat we hier zijn?'
Remmer haalde zijn schouders op. 'Ik kan je alleen zeggen dat we vanaf de landingsbaan naar Berlijn en vanaf het restaurant naar hier niet zijn gevolgd. Maar wie weet of dat niet toch is gebeurd zonder dat we het hebben gemerkt. Ik denk dat het veiliger is aan te nemen dat ze het wél weten.'
Noble keek McVey even aan. Remmer had gelijk, het was veiliger als ze op hun hoede bleven. Zelfs als de Organisatie niet wist dat ze hier waren, moesten ze ervan uitgaan dat ze daar spoedig achter zou komen. Ze hadden al te vaak gezien hoe hun tegenstanders opereerden.
Op de vijfde verdieping stopte de lift en ze liepen de ontvangstruimte binnen, waar iemand hen een klein privé-kantoor binnenleidde en hun vroeg te wachten.
'Ken je die rechter? Gravenitz? Zo heet hij toch?' McVey keek om zich heen in wat overduidelijk het kantoor van een ambtenaar was. Het simpele stalen bureau en de bijbehorende stoel zouden in elk openbaar gebouw in L.A. passen, evenals de goedkope boekenkast en de reprodukties aan de muur.
Remmer knikte. 'Niet goed, maar ik ken hem wel.'
'Wat kunnen we verwachten?'

'Dat hangt ervan af wat Honig hem heeft verteld. Ongetwijfeld was het voor hem reden genoeg ons te ontvangen. Maar denk niet dat de zaak rond is omdat Honig het heeft geregeld en Gravenitz ons direct wilde ontvangen. Gravenitz zal overtuigd moeten worden.'
McVey keek op zijn horloge, ging op een hoek van het bureau zitten en keek toen Osborn aan.
'Alles is in orde met me.' Osborn liep naar de muur bij het raam en leunde ertegenaan. McVey was niet vergeten dat hij Merriman had aangevallen. Dat was trouwens nog iets waaraan hij niet wilde denken, nu in ieder geval niet. Toch was het iets wat hij in zijn achterhoofd moest houden, want hij wist dat het op een bepaald moment een punt zou kunnen worden.
De deur werd geopend en Diedrich Honig kwam binnen. Rechter Gravenitz, zo verontschuldigde hij zich, was opgehouden, maar hij zou hen direct ontvangen. Toen keek hij Noble aan en zei dat er een boodschap was binnengekomen waarin hem werd gevraagd onmiddellijk zijn kantoor in Londen te bellen.
'Een doorbraak misschien?' Noble liep naar het bureau en pakte de telefoon. Binnen dertig seconden was hij met zijn kantoor verbonden. Twintig seconden later had hij de commissaris van de afdeling Moordzaken van de Londense politie aan de lijn.
'O God, nee,' zei hij een ogenblik later. 'Hoe is het gebeurd? Hij werd dag en nacht bewaakt.'
'Lebrun,' fluisterde McVey.
'Waar is hij dan nu in godsnaam?' vroeg Noble geïrriteerd. 'Probeer hem te vinden en houd hem van iedereen gescheiden wanneer je hem te pakken hebt. Je kunt nieuwe informatie doorbellen naar het kantoor van inspecteur Remmer in Bad Godesberg.' Noble hing op, wendde zich tot McVey en vertelde hem hoe de moord op Lebrun precies was gepleegd en dat Cadoux onmiddellijk nadat hij de ziekenbroeder had neergeschoten in de verwarring was verdwenen.
'Ik kan zeker rustig aannemen dat die broeder dood is,' zei McVey tussen zijn opeengeklemde tanden door.
'Ja, inderdaad.'
McVey streek door zijn haar en liep naar de andere kant van de kamer. Toen hij zich omdraaide, keek hij Honig recht aan. 'Hebt u ooit bij een onderzoek een van uw vrienden verloren, Herr Honig?'
'Je kunt dit werk niet doen zonder dat dat je overkomt...' zei Honig zacht.
'Hoeveel langer moeten we dan nog op rechter Gravenitz wachten?' Het was geen vraag, het was een eis.

# 94

*Kriminalrichter* Otto Gravenitz was een kleine, gewichtigdoenerige man met een dikke bos zilverwit haar. Hij gebaarde naar enkele met leer beklede stoelen van Birmees teakhout en vroeg hun in het Duits te gaan zitten. Hij bleef staan tot ze hadden plaatsgenomen, liep toen voor hen langs en ging achter een zwaar rococobureau zitten, waarbij zijn voeten maar net het oosterse tapijt raakten. In tegenstelling tot het Spartaanse decor van de rest van het gebouw was Gravenitz' kantoor een oase van goede smaak, vol antiek meubilair en met een uitstraling van rijkdom. Hij demonstreerde er ook doelbewust zijn macht en positie mee.

Honig wendde zich tot de anderen en verklaarde in het Engels dat rechter Gravenitz met het oog op Scholls maatschappelijke status en de ernst van de beschuldigingen die tegen hem werden ingebracht zelf de getuigenverklaring zou opnemen, zonder de aanwezigheid van een officier van justitie.

'Prima,' zei McVey. 'Laten we dan opschieten.'

Gravenitz leunde voorover, zette de bandrecorder aan en om vijf voor halfvier kwamen ze ter zake.

In een korte openingsverklaring die door Remmer in het Duits werd vertaald, legde McVey uit wie Osborn was, dat deze in een Parijs café toevallig de moordenaar van zijn vader had gezien en dat hij, omdat er geen politie in de buurt was en hij vreesde de man uit het oog te zullen verliezen, hem gevolgd was naar een park langs de Seine. Daar had hij de moed verzameld hem te benaderen en te ondervragen, maar Merriman was even later doodgeschoten door een moordenaar van wie ze geloofden dat hij eveneens door Erwin Scholl was gehuurd.

Toen hij uitgesproken was, keek McVey Osborn onderzoekend aan en gaf hem het woord. Remmer vertaalde toen Gravenitz Osborn de eed afnam en Osborn begon zijn getuigenverklaring af te leggen. Hij herhaalde wat McVey had gezegd en vertelde verder gewoon de waarheid.

Gravenitz leunde achterover in zijn stoel en bestudeerde Osborn terwijl hij tegelijkertijd naar de vertaling luisterde. Toen Osborn uitgesproken was, keek Gravenitz eerst Honig aan en toen weer Osborn. 'Weet u zeker dat het Merriman was die uw vader heeft vermoord? Na bijna dertig jaar?'

'Ja, meneer,' zei Osborn.

'U moet hem hebben gehaat.'

McVey wierp Osborn een waarschuwende blik toe. Wees voorzichtig,

zei de blik. Hij is aan het vissen.
'Dat zou u ook doen,' zei Osborn zonder een spier te vertrekken.
'Weet u waarom Erwin Scholl uw vader wilde laten vermoorden?'
'Nee, meneer,' antwoordde Osborn kalm en McVey haalde opgelucht adem. Osborn deed het goed. 'U moet begrijpen dat ik toen nog een kind was. Ik heb het gezicht van de man gezien en dat ben ik nooit meer vergeten. En ik heb hem tot die avond in Parijs nooit meer gezien. Ik weet niet wat ik u verder nog kan vertellen.'
Gravenitz wachtte en keek toen McVey aan.
'Weet u absoluut zeker dat de Erwin Scholl die nu in Berlijn is, dezelfde persoon is die Albert Merriman heeft gehuurd?'
McVey stond op. 'Ja, meneer.'
'Waarom denkt u dat de man die Herr Merriman heeft doodgeschoten ook voor Herr Scholl werkte?'
'Omdat Scholls mannen al eerder hadden geprobeerd hem te doden en omdat Merriman zich lang had schuilgehouden. Ze hadden hem uiteindelijk opgespoord.'
'En weet u absoluut zeker dat Scholl erachter zat?'
Dit was precies wat McVey had willen voorkomen, maar Gravenitz had, zoals gerespecteerde rechters over de hele wereld, een scherpe intuïtie en de vraag betekende: Lieg en het is met je gebeurd. 'U bedoelt of ik het kan bewijzen? Nee, meneer. Nog niet.'
'Hmmm...' zei Gravenitz.
Scholl was een internationaal bekende, belangrijke figuur en Gravenitz aarzelde. Een rechter die goed nadacht, zou net zomin zomaar eventjes een arrestatiebevel voor Erwin Scholl tekenen als voor de kanselier van het land en McVey wist dat. En al was Osborns getuigenverklaring dan sterk, in wezen was het informatie uit de tweede hand en niet meer dan dat. Er moest iets worden gedaan om Gravenitz over de streep te trekken, anders zouden ze zonder arrestatiebevel naar Scholl moeten gaan en dat was het laatste wat McVey wilde. Remmer moest dat ook hebben aangevoeld, want hij stond plotseling op en schoof zijn stoel naar achteren.
'Edelachtbare,' zei hij in het Duits, 'ik heb begrepen dat een van de belangrijkste redenen waarom u ons op zo'n korte termijn hebt willen ontvangen was, dat er twee politiemannen die aan de zaak werkten, zijn doodgeschoten. Eén zou nog toeval geweest kunnen zijn, maar twee...'
'Ja, dat heeft inderdaad zwaar gewogen,' zei Gravenitz.
'Dan zult u ook willen weten dat een van hen een Newyorkse rechercheur was, die in zijn eigen huis vermoord is. De andere, een zeer gerespecteerd lid van de Parijse politie, is bij een aanslag bij het station in

Lyon ernstig gewond geraakt, vervolgens naar Londen gevlogen en onder een valse naam in een ziekenhuis ondergebracht waar hij vierentwintig uur per dag werd bewaakt.' Remmer zweeg een ogenblik en sprak toen verder. 'Korte tijd daarna is hij in diezelfde ziekenhuiskamer doodgeschoten.'
'Dat spijt me...' zei Gravenitz oprecht.
Remmer liet blijken dat hij Gravenitz' medeleven op prijs stelde en vervolgde: 'We hebben alle reden om aan te nemen dat de man die daarvoor verantwoordelijk was voor Scholls organisatie werkte. We willen Herr Scholl persoonlijk ondervragen, edelachtbare, en niet alleen met zijn advocaten praten. Zonder arrestatiebevel zal ons dat nooit lukken.'
Gravenitz drukte zijn handpalmen tegen elkaar en leunde achterover. Toen keek hij McVey aan, die hem op zijn beurt in afwachting van een antwoord aanstaarde. Met een onbewogen gezicht boog hij zich naar voren en maakte een aantekening op een blocnote die voor hem lag. Toen streek hij met een hand door zijn zilverkleurige haar, wierp Honig een blik toe en keek Remmer vervolgens recht aan.
'Goed dan,' zei hij in het Engels. 'Goed dan.'

# 95

McVey wachtte samen met Noble en Osborn tot Gravenitz het *Haftbefehl*, het arrestatiebevel voor Erwin Scholl, had getekend en het aan Remmer had overhandigd. Nadat ze Gravenitz bedankt en Honig de hand geschud hadden, verliet het viertal de raadkamer en ging met Gravenitz' privé-lift naar de garage.
Ze bevonden zich op glad ijs en ze wisten het, ook Osborn. Praktisch gezien was het gerechtelijk bevel dat McVey nu in zijn zak had bijna nutteloos, zoals Honig al had gesuggereerd.
Als ze op de gebruikelijke manier bij Scholl zouden aankloppen en zeggen: 'Goedemorgen, meneer, we zijn van de politie en hebben om de volgende reden een arrestatiebevel voor u', zou Scholl als iedere andere burger naar de gevangenis worden overgebracht, maar binnen een uur zou er een horde advocaten arriveren die uit zijn naam zouden spreken en ten slotte zou Scholl vrijkomen, waarschijnlijk zonder zelf een

woord te hebben gezegd.
In de daaropvolgende weken zou er een dikke stapel verklaringen bij de rechtbank binnenkomen. Scholl zou daarin stellen dat hij volkomen onschuldig was, nooit zaken had gedaan met Osborns vader en nooit reden had gehad zaken met hem of een van de andere overledenen te doen. Hij zou ontkennen dat hij ooit van Albert Merriman had gehoord, laat staan dat hij hem had gekend en contacten met hem had onderhouden en hij zou zweren dat hij op de genoemde data niet op zijn landgoed op Long Island was geweest. Hij zou ontkennen dat hij ooit van een voormalig Stasi-agent die Bernhard Oven heette had gehoord, laat staan dat hij contacten met hem had onderhouden en hij zou zweren dat hij ten tijde van de moord op Albert Merriman in de Verenigde Staten en zelfs niet in de buurt van Parijs was geweest. Al zijn verklaringen zouden worden ondersteund door de getuigenissen van allerlei zeer vooraanstaande personen. Alles bij elkaar genomen zou Scholl hieruit te voorschijn komen als de vermoorde onschuld en omdat er geen echte bewijzen tegen hem waren, zouden de beschuldigingen prompt volledig worden ingetrokken.
En daarna, misschien een jaar of meer later, wanneer Scholls naam en persoon niet meer met de zaak in verband zouden worden gebracht en het hele voorval bijna vergeten zou zijn, zou de koelbloedige, afstandelijke wraakoefening volgen waarvoor Honig hen had gewaarschuwd. Alsof ze vertraagd met een dodelijk gas werden bestookt, zouden McVey, Noble, Remmer en Osborn merken dat hun carrière en hun leven geruïneerd werden. Vrienden, collega's en mensen van wie ze nooit hadden gehoord, zouden naar voren komen met beschuldigingen van diefstal, corruptie, seksuele perversiteiten, wanpraktijken en erger. Hun gezinnen zouden worden beschimpt en hun eens trotse namen zouden met vette koppen op de voorpagina van de kranten verschijnen voor zolang het nodig was om hen kapot te maken.
Met piepende banden reed Remmer de garage uit en de Hardenbergstrasse in, met een van de auto's van het escorte van de federale politie vlak achter hem.
Vijf minuten later reed hij de garage tegenover het tweeëntwintig verdiepingen tellende uit glas en staal opgetrokken gebouw van het Europa Center binnen. '*Auf Wiedersehen, danke*,' zei hij in de mobilofoon.
'*Auf bald*.' De escorterende auto gaf gas en verdween in het verkeer.
'Ik neem aan dat je het gevoel hebt dat we veilig zijn,' zei Noble toen Remmer op een plaats uit de buurt van de ingang parkeerde.
'Natuurlijk zijn we veilig.' Remmer stapte uit, pakte een machinepistool vanonder zijn stoel vandaan, legde het in de achterbak en sloot die

af. Hij stak een sigaret op, ging hen voor over een oprit, een stalen deur door en verder door een gang met allemaal elektrische leidingen en waterleidingen die direct onder de straat door liepen en een verbinding met het Europa Center Complex aan de overkant vormden.
'Weten we waar Scholl is?' McVeys stem weergalmde in de lange gang.
'In het Grand Hotel Berlin in de Friedrichstrasse, tegenover de Tiergarten. Hiervandaan een lange wandeling voor een oudere heer zoals jij.'
Remmer grijnsde naar McVey en duwde een branddeur aan het eind van de gang open. Hij bleef bij een dienstlift staan, maakte zijn sigaret uit in een asbak en drukte op de knop. De deur ging bijna onmiddellijk open en het viertal ging naar binnen. Remmer drukte op het knopje voor de vijfde verdieping, de deuren sloten zich en de lift ging omhoog. Pas toen drong het tot Osborn door dat Remmer de hele tijd een revolver in zijn hand had gehad.
Terwijl hij naar de drie anderen keek, die zwijgend in het bleke licht van de lift stonden, voelde hij zich volkomen misplaatst, alsof hij de vijfde man bij een spelletje bridge of getuige bij de trouwerij van een ex-vrouw was. Dit waren ervaren politiemannen wier leven met die wereld was verstrengeld als spieren met botten. Het arrestatiebevel dat McVey in zijn zak had, was afkomstig van een van de gezaghebbendste rechters van het land en de man tegen wie ze het moesten opnemen was vergelijkbaar met een staatshoofd met een eigen leger. McVey had hem verteld dat hij naar Berlijn met hen mee moest gaan om een getuigenverklaring af te leggen en dat had hij gedaan. Was hij zo naïef te geloven dat McVey de volgende stap zou zetten en zijn belofte zou nakomen dat hij erbij mocht zijn als ze de confrontatie met Scholl aangingen? Plotseling voelde hij zijn maag samentrekken. Osborns privé-oorlog kon McVey geen moer schelen. Hij maakte zijn eigen plannen en liet die door niemand beïnvloeden.
'Wat is er?' McVey merkte dat hij naar hem staarde.
'Ik denk alleen maar na,' zei Osborn zacht.
'Overdrijf het niet.' McVey glimlachte niet.
De lift minderde snelheid en stopte. De deur ging open en Remmer stapte als eerste uit. Hij controleerde of er iemand was en leidde hen toen door een lange, gestoffeerde gang. Ze waren in een hotel. Het Palace Hotel. Osborn zag een reclamefolder liggen op een tafel waar ze langsliepen.
Remmer stond stil en klopte op de deur van kamer 6132. De deur werd geopend en een stevig gebouwde rechercheur met een hard gezicht leidde hen een grote suite binnen met twee ruime slaapkamers die door een smalle gang met elkaar waren verbonden. Het raam van beide

slaapkamers keek uit op het groene Tiergartenpark terwijl het raam van de grote kamer schuin uitkeek op wat een nieuwere vleugel van het hotel leek te zijn.
Remmer liet de revolver in de zak van zijn jasje glijden en wendde zich tot de rechercheur die hen had binnengelaten. McVey liep de gang in, keek in de tweede slaapkamer naar binnen en kwam toen terug. Noble was niet erg tevreden met de nabijheid van de nieuwe vleugel, waarin je vanuit een aantal kamers in die van hen kon kijken, zij het dan in een schuine hoek. McVey was het met hem eens.
De gedrongen rechercheur gooide zijn handen in de lucht en zei met een zwaar accent tegen hen dat ze geluk hadden gehad dat ze sowieso nog een kamer hadden kunnen krijgen en dan nog wel een suite. Er waren overal in Berlijn handelstentoonstellingen en congressen. Zelfs de federale politie had niet veel in te brengen wanneer de hotels al drie maanden van tevoren waren volgeboekt.
'In dat geval zijn we er heel blij mee, Manfred,' zei McVey. Remmer knikte, zei toen iets in het Duits tegen de rechercheur en de man vertrok. Remmer deed de deur achter hem op slot.
'Jij en ik slapen hier,' zei McVey tegen Remmer. 'Noble en Osborn kunnen de andere kamer nemen.' Hij liep naar het raam, trok het vederlichte materiaal van de luxaflex uiteen en keek neer op het verkeer van de Kurfürstendamm. 'Zijn de telefoons veilig?' vroeg hij. Hij keek naar het donkere, uitgestrekte Tiergartenpark aan de overkant van de straat.
'Twee lijnen.' Remmer stak een sigaret op en trok zijn leren jasje uit waardoor zijn gespierde bovenlichaam en een ouderwets leren schouderholster waarin een zeer grote automatische revolver stak, zichtbaar werden.
McVey trok ook zijn jasje uit en keek Noble aan. 'Informeer eens even of er al meer bekend is over de moord op Lebrun. Vraag of ze al weten wie de moordenaar was en hoe hij is binnengekomen. En of er al nieuws is over Cadoux. Vraag of iemand weet waar hij naar toe is gegaan en waar hij nu is. We moeten vaststellen of hij daar bij toeval of volgens plan was.' Hij hing zijn jasje op en keek Osborn aan. 'Maak het je gemakkelijk. We blijven hier wel een tijdje.' Daarna liep hij de badkamer binnen en waste zijn gezicht en zijn handen. Hij kwam naar buiten terwijl hij zijn handen aan een handdoek afdroogde en tegen Remmer praatte.
'Dat gedoe in het Charlottenburgpaleis van morgenavond. Laten we erachter zien te komen wat het is en wie het bijwonen. Ik denk dat jouw mensen in Bad Godesberg dat wel voor ons kunnen doen.'
Osborn liep weg, ging de tweede slaapkamer binnen en keek rond. Hij

moest zijn uiterste best doen om zijn steeds sterker wordende paranoia te onderdrukken. Dubbele bedden met op elk ervan een olijfgroene met blauwe sprei. Een kleine tafel tussen de bedden. Twee kleine kasten, een tv, een raam. Een eigen badkamer. Hij wist dat McVey het grote geheel in het oog hield, als een veldofficier met een zwakke troefkaart achter de hand die een kleine strijdeenheid tegen het leger van een koning aanvoerde en naarstig zocht naar mogelijkheden om voordeel te behalen. Hij zou geen moment aan Osborn denken. McVey had hem opzettelijk met Noble samen in één kamer gezet opdat hij niet alleen met McVey zou zijn en hem vragen zou gaan stellen. Want dan zou McVey zich in de pijnlijke situatie bevinden dat hij zou moeten uitleggen waarom Osborn niet mee mocht als ze Scholl gingen bezoeken. Dat was slim. Houd hem aan het lijntje. Bewaar het tot het laatste ogenblik. Loop gewoon de deur uit en zeg: 'Sorry, dit zijn politiezaken', en laat hem dan in verzekerde bewaring houden door de federale politie die op de gang wacht.

# 96

'Een besloten diner. Avondkleding. Honderd gasten. Alleen voor genodigden.' Remmer zat in zijn hemdsmouwen aan een kleine tafel met een kop koffie in zijn ene en een sigaret in zijn andere hand. In het laatste halfuur was er een keer of zes heen en weer gebeld tussen Remmer en agenten van de inlichtingenafdeling op het hoofdbureau van het Bundeskriminalamt – het BKA – in Bad Godesberg, terwijl ze aan het uitvissen waren wat de aard van de bijeenkomst in het Charlottenburgpaleis was.

Osborn zat met opgerolde mouwen bij hen in de kamer en keek naar McVey die op kousevoeten heen en weer liep. Hij had besloten dat het het beste zou zijn McVey te gebruiken zoals McVey hem had gebruikt. Heimelijk en onopvallend. Hij moest voordeel uit zijn situatie halen zonder de politie er enig idee van te geven wat hij van plan was. Hotel Palace, had hij gehoord, was een onderdeel van het reusachtige Europa Center-complex van winkels en casino's dat precies in het centrum van Berlijn lag. De Tiergarten, recht tegenover hen, leek op Central Park in

New York. Het was groot en grillig gevormd, er liepen wegen doorheen en er waren overal paden. Hij had uit diverse telefoongesprekken tussen de politie onderling en een reeks telefoongesprekken met anderen kunnen afleiden dat er naast de rechercheurs in burger van het BKA, die in de gang voor hun deur waren gestationeerd, nog anderen in wisseldiensten met twee man de hal in de gaten hielden, dat er twee man op het dak waren geposteerd en dat er ondersteunende radiopatrouillewagens paraat werden gehouden. De gasten die in de zes kamers in de vleugel schuin tegenover die van hen logeerden, waren nagetrokken. Vier van de kamers waren bezet door Japanse toeristen uit Osaka, de andere twee door zakenlieden die een handelstentoonstelling van computers bijwoonden. De een kwam uit München, de ander uit Disney World in Orlando. Ze waren allemaal degenen die ze beweerden te zijn. Dat betekende dat ze zo veilig waren als ze maar konden zijn, zelfs als de Organisatie had ontdekt waar ze waren en iets zou proberen. Het probleem was dat het ook betekende dat Osborns kansen om iets anders te doen dan wat McVey wilde bijna nihil waren.
'Een Zwitsers bedrijf dat de Berghaus Group heet, geeft het diner,' las Remmer op van een gele blocnote waarop hij aantekeningen had gekrabbeld. Links van hem zat Noble geanimeerd te telefoneren met net zo'n blocnote als Remmer naast zich.
'Het is een welkomstfeest voor een zekere...' – Remmer raadpleegde zijn aantekeningen – 'Elton Karl Lybarger, een industrieel uit Zürich die twee jaar geleden in San Francisco een ernstige beroerte heeft gehad en nu volledig hersteld is.'
'Wie is Elton Lybarger in vredesnaam?' vroeg McVey.
Remmer haalde zijn schouders op. 'Ik heb nooit van hem gehoord en ook niet van die Berghaus Group. De inlichtingenafdeling werkt eraan en probeert ook aan een gastenlijst te komen.'
Noble legde de hoorn op de haak en draaide zich om. 'Cadoux heeft een gecodeerd bericht naar mijn kantoor gestuurd waarin hij zegt dat hij uit het ziekenhuis is gevlucht omdat hij bang was dat de politie die Lebrun bewaakte, zijn moordenaar had binnengelaten. Dat ze bij de Organisatie hoorden en dat hij de volgende zou zijn die ze te pakken zouden nemen. Hij zei dat hij, zodra het mogelijk was, contact zou opnemen.'
'Wanneer heeft hij het bericht verzonden en waarvandaan?' vroeg McVey.
'Het is iets langer dan een uur geleden binnengekomen en het was gefaxt vanaf het vliegveld Gatwick.'

* * *

Von Holdens jet landde om 18.35 uur op vliegveld Tempelhof, drie uur later dan gepland doordat hij door de mist vertraging had opgelopen. Om 19.30 uur stapte hij op de Spandauerdamm uit een taxi en stak de straat over naar het Charlottenburgpaleis, dat nu donker en gesloten was. Hij kwam in de verleiding via een zijdeur naar binnen te gaan om persoonlijk de definitieve beveiligingsmaatregelen te controleren. Maar Viktor Sjevtsjenko had dat vandaag al twee keer gedaan en hem daarvan tijdens de vlucht verslag uitgebracht. En Viktor Sjevtsjenko vertrouwde hij door en door.
In plaats daarvan bleef hij door de ijzeren hekken naar binnen staan kijken en stelde zich voor wat daar over minder dan vierentwintig uur zou plaatsvinden. Hij kon het bijna zien en horen en de gedachte dat ze nu aan de vooravond ervan stonden, ontroerde hem zo dat de tranen hem bijna in de ogen sprongen. Ten slotte wendde hij zich af en liep weg.
Vanaf vijf uur die middag wist de Berlijnse afdeling dat McVey, Osborn en de anderen in de stad waren aangekomen en hun hoofdkwartier in Hotel Palace hadden gevestigd, waar ze onder bescherming van de federale politie stonden. Het was precies wat Scholl had voorspeld en hij had ongetwijfeld ook gelijk gehad toen hij zei dat ze naar Berlijn waren gekomen om hem te spreken. Lybarger speelde voor hen geen rol, evenmin als de ceremonie in het Charlottenburgpaleis.
Vind hen en houd hen in de gaten, had Scholl gezegd. Op een bepaald moment zullen ze proberen contact met me op te nemen om een tijd en een plaats af te spreken waar we elkaar kunnen ontmoeten. Dat zal onze kans zijn hen te isoleren en jij en Viktor zullen dan weten wat jullie te doen staat.
Ja, dacht von Holden, terwijl hij verder liep, we zullen weten wat ons te doen staat en we zullen het zo snel en vindingrijk doen als maar mogelijk is.
Toch had von Holden een onbehaaglijk gevoel. Hij wist dat Scholl hen onderschatte, vooral McVey. Ze waren slim en ervaren en hadden ook veel geluk gehad. Dat was geen goede combinatie en het betekende dat hij met een buitengewoon vindingrijk plan voor den dag zou moeten komen, een plan dat ze met ervaring en geluk niet zouden kunnen doorkruisen. Hij gaf er zelf de voorkeur aan het initiatief te nemen en het snel te doen, voordat ze de kans hadden hun eigen plannen uit te voeren. Maar om vier mannen te grazen te nemen, van wie er drie gewapend waren en die door de politie werden beschermd in een hotel dat een onderdeel vormde van een complex zo groot als het Europa Center, was bijna onmogelijk. Er zou een ingrijpende, openlijke actie voor no-

dig zijn. Er zou te veel bloed vloeien en te veel lawaai worden gemaakt en er was geen garantie dat ze succes zouden hebben. Als er iets misging en er zou iemand worden gepakt, liepen ze bovendien het risico dat de hele Organisatie op het allerslechtste moment in gevaar zou komen.
Dus tenzij ze een onvoorstelbare fout maakten en zichzelf op de een of andere manier blootgaven, zou hij zich aan Scholls bevel houden en wachten tot ze de eerste zet zouden doen. Uit ervaring wist hij dat er weinig twijfel aan was dat welke tegenmaatregel hij zou ook treffen, deze succesvol zou zijn zo lang hij er zelf bij was om de operatie te leiden. Hij wist ook dat hij zijn energie beter kon spenderen aan de logistiek van een plan dan zich zorgen over zijn tegenstanders te maken. Maar hun aanwezigheid baarde hem zorgen en hij voelde zich er zo onbehaaglijk door dat hij Scholl bijna wilde vragen de viering in Charlottenburg uit te stellen tot ze uitgeschakeld waren. Maar dat was onmogelijk. Dat had Scholl al in het begin gezegd.
Hij sloeg een hoek om, liep een half blok, beklom toen de trap van een rustig flatgebouw in de Sophie Charlottenburgstrasse nummer 37 en drukte op de bel.
'Ja?' antwoordde een stem over de intercom.
'Von Holden,' zei hij. Er klonk een scherp gezoem toen het slot van de deur zich opende en hij liep de trap op naar het grote appartement op de eerste verdieping dat als hoofdkwartier van de beveiliging van het feest voor Lybarger was ingericht. Een geüniformeerde bewaker opende de deur en liep door een gang langs een rij bureaus waaraan verscheidene secretaresses nog aan het werk waren.
'*Guten Abend*,' zei hij zacht en hij opende de deur van een klein, maar functioneel ingericht kantoor. Het probleem was, vervolgde hij zijn gedachtengang, dat hoe langer ze in het hotel zouden blijven zonder contact met Scholl op te nemen, hoe minder tijd hij zou hebben om een plan te ontwikkelen en hoe meer tijd zij zouden hebben om hun eigen voornemens ten uitvoer te brengen. Maar hij was al begonnen dat laatste in zijn voordeel te keren. De tijd werkte naar twee kanten en hoe langer zij daar bleven, hoe meer tijd hij had om de mensen die hem zouden vertellen hoeveel ze wisten en wat ze in hun schild voerden, aan het werk te zetten.

# 97

'Gustav Dortmund, Hans Dabritz, Rudolf Kaes, Hilmar Grunel...' Remmer legde de gefaxte lijst met namen neer en keek naar McVey die dezelfde vijf bladzijden tellende gastenlijst van het diner in Charlottenburg zat te lezen. 'Herr Lybarger heeft nogal wat rijke en invloedrijke vrienden.'
'En sommigen van hen zijn niet zo rijk, maar even invloedrijk,' zei Noble die zijn kopie van de lijst bestudeerde. 'Gertrud Biermann, Mathias Noll, Henryk Steiner.'
'Politiek gezien variëren ze van uiterst links tot uiterst rechts. Normaal zou je hen nooit in dezelfde ruimte aantreffen.' Remmer schudde een sigaret uit zijn pakje, stak hem aan, leunde toen naar voren en schonk een glas mineraalwater voor zichzelf in uit de fles die op tafel stond.
Osborn leunde tegen de muur en keek toe. Hij had geen kopie van de gastenlijst gekregen en er ook niet om gevraagd. De laatste paar uur hadden de politiemannen zich steeds sterker geconcentreerd op de binnenkomende informatie en ze hadden hem bijna volledig genegeerd. Hij voelde zich daardoor nog minder op zijn plaats en het gevoel dat ze hem niet zouden meenemen als ze Scholl gingen bezoeken, werd erdoor versterkt.
'Genaturaliseerd of niet, Scholl lijkt de enige Amerikaan te zijn. Klopt dat?' vroeg McVey terwijl hij omkeek.
'Ja, alle anderen zijn Duitsers.' Remmer blies een wolk sigaretterook uit, die langs McVey dreef. McVey wuifde de rook geïrriteerd weg.
'Houd die rook een beetje bij je, Manfred. Waarom stop je er niet gewoon mee?' Remmer keek hem boos aan en wilde iets zeggen, maar McVey stak zijn hand omhoog. 'Ik ga toch wel dood, dat weet ik, maar ik wil niet dat jij degene bent die me mijn graf in werkt.'
'Sorry,' zei Remmer en hij drukte de peuk in de asbak uit.
Steeds geïrriteerder wordende korte woordenwisselingen die door lange perioden van stilte werden onderbroken getuigden van de frustratie van de drie buitengewoon vermoeide mannen die probeerden te analyseren wat er aan de hand was. Afgezien van het feit dat het feest in een paleis in plaats van in de ballroom van een hotel gehouden zou worden, was het oppervlakkig gezien een gewoon feest zoals door allerlei groepen over de hele wereld honderden keren per jaar werd gehouden. Maar de oppervlakte was slechts de oppervlakte en het interessante was wat eronder schuilging. Ze hadden met zijn drieën meer dan honderd

jaar ervaring als politieman en daardoor hadden ze een intuïtie ontwikkeld die anderen niet hadden. Ze waren naar Berlijn gekomen vanwege Erwin Scholl en voor zover ze konden beoordelen, was Erwin Scholl vanwege Elton Lybarger naar Berlijn gekomen. De vraag was waarom. Die vraag werd nog intrigerender als je je realiseerde dat van alle illustere lieden die voor het feest waren uitgenodigd, Lybarger de minst illustere en onbekendste was.
Uit de gegevens die Bad Godesberg had opgeduikeld, bleek dat hij als Elton Karl Lybarger in 1933 in Essen in Duitsland was geboren als enig kind van een verpauperde steenhouwer. Nadat hij in 1951 van de middelbare school was gekomen, verdween hij in de massa van het naoorlogse Duitsland. Dertig jaar later, in 1983, dook hij plotseling op als multimiljonair. Hij woonde in een kasteelachtig landhuis dat twintig minuten rijden van Zürich gelegen was en *Anlegeplatz* heette. Hij werd daar omringd door bedienden en bezat grote aandelenpakketten in een groot aantal eersteklas Westeuropese bedrijven.
De vraag was hoe hij dat voor elkaar had gekregen.
Op zijn aangiftebiljetten van 1956 tot 1980 stond ‘boekhouder’ als beroep vermeld en de adressen waarop hij in die tijd woonde, waren kleurloze flatgebouwen voor de lagere inkomensklasse in Hannover, Düsseldorf, Hamburg en Berlijn, en daarna ten slotte, in 1983, in Zürich. En in al die jaren tot 1983 was zijn inkomen nauwelijks boven modaal uitgekomen. Bij zijn aangifte van 1983 schoot zijn inkomen omhoog en in 1989, het jaar van zijn beroerte, was zijn belastbaar inkomen astronomisch, meer dan zevenenveertig miljoen dollar.
En nergens was een spoor van een verklaring te vinden. Mensen waren succesvol, ja. Soms van de ene dag op de andere. Maar was het mogelijk dat iemand die jaren als rondreizend boekhouder had gewerkt en maar net zijn hoofd boven water had kunnen houden, plotseling zo’n grote rijkdom en invloed had verworven?
Zelfs nu bleef hij een mysterie. Hij had geen zitting in de raad van bestuur van grote bedrijven, universiteiten, ziekenhuizen en liefdadige instellingen. Hij was geen lid van privé-clubs en had voor zover bekend geen politieke bindingen. Hij had geen rijbewijs en geen trouwboekje. Er stond zelfs geen creditcard op zijn naam. Dus wie was hij? En waarom kwamen honderd van de rijkste en machtigste Duitse burgers uit alle hoeken van het land om zijn herstel te vieren?
Remmer redeneerde dat Lybarger al die jaren in het geheim in de drugwereld had geopereerd, van de ene stad naar de nadere was getrokken en daarbij een fortuin in contanten had verzameld dat hij bij Zwitserse banken had witgewassen en in 1983 plotseling genoeg geld had om zich

als legitiem zakenman te vestigen.
McVey schudde zijn hoofd. Er was iets wat zowel hem als Noble had getroffen toen ze de gastenlijst zagen. Iets wat ze Remmer niet hadden verteld. Twee van de namen die erop voorkwamen – Gustav Dortmund en Konrad Peiper – waren, evenals Scholl, directeur van GDG, Goltz Development Group, het bedrijf dat Standard Technologies uit Perth Amboy in New Jersey had aangekocht. Dit was de firma die in 1967 Mary Rizzo York opdracht had gegeven te experimenteren met koelgassen met temperaturen ver onder het vriespunt. Dezelfde doctor Mary Rizzo York die in datzelfde jaar door Albert Merriman in opdracht van Erwin Scholl vermoord zou zijn.
Weliswaar had de overname plaatsgevonden toen alleen Scholl en Dortmund nog met GDG te maken hadden, want Konrad Peiper was er pas in 1978 bij gekomen. Maar sindsdien had hij GDG als algemeen directeur tot een van de grootste wapenleveranciers ter wereld omgesmeed, al was dat dan geenszins legaal gebeurd. De conclusie dat GDG, zowel voordat Peiper directeur werd als daarna, nauwelijks een gezond, eerlijk bedrijf geweest kon zijn, lag voor de hand.
Toen McVey Remmer vroeg wat hij van Dortmund wist, maakte deze een grapje en zei dat Dortmund, afgezien van zijn relatief onbelangrijke positie bij de Bundesbank, de centrale bank van Duitsland, een schatrijk man met een stamboom was. Evenals de Rothschilds was zijn familie al meer dan twee eeuwen een van de grote bankiersgeslachten van Europa.
'Dus evenals Scholl is hij iemand die niet aan te pakken is,' zei McVey.
'Er zou wel een heel groot schandaal voor nodig zijn om hem ten val te brengen, als je dat bedoelt.'
'En Konrad Peiper?'
'Over hem weet ik bijna niets. Hij is rijk en heeft een buitengewoon mooie vrouw die zelf ook heel veel geld en invloed heeft. Maar je hoeft over Konrad Peiper eigenlijk niet meer te weten dan dat zijn oudoom van vaderszijde, Friedrich, in beide wereldoorlogen de halve wereld van wapens heeft voorzien. Vandaag doet datzelfde bedrijf goede zaken met het fabriceren van koffiepotten en afwasmachines.'
McVey keek Noble aan, die alleen maar zijn hoofd schudde. De zaak was nu nog even raadselachtig als in het begin. Het gezelschap dat het feest in Charlottenburg zou bijwonen omvatte Scholl, de directeur van de Bundesbank, de directeur van een internationale wapenhandel, een groot aantal Duitse burgers die de crème de la crème van de superrijken en machtigen vormden of echt grote politieke invloed hadden. Velen van hen zouden onder normale omstandigheden ideologisch felle te-

genstanders zijn en elkaar misschien zelfs fysiek naar de strot vliegen. Toch kwamen ze allemaal arm in arm naar een door Pruisische koningen gebouwd barok museum om het herstel te vieren van een man met een levensgeschiedenis die zo schimmig was dat je er geen vinger achter kon krijgen.
En dan was er de kwestie Albert Merriman en de reeks gruwelijkheden die erop was gevolgd, waaronder de aanslag op de trein van Parijs naar Meaux, de moord op Lebrun in Engeland, op zijn broer in Lyon en op Benny Grossman in New York. Verder was er nog het verborgen naziverleden van Hugo Klass, de gerespecteerde vingerafdrukkenexpert van Interpol in Lyon, en van Rudolf Halder, de man die aan het hoofd stond van Interpol in Wenen.
'Osborns vader werd in april 1967 als eerste uit de weg geruimd nadat hij een zeer speciaal soort scalpel had ontworpen.'
McVey liep een klein stukje over het tapijt en ging op het raamkozijn zitten. 'De laatste was Lebrun, in de loop van deze ochtend,' zei hij verbitterd. 'Kort nadat hij Hugo Klass met de moord op Albert Merriman in verband had gebracht... En van de eerste tot de laatste moord is de enige schakel, de rode draad die alles met elkaar verbindt...'
'Erwin Scholl,' vulde Noble aan.
'En nu zijn we weer met dezelfde vragen bij het beginpunt aangekomen. Waaróm? Om welke reden? Wat is er in jezusnaam aan de hand?'
Het grootste deel van de tijd waarin McVey bij de politie had gewerkt, was hij in cirkels rondgedraaid en had honderden malen dezelfde vraag gesteld. Dat deed je nu eenmaal bij moordzaken, tenzij je toevallig ergens binnenliep en iemand aantrof met een rokende revolver in zijn hand. En bijna altijd eindigde de cirkelgang met het ontdekken van een detail dat je tot dan toe over het hoofd had gezien, een detail dat plotseling zó duidelijk was, alsof het een groot rotsblok was dat er al die tijd was geweest en waarop met een spuitbus met grote rode letters het woord AANWIJZING gespoten was.
Maar deze keer niet. Dit was een cirkel met een begin, maar zonder eind. Hij was rond en bleef zich maar uitbreiden. Hoe meer informatie ze verzamelden, hoe groter de cirkel werd en dat was alles.
'De hoofdloze lijken,' zei Noble.
McVey gooide zijn handen in de lucht. 'Goed, waarom ook niet? Laten we die invalshoek eens proberen.'
'Wat voor invalshoek? Waar hebben jullie het over...?' Remmer keek van Noble naar McVey en weer terug.
Remmers Bundeskriminalamt ontving, evenals alle andere politie-instanties in de landen waar de onthoofde lijken waren gevonden, een

kopie van de wekelijkse rapporten die McVey bij Interpol uitbracht, maar in die rapporten was doelbewust geen melding gemaakt van het diepvriezen van de lijken of de bedoeling die er achter de experimenten zou kunnen zitten. Dus begreep Remmer het verband niet; hij wist gewoon niet genoeg. Gezien de omstandigheden was het nu een buitengewoon goed moment om hem op de hoogte te brengen.

# 98

Gerd Lang was een knappe man met krullen die in München als ontwerper van computersoftware werkte en in Berlijn een tentoonstelling van computerkunst bezocht. Hij logeerde in kamer 7056 in de nieuwe vleugel van Hotel Palace. Hij was tweeëndertig jaar en had net een pijnlijke scheiding achter de rug, dus toen de aantrekkelijke blondine met de innemende glimlach in de tentoonstellingszaal een gesprek met hem aanknoopte en hem vragen begon te stellen over zijn werk en wilde weten hoe zij zich op dat terrein zou kunnen ontwikkelen, lag het voor de hand dat hij haar uitnodigde om dat bij een drankje en misschien bij een dineetje verder te bespreken. Het was een ongelukkig besluit, want na verscheidene drankjes en heel weinig eten en na eindelijk weer eens vrolijk te zijn na een lange depressie als gevolg van zijn scheiding, was hij niet voorbereid op wat er zou gebeuren nadat ze zijn uitnodiging om na het eten op zijn kamer nog wat te gaan drinken had aangenomen.
Toen ze op de bank zaten en elkaar in het donker liefkoosden en verkenden, was zijn eerste gedachte toen ze haar hand naar zijn nek uitstak geweest dat ze hem daar gewoon wilde strelen. Toen had haar greep zich verstevigd en ze had geglimlacht alsof ze hem plaagde en gevraagd of hij het lekker vond. Toen hij wilde antwoorden, sloten haar vingers zich als een bankschroef om zijn nek. Hij had onmiddellijk geprobeerd haar handen van zijn nek los te rukken, maar dat lukte hem niet. Ze was ongelooflijk sterk en ze glimlachte terwijl ze hem zag tegenspartelen, alsof het een soort spelletje was. Gerd Lang spande zich tot het uiterste in om haar van zich af te krijgen, om haar ijzeren greep te verbreken, maar het leidde allemaal tot niets. Zijn gezicht werd eerst rood en vervolgens paars. Het laatste dat hij zag, hoe krankzinnig en pervers ook,

was dat ze de hele tijd bleef glimlachen.
Daarna droeg ze het lichaam de badkamer in, legde het in het bad en trok het gordijn dicht. Ze liep de woonkamer weer binnen, pakte een dag-en-nachtveldkijker uit haar handtas en richtte die op het verlichte raam van kamer 6132 die in een schuine hoek één verdieping lager tegenover haar lag. Toen ze de kijker had ingesteld, zag ze dat er een doorzichtig gordijn voor het raam hing waarachter een man met grijs haar leek te staan. Ze schakelde over op nachtzicht en zwaaide de kijker omhoog naar het dak. In de groenige gloed van de kijker zag ze, een stukje van de dakrand vandaan, een man met een automatisch geweer over zijn schouder staan.
'Politie,' fluisterde ze en ze richtte de kijker weer op het raam.

Osborn zat op de rand van een tafeltje en luisterde naar McVey die Remmer een beknopte inleiding in cryonische fysica gaf en hem daarna de rest vertelde. Hij zette uiteen dat ze dachten dat ze te maken hadden met een poging een afgesneden hoofd aan het lichaam van iemand anders te bevestigen door atomische chirurgie toe te passen bij temperaturen die het absolute nulpunt naderden of dat zelfs bereikten. Het was een verhaal dat, zoals Osborn het nu hoorde vertellen, gevaarlijk dicht tegen science fiction aanhing, alleen was het dat niet, want iemand deed het of probeerde het te doen. En Remmer, die met één voet op een stoel met een rechte leuning stond terwijl de blauwe stalen, automatische revolver uit zijn schouderholster bungelde, was gefascineerd en hing aan McVeys lippen.
Plotseling hoorde Osborn nauwelijks meer wat ze zeiden want de grimmige, overweldigende gedachte drong zich aan hem op dat het McVey misschien niet zou lukken. Dat hij, hoe goed in zijn werk hij ook was, deze keer te hoog gegrepen had en dat Scholl als overwinnaar uit de bus zou komen, dat er zou gebeuren waarvoor Honig hen had gewaarschuwd. En wat dan?
De vraag was helemaal geen vraag, omdat Osborn het antwoord kende. Al was hij na alle moeite die het hem had gekost dan nog zo dicht bij zijn doel gekomen, het zou toch op een fiasco uitdraaien. En daarmee zou alle hoop die hij in zijn leven had gekoesterd in rook opgaan. Want vanaf dat moment zou niemand ooit meer zo dicht bij Erwin Scholl in de buurt kunnen komen.
'Excuseer me even,' zei hij abrupt. Hij liet zich van de tafel glijden, liep rakelings langs Remmer, ging de kamer die hij met Noble deelde binnen en bleef daar in het donker staan. Het geluid van hun stemmen uit de andere kamer drong tot hem door. Ze gingen gewoon op dezelfde ma-

nier verder met hun gesprek. Het maakte geen verschil of hij erbij was of niet. En morgen zou het hetzelfde zijn. Ze zouden met het arrestatiebevel in hun hand de deur uitlopen om naar Scholl te gaan en hem in de hotelkamer achterlaten met alleen een rechercheur van het BKA als gezelschap.
Zonder bepaalde reden leek het of de muren op hem afkwamen en hij kreeg een claustrofobisch gevoel. Hij liep de badkamer binnen, deed het licht aan en zocht naar een glas, maar hij kon er geen vinden. Hij maakte een kom van zijn hand, boog zich voorover en dronk zo uit de kraan. Hij veegde het water van zijn hand, legde hem achter in zijn nek en voelde de koelte ervan. In de spiegel zag hij Noble de kamer binnenkomen, iets van de kaptafel pakken en een blik op hem werpen voordat hij terugging naar de anderen.
Toen hij de kraan dichtdraaide, werd zijn blik naar zijn spiegelbeeld getrokken. De kleur was uit zijn gezicht verdwenen en het zweet parelde op zijn voorhoofd en bovenlip. Hij stak zijn hand uit en zag dat die beefde. Terwijl hij daar stond, werd hij zich bewust van het wezen dat zich binnen in hem bewoog en bijna tegelijkertijd hoorde hij zijn eigen stem. Het geluid was zo duidelijk dat hij een ogenblik dacht dat hij echt iets hardop had gezegd.
'Scholl is hier in Berlijn, in een hotel aan de andere kant van het park.'
Plotseling huiverde hij en hij was ervan overtuigd dat hij zou flauwvallen. Toen verdween het gevoel en daarna werd één ding hem ondubbelzinnig duidelijk. Dit was iets wat McVey hem niet zou afnemen, niet na alles wat er was gebeurd. Scholl was te dichtbij. Wat er ook voor nodig was, hoe hij de mannen in de andere kamer ook zou moeten misleiden, hij kon en wilde niet nog een dag leven zonder te weten waarom zijn vader vermoord was.

# 99

Het silhouet van drie mannen die in een hotelkamer zitten te praten, kan interessant zijn, vooral wanneer je het in een schuine hoek vanuit een donkere kamer ziet en het in close-up fotografeert met een camera met motortransport en een telelens.

De camera werd abrupt verwisseld voor de verrekijker toen er een vierde man uit een andere kamer binnenkwam en een colbert aantrok. Eén van de drie mannen stond op en liep naar hem toe. Ze spraken kort met elkaar en toen pakte een van de anderen de telefoon. Even later legde hij de hoorn op de haak en de man die het colbert had aangetrokken liep naar de deur. Toen hij er bijna was, draaide hij zich om en zei iets tegen de man die naar hem toe was gelopen. De man aarzelde, draaide zich toen om en verdween uit het zicht. Toen hij terugkwam, gaf hij de andere man iets. Deze opende de deur en vertrok.
De aantrekkelijke blondine legde de verrekijker neer en terwijl bij de dode software-ontwerper nog geen meter van haar vandaan in de elegante marmeren badkamer de rigor mortis begon in te treden, pakte ze een zender op. 'Natalia,' zei ze.
'Lugo,' werd er geantwoord.
'Osborn is net vertrokken.'

Osborn wist zeker dat McVey hem nooit de revolver zou hebben gegeven of hem had laten vertrekken als hij had geweten wat hij van plan was. Hij had eenvoudigweg gezegd dat het gesprek alleen over politiezaken ging en dat hij daaraan geen bijdrage kon leveren en dat hij zich bovendien een beetje suffig en claustrofobisch voelde en een wandelingetje wilde maken om helder in zijn hoofd te worden.
Het was toen vijf voor tien geweest en McVey, die duidelijk moe was en een heleboel aan zijn hoofd had, had erover nagedacht en ten slotte zijn toestemming gegeven. Hij had Remmer gevraagd een van de rechercheurs van het BKA met hem mee te sturen en hem op het hart gedrukt het complex niet te verlaten en tegen elf uur terug te zijn.
Osborn had niet geprotesteerd, maar alleen geknikt voordat hij naar de deur liep. Toen had hij zich omgedraaid en McVey om het pistool gevraagd. Het was een weloverwogen zet van Osborn, maar hij wist dat McVey met het oog op wat er allemaal was gebeurd moest beseffen dat Osborn, politiebescherming of niet, alleen maar om een klein beetje extra zekerheid vroeg. Toch was het een lang, onaangenaam moment geweest voordat McVey zwichtte en hem Bernhard Ovens Cz automatische pistool had gegeven.

Osborn had nog geen twaalf passen in de richting van de lift gezet toen inspecteur Johannes Schneider zich bij hem voegde. Schneider was een lange man van een jaar of dertig met een platte bult op de brug van zijn neus die erop duidde dat die meer dan eens gebroken was geweest.
'U wilt een luchtje gaan scheppen,' zei hij, met een duidelijk accent,

opgewekt in het Engels. 'Dat doen we dan toch.'
Toen ze zich net in hun kamer hadden geïnstalleerd, had Osborn een brochure gevonden waarin het Europa Center werd beschreven als een complex met meer dan honderd winkels, restaurants, cabaretclubs en een casino. Er stond een complete plattegrond in met de locaties van de doorgangen en de in- en uitgangen van het gebouw.
Osborn glimlachte. 'Bent u ooit in Las Vegas geweest, inspecteur Schneider?'
'Nee.'
'Ik gok graag een beetje,' zei Osborn. 'Hoe is het casino hier?'
'Spielbank Casino? Uitstekend en duur,' zei Schneider grijnzend.
'Laten we er dan heen gaan,' zei Osborn, naar hem teruggrijnzend.
Ze namen de lift naar beneden en liepen naar de receptie van het hotel, waar Osborn zijn resterende Franse francs wisselde voor marken en zich vervolgens door Schneider liet voorgaan naar het casino.
Vijftien minuten later vroeg Osborn de politieman zijn kaarten aan de baccarattafel over te nemen terwijl hij even snel naar het toilet ging. Schneider zag dat hij een beveiligingsbeambte de weg vroeg en wegliep. Osborn liep door het casino heen en sloeg een hoek om. Hij controleerde of Schneider hem niet was gevolgd en liep het casino uit. Bij een kiosk in de hal kocht hij een toeristenkaart van de stad, stopte die in zijn zak, liep door een zijdeur naar buiten en sloeg linksaf de Nürnbergerstrasse in.

Aan de overkant van de straat zag Viktor Sjevtsjenko hem naar buiten komen. Hij was gekleed in een donkere trui en een spijkerbroek en stond net buiten het schijnsel van een helverlicht Grieks restaurant met een koptelefoon van wat een Sony-walkman leek te zijn, naar heavy metal-muziek te luisteren. Hij bracht zijn hand omhoog alsof hij moest hoesten en sprak erin.
'Viktor.'
'Lugo,' klonk von Holdens stem krakend door Viktors koptelefoon.
'Osborn is zojuist alleen naar buiten gekomen. Hij steekt nu de Budapesterstrasse over naar de Tiergarten.'

Terwijl hij het verkeer ontweek, stak Osborn de Budapesterstrasse over en keek om naar het Europa Center. Als Schneider hem volgde, zag hij hem in ieder geval niet. Hij bleef uit het schijnsel van de straatlantaarns en begon in de richting van de Berlijnse Zoo te lopen. Toen kreeg hij in de gaten dat hij de verkeerde kant uit liep en hij keerde op zijn schreden terug. Het trottoir was bedekt met bladeren die glad wa-

ren geworden door een lichte motregen en de lucht was zo koud dat hij zijn adem kon zien. Hij keek om en zag een man met een regenjas aan en een hoed op langzaam lopend een hond uitlaten die aan iedere boom en lantaarnpaal wilde ruiken. Er was nog steeds geen spoor van Schneider te bekennen. Hij versnelde zijn pas en liep ruim tweehonderd meter door voordat hij onder het verlichte afdak van een parkeerhaven bleef staan en de kaart openvouwde.
Het duurde verscheidene minuten voordat hij had gevonden wat hij zocht. De Friedrichstrasse was aan de andere kant van de Brandenburger Poort. Hij schatte dat het met een taxi tien minuten rijden en door het Tiergartenpark een half uur lopen was. Een taxi konden ze traceren. Hij kon beter gaan lopen. Bovendien zou hem dat de tijd geven om na te denken.

'Viktor?'
'Lugo,' kraakte von Holdens stem door de koptelefoon.
'Ik heb hem. Hij loopt in oostelijke richting en gaat de Tiergarten binnen.'
Von Holden was nog in zijn kantoor in het appartement in de Sophie-Charlottenstrasse en terwijl hij in zijn radio praatte, kon hij niet geloven dat hij zoveel geluk had.
'Is hij nog steeds alleen?'
'Ja.' Viktors stem klonk glashelder door de kleine luidspreker.
'De idioot.'
'Instructies?'
'Volg hem. Ik ben over vijf minuten bij je.'

# 100

Noble legde de hoorn op de haak en keek McVey aan. 'Nog steeds niets van Cadoux gehoord. En op zijn geheime nummer in Lyon wordt ook niet opgenomen.'
Verontrust en gefrustreerd keek McVey Remmer aan, die aan zijn derde kop zwarte koffie in de laatste veertig minuten bezig was. Ze hadden de gastenlijst al twintig keer doorgenomen en niets méér ontdekt

dan de eerste keer. McVey had Remmer gevraagd of ze niet een uitgebreidere analyse konden krijgen. Misschien ging het niet om wie de mensen waren of wat ze deden, maar had het, evenals bij Klass en Halder, met hun familie of hun achtergrond te maken, met iets wat niet direct voor de hand lag.
Misschien hadden ze om te beginnen al te weinig gegevens om te kunnen vinden waarnaar ze zochten, het grote rotsblok waarop met rode letters AANWIJZING stond. Maar misschien was er ook helemaal niets te vinden. Misschien zat er niets achter Scholls verblijf in Berlijn en was het feest voor Lybarger precies wat het leek, een onschuldig huldeblijk aan een man die ziek was geweest. Maar McVey zou het niet opgeven tot hij het zeker wist. En terwijl ze op meer informatie uit Bad Godesberg wachtten, namen ze alles nog een keer door, waarbij ze ditmaal op Cadoux terugkwamen.
'Laten we de situatie met Klass en Halder nog eens bekijken en ervan uitgaan dat Cadoux daar de hand in heeft gehad.' McVey zat in een stoel met zijn voeten op een van de bedden. 'Zou hij een vader, een broer, een neef of wat voor familielid ook gehad kunnen hebben, die tijdens de oorlog nazi of nazi-sympathisant is geweest?'
'Heb je ooit van Ajax gehoord?' vroeg Remmer.
Noble keek op. 'Ajax was een netwerk van Franse politiemensen die tijdens de bezetting met het verzet samenwerkten. Na de oorlog werd ontdekt dat slechts vijf procent van de leden ervan daadwerkelijk bij verzetsactiviteiten betrokken was. De meesten van hen smokkelden voor de Vichy-regering.'
'Cadoux' oom werkte bij de parketpolitie en was lid van Ajax in Nice. Toen het korps na de oorlog van nazi-collaborateurs werd gezuiverd, is hij uit zijn functie ontheven,' zei Remmer.
'En zijn vader, was hij ook lid van Ajax?'
'Zijn vader is een jaar na Cadoux' geboorte overleden.'
'Je bedoelt dat hij door zijn oom is opgevoed?' vroeg McVey en hij nieste.
'Dat klopt.'
McVey wendde zijn blik af, stond toen op en liep naar de andere kant van de kamer. 'Gaat het daar allemaal om, Manny? Nazi's? Is Scholl een nazi? En Lybarger?' Hij kwam terug en pakte de gastenlijst van het bed. 'Zijn al deze rijke, ontwikkelde, prominente mensen een nieuwe generatie Duitse nazi's?'
Precies op dat moment begon het lampje van de fax te branden. Er klonk een zoemend geluid en het papier rolde uit het apparaat. Remmer pakte het op en las het.

'Er is in het geboortenregister van Essen geen bewijs gevonden dat Elton Lybarger daar in 1933 of de omringende jaren is geboren. Ze blijven zoeken.' Remmer las verder en keek toen op. 'Lybargers kasteel in Zürich.'
'Wat is daarmee?'
'Het is eigendom van Erwin Scholl.'

Osborn had er geen idee van wat hij zou gaan doen als hij bij het Grand Hotel Berlin aankwam. Met Albert Merriman in Parijs was het anders geweest. Hij had toen tijd gehad om zich voor te bereiden, om een actieplan te ontwikkelen in de tijd dat Jean Packard Merriman opspoorde. Terwijl hij nu over een verlicht pad tussen de donkere grasvelden en bomen van de Tiergarten door liep, worstelde hij met drie vragen: hoe zou hij Scholl alleen kunnen treffen, hoe zou hij hem aan het praten kunnen krijgen en wat zou hij daarna moeten doen?
Hij kon er rustig van uitgaan dat een man in Scholls positie omringd zou worden door medewerkers en meelopers en dat hij minstens één bodyguard bij zich zou hebben. Dat betekende dat het buitengewoon moeilijk, zo niet onmogelijk, zou zijn hem alleen te pakken te krijgen.
Maar afgezien daarvan, veronderstel dat het hem desondanks zou lukken Scholl alleen te spreken te krijgen, waarom zou Scholl hem dan vertellen wat hij wilde weten? Zoals Diederich Honig had beweerd, zou Scholl, met of zonder advocaten, ontkennen dat hij ooit van Albert Merriman, Osborns vader of een van de anderen had gehoord. Met succinylcholine zou het lukken, evenals bij Albert Merriman, maar hij kende in Berlijn niemand die hem kon helpen eraan te komen. Heel even gingen zijn gedachten naar Vera. Hij vroeg zich af hoe het met haar ging en waar ze was en waarom dit allemaal moest gebeuren. Hij onderdrukte die gedachten snel; hij moest zich op Scholl en op niets anders concentreren.

Ze zagen hem op een afstand van misschien tweehonderd meter voor hen uit lopen. Hij was nog steeds alleen en hij was bijna aan het eind van het pad gekomen dat vlak bij de Brandenburger Poort uitkwam.
'Hoe wil je het doen?' vroeg Viktor.
'Ik wil hem in zijn ogen kijken,' zei von Holden.

Osborn keek op zijn horloge. 22.35 uur.
Zou Schneider hem nog steeds zoeken of zou hij al bij Remmer gerapporteerd hebben dat Osborn verdwenen was? Als dat zo was, zou McVey de Berlijnse politie hebben gewaarschuwd en hij zou voor hen

op zijn hoede moeten zijn. Hij had geen paspoort en McVey zou hem gemakkelijk door hen in de gevangenis kunnen laten gooien om hem uit de buurt te houden.
Plotseling kwam de gedachte bij hem op dat hij zich daarin zou kunnen vergissen en dat hij het wat dat andere betrof misschien ook bij het verkeerde eind had. Hij was net zo moe als de anderen. Misschien maakte hij er zich ten onrechte zorgen over dat McVey hem zou achterlaten wanneer ze naar Scholl toe gingen. Hij had in eerste instantie McVeys hulp ingeroepen en was al zo ver met hem gekomen. Waarom keerde hij zich nu van hem af en probeerde hij alles alleen te doen? Alles was in een stroomversnelling geraakt. Hij had zich door zijn emoties laten meeslepen, zoals hij al dertig jaar had gedaan. Hij was zijn doel te dicht genaderd om hen nu alles te laten bederven. Begreep hij dat dan niet? Hij had sterk willen zijn en uit liefde voor zijn vader zelf de verantwoordelijkheid op zich willen nemen. Maar dit was niet de juiste manier; hij beschikte niet over de middelen en de ervaring om het alleen te doen, niet bij iemand als Scholl. In Parijs had hij zich dat gerealiseerd. Waarom nu niet?
Hij voelde zich plotseling gedesoriënteerd en raakte verschrikkelijk in verwarring. Het besluit dat hij zo kort geleden zo vastberaden had genomen en doelbewust had willen uitvoeren, leek nu wazig en vaag, alsof het in een ver verleden lag. Hij moest ophouden met malen en, al was het maar heel even, niet nadenken.
Hij keek om zich heen en probeerde rustiger te worden door zich op zijn omgeving te concentreren. Het was nog koud maar de motregen was opgehouden. Het park was verlaten en donker en stond vol bomen. Slechts de verlichte paden en de hoge gebouwen in de verte duidden erop dat hij in de stad en niet diep in het bos was. Hij keek om en zag dat hij net een soort kruispunt was overgestoken waar vijf paden als de spaken van een wiel bijeenkwamen. Welk pad was hij afgelopen? Op welk pad was hij nu?
Een meter van hem vandaan was een bank. Hij liep erheen en ging zitten. Hij zou een paar minuten de tijd nemen om helder in zijn hoofd te worden en dan besluiten wat hij zou doen. De koude lucht was schoon en rook lekker en hij ademde diep in. Afwezig stak hij zijn handen in de zakken van zijn colbert om ze te verwarmen. Toen hij dat deed, raakte zijn rechterhand het pistool aan. Het was alsof hij een voorwerp aanraakte dat lang geleden weggestopt en vergeten was. Op dat moment deed iets hem opkijken.
Er kwam een man zijn richting uit. Hij had zijn kraag opgezet en liep licht gebogen en naar één kant overgeheld, alsof hij een of ander licha-

melijk gebrek had. Toen hij dichterbij kwam, zag Osborn dat hij langer was dan hij leek. Hij was slank, had brede schouders en kortgeknipt haar. Toen hij nog maar een meter van Osborn vandaan was, tilde hij zijn hoofd op en ze keken elkaar aan.
'*Guten Abend*,' zei von Holden.
Osborn knikte licht, wendde zijn hoofd af om verder contact te vermijden, liet zijn hand in de zak van zijn colbert glijden en omklemde het pistool. De man was hem nauwelijks tien passen voorbij toen hij bleef staan en zich omdraaide. De beweging maakte Osborn aan het schrikken en hij reageerde onmiddellijk. Hij rukte het pistool uit zijn zak en richtte het recht op de borst van de man.
'Ga weg!' zei hij nadrukkelijk in het Engels.
Von Holden staarde hem een ogenblik aan en liet zijn blik toen naar het pistool zakken. Osborn was opgewonden en nerveus, maar zijn hand was vast en zijn vinger rustte ontspannen op de trekker. Het wapen was een Tsjechisch Cz-pistool van een klein kaliber, maar op korte afstand zeer nauwkeurig. Von Holden glimlachte. Het pistool was van Bernhard Oven geweest.
'Wat is er zo grappig?' snauwde Osborn. Tegelijkertijd zag hij de man over zijn schouder langs hem kijken. Osborn stapte van de bank en onmiddellijk naar achteren, maar hield het pistool op de man gericht. Hij draaide zijn hoofd iets om en keek naar rechts. Een tweede man stond in de schaduw van een boom, nog geen viereneenhalve meter van hem vandaan.
'Zeg hem dat hij naast je komt staan.' Osborn richtte zijn blik weer op von Holden.
Von Holden zei niets.
'*Sprechen Sie Englisch*?' vroeg Osborn.
Von Holden bleef zwijgen.
'*Sprechen Sie Englisch*?' vroeg Osborn weer, nu luider dan de vorige keer.
Von Holden knikte heel licht.
'Zeg hem dan dat hij naar u toe komt.' Osborn hield de hamer van het pistool met zijn duim naar achteren en de trekker overgehaald. Als ze op hem af zouden stormen, hoefde hij alleen zijn duim opzij te laten glijden en het wapen zou afgaan. 'Zeg het nu tegen hem!'
Von Holden wachtte nog een ogenblik langer en riep toen in het Duits: 'Doe wat hij zegt.'
Op von Holdens commando stapte Viktor onder de boom vandaan en liep over het gras naar von Holden toe.
Osborn staarde even zwijgend naar hen en liep toen langzaam achteruit

met het pistool nog steeds op von Holdens borst gericht. Hij bleef nog twintig passen achteruitlopen en toen hij onder een boom door liep, draaide hij zich om en rende weg. Hij stak een verlicht pad over, vloog met een paar sprongen een lage trap op en rende tussen nog meer bomen door over het gras. Toen hij omkeek, zag hij dat ze achter hem aan kwamen. Hun donkere silhouet tekende zich een ogenblik tegen de avondhemel af toen ze tussen het groepje bomen door renden dat hij net achter zich had gelaten.

Voor hem uit zag hij de lichten van het verkeer. Hij keek weer om. De bomen vervloeiden met het duister. Hij moest ervan uitgaan dat ze hem nog steeds volgden, maar hij kon het niet met zekerheid zeggen. Met bonkend hart en terwijl zijn voeten op het natte gras uitgleden, rende hij verder. Ten slotte voelde hij steen onder zijn voeten en hij zag dat hij de rand van het park had bereikt. Recht vóór hem zag hij straatlantaarns en een gestage verkeersstroom. Zonder te stoppen rende hij de straat op. Claxons toeterden en hij ontweek een auto en toen nog een. Hij hoorde bandengepiep en vervolgens een luide klap toen een taxi voor hem uitweek en een geparkeerde auto ramde. Een fractie van een seconde later knalde er een andere auto op de taxi. Een stuk van zijn bumper werd afgerukt en vloog het duister in.

Osborn keek niet meer om. Met van ademnood brandende longen dook hij achter een rij geparkeerde auto's weg, rende voorovergebogen een half blok door en schoot toen een zijstraat in. Vóór hem zag hij een kruising en een helder verlichte straat. Hijgend sloeg hij de hoek om en drong zich snel tussen de vele voetgangers door.

Hij schoof het pistool achter zijn riem, trok zijn jasje ervoor en probeerde zijn gedachten te ordenen. Hij passeerde een Burger King, draaide zich om en keek achter zich. Niemand. Misschien waren ze hem toch niet gevolgd. Misschien was het zijn verbeelding geweest. Hij bleef tussen de mensen in doorlopen.

Een paar belachelijk uitgedoste teenagers kwamen hem tegemoet en toen ze hem passeerden glimlachte een meisje tegen hem. Waarom had hij het pistool getrokken? De man had zich alleen maar omgedraaid. Het was heel goed mogelijk dat de tweede man niet eens bij hem had gehoord, maar gewoon iemand was die een wandelingetje maakte. Maar de onnatuurlijke houding van de onbekende en de afgemeten manier waarop hij zich had omgedraaid nadat hij goedenavond tegen hem had gezegd, hadden Osborn doen geloven dat hij aangevallen zou worden. Daarom had hij gedaan wat hij had gedaan. Hij had niet anders gekund. Hij had het risico niet kunnen nemen in de val gelokt te worden.

Op een klok in een etalage zag hij dat het 22.52 uur was.
Tot op dit moment had hij niet meer aan McVey gedacht. Over acht minuten moest hij in het hotel terug zijn en hij had er geen idee van waar hij was. Wat moest hij doen? Hem bellen? Een smoes verzinnen, zeggen dat hij... Hij sloeg een hoek om en zag het Europa Center recht voor hem. Op de begane grond zag hij het verlichte naambord van Hotel Palace boven de ingang ervan hangen.

Om zes minuten voor elf stapte Osborn in een lift en drukte op het knopje voor de vijfde verdieping. De deuren sloten zich en de lift ging omhoog. Hij was alleen en veilig.
Hij probeerde de mannen in het park te vergeten en keek rond in de lift. Naast hem was een spiegelwand en hij streek zijn haar naar achteren en trok zijn colbert glad. Op de wand tegenover hem was een toeristische poster geplakt met foto's van attracties die niet gemist mochten worden. In het midden ervan was een afbeelding van het Charlottenburgpaleis. Plotseling herinnerde hij zich wat Remmer eerder op de avond had gezegd. 'Het is een welkomstfeest voor een zekere Elton Karl Lybarger. Een industrieel uit Zürich die twee jaar geleden in San Francisco een zware beroerte heeft gehad en nu geheel hersteld is.'
'Verdomme,' vloekte hij zacht voor zich uit. 'Verdomme.'
Hij had het zich eerder moeten realiseren.

# 101

Om precies 22.58 uur klopte Osborn op de deur van kamer 6132. Een ogenblik later deed McVey open. Er stonden vijf mannen achter hem en ze keken hem allemaal zwijgend aan. Noble, Remmer, inspecteur Johannes Schneider en twee geüniformeerde leden van de Berlijnse politie.
'Zo Assepoester,' zei McVey op vlakke toon.
'Ik ben inspecteur Schneider kwijtgeraakt. Ik heb overal naar hem gezocht. Wat had ik anders moeten doen?' Osborn negeerde McVeys woedende blik, liep de kamer door naar de telefoon en draaide een nummer. Na een korte stilte kreeg hij iemand aan de lijn. 'Dokter Man-

del, alstublieft,' zei hij.
Remmer haalde zijn schouders op en bedankte de Berlijnse politiemannen. McVey schudde Schneider de hand en Remmer liet de drie mannen uit en sloot de deur.
'Ik bel wel terug, dank u.' Osborn legde de hoorn op de haak en keek McVey aan. 'Zeg het me maar als ik ongelijk heb,' zei hij met een energie die McVey niet meer bij hem had gezien sinds ze uit Engeland waren vertrokken, 'maar uit alles wat ik tot nu toe heb gehoord, moet ik concluderen dat de kans dat we genoeg bewijzen in handen krijgen om Scholl voor de rechter te slepen, laat staan dat hij wordt veroordeeld, bijna nihil is. Met of zonder arrestatiebevel. Hij is te machtig, heeft te veel connecties, en staat te ver boven de wet. Heb ik gelijk of niet?'
'Jij hebt het woord, Osborn.'
'Laten we er dan eens op een andere manier naar kijken en ons afvragen waarom iemand als Scholl de halve wereld over reist om een man te verwelkomen die nauwelijks lijkt te bestaan, terwijl hij tegelijkertijd de hand heeft in een golf van moorden die zich uitbreidt naarmate dat feest in Charlottenburg dichterbij komt.'
Osborn keek de anderen even aan en richtte zich toen weer tot McVey. 'Lybarger. Ik durf erom te wedden dat híj de sleutel tot dit alles is. En als we meer over hem aan de weet komen, zullen we een heleboel meer over Scholl ontdekken.'
'Als je denkt dat je met iets op de proppen kunt komen dat de Duitse federale politie niet heeft kunnen vinden, ga je je gang maar,' zei McVey.
'Ik hoop het, McVey.' Osborn knikte naar de telefoon. Hij was vol zelfvertrouwen. Hij wist nu dat hij het alleen nooit zou redden, maar ze zouden hem er ook niet buiten houden.
'Ik heb geprobeerd dokter Mandel te bellen. Hij is niet alleen de beste vaatchirurg die ik ken, maar ook directeur van het Algemeen Ziekenhuis van San Francisco. Als het waar is dat Lybarger daar een beroerte heeft gehad, moeten er in San Francisco medische gegevens over zijn.'

* * *

Von Holden was boos. Hij had Osborn moeten doden toen hij op hem afliep, toen de man op de bank zat. Maar hij had er zeker van willen zijn dat hij de juiste man voor zich had. Viktor en Natalia waren allebei betrouwbaar, maar ze hadden zich allebei alleen op Osborns foto gebaseerd. Het zou niet erg zijn geweest als hij de verkeerde had gedood, maar wel als hij zou denken dat hij de goede had gedood terwijl dat niet zo was. Daarom was hij zo dicht langs Osborn gelopen en had hij hem zelfs goedenavond gewenst. Toen had Osborn hem met het pistool verrast. Het was iets waarop hij voorbereid had moeten zijn omdat het overeenkwam met Scholls beoordeling dat Osborn in een zeer emotionele toestand verkeerde en daardoor hoogst onvoorspelbaar was. Desondanks had hij in staat moeten zijn hem te doden. Hij had opzettelijk naar Viktor gekeken om ervoor te zorgen dat Osborn zich zou omdraaien. Aan dat ene ogenblik zou hij genoeg hebben gehad. Maar in plaats daarvan was Osborn naar achteren gestapt om beide mannen tegelijkertijd te kunnen zien en hij had het pistool op von Holden gericht gehouden. Doordat hij de hamer naar achteren had getrokken en de trekker overgehaald hield, zou zijn duim van de hamer glijden wanneer hij neergeschoten werd. Het wapen zou dan afgaan en von Holden stond zo dichtbij dat het risico dat hij geraakt zou worden veel te groot was.

Toen Osborn was gevlucht en ze hem door het park achtervolgden, had hij geloerd op de kans om één zuiver schot op hem af te vuren. En als de Amerikaan ook maar één milliseconde was blijven staan en niet met volle vaart tussen het verkeer in de Tiergartenstrasse door was gerend, zou hij die kans ook hebben gehad. Maar dat was niet gebeurd en toen de twee auto's onmiddellijk daarna in zijn vuurlijn op elkaar waren geknald, was zijn laatste kans verkeken.

Von Holden was verontrust toen hij de laatste paar treden van de trap naar het appartement in de Sophie-Charlottenstrasse op liep. Het was niet zozeer een gevoel van verontrusting doordat hij had gefaald – zulke dingen gebeurden nu eenmaal – als wel een algeheel gevoel van onbehagen. Dat Osborn alleen het park was ingegaan, was een geschenk uit de hemel geweest en juist híj had dat voordeel moeten kunnen uitbuiten. Maar hij had het niet gedaan. Er leek een patroon in te zitten. Bernhard Oven had hem in Parijs moeten liquideren, maar dat was niet gelukt. Bij de bomaanslag op de trein van Parijs naar Meaux had zowel Osborn als McVey moeten omkomen en als ze het zouden overleven zou het moordcommando dat hij bijeengebracht had hen daarna hebben moeten doden. Maar ze waren nog steeds in leven. Het was niet zozeer geluk als wel iets anders. En voor von Holden persoonlijk was het iets wat veel onheilspellender was.

*Vorahnung.*

Het woord betekende voorgevoel en hij had het al sinds zijn jeugd gehad en voor hem behelsde het het voorteken van een voortijdige en verschrikkelijke dood. Het was een gevoel waarover hij geen controle had en dat een volkomen eigen leven leidde. Vreemd, hoe langer hij voor

Scholl werkte, hoe meer hij zich begon te realiseren dat deze met hetzelfde noodlot leefde als hij en dat de weg die deze man en degenen die hem volgden, hadden gekozen, gedoemd was uiteindelijk tot een catastrofe te leiden. Hij had er geen idee van waar het gevoel vandaan kwam en hij had er zeker geen bewijs voor dat hij gelijk had, want al vele jaren liep alles wat Scholl deed zoals hij wilde. Toch bleef het gevoel bestaan. Soms bleef het dagen, zelfs maanden, achter elkaar weg, maar het kwam altijd terug. En het ging gepaard met verschrikkelijke dromen, waarin grote, meer dan duizend meter hoge surrealistische gordijnen met de doorschijnende rood-met-groene kleur van het noorderlicht in de draaikolk van zijn geest op en neer golfden als gigantische zuigers. Zijn angst werd veroorzaakt doordat ze zo groot waren en doordat hij niet bij machte was om hun meedogenloze beweging te doen ophouden. En als hij uit zijn droom over deze 'dingen' zoals hij ze noemde, ontwaakte, baadde hij in het koude zweet en huiverde van afgrijzen en hij dwong zichzelf de rest van de nacht wakker te blijven uit angst dat de droom zou terugkeren. Hij vroeg zich vaak af of het chemische evenwicht in zijn lichaam misschien was verstoord en zelfs of hij een hersentumor had, maar hij wist dat hij daar niet aan leed omdat zijn gezondheid in de tussenliggende perioden uitstekend was.
En toen waren ze plotseling verdwenen, eenvoudigweg verdwenen. Al bijna vijf jaar had hij er geen last meer van gehad en hij was er zeker van dat hij genezen was. De laatste paar jaar had hij er nauwelijks meer aan gedacht, dat wil zeggen tot gisteravond, toen hij had gehoord dat McVey en de anderen per privé-vliegtuig uit Londen waren vertrokken. Hij hoefde niet naar hun bestemming te raden, die kende hij al. En toen hij naar bed was gegaan, was hij bang geweest om in slaap te vallen, want hij wist diep in zijn hart dat de 'dingen' zouden terugkomen. En dat was ook gebeurd en ze waren angstaanjagender dan ooit geweest.
Von Holden knikte naar de bewaker toen hij het appartement binnenkwam en een lange gang in liep. Toen hij bij de reeks bureaus aankwam, keek een tamelijk lange vrouw met een mollig gezicht en roodgeverfd haar op van haar computer waarop ze bezig was met een controle van het elektronische beveiligingssysteem van Charlottenburg.
'Hij is hier,' zei ze in het Duits.
'*Danke.*' Von Holden opende de deur van zijn kantoor en een vertrouwd gezicht glimlachte tegen hem.
Cadoux.

# 102

Het was even na tweeën in de ochtend. Drie uur en een dozijn telefoongesprekken nadat ze waren begonnen, hadden Osborn en McVey in samenwerking met dokter Herb Mandel in San Francisco en *special agent* Fred Hanley van de FBI-vestiging in Los Angeles een bruikbaar beeld weten te krijgen van wat er met Elton Lybarger was gebeurd terwijl hij in de Verenigde Staten was.
Geen enkel ziekenhuis in San Francisco had in zijn administratie gegevens waaruit bleek dat Lybarger daar ooit voor een beroerte was behandeld. Maar in september 1992 was een zekere E. Lybarger met een particuliere ziekenauto naar het exclusieve Palo Colorado Hospital in Carmel in Californië gebracht. Hij was daar tot maart 1993 gebleven en daarna overgebracht naar Rancho de Piño, een exclusieve verpleeginrichting even buiten Taos in New Mexico. Nauwelijks een week geleden was hij naar Zürich teruggevlogen in gezelschap van zijn Amerikaanse fysiotherapeute, Joanna Marsh. Het ziekenhuis in Carmel had zijn faciliteiten, maar geen personeel beschikbaar gesteld. Lybargers eigen dokter en één verpleegster hadden bij hem in de ziekenauto gezeten en een dag later hadden zich nog vier ziekenbroeders bij hen gevoegd. De verpleegster en de broeders hadden een Zwitsers paspoort. De dokter was een Oostenrijker en hij heette Helmuth Salettl.
Om 3.45 uur had Bad Godesberg vijf kopieën van dokter Salettls levensgeschiedenis en medische kwalificaties doorgefaxt. Remmer deelde ze uit en deze keer kreeg Osborn er ook een.
Salettl was een negenenzeventigjarige vrijgezel die bij zijn zuster in Salzburg in Oostenrijk woonde. Hij was in 1914 geboren en werkte als jonge chirurg aan de Universiteit van Berlijn toen de oorlog uitbrak. Hij werd later groepsleider bij de SS, tot Hitler hem tot inspecteur van de volksgezondheid benoemde. In de laatste dagen van de oorlog liet Hitler hem arresteren omdat hij had geprobeerd geheime documenten aan de Amerikanen door te spelen en hij werd ter dood veroordeeld. Hij werd in een villa buiten Berlijn in afwachting van zijn executie gevangengehouden, maar op het laatste moment overgebracht naar een andere villa in Noord-Duitsland waar hij door Amerikaanse troepen werd bevrijd. Nadat hij door geallieerde officieren in het kamp Oberursel in de buurt van Frankfurt was ondervraagd, werd hij naar Neurenberg gebracht waar hij werd berecht en vrijgesproken van 'het hebben voorbereid en uitgevoerd van agressieve oorlogshandelingen'. Daarna

keerde hij terug naar Oostenrijk waar hij tot zijn zeventigste een praktijk als internist had. Daarna ging hij met pensioen en behandelde nog slechts een select aantal patiënten. Een van hen was Elton Lybarger.
'Daar heb je het weer...' McVey was klaar met lezen en liet de papieren op de rand van het bed vallen.
'De nazi-connectie,' zei Remmer.
McVey keek Osborn aan. 'Waarom zou een arts zeven maanden doorbrengen in een ziekenhuis dat tienduizend kilometer van zijn woonplaats vandaan is om de supervisie over het herstel van één patiënt die een beroerte heeft gehad, op zich te nemen? Begrijp jij daar iets van?'
'Alleen als Lybarger een extreem zware beroerte had gehad of wanneer hij of zijn familie zeer excentriek of neurotisch was en zich voor zo'n soort verzorging blauw wilde betalen.'
'Osborn,' zei McVey nadrukkelijk, 'Lybarger heeft geen familie, weet u nog wel? En als hij zo ziek was dat hij zeven maanden lang een arts aan zijn bed moest hebben, zou hij dat zelf nooit hebben kunnen organiseren, in ieder geval in het begin niet.'
'Iemand heeft dat gedaan. Iemand heeft Salettl en zijn medisch team naar de v.s. gestuurd en ervoor betaald,' voegde Noble eraan toe.
'Scholl,' zei Remmer.
'Waarom niet?' McVey streek met een hand door zijn haar. 'Hij is eigenaar van Lybargers Zwitserse landgoed. Waarom zou hij zijn andere zaken ook niet geregeld hebben? Vooral als zijn gezondheid in het geding was.'
Noble pakte vermoeid een kopje thee van een dienblad dat naast hem stond. 'Dan komen we toch weer terug op het waaròm van dit alles.'
McVey liet zich op de rand van het bed zakken en pakte voor de zoveelste keer de uit vijf bladzijden bestaande, met enkele regelafstand gedrukte fax uit Bad Godesberg met de achtergrondinformatie over de gasten van Charlottenburg op. Ze behelsden niets waaruit zou kunnen blijken dat de gasten iets anders dan succesvolle Duitse burgers waren. Even gingen zijn gedachten naar de paar namen die ze niet hadden kunnen identificeren. Ja, dacht hij, het antwoord zou bij hen te vinden kunnen zijn, maar hoe of wat... Toch voelde hij aan zijn water dat het antwoord vlak vóór hem lag, ergens in de informatie die ze al hadden.
'Manfred,' zei hij terwijl hij Remmer aankeek, 'we halen van alles ondersteboven, we zoeken, we discussiëren, we ontvangen van een van de doelmatigste politiekorpsen ter wereld vertrouwelijke informatie over staatsburgers en wat gebeurt er? We blijven met ons hoofd tegen de muur lopen. We kunnen zelfs de deur niet openen. Maar we weten dat er iets achter die deur is. Misschien heeft het te maken met wat er mor-

genavond gaat gebeuren, misschien ook niet. Maar in ieder geval zullen we morgen in de loop van de dag met het arrestatiebevel in onze hand onze nek gaan uitsteken en Scholl met wat vragen in het nauw drijven. We zullen één kans krijgen voordat de advocaten het overnemen. En als we hem niet zo laten zweten dat hij direct bekent, of hem in ieder geval zo onder druk weten te zetten dat hij iets loslaat wat we kunnen gebruiken om hem te blijven achtervolgen, als we aan het eind van de dag niet méér weten dan nu...'
'McVey,' zei Remmer voorzichtig, 'waarom noem je me Manfred terwijl je me altijd Manny noemt...?
'Omdat je een Duitser bent en ik het speciaal tegen jou heb. Als dit feest voor Lybarger een bijeenkomst van een soort nazi-achtige politieke groepering zal blijken te zijn, wat zouden ze dan bespreken? Hoe ze een nieuwe poging kunnen doen om de joden uit te roeien?' McVeys stem werd zachter, maar klonk tegelijkertijd bevlogener. Hij verwachtte niet zozeer een antwoord als wel een verklaring. 'Het financieren van een militair apparaat dat door Europa en Rusland zal razen en plannen heeft met de rest van de wereld? Een herhaling van wat er eerder is gebeurd? Waarom zou iemand dat willen? Vertel het me, Manfred, want ik weet het niet.'
'Ik...' – Remmer balde een vuist – '...weet het ook niet...'
'Echt niet?'
'Nee.'
'Ik denk dat je het wel weet.'
Er viel een dodelijke stilte in de kamer. Geen van de vier mannen bewoog zich en ze ademden nauwelijks. Toen dacht Osborn dat hij Remmer een stap naar achteren zag doen.
'Kom op, Manfred...' zei McVey luchtig. Maar het was niet luchtig bedoeld. Hij had opzettelijk een teer punt geraakt en Remmer was erdoor overvallen.
'Het is oneerlijk, Manfred, dat weet ik,' zei McVey zacht. 'Maar ik vraag het toch, omdat het ons misschien verder kan helpen.'
'McVey, ik kan niet...'
'Ja, dat kun je wel.'
Remmer keek rond in de kamer. '*Weltanschauung*,' zei hij bijna fluisterend. 'Hitlers levensvisie. In zijn ogen was het leven een eeuwige strijd waarin alleen de sterksten overleefden en de allersterksten heersten. Hij meende dat de Duitsers eens de allersterksten waren geweest en daarom voorbestemd waren om te heersen. Maar hun kracht was in de loop van de generaties verzwakt omdat het echte Duitse ras was vermengd met veel minder superieure rassen. Hitler geloofde dat rasver-

menging de enige oorzaak van de ondergang van oude culturen was. Daarom had Duitsland de Eerste Wereldoorlog verloren, omdat de Ariër de zuiverheid van zijn bloed had laten aantasten. Voor Hitler waren de Duitsers supermensen en ze zouden weer kunnen worden wat ze eens waren geweest, maar alleen door uiterst zorgvuldig fokken.'
De hotelkamer was een theater geworden met een publiek van drie personen en Remmer was de enige acteur op het toneel. Hij stond rechtop met zijn schouders naar achteren getrokken. Zijn ogen glansden en het zweet stond op zijn voorhoofd. Hij fluisterde niet meer, maar oreerde en wat hij zei was zo bondig dat het leek of hij het uit zijn hoofd had geleerd. Of, beter gezegd, of hij het uit zijn hoofd had geleerd en daarna bewust was vergeten.
'Toen de nazi-beweging ontstond, waren er zo'n tachtig miljoen Duitsers; hij voorzag dat er binnen honderd jaar tweehonderdvijftig miljoen of meer zouden zijn. Daarvoor zou Duitsland *Lebensraum* nodig hebben, veel ervan, opdat de natie verzekerd zou zijn van volledige bestaansvrijheid op haar eigen voorwaarden. Maar *Lebensraum*, en de bodem eronder, zei Hitler, bestaat alleen voor het volk dat de kracht heeft die te veroveren. Daarmee bedoelde hij dat het nieuwe Reich opnieuw de weg van de Teutoonse ridders moest volgen. Verover met het Germaanse zwaard grond voor de Germaanse ploeg en brood voor de Germaanse maag.'
'Dus ze gingen opnieuw het rechte pad op door zes miljoen joden uit te roeien om te voorkomen dat die met Jan en alleman de koffer zouden induiken?' McVey klonk als een oude plattelandsadvocaat, alsof hij op de een of andere manier iets had gemist en het niet begreep. Hij hield zijn toon luchtig omdat hij wist dat Remmer zich zou verzetten, zou verdedigen wat er was gebeurd vanwege zijn eigen schuldgevoel.
'Je moet begrijpen hoe de zaken ervoor stonden. Dit was na een verpletterende nederlaag in de Eerste Wereldoorlog. Het Verdrag van Versailles had ons onze waardigheid afgenomen en er heersten een enorme inflatie en massale werkloosheid. Wie zou zich tegenover een leider opstellen die ons onze trots en ons zelfrespect teruggaf? Hij betoverde ons en we werden meegesleept. Kijk naar de oude films, de foto's. Kijk naar de gezichten van de mensen. Ze hielden van hun Führer. Ze hielden van zijn woorden en van de bezieling die eruit sprak. Daarom vergaten ze volkomen dat het de woorden waren van een onontwikkelde, gestoorde man...' Remmers gezicht verloor zijn uitdrukking en hij zweeg alsof hij plotseling niet meer wist wat hij wilde zeggen.
'Waarom?' siste McVey als een souffleur die tussen het publiek zat. 'We hebben een geschiedenisles gehad, Manfred. Vertel ons nu de waar-

heid. Waarom werden jullie meegesleept door Hitlers woorden? Waarom kwamen jullie in de ban van de ideeën en de bevlogenheid van een onontwikkelde, gestoorde man? Je schuift de hele schuld op één man.'

Remmers ogen schoten rond in de kamer. Hij was zo ver gegaan als hij kon en wilde gaan.

'De nazi's waren meer dan Hitler alleen, Manfred.' McVey was niet langer de plattelandsadvocaat die het niet begreep, maar hij doorboorde nu met zijn stem Remmers onderbewustzijn en eiste dat hij dieper groef. 'Hoe machtig hij ook was, hij was het niet alleen...'

Remmer staarde naar de vloer. Langzaam hief hij zijn hoofd op, met een blik die was vervuld van afgrijzen. 'We geloven de mythen alsof ze een religie zijn. Ze zijn primitief, volkseigen en ingeworteld en ze liggen net onder het oppervlak te wachten op het moment in de geschiedenis dat er een charismatisch leider zal opstaan om ze tot leven te brengen... Hitler was de laatste van hen en tot op de dag van vandaag zouden we hem overal volgen. Het is de oude cultuur, McVey, de cultuur van Pruisen en lang daarvoor. Teutoonse ridders die te paard uit de nevelen te voorschijn komen. In volle wapenrusting met hun zwaard hoog geheven in hun gepantserde vuist. Dreunende hoeven die de grond doen schudden en alles op hun pad vertrappen. Veroveraars. Heersers. Ons land. Onze lotsbestemming. We *zijn* superieur. Het superras. Duitsers van zuiveren bloede met blond haar, blauwe ogen en de rest.'

Remmer fixeerde McVey met zijn blik. Toen wendde hij zich af, schudde een sigaret uit zijn pakje, stak hem aan en liep naar de andere kant van de kamer, waar hij in zijn eentje op een bank ging zitten. Hij was zo ver van de anderen vandaan als maar mogelijk was. Hij boog zich naar voren, schoof een asbak naar zich toe en keek naar de vloer. Hij hield de sigaret tussen zijn geelgerookte vingers zonder er een trekje van te nemen en de rook kringelde naar het plafond.

# 103

Osborn lag in het vage licht van het ochtendgloren te luisteren naar de zware ademhaling van Noble, die in het bed tegenover het zijne lag. McVey en Remmer lagen in de andere kamer te slapen. Ze hadden het licht om halfvier uitgedaan. Het was nu kwart voor zes. Hij betwijfelde of hij twee uur had geslapen.

Sinds ze in Berlijn waren, had hij gemerkt dat McVey steeds gefrustreerder en zelfs wanhopiger raakte terwijl ze probeerden de beschermende lagen rondom Erwin Scholl los te pellen. Dat was ook de reden geweest dat McVey Remmer onder druk had gezet om, al was het dan nog zo meedogenloos, iets essentieels bloot te leggen dat ze allemaal hadden kunnen begrijpen. En hij had het begrepen... Het ging niet, zoals Remmer had beweerd, om Teutoonse ridders die uit de nevel te voorschijn komen rijden. Het ging om *arrogantie*. Het idee dat zij of wie dan ook zichzelf tot superras konden uitroepen om vervolgens alle anderen te vernietigen om het te bewijzen. Het woord was volledig op Scholl van toepassing. Hij had de hoogmoed om te manipuleren en te moorden en zich tegelijkertijd op te werpen als de biechtvader van koningen en presidenten. Het was een houding waarmee ze rekening zouden moeten houden als ze Scholl persoonlijk zouden ontmoeten. Ja, dat was alles wat het was geweest, een tip over hoe ze Scholl moesten benaderen. Het was niets concreets.

Lybarger was dat wel en Osborn wist zeker dat hij in het geheel een centrale rol speelde. Toch leken ze niets meer over hem te kunnen ontdekken dan het weinige dat ze tot nu toe in handen hadden gekregen. Het enige veelbelovende was dat dokter Salettl op de gastenlijst van Charlottenburg stond, maar tot dusver had het BKA hem nergens kunnen vinden. Niet in Oostenrijk, niet in Duitsland en niet in Zwitserland. Als hij kwam, waar was hij dan nu?

Er moest meer zijn. Maar wat? En waar konden ze het vinden?

McVey was wakker en zat aantekeningen te maken toen Osborn binnenkwam.

'We gaan er maar steeds van uit dat Lybarger geen familie heeft, maar hoe weten we dat zo zeker?' vroeg Osborn nadrukkelijk.

'Ik ben een Oostenrijkse arts en behandel zeven maanden een ernstig zieke Zwitserse patiënt in Carmel in Californië. Langzamerhand wordt hij beter. Er ontstaat een bepaald vertrouwen. Als hij een vrouw, een

kind of een broer zou hebben...'
'Zou hij hun willen laten weten hoe het met hem ging,' vulde McVey aan.
'Ja, en als hij een beroerte had gehad, zoals Lybarger, zou hij moeite hebben met praten en waarschijnlijk ook met schrijven. Het zou een probleem zijn contact met zijn familie te onderhouden, dus zou hij mij vragen het voor hem te doen. En ik zou hem helpen. Niet door te schrijven, maar door te bellen. Minstens één keer per maand.'
Remmer, die nu ook wakker was, ging rechtop zitten. 'De administratie van het telefoonbedrijf.'

Iets meer dan een uur later kwam er een fax binnen van FBI-agent Fred Hanley uit Los Angeles.
Het waren bladzijden vol telefoongesprekken die op Salettls privétoestel in het Palo Colorado Hospital in Carmel in Californië waren gevoerd. In totaal zevenhonderdzesendertig gesprekken. Hanley had meer dan vijftien verschillende nummers over de hele wereld met rood omcirkeld. Dat waren de nummers waarop Salettl Erwin Scholl had gebeld. De meeste andere telefoontjes waren lokaal of naar Oostenrijk of Zürich geweest. Ertussen verspreid waren echter vijfentwintig gesprekken gevoerd met landnummer 39, Duitsland. Het stadsnummer was 30, Berlijn.
McVey legde de papieren neer en wendde zich tot Osborn. 'Je bent goed op dreef, dokter.' Hij keek Remmer aan. 'Het is jouw stad. Wat gaan we doen?'
'Hetzelfde als in L.A.. We gaan haar een bezoekje brengen.'

7.45 uur.
'Die Karolin Henniger,' zei McVey toen Remmer de Mercedes voor de dure antiekgalerie in de Kantstrasse parkeerde. 'Ik denk niet dat we kunnen aannemen dat ze rechtstreeks met Lybarger te maken heeft. Ze zou een familielid, een vriendin of zelfs een minnares van Salettl kunnen zijn.'
'Dat zullen we dan wel zien.' Osborn opende het portier en stapte uit. Het was zijn plan en McVey liet hem zijn gang gaan. Osborn was een Amerikaanse arts die probeerde voor een collega in Californië dokter Salettl te vinden. Remmer was een Duitse vriend die hij had meegebracht om te vertalen, voor het geval Karolin Henniger geen Engels sprak. Verder zouden ze gewoon inhaken op wat ze zou zeggen.
McVey en Noble keken vanuit de Mercedes toe terwijl ze het gebouw binnenliepen. Aan de overkant van de straat hielden rechercheurs van

het BKA vanuit een lichtgroene BMW een oogje in het zeil. Toen Remmer eerder Karolin Hennigers adres had opgespoord, had McVey kardinaal Charles O'Connel, een oude vriend in Los Angeles, gebeld. McVey wist dat Scholl katholiek was en een belangrijke geldinzamelaar voor zowel het aartsbisdom New York als het aartsbisdom Los Angeles. Daarom zou hij O'Connel goed kennen. Dit was het enige terrein waarop Scholl zich als iedere andere katholiek gedroeg. Als de kardinaal hem een persoonlijk verzoek deed, stemde hij daarin toe, hoffelijk en zonder vragen te stellen. McVey had O'Connel verteld dat hij in Berlijn was en hem gevraagd of de kardinaal een ontmoeting tussen hem en Scholl, die ook in Berlijn was, kon regelen. Het was belangrijk. O'Connel vroeg niet waarom, maar zei alleen dat hij zijn best zou doen en terugbellen.

'Het is belangrijk dat je goed begrijpt', zei Remmer terwijl hij en Osborn de smalle trap naar de appartementen op de bovenste verdieping van de galerie beklommen, 'dat deze vrouw geen misdrijf heeft gepleegd en niet verplicht is vragen te beantwoorden. Als ze niet wil praten, dat hoeft ze dat ook niet.'

'Uitstekend.' Wettelijke beperkingen waren iets waarover Osborn nu niet wilde nadenken. Ze raakten in tijdnood en het enige dat telde, was dat ze op de een of andere manier een opstapje naar Scholl kregen.

De appartementen 1 en 2 waren direct links en rechts van de trap. Appartement 3, aan het eind van de korte gang, was dat van Karolin Henniger.

Osborn was het eerst bij de deur. Hij keek Remmer aan en klopte. Het bleef even stil, toen hoorden ze voetstappen, de grendel werd teruggeschoven en de deur werd op het kettingslot geopend.

Een aantrekkelijke vrouw in een mantelpakje tuurde door de opening naar hen. Ze had kort peper-en-zoutkleurig haar en was waarschijnlijk midden veertig.

'Karolin Henniger?' vroeg Osborn beleefd.

Ze keek eerst Osborn en toen Remmer aan.

'Ja...' zei ze.

'Spreekt u Engels?'

'Ja.' Ze keek Remmer weer aan. 'Wie bent u? Wat wilt u?'

'Mijn naam is Osborn. Ik ben arts en kom uit de Verenigde Staten. We proberen iemand te vinden die u misschien kent... een zekere dokter Helmuth Salettl.'

De vrouw verbleekte plotseling. 'Ik ken niemand die zo heet,' zei ze. 'Niemand. Het spijt me. *Guten Tag*!'

Ze stapte achteruit en sloot de deur. Ze hoorden haar de grendel terug-

schuiven en iemands naam roepen.
Osborn bonkte op de deur. 'Alstublieft, we hebben uw hulp nodig!'
Ze hoorden binnen praten en haar stem stierf weg. Toen hoorden ze het verre geluid van een deur die werd dichtgeslagen.
'Ze gaat de achterdeur uit.' Osborn draaide zich om naar de trap.
Remmer stak een hand uit om hem tegen te houden. 'Ik heb u gewaarschuwd. Het is haar goed recht om niet te antwoorden. We kunnen er niets aan doen.'
'Ú misschien niet!' Osborn drong zich langs hem.

McVey en Noble bespraken de mogelijkheid dat Salettl zelf de chirurg was die de operaties had uitgevoerd waarvan de hoofdloze lichamen het resultaat waren, toen Osborn de voordeur uit kwam rennen.
'Kom mee!' schreeuwde hij. Daarna schoot hij een hoek om en verdween in een steeg.
Osborn was op volle snelheid toen hij hen zag. Karolin Henniger had het portier van een beige Volkswagen-bestelbus geopend en spoorde een jongen aan snel in te stappen.
'Wacht!' schreeuwde hij. 'Wacht! Alstublieft!'
Osborn bereikte de auto op het moment dat ze de motor startte.
'Alstublieft, ik moet met u praten!' smeekte hij. Er klonk bandengepiep en de auto schoot vooruit. 'Niet doen!' Osborn rende met de auto mee. 'Ik wil u geen kwaad doen...'
Het was te laat. Osborn zag McVey en Noble achteruitspringen toen de auto het eind van de steeg bereikte. Toen scheurde hij slingerend de hoek om en was verdwenen.

'We hebben de kans gewaagd en het is niet gelukt. Dat gebeurt nu eenmaal,' zei McVey een paar minuten later toen ze in de Mercedes waren gestapt en Remmer wegreed.
Osborn keek Remmer in de achteruitkijkspiegel aan. Hij was boos. 'Je hebt haar gezicht gezien toen ik Salettls naam noemde. Ze weet ervan af, verdomme. Van Salettl en ik wed ook van Lybarger.'
'Misschien heb je gelijk, Osborn,' zei McVey kalm. 'Maar ze is Albert Merriman niet. Je kunt niet proberen haar te vermoorden om erachter te komen.'

# 104

Het zonlicht stroomde plotseling door de ronde ramen toen de jet met zestien zitplaatsen door het wolkendek brak en in noordoostelijke richting overhelde om aan de negentig minuten durende vlucht naar Berlijn te beginnen.

Joanna leunde achterover en sloot een ogenblik haar ogen van opluchting. Zwitserland, hoe mooi het ook was, lag achter haar. Morgen om deze tijd zou ze op het vliegveld Tegel in Berlijn op haar vlucht naar Los Angeles wachten.

Tegenover haar zat Elton Lybarger vredig te dommelen. Als hij zich ook maar enigszins bezorgd maakte over de gebeurtenissen die later op de dag zouden plaatsvinden, dan was dat nergens aan te merken. Dokter Salettl, die er bleek en vermoeid uitzag, zat in een draaistoel tegenover hem en maakte aantekeningen in een zwartleren schrijfbloc op zijn schoot. Af en toe keek hij op om in het Duits te praten met Uta Baur die van een modeshow in Milaan was teruggekomen om hen naar Berlijn te vergezellen. Op de stoelen direct achter haar zaten meneer Lybargers neven, Eric en Edward, zwijgend en in een verbluffend hoog tempo te schaken.

Zoals altijd verontrustte Salettls aanwezigheid Joanna en ze richtte haar gedachten doelbewust op 'Kelso' zoals ze de zwarte sint-bernardpuppy had genoemd die von Holden haar had gegeven. Ze had Kelso te eten gegeven, uitgelaten en ten afscheid gezoend. Morgen zou hij met een directe vlucht van Zürich naar Los Angeles worden gestuurd, waar hij de paar uur voordat Joanna zou aankomen zou worden vastgehouden. Daarna zouden ze naar Albuquerque vliegen en vervolgens hoefden ze nog maar drie uur te rijden en ze zouden thuis in Taos zijn.

Nadat ze de videofilm had gezien was haar eerste gedachte geweest een advocaat te nemen om schadevergoeding van hen te eisen. Maar toen ze er beter over had nagedacht, had ze zich afgevraagd welk doel daarmee gediend zou zijn. Een proces zou alleen meneer Lybarger maar verdriet doen en zelfs een ernstige lichamelijke terugslag kunnen veroorzaken, vooral als het proces zich zou voortslepen. Dat wilde ze niet, omdat ze veel om hem gaf en bovendien was hij even onschuldig als zij en later net zo ontzet. Ze had alleen maar zo snel mogelijk uit Zwitserland willen vertrekken en net doen alsof het nooit was gebeurd. Toen had von Holden haar zijn oprechte verontschuldigingen aangeboden, haar de puppy gegeven en ten slotte nog een cheque voor een enorm geldbedrag voor

haar achtergelaten. Het bedrijf had zich verontschuldigd en von Holden ook. Wat kon ze eigenlijk nog meer verwachten?
Toch vroeg ze zich nog af of ze er wel goed aan had gedaan dat ze de cheque van meneer Lybargers bedrijf had geaccepteerd. Ze had er ook haar bedenkingen over dat ze Ellie Barrs, de hoofdzuster in Rancho Piñero, had verteld dat ze niet direct weer aan het werk zou gaan en misschien wel helemaal niet meer. Misschien had ze dat niet moeten doen. Maar al dat geld! Mijn God, een half miljoen dollar! Ze zou onmiddellijk een beleggingsadviseur zoeken, het geld allemaal wegzetten en van de rente gaan leven. Nou ja, misschien zou ze wel een paar dingen kopen, maar niet veel. Verstandig investeren, dat was het slimste.
Plotseling begon er een rood lampje in het paneel recht tegenover haar te knipperen. Omdat ze niet precies wist wat ze moest doen, deed ze maar niets.
'Je wordt gebeld.' Eric leunde van achteren om haar stoel heen.
'Dank je,' zei ze en nam de hoorn van de haak.
'Goedemorgen. Hoe gaat het met je?' Von Holden klonk vrolijk en opgewekt.
'Heel goed, Pascal.' Ze glimlachte.
'Hoe gaat het met meneer Lybarger?'
'Het gaat heel goed met hem. Hij doet nu een dutje.'
'Je komt over een uur aan. Er zal een auto op je wachten.'
'Kom je ons niet afhalen?'
'Ik ben gevleid door de teleurgestelde klank in je stem, Joanna. Ik zie je pas later op de dag. Ik vrees dat ik op de valreep nog van alles moet doen. Ik wilde alleen even weten of alles in orde is.'
De warme klank in von Holdens stem deed Joanna glimlachen.
'Alles is in orde. Je hoeft je nergens zorgen over te maken.'

Von Holden hing de autotelefoon in een module naast de versnellingspook en sloeg toen met de grijze BMW rechtsaf de Friedrichsstrasse in. Recht vóór hem stopte een bestelwagen abrupt en hij moest op de rem gaan staan om er niet tegenop te knallen. Vloekend zwenkte hij eromheen en streek afwezig met een hand over de rechthoekige plastic doos om te controleren of die niet van de stoel naast hem was gegleden doordat hij zo snel had moeten stoppen. Op een digitale klok met rode neoncijfers in de etalage van een juwelierszaak was het bijna tien over halfelf.
In de laatste paar uur waren de zaken ingrijpend veranderd. Misschien ten goede. De Berlijnse afdeling had de twee zogenaamd 'veilige' telefoons in kamer 6132 in het Hotel Palace afgetapt door een nieuw type

microgolf ontvanger die in een gebouw aan de andere kant van de straat stond, te gebruiken. Telefoontjes van en naar de kamer waren opgenomen en het bandje was naar het appartement in de Sophie-Charlottenstrasse gebracht. Daar had een secretaresse het bandje uitgetikt en de tekst aan von Holden gegeven. De apparatuur was pas de vorige avond tegen elven geïnstalleerd, dus de gesprekken die daarvóór waren gevoerd, hadden ze gemist. Maar wat ze daarna hadden opgenomen, was voor von Holden voldoende reden om onmiddellijk een gesprek met Scholl aan te vragen.
Von Holden passeerde Hotel Metropole, stak Unter den Linden over en kwam met een ruk voor het Grand Hotel tot stilstand. Hij klemde de plastic doos onder zijn arm, stapte uit, liep het hotel binnen en nam de lift naar Scholls suite.
Een secretaris kondigde hem aan en bracht hem toen naar binnen. Scholl zat aan zijn bureau te telefoneren toen von Holden binnenkwam. Tegenover hem zat een man aan wie von Holden een enorme hekel had en die hij al enige tijd niet had gezien: H. Louis Goetz, Scholls Amerikaanse advocaat.
'Meneer Goetz.'
'Von Holden.'
Goetz was vijftig jaar, gehaaid, onbeschoft en te fit en te gekunsteld. Hij zag eruit alsof hij de helft van de dag aan zijn uiterlijk besteedde. Zijn nagels waren gemanicuurd en gelakt, zijn huid was diep gebruind en hij droeg een blauw gestreept Armani-kostuum. Zijn geföhnde haar was aan de slapen een chic tikkeltje grijs, alsof hij het opzettelijk op die plekken had laten verven. Hij maakte de indruk alsof hij net van een tenniswedstrijd in Palm Springs of een begrafenis in Palm Beach kwam. Er deden geruchten de ronde dat hij connecties met de mafia had, maar het enige wat von Holden zeker wist was dat hij op dit moment een sleutelrol speelde bij een op handen zijnde transactie van Scholl en Margarete Peiper, die zich in een topimpresariaat in Hollywood wilden inkopen zodat de Organisatie de platen-, film- en televisie-industrie effectiever zou kunnen beïnvloeden. En, niet toevallig, het publiek dat erdoor werd bediend. De omschrijving koud schoot in Goetz' geval tekort. IJskoud kwam dichter in de buurt.
Von Holden wachtte tot Scholl zou ophangen, zette toen de plastic doos voor hem neer en opende die. Er zat een klein afspeelapparaat in en de banden van de gesprekken die door de Berlijnse afdeling waren opgenomen.
'Ze hebben een complete gastenlijst en een gedetailleerd dossier over Lybarger. Ze weten ook van Salettl af. Bovendien heeft McVey gere-

geld dat de kardinaal van Los Angeles u in de loop van de ochtend belt om u te vragen of u McVey vanavond, een uur voordat de gasten arriveren, in Charlottenburg wilt ontmoeten. Hij weet dat u dan afgeleid zult zijn en hoopt dat tijdens de ondervraging te kunnen uitbuiten.'

Scholl negeerde de anderen, pakte de tekst van de banden en bestudeerde die. Toen hij klaar was, overhandigde hij ze aan Goetz. Daarna zette hij de koptelefoon op en luisterde naar de bandjes, waarbij hij af en toe doorspoelde als het niet om belangrijke zaken ging. Ten slotte zette hij het apparaat uit en schoof de koptelefoon van zijn hoofd.

'Ze hebben precies alles gedaan wat ik verwachtte, Pascal. Ze hebben hun bronnen gebruikt, op voorspelbare manieren informatie verzameld over de reden voor mijn aanwezigheid in Berlijn en daarna geregeld dat ze me te spreken zouden krijgen. Dat ze van meneer Lybarger en van dokter Salettl af weten, en zelfs dat ze de gastenlijst hebben, heeft niets te betekenen. Nu we echter zeker weten dat ze komen, zullen we ons plan moeten uitvoeren.'

Goetz keek op van de papieren. Wat hij las en hoorde, beviel hem niet.

'Ga je ze te grazen nemen, Erwin? Drie politiemannen en een dokter?'

'Zoiets, meneer Goetz. Waarom, is dat een probleem?'

'Probleem? Jezus-nog-aan-toe, Bad Godesberg heeft de gastenlijst. Als je die drie klojo's van kant maakt, gaat de hele godvergeten federale politie zich ermee bemoeien. Hoe zou jij dat dan in christusnaam willen noemen? Wil je soms dat ze de hele klerezooi gaan omspitten?'

Von Holden zei niets. Wat drukten Amerikanen zich toch graag grof uit, wie ze ook waren.

'Meneer Goetz,' zei Scholl kalm, 'hoe zou de federale politie zich ermee moeten bemoeien? Wat zouden ze in hun rapporten moeten zetten? Een man van middelbare leeftijd die van een ernstige ziekte is hersteld, geeft in Charlottenburg een licht prikkelende, maar in wezen saaie toespraak voor honderd slaperige burgers die zijn herstel vieren en daarna gaat iedereen naar huis. Duitsland is een vrij land en zijn burgers kunnen er doen en laten wat ze willen.'

'Maar je zit dan nog steeds met drie dode politiemannen en een dode chirurg die hen op het spoor hiervan heeft gezet. Wat denk je dat ze daaraan gaan doen? Je dacht toch niet dat ze dat zomaar over hun kant laten gaan?'

'De bewuste heren, meneer Goetz, zijn, evenals u, von Holden en ik, in een grote Europese stad die wemelt van de ambitieuze en snode lieden. Voordat de dag om is, zullen McVey en zijn vrienden zich bevinden in een situatie die op geen enkele manier met de Organisatie in verband kan worden gebracht. En wanneer de autoriteiten erachter beginnen te

komen wat er is gebeurd, zullen ze tot hun verbazing ontdekken dat deze ogenschijnlijk rechtschapen burgers een zeer smerig, onderling verbonden verleden hebben vol duistere geheimen die ze met succes voor hun gezinnen en collega's verborgen hebben weten te houden. Geenszins het soort mannen van wie je zou verwachten dat ze de beschuldigende vinger naar mensen zoals ik of honderd van de meest gerespecteerde vrienden en burgers van Duitsland zouden uitsteken, tenzij het natuurlijk uit financiële motieven gebeurde en ze probeerden ons te chanteren of af te persen. Heb ik gelijk of niet, Pascal?'
Von Holden knikte. 'Natuurlijk.' Het isoleren en liquideren van McVey, Osborn, Noble en Remmer was zijn verantwoordelijkheid, de rest zou Scholl via zijn agenten in Los Angeles, Frankfurt en Londen regelen.
'Ziet u wel, meneer Goetz? Er is niets om ons druk over te maken. Helemaal niets. Dus tenzij u van mening bent dat we iets over het hoofd hebben gezien dat het waard is om verder te bespreken, zou ik graag terugkeren tot de kwestie van het aankopen van het impresariaat.'
Scholls telefoon zoemde en hij nam op. Hij luisterde, keek Goetz aan en glimlachte. 'Zeer zeker,' zei hij. 'Voor kardinaal O'Connel ben ik er altijd.'

# 105

Osborn stond onder de douche en probeerde kalm te worden. Het was vrijdag 14 oktober en het was net negen uur in de ochtend. In Berlijn zou over elf uur de ceremonie in Charlottenburg beginnen.
Via Karolin Henniger hadden ze er meer over aan de weet kunnen komen, maar ze konden haar niet onder druk zetten. Remmer had haar antecedenten nog een keer nagetrokken toen ze in het hotel teruggekeerd waren. Karolin Henniger was een Duitse staatsburger en de alleenstaande moeder van een elfjarig zoontje. Ze had het eind van de jaren zeventig en het grootste deel van de jaren tachtig in Oostenrijk doorgebracht en was in de zomer van 1989 naar Berlijn teruggekeerd. Ze stemde, betaalde haar belasting en had geen strafblad. Remmer had gelijk gehad; ze konden niets doen.

Toch wist ze ervan; daarvan was Osborn zeker.
Plotseling werd de badkamerdeur met een klap geopend.
'Osborn!' blafte McVey. 'Kom eronder vandaan. Meteen!'
Dertig seconden later stond Osborn naakt en druipend met een handdoek om zijn middel naar de televisie in de voorkamer te staren die McVey aan had staan. Het was een live uitzending uit Parijs over de uiterst sombere procedures in het Franse parlement, waarbij de ene spreker na de andere opstond, een korte verklaring aflegde en vervolgens weer ging zitten. Wat ze zeiden werd overstemd door een indringend commentaar in het Duits en daarna werd er iemand in het Frans geïnterviewd. McVey hoorde de naam François Christian.
'Zijn ontslag,' zei Osborn.
'Nee,' zei McVey. 'Ze hebben zijn lijk gevonden. Ze zeggen dat hij zelfmoord heeft gepleegd.'
'Jezus Christus,' fluisterde Osborn. 'O Jezus Christus.'
Remmer belde op de ene telefoon met Bad Godesberg en Noble op de andere met Londen. Ze wilden allebei meer bijzonderheden weten. McVey drukte op een knop van de afstandsbediening en ze kregen een Engelse simultaanuitzending te zien.
'Het lijk van de premier hing aan een boom toen het door een vroege jogger in het bos buiten Parijs werd gevonden,' zei een vrouwenstem terwijl er een lange opname werd vertoond van een stuk bos dat door de Franse politie afgezet was.
'Volgens zeggen was Christian al dagenlang neerslachtig. De druk om tot een verenigd Europa te komen, had tweedracht gezaaid tussen de Franse regering en de bevolking en hij was de spreekbuis van een minderheid die er uitgesproken tegen gekant was. Vanwege zijn volharding had hij het vertrouwen van de ministerraad verloren. Volgens bronnen binnen de regering was hij tot aftreden gedwongen en reeds vanmorgen zou bekendgemaakt worden dat hij ontslag had ingediend. Volgens berichten die van zijn vrouw afkomstig zouden zijn, had hij er echter van afgezien ontslag te nemen en om een gesprek met de partijleiders gevraagd, dat vandaag zou plaatsvinden.' De presentatrice zweeg even en gaf toen commentaar bij de daaropvolgende beelden. 'De Franse vlaggen wapperen halfstok en de Franse president heeft een dag van nationale rouw afgekondigd.'
Osborn wist dat McVey tegen hem praatte, maar hij hoorde er niets van. Hij kon alleen aan Vera denken. Hij vroeg zich af of ze het al wist en zo ja, hoe ze erachter gekomen was en als ze het niet wist, waar en wanneer ze erachter zou komen en hoe ze zich daarna zou voelen. De gedachte hoe opmerkelijk het was dat hij zich het lot van haar voorma-

lige minnaar zo aantrok, drong zich aan hem op. Maar zoveel hield hij nu eenmaal van haar. Haar verdriet was zijn verdriet. Haar pijn was zijn pijn. Hij wilde bij haar zijn, haar in zijn armen houden en haar verdriet met haar delen. Hij wilde er voor haar zijn. Het interesseerde hem niets wat McVey zei.
'Houd nu eens even je mond en luister naar me alsjeblieft!' voer Osborn plotseling uit. 'Vera Monneray... François Christian heeft haar naar een plaats gebracht waar ze was toen ik haar vanuit Londen belde. Het is ergens op het Franse platteland. Ze heeft het misschien nog niet gehoord. Ik wil haar bellen. En ik wil dat jij me vertelt of het veilig is dat te doen.'
'Ze is daar niet.' Noble had net de hoorn op de haak gelegd en keek hem aan.
'Wat bedoelt u?' De angst sloeg Osborn om het hart. 'Hoe zou u zelfs maar...?' Hij zweeg abrupt. Het was een domme vraag. De wereld van deze mensen was hem vreemd en wat ze allemaal deden ging hem boven de pet. En dat gold ook voor Vera.
'Het is via de radio in Bad Godesberg binnengekomen,' zei McVey kalm. 'Ze was in een boerderij buiten Nancy. De drie agenten van de Franse geheime dienst die haar beschermden, zijn in de buurt van het huis doodgeschoten aangetroffen. Een politievrouw die Avril Rocard heette en bij de eerste prefectuur van de Parijse politie werkte, is daar ook gevonden. Voor zover ze konden vaststellen, heeft ze haar eigen keel doorgesneden. Waarom ze dat heeft gedaan en waarom ze daar was, weet niemand. Ze konden ons wel vertellen dat mevrouw Monneray Avrils auto heeft genomen en die later heeft achtergelaten bij het station van Strassburg, waar ze een kaartje naar Berlijn heeft gekocht. Dus tenzij ze onderweg ergens is uitgestapt, moeten we aannemen dat ze nu hier is.'
Osborns gezicht was zo rood als een biet geworden. Hij kon het niet geloven. Het kon hem niet meer schelen wat ze wisten en hoe ze het wisten. Dat ze konden denken wat ze dachten, was krankzinnig. 'Ze is er niet en dan veronderstellen jullie direct dat ze een van hen is? Zo maar? Wat voor bewijs hebben jullie dat ze bij de Organisatie hoort? Ga je gang. Vertel het me maar, ik wil het weten.'
'Ik weet hoe je je voelt, Osborn. Ik geef alleen informatie door,' zei McVey kalm en bijna meelevend.
'O ja? Nou, je kan mooi doodvallen!'
'McVey...' Remmer draaide zich weg van de telefoon. 'Een zekere Avril Rocard heeft zich even na zevenen ingeschreven in Hotel Kempinski in Berlijn.'

De kamer was leeg toen ze binnenkwamen. Remmer ging met zijn automatisch pistool in zijn hand voorop, gevolgd door McVey, Noble en Osborn. Buiten in de gang bewaakten twee rechercheurs van het BKA de deur.
Remmer liep snel de aangrenzende kamer binnen en controleerde daarna de badkamer. Ze waren allebei leeg. Hij kwam terug, vertelde het aan McVey en ging de badkamer weer in om de boel nauwkeurig te onderzoeken. Noble trok een paar rubberhandschoenen aan en liep de slaapkamer in. McVey deed hetzelfde en nam de zitkamer voor zijn rekening. De kamer was luxueus gemeubileerd en keek uit op de Kurfürstendamm. De sporen van een stofzuiger waren nog op het kleed te zien, waaruit bleek dat de suite kortgeleden was schoongemaakt. Een ontbijtblad van de room service stond nog op een koffietafel voor de bank. Er stonden een klein glas jus d'orange, een bordje met een paar onaangeroerde toostjes, een zilveren thermoskan voor koffie en een kopje halfvol zwarte koffie op. Op de tafel naast het dienblad lag een exemplaar van de *Herald Tribune*. De voorpagina was naar boven gekeerd en de zelfmoord van François Christian werd in een kop met grote vette letters uitgeschreeuwd.
'Drinkt ze haar koffie zwart?'
'Wat?' Osborn was halfverdoofd. Het was ondenkbaar dat Vera in Berlijn was en het was nog ondenkbaarder dat ze met de Organisatie te maken had.
'Vera Monneray,' zei McVey. 'Drinkt ze haar koffie zwart?'
'Ik weet het niet. Ja. Ik geloof het wel. Ik weet het niet zeker.'
In de andere kamer klonk het geluid van een pieper. Even later kwam Remmer, die evenals de anderen rubberhandschoenen droeg, binnen en hij pakte de telefoon. Hij draaide een nummer, wachtte, en zei iets in het Duits. Hij haalde een klein aantekenboekje uit zijn zak en schreef er met potlood iets in. '*Danke*,' zei hij en legde de hoorn op de haak.
'Kardinaal O'Connel heeft teruggebeld,' zei hij tegen McVey. 'Scholl verwacht je telefoontje. Dit is het nummer.' Hij scheurde het velletje papier uit het boekje en overhandigde het hem. 'Misschien zullen we het arrestatiebevel toch niet nodig hebben.'
'Nee, maar misschien ook wel.'
Remmer liep de andere kamer weer binnen en McVey ging verder met het onderzoeken van de voorkamer. Hij besteedde veel aandacht aan de bank en het tapijt er recht voor, omdat degene die koffie gedronken en de krant ingekeken had daar moest hebben gezeten.
'Die Avril Rocard,' – Osborn deed moeite beleefd en redelijk te zijn en datgene wat hem zo aangreep te begrijpen – 'je zei dat ze bij de Parijse

politie werkte. Weten ze zeker dat het haar lijk was? Misschien was het iemand anders. Misschien is Avril Rocard hier, misschien is het Vera helemaal niet.'
'Heren...' Noble stond in de deuropening van de slaapkamer. 'Wilt u even binnenkomen, alstublieft?'
Osborn zweeg en keek samen met de anderen toe terwijl Noble de deur van de kast in de slaapkamer opende. Er hingen twee stellen kleren voor overdag, een avondjurk en een zilvernerts stola in. Noble leidde hen naar een laag bureau, trok de bovenste lade open en haalde er verscheidene stellen kanten ondergoed met bijpassende beha's, vijf ongeopende pakjes met Armani-panty's en een zilverkleurige doorkijknachtjapon uit. De lade eronder bevatte twee tassen, een zwarte handtas die bij de avondjurk paste en een bruinleren schoudertas.
Noble pakte de zwarte handtas eruit en opende hem. Er zaten twee sieradendoosjes en een fluwelen, met een trekkoordje gesloten zakje in. In het eerste sieradendoosje zat een lang diamanten halssnoer en het tweede bevatte bijpassende oorringen. In het zakje zat een klein verzilverd automatisch pistool van kaliber .25. Noble legde ze weer op hun plaats terug en pakte de schoudertas op. Daarin zaten een stapeltje onbetaalde, door een elastiekje bijeengehouden rekeningen die waren geadresseerd aan Avril Rocard, rue St. Gilles 17, Parijs, 75003, een legitimatiebewijs van de Parijse prefectuur van politie en een zwarte nylon sporttas. Noble opende de sporttas en haalde er Avril Rocards paspoort uit, alsmede een doorzichtig plastic etui met een pakje Duitse marken, een ongebruikt eersteklas vliegticket van Parijs naar Berlijn en een envelop met een bevestiging van een reservering van Hotel Kempinski voor een verblijf van vrijdag 14 oktober, de dag van aankomst, tot zaterdag 15 oktober, de dag van vertrek. Noble keek op naar de gezichten om hem heen, stak zijn hand weer in de tas en haalde een envelop met een sierlijk gekalligrafeerde naam erop te voorschijn, die al geopend was. Erin zat een even sierlijk gekalligrafeerde uitnodiging voor het diner dat in het Charlottenburg voor Elton Lybarger gehouden zou worden. Instinctief stak McVey zijn hand in zijn binnenzak om de gastenlijst te pakken.
'Laat maar, ik heb al gekeken. Avril Rocard staat erop, een stuk of zes namen vóór dokter Salettl,' zei Noble terwijl hij opstond. 'Nog één ding...'
Hij liep naar een nachtkastje en pakte een voorwerp op dat in een donkere zijden sjaal was gewikkeld. 'Dat was onder de matras gestopt.' Hij wikkelde de sjaal los en haalde er een langwerpige leren portefeuille met ezelsoren uit. Terwijl hij dat deed, zag hij Osborn reageren. 'U

weet wat het is, meneer Osborn...'
'Ja...' zei Osborn. 'Ik weet wat het is...'
Hij had de portefeuille eerder gezien. In Genève en in Londen. Vera Monneray bewaarde haar paspoort erin.

# 106

Osborn was niet de enige in Berlijn die overstuur was. Cadoux, die in het appartement in de Sophie-Charlottenstrasse op von Holden wachtte, was een zenuwinstorting van bezorgdheid nabij. Hij had twee zeer moeilijke uren doorgebracht, waarin hij tegen iedereen die maar wilde luisteren klaagde over de Duitse koffie, over de onmogelijkheid om een Franse krant te kopen, over allerlei onbenulligheden. Hij probeerde daarmee alleen zijn toenemende bezorgdheid over Avril Rocard te verbergen. Ze had al bijna vierentwintig uur geleden met haar opdracht bij de boerderij buiten Nancy klaar moeten zijn en verslag aan hem moeten uitbrengen. Toch had hij nog niets van haar gehoord.
Hij had vier keer haar appartement in Parijs gebeld, maar er werd niet opgenomen. Na een slapeloze nacht had hij Air France gebeld om te vragen of ze zich al had gemeld voor haar vroege vlucht van Parijs naar Berlijn. Toen dat niet het geval bleek te zijn, begon hij in te storten. Hoewel hij een getraind terrorist, moordenaar en politieman was en vanuit zijn positie bij Interpol de man was die al meer dan dertig jaar de beveiliging van Erwin Scholl coördineerde, waar ter wereld deze zich ook bevond, was Cadoux een gevangene van de liefde. Avril Rocard was zijn leven.
Hij nam ten slotte het risico dat zijn gesprek zou worden getraceerd en belde een contactpersoon die bij de Franse geheime dienst werkte. De man bevestigde dat er bij de boerderij in Nancy drie agenten van de Franse geheime dienst en een vrouw dood waren aangetroffen, maar dat er niet meer bijzonderheden bekend waren. Radeloos greep Cadoux de laatste en achteraf gezien misschien de meest voor de hand liggende mogelijkheid aan. Hij belde Hotel Kempinski.
Tot zijn enorme opluchting had Avril Rocard zich die ochtend om kwart over zeven ingeschreven; ze was met een taxi vanaf Bahnhof Zoo, het

hoofdstation van Berlijn, aangekomen. Cadoux hing op en pakte een sigaret. Hij blies glimlachend en met een stralend gezicht de rook uit en sloeg met zijn vuist op het bureau. Dertig seconden later, om tien uur negenenvijftig precies, terwijl von Holden nog steeds in bespreking was met Scholl, pakte Cadoux de telefoon en belde Hotel Kempinski weer. Helaas was het toestel in gesprek.

McVey had het in gebruik om Scholl te bellen. Het eerste deel van hun gesprek was formeel en beleefd geweest. Ze spraken over hun beider vriendschap met kardinaal O'Connel, het Berlijnse weer vergeleken met dat van Zuid-Californië en merkten op hoe toevallig het was dat ze allebei in Berlijn waren. Toen kwam Scholl ter zake en vroeg waarom McVey hem had gebeld.
'Het is iets wat ik het liefst persoonlijk met u zou bespreken, meneer Scholl. Ik wil niet dat er misverstanden over ontstaan.'
'Ik geloof niet dat ik u begrijp.'
'Laten we het erop houden dat het persoonlijk is.'
'Zoals u zult begrijpen, inspecteur, zit ik de hele dag vol. Kan dit niet wachten tot ik in Los Angeles terug ben?'
'Ik vrees van niet.'
'Hoeveel tijd denkt u nodig te hebben?'
'Een halfuur, veertig minuten.'
'Hmhm...'
'Ik weet dat u het druk hebt en ik stel uw medewerking op prijs, meneer Scholl. Ik heb begrepen dat u vanavond in het Charlottenburg een receptie bijwoont. Kunnen we daar niet van tevoren afspreken? Wat dacht u van zev...'
'Ik zal u precies om vijf uur in de Hauptstrasse 72 in de Friedenau-wijk ontmoeten. Het is een privé-adres. U zult het vast wel vinden. Goedemorgen, inspecteur.'
Er klonk een klik aan de andere kant van de lijn toen Scholl ophing. Scholl keek Louis Goetz en von Holden aan, die allebei op een ander toestel hadden meegeluisterd.
'Is dat wat je wilde?'
'Dat is wat ik wilde,' zei von Holden.

# 107

Hoewel het telefoontje van Cadoux naar Avril Rocard in Hotel Kempinski niet was doorgekomen, had de receptie, in opdracht van het BKA, degene die belde zo lang laten wachten dat de federale politie het gesprek had kunnen traceren.
Daardoor was Osborn weer in het gezelschap van inspecteur Johannes Schneider, maar deze keer was er ook een tweede rechercheur bij, een vlezige, kalende alleenstaande vader van twee kinderen die Littbarski heette. Ze zaten met zijn drieën in een kleine houten box in een drukke *Kneipe* een half blok verderop. Ze dronken koffie en wachtten terwijl McVey, Noble en Remmer een bezoek het aan appartement in de Sophie-Charlottenstrasse brachten.
Een vrouw van middelbare leeftijd met roodgeverfd haar en een koptelefoontje op haar hoofd opende de deur. Ze was kennelijk zo van de telefooncentrale weggelopen. Remmer liet haar zijn legitimatiebewijs van het BKA zien en stelde zich voor. In het afgelopen uur had er iemand naar Hotel Kempinski gebeld en ze wilden weten wie dat was geweest.
'Dat zou ik u niet kunnen vertellen,' zei ze.
'Laten we iemand zoeken die dat wel kan.'
De vrouw aarzelde. Iedereen was gaan lunchen, zei ze. Remmer antwoordde dat ze dan zouden wachten en als ze daar problemen mee had, zouden ze een huiszoekingsbevel gaan halen en later terugkomen. Plotseling tilde de vrouw haar hoofd op, alsof ze naar iets dat ver weg was luisterde. Toen keek ze hen aan en glimlachte.
'Het spijt me,' zei ze. 'Het komt gewoon doordat we het zo druk hebben. Dit is het hoofdkwartier van de organisatie van een welkomstfeest dat vanavond in Schloss Charlottenburg wordt gegeven. Er komen veel prominente mensen en we proberen alles zo goed mogelijk te coördineren. Verscheidene van hen logeren in Hotel Kempinski. Ik heb waarschijnlijk zelf gebeld om er zeker van te zijn dat onze gasten gearriveerd waren en dat alles in orde was.'
'Naar welke gast hebt u geïnformeerd?'
'Ik... ik heb u al gezegd dat er verscheidene waren.'
'Noem ze dan op.'
'Dat moet ik in mijn boek nakijken.'
'Doe dat maar.'
Ze knikte en vroeg hun te wachten. Remmer zei dat het beter was als ze mee naar binnen gingen. Weer hief de vrouw haar hoofd op en wendde

haar blik af. 'Goed,' zei ze ten slotte en ze leidde hen door een smalle gang naar een klein bureau dat in een nis stond. Ze ging naast een telefoon zitten, verplaatste een vaasje met een verwelkende gele roos erin en opende een boek met een ringband. Ze zocht de bladzijde op waarboven Kempinski stond en schoof het boek bruusk onder Remmers neus zodat hij zelf kon kijken. Zes van de namen van de gasten, onder wie Avril Rocard, stonden op het lijstje van Kempinski.
McVey en Noble lieten het Remmer verder met de vrouw afhandelen. Ze stapten achteruit en keken rond. Aan hun linkerkant was een andere gang met halverwege en aan het eind een deur. Beide deuren waren gesloten. Tegenover hen was de huiskamer van het appartement en er zaten twee vrouwen en een man aan wat gehuurde bureaus leken te zijn. Een van hen zat achter een computer te tikken en de andere twee waren aan het bellen. McVey stak zijn handen in zijn zakken en probeerde verveeld te kijken.
'Iemand praat tegen haar door die koptelefoon,' zei hij zacht alsof hij over het weer of de effectenmarkt praatte. Noble keek langs hem en zag nog net dat ze knikte naar een man die in de huiskamer aan het bellen was. Remmer volgde haar blik, liep toen naar de man toe en liet hem zijn legitimatie zien. Ze praatten een paar minuten voordat Remmer naar McVey en Noble terugkwam.
'Volgens hen was hij degene die met Avril Rocards hotel heeft gebeld. Ze weten geen van beiden waar Salettl en Lybarger logeren. De vrouw denkt dat ze rechtstreeks van het vliegveld naar Charlottenburg gaan.'
'Hoe laat landen ze?' vroeg Noble.
'Dat weet ze niet. Hun werk lijkt er alleen in te bestaan voor de gasten te zorgen.'
'Wie zijn er hier nog meer in de andere kamers?'
'Ze zegt dat ze hier maar met zijn vieren zijn.'
'Kunnen we daar een kijkje nemen?' McVey knikte naar de gang.
'Niet zonder reden.'
McVey keek naar zijn schoenen. 'Denk je dat we een bevel tot huiszoeking kunnen krijgen?'
Remmer glimlachte behoedzaam. 'Op welke gronden?'
McVey keek op. 'Laten we hier weggaan.'

Von Holden zag op een televisiemonitor hoe de politiemannen de trap af liepen en naar buiten gingen. Hij was nauwelijks tien minuten geleden van zijn bespreking met Scholl teruggekeerd. Cadoux zat in zijn kantoor en probeerde nog steeds Avril Rocard in Hotel Kempinski te bereiken. Toen Cadoux hem zag, had hij woedend de hoorn op de haak

gegooid. Eerst was ze in gesprek geweest en nu werd er niet opgenomen! Von Holden had boos tegen hem gezegd dat hij het maar moest vergeten. Hij was hier in Berlijn niet op vakantie. Op dat moment was de politie gearriveerd. Von Holden wist ogenblikkelijk hoe ze dit adres hadden ontdekt. Hij moest snel handelen. Hij liet hen bij de deur ophouden terwijl hij een van de secretaresses in de voorkamer verving door een beveiligingsman.
Toen hij had gezien dat de deur achter de politiemannen was dichtgevallen en McVey zich had omgedraaid om het gebouw te bestuderen, wendde hij zich woedend tot Cadoux terwijl zijn scherpe gelaatstrekken werden verlicht door de rij zwart-witte beveiligingsmonitoren.
'Het was stom van je om haar hotel hiervandaan te bellen.' Zijn stem had de warmte van een stalen staaf.
'Het spijt me, Herr von Holden.' Cadoux wilde zich wel verontschuldigen, maar weigerde in het stof te kruipen voor een man die vijftien jaar jonger was dan hij. De rest van de wereld, met inbegrip van von Holden, kon doodvallen als het om Avril Rocard ging.
Von Holden keek naar hem op. 'Vergeet het maar. Morgen om deze tijd zal het allemaal niets meer uitmaken.' Een ogenblik terug had hij Cadoux willen vertellen dat Avril Rocard dood was. Hij had het hem ijskoud in zijn gezicht willen zeggen en willen genieten van zijn verdriet. Hij had hem ook nog iets anders kunnen vertellen. Avril Rocard was niet alleen mooi en een scherpschutter geweest, maar ook een interne spionne binnen de Parijse afdeling en als zodanig niet alleen von Holdens vertrouwelinge, maar ook zijn minnares. Daarom was ze uitgenodigd naar Berlijn te komen; als extra beveiliging voor Lybarger als het feest eenmaal was begonnen en later voor von Holdens eigen genoegen. Hij had dat Cadoux allemaal kunnen vertellen om zijn verdriet nog groter te maken, maar hij zou het niet doen, in ieder geval niet nu. Cadoux was om een heel andere reden naar Berlijn gehaald en daarvoor was zijn volledige, onverdeelde medewerking vereist. Daarom zou von Holden niets zeggen.

Osborn probeerde niet aan Vera te denken en zich niet af te vragen waar ze was en wat ze deed. Het was onmogelijk dat juist zij met de Organisatie te maken had, maar waarom zou ze anders hier zijn en zich uitgeven voor iemand die Avril Rocard heette?
Hij voelde zich geestelijk geradbraakt en zijn zenuwen waren tot het uiterste gespannen. Hij hoorde zichzelf praten terwijl hij boven het lawaai van het drukke café, waarin alle toeristen van Berlijn samengekomen leken te zijn, probeerde Schneider en Littbarski de spelregels van

Amerikaans voetbal uit te leggen.
Eerst leek het alsof het gepraat over Schneiders radio gewoon een routine politie-uitzending in het Duits was. Het geluid stond hard en mensen in de andere zitjes draaiden hun hoofd naar hen toe toen ze het storende staccatogeluid hoorden. Schneider draaide onmiddellijk het volume lager. Terwijl hij dat deed, werd Vera's naam genoemd en Osborns hart begon in zijn keel te bonken.
'Wat zeggen ze verdomme?' vroeg hij terwijl hij Schneiders pols beetpakte. Littbarski verstijfde toen hij dat deed.
'*Sich schonen*,' zei hij tegen Osborn. Rustig maar.
Osborn liet Schneider los en Littbarski ontspande zich.
'Wat is er met haar?' Schneider zag dat Osborns nekspieren gespannen waren.
'Twee vrouwelijke agenten van de federale politie hebben mevrouw Monneray gearresteerd toen ze uit de Kerk van Maria Koningin der Martelaren kwam,' zei Schneider met zijn zware Duitse accent.
Een kerk? Waarom zou Vera naar een kerk gaan? Osborn dacht koortsachtig na. Hij herinnerde zich niet dat ze het ooit met hem over de kerk of religie of iets dergelijks had gehad. 'Waar brengen ze haar heen?'
Schneider schudde zijn hoofd. 'Weet ik niet.'
'Dat is een leugen. Je weet het wel.'
Littbarski werd weer nerveus.
Schneider pakte de radio en stond op. 'Ik heb orders u naar het hotel terug te brengen als er iets zou gebeuren.'
Zonder op Littbarski te letten, stak Osborn een hand uit om hem tegen te houden. 'Ik weet niet wat er aan de hand is, Schneider. Ik wil graag geloven dat dit een vergissing is, maar ik zal het pas zeker weten als ik haar gezien en gesproken heb. Ik wil niet dat McVey haar het eerst alleen te spreken krijgt. Verdomme, Schneider, help me, alsjeblieft.'
Schneider keek hem aan. 'Ik kan het aan je ogen zien. Je bent gek op haar.'
'Ja, ik ben gek op haar... Breng me naar haar toe...' Osborn smeekte niet, maar het scheelde niet veel.
'Je bent al eerder van me weggelopen.'
'Deze keer niet, Schneider. Deze keer niet.'

# 108

Von Holden zag de stad als in een waas aan zich voorbijgaan. Afwisselend minderde hij vaart, versnelde of kwam in het dichte middagverkeer in de grijze BMW volledig tot stilstand om zich even later weer in beweging te zetten. Hij reed op de automatische piloot en was nog steeds woedend door de absurditeit van wat er was gebeurd. Drie van de vier mannen die hij had gezworen te zullen doden, onder wie McVey, waren zijn kantoor binnengekomen en hadden het personeel geïntimideerd alsof hij een of andere winkelier was. En wat nog erger was, hij was machteloos geweest en had niets anders kunnen doen dan hen binnenlaten en hen vanachter gesloten deuren op de monitors observeren. Als hij iets anders had gedaan, zou hij de hele federale politie op zijn dak hebben gekregen.
Het krankzinnige ervan was dat dit allemaal was veroorzaakt door Cadoux' verlangen naar een vrouw die alleen in hem was geïnteresseerd vanwege de informatie over de loyaliteit van hun handlangers binnen Interpol, die hij, zonder het te weten, aan haar doorgaf. Terwijl hij nog woedend was om Cadoux' stompzinnigheid kwam hem eindelijk duidelijk voor ogen te staan welke strategie hij moest volgen.

Hauptstrasse 72, 12.15 uur
Joanna zag hoe de BMW vanaf de straat afsloeg, kort bij het wachthuisje stopte, de poort doorging, over de cirkelvormige oprijlaan naar het huis reed en ervoor geparkeerd werd. Ze stond voor het raam van de slaapkamer op de bovenverdieping en kon daarvandaan moeilijk recht naar beneden kijken, maar ze wist zeker dat ze een glimp van von Holden had opgevangen toen hij uitstapte en naar het huis liep.
Ze liep snel naar de spiegel, haalde een borstel door haar haar en deed nog wat van de glanzende lippenstift op die ze van Uta Baur had gekregen. Om redenen die ze absoluut niet begreep en ondanks datgene wat haar allemaal was overkomen, voelde ze zich seksueel meer opgewonden dan ze ooit was geweest. Het was alsof ze plotseling was bevangen door een onverzadigbare honger of dorst die ze niet kon beheersen en die zo sterk was dat hij bevredigd móest worden.
Ze opende de deur, stapte de gang op en zag dat von Holden beneden in de vestibule met Eric en Edward stond te praten. Even later liep hij van hen vandaan en verdween uit het gezicht. Haar eerste aandrang was de trap af te rennen en hem achterna te lopen, maar dat kon ze niet doen

terwijl meneer Lybargers neven er nog waren.
Ze probeerde het gevoel van zich af te zetten, liep naar de overkant van de gang en klopte zachtjes op een gesloten deur die onmiddellijk werd geopend door een bleke man die een smoking droeg en wit haar en een varkensgezicht had. Zijn huid had zo weinig pigment dat ze dacht dat hij wel een albino kon zijn.
'Ik...ik ben meneer Lybargers...' Het uiterlijk van de man en de bijna hooghartige manier waarop hij haar aankeek, maakten haar nerveus.
'Ik weet wie u bent,' zei hij met een keelstem.
'Ik zou meneer Lybarger graag willen spreken,' zei ze en ze werd direct binnengelaten.
Elton Lybarger zat in een stoel bij het raam een stapel met in grote letters volgetypte papieren met ezelsoren door te nemen. Het was de tekst van de toespraak die hij vanavond zou houden en de laatste paar dagen was hij bijna met niets anders bezig geweest.
'Ik wilde even controleren hoe het met u ging en of alles in orde was, meneer Lybarger,' zei ze. Toen zag ze dat er nog een man in de kamer was. Hij droeg ook een smoking en stond verderop bij een raam dat op een grote achtertuin uitkeek. Ze had er geen idee van waarom meneer Lybarger in een huis dat zo elegant en chique was als dit, twee bodyguards in zijn kamer had terwijl er buiten ook nog een wachthuisje en een poort waren.
'Dank je, Joanna. Alles is in orde,' zei hij zonder op te kijken.
'Dan zie ik u straks wel,' zei ze met een liefdevolle glimlach.
Lybarger knikte afwezig en ging verder met lezen. Joanna knikte vriendelijk naar de bodyguard met het varkensgezicht en vertrok.

Von Holden zat alleen in een studeerkamer met donkere lambrizeringen toen ze binnenkwam en de deur zachtjes achter zich sloot. Hij zat met zijn rug naar haar toe in het Duits te telefoneren. Het was donker in de kamer, vergeleken met de zonovergoten tuin. Het gras was helder groen en de glinsterende gele en rode bladeren die van een enorme bruine beuk in de verste hoek van de tuin naar beneden dwarrelden, waren er als een lappendeken op uitgespreid. Links van de boom zag ze een grote garage voor vijf auto's en erachter was een ijzeren poort die naar een dienstweg aan de achterkant van het landgoed leek te leiden. Plotseling legde von Holden de hoorn op de haak en draaide met zijn stoel rond. 'Je moet niet binnenkomen als ik aan het telefoneren ben, Joanna.'
'Ik wilde je zien.'
'Dan zie je me nu.'

'Ja,' zei ze glimlachend. Ze vond dat hij er vermoeider uitzag dan ze hem ooit had gezien. 'Heb je al geluncht?'
'Dat kan ik me niet herinneren.'
'Ontbeten?'
'Dat weet ik niet meer.'
'Je bent moe en je hebt je ook niet geschoren. Kom mee naar boven, naar mijn kamer, dan kun je een douche nemen en wat uitrusten.'
'Dat kan niet, Joanna.'
'Waarom niet?'
'Omdat ik nog van alles moet doen.' Hij stond plotseling op. 'Bemoeder me niet zo, daar houd ik niet van.'
'Ik wil je niet bemoederen... ik wil... ik wil met je naar bed.' Ze bevochtigde haar lippen en glimlachte. 'Kom nu mee naar boven. Alsjeblieft, Pascal. We zullen misschien nooit meer alleen samen kunnen zijn.'
'Je klinkt als een schoolmeisje.'
'Dat ben ik niet... dat weet je best...' Ze liep naar hem toe tot ze vlak voor hem stond en liet haar hand over zijn kruis glijden. 'Laten we het hier doen. Nu direct.' Alles aan haar straalde seksuele hartstocht uit; haar kwelende stem, de beweging van haar lichaam terwijl ze dichter bij hem kwam staan. 'Ik ben nat,' fluisterde ze.
Von Holden trok abrupt haar hand weg. 'Nee,' zei hij. 'Ga nu weg. Ik zie je vanavond.'
'...Pascal. Ik...houd van je...'
Von Holden staarde haar aan.
'Dat moet je nu toch wel weten...'
Plotseling verkleinden zijn pupillen zich tot speldeknopjes en zijn ogen zelf leken in hun kassen naar achteren getrokken te worden. Joanna's adem stokte en ze trok zich terug. Ze had nog nooit iemand gezien die zo vervuld van woede en zo gevaarlijk was als von Holden nu.
'Ga weg,' siste hij.
Met een kreetje draaide ze zich om, botste tegen een stoel, rende de kamer uit en liet de deur achter haar openstaan. Hij hoorde haar hakken op de vloer van de stenen vestibule klikklakken en haar toen de trap op lopen. Hij wilde net de deur sluiten toen Salettl binnenkwam.
'Je bent kwaad,' zei Salettl.
Von Holden draaide hem zijn rug toe en staarde uit het raam. Von Holden had Scholl vanuit de auto opgebeld en hem zijn definitieve plan voorgelegd. Scholl had geluisterd en er onmiddellijk zijn goedkeuring aan gegeven. Toen had hij even snel von Holden verboden het persoonlijk uit te voeren. Het was te gevaarlijk, had hij gezegd. Hij was te bekend als het hoofd van Scholls Europese Beveiliging en Scholl kon zich

niet permitteren dat er iets zou misgaan, dat von Holden gevangengenomen of gedood zou worden. Hij zelf zou er dan mee in verband gebracht kunnen worden. De politie was al te dichtbij gekomen. Nee, von Holden moest de voorbereidingen treffen en Viktor Sjevtsjenko zou het plan uitvoeren. Die avond zou von Holden in het openbaar worden gezien terwijl hij meneer Lybarger naar Charlottenburg escorteerde en daarna zou hij stilletjes vertrekken om 'het andere te doen', zoals Scholl het had uitgedrukt.
'U weet, *Herr Leiter der Sicherheit*,' zei Salettl zacht, 'dat uw persoonlijke veiligheid juist op deze dag van onschatbare waarde is.'
'Ja, dat weet ik.' Von Holden wendde zich naar hem toe.
Kennelijk wist Salettl wat er tussen Scholl en von Holden was besproken, want hij verwees naar 'het andere'. Onmiddellijk na de viering in Charlottenburg, zou er voor enkele zeer bevoorrechte gasten een tweede, geheime en onaangekondigde, ceremonie worden gehouden. Als plaats daarvoor was het mausoleum gekozen, het tempelachtige gebouw op de paleisgronden dat de graven van de Pruisische koningen herbergde. Von Holden zou het zeer geheime materiaal afleveren dat daar gepresenteerd zou worden, en de toegangscodes die noodzakelijk waren om het te krijgen waren alleen voor hem en voor niemand anders geprogrammeerd en konden niet veranderd worden.
Dat hij ervoor was uitgekozen, was een blijk van respect en de erkenning van de macht die hem was gegeven. Al was hij nog zo boos geweest, hij had toch ingezien dat Scholl gelijk had, evenals Salettl. Om meer dan één reden was zijn persoonlijke veiligheid juist vandaag van onschatbare waarde. Hij moest beseffen dat hij niet langer de Spetsnaz-soldaat van weleer was, al kon hij dat gevoelsmatig nog niet helemaal accepteren. Hij was niet langer een Bernhard Oven of een Viktor Sjevtsjenko. Hij was *Leiter der Sicherheit*. Hoofd van de beveiliging was niet langer een functieomschrijving, maar een mandaat voor de toekomst. Als de man die eens de supervisie zou hebben over de overdracht van de macht over de hele Organisatie, was hij daardoor feitelijk 'degene die de fakkel brandende zou houden'. En als hij dat voorheen niet helemaal had begrepen, moest hij dat nu, vandaag, volledig tot zich laten doordringen.

# 109

De verhoorkamer in de kelder van het gebouw in de Kaiser Friedrichstrasse was helemaal spierwit. De vloer, het plafond en de muren. De zes cellen van twee bij tweeëneenhalve meter die ernaast lagen, waren in dezelfde kleur geschilderd. Weinigen wisten dat deze accommodatie bestond, zelfs de mensen niet die in het gebouw erboven, waarin de financiële dienst van publieke werken was gehuisvest, werkten. Maar ruim één derde van de vierduizend vierkante meter van de kelderverdieping werd in beslag genomen door een speciale onderzoekseenheid van het BKA. De accommodatie was direct na de slachting bij de Olympische Spelen van 1972 in München gebouwd met als doel het ondervragen van gevangengenomen terroristen en informanten uit kringen van terroristen. In het verleden had de accommodatie gediend als tijdelijk detentiecentrum voor leden van de Baader-Meinhofgroep, de Rote Armee Fraktion, het Volksfront voor de Bevrijding van Palestina en verdachten van de bomaanslag op het Pan Am-vliegtuig 103. De ruimte was niet alleen spierwit, maar een andere bijzonderheid was dat de lichten nooit uitgedaan werden. Het gezamenlijke effect daarvan was dat de gevangenen gewoonlijk binnen zesendertig uur volkomen gedesoriënteerd raakten, waarna het over het algemeen bergafwaarts met hen ging.

Vera zat alleen in de eerste verhoorkamer op een witte bank die was gemaakt van een PVC-achtig plastic en in de vloer verankerd was. Er stond geen tafel en er waren geen stoelen. Alleen de bank. Er was een foto van haar gemaakt en haar vingerafdrukken waren genomen. Ze droeg grijze slippers en een lichter grijze, bijna witte nylon overall op de rug waarvan in fluorescerende oranje letters de woorden GEFANGENER, *Bundesrepublik Deutschland*, stonden. Ze zag er geschokt en afgetobd uit, maar ze was nog helder van geest toen de deur werd geopend en Osborn binnenkwam. Een kleine, vierkant gebouwde politievrouw bleef een ogenblik in de deuropening achter hem staan. Toen stapte ze achteruit en sloot de deur.

'Mijn God...' fluisterde Osborn. 'Is alles in orde met je?'

Vera's mond stond open, ze probeerde iets te zeggen, maar het lukte haar niet. In plaats daarvan stroomden haar ogen vol tranen en ze vielen elkaar in de armen en huilden allebei. Ergens tussen de snikken en de angstige strelingen door hoorde hij haar zeggen: 'François dood... Waarom ben ik hier?... Bij de boerderij is iedereen gedood... Wat heb

ik gedaan?... Kwam... naar... Berlijn... de enige... plaats... waar ik... je... kon vinden. Ben gekomen om jou te zoeken.'
'Vera. Sst. Het is in orde, schat.' Hij drukte haar dicht tegen zich aan. Beschermend alsof ze een kind was. 'Het is goed... Alles komt goed...'
Hij streek haar haar naar achteren, kuste haar tranen weg en veegde haar wangen met zijn handen droog.
'Ze hebben me zelfs mijn zakdoek afgepakt,' zei ze terwijl ze probeerde te glimlachen. Hij had geen riem om en ze hadden de veters uit zijn schoenen gehaald. Ze omarmden elkaar weer en drukten zich tegen elkaar aan.
'Hou me vast,' zei ze. 'Laat me nooit meer...'
'Vera... vertel me wat er is gebeurd...' Ze pakte zijn hand vast en hield hem stevig omklemd toen ze op de bank gingen zitten. Ze veegde haar tranen weg, sloot haar ogen en dacht terug aan de vorige dag, die zo lang achter haar leek te liggen.
Ze zag de boerderij buiten Nancy vóór zich en de lijken, de drie gedode agenten van de geheime dienst die op de grond lagen. Niet ver daarvandaan lag Avril Rocard, die met nietsziende ogen omhoogstaarde terwijl het bloed langzaam uit haar keel stroomde.
De telefoons hadden niet gewerkt toen ze terug naar binnen was gegaan. Omdat ze de sleutels van de Ford van de geheime dienst niet kon vinden, had ze Avril Rocards zwarte politie-Peugeot genomen en was daarin naar de stad gereden, waar ze had geprobeerd vanuit een telefooncel François Christian in Parijs te bellen. Maar zowel zijn nummer op kantoor als zijn privé-nummer thuis was in gesprek geweest. Ongetwijfeld doordat het nieuws van zijn aftreden net bekend geworden was, dacht ze. Nog steeds in shock door de moorden, was ze weer in de Peugeot gestapt en naar een park aan de rand van de stad gereden.
Toen ze daar in de auto zat en probeerde haar angst en haar chaotische emoties onder controle te krijgen en te bedenken wat ze moest doen, zag ze Avrils tasje aan de passagierskant op de vloer liggen. Ze opende het en vond Avrils legitimatiebewijs van de Franse politie en een etui waarin behalve haar paspoort een eersteklasticket van Air France voor een vlucht van Parijs naar Berlijn en een brief van Hotel Kempinski waarin haar reservering werd bevestigd, zaten. In de tas zat ook nog een sierlijk gekalligrafeerde uitnodiging in het Duits voor een diner ter ere van een man die Elton Lybarger heette, dat op vrijdag 14 oktober om acht uur in het Charlottenburgpaleis zou worden gegeven. Onder de namen van de sponsors was die van Erwin Scholl, de man die Albert Merriman had gehuurd om Osborns vader te vermoorden.
Haar enige gedachte was dat Paul er misschien achter was gekomen dat

Scholl in Berlijn was en dat hij daar ook naar toe was gegaan. Het was geen erg sterke aanwijzing, maar het was alles wat ze had. Hoewel ze een paar jaar jonger was, leek ze genoeg op Avril Rocard om zich tegen mensen die de politievrouw niet persoonlijk kenden, voor haar te kunnen uitgeven. Dat was op donderdag geweest en het diner in Charlottenburg zou op vrijdag zijn. Vanuit Nancy kon ze het snelst in Berlijn komen door de trein uit Straatsburg te nemen, dus daar was ze heen gegaan.
Onderweg van Nancy naar Straatsburg stopte ze twee keer om François te bellen. De lijnen waren nog steeds bezet, maar de tweede keer, toen ze vanuit een wegrestaurant belde, kreeg ze zijn kantoor aan de lijn. Het was toen bijna vier uur in de middag en ze hadden François niet meer gezien of iets van hem gehoord sinds hij die ochtend om zeven uur van huis was gegaan. De media waren er nog niet van in kennis gesteld dat hij werd vermist, maar de geheime dienst en de politie waren in staat van paraatheid gebracht en de president had bevel gegeven François' vrouw en kinderen naar een onbekende bestemming te brengen en hen daar door gewapende politiemannen te laten bewaken.
Ze herinnerde zich dat ze had opgehangen en zich volkomen verdoofd had gevoeld. Er bestond niets meer voor haar. Geen François Christian en geen Paul Osborn uit Los Angeles. En er was ook geen Vera Monneray die kon teruggaan naar haar appartement en haar leven in Parijs kon voortzetten alsof er niets was gebeurd. Er waren vier mensen gedood bij de boerderij en de enige mannen van wie ze ooit met haar hele hart had gehouden waren plotseling verdwenen alsof ze in rook waren opgegaan. Toen werd ze bevangen door het gevoel dat wat er was gebeurd slechts een voorbode was van wat er nog zou volgen. Weer voelde ze de afschuwelijke schaduw van de ervaringen van haar grootmoeder in de oorlog over zich heen glijden en weer voelde ze het afgrijzen en de angst die ermee gepaard gingen. Het antwoord op haar vragen leek, evenals in haar grootmoeders tijd, in Berlijn te liggen. Alleen was het nu veel persoonlijker geworden. Wat er ook met François was gebeurd, het maakte er deel van uit, evenals de gebeurtenissen rondom Osborn.
Ze schreef zich in het hotel in en ging naar Avrils kamer. Ze zag dat Avrils kleren er al lagen. De room service bracht haar ontbijt en op het dienblad lag een krant met het nieuws van François' zelfmoord. Ze had aanvankelijk het gevoel dat ze zou flauwvallen en ze wist dat ze de frisse lucht in moest om op te knappen en na te denken. Ze moest een plan maken opdat ze zou weten wat ze zou moeten doen als er iemand contact met haar zou opnemen of voor het geval dat niet zou gebeuren en ze die avond gewoon in haar eentje naar Charlottenburg zou gaan. Uit

angst dat iemand zou ontdekken wie ze in werkelijkheid was, had ze haar paspoort onder de matras verstopt en was naar buiten gegaan. Tijdens haar wandeling was ze langs de kerk van Maria Koningin der Martelaren gekomen. De ironie ervan was dat het een religieus gedenkteken was, dat gewijd was aan de martelaren die tussen 1933 en 1945 hadden gestreden voor de vrijheid van geloof en denken. Het was als een omen dat haar wenkte en ze dacht dat ze binnen misschien een soort aanwijzing zou krijgen die alles zou verklaren. In plaats daarvan stond de Duitse politie haar op te wachten toen ze naar buiten kwam.

* * *

Inspecteur Schneider had gelogen toen hij tegen Osborn had gezegd dat hij orders had hem naar het hotel terug te brengen als er iets gebeurde. De waarheid was dat Osborn onmiddellijk naar de plaats moest worden gebracht waar Vera Monneray vastgehouden werd. McVey wilde dat Osborn en Vera Monneray zouden denken dat ze alleen waren, waardoor hij eventuele openhartige mededelingen die ze elkaar zouden doen, zou kunnen afluisteren. De bedoeling was de schijn te wekken dat het Osborns idee was en met Schneiders hulp was dat gelukt. Osborn had hen keurig in de kaart gespeeld.

* * *

Plotseling werd de deur van de verhoorkamer opengerukt. Osborn draaide zich met een ruk om en zag McVey binnenkomen. 'Haal hem hier weg, nu!' zei McVey boos en Osborn werd abrupt door twee federale politiemannen overeind getrokken en naar buiten gewerkt. 'Vera!' riep hij terwijl hij probeerde om te kijken. 'Vera!' Toen hij voor de tweede keer haar naam had geroepen, hoorde hij dat een zware, stalen deur met een dreunende klap werd dichtgeslagen. Hij werd door een smalle gang geleid en een lage trap op. Er werd een deur geopend en hij werd weer een witgeverfde kamer binnengebracht. De politiemannen gingen weg en de deur werd op slot gedaan.
Tien minuten later kwam McVey binnen. Zijn gezicht was rood en hij hijgde alsof hij net een hoge trap had beklommen.
'Wat heb je op het bandje staan? Nog iets interessants?' vroeg Osborn op ijzige toon zodra de deur werd geopend. 'Handig dat ervoor gezorgd is dat ik hier het eerst ben aangekomen, hè? Misschien zou ze mij vertellen wat ze jou of de Duitse politie niet wilde vertellen en de microfoons zouden alles oppikken. Maar het heeft niet gewerkt, hè? Je hebt alleen

van een doodsbange vrouw de waarheid te horen gekregen.'
'Hoe weet je dat het de waarheid was?'
'Omdat ik dat weet, verdomme!'
'Heeft ze het ooit over commissaris Cadoux van Interpol gehad of zijn naam genoemd?'
'Nee, nooit.'
McVey keek hem woedend aan, maar raakte toen milder gestemd. 'Oké, laten we haar geloven.'
'Laat haar dan gaan.'
'Je bent hier dank zij mij, Osborn. En daarmee bedoel ik dat je niet dood op de vloer van een Parijse bistro ligt met de kogel van een Stasimoordenaar tussen je ogen.'
'Dat heeft hier niets mee te maken, McVey, dat weet je best! En je weet ook dat je geen reden hebt haar vast te houden!'
McVey bleef Osborn strak aankijken. 'Wil je weten *waarom* je vader is vermoord?'
'Wat er met mijn vader is gebeurd, heeft niets met Vera te maken.'
'Hoe weet je dat? Hoe kun je dat zo stellig beweren?' McVey vroeg het niet uit wreedheid, maar omdat hij achter de waarheid wilde komen. 'Je zei dat je haar in Genève hebt ontmoet. Is zij naar jou toe gekomen of ben jij naar haar toe gegaan?'
'Ik... ik begrijp niet...'
'Geef antwoord.'
'...Ze... is naar mij toe gekomen...'
'Ze was François Christians maîtresse en op de dag van dat diner voor Lybarger is hij plotseling dood en duikt zij in Berlijn op met een uitnodiging voor het feest.'
Osborn was boos. Boos en in verwarring. Wat probeerde McVey te doen? Het idee dat Vera bij de Organisatie hoorde, was absurd. Het was onmogelijk. Hij geloofde wat ze hem zojuist had verteld. Ze hielden zo veel van elkaar dat hij haar wel moest geloven! Haar liefde betekende te veel. Hij wendde zich af en keek naar het plafond. Boven hem, buiten het bereik van iemand die op de vloer stond, hing een rij felle lampen. Verblindende lampen van honderdvijftig watt, die nooit werden uitgedaan.
'Misschien is ze onschuldig, Osborn,' zei McVey, 'maar dat zal de Duitse politie moeten uitmaken en niet jij.'
Achter hem ging de deur open en Remmer kwam binnen.
'We hebben video-opnamen van het huis in de Hauptstrasse. Noble zit te wachten.'
McVey keek Osborn weer aan. 'Ik wil dat je dit ziet,' zei hij botweg.

'Waarom?'
'Het is het huis waar we Scholl zullen ontmoeten. En met "ons", Osborn, bedoel ik wij tweeën.'

# 110

Joanna's koffer lag op het bed en ze stopte er net haar laatste spullen in toen von Holden binnenkwam.
'Joanna, ik bied mijn excuses aan. Vergeef me...'
Ze negeerde hem, liep naar de kast en pakte de Uta Baur-jurk die ze die avond zou dragen. Ze kwam terug, legde het kledingstuk op het bed en begon het op te vouwen. Von Holden zweeg even, ging toen achter haar staan en legde zijn hand op haar schouder. Ze verstijfde.
'Dit zijn zenuwslopende dagen voor me, Joanna. En ook voor jou en meneer Lybarger. Vergeef me alsjeblieft dat ik beneden zo naar tegen je heb gedaan...'
Joanna bleef in dezelfde houding staan, met haar blik op het zonverlichte raam gericht.
'Ik moet je de waarheid vertellen, Joanna... In mijn hele leven heeft nog nooit een vrouw tegen me gezegd dat ze van me hield. Je... maakte me bang...'
Hij voelde dat ze haar ingehouden adem uitblies. 'Ik maakte jóu bang?'
'Ja...'
Ze draaide zich heel langzaam om. De afschuwelijke, van haat vervulde ogen die haar nauwelijks een uur geleden angst hadden aangejaagd, hadden nu een zachte, kwetsbare uitdrukking.
'Doe me dit niet aan...'
'Joanna, ik weet niet of ik tot liefde in staat ben...'
'Zeg dat niet...' Joanna voelde haar ogen branden en er liep een traan over haar wang.
'Het is waar. Dat weet ik niet...'
Ze drukte abrupt haar vingers op zijn lippen om hem te laten zwijgen.
'Dat ben je wel.'
Hij sloeg langzaam zijn handen om haar middel en ze kwam in zijn armen. Hij kuste haar teder en ze beantwoordde zijn kus en voelde dat hij

een erectie kreeg. Ze werd door haar gevoelens overmand en kon niet meer redelijk nadenken. Het angstaanjagende dat ze in zijn ogen had gezien, was verdwenen en het leek nu alsof het er nooit was geweest.

* * *

De helikopter was één keer op een hoogte van honderdvijftig meter over het huis in de Hauptstrasse 72 heen gevlogen en uit de videobeelden bleek dat het een negentiende-eeuwse villa van drie verdiepingen was met een grote garage aan de achterkant. Een smeedijzeren poort waarachter een wachthuisje stond, gaf vanaf de straat toegang tot de oprijlaan. De oprit naar de garage was aan de rechterkant van het huis en aan de linkerkant was een tennisbaan van rode gravel. Het huis en het terrein eromheen waren omringd door een hoge stenen muur die met klimop was begroeid.
'Er is naast de garage een hek aan de achterkant. Het lijkt erop dat het uitkomt op een dienstweggetje,' zei Noble terwijl hij op een groot Sony-beeldscherm naar de beelden van het huis keek.
'Dat klopt en het wordt gebruikt,' zei Remmer.
Het viertal – Noble, Remmer, McVey en Osborn – zat in een soort theaterstoelen in een videokamer die één verdieping boven de cellen lag. Osborn leunde achterover terwijl zijn kin op zijn hand rustte. Eén verdieping lager werd Vera ondervraagd. Zijn verbeelding sloeg op hol bij de gedachte aan wat ze misschien met haar zouden doen. Als McVey nu toch eens gelijk had, vroeg hij zich koortsachtig af, en ze wél bij de Organisatie hoorde? Wat had ze van François Christian gehoord dat ze aan hen had kunnen doorgeven? En hoe paste hij, Osborn, dan in het geheel? Wat wilde ze met hem? Misschien was de hele kwestie met Albert Merriman puur toeval geweest. Ze kon daarvan in Genève niets hebben geweten omdat hij Merriman pas had gezien toen hij haar naar Parijs was gevolgd.
'Dit is genomen vanuit een wasserijwagen terwijl de chauffeur aan de overkant van de straat spullen afleverde,' zei Remmer, terwijl kleurenbeelden van televisiekwaliteit over het scherm gleden. 'We hebben alleen maar kleine stukjes die vanuit verschillende voertuigen zijn opgenomen. Dat is de reden dat we maar één keer over het huis zijn gevlogen om opnamen te maken. We wilden niet dat ze zouden vermoeden dat ze onder surveillance stonden.'
De verborgen camera was nu dichter bij het huis gekomen. Op de oprijlaan was een Mercedes-limousine geparkeerd en een tuinman was op het gazon aan het werk. Verder leek er niets te gebeuren. De camera

hield de beelden even vast en begon zich toen terug te trekken.
'Wat is dat?' vroeg McVey plotseling. 'Een beweging achter het tweede raam van rechts op de bovenverdieping.'
Remmer zette het apparaat stil en spoelde terug. Daarna draaide hij de beelden in slow motion af.
'Er staat iemand voor het raam,' zei Noble.
Remmer draaide de beelden opnieuw af. Deze keer nog langzamer en met gebruikmaking van een speciale lens van het weergaveapparaat om op het raam te kunnen inzoomen. 'Het is een vrouw. Ik kan haar niet goed zien.'
'Laat het uitvergroten,' zei Noble.
'Goed.' Remmer drukte op de knop van de intercom en vroeg of er een technicus kon komen. Daarna haalde hij de cassette uit het apparaat en stopte er een nieuwe in. Ze kregen in wezen dezelfde beelden van het huis te zien, maar nu vanuit een enigszins andere camerahoek opgenomen. Een lichte beweging achter het raam op de bovenverdieping duidde erop dat McVey gelijk had, dat er inderdaad iemand naar buiten stond te kijken. Plotseling kwam er een grijze BMW aan die bij het wachthuisje stopte. Even later ging het hek open en de auto reed de oprijlaan op en stopte voor de ingang van het huis. Een lange man stapte uit en ging naar binnen.
'Heb je er enig idee van wie dat is?' vroeg McVey. Remmer schudde zijn hoofd.
'Dit kan heel leuk worden,' zei Noble op vlakke toon terwijl hij een gealfabetiseerd fotodossier opende. Tot dusverre had Bad Godesberg hun foto's van vierenzestig van de honderd genodigden gestuurd. De meeste waren Polaroids van rijbewijzen, maar er waren ook publiciteits-, bedrijfs- en krantefoto's bij. 'Ik zal A tot en met F nemen, over de rest mogen jullie ruziemaken.'
'Laten we eens op hem inzoomen,' zei Remmer. Hij spoelde terug en drukte vervolgens op de slow motionknop. Deze keer naderde de auto vertraagd en Remmer zoomde erop in. Toen de auto bij het huis aankwam, stopte hij en de man stapte uit...
'Jezus Christus...' zei Osborn.
McVey wendde zijn hoofd met een ruk naar hem toe. 'Ken je die vent?'
Remmer spoelde de band terug en bevroor het beeld toen von Holden uit de auto stapte.
'Hij is de man die me in het park gevolgd is.' Osborn wendde zijn blik van het scherm af en keek McVey recht aan.
'Welk park? Waar heb je het in godsnaam ov...'
'Over die avond waarop ik naar buiten ben gegaan. Ik heb Schneider

opzettelijk geloosd.' Osborn was opgewonden. Zijn leugen was nu uitgekomen, maar het kon hem niets schelen. 'Ik was door de Tiergarten op weg naar Scholls hotel. Plotseling besefte ik dat ik helemaal verkeerd bezig was. Dat ik de hele zaak zou kunnen verknallen. Ik draaide me net om toen een vent, die vent daar' – hij keek weer naar von Holden op het scherm – 'achter me aan kwam. Ik had het pistool in mijn zak. Ik was even de kluts kwijt, denk ik, en ik richtte het op hem. Hij had een vriend bij zich die zich in het struikgewas verborgen hield. Ik heb tegen hen gezegd dat ze me met rust moesten laten. Daarna ben ik er als een gek vandoor gegaan.'

'Weet je zeker dat hij het is?'

'Ja.'

'Dat betekent dat ze het hotel in de gaten houden,' zei Remmer.

Noble keek Remmer aan. 'Kunnen we zien hoe hij het huis binnengaat? Op normale snelheid, alsjeblieft.'

Remmer drukte op 'play' en von Holden kwam in beweging. Hij sloot het portier van de BMW, stak de oprijlaan over en liep snel een korte trap op. Iemand opende de deur en hij ging naar binnen.

Noble leunde achterover. 'Nog een keer, alsjeblieft.' Remmer deed wat hij zei en zette de band stil toen von Holden het huis was binnengegaan. 'Ik verwed er mijn hoofd onder dat hij tot Spetsnaz-soldaat is opgeleid,' zei Noble. 'Dat zijn saboteurs en terroristen die in speciale eenheden van het oude Sovjet-leger waren samengebracht. Er is ervaring voor nodig om ze te herkennen. Ze weten misschien niet dat ze het doen, maar door hun training krijgen ze een bepaalde loop, een soort houding en evenwichtsgevoel waardoor het lijkt of ze koorddansen.' Noble wendde zich tot Osborn. 'Als hij je inderdaad volgde, heb je ongelooflijk veel geluk gehad dat je het nu kunt navertellen.' Noble keek McVey en Remmer aan.

'Als Lybarger in dat huis logeert, is het mogelijk dat onze vriend een beveiligingsman is en misschien zelfs hoofd van de beveiliging.'

'Dat kan, maar het kan ook zijn dat hij het huis in opdracht van Scholl beveiligt.'

'Of misschien doet hij iets heel anders.' McVey staarde aandachtig naar het bevroren beeld van von Holden op het scherm.

'Zou hij een val voor ons opzetten?' vroeg Noble.

'Ik weet het niet.' McVey schudde onzeker zijn hoofd en keek toen Remmer aan. 'Laat van hem ook een vergroting maken, dan kunnen we proberen uit te zoeken wie hij is. Misschien kunnen we het net nog een klein beetje aantrekken.'

Er ging een lampje branden op de telefoon die naast Remmer stond en

er klonk een zoemtoon. Remmer nam op. 'Ja,' zei hij.
Het was kwart over twee toen ze er aankwamen. De Berlijnse politie had het blok al afgezet. De rechercheurs van moordzaken stapten opzij toen Remmer de anderen door de antiekwinkel in de Kantstrasse voorging naar een kamer achter de zaak.
Karolin Henniger lag gewikkeld in een laken op de vloer. Haar elf jaar oude zoon, Johann, lag naast haar. Hij was ook in een laken gewikkeld. Remmer knielde en trok het laken weg.
'O God...' fluisterde Osborn.
McVey trok voorzichtig het laken van het hoofd van de jongen vandaan. 'Ja,' zei hij terwijl hij naar Osborn opkeek, 'O God...'
Zowel de moeder als de zoon was één keer door het hoofd geschoten.

# 111

Negentig minuten later, om 15.55 uur, stond Osborn voor het raam in een grote kamer van het oude Hotel Meineke naar de stad te staren. Evenals de anderen probeerde hij zijn afschuw over wat hij net had gezien weg te drukken en zich in te stellen op wat ze nu moesten doen. Ze moesten zich nu alleen op Scholl concentreren en op niets anders. Toch kon hij de gedachten onmogelijk van zich afzetten.
Wie was Karolin Henniger in werkelijkheid geweest, dat iemand haar en haar zoon zoiets zou aandoen? Had de moordenaar gedacht dat ze de politie die ochtend iets had verteld? En als dat zo was, wat had ze dan geweten dat ze had kunnen vertellen? En dan was er nog de andere vraag, de vraag die hij in McVeys ogen had gelezen. Als ze haar nooit waren gaan bezoeken, zouden Karolin Henniger en haar zoon dan nog in leven zijn? Die last drukte op zijn schouders en hij wist het. Er waren door zijn toedoen nog meer doden gevallen. Hij moest proberen het te vergeten.
Hij liep de badkamer in en waste zijn handen en gezicht. Ze hadden hun activiteiten helemaal naar het Meineke Hotel verplaatst nadat er in een badkamer op de vijfde verdieping van de Casinovleugel van Hotel Palace, vanwaaruit je heel goed in hun kamer in het hoofdgebouw kon kijken, een lijk was gevonden. Een speciaal team van technici was uit

Bad Godesberg overgevlogen om in de kamer naar aanwijzingen te zoeken.
Ze waren naar het Meineke gegaan omdat het hotel maar uit één gebouw bestond en je alleen boven kon komen met een krakende lift die het hele hotel bediende. Een vreemde, en zelfs een vriend, zou heel wat moeite moeten doen om langs de rechercheurs van het BKA in de hal te komen of langs het team van Schneider en Littbarski dat twee deuren verderop voor de lift geposteerd was. Door die bescherming hadden McVey en de anderen mooi de gelegenheid over een ernstige complicatie na te denken.
Cadoux.
Hij was plotseling opgedoken, ogenschijnlijk uit het niets, en had Noble via diens kantoor bij New Scotland Yard laten weten dat hij, wonder boven wonder, in Berlijn was. Hij had benadrukt dat hij in moeilijkheden zat en gezegd dat het buitengewoon belangrijk was dat hij Noble of McVey zo snel mogelijk te spreken kreeg en dat hij binnen een uur zou terugbellen.
McVey wist niet wat hij ervan moest denken. Hij zag Osborn naar hem kijken terwijl hij een handvol gemengde noten uit een plastic zakje in zijn hand liet vallen. 'Ik weet het. Te veel vet en te veel zout, maar ik eet ze toch op.' Hij koos zorgvuldig een paranoot uit, hield hem omhoog, bestudeerde hem en wipte hem toen in zijn mond. 'Als Cadoux de waarheid vertelt en de Organisatie achter hem aan zit, heeft hij inderdaad problemen,' zei hij kauwend. 'Als hij liegt, werkt hij waarschijnlijk voor hen. En in dat geval weet hij dat we in Berlijn zijn. Zijn taak zal het zijn ons naar een plek te lokken waar ze ons...'
McVey werd onderbroken doordat er op de deur werd geklopt. Remmer stond op, trok zijn automatisch pistool uit zijn schouderholster en liep naar de deur. 'Ja.'
'Schneider.'
Remmer opende de deur en Schneider stapte naar binnen, gevolgd door een knappe brunette van voor in de veertig. Ze was groter dan Schneider, en breder. Haar bleke lippenstift accentueerde haar mond, die in een eeuwige glimlach bij de hoeken omhooggekruld was. Onder haar arm had ze een grote envelop.
'Dit is inspecteur Kirsch,' zei Schneider en hij voegde eraan toe dat ze lid was van het technische team van het BKA dat de computervergrotingen van de videobeelden had gemaakt. Ze knikte naar Remmer, keek de anderen aan en begon in het Engels te spreken. 'Tot mijn genoegen kan ik u vertellen wie de man in de BMW is. Hij heet Pascal von Holden en hij is hoofd van de beveiliging van Erwin Scholls Europese bedrij-

ven. We trekken nu zijn antecedenten na.' Ze opende de envelop en haalde er twee glanzende zwart-witfoto's van twintig bij vijfentwintig centimeter uit van de vergrote video-opnamen die bij het huis in de Hauptstrasse 72 waren gemaakt. De eerste was van von Holden terwijl hij uit de auto stapte. De foto was korrelig, maar duidelijk genoeg om zijn gelaatstrekken te kunnen onderscheiden. De tweede was eveneens korrelig en minder scherp. Toch was hij duidelijk genoeg om een vrij jonge, donkerharige vrouw te onderscheiden die voor het raam naar buiten stond te kijken.

'De vrouw leverde wat meer problemen op, maar haar identiteit hebben we ook vastgesteld. We hebben vlak voordat ik hierheen ging om u de foto te brengen van de FBI doorgekregen wie ze is. Ze heet Joanna Marsh. Ze is ongehuwd, fysiotherapeute, tweeëndertig jaar en woont in Taos, New Mexico.'

'Elementair politiewerk, nietwaar McVey?' Noble trok bewonderend een wenkbrauw op.

'Puur geluk.' McVey glimlachte. De BKA had een fax van de beide foto's naar de politiebureaus van Zürich en Berlijn gestuurd en, op zijn verzoek, de foto van de vrouw naar het FBI-bureau in L.A., naar Fred Hanley. Het was een gok geweest, maar hij had er zo'n vermoeden van gehad dat als Lybarger in Berlijn was en in het huis in de Hauptstrasse logeerde, de kans groot was dat zijn fysiotherapeute daar ook was. En nu haar identiteit vastgesteld was, gold het omgekeerde: als zij daar was, moest Lybarger er bijna zeker ook zijn.

'*Danke*,' zei Remmer en inspecteur Kirsch en Schneider vertrokken samen.

Er klonk een dof geplof toen de verwarming van het hotel aanging. McVey keek eerst naar de ene en toen naar de andere foto. Hij grifte ze in zijn geheugen, overhandigde ze aan Noble en liep naar het raam. Hij probeerde zich in Joanna Marsh' positie te verplaatsen. Wat had ze gedacht toen ze daar door het raam stond te staren? Hoeveel wist ze af van wat er gebeurde? En wat zou ze hun kunnen en willen vertellen als ze het haar konden vragen?

Lybarger, dat was hij met Osborn eens, was de sleutel. Het was zowel ironisch als ergerlijk dat ze door middel van een computervergroting van de videoband nu weliswaar een duidelijke foto van Lybargers fysiotherapeute hadden en dat de vrouw door een organisatie aan de andere kant van de wereld letterlijk binnen een paar minuten was geïdentificeerd, maar dat de enige foto van Lybarger zelf waarmee Bad Godesberg op de proppen was gekomen, een vier jaar oude zwart-wit pasfoto was. En dat was alles. Verder niets. Zelfs geen kiekje van hem. Dat was krankzinnig. Van zo'n belangrijke, of een ogenschijnlijk zo belangrijke man als Lybarger zou minstens één keer een foto gepubliceerd moeten zijn. In een weekblad, een krant of in ieder geval in het een of andere zakenblad. Maar voor zover bekend was dat nooit gebeurd. Het leek erop dat hij vager werd naarmate ze harder zochten. Zijn vingerafdrukken zouden een geschenk uit de hemel zijn geweest, al was het alleen maar om ze na te trekken en, wat naar alle waarschijnlijkheid zou gebeuren, te constateren dat ze nergens bekend waren. Elton Lybarger moest wel de geheimzinnigste, meest afgeschermde man van de beschaafde wereld zijn.

McVey keek op zijn horloge: 16.27 uur.

Ze hadden nog nauwelijks een halfuur voordat ze Scholl zouden ontmoeten. Hun enige hoop was geweest dat ze Salettl te spreken zouden kunnen krijgen. McVey had hem dolgraag vóór hun bezoek aan Scholl willen ondervragen. Wie weet had Karolin Henniger kunnen helpen hem te bereiken. Maar Salettl was degene die het meest in aanmerking kwam om hun enig inzicht in de mens Lybarger te geven, nog afgezien van de mogelijkheid dat hij zelf betrokken was bij de moorden op de mannen die zonder hoofd waren gevonden. Maar zo'n ondervraging zat er niet meer in, tenzij er in zeer korte tijd nog ingrijpende veranderingen zouden plaatsvinden. Ze zouden het moeten doen met wat ze nu wisten en dat was erbarmelijk weinig.

Plotseling kwam de gedachte bij hem op Joanna Marsh te bellen en te proberen zoveel mogelijk informatie uit haar los te krijgen voordat ze zou ophangen of iemand anders de verbinding zou verbreken. Het was de moeite van het proberen waard, zoals trouwens alles op dat moment. Hij wilde net aan Remmer vragen het telefoonnummer van het huis in de Hauptstrasse op te zoeken toen een van de twee beveiligde telefoons van de kamer overging. Remmer keek McVey aan en nam op.

'Cadoux. Via Nobles kantoor in Londen doorverbonden,' zei hij.

McVey gebaarde Noble op het andere toestel mee te luisteren en pakte de telefoon van Remmer aan. Hij bedekte de hoorn met zijn hand en zei: 'Traceer het gesprek.' Remmer knikte en liep naar de slaapkamer, waar hij op een ander toestel een nummer indrukte.

'Cadoux, met McVey. Noble luistert op het andere toestel mee. Waar ben je?'

'In een telefooncel in een kleine kruidenierszaak in het noordelijke deel van de stad.' Cadoux' Engels was niet al te best en hij sprak haperend. Hij klonk vermoeid en bang en hij sprak bijna fluisterend om niet afgeluisterd te kunnen worden. 'Klass en Halder zijn de mollen binnen Interpol. Zij hebben de moord op Albert Merriman en op Lebrun en zijn

broer in Lyon laten plegen.'
'Voor wie werken ze, Cadoux?' McVey wilde hem direct vanaf het begin pressen om te onthullen aan welke kant hij stond.
'Dat... dat kan ik je niet vertellen.'
'Wat betekent dat in vredesnaam? Weet je het of weet je het niet?'
'Probeer alsjeblieft te begrijpen wat ik doe, McVey... dit is erg moeilijk voor me...'
'Oké. Doe maar rustig aan...'
'Zij... Klass en Halder... hebben me gedwongen mee te doen aan de moord op Lebrun door gebruik te maken van een oude band met mijn familie. Ze hebben me naar Berlijn gebracht omdat ze wisten dat jullie daar zijn. Ze wilden me gebruiken om jullie in de val te laten lopen. Ik heb één keer met hen meegewerkt, maar het deugt niet en dat heb ik hun verteld... Ik doe het geen tweede keer...'
'Cadoux.' McVey klonk plotseling meelevend. 'Weten zij waar je bent?'
'Misschien, maar ik denk het niet. In ieder geval op het ogenblik niet. Ze hebben overal informanten. Zo wisten ze ook waar ze Lebrun in Londen moesten vinden. Luister alsjeblieft naar me.' Cadoux' stem klonk dringender. 'Ik weet dat je een afspraak met Erwin Scholl hebt voordat de receptie van vanavond in het Charlottenburgpaleis begint. Ik moet je spreken voordat je naar hem toe gaat. Ik heb informatie die je nodig hebt. Wat ik je te zeggen heb, heeft betrekking op een man die Lybarger heet en op zijn connectie met de hoofdloze lijken.'
McVey en Noble wisselden een verbaasde blik.
'Vertel het me nu, Cadoux...'
'Het is onveilig voor me als ik hier nog langer blijf...'
'Noble hier, Cadoux. Was er een zekere dokter Salettl betrokken bij het verwijderen van de hoofden?'
'Ik logeer in hotel Borggreve, Borggrevestrasse 17, kamer 412 op de bovenste verdieping achterin. Ik moet nu ophangen. Ik verwacht jullie.'
Noble legde de hoorn zachtjes neer en keek McVey aan. 'Is er plotseling licht aan het eind van de tunnel of is het een aanstormende trein?'
'Geen idee,' zei McVey. 'In ieder geval is een gedeelte van wat hij ons heeft verteld waar.'
Remmer kwam terug uit de slaapkamer. 'Hij belde vanuit een levensmiddelenwinkel in de buurt van het metrostation van Schönholz. Er zijn rechercheurs naar toe gestuurd.'
McVey zette zijn handen op zijn heupen en wendde zijn blik af. 'Oké, daarover heeft hij dus ook de waarheid verteld.'
'Je bent bang dat het een valstrik is,' zei Remmer.

'Ja, ik ben bang dat het een valstrik is. Maar ik ben ook ergens anders bang voor en dat houdt elkaar in evenwicht. Ik heb al vanaf het begin het angstige vermoeden dat we, behalve Osborns getuigenis, in onze zaak tegen Scholl geen been hebben om op te staan.'
'Je wilt zeggen dat Cadoux misschien een heleboel ontbrekende stukjes van de legpuzzel zal kunnen invullen,' zei Noble kalm. 'En je vindt dat we hem moeten spreken, of er nu problemen uit voortkomen of niet.'
McVey zweeg secondenlang. 'Ik denk dat we geen keus hebben.'

# 112

*16.57 uur*

De flauwe rode gloed van de ondergaande zon verlichtte de horizon toen een zilverkleurige auto zich uit het verkeer op de Hauptstrasse losmaakte en voor het hek van het huis op nummer 72 stopte. De chauffeur draaide zijn raampje naar beneden toen er een beveiligingsman uit het stenen wachthuisje kwam en liet hem zijn legitimatie van het BKA zien.
'Mijn naam is Schneider. Ik heb een boodschap voor Herr Scholl,' zei hij. Onmiddellijk doken er twee andere bewakers uit het duister op, van wie de ene een Duitse herder aan de lijn had. Schneider kreeg te horen dat hij moest uitstappen. Hij werd gefouilleerd en moest toen aan de rand van het gazon gaan staan terwijl de Audi doorzocht werd. Vijf minuten later reed hij door het hek de oprijlaan naar het huis op.
De deur werd geopend en hij werd naar binnen geleid. Een bleke, in een smoking geklede man met een varkensgezicht kwam hem in de hal tegemoet. 'Ik heb een boodschap voor Herr Scholl.'
'Die kunt u aan mij geven.'
'Ik heb orders de boodschap alleen aan Herr Scholl zelf te geven.'
Ze gingen een kleine, gelambrizeerde kamer binnen waar hij opnieuw werd gefouilleerd.
'Ongewapend,' zei de bleke man tegen een andere, eveneens in een smoking geklede man die binnenkwam. Hij was lang en knap en Schneider wist onmiddellijk dat het von Holden was.
'Gaat u alstublieft zitten,' zei hij en hij verdween door een zijdeur. Hij

was jonger en fitter dan hij op zijn foto had geleken. Ongeveer even oud als Osborn, dacht Schneider.
Schneider ging zitten terwijl de man met het varkensgezicht bleef staan om hem in de gaten te houden. Na ruim tien minuten ging de zijdeur weer open en Erwin Scholl kwam, gevolgd door von Holden, binnen.
'Ik ben Erwin Scholl.'
'Ik ben inspecteur Schneider van het Bundeskriminalamt,' zei Schneider terwijl hij opstond. 'Inspecteur McVey is helaas opgehouden. Hij heeft me gevraagd hem te verontschuldigen en te informeren of er voor een ander tijdstip een afspraak gemaakt kan worden.'
'Het spijt me,' zei Scholl. 'Ik vertrek vanavond naar Buenos Aires.'
'Dat is jammer.' Schneider zweeg en gebruikte die tijd om te proberen de man enigszins te peilen.
'Ik zat toch al heel krap in mijn tijd. McVey wist dat.'
'Dat begrijp ik. Goed, nogmaals zijn verontschuldigingen.' Schneider boog licht, knikte naar von Holden, draaide zich op zijn hielen om en vertrok. Even later werd het hek geopend en hij reed weg. Hem was gevraagd scherp op te letten of hij Lybarger of de vrouw van de foto zag, maar ze hadden hem alleen toegestaan de hal en de kleine gelambrizeerde kamer te zien. Scholl had hem volkomen onverschillig behandeld. Von Holden was vriendelijk geweest, meer niet. Scholl was er, zoals hij had beloofd, op de afgesproken tijd geweest en niets wees erop dat hij andere plannen had gehad. Dat betekende dat de kans groot was dat ze er geen idee van hadden wat Cadoux in zijn schild voerde, waardoor het minder waarschijnlijk werd dat er een val opgezet was. Schneider slaakte een zucht van verlichting.
Scholl zelf had niet meer geleken dan een goedgeconserveerde oude man die gewend was onderdanig te worden behandeld en te krijgen wat hij wilde. Het merkwaardige, en het was echt merkwaardig, was niet dat er op Scholls linkerhand en -pols een zigzagpatroon van diepe, al genezende schrammen zat, maar de opvallende manier waarop hij de hand omhooghield, alsof hij de verwondingen wilde laten zien en tegelijkertijd wilde zeggen: iedere andere man zou hierdoor pijn lijden en om medeleven vragen, maar ik geniet ervan en dat is iets wat u nooit zult kunnen begrijpen.

# 113

Ze reden in twee auto's. Noble zat met Remmer in de Mercedes en Osborn zat achter het stuur van de zwarte Ford met McVey naast hem. Particuliere auto's van het BKA, een met de ervaren rechercheurs Kellermann en Seidenberg en een met Littbarski en een jongensachtig ogende rechercheur die Holt heette erin, stonden al bij het hotel. Kellermann en Seidenberg in de steeg erachter en Littbarski en Holt ervoor, aan de overkant van de straat. Kellermann en Seidenberg hadden informatie ingewonnen in de kleine kruidenierszaak vlak bij de ingang van het metrostation van waaruit Cadoux had gebeld. De eigenaar herinnerde zich vaag dat een man van Cadoux' signalement had getelefoneerd en hij dacht dat hij er maar kort was geweest en dat er niemand bij hem was.

Remmer stopte vóór hen en deed de lichten uit. 'Blijf doorrijden naar de hoek. Zodra je een plaats vindt, parkeer je,' zei McVey tegen Osborn.

Hotel Borggreve was een klein, in een herenhuis gevestigd hotel dat aan een bijzonder donker stuk straat ten noordoosten van de Tiergarten lag. Het telde vier verdiepingen, was misschien achttien meter breed en stond tussen twee hogere flatgebouwen in. Van voren gezien zag het er oud en slecht onderhouden uit. Kamer 412, had Cadoux hun verteld. Op de bovenste verdieping achterin.

Osborn sloeg de hoek aan het eind van het blok om en parkeerde achter een witte Alfa Romeo. McVey knoopte zijn colbert los, haalde de .38 te voorschijn en wipte het magazijn open om te controleren of het vol was. 'Ik houd er niet van als er tegen me gelogen wordt,' zei hij. Sinds Osborn von Holden had herkend toen ze naar de videoband van het huis in de Hauptstrasse hadden gekeken, had McVey nog niets over Osborns bekentenis gezegd. Hij zei het nu omdat hij Osborn eraan wilde herinneren wie de leiding had.

'Jouw vader is niet vermoord,' zei Osborn terwijl hij McVey aankeek. Hij verontschuldigde zich niet en kroop niet in zijn schulp. Hij was nog steeds boos omdat McVey had geprobeerd hem te gebruiken om Vera iets te laten zeggen waarop hij haar kon pakken. En hij was nog steeds verdomd kwaad over de manier waarop ze door de politie was behandeld. Zijn hoog oplaaiende emoties toen hij Vera weer had gezien en haar in zijn armen had gehouden, stonden tegenover zijn twijfel aan wie of wat ze echt was en daardoor was hij weer op de emotionele roetsj-

baan die zijn leven vanaf zijn tiende jaar was geweest, terechtgekomen. Dat hij haar zo had gezien, had de zaak voor hem vereenvoudigd omdat het nog duidelijker was geworden wat voor hem prioriteit moest hebben. Hij moest een antwoord van Scholl hebben voordat hij er zelfs maar over kon gaan nadenken wat Vera voor hem betekende of wie ze was. Daarom verontschuldigde hij zich niet tegenover McVey en hij zou dat ook niet doen. Op dit moment waren ze elkaars gelijken, of niets.
'Het gaat een lange avond worden, Osborn, en er staat veel op het spel. Probeer je dus niet flinker voor te doen dan je bent.' McVey stopte zijn revolver terug in de holster, pakte de radio van de stoel en zette die aan. 'Remmer?'
'Ik ben er, McVey.' Remmers stem klonk luid en duidelijk door de kleine luidspreker.
'Is iedereen gereed?'
'Ja.'
'Zeg hun dat we niet weten wat we kunnen verwachten, dus laat iedereen het rustig aan doen.'
Ze hoorden Remmer de boodschap in het Duits doorgeven en daarna opende McVey het handschoenenkastje. Hij haalde er het automatische Cz-pistool uit dat Osborn in het park bij zich had gehad en overhandigde hem dat. 'Houd de lichten uit en de portieren gesloten.' McVey keek hem even indringend aan, opende toen het portier en stapte uit. De koude lucht stroomde naar binnen, het portier werd dichtgeslagen en McVey was verdwenen. In de achteruitkijkspiegel zag Osborn hem de hoek bereiken en zijn colbert losknopen. Toen sloeg hij de hoek om en de straat was leeg.

De achterkant van Hotel Borggreve lag aan een smal, met bomen omzoomd weggetje. Aan de overkant stond een rij flatgebouwen die een heel blok vormden. Wat er op het weggetje en aan de achterkant van Hotel Borggreve gebeurde, viel onder verantwoordelijkheid van inspecteur Kellermann en inspecteur Seidenberg. Kellermann stond in de schaduw achter een vuilniscontainer met zijn verrekijker gericht op het raam van de tweede kamer van links op de bovenste verdieping. Voor zover hij kon zien brandde er een lamp in de kamer, maar dat was alles. Toen hoorde hij Littbarski's stem door de koptelefoon van zijn radio.
'Kellermann, we gaan naar binnen. Heb je iets gezien?'
'*Nein*,' zei hij zacht in de kleine microfoon die aan zijn revers was bevestigd. Aan de overkant van het weggetje zag hij hoe Seidenbergs forse gestalte zich in silhouet tegen een eikeboom aftekende. Hij had een geweer in zijn handen en hield de achterdeur van het hotel in de gaten.

'Hier ook niets,' zei Seidenberg.
Salettl stond in de grote slaapkamer op de eerste verdieping van het huis in de Hauptstrasse toe te kijken hoe Eric en Edward elkaar speels hielpen met het strikken van hun vlinderdas. Als ze geen tweelingbroers waren, dacht hij, zouden ze heel goed jonge homoseksuele minnaars kunnen zijn.
'Hoe voelen jullie je?' vroeg hij.
'Goed,' antwoordde Eric terwijl hij zich snel omdraaide en bijna in de houding ging staan.
'En ik ook,' echode Edward.
Salettl bleef nog een ogenblik staan en ging toen weg.
Beneden stak hij een geornamenteerde, met eikehout gelambrizeerde gang over en ging een even geornamenteerde studeerkamer binnen waarin Scholl, die er in zijn witte smoking heel goed uitzag, met een glas cognac in zijn hand voor een knapperend haardvuur stond. Uta Baur, gekleed in een van haar geheel zwarte creaties, zat in een stoel naast hem een Turkse sigaret in een sigarettepijpje te roken.
'Von Holden is bij meneer Lybarger,' zei Salettl.
'Dat weet ik,' zei Scholl.
'Het is betreurenswaardig dat de politieman de kardinaal erbij betrokken heeft...'
'Je hoeft je alleen maar om Eric, Edward en meneer Lybarger te bekommeren,' zei Scholl met een koude glimlach. 'Dit is onze avond, waarde dokter. Van ons *allemaal*.' Hij wendde plotseling zijn blik af. 'Niet alleen voor de levenden, maar ook voor degenen die nu dood zijn, maar die de visie, de moed en de toewijding hebben gehad ermee te beginnen. Vanavond is voor hen. Voor hen zullen we de toekomst ervaren, aanraken en proeven.' Scholl richtte zijn blik weer op Salettl. 'En niets, waarde dokter, zal ons dat kunnen afnemen,' zei hij zacht.

# 114

'Ik zou graag de sleutel van kamer 412 willen hebben, alstublieft,' zei Remmer tegen een grijsharige vrouw die achter de balie stond. Ze droeg een bril met dikke glazen en had een bruinachtige sjaal om haar schouders getrokken.
'Die is bezet,' zei ze verontwaardigd en ze keek naar McVey die links van de lift achter Remmer stond.
'Hoe heet u?'
'Anna Schubart,' zei ze. 'Wat wilt u?'
'BKA,' zei Remmer en toonde haar zijn legitimatie.
McVey en Noble stonden halverwege de voordeur en een trap die bedekt was met een versleten wijnrood tapijt. De hal zelf was klein en in de kleur van donkere mosterd geschilderd. Een fluwelen bank met een houten frame stond schuin op de balie gericht en erachter stonden twee vale, niet bij elkaar passende fauteuils tegenover een haard waarin een klein vuur brandde. In een ervan zat een bejaarde man met een open krant op zijn schoot te dommelen.
'Loopt de trap helemaal door tot de bovenste verdieping?'
'Ja.'
'Zijn de trap en de lift de enige manier om boven te komen?'
'Ja.'
'De oude man die zit te slapen, is dat een gast?'
'Dat is mijn vader. Wat is er aan de hand?'
'Woont u hier?'
'Daarachter.' Anna maakte een hoofdbeweging naar een gesloten deur achter de balie.
'Ga uw vader halen en neem hem mee naar binnen. Ik vertel u wel wanneer u naar buiten kunt komen.'
Het gezicht van de vrouw werd rood en ze stond op het punt hem te zeggen dat hij naar de maan kon lopen toen de voordeur werd geopend en Littbarski en Holt binnenkwamen. Littbarski had een geweer over zijn schouder en aan Holts zij bungelde een machinepistool.
Anna Schubart vergat haar trots. Ze pakte de reservesleutel van kamer 412 uit een kast die tegen de muur achter haar hing en gaf die aan Remmer. Toen liep ze snel naar de oude man en schudde hem wakker. '*Kommen Sie mit, Vater*,' zei ze. Ze hielp hem overeind en leidde hem om de balie heen de achterkamer in terwijl hij met zijn ogen knipperend rondstaarde. Ze wierp de politiemannen over haar schouder een

scherpe blik toe en sloot de deur.
'Zeg tegen Holt dat hij hier blijft,' zei McVey tegen Remmer. 'Jij en Littbarski nemen de trap. De oude mannen zullen de lift wel nemen. We wachten boven op jullie.'
McVey liep naar de lift en drukte op de knop. De deur ging onmiddellijk open en hij en Noble stapten naar binnen. De deur gleed dicht en Remmer en Littbarski liepen de trap op.
In het steegje achter het hotel dacht Kellermann dat hij in de kamer naast die van Cadoux iets zag oplichten, maar zelfs met de verrekijker was het moeilijk te zien. Wat het ook was, het leek te onbelangrijk om te melden.
De lift kwam met een schok op de bovenste verdieping tot stilstand en de deur ging open. Met zijn .38 in zijn hand keek McVey naar buiten. De gang was leeg en vaag verlicht. Hij zette de lift vast en stapte naar buiten. Noble volgde hem met een dofzwarte automatische Magnum kaliber .44.
Ze hadden ongeveer zes meter gelopen toen McVey bleef staan en naar een gesloten deur tegenover hen knikte.
Kamer 412.
Plotseling schoot er aan het eind van de gang een schaduw over het plafond en beide mannen drukten zich met hun rug tegen de muur. Toen kwam Remmer met een revolver in zijn hand de hoek om, op de hielen gevolgd door Littbarski. McVey stapte van de muur vandaan, wees naar de deur van kamer 412, waarna de mannen er van beide kanten van de gang naar toe liepen. McVey en Noble van links en Remmer en Littbarski van rechts.
Toen ze bij elkaar kwamen, gebaarde McVey Littbarski in het midden van de gang te gaan staan zodat hij recht op de deur zou kunnen schieten.
McVey nam de .38 over in zijn linkerhand en ging naast de deur staan. Hij stak de sleutel voorzichtig in het slot en draaide hem om.
Klik.
De klink gleed terug en ze luisterden.
Stilte.
Littbarski zette zich schrap en richtte het geweer op het midden van de deur. Een straaltje zweet stroomde langs de zijkant van Remmers gezicht toen hij zich stijf tegen de muur aan de andere kant van de deur drukte. Noble, die de Magnum op de militaire manier met twee handen vast had, stond vlak achter McVey, links van de deur, gereed.
McVey haalde diep adem, stak zijn hand uit en greep de deurknop vast. Hij draaide hem om en duwde zachtjes. De deur ging een klein stukje

open. Ze konden binnen net een stuk van een vaag verlichte staande rococolamp en de hoek van een bank zien. Een radio speelde zachtjes een wals van Strauss.
'Cadoux,' riep McVey luid.
Niets. Ze hoorden alleen de walsmuziek.
'Cadoux,' riep hij weer.
Nog steeds niets.
McVey keek Remmer aan en gaf de deur een harde duw. De deur zwaaide open en ze zagen Cadoux met zijn gezicht naar hen toe op de bank zitten. Hij droeg een donker corduroysportjasje en een blauw overhemd met een smalle blauwe stropdas die losjes gestrikt was. Een vuurrode vlek had zich verspreid over het grootste deel van wat er van zijn overhemd te zien was en in de stropdas zaten recht boven elkaar drie gaten.
McVey richtte zich op en keek in de gang heen en weer. De deuren van de vijf andere kamers waren gesloten en er viel geen licht onderdoor. Ze hoorden geen ander geluid dan de muziek uit Cadoux' radio. McVey bracht de .38 omhoog, ging in de deuropening staan en duwde de deur met de punt van zijn schoen langzaam helemaal open. Ze zagen een tweepersoonsbed met ernaast een goedkoop nachtkastje. De deur naar de donkere badkamer die erachter was, stond gedeeltelijk open. McVey keek over zijn schouder naar Littbarski, die zijn geweer steviger vastpakte en knikte. Toen keek McVey naar Remmer aan de andere kant van de deur en vervolgens naar Noble die links naast hem stond.
'Cadoux is doodgeschoten,' zei Remmer in de microfoon die aan zijn boord geklemd was.
Holt liep in de hal naar achteren terwijl hij de voordeur met zijn Uzi onder schot hield. In het steegje knipperde Seidenberg met zijn ogen om beter te kunnen zien, trok zich verder terug in de schaduw achter de eikeboom en hield zowel de achterdeur als het steegje onder schot. Kellermann richtte zijn verrekijker weer op het raam.
'We gaan de kamer in,' klonk Remmers stem weer door alle radio's. De mannen verstijfden, alsof ze er plotseling een voorgevoel van hadden dat er iets zou gaan gebeuren.
Littbarski bleef in de gang staan terwijl McVey de anderen voorging de kamer in. De kamer lichtte plotseling feller op dan de zon.
'Kijk uit!' schreeuwde hij.
Er klonk een daverende explosie. Littbarski werd van de grond getild en het hele raam van kamer 412 barstte samen met de hele omlijsting naar buiten, de steeg in. Onmiddellijk vloog er een enorme rollende vuurbal de lucht in die een spoor van zwarte rook achterliet.

Op dat moment werd de deur van de receptioniste van het hotel opengerukt en Anna stapte de hal in.
'Wat was dat?' snauwde ze tegen Holt.
'Ga terug naar binnen!' schreeuwde hij terwijl hij opkeek naar het stof en het gips die vanaf het plafond naar beneden vielen. Toen drong het tot hem door dat ze de bril met de dikke glazen niet meer op had. Hij keek te laat om. Ze had een .45 pistool met een geluiddemper in haar hand.
Het wapen schokte in haar hand en Holt strompelde naar achteren. Hij probeerde de Uzi omhoog te brengen, maar het lukte hem niet. Zijn onderkaak en de linkerkant van zijn gezicht waren verdwenen.

McVey lag plat op zijn rug op de vloer. Overal was vuur. Hij hoorde iemand schreeuwen, maar hij wist niet wie het was. Toen zag hij door de vlammen heen Cadoux boven zich. Hij glimlachte en had een pistool in zijn hand. McVey rolde zich om, richtte zich op en vuurde twee keer. Toen realiseerde hij zich dat er van Cadoux alleen het bovenstuk van zijn bovenlichaam over was. De hand met het pistool was een onderdeel van iets anders, maar McVey kon niet zien wat het was.
'Ian!' schreeuwde hij en hij probeerde overeind te komen. De hitte was ondraaglijk. 'Remmer!'
Ergens verderop hoorde hij boven het geloei van de vlammen uit een salvo uit een automatisch wapen, gevolgd door de zware knal van Littbarski's geweer. Hij duwde zich van de vloer omhoog en probeerde zich voor te stellen waar hij was en waar de deur zich bevond. Toen hoorde hij iemand vlak bij hem kreunen en hoesten. Hij bracht zijn arm omhoog om zijn gezicht tegen de hitte van de vlammen te beschermen en bewoog zich in de richting van het geluid. Een seconde later zag hij Remmer, die kokhalzend en hoestend in de rook probeerde op één knie overeind te komen. McVey liep naar hem toe, bracht zijn arm onder Remmers elleboog en trok hem omhoog.
'Manny! Sta op! Het is in orde!'
Kreunend van pijn stond Remmer op en McVey leidde hem door de rook heen de kant uit waar volgens hem de deur moest zijn. Toen waren ze de kamer uit en stonden op de gang. Littbarski lag op de vloer en het bloed gutste uit een compact patroon van kogelgaten in zijn borst. Verderop in de gang lag wat er over was van een jonge vrouw. Een machinepistool lag naast haar op de vloer. Littbarski's geweer had haar onthoofd.
'Jezus Christus!' vloekte McVey. Hij keek op en zag dat de vlammen de gang hadden bereikt en langs de muren lekten. Remmer had zich weer op zijn knie laten zakken en vertrok zijn gezicht van pijn. Zijn linkeronderarm was naar achteren gebogen en zijn pols bungelde er in een onna-

tuurlijke hoek bij.
'Waar is Ian in vredesnaam?' McVey wilde de kamer weer binnengaan. 'Ian! Ian!'
'McVey!' Remmer steunde tegen de muur om overeind te komen. 'We moeten hier als de sodemieter weg!'
'IAN!' riep McVey weer door de dichte rook en de loeiende vlammenzee in de kamer.
Toen pakte Remmer McVeys arm vast en trok hem mee door de gang. 'Kom mee, McVey. Jezus Christus! We moeten hem achterlaten! Dat zou hij ook hebben gedaan!'
McVey keek Remmer strak aan. Hij had gelijk. De doden waren dood, daar was niets meer aan te doen. Toen hoorden ze voor hun voeten een geluid en Noble kroop door de deuropening. Zijn haar stond in brand en zijn kleren ook.

Kellermann en Seidenberg waren vanaf het dak aan de overkant van de steeg met twee schoten uit een Steyr-Mannlicher-telescoopgeweer neergeknald. Viktor Sjevtsjenko had daarna de Steyr-Mannlicher voor een automatisch Kalasjnikov-geweer verwisseld en rende nu de trap naar de hal op om Natalia en Anna te helpen het karwei af te maken. Het probleem was dat hij met één persoon geen rekening had gehouden en Anna evenmin. Osborn was, toen hij de explosie hoorde, met Bernhard Ovens Cz in zijn hand naar het hotel gerend.
De eerste die hij zag, was een oude man die vlak bij de auto stond toen hij het portier opende. De man schrok en dat had Osborn net genoeg tijd gegeven om te zien dat hij een automatisch pistool in zijn hand had. Hij had de Cz tegen de buik van de man gedrukt en geschoten. Toen had hij het halve blok naar het hotel gesprint en hij kwam precies op het moment waarop Anna voor de zekerheid nog een laatste kogel in Holt pompte, op volle snelheid de hal binnenrennen. Toen ze hem zag, had Anna de revolver naar hem toe gezwaaid en in een waaierende beweging op hem geschoten. Omdat hij geen andere keus had, was Osborn gewoon op zijn plaats blijven staan en had de trekker overgehaald. Zijn eerste schot raakte haar in de keel. Zijn tweede schampte haar schedel, waardoor ze rondtolde en languit op de stoel naast Holts lijk viel.
Terwijl zijn oren nog tuitten van de knallen van de schoten, had Osborn de tegenwoordigheid van geest zich om te draaien. Op dat moment kwam Viktor Sjevtsjenko door de deur naar binnen terwijl hij de Kalasjnikov vanaf zijn heup omhoogbracht. Hij zag Osborn, maar was niet snel genoeg en Osborn pompte drie kogels in zijn borst voordat Viktor de drempel over was. Viktor bleef een seconde gewoon staan, volko-

men verbijsterd doordat Osborn op hem had geschoten en doordat de dingen zo snel konden gaan. Toen kreeg hij in plaats van een verbaasde een ongelovige uitdrukking op zijn gezicht en hij strompelde naar achteren. Hij probeerde zich aan de leuning vast te grijpen en viel toen languit achterover de trap af.
Terwijl de scherpe geur van de kruitdamp nog in de lucht hing, keek Osborn neer op Viktor. Vervolgens stapte hij terug naar binnen en keek in het rond. Alles leek op een vreemde manier verwrongen, alsof hij in een museum met bizarre, bloedige beelden stond. Holt lag op zijn zij bij de haard, op de plaats waar hij was gevallen. Anna, zijn moordenares, hing met haar gezicht naar beneden halfgeknield op de stoel die naast hem stond. Haar rok was obsceen over haar billen omhooggeschoven zodat er een nauwsluitende halve kous met daarboven een wit vlezig bovenbeen zichtbaar was. Een zacht briesje dat door de voordeur naar binnen woei, deed vergeefse moeite de lucht te zuiveren. Osborn had in een mum van tijd drie mensen gedood onder wie één vrouw. Hij probeerde er iets van te begrijpen, maar het lukte hem niet. Ten slotte hoorde hij in de verte sirenes.
Toen werd hij plotseling weer met zijn neus op de werkelijkheid gedrukt.
Rechts van hem hoorde hij een schurend geluid dat werd gevolgd door een zware bons. Hij draaide zich razendsnel om en zag dat de deur van de lift openging. Met bonkend hart stapte hij achteruit, terwijl hij zich op datzelfde moment afvroeg of hij nog munitie over had. Plotseling kwam er een gedaante uit de lift.
'HALT!' riep hij terwijl hij vertwijfeld probeerde op het Duitse woord te komen. Zijn vinger klemde zich om de trekker en hij bracht de lelijke snuit van de Cz omhoog om te vuren.
'OSBORN! JEZUS CHRISTUS, NIET SCHIETEN!' hoorde hij McVey schreeuwen. Toen wankelden ze kokhalzend en hoestend de lift uit terwijl ze probeerden frisse lucht naar binnen te zuigen. McVey en Remmer waren bebloed en gehavend en stonken naar rook en Noble, die ze tussen hen in ondersteunden, was half bij bewustzijn en had lelijke brandwonden.
Osborn rende naar hen toe. Toen hij Noble van dichtbij zag, vertrok hij zijn gezicht. 'Zet hem in een stoel. Voorzichtig!'
McVeys ogen waren helderrood door de rook. Hij keek op naar Osborn en fixeerde hem met zijn blik. 'Sla alarm,' zei hij nadrukkelijk, alsof hij er absoluut zeker van wilde zijn dat Osborn hem verstond. 'De hele bovenste verdieping staat in brand.'

# 115

*18.50 uur*

'Ik voel me goed vanavond,' zei Elton Lybarger met een spontane glimlach terwijl hij van Joanna naar von Holden keek, die ieder aan een kant naast hem zaten. Hun auto was de middelste van drie gepantserde zwarte Mercedes-Benz-limousines die bumper aan bumper door Berlijn reden. Scholl en Uta Baur zaten in de voorste auto en Salettl en de tweeling Eric en Edward in de achterste. 'Ik ben ontspannen en vol zelfvertrouwen. Ik ben jullie allebei dankbaar.'

'Daarom zijn we hier, meneer. Om ervoor te zorgen dat u zich op uw gemak voelt,' zei von Holden terwijl de auto de hoek van de Lietzenburgerstrasse omsloeg en met verhoogde snelheid in de richting van het Charlottenburgpaleis reed.

Von Holden veegde een stofje van de mouw van zijn smoking, pakte de telefoon van het paneel achter in de auto en draaide een nummer. Joanna glimlachte. Als hij minder afgeleid zou zijn, zou hij misschien volledig hebben gewaardeerd hoe ze eruitzag, want ze had zich voor hem zo mooi gemaakt. Haar make-up was onberispelijk, ze had haar scheiding aan de linkerkant gekamd en het haar daarna getoupeerd en vochtig gemaakt, zodat het in een natuurlijke golving langs de rechterkant van haar gezicht viel waardoor de verbijsterend verleidelijke Uta Baur-creatie die ze droeg, geaccentueerd werd. Het was een tot op de vloer vallende wit-met-smaragdgroene japon die bij de hals gesloten maar daaronder bijna tot aan het borstbeen open was, zodat haar borsten op een uitdagend erotische manier getoond werden. Met de korte zwarte nertsjas die ze losjes over haar schouders droeg, zag ze er op de laatste avond die ze tussen de Europese aristocratie zou doorbrengen uit alsof ze er echt bij hoorde.

Von Holden glimlachte flauwtjes naar haar terug terwijl de telefoon aan de andere kant van de lijn bleef overgaan. Plotseling werd de zoemtoon afgebroken en een op de band opgenomen stem zei in het Duits: 'Belt u alstublieft terug, er is niemand in het voertuig aanwezig.'

Von Holden liet de hoorn tussen zijn vingers door glijden en hing langzaam op. Hij deed zijn best om zijn frustratie niet te laten blijken. Weer kreeg hij het gevoel dat hij tegenover Scholl had moeten volhouden dat hij de operatie in Hotel Borggreve moest leiden in plaats van Lybarger naar Charlottenburg te brengen. Maar dat had hij niet gedaan en hij kon

er nu niets meer aan veranderen.
Om drie uur die middag had hij de laatste details van zijn plan doorgenomen met de door de Stasi opgeleide agenten die het zouden uitvoeren – Cadoux, Natalia en Viktor Sjevtsjenko. Anna Schubart en Wilhelm Podl, explosievenexperts en in Libië getrainde terroristen die per trein uit Polen waren aangekomen, hadden zich bij hen gevoegd.
Ze hadden met elkaar afgesproken in de smerige achterkamer van een motorreparatiezaak vlakbij het Ostbahnhof, een van de twee grote treinstations van Oost-Berlijn, en von Holden had met behulp van foto's en tekeningen van Hotel Borggreve, een van de gebouwen die in bezit waren van een niet-bestaand bedrijf dat een façade was voor de Berlijnse afdeling, zorgvuldig de taktiek en de timing van wat hij wilde laten doen, uiteengezet. Zijn plan was zo gedetailleerd geweest dat er zelfs in geregeld werd hoe Anna en Wilhelm, die de rol van haar bejaarde vader zou spelen, zich zouden kleden, welk type en welk aantal wapens er zouden worden gebruikt, hoe groot de lading Semtex zou moeten zijn en op welke wijze de springstof tot ontploffing gebracht zou worden.
McVey en de anderen hadden zich niet kunnen permitteren het aanbod dat ze hadden gekregen, te laten lopen. Von Holden had vanaf het begin geweten dat hij één voordeel op zijn tegenstanders had en Scholl had hem daar ook nog eens op gewezen. Al hadden McVey en de anderen bewezen bekwaam te zijn, ze bleven politiemannen. Ze zouden denken als politiemannen en zich voorbereiden als politiemannen, behoedzaam, maar voorspelbaar. Von Holden wist dit zo goed omdat vele van zijn eigen agenten uit de gelederen van de politie waren gerekruteerd en hij had al spoedig gemerkt hoe weinig ze van de manier van denken van terroristen begrepen en hoe grondig ze omgeschoold moesten worden.
Hiervan uitgaande was de gang van zaken simpel. Cadoux zou hun telefonisch voldoende juiste informatie geven om zichzelf te beschuldigen en hun vervolgens beloven dat hij hun de inlichtingen zou geven die ze nodig hadden om Scholl te kunnen vervolgen. Hij zou hun vertellen dat hij vreesde dat de Organisatie die hij had bedrogen, hem wilde doden en hun een adres geven waar ze hem konden vinden. Daarna zou hij ophangen.
Als ze in zijn kamer in het hotel waren, zou hij beginnen met hun de informatie die ze nodig hadden, te geven, dan zou hij zich verontschuldigen en naar het toilet gaan. Omdat ze hem niet helemaal vertrouwden, zou een van de mannen met hem meegaan en hij zou daartegen niet protesteren. Als ze de kamer uit waren, zou Natalia de springlading vanaf een afstand tot ontploffing brengen. Cadoux zou de man die bij

hem was doodschieten en Natalia zou de politiemannen die eventueel in de gang wachtten doden. Anna, Viktor en Wilhelm Podl zouden de politiemannen in de hal en voor en achter het gebouw voor hun rekening nemen. Het was over het geheel genomen een uiterst simpel plan. Ze zouden hun slachtoffers een kleine ruimte binnenleiden en hen daar liquideren.
Precies om kwart voor vier was de bespreking afgelopen. De anderen gingen naar het hotel en von Holden bracht Cadoux met de auto naar de nabijgelegen kruidenierszaak om McVey en de anderen te bellen. Daarna reden ze onmiddellijk naar het hotel, namen het plan nog een keer door en plaatsten de explosieven. Daarna zei von Holden tegen de anderen dat hij Cadoux onder vier ogen wilde spreken en hij sloot de deur van kamer 412.
Von Holden had gewild dat Cadoux zich belangrijk zou voelen, dat hij het idee zou krijgen dat von Holden hem zijn eerdere fout niet kwalijk nam omdat hij wist hoeveel Avril Rocard voor hem betekende. Hij had Cadoux succes gewenst en aanstalten gemaakt om weg te gaan. Op het laatste moment had hij zich omgedraaid omdat hij zich zogenaamd realiseerde dat hij was vergeten Cadoux een wapen te geven. Hij had zijn diplomatenkoffertje geopend en er een 9mm automatisch pistool, een in Oostenrijk gefabriceerde Glock 18, uitgehaald. De Glock 18 kon op volledig automatisch vuur overschakelen en was voorzien van een magazijn met drieëndertig kogels. Cadoux' gezicht had een tevreden uitdrukking gekregen toen hij het wapen zag. 'Goeie keus,' had hij gezegd.
'Nog één ding,' zei von Holden voordat hij hem het wapen overhandigde. 'Mademoiselle Rocard is dood. Ze is bij de boerderij bij Nancy omgekomen.'
'Wat?' brulde Cadoux ongelovig.
'Betreurenswaardig, vooral vanuit mijn gezichtspunt.'
'Vanuit jouw gezichtspunt?' Cadoux was lijkbleek geworden.
'Ze was op mijn uitnodiging in Berlijn. We waren minnaars, of wist je dat niet? Ze hield van een goeie neukpartij, niet van dat geknoei dat ze van jou moest verdragen.'
Cadoux stortte zich schreeuwend van woede op hem. Von Holden deed niets tot Cadoux hem bereikte, toen bracht hij eenvoudigweg de Glock omhoog en schoot snel drie kogels af. Cadoux' lichaam had de knallen gedempt en de inslag van de kogels maakte nauwelijks geluid. Daarna had von Holden hem in een zittende houding op de bank gezet en was vertrokken.

In de verte zag von Holden de helder verlichte gevel van Charlotten-

burg. Hij pakte de telefoon nog een keer op, drukte het nummer in en wachtte. Weer kreeg hij hetzelfde antwoord. Er was niemand in het voertuig aanwezig. Hij hing op en staarde door het raampje. Zijn instructies waren glashelder geweest. Onmiddellijk na het ontploffen van de Semtex en na wat een eenvoudige opruimoperatie hoorde te zijn, moest het viertal het hotel verlaten en in een blauwe Fiat-bestelwagen die schuin aan de overkant was geparkeerd, wegrijden. Ze moesten in zuidelijke richting van het gebied vandaan rijden tot von Holden via de autotelefoon contact met hen zou opnemen om hun verslag te horen. Daarna zouden ze de bestelwagen in de Borussiastrasse vlak bij het vliegveld Tempelhof achterlaten en elk in een andere richting verdwijnen. Om tien uur zouden ze het land uit moeten zijn.
'Is er iets mis, Pascal?' vroeg Joanna.
'Nee, niets,' antwoordde von Holden glimlachend.
Joanna glimlachte terug. Toen draaiden ze door de ijzeren poort de geplaveide toegangsweg naar Charlottenburg op en reden om het ruiterstandbeeld van Friedrich Wilhelm I, de Grote Keurvorst, heen. Von Holden zag Scholl en Uta Baur vóór hem uitstappen. Toen remde zijn chauffeur ook en de limousine kwam tot stilstand. Het portier werd geopend en een zwaargebouwde beveiligingsman in een smoking stak zijn hand naar Joanna uit om haar uit de auto te helpen.
Drie minuten later werden ze de Historische Vertrekken binnengeleid, het luxueuze, sierlijke privé-verblijf van Friedrich I en zijn vrouw Sophie Charlotte. Scholl, die zich plotseling gedroeg als een opgewonden theaterproducent, had Lybarger, Eric en Edward in een hoek laten plaatsnemen en probeerde een fotograaf te vinden om foto's van hen te maken. Von Holden nam Joanna apart en vroeg haar ervoor te zorgen dat Lybarger naar een kamer gebracht zou worden waar hij zou kunnen rusten tot hij geroepen werd.
'Er is iets mis, hè?'
'Helemaal niet. Ik ben zó terug,' zei hij snel. Hij meed Scholl, vertrok door een zijdeur en drong zich door een gang die vol stond met bedienend personeel. Hij liep naar de ontvangstruimte, ging een nis binnen en probeerde radiocontact met Hotel Borggreve te krijgen. Hij kreeg geen antwoord.
Hij zette de radio uit, knikte naar een beveiligingsbeambte en liep door de hoofdingang, waardoor de andere gasten al arriveerden, naar buiten. Hij zag de buitengewoon kleine, bebaarde Hans Dabritz uit een limousine stappen en zijn hand uitsteken naar een prachtig slank, zwart fotomodel dat dertig jaar jonger was dan hij. Hij bleef in de schaduw en liep naar de straat. Toen hij de oprijlaan overstak, zag hij in een flits

Konrad en Margarete Peiper die op de achterbank van een langsrijdende limousine zaten. Achter hen stond een lange rij limousines te wachten tot ze door de poort naar binnen konden gaan. Als von Holden zijn chauffeur zou roepen, zou het minstens tien minuten duren voor hij er zou zijn. En op dit moment was tien minuten veel te lang om passief rond te hangen om op een limousine te wachten. Aan de overkant van de straat zag hij Gertrude Biermann uit een taxi stappen en vastberaden in zijn richting komen, waarbij haar dikke enkels onder haar groene, loden militaire overjas maar al te duidelijk zichtbaar waren. Toen ze bij de hoofdingang kwam, stormden de beveiligingsmensen vanwege haar onaantrekkelijke, militante voorkomen dreigend op haar af. Ze betaalde hun met gelijke munt terug en liet eerst haar tanden en vervolgens haar uitnodiging zien. De taxi waarin ze was aangekomen, stond nog steeds aan de overkant van de straat langs de stoep te wachten tot hij zich in het verkeer kon voegen. Von Holden liep er snel heen, opende het achterportier en stapte in.
'Waar wilt u naar toe?' vroeg de chauffeur terwijl hij over zijn schouder naar de koplampen van de naderende auto's keek en toen plotseling met piepende banden optrok.
Nadat hij die middag met Joanna in haar kamer in het huis in de Hauptstrasse naar bed was geweest, was von Holden onmiddellijk in slaap gevallen. En hoewel het maar een paar minuten had geduurd, was het voor de droom lang genoeg geweest om terug te komen. Overmand door angst was hij badend in het zweet met een schreeuw wakker geworden. Joanna had geprobeerd hem te troosten, maar hij had haar weggeduwd en een krachtige ijskoude douche genomen. Door het water en de tijdsdruk was hij snel weer de oude en hij weet de droom aan uitputting. Maar dat was een leugen. De droom was echt geweest. De *Vorahnung*, het voorgevoel, was teruggekomen. Het was er weer geweest op het moment dat hij zijn hand op de telefoon van de limousine legde en de schok van angst voelde dat er weer geen antwoord zou komen als hij belde. Zelfs voordat hij de hoorn van de haak nam, had hij geweten dat er iets op een verschrikkelijke manier was misgegaan.
'Ik vroeg u waar u naar toe wilt?' herhaalde de chauffeur. 'Of moet ik soms in kringetjes blijven rondrijden terwijl u een beslissing neemt?'
Von Holden richtte zijn blik op de reflectie van de chauffeur in de spiegel. Hij was jong, hooguit tweeëntwintig. Hij was blond, glimlachte en kauwde kauwgom. Hoe moest hij weten dat er maar één plaats was waar zijn passagier naar toe kon gaan?
'Hotel Borggreve,' zei von Holden.

# 116

Minder dan tien minuten later sloeg de taxi de Borggrevestrasse in en stopte onmiddellijk. De straat was door de politie afgezet en er stonden brandweerauto's, ambulances en patrouillewagens. In de verte zag von Holden vlammen die tot aan de donkere hemel reikten. Het was precies wat hij had moeten zien als alles volgens plan was verlopen. Maar zo lang hij geen contact met de agenten had gehad, kon hij niet zeker weten wat er was gebeurd.

Plotseling kreeg von Holden hevige hartkloppingen en het koude zweet brak hem uit. De hartkloppingen werden erger en hij had het gevoel alsof iemand binnen in zijn borst een knoop legde. Doodsbang en naar lucht happend zette hij zijn handen naast zich op de stoel uit angst dat hij het bewustzijn zou verliezen en omvallen. Hij dacht dat hij de chauffeur hoorde vragen waar hij nu naar toe wilde, omdat de politie iedereen wegjoeg. Hij klauwde aan zijn boord en frunnikte met zijn vingers aan zijn stropdas. Ten slotte wist hij hem los te trekken en hij leunde naar adem happend achterover.

'Wat is er?' De chauffeur draaide zich in zijn stoel om en keek over zijn schouder.

Op dat moment stopte er een ziekenauto naast hen en de flitslichten sneden als messen door zijn oogzenuwen. Met een kreet bracht hij zijn hand omhoog en wendde zich af om het licht te ontwijken.

Toen kwamen ze.

De monsterachtige linten met hun groen-met-rode fondantkleur golfden in een volmaakt ritme op en neer en drongen als reusachtige, demonische zuigers de kern van zijn wezen binnen. Von Holdens ogen rolden in hun kassen omhoog en zijn tong bleef in zijn keel steken en dreigde hem te verstikken. Nog nooit had hij de droom gehad terwijl hij wakker was en nog nooit op zo'n afschuwelijke manier.

Hij wist zeker dat hij zou sterven als hij niet zou uitstappen en hij dook naar het portier. Hij zwaaide het open, sleepte zich over de bank en stapte de avondlucht in.

'Hé, waar ga je naar toe?' schreeuwde de chauffeur. 'Denk je verdomme dat je gratis een beetje in taxi's kunt rondrijden?' De glimlachende, kauwgom kauwende jongen was plotseling een felle, woedende kapitalist geworden. Pas toen realiseerde von Holden zich dat de chauffeur een vrouw was. Omdat ze haar haar onder haar pet had gestopt en een ruimvallend jasje droeg, had hij dat niet gezien.

Von Holden haalde diep adem en staarde haar aan.'Weet je waar de Behrenstrasse is?' vroeg hij.
'Ja.'
'Breng me daar dan heen. Ik moet op nummer 45 zijn.'

De koplampen van de tegenliggers verlichtten de mannen in de auto. Schneider reed en Remmer zat naast hem. McVey en Osborn zaten achterin. Het onderste deel van McVeys rechterwang en het grootste deel van zijn onderlip waren verbrand en ontveld en ter bescherming ingesmeerd met zalf. Remmers haar was tot op de hoofdhuid verschroeid en zijn linkerhand was op een aantal plaatsen gebroken toen direct na de explosie een deel van het plafond naar beneden was gekomen. Omdat Remmer volhield dat de avond wat hem betrof niet voorbij was zo lang hij nog kon lopen, had Osborn het werk van de aanwezige verpleger overgenomen en de hand strak verbonden. Ze herinnerden zich allemaal hoe Noble in de ambulance werd gelegd. Zijn lichaam was voor meer dan tweederde verbrand en hij kreeg druppelsgewijs vloeistof toegediend door een infuus dat boven zijn hoofd werd gehouden. Hij had bijna dood en buiten bewustzijn moeten zijn, maar hij had zijn ogen geopend, naar hen opgekeken en met schorre stem door zijn zuurstofmasker heen weten uit te brengen: 'Plastic springlading. Stomme klootzakken die we zijn...' Daarna werd zijn stem krachtiger en er klonk een felle woede in door. 'Zorg dat je hen te pakken krijgt,' zei hij en zijn ogen glinsterden. 'En breek hen dan.'
Remmer hield zich vast terwijl Schneider een scherpe bocht nam en keek toen McVey aan. 'We zullen Scholl niet kunnen verrassen. De beveiliging zal hem laten weten dat we er zijn zodra we arriveren.'
McVey wendde zijn blik af en antwoordde niet. Noble had gelijk gehad. Ze waren stomme klootzakken die met open ogen in de val waren gelopen. Maar ze waren gretig geweest en hadden onder tijdsdruk gestaan omdat ze Cadoux wilden bereiken voordat de Organisatie hem te pakken kreeg. Terugblikkend was het een situatie waarin ze mariniers hadden moeten meenemen in plaats van politiemannen – of in ieder geval een antiterreurteam van de Berlijnse politie. Maar dat hadden ze niet gedaan en daarvoor had Noble van hun vieren het ergst moeten boeten. Hij was ook woedend omdat de Duitse politiemannen vermoord waren, maar daaraan konden ze nu niets meer doen. De enige troost, voor zover je daarvan kon spreken, was dat vier mensen van de Organisatie het ook met de dood hadden moeten bekopen. Hopelijk zou de identificatie van de lijken nieuwe mogelijkheden bieden.
'Niet alleen zal de beveiliging Scholl waarschuwen, maar ze zullen ons

ook niet binnenlaten,' hield Remmer vol. 'Ons arrestatiebevel geldt alleen voor Scholl. Ze zullen het standpunt innemen dat het niet voor het gebouw geldt. We hebben niets aan het arrestatiebevel als we niet bij hem kunnen komen.'
McVey keek op. 'Zeg dan tegen hen dat we, als ze proberen ons tegen te houden, het gebouw wegens brandgevaar zullen laten ontruimen. Als dat niet werkt, moet je je fantasie maar gebruiken. Jij bent politieman en zij zijn maar beveiligingsmensen.' Hij wendde zich abrupt tot Osborn en leunde naar hem voorover. Zijn brandwonden waren lelijk en pijnlijk, maar zijn ogen hadden een levendige en intense uitdrukking en hij sprak snel en vastberaden. 'Scholl zal het zonder meer ontkennen, maar hij zal weten wie je bent en weten dat deze hele zaak aan het rollen is gebracht door die kwestie met jou en Merriman in Parijs. Hij zal aannemen dat Merriman jou over hem heeft verteld en dat jij dat aan mij hebt doorverteld. Wat hij niet weet, dat denk ik althans, is hoeveel informatie we over de rest hebben verzameld. Zelfs als zijn beveiligingsmensen hem waarschuwen, zal hij verrast zijn als hij ons ziet, omdat hij denkt dat we dood zijn. Hij is ook arrogant genoeg om er kwaad over te zijn dat we zijn feest verstoren. Dat is iets waarop ik reken. Om redenen die we niet helemaal begrijpen, is dat feest heel belangrijk voor hem en hij zal ons zo snel mogelijk willen lozen om naar zijn gasten te kunnen teruggaan. Maar dat zullen we hem niet toestaan en daardoor zal hij nog bozer worden. En daarna gaan we hem nog bozer maken.'
Osborn keek hem onzeker aan. 'Ik kan je niet volgen.'
'We gaan hem alles vertellen wat we weten. Over de moord op je vader, over de scalpel die hij heeft ontworpen, over de andere mensen die in hetzelfde jaar als hij vermoord zijn en over hun uitvindingen. Op een bepaald moment lassen we een paar dingen in die we niet weten, maar we doen alsof dat wel zo is. Het idee is hem zo onder druk te zetten dat hij breekt. We zullen hem zo in de tang nemen dat hij doorslaat. Dat hij bekent dat hij een moordenaar heeft gehuurd.' McVey keek plotseling Remmer aan. 'Om hoeveel teams heb je gevraagd als ruggesteun?'
'Zes. En er worden er nog zes paraat gehouden die op onze instructies wachten. We houden ook nog geüniformeerde politie achter de hand voor het geval er reden is tot massale arrestatie over te gaan.'
'McVey,' zei Osborn, 'je zei dat we hem iets zouden vertellen wat we niet weten. Wat bedoel je daarmee?'
'Veronderstel dat we hem vertellen dat we overal naar informatie over zijn eregast, Herr Lybarger, hebben gezocht, maar dat we niets hebben kunnen vinden. We zijn nieuwsgierig en willen hem graag ontmoeten. Om een heleboel redenen zal hij dat weigeren. Dan zeggen we, oké,

aangezien u niet wilt dat we hem ontmoeten, zijn we verplicht aan te nemen dat we niets over hem aan de weet konden komen omdat de arme kerel al lang dood is.'
'Dood?' vroeg Remmer.
'Ja, dood.'
'Wie speelt er dan voor Lybarger en waarom?'
'Ik heb niet gezegd dat het Lybarger niet is. Ik heb alleen gezegd dat we niets over hem hebben ontdekt omdat hij dood is. In ieder geval het grootste deel van hem...'
Osborn voelde een ijskoude rilling over zijn rug glijden. 'Je denkt dat hij een succesvol experiment is. Dat Lybargers hoofd met behulp van atomische chirurgie bij het absolute nulpunt op het lichaam van iemand anders gezet is.'
'Ik weet niet of ik dat denk, maar het is geen slechte theorie. Of hij nu loog of niet, Cadoux heeft ons op het spoor gezet toen hij zei dat hij informatie had die Scholl met Lybarger en Lybarger met de hoofdloze lijken in verband bracht. Waartoe zouden al die geheimzinnigheid rondom Lybargers beroerte, zijn isolatie in het ziekenhuis in Carmel waar alleen dokter Salettl hem bezocht en zijn lange herstelperiode in het verpleegtehuis in New Mexico anders moeten dienen? Richman, de micropatholoog, heeft gezegd dat er bij welslagen achteraf niet meer te constateren is dat een dergelijke operatie is uitgevoerd en dat de overgang van het hoofd naar de nek even natuurlijk is als die van een boom naar een tak. Zelfs zijn Amerikaanse fysiotherapeute zal er geen flauw idee van hebben.'
'Ik denk dat je te lang in Hollywood hebt gezeten, McVey.' Remmer stak een sigaret aan en hield die tussen zijn stijfverbonden vingers vast. 'Waarom probeer je dat verhaal niet aan de film te verkopen?'
'Ik wed dat Scholl dat ook zal zeggen, maar ik denk dat we toch een poging moeten wagen om het te bewijzen of vast te stellen dat het niet klopt.'
'Hoe?'
'Door middel van Lybargers vingerafdrukken.'
Remmer staarde hem aan. 'Dit is geen theorie meer, McVey. Je gelooft het echt.'
'Het is in ieder geval niet zo dat ik het ongeloofwaardig vind, Manfred. Ik ben te oud. Ik kan alles geloven.'
'Zelfs als we Lybargers vingerafdrukken weten te krijgen, en dat zal heus niet gemakkelijk zijn, wat hebben we daar dan aan? Als je Frankenstein-theorie klopt en zijn eigen lichaam vanaf de schouders dood is en God mag weten waar begraven ligt, kunnen we ze nergens

mee vergelijken.'
'Manfred, als jij je hoofd aan een ander lichaam zou laten zetten, zou je dan niet een veel *jonger* lichaam kiezen?'
'Dit is een vreemde kant van je die helemaal nieuw voor me is,' zei Remmer glimlachend.
'Beeld je maar in dat zo'n operatie heel gewoon is en aan de lopende band wordt uitgevoerd.'
'Tja... als ik.. Ja, natuurlijk, een jonger lichaam. Denk eens aan al die mooie, jonge meisjes die ik met mijn ervaring zou kunnen krijgen,' zei Remmer grijnzend.
'Goed. Laat me je dan nu vertellen dat we het eens diepgevroren hoofd van een man van voor in de twintig in een mortuarium in Londen bewaren. Hij heette Timothy Ashford en woonde in Clapham South. Hij heeft een keer met een paar bobby's gevochten, dus de Londense politie heeft zijn vingerafdrukken in het archief.'
Remmers grijns vervaagde. 'Denk je echt dat Lybarger Timothy Ashfords vingerafdrukken heeft?'
McVey raakte de zalf op zijn brandwonden aan. Hij vertrok zijn gezicht, liet zijn hand zakken en keek naar de zwarte vlekjes van zijn eigen verkoolde huid die in de doorzichtige zalf zaten.
'Deze mensen hebben een hoop moeite gedaan om te voorkomen dat er iemand zou uitvinden waarmee ze bezig zijn en een heleboel mensen zijn daardoor dood. Ja, ik sla er maar een slag naar, Manfred, maar dat zal Scholl immers niet weten.'

# 117

De ruim bemeten werken van de Duitse romantische kunstenaars Runge, Overbeck en Caspar David Friedrich – op wier broeierige landschapsschilderijen mensen als onbeduidend werden afgebeeld tegen de achtergrond van de overweldigende grootsheid van de natuur – bedekten de muren van de Zaal voor Romantische Kunst van Charlottenburg. Een strijkkwartet en een concertpianist speelden afwisselend een selectie van sonates en concerto's om de juiste stemming en sfeer te creëren voor de machtige gasten die hier ter ere van Elton Lybarger

bijeengekomen waren. De gasten mengden zich en spraken luid over politiek, de economie en de toekomst van Duitsland, terwijl in het zwart geklede obers zich tussen hen door manoeuvreerden met bladen waarop een keur van drankjes en hors d'oeuvres stond.
Salettl stond alleen bij de ingang van de zaal naar het gewoel te kijken. Voor zover hij kon beoordelen, was bijna iedereen die was uitgenodigd gekomen en hij glimlachte om de goede opkomst. Hij stak de zaal over en zag Uta Baur met Konrad Peiper praten. Scholl stond samen met de Duitse krantenmagnaat Hilmar Grunel en Margarete Peiper te luisteren naar zijn Amerikaanse advocaat Louis Goetz die in het Engels hof hield. Drie woorden die Goetz binnen een paar seconden gebruikte, gaven duidelijk aan waarover hij het had. Hollywood. Impresariaten. Joden.
Toen kwam Gustav Dortmund met zijn echtgenote binnen. Ze was een saaie, in een donkergroene avondjurk geklede, grijsharige vrouw wier onaantrekkelijkheid werd geaccentueerd door een verblindend vertoon van diamanten. Scholl ging bijna direct naar Dortmund toe en ze liepen samen naar een hoek om te praten.
Salettl wenkte een ober, pakte een glas champagne van het dienblad en keek toen op zijn horloge. Het was 19.52 uur. Om 20.05 uur zouden de gasten de grote trap op worden geleid naar de Gouden Zaal waar het diner zou worden geserveerd. Precies om 21.00 uur zou hij zich excuseren en naar het mausoleum gaan om een toeziend oog te houden op von Holdens voorbereidingen op de geheime gebeurtenissen die daar na Lybargers toespraak zouden plaatsvinden. Om 21.10 uur zou hij terug zijn in Lybargers verblijf, waar deze in gezelschap van Joanna, Eric en Edward de laatste voorbereidingen voor zijn toespraak zou treffen.
Hij zou Joanna apart nemen en haar zeggen dat haar taak was voltooid en dat ze kon vertrekken. Vervolgens zou hij haar door een chauffeur laten wegbrengen. Na haar vertrek zouden er, met uitzondering van de beveiligingsmensen en het bedienend personeel die zorgvuldig waren geselecteerd, geen buitenstaanders meer in het gebouw zijn. Om 21.15 uur zou Lybarger zijn entree in de Gouden Zaal maken. Zijn toespraak zou tot 21.30 duren en om 21.45 zou alles achter de rug zijn.

De Behrenstrasse was een door statige, oude bomen omzoomde straat met herenhuizen. Een echtpaar van middelbare leeftijd, dat na het eten een wandelingetje maakte, liep onder een straatlantaarn door toen von Holdens taxi voor nummer 45 stopte.
Hij zei tegen de chauffeuse dat ze moest wachten, stapte uit, duwde een ijzeren hek open en liep snel de vier treden naar het vier verdiepingen

tellende gebouw op. Hij drukte op de bel, stapte naar achteren en keek omhoog. De heldere lucht van eerder op de dag was verdwenen en er hing een lage bewolking. Het weerbericht had voor later op de avond motregen en mist voorspeld. Het was een slecht voorteken. Bij mist bleven vliegtuigen aan de grond staan en volgens plan moest Scholl onmiddellijk na de laatste ceremonie in Charlottenburg naar zijn landgoed in Argentinië vliegen. Het zou zeer ongunstig uitkomen als er vanavond mist zou zijn.

Er klonk een scherp geluid, de deur ging abrupt open en een broodmagere man van een jaar of zestig keek hem met halfdichtgeknepen ogen aan.

'*Guten Abend*,' zei hij toen hij von Holden herkende en hij stapte opzij om hem te laten passeren.

'Ja, goedenavond Herr Frazen.'

Twee vrouwen en een man, alle drie van Frazens leeftijd, keken op van een kaarttafel toen von Holden langs de zitkamer liep en in de gang verdween. De vrouwen giechelden meisjesachtig en waren het erover eens hoe elegant von Holden er in een smoking uitzag. De man zei dat ze hun mond moesten houden. Hoe von Holden gekleed was en wat hij daar op dat tijdstip van de avond deed, waren hun zaken niet.

Von Holden opende een deur aan het eind van de gang en ging een kleine studeerkamer met houten lambrizeringen binnen. Hij deed de deur ongeduldig op slot en liep naar het staand horloge in de hoek achter het zware bureau. Hij opende het horloge, haalde de opwindsleutel eruit en stak hem in een bijna onzichtbaar sleutelgat in een paneel aan zijn linkerkant. Hij draaide de sleutel een kwartslag om, het paneel gleed opzij en er werd een glanzende, roestvrijstalen deur met een ingelegd digitaal paneel in de rechterbovenhoek zichtbaar. Von Holden drukte een code in alsof hij een automatische kassa gebruikte. Onmiddellijk gleed de deur opzij en werd er een kleine lift zichtbaar. Von Holden stapte naar binnen, de deur sloot zich en het gebeeldhouwde houten paneel gleed op zijn plaats.

De lift daalde drie volle minuten voor hij stopte en von Holden stapte een grote rechthoekige kamer binnen die honderdtwintig meter onder de Behrenstrasse lag. De kamer was helemaal leeg. De vloer, het plafond en de muren bestonden uit vijfentwintig centimeter dikke, zwartmarmeren panelen van anderhalve meter in het vierkant.

Aan de andere kant van de kamer was een lichtgevend stalen paneel dat eruitzag als een duur abstract kunstwerk van metaal. Het geluid van von Holdens voetstappen weergalmde toen hij ernaar toe liep. Toen hij het bereikte, bleef hij er recht voor staan. 'Lugo,' zei hij. Toen gaf hij zijn

uit tien cijfers bestaande identificatienummer op, gevolgd door het woord 'Bertha', de naam van zijn moeder.
Onmiddellijk schoof er links van hem een paneel opzij en hij liep een lange, diffuus verlichte gang in die evenals de kamer marmeren muren had. Het marmer was hier echter niet zwart, maar blauwachtig wit, wat een bijna etherisch effect had.
De gang was bijna vijfenzestig meter lang en er waren geen deuren, zijgangen of decoraties. Aan het eind ervan was weer een lift. Toen hij de lift bereikte, identificeerde hij zich op dezelfde manier als daarvoor, maar voegde er nu een tweede nummer aan toe, 86672.
Honderdvijftig meter lager stopte de lift. 'Lugo,' zei hij weer. De deur gleed open en hij ging *der Garten* binnen, een plaats waarvan slechts een tiental mensen op de hoogte was. Bij elk bezoek dat hij eraan bracht, had hij het gevoel dat hij de set van een fantastische futuristische film betrad. Zelfs de vaak gebruikte entree door het huis, met zijn verborgen deur en schuifpaneel, leek uit het een of andere historische melodrama afkomstig te zijn.
Maar al was het dan pompeus, het was geen filmset. Het was in 1939 ontworpen en de bouw ervan was tussen 1942 en 1944 voltooid toen agenten van vijandelijke inlichtingendiensten tot op het hoogste niveau van de Duitse generale staf waren geïnfiltreerd en bommenwerpers van de geallieerden nog dieper in het hart van het Derde Rijk aanvallen uitvoerden.
Het bestaan van *der Garten* met zijn eenvoudige, onschuldige naam was zo geheim dat er bij het begin van de bouw vanuit een nabijgelegen ondergrondse spoorlijn een zijtunnel werd aangelegd. De lijn werd daarna afgesloten voor reparaties en het zand dat werd opgegraven om liftschachten, gangen en kamers te kunnen bouwen, werd in de ondergrondse spoorlijn gedumpt en door ertswagons over de ondergrondse sporen afgevoerd. Apparatuur, arbeiders en voorraden werden op dezelfde manier aangevoerd.
En hoewel er vierhonderd mannen eenentwintig maanden in continudienst aan het project hadden gewerkt, hadden noch de bewoners van de Behrenstrasse, noch de verdere bevolking van Berlijn er enig idee van gehad wat er onder hun voeten gebeurde. Als laatste voorzorg werden de vierhonderd mannen die het hadden gebouwd – architecten, ingenieurs en arbeiders – vergast en aan de voet van de tweede liftschacht onder duizend kubieke meter beton begraven toen ze champagne zaten te drinken om de voltooiing van de bouw te vieren. Familieleden die vragen stelden over hun verdwijning kregen te horen dat ze het slachtoffer van bombardementen van de geallieerden waren geworden. Dege-

nen die vragen bleven stellen, werden doodgeschoten. Later, toen er in de loop van de jaren elektronische en bouwkundige verbeteringen werden aangebracht, onderging het kleine aantal streng geselecteerde ontwerpers, ingenieurs en vaklui hetzelfde lot, zij het individueler en heimelijker. Ze kregen een auto-ongeluk, werden per ongeluk geëlektrocuteerd of vergiftigd of tijdens de jacht doodgeschoten. Tragische maar begrijpelijke incidenten.
Dus behalve voor een select groepje nazi-machthebbers dat van het bestaan ervan op de hoogte was, bestond het immense ondergrondse bouwwerk *der Garten* eenvoudigweg niet. En nu, bijna een halve eeuw later, bestond het nog steeds niet, behalve dan voor Scholl, von Holden en de anderen die aan de top van de Organisatie stonden.
Vóór von Holden gleed een deur open en hij betrad een lange koepelgang die met duizenden witte keramische tegels was ingelegd. Het was nu 20.10 uur. Wat er ook in Hotel Borggreve was gebeurd, hij moest dat nu uit zijn hoofd zetten. Behalve wat hij had gezien, had hij geen informatie en hij kon daarom niets anders doen dan zijn instructies opvolgen.
Halverwege de gang stond hij stil tegenover een deur van rode keramische tegels die op titanium waren aangebracht. Hij liet zijn vingers over een braille-achtig vierkant glijden, drukte een code van vijf cijfers in en wachtte tot er boven het vierkant een groen lampje begon te branden. Daarna drukte hij nog drie cijfers in. Het groene lampje ging uit en de deur kwam van de vloer omhoog. Hij bukte zich, liep naar binnen en de deur zakte achter hem dicht.
Het duurde even voordat zijn ogen aan de bijna doorzichtige zilverachtig-blauwe kleur van de kamer gewend waren en zelfs toen had hij geen besef van diepte of ruimte. Het was alsof hij een kamer was binnengegaan die niet bestond. Een verdichtsel van een droom.
Recht vóór hem zag hij de vage contouren van een muur. Erachter was Sector F, de geheimste kamer van *der Garten*. Het was een kleine, vierkante ruimte die van boven, van onderen en aan de vier zijkanten werd beschermd door veertig centimeter dikke muren van titanium, die waren versterkt door drie meter dik beton waarin om de vijfenveertig centimeter een laag geleiachtige substantie was aangebracht. Zelfs wanneer de kamer direct door een waterstofbom zou worden getroffen of wanneer er een zware aardbeving plaatsvond, zou de kamer daardoor stabiel blijven.
'Lugo,' zei von Holden luid en hij wachtte tot de grafische voorstelling van zijn stem digitaal gecomprimeerd en vergeleken zou zijn met het digitaal gecomprimeerde origineel dat in het archief was opgeslagen.

Even later gleed een paneel van de muur links van hem opzij en er verscheen een verlicht doorzichtig glazen scherm. '*Zehn – Sieben – Sieben – Neun – Null – Null – Neun – Null – Vier*,' zei hij duidelijk articulerend. Drie seconden later verschenen er zwarte letters op het scherm.

LETZTE MITTEILUNG/LEITER DER SICHERHEIT FREITAG
VIERZEHN OKTOBER

Toen verdwenen de letters. Von Holden leunde naar voren, drukte zijn handen stevig tegen het glas en stapte vervolgens achteruit. Het glas werd onmiddellijk donker en het paneel gleed dicht. Er gingen tien seconden voorbij waarin zijn vingerafdrukken werden gescand. Zeven seconden later verscheen er op de vloer een matrix van blauwe stippen die zich naar het midden van de kamer bewogen tot ze een vierkant van exact zestig bij zestig centimeter vormden.
'Lugo,' zei hij weer. Het vierkant vervaagde en in plaats daarvan verrees er een platform uit de vloer. Er stond een in een doorzichtig omhulsel verpakte metaalgrijze kist die was vervaardigd uit een vezelmengsel, onder andere bestaande uit koolstof, polymeren van vloeibare kristallen en kevlar. De kist was zestig centimeter in het vierkant en vijfenzestig centimeter hoog. Dit was waarvoor hij was gekomen en wat aan enkele uitverkorenen onder de aanwezigen bij de ceremomie in het mausoleum van Charlottenburg, enkele minuten nadat Elton Lybarger uitgesproken was, zou worden getoond.
Vanaf het begin had de kist de codenaam *Übermorgen* gehad. Dit voorwerp belichaamde zowel een droom als een visioen en hierom had alles altijd gedraaid. Hierdoor zou de Organisatie de volgende eeuw worden binnengevoerd en als het *der Garten* eenmaal had verlaten, zou von Holden het met zijn leven beschermen.

# 118

Greta Stassel was de twintigjarige taxichauffeuse die von Holden in de Behrenstrasse voor nummer 45 had laten wachten. Ze had gezien dat hij naar haar opgeplakte chauffeurspapieren keek en ze vroeg zich af of hij nog wist hoe ze heette. Hij leek een beetje in de war, maar hij was ook erg sexy en ze dacht erover na hoe ze hem zou kunnen helpen bij welk probleem het ook was dat hij had, toen de straatlantaarns flikkerden en uitgingen.
Ze schrok toen er plotseling een gedaante uit het duister opdook en op haar raampje tikte. Toen besefte ze wie hij was en ze hoorde hem door het raampje tegen haar zeggen dat hij iets in de kofferbak wilde zetten. Ze haalde haar sleutels uit het contact, stapte uit en liep naar de achterkant van de taxi. Ja, hij was sexy en erg knap en hij leek kalm, dus misschien was hij helemaal niet zo in de war.
'Waar is het?' vroeg ze glimlachend terwijl ze de klep opende.
Eén ogenblik was von Holden van zijn stuk gebracht en hij dacht dat hij nog nooit zo'n mooie glimlach had gezien. Toen zag Greta de vierkante, witte plastic draagdoos die op het trottoir stond. Het rode schijnsel van de achterlichten van de taxi verlichtte de woorden die op het deksel en de zijkanten ervan gedrukt stonden: BREEKBAAR – MEDISCHE INSTRUMENTEN.
'Het spijt me, dat is het niet,' zei von Holden toen ze de doos wilde oppakken.
Ze draaide zich met een niet-begrijpende uitdrukking op haar gezicht om, maar glimlachte toch. 'Ik dacht dat u iets in de kofferbak wilde zetten...'
'Inderdaad...'
Ze glimlachte nog toen de 9 mm kogel uit de Glock precies tussen haar ogen haar schedel doorboorde. Von Holden ving haar op toen ze door haar knieën zakte. Hij tilde haar op en rolde haar in een foetushouding in de kofferbak. Hij sloot de klep, pakte de sleutels, zette de doos naast zich op de voorbank, startte de motor en reed weg.
Een half blok verder sloeg hij de helder verlichte Friedrichstrasse in. Hij vond Greta's rittenboek, scheurde er de bovenste bladzijde uit, vouwde het vel papier met één hand op en stopte het in zijn zak. Op de klok op het dashboard was het 20.30 uur.

20.35 uur.
Von Holden reed over de Strasse 17 Juni door de donkere Tiergarten, vijf minuten van Charlottenburg vandaan. Hij dacht geen moment na over het lijk van de taxichauffeuse in de kofferbak. Het betekende niets dat hij haar had gedood. Het was gewoon een noodzakelijk middel geweest om een doel te bereiken.
*Übermorgen*, de spil waarom alles draaide, stond zachtjes heen en weer wiebelend in de witte doos op de stoel naast hem. De aanwezigheid ervan maakte hem vrolijk en gaf hem moed. Hoewel hij nog twee keer zonder succes had geprobeerd radiocontact met zijn agenten op te nemen, keerden de zaken ten goede. Nieuwsuitzendingen van radioverslaggevers die zich bij Hotel Borggreve bevonden, meldden dat er minstens drie leden van de Duitse federale politie bij een schietpartij, een explosie en een brand waren omgekomen. Twee lijken die zo ernstig waren verbrand dat identificatie onmogelijk was, waren weggehaald. Er waren nog twee andere lijken gevonden, maar nog niet geïdentificeerd. Een terroristische splintergroep had de politie gebeld om de verantwoordelijkheid op te eisen. Von Holden leunde achterover, ontspande zich en haalde diep adem bij deze gunstige wending van het lot. Misschien was zijn angst ongefundeerd geweest, misschien was alles toch volgens plan verlopen.
Anderhalve kilometer van hem vandaan stonden aan weerskanten van de Spandauerdamm limousines geparkeerd. De chauffeurs ervan stonden rokend en pratend in groepjes bijeen met hun kraag opgeslagen en hun pet over hun hoofd getrokken tegen de kilte van de dichter wordende mist.
Op het trottoir aan de andere kant van de straat stond Walter van Dis, een zeventienjarige Nederlandse gitaarspeler die een zwartleren jasje droeg en wiens haar tot op zijn middel hing, te midden van een drom toeschouwers naar het paleis te kijken. Er gebeurde niets, maar ze keken toch omdat ze waren gefascineerd door een luxe die hun nooit ten deel zou vallen tenzij de wereld ingrijpend veranderde.
Het doffe staccatogeluid van autoportieren die werden dichtgeslagen trok zijn aandacht en hij veranderde van houding om te kunnen zien wat er gebeurde. Vier mannen waren net uit een auto gestapt en staken nu de straat over naar het hek van Charlottenburg. Hij stapte onmiddellijk achteruit, de schaduw in en bracht tegelijkertijd zijn hand naar zijn mond. 'Walter,' zei hij in een kleine microfoon.

Een ogenblik later biepte von Holdens radio. Gretig zette hij hem aan in de verwachting de stem te horen van een van de agenten die hij naar

Hotel Borggreve had gestuurd. In plaats daarvan kwam hij in een nerveus gesprek terecht tussen Walter en de beveiligingsmensen van het paleis die om bijzonderheden vroegen. Over welke mannen had hij het? Was hij zeker van het kenteken? Hoe zagen ze eruit? Uit welke richting waren ze gekomen?
'Lugo hier,' zei hij op scherpe toon. 'Maak de verbinding vrij voor Walter.'
'Walter.'
'Wat voor nieuws heb je?'
'Er zijn zojuist vier mannen uit een auto gestapt en ze lopen nu naar het hek. Een van hen beantwoordt aan het signalement van de Amerikaan, Osborn. Een andere zou McVey kunnen zijn.'
Von Holden vloekte zachtjes. 'Houd hen bij het hek tegen! Ze mogen onder geen enkele voorwaarde binnengelaten worden!'
Plotseling hoorde hij een man, die zich bekendmaakte als inspecteur Remmer van het BKA, zeggen dat hij voor politiezaken in het paleis moest zijn. Toen hoorde hij de vertrouwde stem van Pappen, zijn chef van de beveiliging, heftig protesteren. Dit was een besloten feest met zijn eigen beveiliging. De politie had hier niets te zoeken. Remmer zei dat hij een arrestatiebevel voor Erwin Scholl had. Pappen zei dat hij nog nooit van Erwin Scholl had gehoord en dat Remmer niet toegelaten zou worden, tenzij hij een huiszoekingsbevel kon overleggen.

McVey en Osborn volgden Remmer en Schneider over de met kinderhoofdjes geplaveide voorhof naar de ingang van het paleis. Toen zelfs het dreigement dat ze het gebouw op last van de brandweercommandant wegens brandgevaar zouden laten ontruimen hen niet deed zwichten, had Remmer over de radio drie patrouillewagens opgeroepen. Ze waren met zwaailichten binnen enkele seconden gearriveerd en hadden de chef van de beveiliging en zijn tweede man in hechtenis genomen wegens het belemmeren van een politieoperatie.
Von Holden scheurde door het verkeer en stopte voor de opstopping die door Remmers actie was veroorzaakt. Hij zag nog net hoe Pappen en zijn tweede man een politieauto ingewerkt en afgevoerd werden. Hij stapte uit de taxi, ging ernaast staan en keek toe terwijl de rest van zijn beveiligingsmensen opzij stapten toen de indringers de voordeur bereikten en het gebouw binnengingen. Scholl zou woedend zijn, maar het was zijn eigen schuld. Von Holden wist dat hij zich niet zo gemakkelijk gewonnen had moeten geven toen Scholl hem buiten de operatie in Hotel Borggreve had willen houden, maar dat had hij nu eenmaal wel gedaan en dat maakte de pil nog bitterder.

Hij twijfelde er geen moment aan dat McVey en Osborn nu niet in Charlottenburg zouden zijn geweest als hij de leiding over de actie in Hotel Borggreve had gehad.

# 119

Met een brede filmsterrenglimlach op zijn gezicht kwam Louis Goetz de grote trap af en liep naar de mannen die beneden stonden te wachten.
'Inspecteur McVey!' zei hij tegen McVey, die hij er onmiddellijk tussenuit gepikt had, en hij stak zijn hand naar hem uit. 'Ik ben Louis Goetz, meneer Scholls advocaat. Zullen we ergens heen gaan waar we kunnen praten?'
Goetz ging hen door een doolhof van gangen voor naar een grote gelambrizeerde zaal en sloot de deur. De ruimte had een glanzende grijswitte marmeren vloer en aan beide uiteinden was een enorm grote haard van hetzelfde materiaal. Een zijmuur zuchtte onder het gewicht van zware wandtapijten en ertegenover kwamen openslaande deuren uit op een verlichte, geometrisch aangelegde tuin die verderop door het duister aan het gezicht onttrokken werd. Boven de deur waardoor ze waren binnengekomen hing een portret uit 1712 van Sophie Charlotte zelf, de corpulente koningin van Pruisen met haar dubbele onderkin.
'Gaat u zitten, heren.' Goetz gebaarde naar een aantal stoelen met hoge rugleuningen die om een lange, sierlijke tafel stonden. 'Jeetje, inspecteur, dat ziet er niet best uit. Wat is er gebeurd?' vroeg hij terwijl hij naar McVeys brandwonden keek.
'Ik ben een beetje onvoorzichtig geweest met koken,' zei McVey met een uitgestreken gezicht en hij ging in een van de stoelen zitten. 'Volgens de artsen haal ik het wel.'
Osborn ging tegenover McVey zitten en Remmer schoof een stoel naast hem aan. Schneider hield zich op de achtergrond en bleef bij de deur staan. Ze wilden niet dat dit op een invasie van rechercheurs zou lijken.
'Meneer Scholl had eerder op de avond tijd vrijgehouden om met u te spreken. Ik vrees dat hij de rest van de avond bezet is en direct daarna vertrekt hij naar Zuid-Amerika.' Goetz ging aan het hoofd van de tafel zitten.

'We willen hem maar een paar minuten spreken voordat hij vertrekt, meneer Goetz,' zei McVey.
'Dat zal vanavond niet mogelijk zijn, inspecteur. Misschien wanneer hij terug is in L.A..'
'Wanneer is dat?'
'In maart volgend jaar.' Goetz glimlachte alsof hij net de clou van een mop had verteld en hief toen zijn hand op. 'Hé, het is echt waar. Ik probeer niet de geestige jongen uit te hangen.'
'Dan moet het nu maar gebeuren.' McVey was bloedserieus en Goetz wist het.
Goetz leunde met een ruk naar achteren. 'Weet u wie Erwin Scholl is? Weet u wie hij daarboven te gast heeft?' Hij keek naar het plafond. 'Wat denkt u in vredesnaam, dat hij zo maar midden in de feestelijkheden opstaat en naar beneden komt om met u te praten?'
Van boven kwamen de klanken van een orkest dat een wals van Strauss speelde. De muziek deed McVey denken aan de radio in de kamer waarin ze Cadoux hadden gevonden. Hij keek Remmer aan.
'Ik vrees dat meneer Scholl zijn plannen zal moeten wijzigen,' zei Remmer, terwijl hij het *Haftbefehl* voor Goetz op de tafel liet vallen. 'Hij komt naar beneden om met inspecteur McVey te praten of hij gaat nu direct de gevangenis in.'
'Wat heeft dit in jezusnaam te betekenen? Met wie denken jullie verdomme wel dat jullie te maken hebben?' Goetz was woedend. Hij pakte het arrestatiebevel op, keek ernaar en gooide het vol afkeer terug op de tafel. Het was helemaal in het Duits gesteld.
'Met een beetje medewerking kunnen we misschien voorkomen dat uw cliënt ernstig in verlegenheid wordt gebracht. Misschien hoeft hij zelfs zijn vliegtuig niet te missen.' McVey schoof op zijn stoel heen en weer. De pijnstiller die Osborn hem had gegeven begon uitgewerkt te raken, maar hij wilde er niet meer nemen uit angst dat hij suffig zou worden en zijn scherpte zou verliezen. 'Vraagt u hem nu maar of hij een paar minuten naar beneden wil komen.'
'Waarom vertelt u me niet gewoon waar dit in christusnaam allemaal om gaat?'
'Dat bespreek ik liever met meneer Scholl. Natuurlijk hebt u het volste recht erbij aanwezig te zijn. En anders kunnen we allemaal met inspecteur Remmer meegaan en ons gesprek in een minder historische omgeving voeren.'
Goetz glimlachte. Hier zat een ambtenaar die niet eens in zijn eigen land was en veel te hoog mikte door te proberen het hard te spelen met een man die zoveel macht en invloed had als Erwin Scholl. Het pro-

bleem was het arrestatiebevel. Dat hadden ze geen van allen verwacht, hoofdzakelijk omdat niemand van hen had geloofd dat het McVey zou lukken een Duitse rechter zo ver te krijgen er een uit te vaardigen. Scholls Duitse advocaten zouden het regelen zodra ze op de hoogte waren gesteld, maar dat zou wat tijd kosten en McVey zou hun die niet geven. Er waren twee manieren om de kwestie aan te pakken. Hij zou McVey kunnen vertellen dat hij de pot op kon of zich van zijn goede kant laten zien en Scholl vragen naar beneden te komen en wat met de stroopkwast te werken in de hoop alles lang genoeg te kunnen rekken tot de moffenadvocaten gearriveerd waren.
'Ik zal kijken wat ik kan doen,' zei hij. Hij stond op, keek even naar Schneider die nog bij de deur stond en vertrok.
McVey keek Remmer aan. 'Dit is misschien een goed moment om te proberen Lybarger te vinden.'

Von Holden reed de taxi een donkere straat in die een stuk of tien blokken van Charlottenburg verwijderd was. Toen hij een plaatsje had gevonden, parkeerde hij en deed de lichten uit. Het was een rustige buurt. Door de mist en de motregen bleven de mensen binnen. Hij opende het portier, stapte uit en keek om zich heen.
Hij zag niemand. Hij pakte de witte plastic doos uit de auto, bevestigde een nylon draagriem aan de klemmen aan de bovenkant ervan en zwaaide de riem over zijn schouder. Hij gooide de sleutels terug in de taxi en liep weg.
Tien minuten later kon hij Charlottenburg zien. Hij stak bij de Tegeler Weg een voetbrug over de Spree over en liep naar een dienstingang aan de achterkant van het paleisterrein. Erachter zag hij de lichten van het gebouw door de mist heen opdoemen en hij realiseerde zich hoeveel dichter de mist het afgelopen uur was geworden. De vliegvelden zouden nu gesloten zijn, en tenzij het weer veranderde zouden er tot morgenochtend geen vliegtuigen kunnen opstijgen.
Een bewaker die bij de dienstingang was geposteerd liet hem binnen en hij liep een met kastanjebomen omzoomd pad af. Hij stak nog een brug over en volgde het pad onder een gewelf van dennebomen naar een kruising waar hij linksaf sloeg en naar het mausoleum liep.
'Het is negen uur. Waar was je?' Salettls stem klonk hem vanuit het duister tegemoet en toen stapte hij recht voor von Holden het pad op. Zijn broodmagere gestalte was gehuld in een donkere mantel en alleen zijn hoofd tekende zich in het duister duidelijk af.
'De politie is hier. Ze hebben een arrestatiebevel voor Scholl.' Salettl kwam dichterbij. Von Holden zag dat zijn pupillen zo klein als spelde-

knopjes waren en zijn hele lichaam leek gespannen alsof hij zich vol amfetamine had gespoten.
'Ja, dat weet ik,' zei von Holden.
Salettls ogen schoten naar de witte doos die over von Holdens schouder hing. 'Je doet net alsof het een soort picknickmand is.'
'Dat spijt me. Het kon niet anders.'
'De ceremonie hier in het mausoleum is voorlopig uitgesteld.'
'Op wiens bevel?'
'Van Dortmund.'
'Dan ga ik terug naar *der Garten*.'
'Je hebt orders tot nader order in de Koninklijke Vertrekken te wachten.'
Dichte mistflarden wervelden om de paarse rododendrons langs het pad waarop ze stonden. Verder weg rees het mausoleum als een gotische nachtmerrie boven de bomen die het omringden uit. Von Holden had het gevoel alsof hij er door een onzichtbare hand naar toe werd getrokken. Toen kwamen ze weer, de kolossale, langzaam golvende rood-met-groene gordijnen van het noorderlicht die dreigden de kern van zijn wezen op te slokken.
'Wat is er?' snauwde Salettl.
'Ik...'
'Ben je ziek?' snauwde Salettl weer.
Terwijl hij vocht om de droom te verdrijven, schudde von Holden zijn hoofd. Toen zoog hij zijn longen vol met de koude lucht. Het noorderlicht verdween en zijn hoofd werd weer helder.
'Nee,' zei hij op scherpe toon.
'Ga dan naar de Koninklijke Vertrekken, zoals je is opgedragen.'

# 120

*20.57 uur*

Joanna veegde de pluisjes van Elton Lybargers nachtblauwe jacquet en dacht aan haar puppy die nu ergens boven de Atlantische Oceaan op weg was naar de kennel op het vliegveld van Los Angeles, waar hij vast-

gehouden zou worden tot ze hem kwam ophalen. Plotseling werd er luid op de deur geklopt en Eric en Edward kwamen binnen, gevolgd door Remmer en Schneider. Achter hen stonden Lybargers in smoking geklede bodyguards en twee mannen met armbanden die aanduidden dat ze bij de beveiliging hoorden.
'Oom,' zei Eric beschermend, 'deze mannen hebben gevraagd of ze u even konden spreken. Ze zijn van de politie.'
'*Guten Abend*,' zei Lybarger glimlachend. Hij was bezig met het innemen van wat vitaminepillen. Hij stopte ze een voor een in zijn mond en spoelde ze weg met kleine slokjes water uit een glas.
'Herr Lybarger,' zei Remmer. 'Neemt u ons niet kwalijk dat we u storen.' Hij glimlachte beleefd en ongedwongen terwijl hij Lybarger tegelijkertijd snel en zorgvuldig opnam. Hij schatte dat Lybarger nog geen zeventig kilo woog en ongeveer één meter zestig lang was. Lybarger stond rechtop en leek lichamelijk fit. Hij droeg een wit overhemd met een gesteven front en dubbele manchetten en een witte vlinderdas. Hij leek precies wat hij was: een man van begin tot midden vijftig die in goede gezondheid verkeerde en gekleed was om een belangrijk gehoor toe te spreken.
Toen hij de pillen had ingenomen, draaide Lybarger zich om.
'Alsjeblieft, Joanna.' Hij stak zijn armen uit en Joanna hielp hem zijn jasje aantrekken.
Remmer herkende Joanna onmiddellijk als de vrouw die op de video-opname van het huis in de Hauptstrasse voor het raam had gestaan en door de FBI als Lybargers fysiotherapeute, Joanna Marsh uit Taos, New Mexico, was geïdentificeerd. Hij had gehoopt ook de man op de video aan te treffen, de man aan wiens houding Noble meende te zien dat hij Spetznas-soldaat was geweest, maar hij was niet in de kamer.
'Wat heeft dit te betekenen?' vroeg Eric. 'Mijn oom staat op het punt een belangrijke toespraak te houden.'
Remmer draaide zich om en vestigde bewust de aandacht van Eric, Edward en de bodyguards op zich door naar het midden van de kamer te lopen.
Intussen stapte Schneider achteruit, keek rond in de kamer en liep de badkamer binnen. Een ogenblik later kwam hij naar buiten.
'We hebben gehoord dat er misschien een probleem was met meneer Lybargers persoonlijke veiligheid,' zei Remmer.
'Wat voor probleem?' vroeg Eric.
Remmer glimlachte en ontspande zich. 'Ik zie dat er geen vuiltje aan de lucht is. Het spijt me dat we u lastig hebben gevallen. *Guten Abend*.' Hij draaide zich om en keek Joanna aan en vroeg zich af hoeveel ze wist, in

hoeverre ze bij de zaak betrokken was. 'Goedenavond,' zei hij hoffelijk en hij liep samen met Schneider de kamer uit.

# 121

*21.00 uur*

McVey en Scholl stonden zwijgend tegenover elkaar. Door de warmte in de zaal was de zalf op McVeys gezicht olieachtig vloeibaar geworden, waardoor zijn brandwonden er nog grotesker uitzagen.
Een ogenblik daarvóór had Louis Goetz Scholl geadviseerd geen woord te zeggen voordat zijn advocaten er waren. McVey had daarop gereageerd met te zeggen dat Scholl daartoe weliswaar het recht had, maar dat het feit dat hij niet met een politieonderzoek meewerkte geen goede indruk op de rechter zou maken als deze moest bepalen of Scholl al dan niet op borgtocht zou worden vrijgelaten. Om nog maar te zwijgen, had hij er afgemeten aan toegevoegd, over de onaangename consequenties als de media er, niet geheel toevallig, lucht van zouden krijgen dat een vooraanstaand man als Erwin Scholl was gearresteerd op verdenking van het huren van een moordenaar en in afwachting van zijn uitwijzing naar de v.s. werd vastgehouden.
'Wat voor gelul is dat allemaal?' stoof Goetz op. 'U hebt hier geen enkele bevoegdheid. Het feit dat meneer Scholl bij zijn gasten is weggegaan om u te ontmoeten, is voldoende bewijs van zijn medewerking.'
'Als we ons een beetje ontspannen, kunnen we misschien zo klaar zijn en naar huis gaan,' zei McVey kalm tegen Scholl, zonder aandacht aan Goetz te besteden. 'Deze hele zaak staat mij net zo tegen als u. Bovendien heb ik erg veel last van mijn gezicht en ik weet dat u weer graag naar uw gasten wilt.'
Scholl had zijn plaats op de verhoging in de Gouden Zaal meer uit nieuwsgierigheid dan door de dreiging van McVeys arrestatiebevel verlaten. Hij was even blijven staan om Dortmund te vertellen wat er aan de hand was. Dortmund was onmiddellijk naar een telefoon gelopen om een batterij Duitse topadvocaten te bellen, terwijl Scholl de Gouden Zaal door een zijdeur verliet. Scholl liep de trap af toen een opge-

wonden Salettl hem achternakwam en hem vroeg waar hij naar toe ging en hoe hij het waagde zijn gasten op een moment als dit alleen te laten. Het was toen tien voor negen geweest, vijfentwintig minuten voordat Lybarger zijn entree zou maken.
'Ik heb een korte bespreking met een politieman, iemand die bijna onkwetsbaar lijkt te zijn,' had hij met een arrogante glimlach gezegd. 'Er is ruimschoots tijd voor, waarde dokter, ruimschoots.'
Scholl zag er met zijn gebruinde huid en in zijn op maat gemaakte smoking buitengewoon goed uit en hij was uiterst beleefd geweest toen hij binnenkwam, in het bijzonder toen McVey hem aan Osborn had voorgesteld. Hij had aandachtig geluisterd en zijn best gedaan openhartig te antwoorden – hoewel hij oprecht verbaasd leek door de vragen – zelfs nadat McVey hem op zijn rechten als Amerikaans staatsburger had gewezen. 'Laten we de zaak nog een keer doornemen,' zei McVey. 'De vader van meneer Osborn is op 12 april 1967 in Boston vermoord door een man die Albert Merriman heette. Albert Merriman was een huurmoordenaar die een week geleden door meneer Osborn in Parijs is gevonden en de moord tegenover hem heeft bekend. Daarbij verklaarde hij dat u hem had gehuurd om de moord te plegen. Uw antwoord was dat u nog nooit van Albert Merriman hebt gehoord.'
Scholls gezicht bleef onbewogen. 'Dat klopt.'
'Als u Albert Merriman niet kende, kende u dan een zekere George Osborn?'
'Nee.'
'Waarom zou u dan iemand huren om een man te doden die u niet eens kende?'
'McVey, dat is een lulvraag en dat weet u.' Het beviel Goetz helemaal niet dat Scholl zijn hoofd in de strop legde en McVey met de ondervraging liet doorgaan.
'Inspecteur McVey,' zei Scholl kalm zonder Goetz een blik waardig te keuren, 'ik heb nog nooit iemand gehuurd om een moord te laten plegen. Het idee is absurd.'
'Waar is die Albert Merriman? Die wil ik wel eens spreken,' zei Goetz.
'Dat is een van onze problemen, meneer Goetz. Hij is dood.'
'Dan valt er niets meer te bespreken. Uw arrestatiebevel stelt net zo weinig voor als die vragen van u. Het is gebaseerd op praatjes van iemand die al dood is.' Goetz stond op. 'We zijn hier klaar, meneer Scholl.'
'Het probleem is dat Albert Merriman vermoord is, Goetz.'
'En wat dan nog?'
'Daar zit 'm nu juist de kneep. De man die hem heeft vermoord was

eveneens een huurmoordenaar en hij stond ook in dienst van meneer Scholl. Hij heette Bernhard Oven.' McVey keek Scholl aan. 'Hij was lid van de Oostduitse geheime dienst voordat hij voor u ging werken.'
'Ik heb nog nooit van ene Bernhard Oven gehoord, inspecteur,' zei Scholl onbewogen. Op een klok op de schoorsteenmantel boven McVeys schouder was het 21.14 uur. Over één minuut zouden de deuren worden geopend en Lybarger zou de Gouden Zaal betreden. Tot zijn verbazing merkte Scholl dat hij geïntrigeerd was. McVeys kennis was opmerkelijk.
'Vertelt u me eens over Elton Lybarger.' McVey veranderde plotseling van onderwerp, waarmee hij Scholl verraste.
'Hij is een vriend.'
'Ik zou hem graag willen ontmoeten.'
'Ik ben bang dat dat onmogelijk is. Hij is ziek geweest.'
'Maar hij is genoeg hersteld om een toespraak te houden.'
'Ja, hij is...'
'Dat begrijp ik niet. Hij is te ziek om met mij te praten, maar hij kan wel een toespraak voor honderd man houden.'
'Hij staat onder behandeling van een arts.'
'U bedoelt dokter Salettl...'
Goetz keek Scholl aan. Hoe lang zou hij dit nog laten doorgaan? Wat was hij in godsnaam aan het doen?
'Inderdaad.' Scholl trok de mouw van zijn smokingjasje met zijn rechterhand glad, waarbij hij opzettelijk de nog niet genezen krabben toonde. Hij glimlachte. 'Het is ironisch dat we allebei pijnlijke lichamelijke verwondingen hebben, inspecteur. Ik heb de mijne opgelopen door met een kat te spelen. U de uwe kennelijk door met vuur te spelen. We zouden allebei beter moeten weten, vindt u ook niet?'
'Ik was niet aan het spelen, meneer Scholl. Iemand probeerde me te doden.'
'Dan hebt u geluk gehad.'
'Een paar van mijn vrienden niet.'
'Dat spijt me.' Scholl keek Osborn aan en richtte zijn blik toen weer op McVey. McVey was ongetwijfeld de gevaarlijkste man die hij ooit ontmoet had. Hij was gevaarlijk omdat hij zich alleen om de waarheid bekommerde en om die te vinden, zou hij nergens voor terugdeinzen.

# 122

*21.15 uur*

Het was doodstil in de zaal. Ieders blik volgde Elton Lybarger terwijl hij alleen over het met linten versierde middenpad liep van Georg Wenzeslaus von Knobelsdorffs grootste rococoschepping: de groen marmeren, met goudverguldsel versierde, betoverende Gouden Zaal. Hij zette de ene voet resoluut voor de andere zonder op de steun van een verpleegster of een stok aangewezen te zijn. Hij was schitterend gekleed, afstandelijk, goed voorbereid en zelfverzekerd. Een symbolische monarch van de toekomst die zich vertoonde aan degenen die hadden geholpen hem hier te brengen.
Het hart van Eric en Edward zwol van bewondering terwijl ze vanaf de verhoging zagen hoe hij naar het podium liep. Naast hen huilde Frau Dortmund openlijk, niet langer in staat de emotie waardoor ze werd overspoeld, te beheersen. Toen stond Uta Baur op en begon te applaudisseren, waardoor de hele zaal begeesterd raakte. Aan de andere kant van de zaal volgde Mathias Noll haar voorbeeld en daarna Gertrude Biermann, Hilmar Grunel, Henryk Steiner en Konrad Peiper. Margarete Peiper stond op en deed met haar echtgenoot mee. Daarna volgden Hans Dabritz en vervolgens Gustav Dortmund. Toen stond de rest van de honderd aanwezigen op en de zaal bracht Lybarger als één man hulde. Lybarger glimlachte erkentelijk en zijn ogen schoten van links naar rechts terwijl het daverende applaus de zaal op haar grondvesten deed schudden en bij iedere stap die hij in de richting van het podium zette, aanzwol. Zijn prestatie naderde haar hoogtepunt en de ovatie was oorverdovend.
Salettl keek op zijn horloge.
9.19 uur.
Het was onvergeeflijk dat Scholl nog niet terug was. Hij keek op en zag dat Lybarger de trap naar het podium had bereikt en naar boven begon te klimmen. Toen hij boven was gekomen en de zaal in keek, bereikte het applaus een daverende climax die de muren deed schudden en het plafond deed trillen. Dit was de inleiding tot *Übermorgen*.

Buiten staken Remmer en Schneider de geplaveide voorhof van Charlottenburg over. Ze liepen snel en zwijgend door. Vóór hen sloeg een zwarte Mercedes af naar het hek en werd naar binnen gewuifd. Ze stapten opzij en zagen dat de chauffeur bij de ingang van het paleis stopte en naar binnen ging. Remmers eerste gedachte was dat Scholl zou vertrekken en hij aarzelde, maar er gebeurde niets. De Mercedes bleef op zijn plaats staan. Misschien nog wel een uur, dacht hij. Remmer haalde zijn radio uit zijn jaszak en sprak in de microfoon. Daarna vervolgden ze hun weg. Toen ze door het hek liepen, maakte Remmer doelbewust oogcontact met de twee beveiligingsmensen. Ze wendden hun blik af en lieten Remmer en Schneider ongehinderd passeren. Een donkerblauwe BMW maakte zich met piepende banden los uit het verkeer en stopte slippend naast hen bij de stoeprand. Ze stapten in en de auto reed weg. Als Remmer of Schneider of een van de beide rechercheurs van het BKA die bij hen in de BMW zaten, hadden omgekeken, zouden ze hebben gezien dat de ingang van het paleis werd geopend en dat de chauffeur van de zwarte Mercedes naar buiten kwam, niet vergezeld door Scholl of een van de andere vooraanstaande gasten, maar door Joanna.

De chauffeur hielp haar achterin instappen, sloot het portier en ging achter het stuur zitten. Hij deed zijn veiligheidsgordel om, startte de motor en reed weg. Aan het eind van de halfronde oprijlaan sloeg hij op de Spandauerdamm linksaf, in de tegengestelde richting die Remmers BMW genomen had. Een ogenblik later zag de chauffeur een zilverkleurige Volkswagen vanaf de stoeprand optrekken, een snelle bocht tussen het verkeer door maken en zich op de rijstrook achter hem nestelen. Hij werd dus gevolgd. Hij glimlachte. Hij bracht haar alleen maar naar een hotel. Geen wet die dat verbood.

Joanna zat alleen op de achterbank. Ze trok haar jas om zich heen en probeerde niet te huilen. Ze wist niet wat er was gebeurd, ze wist alleen dat Salettl haar op het laatste moment had weggestuurd zonder haar zelfs de kans te geven afscheid van Elton Lybarger te nemen. De dokter was, vlak nadat de politie was vertrokken, Lybargers kamer binnengekomen en had haar apart genomen.

'Je relatie met meneer Lybarger is ten einde gekomen,' had Salettl gezegd. Hij leek nerveus en uiterst gespannen. Toen veranderde zijn gedrag abrupt en werd hij bijna vriendelijk. 'Het is voor jullie allebei het beste als jullie niet meer aan de voorbije periode denken.' Toen overhandigde hij haar een klein pakje in een cadeauverpakking. 'Dit is voor jou,' zei hij. 'Beloof me dat je het pas zult openen als je thuis bent.'

Ze was geschokt en in verwarring geweest door zijn bruuske optreden en herinnerde zich vaag dat ze het hem had beloofd en hem had bedankt en het cadeautje in haar tas gestopt had. Haar gedachten waren bij Lybarger geweest. Ze waren lang samen geweest en hadden samen veel meegemaakt, en niet alleen prettige dingen. Het minste dat Salettl kon

doen, was wel haar de gelegenheid geven hem geluk te wensen en afscheid te nemen. Geschenk of niet, wat hij had gedaan, was bruusk en zelfs grof geweest. Maar wat daarop volgde, was nog erger.
'... Ik weet dat je had verwacht deze laatste avond met von Holden door te brengen,' zei Salettl. 'Doe maar niet of je verbaasd bent dat ik dat weet. Helaas heeft von Holden geen tijd, vanwege zijn werkzaamheden voor meneer Scholl, en hij zal onmiddellijk na het diner met hem naar Zuid-Amerika vertrekken.'
'Krijg ik hem dan niet meer te zien?' Ze voelde zich plotseling terneergeslagen.
'Nee.'
Ze begreep het niet. Ze zou de nacht in een Berlijns hotel doorbrengen en morgenochtend naar Los Angeles vliegen. Von Holden had er niets over gezegd dat hij met Scholl zou vertrekken. Hij zou na de ceremonie in Charlottenburg naar haar toe zijn gekomen. De nacht zou van hen samen zijn geweest.
'Je spullen zijn gepakt en er wacht beneden een auto op je. Vaarwel, juffrouw Marsh.'
En dat was het dan. Een beveiligingsman had haar naar beneden gebracht en ze was in de auto gestapt en vertrokken. Toen ze zich had omgedraaid, had ze nog net het paleis kunnen zien. Het was in de dichte mist nauwelijks zichtbaar en vervaagde langzaam. Het was alsof het paleis en alles wat ze tijdens haar verblijf in Europa had gedaan, met inbegrip van haar romance met von Holden, een droom was geweest. Een droom die, net als Charlottenburg, eenvoudigweg verdween.

'*Hubschrauber*,' zei Remmer die de radio tegen zijn gebroken hand liet steunen. De BMW reed snel langs het Charlottenburg-ziekenhuiscomplex en sloeg achthonderd meter verder plotseling rechtsaf, de uitgestrektheid van het donkere Ruhwald Park in. Toen ze er voor tweederde doorheen waren, deed de rechercheur van het BKA de gele mistlampen uit en stopte abrupt. Bijna onmiddellijk verlichtte het felle licht van een schijnwerper van een politiehelikopter vijftien meter van hen vandaan de grond en het vliegtuig landde met een oorverdovend geraas op het gras. De piloot zette de motor af en Schneider stapte uit de auto en rende naar de helikopter. Hij dook onder de rotoren door, opende de deur en klom naar binnen. De motor begon te ronken en er werd een wolk van bladeren en zand omhooggeblazen toen de helikopter opsteeg. Toen hij zich boven de bomen had verheven, draaide hij honderdtachtig graden naar links en verdween in het duister.
Vanaf zijn plaats naast de piloot kon Schneider nog net de mistlampen

van de BMW zien terwijl de auto het veld af draaide en linksaf de richting van het Charlottenburgpaleis insloeg. Hij leunde achterover en trok zijn schoudergordel strak. Daarna knoopte hij zijn jas los en haalde de met een zakdoek bedekte trofee te voorschijn die hij naar het vingerafdrukkenlab van Bad Godesberg zou brengen; het was het glas waaruit Lybarger had gedronken toen hij zijn vitaminepillen wegspoelde.

# 123

'Een paar dagen voordat meneer Osborns vader werd vermoord...' – McVey had een aantekenboekje met ezelsoren uit zijn binnenzak gehaald waarin hij af en toe keek terwijl hij tegen Scholl praatte – 'had hij een scalpel ontworpen. Een zeer bijzonder scalpel dat was ontworpen en gemaakt voor zijn werkgever, een klein bedrijf buiten Boston. U was eigenaar van dat bedrijf, meneer Scholl.'
'Ik heb nog nooit een bedrijf gehad dat scalpels fabriceerde.'
'Ik weet niet of er scalpels werden gefabriceerd, ik weet alleen dat er een voor het bedrijf is gemaakt.'
Zodra Goetz naar boven was gegaan om Scholl te vertellen wat er was gebeurd, wist McVey dat Scholl zijn gasten in de steek zou laten en naar beneden zou komen. Zijn eergevoel zou hem ertoe dwingen. Hoe kon hij de kans laten lopen de man te ontmoeten die zojuist een dodelijke hinderlaag had overleefd en toch nog de euvele moed had zijn territorium binnen te dringen? Maar zijn nieuwsgierigheid zou vluchtig zijn en hij zou vertrekken zodra hij genoeg gezien had. Als McVey er tenminste niet in zou slagen die nieuwsgierigheid aan te wakkeren. Dat was de truc, op zijn nieuwsgierigheid werken, want daarna zouden er emoties in het spel komen en McVey had intuïtief het gevoel dat Scholl heel wat emotioneler was dan hij liet merken. Als mensen emotioneel begonnen te reageren, was de kans groot dat ze loslippig werden.
'Het bedrijf heette Microtab en was gevestigd in Waltham in Massachusetts. Het werd destijds beheerd door een particulier bedrijf dat Wentworth Products N.V. heette en dat gevestigd was in Ontario, Canada. De eigenaar ervan was ...' – McVey tuurde naar zijn aantekeningen – 'meneer James Tallmadge uit Windsor, Ontario. Tallmadge en de

raad van beheer van Microtab – Earl Samules, Evan Hart en John Harris, allen uit Boston – stierven in 1967 binnen een halfjaar na elkaar.'
'Ik heb nog nooit gehoord van een bedrijf dat Microtab heette, meneer McVey,' zei Scholl. 'Ik vind dat u nu genoeg van mijn tijd in beslag genomen hebt. Ik ga terug naar mijn gasten. Meneer Goetz zal u verder bezighouden. Binnen een uur zullen mijn advocaten hier zijn om op uw arrestatiebevel te reageren.'
Scholl schoof zijn stoel naar achteren en McVey zag hoe Goetz zuchtte van opluchting.
'Tallmadge en de anderen hadden nog met twee van uw andere bedrijven te maken,' vervolgde McVey alsof Scholl niets had gezegd. 'Alama Steel N.V. uit Pittsburgh, Pennsylvania, en Standard Technologies uit Perth Amboy in New Jersey. Standard Technologies was, tussen haakjes, een dochteronderneming van een in New York gevestigd bedrijf dat T.L.T. International heette en dat in 1967 is opgeheven.'
Scholl staarde hem verbaasd aan. 'Wat is het doel van deze uiteenzetting?' vroeg hij op ijskoude toon.
'Ik geef u gewoon de gelegenheid de zaak uit te leggen.'
'En wat wilt u me dan precies laten uitleggen?'
'Uw connectie met al deze bedrijven en het feit dat...'
'Ik heb geen connectie met deze bedrijven.'
'O nee?'
'Absoluut niet,' antwoordde Scholl afgemeten en met een ondertoon van woede.
Goed, dacht McVey. Word maar kwaad. 'Vertelt u me eens over Omega Shipping Lines...'
Goetz stond op. Het was tijd om er een eind aan te maken. 'Ik vrees dat we het hierbij moeten laten, inspecteur. Meneer Scholl, uw gasten wachten.'
'Ik stelde meneer Scholl een vraag over Omega Shipping Lines,' zei McVey terwijl hij Scholl met zijn blik fixeerde. 'Ik dacht dat u geen connectie met die bedrijven had. Dat hebt u me toch net verteld?'
'Ik zei, geen vragen meer, McVey,' zei Goetz.
'Het spijt me, meneer Goetz. Ik probeer uw cliënt te helpen uit de gevangenis te blijven, maar ik krijg geen eerlijk antwoord van hem. Een ogenblik geleden heeft hij me verteld dat hij geen connectie had met Microtab, Alama Steel, Standard Technologies of T.L.T. International. T.L.T. International beheerde die bedrijven en wordt zelf beheerd door Omega Shipping Lines. Meneer Scholl is toevallig de grootste aandeelhouder van Omega Shipping Lines. U begrijpt vast wel waarop ik doel.

Het is het een of het ander, meneer Scholl. U had met die bedrijven te maken of niet. Zegt u het maar.'
'Omega Shipping Lines bestaat niet meer,' zei Scholl op vlakke toon. Het was duidelijk dat hij McVey had onderschat. Zowel wat betreft zijn volhardendheid als zijn veerkracht. Hij had von Holden de leiding moeten geven van de operatie in Hotel Borggreve, dan was McVey nu dood geweest. Maar die fout zou spoedig hersteld worden. 'Ik heb u alle medewerking gegeven waarom u hebt gevraagd en zelfs meer. Goedenavond, inspecteur.'
McVey stond op en haalde twee foto's uit de zak van zijn jasje. 'Wilt u uw cliënt vragen hiernaar te kijken, meneer Goetz?'
Goetz pakte de foto's aan en bestudeerde ze. 'Wie zijn deze mensen?' vroeg hij.
'Dat zou ik graag van meneer Scholl willen horen.'
Osborn zag hoe Goetz naar Scholl keek en hem vervolgens de foto's overhandigde. Scholl keek McVey woedend aan en richtte toen zijn blik op de foto's in zijn hand. Hij schrok, maar probeerde zijn reactie te verbergen.
'Geen flauw idee,' zei hij meteen.
'Nee?'
'Nee.'
'Ze heten Karolin en Johann Henniger.' McVey zweeg een moment. 'Ze zijn in de loop van de dag vermoord.'
Deze keer toonde Scholl geen enkele emotie. 'Ik heb u al gezegd dat ik er geen flauw idee van heb wie ze zijn.'
Scholl gaf Goetz de foto's terug, draaide zich om en liep naar de deur. Osborn keek McVey aan. Als Scholl eenmaal die deur door was, zouden ze hem heel lang niet meer en misschien zelfs nooit meer te zien krijgen.
'Ik waardeer het dat u de tijd hebt genomen ons te woord te staan,' zei McVey snel. 'Ik weet ook dat u begrijpt dat meneer Osborn de moord op zijn vader emotioneel nooit helemaal heeft kunnen verwerken. Ik heb hem beloofd dat hij één vraag mocht stellen. Een eenvoudige vraag en uw antwoord blijft onder ons.'
Scholl draaide zich om. 'U gaat wel heel ver in uw onbeschaamdheid.'
Goetz trok de deur open en Scholl was bijna de kamer uit toen Osborn zijn vraag stelde.
'Waarom hebt u Elton Lybargers hoofd operatief aan het lichaam van een andere man laten zetten?'
Scholl bleef als aan de grond genageld staan, evenals Goetz. Toen draaide Scholl zich langzaam om. Hij zag er kwetsbaar uit, alsof zijn

kleren plotseling van zijn lijf gerukt waren en hij was aangerand. Heel even dreigde hij in te storten. maar toen leek er een masker van koppigheid voor zijn gezicht te zakken. Zijn kwetsbaarheid maakte plaats voor minachting en zijn minachting voor woede. Toen had hij zijn gelaatsuitdrukking plotseling weer onder controle en hij staarde hen met een ijskoude, angstaanjagende blik aan. 'Ik stel voor dat u zich allebei gaat toeleggen op het schrijven van fictie.'
'Het is geen fictie,' zei Osborn.
Plotseling ging er een deur aan het andere eind van de zaal open en Salettl kwam binnen.
'Waar is von Holden?' vroeg Scholl toen Salettl dichterbij kwam.
Salettls voetstappen echoden op de marmeren vloer terwijl hij naar hen toe liep. 'Von Holden wacht boven in de Gouden Zaal.' Zijn nervositeit en intense gespannenheid van eerder op de avond waren verdwenen en hij gedroeg zich bijna kalm.
'Ga hem halen en breng hem hierheen.'
Salettl glimlachte. 'Ik vrees dat dat onmogelijk is. De Koninklijke Vertrekken en de Gouden Zaal zijn niet meer toegankelijk.'
'Waar heb je het over?'
McVey en Osborn wisselden een blik. Er was iets aan de hand maar ze hadden er geen idee van wat het was. Scholl beviel het evenmin. 'Ik heb je iets gevraagd.'
'Het zou passender zijn geweest als jij boven was.' Salettl was de zaal doorgelopen en stond nu vlak bij Scholl en Goetz.
'Ga von Holden halen!' snauwde Scholl tegen Goetz.
Goetz knikte en wilde naar de deur lopen toen er een scherpe knal klonk. Goetz maakte een schrikbeweging alsof hij een klap had gehad. Hij greep naar zijn nek, trok toen zijn hand weg en staarde ernaar. Zijn hand was bedekt met bloed. Met wijd opengesperde ogen keek hij Salettl aan. Toen liet hij zijn blik zakken. Salettls hand hield een klein automatisch pistool omklemd.
'Je hebt op me geschoten, vuile klootzak!' schreeuwde Goetz.
Toen sidderde hij en zakte achterover tegen de deur.
'LAAT DAT PISTOOL VALLEN. NU!' McVey had de .38 in zijn rechterhand en duwde Osborn met zijn linker uit de vuurlinie.
Salettl keek McVey aan. 'Natuurlijk.' Hij wendde zich tot Scholl en glimlachte. 'Die Amerikanen hadden bijna alles geruïneerd.'
'LAAT VALLEN, NU!'
Scholl staarde Salettl met diepe minachting aan. 'Vida?'
Salettl glimlachte weer. 'Ze heeft bijna vier jaar in Berlijn gewoond.'
'Hoe durf je?' Scholl strekte zich in zijn volle lengte uit. Hij was woe-

dend. Superieur. Hooghartig. 'Hoe durf je het je aan te matigen...'
Salettls eerste schot raakte Scholl vlak boven zijn vlinderdas. Het tweede boorde zich boven zijn hart in zijn borst, waardoor zijn aorta uiteengescheurd werd en het bloed over Salettl heen spoot. Een ogenblik bleef Scholl wankelend staan terwijl zijn ogen van ongeloof uit zijn hoofd puilden. Toen zakte hij in elkaar alsof zijn benen onder zijn lichaam vandaan waren geschopt.
'LAAT VALLEN OF IK SCHIET!' brulde McVey met zijn vinger om de trekker.
'McVey... NIET DOEN!' hoorde hij Osborn achter zich schreeuwen. Toen liet Salettl zijn hand langs zijn lichaam zakken en McVeys vinger gleed van de trekker.
Salettl draaide zich naar hen toe. Hij was lijkbleek en het leek alsof hij met rode verf bespat was. Dat hij een smoking droeg, maakte het nog erger omdat hij er daardoor uitzag als een groteske, afzichtelijke clown.
'U had zich er niet mee moeten bemoeien.' Salettls stem klonk sonoor van woede.
'Laat het pistool op de vloer vallen!' McVey liep langzaam naar voren en zou niet aarzelen de man dood te schieten als het nodig was. Osborn had tegen hem geschreeuwd niet te schieten uit angst dat McVey de laatst overgebleven persoon die wist wat er gaande was, zou doden. Daarin had hij gelijk. Maar Salettl had net twee mannen doodgeschoten en McVey zou hem niet de kans geven er nog twee neer te schieten.
Salettl staarde naar hen met het pistool nog steeds losjes in zijn hand.
'Laat het pistool op de vloer vallen,' zei McVey weer.
'Karolin Hennigers echte naam was Vida,' zei Salettl. 'Scholl heeft enige tijd geleden orders gegeven haar en de jongen te doden. Ik heb hen in het geheim hierheen gebracht, naar Berlijn, en hen een andere identiteit laten aannemen. Ze heeft me direct nadat ze voor u gevlucht was, gebeld. Ze dacht dat u van de Organisatie was en dat ze haar hadden gevonden.' Salettl zweeg. Toen vervolgde hij bijna fluisterend: 'De Organisatie wist waar u heen ging en daardoor zouden ze haar heel snel hebben gevonden. Daarna zouden ze naar mij toe zijn gekomen en dat zou alles hebben geruïneerd.'
'U hebt hen gedood,' zei McVey.
'Ja.'
Osborn deed met van emotie glinsterende ogen een stap naar voren. 'U zei dat alles dan geruïneerd zou zijn. *Wat* dan? Wat bedoelde u?'
Salettl antwoordde niet.
'Karolin, Vida, of hoe ze ook mag heten, was Lybargers vrouw,' drong Osborn aan. 'De jongen was zijn zoon.'

Salettl aarzelde. 'Ze was ook mijn dochter.'
'O Jezus.' Osborn keek McVey aan. Ze waren allebei van afschuw vervuld.
'Meneer Lybargers fysiotherapeute zal morgenochtend in het vliegtuig naar Los Angeles zitten,' zei Salettl abrupt en zonder enig verband met het voorafgaande, alsof hij hen uitnodigde haar voorbeeld te volgen.
Osborn staarde hem aan. 'Wie *zijn* jullie verdomme? Jullie hebben mijn vader en God mag weten hoeveel anderen laten vermoorden en nu hebt u uw eigen dochter en kleinzoon vermoord.' Osborns stem klonk razend van woede. '*Waarom? Met welk doel*? Om Lybarger te beschermen? Scholl? De Organisatie? *Waarom*?'
'De heren hadden Duitsland aan de Duitsers moeten overlaten,' zei Salettl kalm. 'U hebt vanavond één brand overleefd, maar de volgende zult u niet overleven als u het gebouw niet onmiddellijk verlaat.' Hij probeerde een glimlach te forceren, maar het lukte niet. Hij keek Osborn recht aan. 'Dit zou het moeilijke deel moeten zijn, maar dat is het niet.'
In een oogwenk had hij het pistool naar zijn mond gebracht en de trekker overgehaald.

# 124

'De particuliere onderneming', zei Lybarger in de microfoon terwijl zijn stem tot in de verste hoeken van het fantastische rococodecor van de groen-en-goudkleurige marmeren Gouden Zaal doorklonk, 'kan in het tijdperk van de democratie niet gehandhaafd blijven. Dat is slechts mogelijk als de mensen deugdelijke opvattingen over autoriteit en karakter hebben.'
Hij zweeg, steunde met beide handen op het spreekgestoelte en bestudeerde de gezichten vóór hem. Zijn toespraak, hoewel enigszins gewijzigd, was niet origineel en de meeste aanwezigen wisten dat. De oorspronkelijke toespraak was op 20 februari 1933 voor een vergelijkbare groep vooraanstaande zakenmensen gehouden. De spreker die op die avond een verbond sloot met het grootkapitaal was Duitslands pasbenoemde kanselier Adolf Hitler.

Uta Baur leunde op de verhoging naar voren terwijl ze haar krachtige kin op haar handen liet steunen. Ze was volledig in de ban van het wonder waarvan ze getuige was. Het resultaat van vijftig jaar strijd, twijfel en geheime inspanningen stond alleen op het podium en sprak hen triomfantelijk toe. Gustav Dortmund, de directeur van de Bundesbank, zat kaarsrecht en onbewogen naast haar, alsof hij slechts een waarnemer was. Toch voelde hij zijn ingewanden rommelen van opwinding door wat hij aanschouwde.
Iets verder op de verhoging zaten Eric en Edward. Hun nekspieren drukten tegen hun gesteven strakke boord, hun vuisten waren gebald en ze leunden voorover als bij elkaar passende modepoppen, terwijl ze aan Lybargers lippen hingen. Hun vervoering had een andere reden. Wie Lybarger was, zou een van hen binnen enkele dagen zijn. Op wie de keus zou vallen, moest nog worden besloten. Maar nu dat moment met ieder woord en iedere zin dichterbij kwam, werd hun gespannen verwachting bijna ondraaglijk.

*WATERSTOFCYANIDE: een uiterst giftige, beweeglijke, etherische vloeistof of gas met de geur van bittere amandelen. De stof verstoort niet alleen de zuurstofopname in het bloed, maar onttrekt letterlijk de zuurstof eraan, zodat het slachtoffer stikt.*

'Alle aardse goederen die we bezitten, danken we aan de strijd van de uitverkorenen, het raszuivere Duitse volk!' Lybargers woorden weerkaatsten tegen de geheiligde muren van de Gouden Zaal en vonden hun weg naar het hart en de ziel van de aanwezigen.
'We mogen niet vergeten dat alle voordelen van cultuur met ijzeren vuist geïntroduceerd moeten worden! En daarom zullen we onze macht, militair en anderszins, tot het hoogste niveau herstellen... We zullen het nooit opgeven!'
Toen Lybarger uitgesproken was, kwam de hele zaal als één man overeind en gaf hem een staande ovatie die het applaus bij zijn entree deed verbleken. Toen hoorde hij als eerste wat de anderen niet konden horen, misschien doordat hij zich het dichtst bij de achterkant van de zaal en de deuren die erop uitkwamen, bevond.
'Luister!' zei hij door de microfoon terwijl hij de aanwezigen met opgeheven handen tot stilte maande.
'Luister! Alstublieft!'
Het duurde even voordat ze begrepen wat hij zei. Had hij nog meer te zeggen? Wat bedoelde hij? Toen drong het tot hen door. Hij vroeg hun niet stil te zijn. Hij vertelde hun dat er iets aan de hand was.

Een serie gedempte zoemgeluiden werd gevolgd door een stuk of zes mechanische dreunen en de zaal schudde alsof iemand eromheen verzwaarde luiken had neergelaten. Toen hielden de geluiden op en het werd volkomen stil.
Uta Baur stond als eerste op. Ze liep op de verhoging achter Eric en Edward langs Dortmund en daalde de lage trap naar een uitgang in de hoek van de zaal af. Ze gooide de deur open en stapte toen met een hand voor haar mond geslagen achteruit. Frau Dortmund gilde. Waar de deuropening had moeten zijn, was nu een grote, gesloten stalen deur. Dortmund kwam snel de trap af. '*Was ist es*?' Hij liep naar de deur en duwde ertegen. Er gebeurde niets. Er voer een golf van onrust door de zaal.
Eric stond snel op en drong zich langs de angstige, met sieraden behangen Frau Dortmund. Hij beklom het podium en nam de microfoon van Lybarger over.
'Blijft u rustig. Er is per ongeluk een veiligheidsdeur dichtgevallen. Loop naar de hoofdingang en verlaat op ordelijke wijze achter elkaar de zaal.'
Maar de hoofdingang was op dezelfde manier afgesloten, evenals alle andere deuren van de zaal.
'*Was geht hier vor*?' schreeuwde Hans Dabritz.
Generaal-majoor Matthias Noll schoof zijn stoel naar achteren en liep naar de dichtstbijzijnde deur. Hij probeerde hem met zijn schouder open te duwen maar het lukte hem niet, evenmin als Dortmund even daarvoor. Henryk Steiner zette zijn stevige schouder ook tegen de deur en samen met Noll ramde hij ertegen. Twee anderen voegden zich bij hen, maar de deur gaf geen centimeter mee.
Toen roken ze de vage geur van verbrande amandelen. De mensen keken elkaar aan en snoven de lucht in. Wat was het? Waar kwam het vandaan?
'*Ach mein Gott*!' schreeuwde Konrad Peiper toen een ijle mist van opgeloste roodachtig blauwe kristallen plotseling vanuit de ventilatieopening van de airconditioning op zijn tafel neerdaalde. 'Cyanidegas!'
De geur werd sterker naarmate er meer kristallen hun weg vonden naar de kleine vaten met gedestilleerd water en zuur in het ventilatiesysteem, waar ze werden opgelost tot het dodelijke cyanidegas. Plotseling drongen de mensen zich in drommen van de ventilatieopeningen vandaan. Ze drukten zich tegen de muren, tegen elkaar en zelfs tegen de gesloten stalen deuren en staarden vol ongeloof naar de roosters die zo smaakvol in de vergulde rococoversieringen en de groenmarmeren muren van deze grootse schepping van de achttiende eeuw waren weggewerkt.

De dood wachtte hen, maar niemand van hen geloofde het. Hoe zou het ook kunnen? Hoe zou het kunnen dat een zo groot deel van de invloedrijkste en meest gevierde burgers van Duitsland, van wie de juwelen en de kleren die ze droegen zoveel waard waren dat de halve wereldbevolking er een jaar van gevoed zou kunnen worden en die door een leger van beveiligingspersoneel werden beschermd, hulpeloos opgesloten zaten in een van de beroemdste historische gebouwen van het land en gedwongen waren te wachten tot er zich voldoende cyanidegas had verzameld om hen allemaal te doden?

Het was absurd. Onmogelijk. Een grap.

'*Es ist ein Streich*!' Het is een grap! Hans Dabritz lachte. '*Ein Streich*!'

Anderen begonnen ook te lachen. Edward liep naar zijn stoel op de verhoging en pakte zijn glas op.

'*Zu Elton Lybarger*!' riep hij. '*Zu Elton Lybarger*!'

'*Zu Elton Lybarger*!' Uta Baur hief haar glas.

Elton Lybarger bleef op het podium staan en zag hoe Konrad en Margarete Peiper, Gertrude Biermann, Rudolf Kaes, Henryk Steiner en Gustav Dortmund terugliepen naar hun tafel en hun glas hieven.

'*Zu Elton Lybarger*!' De Gouden Zaal trilde door het geluid van hun stemmen.

Toen begon het.

Uta Baurs hoofd sloeg plotseling achterover en viel toen naar voren. Haar bovenarmen en het bovenste deel van haar rug beefden hevig. Aan de andere kant van de zaal overkwam Margarete Peiper hetzelfde. Ze viel gillend en kronkelend van pijn op de vloer terwijl haar spieren en zenuwen zich krampachtig samentrokken alsof ze elektrische schokken van vijftigduizend volt kreeg of duizenden insekten plotseling onder haar huid waren vrijgekomen en elkaar als krankzinnigen verscheurden in een gruwelijke strijd om te overleven.

Plotseling sloegen degenen die dat nog konden en masse op de vlucht naar de hoofdingang.

Naar elkaar klauwend en elkaar verdringend rukten ze aan de zware stalen deur en de geornamenteerde lijst eromheen. Naar lucht happend schreeuwden ze om hulp en genade. Ze haalden met hun vingers en hun nagels en zelfs met hun gouden horloges uit naar de onverbiddelijke deur, in de hoop hem op de een of andere manier open te krijgen. Het gebeuk van vuisten, hakken en lichamen tegen de deur echode door de zaal tot ze ten slotte allemaal kronkelend en afschuwelijk stuiptrekkend in elkaar zakten.

Elton Lybarger stierf het laatst van hen allemaal terwijl hij in het midden van de zaal op een stoel naar de slachting om hem heen staarde.

Zoals zij allemaal, begreep hij dat dit een wraakoefening was. Ze hadden het laten gebeuren omdat ze niet hadden geloofd dat het kon gebeuren. En toen ze het ten slotte wel geloofden, was het te laat, net als in de concentratiekampen.
'Treblinka, Bergen-Belsen, Sobibor,' zei Lybarger terwijl het gas zijn lichaam begon binnen te dringen. 'Belzeč, Majdjanek...' Plotseling begonnen zijn handen te trillen en hij haalde diep adem. Toen sloeg zijn hoofd achterover en zijn ogen rolden in hun kassen. 'Auschwitz, Birkenau...' fluisterde hij. 'Auschwitz, Birkenau...'

## 125

Remmer had er geen idee van wat hij kon verwachten toen hij en de twee rechercheurs van het BKA die Schneider naar de helikopter hadden gebracht, de voorhof van Charlottenburg op reden en uit de BMW stapten. Onmiddellijk kwamen er een paar geüniformeerde beveiligingsmensen op hen af.
'We zijn terug,' zei Remmer. Hij liet zijn legitimatiebewijs zien en drong zich langs hen heen naar de hoofdingang. De enige harde informatie die hij had, was dat McVey noch Osborn uit het paleis was gekomen. Met een beetje geluk, dacht hij, zijn McVey en Scholl nog steeds beneden met elkaar in de slag. En anders zal McVey nu zijn omringd door een horde advocaten die hem naar het leven staan, zodat hij heel hard hulp nodig heeft.
Op dat moment ontplofte de eerste brandbom. Remmer, de twee rechercheurs en de beveiligingsmensen werden tegen de grond geslingerd terwijl er een regen van metselwerk en steen om hen heen neerdaalde. Onmiddellijk explodeerden er achter elkaar een stuk of tien andere brandbommen. Als een stel aan een snoer geregen voetzoekers ontploften ze aan de buitenkant van de bovenste verdieping van het paleis, aan de kant waar de Gouden Zaal was. De springladingen knalden naar binnen, waar ze in een zee van vlammen de gasleidingen in het vergulde lofwerk langs de muren en in het plafond van de zaal en de aangrenzende vertrekken deden openbarsten.
McVey rukte aan de deur om Goetz' lichaam opzij te duwen zodat ze

voldoende ruimte zouden hebben om naar buiten te gaan. Door de explosies waren boeken van hun planken gevallen, achttiende-eeuws porselein van onschatbare waarde was verbrijzeld en een van de marmeren haarden was gebarsten. Met een laatste ruk kreeg McVey de deur ver genoeg open. Een golf van hitte sloeg hem tegemoet en hij zag dat de gang en de trap aan het eind ervan één vlammenzee waren. Hij sloeg de deur met een klap dicht en toen hij zich omdraaide, zag hij nog net een gordijn van vuur langs de buitenkant van het gebouw naar beneden razen, waardoor de mogelijkheid om door de openslaande deuren te vluchten werd afgesneden. Toen zag hij Osborn, die op handen en voeten naast Scholl zat en blindelings diens zakken doorzocht als een of andere krankzinnige die een lijk berooft van alles wat hij maar kan vinden.
'Wat ben je verdomme aan het doen? We moeten hier weg.'
Osborn negeerde hem. Hij kroop van Scholl vandaan naar Salettl en doorzocht razendsnel de zakken van zijn jasje, overhemd en broek. Het was alsof het vuur dat om hen heen woedde voor hem niet bestond.
'Osborn! Ze zijn dood! Kom in godsnaam mee!' McVey greep hem vast en probeerde hem overeind te trekken. Osborns handen, gezicht en voorhoofd waren bedekt met het bloed van de dode mannen. Hij had een krankzinnige blik in zijn ogen, bijna alsof hij degene was die hen had vermoord. Hij wilde met alle geweld een antwoord hebben op de vraag wie zijn vader had vermoord en zij waren de enigen die het hem zouden kunnen geven. Dat ze dood waren, was van ondergeschikt belang. Zij waren zijn laatste kans en dat wist hij.
Plotseling hoorden ze een daverende explosie toen er boven hun hoofd door de hitte een gasleiding ontplofte. Onmiddellijk vatte het plafond vlam en een rollende vuurbal raasde in een fractie van een seconde van de ene kant van de zaal naar de andere. Een seconde later werden ze door de vuurstorm die door het loeiende gas was veroorzaakt en alles in de zaal naar zijn centrum zoog, tegen de grond geslingerd. Osborn was nergens meer te bekennen en McVey greep zich vast aan de poot van een vergadertafel en begroef zijn gezicht in de holte van zijn elleboog. Voor de tweede keer die avond was hij omringd door vuur, maar deze keer had het een vernietigingskracht die duizend keer zo groot was.
'Osborn! OSBORN!' schreeuwde hij.
De hitte was ondraaglijk. De huid van zijn gezicht, die bij de eerste brand al zo ernstig was verbrand, werd nu letterlijk tegen zijn schedel aan gebakken. De weinige lucht die er nog was, leek recht uit een oven te komen en iedere ademhaling leek zijn longen te verschroeien.
'Osborn!' schreeuwde McVey weer. Het geraas van de vlammen leek

op het gebulder van de branding. Niemand zou hem kunnen horen. Toen kreeg hij de geur van verbrande amandelen in zijn neusgaten.
'Cyanide!' zei hij luid.
Vóór hem zag hij iets bewegen. 'OSBORN! HET IS CYANIDEGAS! OSBORN! KUN JE ME HOREN?' Maar het was Osborn niet. Het was zijn vrouw, Judy. Ze zat op de veranda van hun houten huis in de bergen bij het Big Bear Lake. Boven op de paarse bergtoppen achter haar lag wat sneeuw. Het gras was lang en goudkleurig en de lucht om haar heen was gespikkeld door kleine insekten. De lucht was zuiver en schoon en ze glimlachte. 'Judy?' hoorde hij zichzelf zeggen. Plotseling verscheen er een ander gezicht vlak voor het zijne. Hij herkende het niet. Het had rode ogen, het haar was verschroeid en het gezicht zelf zwartgeblakerd.
'Geef me je hand!' schreeuwde het gezicht.
McVey keek nog steeds naar Judy.
'Godverdomme!' schreeuwde het gezicht. 'Geef me je hand!'
McVey liet de tafel los en stak zijn hand uit. Hij voelde dat die werd vastgepakt en hoorde toen glasgerinkel. Plotseling was hij half overeind. Het gezicht had een arm om hem heen geslagen en ze wankelden door de openslaande deuren naar buiten. Toen zag hij een dichte mist en koude lucht vulde zijn longen.
'Ademen! Diep ademen! Kom op! Ademen, klootzak! Blijf ademen!' Hij kon hem niet zien, maar hij wist zeker dat Osborn tegen hem schreeuwde. Het moest Osborn wel zijn, want het was zijn stem die hij hoorde.

## 126

Joanna keek door het raam van haar hotelkamer naar buiten. Berlijn was gehuld in een steeds dichter wordende mist. Ze vroeg zich af of haar vliegtuig morgenochtend zou kunnen vertrekken. Ze liep de badkamer binnen, poetste haar tanden en nam twee slaaptabletten in.
Ze had er geen idee van waarom dokter Salettl haar plannen zo abrupt en hardvochtig in de war had gegooid en het zat haar erg dwars dat von Holden er niets over had gezegd dat hij onmiddellijk na de ceremonie met Scholl zou vertrekken en ze vroeg zich zelfs af of het wel waar was.

Trouwens, wie was Salettl? Wat voor macht had hij dat hij overkomen en gaan van iemand als von Holden en zelfs van een man als Scholl kon beslissen? Waarom hij zelfs maar de moeite had genomen haar een cadeautje te geven, was haar een raadsel. Ze betekende voor hem niet meer dan een mug die in het web van een spin vastzit en die hij naar willekeur kon bevrijden of verpletteren. Hij was een wrede manipulator en ze wist zeker dat het afschuwelijke, duistere seksuele experiment met Elton Lybarger uit zijn koker was gekomen. Maar het maakte niet uit. Alleen von Holden was belangrijk. Hij had ervoor gezorgd dat al het andere dat er was gebeurd, slechts een droom leek.
Toen ze naar bed ging, dacht ze aan hem. Ze zag zijn gezicht voor zich en voelde zijn aanraking en ze wist dat ze de rest van haar leven van niemand anders zou houden.

* * *

Von Holden was volkomen uitgeput. Tijdens zijn training bij de Spetsnaz, de KGB en de Stasi was hij nog nooit lichamelijk en geestelijk zo moe geweest. Ze konden zijn conduitestaat bij de Spetsnaz – presteert constant en vertoont onder de zwaarste druk een scherp inzicht en efficiënt gedrag – wel terugsturen voor een herevaluatie.
Onmiddellijk na zijn ontmoeting met Salettl voor het mausoleum was hij, zoals hem was opgedragen, naar de vertrekken in het complex van de Gouden Zaal gegaan om op Scholl te wachten.
Maar zodra hij de deur achter zich gesloten had, was hij bevangen door de *Vorahnung*. Het was geen complete aanval, maar hij voelde hoe de seconden wegtikten als bij een tijdbom en na vijf minuten was hij weggegaan. Salettl was oud, evenals Scholl, Dortmund en Uta Baur. Ze waren door hun macht, rijkdom en de tijd despoten geworden. Ondanks zijn ogenschijnlijke bezorgdheid dat McVey en Osborn alles zouden kunnen verwoesten, geloofde zelfs Scholl dat niet echt. Het idee dat er reëel gevaar dreigde was al lang verdwenen. De gedachte dat ze op de een of andere manier zouden kunnen falen was absurd. Zelfs de komst van McVey en de rechercheurs van het BKA met een arrestatiebevel bracht hen niet in verwarring.
De ceremonie in het mausoleum was niet afgelast, maar slechts uitgesteld. Zodra de advocaten tussenbeide waren gekomen en de politie het terrein had verlaten, zou ze volgens plan doorgaan. De ultieme hoogmoedigheid ervan was dat tijdens de ceremonie niet alleen het zwaarst beschermde geheim van de Organisatie onthuld zou worden, maar dat er ook een moord zou worden gepleegd. Stap twee van *Übermorgen* was

de rituele moord op Elton Lybarger. De prelude van datgene waar *Übermorgen* echt om ging.
Zij moesten maar onbeschaamd aan hun dwaasheid toegeven als ze dat per se wilden, maar hij was anders. Hij was de *Leiter der Sicherheit*, de laatste beschermer van de veiligheid van de Organisatie. Hij had een eed afgelegd haar ten koste van alles tegen interne en externe vijanden te beschermen. Scholl had verhinderd dat hij de aanval op Hotel Borggreve zou leiden en Salettl had Dortmunds bevel doorgegeven dat hij tot nader order in de gastenvertrekken in het complex van de Gouden Zaal moest wachten. Maar toen hij daar in zijn eentje wachtte terwijl hij de tijdbom van de *Vorahnung* in zijn hoofd hoorde tikken en het daverende applaus hoorde toen Lybarger de Gouden Zaal betrad, had hij de conclusie getrokken dat op dat moment de interne vijanden even gevaarlijk waren als de externe. Daarom zou hij hun volgende bevel niet afwachten, maar zelf het heft in handen nemen. Hij had een achtertrap genomen en was door een zijuitgang naar buiten gegaan. Daar had hij de beveiliging om een auto gevraagd en was in de witte Audi rechtstreeks naar het huis in de Behrenstrasse 45 teruggereden om de doos in *der Garten* in veiligheid te brengen. Het was niet mogelijk geweest. De straat stond vol brandweerwagens en het huis zelf stond in lichterlaaie. Toen hij daar halverwege de straat in de auto zat en het onvoorstelbare voor zich zag gebeuren, waren de gruwelijke beelden weer voor zijn geestesoog verschenen. Ze begonnen als doorzichtige golven die langzaam, als vlekken, voor zijn ogen heen en weer bewogen. Daarna kwam de mysterieuze groen-met-rode kleur van het noorderlicht.
Hij verzette zich ertegen en pakte de mobilofoon. Hij vervloekte hen en wat ze deden, maar hij moest iemand van hen waarschuwen. Scholl, Salettl, Dortmund, of zelfs Uta Baur. Maar terwijl hij de mobilofoon in zijn hand had, kwam het bericht uit het paleis door. 'Lugo!' klonk de wanhopige stem van Egon Frisch, het plaatsvervangend hoofd van de beveiliging van Charlottenburg, krakend door de mobilofoon. 'Lugo!'
Hij aarzelde één moment en antwoordde toen: 'Lugo.'
'De hel is hier losgebroken! De Gouden Zaal is hermetisch afgesloten en staat in brand! Alle in- en uitgangen zitten potdicht!'
'Afgesloten? Hoe kan dat?'
'Door de veiligheidsdeuren. Er is geen elektriciteit dus we kunnen ze niet openen.'
Von Holden was uit de Behrenstrasse vertrokken en als een gek door Berlijn gereden. Hoe had dit kunnen gebeuren? Er waren geen voortekenen, geen aanwijzingen geweest. De veiligheidsdeuren waren twee jaar geleden in iedere zaal geïnstalleerd voor het geval er brand zou uit-

breken en om vandalisme te voorkomen. Pas achttien maanden later waren de datum en de lokatie voor het feest gekozen. Op de beveiliging van het huis in de Behrenstrasse werd vierentwintig uur per dag per computer controle uitgeoefend en de afgelopen week was Charlottenburg even intensief bewaakt geweest. Von Holden had laat in de middag persoonlijk het systeem in de Gouden Zaal en de Zaal van de Romantische Kunst, waar de cocktailparty was gehouden, gecontroleerd. Er was niets op aan te merken geweest. Alles was in orde.
Toen hij het paleis naderde, zag hij dat het hele gebied afgegrendeld was. Hij kon niet dichterbij komen dan het kruispunt bij de Caprivibrug en hij had het laatste stuk te voet moeten afleggen. Zelfs vierhonderd meter van het paleis vandaan zag hij de vlammen tot hoog in de lucht oplaaien. Morgenochtend zou het hele paleis in de as gelegd zijn. Het was een nationale ramp van ongekende proporties en hij wist dat de kranten vergelijkingen met de brand in de Rijksdag in 1933 zouden maken. Of ze later reden zouden hebben vergelijkingen te maken met wat er destijds onmiddellijk daarna in Duitsland was gebeurd, wist hij niet. Hij wist echter wel dat hij en de doos, met haar inhoud van onschatbare waarde, zich nu midden in de vlammenzee zouden hebben bevonden als hij Salettls bevel had opgevolgd en gebleven was. Ze zouden het geen van beiden hebben overleefd.
Terwijl von Holden op de Caprivibrug stond en Charlottenburg zag afbranden, zette hij eenzijdig Sector 5, *das entscheidendes Verfahren*, de Definitieve Procedure, in werking. Het plan ervoor was in 1942 gemaakt als laatste redmiddel als ze tegenover een te grote overmacht zouden komen te staan en het was een halve eeuw lang door degenen die de leiding over de Organisatie hadden gehad, verfijnd en gerepeteerd. Ieder lid van de top van de Organisatie was in de procedure onderricht en had er meer dan twintig keer op geoefend tot hij haar slapend zou kunnen uitvoeren. Het plan was doelbewust ontwikkeld voor één man die in zijn eentje en onder zware druk zou handelen en de route en de wijze van vervoer waren overgelaten aan zijn vindingrijkheid ten tijde van de uitvoering ervan. De charme van het plan waren de eenvoud en flexibiliteit en daardoor werkte het ook, zoals steeds opnieuw was gebleken, zelfs wanneer topagenten van de Organisatie de rol van vijandelijke agenten speelden om te verhinderen dat het werd uitgevoerd.
Toen hij het besluit had genomen, keerde von Holden terug naar de Audi en reed tussen horden nieuwsgierigen die kwamen toesnellen om naar de brand te kijken, terug. Dat de branden in Charlottenburg en de Behrenstrasse duidelijk het werk van saboteurs waren, betekende dat het van essentieel belang was dat hij Duitsland zo snel mogelijk verliet.

Wie er ook verantwoordelijk voor was – het BKA, de Duitse Inlichtingendienst, de CIA, de Mossad of de Franse of Britse Militaire Inlichtingendienst – zou alle wegen via welke een toplid van de Organisatie dat de slachting had overleefd het land zou kunnen verlaten, in de gaten houden. De dichte mist die hem eerder al zorgen had gebaard, maakte het onmogelijk per vliegtuig, zelfs als het een privé-vliegtuig was, te vluchten. Hij zou met de Audi kunnen gaan, maar het was een lange rit en er zouden wegversperringen geplaatst kunnen zijn of hij zou panne kunnen krijgen. Hij zou met een bus kunnen gaan, maar als die aangehouden zou worden, was er geen ontsnappingsmogelijkheid. Dus bleef alleen de trein over. Hij zou in de drukte van het station kunnen opgaan en alleen voor zichzelf een slaapcoupé nemen. Bij de grens werd niet zo scherp meer gecontroleerd als voorheen en als er problemen ontstonden, zou hij op een willekeurig punt langs de route aan de noodrem kunnen trekken en in de daaropvolgende verwarring ontkomen. Toch was het mogelijk dat iemand zich hem zou herinneren als hij een slaapcoupé reserveerde en daardoor zou hij opgespoord en gevangengenomen kunnen worden. Von Holden wist echter dat er geen andere mogelijkheid was, dus had hij iets nodig om de vijand zand in de ogen te strooien.

## 127

Er hadden zich nu zeventien brandweerafdelingen bij Charlottenburg verzameld en er waren er nog meer in aantocht uit verder weg gelegen districten. Duizenden toeschouwers, die door gehelmde politiemannen uit de buurt werden gehouden, probeerden op een afstand iets van de brand te zien. Ondanks de dichte mist vochten de helikopters van de media, de politie en de brandweer om het luchtruim recht boven de vuurzee.
De tuinen vertrappend en beveiligingsafrasteringen doorknippend hadden brandweerlieden met veel moeite de achterkant van het gebouw weten te bereiken en ze concentreerden hun spuiten op de hevig brandende bovenste verdiepingen toen Osborn, schreeuwend om hulp, uit het duister te voorschijn kwam.
Hij had McVey zo ver van de verschrikkelijke hitte vandaan gesleept als

hij kon en hem daar op zijn rug in het gras achtergelaten. De politieman was bewusteloos en ademde zo moeizaam dat Osborn zijn jasje en overhemd had opengescheurd om de toevoer van lucht zo gemakkelijk mogelijk te maken. Maar aan de heftige convulsies van McVeys nekspieren en bovenarmen had hij niets kunnen doen. Atropine was een tegengif tegen cyanide, maar hij zou het middel snel nodig hebben. Aan de andere kant van de Spree zag hij toeschouwers staan. Zelf was hij ook door het gas vergiftigd, maar in mindere mate dan McVey en hij was kokhalzend naar de rand van de rivier gerend waar hij naar hen schreeuwde en met zijn armen zwaaide. Maar het duurde slechts een ogenblik voordat hij zich realiseerde dat het zinloos was. In het donker en op zo'n grote afstand zou niemand hem kunnen horen of zien. Hij draaide zich om en zag McVey kronkelend in het gras liggen met achter hem het loeiende inferno. McVey zou sterven en hij moest machteloos toezien. Op dat moment waren de brandweerlieden gearriveerd.
'Cyanidegas!' schreeuwde hij hoestend en kuchend in het gezicht van een als een stier gebouwde jonge brandweerman die door een regen van brandende sintels en de rondwervelende mist met hem mee terugrende. Hij wist dat de Amerikaanse brandweer tegengif voor cyanide bij zich had omdat brandend plastic het gas verspreidde en hij hoopte dat de Duitsers even goed uitgerust waren.
'Tegengif voor cyanide! Amylnitriet! Begrijpt u me? Amylnitriet! Het is een tegengif voor het gas!'
'*Ich verstehe kein Englisch*,' zei de brandweerman terwijl hij zich het hoofd brak over wat Osborn gezegd zou kunnen hebben.
'Een dokter! Een dokter! Alstublieft!' smeekte Osborn terwijl hij de woorden zo duidelijk mogelijk uitsprak in de hoop dat de man hem zou begrijpen.
Toen knikte de brandweerman. '*Arzt! Ja!*' Hij vroeg snel en met gezag door een microfoon die aan de kraag van zijn jasje was bevestigd om medische hulp. '*Ich brauche schnell ein Arzt! Cyanidegas!*'
'Amylnitriet!' zei Osborn. Toen draaide hij zich om, boog zich voorover en braakte op het gras.

Remmer reed met hen mee in de ziekenwagen en zag dat het middel effect begon te hebben. Behalve de verpleger die de stof had toegediend, waren er nog twee andere verplegers bij hen. McVeys neus en mond waren bedekt door een zuurstofmasker. Zijn ademhaling begon weer normaal te worden. Osborn, die naast hem lag en evenals McVey een infuus in zijn arm had, keek naar Remmer omhoog en luisterde naar het krakende staccatogeluid over diens politieradio dat het geloei van

de sirene van de ziekenauto overstemde. Alles werd in het Duits gezegd, maar op de een of andere manier verstond Osborn het. Bijna iedereen in Charlottenburg was bij de brand omgekomen en het gebouw was opgegeven. Alleen hij, McVey en een paar personeelsleden en beveiligingsmensen waren aan de vlammen ontsnapt. De Gouden Zaal was nog steeds hermetisch afgesloten door de metalen deuren die nu in een verwrongen gesmolten massa waren veranderd. Het zou uren, zo niet dagen duren voordat reddingsteams met gasmaskers naar binnen zouden kunnen gaan.
Hij probeerde het beeld van McVey die in het gras lag, te verdringen. Dat hij een volwassen man met een medische opleiding was, had niets betekend. Hij had hulpeloos moeten toezien en was ten slotte schreeuwend om hulp weggerend. Hij had net zo weinig voor McVey kunnen doen als voor zijn eigen vader toen deze vele jaren geleden in de goot van een straat in Boston had gelegen.
Hij begon te sidderen door een onbedwingbare snik toen hij besefte dat het raadsel van zijn vaders dood altijd een raadsel zou blijven, dat de oplossing begraven lag onder de smeulende puinhopen van Charlottenburg. Het enige wat de gebeurtenissen hem hadden opgeleverd, was dat hij nu wist dat zijn vader, als zovele anderen, het slachtoffer was geworden van een gecompliceerde en macabere samenzwering van een geheime, elitaire groep nazi's die met atomische chirurgie bij extreem lage temperaturen had geëxperimenteerd. En als McVeys theorie over Elton Lybarger klopte, was het experiment kennelijk geslaagd. Maar op de vraag '*waarom*' had hij nog steeds geen antwoord. Misschien was hij al te veel te weten gekomen. Hij dacht aan Karolin Henniger en haar zoon die de steeg voor hem in waren gevlucht. Hoeveel meer waren er nog omgekomen ten gevolge van zijn speurtocht? De meesten van hen waren volkomen onschuldig geweest. En daarvoor moest hij de verantwoordelijkheid accepteren. De nachtmerrie van zijn eigen bestaan had zich nooit over het leven van anderen mogen uitbreiden. Zijn pad had op tragische wijze het pad gekruist van anderen die dat lot niet hadden verdiend.
Als er een God was, had die hem in de steek gelaten toen hij tien jaar was en hij liet hem ook nu weer in de steek.
En dat gold ook voor Vera, die een paar dagen zijn leven een nieuwe inhoud had gegeven op een manier waarvan hij nooit had durven dromen. Deze God had haar als samenzweerster gebrandmerkt, haar van hem losgerukt en in de gevangenis laten gooien, verder niets.
Plotseling stelde hij zich haar voor terwijl ze onder het felle schijnsel van de altijd brandende lampen zat. Waar was ze op dit moment? Wat de-

den ze haar aan? Hoe hield ze zich tegenover hen staande? Hij wilde haar aanraken, haar troosten, en tegen haar zeggen dat alles in orde zou komen. Toen kwam de gedachte in zijn hoofd op dat ze, zelfs als hij dat tegen haar zou kunnen zeggen, voor zijn aanraking zou terugdeinzen omdat ze hem niet langer zou vertrouwen. Had alles wat er was gebeurd dat ook vernietigd?

'Osborn...' klonk McVeys raspende stem plotseling door het zuurstofmasker. Osborn keek opzij en zag Remmers gezicht dat was verlicht door de lampen in de ziekenwagen. Remmer keek naar McVey. Hij wilde dat hij zou blijven leven, dat hij weer helemaal beter zou worden.

'Osborn is hier, McVey. Alles is in orde met hem,' zei Remmer.

Osborn trok zijn zuurstofmasker af en pakte McVeys hand vast. Hij zag dat McVey naar hem keek. 'We zijn zo bij het ziekenhuis,' zei Osborn om hem gerust te stellen.

McVey hoestte, waarbij zijn borst pijnlijk op en neer bewoog en hij sloot zijn ogen.

Remmer keek de verpleger aan.

'Het komt wel in orde met hem,' zei Osborn, die McVeys hand nog steeds vasthield. 'Laat hem maar rusten.'

'Niks rusten. Luister naar me.' McVeys greep om Osborns hand verstevigde zich plotseling en hij opende zijn ogen. 'Salettl...' McVey zweeg, haalde diep adem en sprak toen verder, '... heeft gezegd dat... Lybargers fysiotherapeute... morgenochtend...'

'Met het vliegtuig naar L.A. zou vertrekken!' Osborn maakte de zin struikelend over zijn woorden af. 'Jezus Christus, hij had een reden om dat te zeggen! Ze moet nog in leven zijn en ze is hier in Berlijn!'

'Ja...'

# 128

Het was donker in de privé-kamer van de Berlijnse Universitätsklinik. McVey was, nadat hij de kamer was binnengebracht, naar de brandwonden-unit getransporteerd. Remmer was weggegaan om röntgenfoto's van zijn gebroken pols te laten maken en hem te laten zetten en Osborn was alleen achtergebleven. Vuil en uitgeput en met haar en

wenkbrauwen die zo kort waren geschroeid dat hij voor Yul Brynner of een rekruut bij de mariniers kon doorgaan, was hij onderzocht, gewassen en in bed gestopt. Ze hadden hem een slaapmiddel willen geven, maar dat had hij geweigerd.
Nu de Berlijnse politie in de hele stad naar Joanna Marsh op zoek was, had Osborn gewoon in slaap moeten vallen, maar dat gebeurde niet. Misschien kwam het doordat hij oververmoeid was, of misschien had een lichte cyanidevergiftiging een onbekend neveneffect, waardoor je bloed vol met adrenaline werd gepompt en je geactiveerd bleef. Wat het ook was, Osborn bleef klaarwakker. Hij zag zijn kleren naast McVeys verfomfaaide pak in de kast hangen en door de open deur ernaast zag hij de centrale verpleegsterspost. Een lange blondine had dienst. Ze telefoneerde en tikte tegelijkertijd iets in op een computer die voor haar stond. Er kwam nu een dokter binnen die zijn late avondronde maakte en Osborn zag haar opkijken en knipogen toen hij bleef staan om wat papieren te bekijken. Hoe lang was het geleden dat hij zelf zijn ronde door het ziekenhuis had gemaakt? Had hij dat ooit wel gedaan? Het leek alsof hij al een eeuwigheid in Europa was. Een verliefde chirurg was snel achter elkaar een achtervolger geworden, een slachtoffer, een vluchteling en ten slotte weer een achtervolger, met de politie van drie landen als bondgenoten. En ondertussen had hij drie terroristen, onder wie één vrouw, doodgeschoten. Zijn leven als chirurg in Californië was slechts een vage herinnering. Het was er tegelijkertijd wel en niet. In zekere zin typeerde dat zijn hele bestaan. Hij was er tegelijkertijd wel en niet geweest. En dat was allemaal gekomen doordat hij de dood van zijn vader nooit had kunnen verwerken. En na alles wat er was gebeurd, was hem dat nog steeds niet gelukt. Dát hield hem wakker. Hij had geprobeerd het antwoord te vinden in de zakken van de dode Scholl en Salettl. Hij had het niet gevonden. En dat leek het einde van zijn speurtocht te zijn geweest, totdat McVey zich had herinnerd wat Salettl had gezegd. Misschien had hij hun op die manier verteld dat ze Joanna moesten zoeken. Zij zou misschien een soort antwoord hebben of ze zou volkomen onschuldig kunnen zijn. Maar ze was een ontbrekend stuk van de legpuzzel, zoals Scholl na de dood van Albert Merriman dat ook was geweest. Dus zijn speurtocht was nog niet ten einde. Maar nu McVey voor wie weet hoe lang was uitgeschakeld, was de grote vraag hoe hij verder moest gaan.

# 129

Baerbel Bracher stond met rechercheurs van moordzaken van het Polizeipräsidium, het Berlijnse hoofdbureau van politie, te praten terwijl haar hondje aan de lijn trok. Baerbel Bracher was zevenentachtig jaar en het was vijf over halftwaalf in de ochtend. Haar hondje, Heinz, was zestien jaar oud en had problemen met zijn blaas. Ze liet hem wel vier keer per nacht uit en als hij een slechte nacht had soms wel vijf keer of meer. Vannacht was een slechte nacht geweest en ze was al voor de zesde keer met hem naar buiten gegaan toen ze de politieauto's en daarna de politiemannen en de tieners had gezien die zich rondom de taxi hadden verzameld.
'Ja, ik heb hem gezien. Hij was jong en knap en droeg een smoking.' Ze zweeg toen de auto van de lijkschouwer arriveerde en hij met zijn in witte jassen geklede assistenten uitstapte en naar de taxi liep.
'Ik vond het toen vreemd dat een knappe man in een smoking uit een taxi stapte, de sleutels in de auto gooide en wegliep.' Ze keek toe terwijl de assistenten met een brancard en een lijkzak naar de taxi kwamen, de achterbak openden, er het lichaam van de jonge taxichauffeuse uit tilden, haar in de zak stopten en die tot over haar hoofd dichtritsten.
'Maar ja, het zijn mijn zaken niet, dacht ik. Hij droeg een grote witte doos over zijn schouder. Dat vond ik ook zo iets vreemds, dat een jonge man in een smoking met zo'n onhandige doos liep te zeulen. Maar er kan tegenwoordig van alles gebeuren. Ik denk nergens meer over na. Ik zal er geen oordeel over uitspreken.'
Door de smoking brachten ze hem in verband met Charlottenburg en om halféén zat Baerbel Bracher in het hoofdbureau foto's te bekijken. Vanwege het verband met Charlottenburg werd het BKA op de hoogte gesteld en Bad Godesberg nam onmiddellijk contact met Remmer op.
'Stop de foto die van de video-opname van het hoofd van Scholls beveiligingsdienst genomen is, tussen de andere in,' zei hij vanuit zijn ziekenhuiskamer. 'Vestig de aandacht er niet op. Stop hem gewoon tussen de anderen in.'
Twintig minuten later belde Bad Godesberg terug en bevestigde het vermoeden. Dat betekende dat er een lid van de Organisatie aan de brand in Charlottenburg was ontkomen en voortvluchtig was. Er werd onmiddellijk een signalement verspreid en Remmer vroeg een internationaal arrestatiebevel aan voor een verdachte van moord die bekendstond als Pascal von Holden, een Argentijns staatsburger die met een

Zwitsers paspoort reisde.
Binnen een uur had een rechter in Bad Godesberg het arrestatiebevel uitgevaardigd. Enkele seconden later werd von Holdens foto elektronisch aan alle politiekorpsen in Europa, het Verenigd Koninkrijk en Noord- en Zuid-Amerika doorgegeven. Er werd bij vermeld dat het een 'Code Rood'-arrestatie betrof en dat er rekening mee moest worden gehouden dat de verdachte gewapend en uiterst gevaarlijk was.

'Hoe voel je je?' Het was na tweeën toen Remmer Osborns kamer binnenkwam.
'Prima.' Osborn was in slaap gevallen, maar wakker geworden toen Remmer binnenkwam. 'Hoe is het met je pols?'
Remmer stak zijn linkerarm omhoog. 'Hij zit in het gips.'
'En McVey?'
'Die slaapt.'
Remmer kwam dichterbij en Osborn zag de intense uitdrukking in zijn ogen.
'Je hebt Lybargers fysiotherapeute gevonden!'
'Nee.'
'Wat is er dan?'
'Nobles Spetsnaz-soldaat, de man die jij in de Tiergarten hebt ontmoet, is aan de brand ontsnapt.'
Osborn schrok. Er was nog een los eindje. 'Von Holden?'
'Getuigen hebben gezien dat een man die aan zijn signalement beantwoordde op de trein van 10.48 uur naar Frankfurt is gestapt. We zijn er niet zeker van dat hij het is, maar ik ga er in ieder geval naar toe. Het is te mistig om te vliegen en er vertrekken nu geen treinen, dus ik ga met de auto.'
'Ik ga met je mee.'
Remmer grijnsde. 'Dat weet ik. Daarom kom ik je ook halen.'

Tien minuten later reed een donkergrijze Mercedes vanuit Berlijn de Autobahn op. De auto was een zes liter model met een achtcilindermotor. Zijn topsnelheid was geheim, maar er werd gezegd dat die op een rechte weg meer dan driehonderd kilometer per uur was.
'Ik moet weten of je last van wagenziekte hebt.' Remmer keek Osborn onderzoekend aan.
'Waarom?'
'De trein uit Berlijn komt om vier minuten over zeven binnen. Het is nu even over tweeën. Een snelle rijder kan vanuit Berlijn in vijfeneenhalf uur in Frankfurt zijn. Ik ben een snelle rijder. Ik ben ook politieman.'

'Wat is het record?'
'Dat is er niet.'
Osborn glimlachte. 'Vestig er dan maar een.'

# 130

Von Holden leunde in het donker achterover en luisterde naar het gestamp van de trein over de rails. Een kleine stad suisde in het donker voorbij en kort daarna nog een. Hij wist de ramp in Berlijn geleidelijk uit zijn gedachten te bannen, waardoor hij zich beter kon concentreren op wat er vóór hem lag.
'Ga alsjeblieft slapen,' zei hij.
'Ja...' zei Vera. Ze rolde zich op haar zij en probeerde te doen wat haar was gezegd.
Het was na tienen geweest toen ze haar uit haar cel hadden gehaald. Ze hadden haar naar een kamer gebracht, haar de kleren die ze aan had gehad toen ze werd gearresteerd teruggeven en gezegd dat ze zich moest omkleden. Toen hadden ze haar in een lift mee naar boven genomen en naar buiten naar een auto gebracht waarin deze man, een *Hauptkommissar* van de federale politie, op haar zat te wachten. Ze werd aan hem overgedragen en er was haar gezegd dat ze precies moest doen wat hij zei. Hij had haar verteld dat hij von Holden heette.
Even later staken ze met hun polsen met handboeien aan elkaar vastgemaakt in het Bahnhof Zoo, het hoofdstation van Berlijn, een perron over en stapten in een trein.
'Waar brengt u me heen?' vroeg ze voorzichtig toen hij de deur van een privé-coupé sloot en op slot deed.
Hij antwoordde niet direct, maar liet een grote doos van zijn schouder glijden en zette die op de grond. Toen leunde hij naar voren en deed de handboeien af.
'Naar Paul Osborn,' zei hij.
*Paul Osborn*. De naam deed haar opschrikken.
'Hij is naar Zwitserland gebracht.'
'Is alles in orde met hem?' Ze dacht koortsachtig na. Zwitserland! Waarom? Mijn God, wat is er gebeurd?

'Ik heb geen informatie, alleen orders,' zei von Holden en daarna had hij haar naar haar couchette geleid en was ertegenover op een stoel gaan zitten.
'Welterusten,' zei hij.
'Waar in Zwitserland?'
'Welterusten.'

Von Holden glimlachte in het donker. Vera's reactie was automatisch geweest; diepe bezorgdheid, bijna onmiddellijk gevolgd door hoop. Hoe bang en uitgeput ze ook moest zijn, haar gedachten gingen hoofdzakelijk uit naar Osborn. Dat betekende dat hij geen last van haar zou hebben zo lang ze geloofde dat ze naar hem toe gebracht zou worden en het feit dat ze in haar ogen onder de hoede van een *Hauptkommissar* van het BKA was gesteld, was daarvoor nog een extra verzekering.
Von Holden was eerder op de dag van haar arrestatie op de hoogte gesteld door agenten van de Berlijnse afdeling die in de gevangenis werkten. Op het moment zelf was de informatie van ondergeschikt belang geweest, maar door de onverwachte wending die de gebeurtenissen hadden genomen, was deze wetenschap van steeds groter gewicht geworden. Binnen een halfuur na zijn opdracht had de Berlijnse afdeling geregeld dat ze werd vrijgelaten. Intussen was er voor legitimatiepapieren van het BKA gezorgd en had von Holden zich omgekleed, de doos in een speciale zwarte nylon tas gedaan die hij niet alleen over zijn schouder maar ook als rugzak kon dragen.
Ironisch genoeg had McVey door Vera te arresteren von Holden de dekmantel verschaft die hij nodig had. Hij reisde nu niet in zijn eentje, maar deelde een privé-eersteklascoupé met een buitengewoon mooie vrouw. En wat belangrijker was, ze diende nog een ander doel: hij had in haar een gijzelaar die voor de politie van het grootste belang was.
Von Holden keek op zijn horloge. Over ruim vijf uur zouden ze in Frankfurt zijn. Hij zou zichzelf vier uur slaap gunnen en daarna besluiten wat hij zou doen.

# 131

Von Holden werd precies om zes uur wakker. Vera sliep nog steeds in het bed tegenover het zijne. Hij stond op, liep de kleine badkamer binnen en sloot de deur.

Hij waste zijn gezicht en schoor zich terwijl hij aan Charlottenburg dacht. Hoe langer hij erover nadacht, hoe meer hij ervan overtuigd raakte dat de samenzwering door iemand, of zelfs wel verscheidene leden, van de Organisatie gesmeed moest zijn. Hij herinnerde zich hoe Salettl als een spook voor het mausoleum was verschenen en hoe nerveus hij was geweest toen hij hem had verteld dat de politie er was met een arrestatiebevel voor Scholl. Hoe vastberaden hij was geweest toen hij hem had gezegd dat hij met de doos in de Koninklijke Vertrekken moest wachten. Daardoor had Salettl hem in een situatie gebracht die hem het leven zou hebben gekost als hij niet het initiatief had genomen om te vertrekken.

Toch leek het idee dat Salettl de verrader was absurd. De dokter was sinds het begin, vanaf het eind van de jaren dertig, bij *Übermorgen* betrokken geweest. Hij had de supervisie over alle medische aspecten ervan gehad en de chirurgische onthoofdingen en experimentele operaties hadden onder zijn leiding plaatsgevonden. Waarom zou hij, nu de bekroning van alles waaraan hij zich meer dan een halve eeuw had gewijd nabij was, plotseling alles willen vernietigen? Het was niet logisch. Maar tegelijkertijd was er niemand anders die niet alleen in Charlottenburg overal toegang had, maar ook tot in alle details van *Übermorgen* op de hoogte was.

Het geluid van de fluit van de trein deed von Holden uit zijn gepeins ontwaken. Over veertig minuten zouden ze in Frankfurt aankomen. Hij had al besloten niet per vliegtuig te reizen en zo lang mogelijk van de trein gebruik te maken. Met een beetje geluk zou hij ermee op zijn eindbestemming kunnen komen. Om 7.46 uur vertrok er een Intercity Express die om 12.12 uur in Bern zou aankomen. Daarvandaan zou het anderhalf uur reizen zijn naar Interlaken, waarna hij met de tandradtrein van de Bern-Oberlandlijn de adembenemende tocht omhoog, de Alpen in, zou maken voordat hij zou overstappen op de Jungfraulijn die hem naar de top van de Jungfrau zou brengen.

# 132

Remmer had al bijna eenentwintig uur niet geslapen en de dag daarvoor had hij nauwelijks drie uur slaap gehad. Daardoor reageerde hij te traag op de rij waarschuwingslichten op de door de regen gladde Autobahn net ten noorden van Bad Hersfeld. Osborn slaakte een kreet en in een automatische reactie daarop wist Remmer door krachtig te remmen de snelheid van de Mercedes in een paar seconden van tweehonderdzeventig tot minder dan honderdvijftig kilometer terug te brengen.
Osborn drukte zijn handen zo hard op de leren stoelen dat zijn knokkels wit werden toen de Mercedes in een wilde slip raakte en driehonderdzestig graden ronddraaide. Onderwijl ving Osborn een glimp op van de ravage vóór hen. Ten minste twee vrachtwagens met oplegger en een stuk of zes personenauto's lagen verspreid over de snelweg. De Mercedes was niet meer dan vijftig meter van de eerste gekantelde vrachtwagen verwijderd en draaide met een snelheid van honderdtwintig kilometer per uur rond. Osborn keek naar Remmer terwijl hij zich schrap zette voor de klap. Remmer zat bewegingloos, met beide handen op het stuur, alsof hij recht op een afgrond af reed zonder er iets aan te kunnen doen. Osborn wilde naar het stuur duiken om het uit zijn handen te trekken en te proberen vanaf de passagierskant langs de vrachtwagen te sturen, toen de neus van de auto recht naar voren draaide. Op dat moment drukte Remmer zijn rechtervoet even op de versnelling. De banden kregen ogenblikkelijk houvast en de Mercedes raakte uit de slip en schoot naar voren. Toen nam Remmer gas terug, remde licht en de auto raasde op een paar centimeter afstand langs de verongelukte vrachtwagen. Remmer tikte de rem weer even aan, draaide aan het stuur en zwenkte om een gekantelde Volvo heen. Toen schoten ze het zachte grind van de berm op en er kwamen twee wielen van de grond. Even dreigde de auto om te kiepen; toen klapten de wielen terug en de auto kwam tot stilstand.

* * *

De trein vond met een slakkegangetje zijn weg door de wirwar van rails die het Hauptbahnhof, het centraal station van Frankfurt, binnenliepen. Von Holden stond naast het raam naar buiten te kijken toen ze het station binnenreden. Hij was op zijn hoede, alsof hij verwachtte dat er iets zou gebeuren.

Vera zat op de couchette naar hem te kijken. Ze had de nacht half wakker en half slapend doorgebracht terwijl de gedachten door haar hoofd tolden. Waarom was Paul in Zwitserland? Waarom werd ze door de politie naar hem toe gebracht? Was hij gewond, of misschien zelfs stervende...?
De trein minderde nog meer vaart en stopte toen. Het scherpe gesis van de luchtdrukremmen werd gevolgd door het geluid van de wagondeuren die werden geopend.
'Als we zijn uitgestapt, zullen we op een andere trein overstappen,' zei von Holden. 'Ik moet u eraan herinneren dat u nog steeds bij de federale politie in hechtenis bent.'
'U brengt me naar Paul. Denkt u dat ik dan zou vluchten?'
Plotseling werd er luid op de deur geklopt.
'Politie. Open de deur, alstublieft.'
Politie? Vera keek von Holden aan.
Hij negeerde haar, liep naar het raam en keek naar buiten. Op het perron liepen mensen heen en weer, maar hij zag geen andere politiemannen, althans niet uniform.
Er werd weer geklopt. 'Politie. Doe onmiddellijk de deur open!'
'Een vergissing. Ze moeten naar iemand anders op zoek zijn,' zei von Holden en hij draaide zich om.
Hij liep naar de deur en opende hem net ver genoeg om naar buiten te kunnen kijken. 'Ja?' zei hij, terwijl hij een bril opzette alsof hij hen beter wilde zien.
Voor de deur stonden twee mannen in burger van wie de een iets langer dan de andere was. Achter hen stond een geüniformeerde politieman met een machinepistool in zijn handen. De eerste twee waren duidelijk rechercheurs.
'Wilt u alstublieft uit de coupé komen?' vroeg de langste van de twee.
'BKA,' zei von Holden terwijl hij de deur verder opende zodat ze Vera konden zien.
'Kom uit de coupé!' zei de langste man weer. Ze waren achter een voortvluchtige aan gestuurd die von Holden heette. Misschien was dit de man die ze zochten. Ze hadden alleen een foto van hem en daarop droeg de man geen bril. En bovendien, het BKA? Wat had dat te betekenen? En wie was de vrouw?
'Natuurlijk.' Von Holden stapte de gang in. De kleinste rechercheur staarde naar Vera. De geüniformeerde agent staarde von Holden aan. Von Holden glimlachte tegen hem.
'Wie is dat?' vroeg de langste van de twee.
'Een gevangene die ik wegbreng. Ze wordt verdacht van terrorisme.'

'Waar brengt u haar heen?'
'Naar Bad Godesberg, naar het hoofdkwartier van het BKA.'
'Waar is de politievrouw?'
Vera keek von Holden aan. Waar hadden ze het over?
'Die is er niet,' zei von Holden kalm. 'Daarvoor was geen tijd. Het heeft met Charlottenburg te maken.'
'Mogen we uw legitimatie zien?'
Von Holden zag de geüniformeerde politieman door het raam naar buiten kijken toen er een aantrekkelijke vrouw voorbijkwam. Ze ontspanden zich en begonnen hem te geloven.
'Natuurlijk.' Von Holden stak zijn rechterhand in zijn borstzak, haalde er een plat etui uit en overhandigde dat aan de kleinste rechercheur.
Von Holden keek Vera aan. 'Is alles in orde met u, mevrouw Monneray?'
'Ik begrijp niet wat er aan de hand is.'
'Ik ook niet.'
Von Holden draaide zich om en er klonken snel achter elkaar twee geluiden, alsof er iemand spuwde. De ogen van de geüniformeerde politieman werden groot en zijn knieën knikten. Tegelijkertijd zette von Holden de vierkante loop van een geluiddemper tegen het voorhoofd van de kleinste rechercheur. Er klonk weer een ploffend geluid en de man sloeg achterover. De achterkant van zijn schedel was weggeschoten. Von Holden draaide zich opzij op het moment dat de langste rechercheur net zijn 9mm Beretta uit zijn schouderholster had getrokken maar het nog niet had kunnen richten. Von Holden vuurde tweemaal met zijn kleine, automatische .38 pistool met geluiddemper en trof de man eenmaal boven en eenmaal onder het borstbeen. Heel even vertrok de man zijn gezicht van woede, toen zakte hij achterover op de vloer in elkaar.
Even later stapten von Holden en Vera uit en liepen tussen de andere reizigers over het perron naar de stationshal. Von Holden had de nylon tas over zijn linkerschouder en hield met zijn rechterhand Vera's arm stevig vast. Ze was spierwit van afgrijzen.
'Luister,' – von Holden keek recht voor zich uit alsof hij slechts een terloopse opmerking maakte – 'die mannen waren niet van de politie.'
Vera liep door terwijl ze probeerde haar kalmte te herwinnen.
'Vergeet dat het is gebeurd,' zei hij. 'Probeer de beelden uit uw geheugen te wissen.'
Ze waren nu in de stationshal. Von Holden keek zoekend rond, maar hij zag geen politie. Een klok boven een krantenkiosk wees vijf voor halfacht aan. Hij keek omhoog en liet zijn blik over het treinrooster dat

boven hun hoofd hing, glijden. Toen hij zag wat hij zocht, leidde hij Vera een snackbar binnen en bestelde koffie. 'Drink op, alstublieft,' zei hij. Toen ze aarzelde, glimlachte hij. 'Toe nou.'
Vera pakte het kopje op. Haar handen beefden en ze realiseerde zich hoe bang ze nog steeds was. Ze nam een slokje en voelde de warme koffie door haar keelgat glijden. Von Holden was even weggegaan en toen hij terugkwam, had hij een krant in zijn hand.
'Ik zei dat die mannen niet van de politie waren.' Hij leunde naar haar voorover en praatte zacht om niet afgeluisterd te kunnen worden. 'Er is in Duitsland sinds de eenwording een nieuw soort nazi-beweging ontstaan. De beweging is nu nog ondergronds, maar is vastbesloten een belangrijke machtsfactor te worden. Gisteravond zijn honderd van de machtigste en invloedrijkste democratische Duitsers in het Charlottenburgpaleis bijeengekomen. Ze waren daar om voorgelicht te worden over wat er in hun land aan de gang is en om hun steun te betuigen aan de strijd tegen het nieuwe nazisme.'
Von Holden wierp een blik op de klok boven de kiosk en vouwde de krant open. Op de voorpagina stond een dramatische foto van het in vlammen gehulde Charlottenburg. De Duitse kop luidde: *Charlottenburg brennt!*
'Er waren brandbommen geplaatst. Iedereen is in de vlammen omgekomen. Deze nieuwe nazi-beweging is verantwoordelijk voor de aanslag.'
'U moet er een reden voor hebben dat u me dit vertelt.' Vera wist dat hij iets achterhield.
In de verte zag von Holden een stuk of zes geüniformeerde politiemannen naar de trein rennen die hij en Vera zojuist hadden verlaten. Hij keek weer op de klok. 7.33 uur.
'Loop met me mee, alstublieft.'
Von Holden pakte haar arm en leidde haar naar een wachtende trein. 'Paul Osborn heeft ontdekt dat de mannen bij wie hij was, niet degenen waren die ze leken.'
'McVey?' Vera geloofde hem niet.
'Onder anderen, ja.'
'Nee, dat bestaat niet. Hij is *Amerikaan*, net als Paul.'
'Is het niet toevallig dat de Franse politieman met wie McVey in Parijs samenwerkte gisteren in een Londens ziekenhuis op bijna hetzelfde tijdstip is doodgeschoten als waarop het lijk van de Franse premier is gevonden?'
'O God...' Vera zag voor zich hoe Lebrun met McVey in haar appartement stond. Het was weer het schrikbeeld van de Duitse bezetting van Frankrijk. Kijk naar duizend gezichten en vertrouw niemand van hen.

Dat was in wezen waartegen François Christian in Frankrijk had gevochten. Dat was wat hij het meest had gevreesd, dat het Franse gevoel van eigen identiteit zou afnemen terwijl Duitsland zelf, verscheurd door strijd en maatschappelijke onrust, slaapwandelend in de armen van het fascisme zou lopen.
'Met dat soort mensen hebben we nu eenmaal te maken,' vervolgde von Holden. 'Goed georganiseerde en getrainde neonazistische terroristen die in Europa en Noord- en Zuid-Amerika opereren. Osborn heeft dat ontdekt en is naar ons toe gekomen. We hebben hem voor zijn eigen veiligheid uit Duitsland weggehaald en dat is voor u ook noodzakelijk.'
'Voor mij?' Vera staarde hem ongelovig aan.
'Ik was hun doelwit zojuist niet, dat was u. Ze weten van uw relatie met François Christian af. Ze zullen ervan uitgaan dat u bepaalde dingen weet, of dat nu klopt of niet.'
Vera zag nu heel duidelijk voor zich hoe Avril Rocard op de boerderij buiten Nancy afkwam terwijl de dode agenten van de Franse geheime dienst achter haar op de grond lagen.
'Hoe wist ú van François af?' vroeg ze moeizaam.
'Osborn heeft het ons verteld. Daarom hebben we u uit de gevangenis gehaald voordat McVey en zijn vrienden ook daar hun invloed zouden aanwenden.'
Ze staken een perron over en liepen tussen drommen mensen langs een wachtende trein. Von Holden keek naar de wagonnummers. Door een luidspreker werd aangekondigd dat een trein zou aankomen en dat een andere zou vertrekken. Hoe had de politie geweten dat hij in de trein zat? Hij speurde het gezicht van de mensen die om hen heen liepen af en lette op hun bewegingen. Een aanval zou van elke kant kunnen komen. In de verte hoorde hij het geloei van sirenes. Toen zag hij de wagon die hij zocht.

Om 7.46 uur vertrok de Intercity Express uit het Hauptbahnhof. Vera ging in de eersteklascoupé onzeker op een gekreukte fluwelen zitplaats naast von Holden zitten. Toen de trein sneller ging rijden, leunde ze achterover en keek door het raam naar buiten. Het was onmogelijk dat McVey niet was wat hij leek. Toch was Lebrun dood en François Christian ook. En von Holden wist van alles te veel om hem niet te geloven. Nu waren er bij de brand in Charlottenburg nog honderd mensen omgekomen, om nog maar te zwijgen over de mannen die von Holden in de trein had gedood. Onder andere omstandigheden zou ze misschien helderder hebben kunnen nadenken, maar er waren in korte tijd te veel verschrikkelijke dingen gebeurd.

En het angstaanjagendste van alles was dat het schrikbeeld opdoemde van een opkomende Duitse politieke beweging die te weerzinwekkend was om over na te denken, maar die in al deze gebeurtenissen de hand had gehad.

# 133

Een uur lang was er in Osborns gedachten alleen plaats voor de slachting die de kettingbotsing had aangericht. Eerst met Remmers hulp en daarna met de verpleegkundigen die het eerst arrriveerden, gaf hij eerste hulp op het bebloede asfalt van de Autobahn. Hij moest al zijn kunde als chirurg aanwenden en alles wat hij vanaf de eerste dag van zijn studie had geleerd, benutten. Hij had geen instrumenten, geen medicijnen en geen verdovingsmiddelen.
Het lemmet van een Zwitsers legermes van een vrachtwagenchauffeur dat hij met een lucifer steriliseerde, deed dienst als scalpel bij een tracheotomie bij een oude non.
Daarna liep Osborn naar een vrouw van middelbare leeftijd. Haar zoon, een tiener, was bijna hysterisch en hij schreeuwde dat ze zwaargewond was aan haar been en dat ze doodbloedde. Alleen was het been niet gewond, maar afgesneden. Hij deed snel zijn riem af en gebruikte die als tourniquet om het bloeden te stelpen, maar toen moest hij haar zoon vragen de riem strak te houden omdat Remmer schreeuwde dat hij moest komen helpen een jonge vrouw onder een kleine auto vandaan te trekken. De auto was zo platgedrukt dat het leek of niemand van de inzittenden het ongeluk had kunnen overleven. Ze gingen plat op het asfalt liggen en Osborn trok haar voorzichtig onder de auto vandaan, terwijl Remmer in het Duits tegen haar praatte en met zijn benen een berg verwrongen staal omhoogduwde. Pas toen ze haar eronder vandaan hadden, realiseerden ze zich dat ze een baby in haar armen had. De baby was dood. Toen ze dat besefte, stond ze eenvoudigweg op en liep weg. Even later realiseerde de chauffeur van een Volkswagenbus, die zelf een gebroken arm ondersteunde, zich dat ze langs de rijen stilstaande auto's liep om zich voor een aankomende auto te werpen en hij rende achter haar aan. Er arriveerden nog steeds politiewagens, ambu-

lances en brandweerauto's, en een helikopter die de gewonden zou evacueren, was uit Frankfurt onderweg. Remmer hield het skeletachtige lichaam van een jongeman in het laatste stadium van AIDS in zijn armen terwijl Osborn probeerde zijn ernstig ontwrichte schouder te zetten. De man zei geen woord en schreeuwde zelfs geen enkele keer, hoewel de pijn ondraaglijk moest zijn. Pas toen het voorbij was, zakte hij achterover en mompelde: '*Danke*'.

Daarna namen de medische hulpteams het over. Ze waren bij zonsopgang begonnen en nu was het licht. De botsing had zo'n bloedbad aangericht dat het leek of ze op een slagveld stonden. Ze liepen terug naar de Mercedes die in de zachte berm stond, toen de helikopter ronkend te midden van het opwervelende stof landde. Reddingswerkers renden er met een slachtoffer op een brancard heen terwijl een verpleger die een infuus boven de gewonde hield, ernaast rende.

Osborn keek Remmer aan. 'Ik denk dat we onze trein hebben gemist,' zei hij kalm.

'Ja.' Remmer had het portier van de Mercedes geopend toen de luidspreker begon te kraken. Er werden in staccato-Duits een paar codenummers genoemd, die werden gevolgd door Remmers naam. Remmer pakte onmiddellijk de microfoon en meldde zich. Er volgde een snelle woordenvloed. Remmer luisterde, gaf toen een kort antwoord en zette de radio uit. 'Von Holden heeft in het station van Frankfurt drie politiemannen doodgeschoten. Hijzelf is ontkomen.' Na deze woorden bleef Remmer Osborn aanstaren en de blik gaf hem een onbehaaglijk gevoel. 'Je houdt iets voor me achter. Wat is het?'

'Er was een vrouw bij hem.'

'Ja, en...'

'Vera Monneray is gisteravond om 22.37 uur uit de gevangenis vrijgelaten,' zei Remmer boven het gepiep van de banden uit, terwijl ze snel van de plaats van het ongeluk vandaan reden. 'De administrateur die voor haar vrijlating verantwoordelijk was, is nog geen uur geleden dood aangetroffen op de achterbank van een auto die in Berlijn in de buurt van het station geparkeerd was.'

'Je wilt me toch niet vertellen dat Vera de vrouw was die bij von Holden was?' Osborn voelde hoe woede en wrok in hem oplaaiden. 'Ik vel geen oordeel, maar geef je alleen een feit. Gezien de gebeurtenissen is het belangrijk dat je het weet.'

Osborn staarde hem aan. 'Ze is vrijgelaten, maar niemand weet wat er daarna gebeurd is.'

Remmer schudde zijn hoofd.
'Wat is er in jezusnaam aan de hand?'
'Ik wou dat ik het je kon vertellen.'

Drie mensen hadden kort nadat de trein op het Hauptbahnhof was aangekomen een man en een vrouw zien uitstappen. Ze waren het perron overgestoken en in het station verdwenen. Ze hadden alle drie een uitgesproken, maar verschillende mening over waar de man en de vrouw naar toe waren gegaan. Ze waren het er echter wel over eens dat de man degene op de politiefoto was en dat hij een tas over zijn schouder had gedragen.
Uit de verklaring van het drietal en uit het voorhanden zijnde bewijsmateriaal hadden somber kijkende Frankfurtse rechercheurs van moordzaken de gebeurtenissen gereconstrueerd. De doodgeschoten politiemannen waren de trein uit Berlijn, direct nadat hij om 7.04 uur was aangekomen, binnengegaan en waren kort daarna, misschien binnen vijf of zes minuten, gedood door schoten die waren afgevuurd uit een coupé die werd bezet door de man die von Holden heette. De lijken waren om ongeveer 7.18 uur ontdekt door een Italiaanse zakenman die uit de volgende coupé stapte. Hij had mensen in de gang horen praten, maar geen schoten gehoord, wat sterk suggereerde dat de schutter een geluiddemper had gebruikt. Om 7.25 uur waren de eerste politiemensen ter plaatse. Om 7.45 uur was het station afgezet. Gedurende de volgende drie uur werden alle treinen, bussen en taxi's grondig doorzocht en alle reizigers gefouilleerd voordat ze het station mochten verlaten. Remmer had het radiobericht om 7.34 uur gekregen. Om 8.10 uur liepen hij en Osborn het station binnen.
Remmer nam met een van de Frankfurtse rechercheurs de details door en ondervroeg vervolgens de drie getuigen. Osborn luisterde aandachtig en probeerde te verstaan wat er werd gezegd, maar hij kon slechts een paar woorden thuisbrengen. Hun grootste probleem, had Remmer gezegd zodra het radiobericht was doorgekomen, was erachter te komen wat voor vervoer von Holden had gekozen. Naar zijn mening was Frankfurt niet von Holdens uiteindelijke bestemming, maar was hij op doorreis. Het vliegveld was bijna negen kilometer van het station vandaan en de ondergrondse had er een rechtstreekse verbinding mee. Het was echter duidelijk dat von Holden door de plotselinge verschijning van de rechercheurs was overrompeld, anders zou hij wel bij een van de eerdere stopplaatsen zijn uitgestapt. Nadat hij hen had gedood, wist hij dat de politie met man en macht zou proberen hem te pakken te krijgen. Daarom was het niet waarschijnlijk dat hij zou proberen op een vlieg-

tuig te stappen en zeker niet in Frankfurt. Er bleven dan nog maar twee dingen over. Hij zou de stad zelf in kunnen vluchten en zich een tijdje schuilhouden of de stad verlaten met een ander vervoermiddel dan het vliegtuig. In het laatste geval waren er drie mogelijkheden: de trein, de bus of de auto. Tenzij hij er een zou stelen of er in Frankfurt een tot zijn beschikking had, was het onwaarschijnlijk dat hij de auto zou kiezen, omdat hij er dan een zou moeten huren, waardoor hij de aandacht op zich zou vestigen. Dus bleven alleen de bus en de trein over. Als hij de bus zou nemen zou de politie voor grote problemen komen te staan, want meer dan tweehonderd Europese steden hebben busverbindingen met Frankfurt. En hoewel iedere bus doorzocht was, zouden ze toch op de een of andere manier door de controle heen geglipt kunnen zijn. Hetzelfde gold voor de trein. Tussen 7.20 uur en 8.20 uur die ochtend waren er vijfentwintig treinen uit het Hauptbahnhof vertrokken en met het doorzoeken ervan was pas een begin gemaakt toen het station om 7.45 uur was afgegrendeld. Tussen 7.15 en 7.45 uur, ruwweg de tijd tussen de moorden en de afgrendeling van het station, waren er zestien treinen uit Frankfurt vertrokken. Buskaartjes moesten echter van tevoren worden gekocht en geen enkele verkoper van buskaartjes in het Hauptbahnhof herinnerde zich een kaartje te hebben verkocht aan iemand die op von Holden leek. Treinkaartjes konden echter in de trein worden gekocht nadat de trein het station had verlaten. Niets zou aan het toeval worden overgelaten – de Frankfurtse politie zou de stad uitkammen om uit te zoeken of hij zich daar verborgen hield, het vliegveld zou dagenlang in de gaten worden gehouden en ze zou de bussen en treinen blijven doorzoeken. Toch zei Remmers intuïtie hem dat von Holden een van de zestien treinen had genomen die waren vertrokken voordat het station was afgegrendeld.
'Hoe zeiden ze dat ze eruitzag?' Osborn was woedend en bang tegelijk.
'Je vraagt me of het Vera Monneray was.'
'Ja, dat vraag ik je inderdaad.'
'De beschrijvingen van de vrouw liepen uiteen,' zei Remmer kalm. 'Misschien was ze het, misschien ook niet.'
'Hier! Deze man heeft hen gezien!' Een geüniformeerde politieman drong zich door de menigte terwijl hij een magere, zwarte man met een schort voor met zich meevoerde.
Remmer draaide zich om toen ze vlak bij hem waren.
'Hebt u hen gezien?'
'Ja, meneer.' De man bleef halsstarrig naar de grond kijken.
'Hij heeft de vrouw om ongeveer halfacht koffie geserveerd,' zei de agent, die dicht tegen de zwarte man aan bleef staan en bijna een kop

boven hem uitstak.
'Waarom hebt u dat niet direct verteld?' vroeg Remmer.
'Hij is Mozambikaan en al eerder door skinheads in elkaar geslagen. Hij is bang voor alle blanken.'
'Luister,' zei Remmer vriendelijk, 'niemand zal u kwaad doen. Vertel gewoon wat u hebt gezien.'
De zwarte man sloeg zijn ogen op, keek Remmer aan en richtte zijn blik toen weer op zijn voeten. 'De man bestellen koffie voor vrouw,' zei hij in gebroken Duits. 'Zij heel mooi, heel bang. Handen beefden, nauwelijks drinken koffie. Hij gaat, dan komt terug met krant. Laat haar krant zien. Dan gaan ze weg...'
'Waarheen, welke kant gingen ze uit?'
'Daar, naar trein.'
'Wélke trein?' Remmer gebaarde naar een doolhof van wachtende treinen.
'Daar of daar. Niet zeker.' De zwarte man knikte in de richting van twee achter elkaar liggende sporen en haalde zijn schouders op. 'Niet goed kijken nadat zij weggaan.'
'Hoe zag ze eruit?' Osborn was plotseling vlak voor de zwarte man gaan staan. Hij had zich lang genoeg afzijdig gehouden.
'Rustig aan, Osborn,' zei Remmer.
'Vraag hem wat voor kleur haar ze had,' drong Osborn aan. 'Vraag het hem!'
Remmer vertaalde zijn vraag in het Duits.
De zwarte man glimlachte flauwtjes en raakte zijn eigen haar aan. '*Schwarz*.'
'Jezus Christus...' Osborn wist wat het woord betekende. Zwart. Net als Vera's haar.
'Kom mee,' zei Remmer tegen Osborn. Hij draaide zich om en drong zich tussen de politiemannen en de toeschouwers door. Even later sloegen ze de deur van het kantoor van de stationschef achter zich dicht. Remmer keek op de klok toen ze binnenkwamen. Het was 8.47 uur.
'Welke treinen zijn er tussen tien voor halfacht en kwart voor acht van spoor C3 en C4 vertrokken?' vroeg hij abrupt aan de verbaasde stationschef. Achter de man hing een muurkaart van Europa die was verlicht met talloze kleine lampjes en waarop alle spoorlijnen van het continent waren weergegeven. '*Mach schnell*!' commandeerde Remmer.
'C 3 – Genève. Intercity Express. Komt om 14. 06 uur aan met een overstap in Bazel. C 4 – Straatsburg. Intercity. Komt om 22.37 aan met een overstap in Offenburg.' Hij spuwde de informatie uit als een computer.
Remmer brieste van woede. 'Zwitserland of Frankrijk. In beide gevallen

zijn ze het land uit. Hoe laat komen de treinen in Bazel en Offenburg aan?'
Binnen enkele minuten had Remmer het kantoor van de stationschef overgenomen en de politie in de Duitse stad Offenburg, de Zwitserse steden Bazel en Genève en de Franse stad Straatsburg gewaarschuwd. Iedere passagier die in Offenburg en Bazel uitstapte zou door één enkele uitgang worden geleid. Tegelijkertijd zouden teams van rechercheurs in burger aan boord van de treinen gaan en het laatste stuk van de reis naar Genève en Straatsburg meerijden. Als von Holden en de vrouw die bij hem was, zouden proberen op een tussenstation uit te stappen, zouden ze bij de uitgang omsingeld en gevangengenomen worden. Als ze in de trein zouden blijven, zouden ze gelokaliseerd en daarna overmeesterd en gearresteerd worden.
'Wat gebeurt er met *haar*?' vroeg Osborn toen Remmer ophing.
'Ze zal in hechtenis worden genomen, evenals von Holden.' Remmer wist wat Osborn bedoelde. De politiemannen was gevraagd iemand te arresteren die collega's van hen had vermoord. Als de voortvluchtigen in een van de treinen waren, en dat was volgens hem zeker het geval, zou de kans dat ze een tweede keer zouden ontsnappen, uitgesloten zijn. En als ze zich ook maar enigszins verzetten, zouden ze neergeschoten worden.
'En wat doen *wij* nu?' Osborn staarde hem aan. 'Ga jij naar de ene plaats en ik naar de andere?'
'Osborn...' Remmer zweeg en Osborn kreeg plotseling het gevoel dat het kleed onder zijn voeten vandaan getrokken zou worden. 'Ik weet dat je erbij wilt zijn en hoe belangrijk het voor je is. Maar ik mag het risico niet nemen dat je ertussenin komt te zitten.'
'Ik neem het risico, Remmer. Maak je daar maar niet druk over.'
'Ik heb het niet over jou, Osborn. Je hebt een heleboel aan je hoofd en je zou de boel grandioos kunnen verzieken. Een negentienjarige taxichauffeuse en drie politiemannen zijn in koelen bloede vermoord. De gebruikte methode suggereert dat Noble gelijk had, dat die von Holden en misschien de vrouw, wie ze ook is, Spetsnaz-soldaten zijn geweest. Dat betekent dat hij, of zij, of allebei, door het Sovjet-leger getraind zijn en misschien daarna door de GRU, zodat ze waarschijnlijk zes niveaus boven de efficiëntste voormalige KGB-agent zitten. Dat wil zeggen dat ze tot de best getrainde en gevaarlijkste moordenaars ter wereld behoren en ze hebben een mentaliteit waarvan je je geen voorstelling kunt maken. Het zal niet gemakkelijk zijn hen in handen te krijgen. Ik wil niet het risico nemen nog een politieman te verliezen, noch voor jou noch voor iemand anders. Ga terug naar Berlijn. Ik beloof je dat je hen allebei op

een geschikt tijdstip mag ondervragen.' Met die woorden duwde Remmer zich af van het bureau van de stationschef en liep naar de deur.
'Remmer.' Osborn pakte hem bij een arm en draaide hem om. 'Zo kom je niet van me af. Niet nu. McVey zou nooit...'
'Wat zou McVey nooit?' Remmer onderbrak hem lachend en trok toen Osborns hand van zijn arm. 'McVey heeft je meegenomen om zijn eigen doelen te bereiken. Alleen daarom. En haal je nou niet in je hoofd dat het anders is. Doe nu wat ik zeg, ja? Ga terug naar Berlijn en neem een kamer in je oude honk, Hotel Palace. Ik neem daar wel contact met je op.'
Remmer opende de deur en liep rakelings langs de stationschef de hal in. Osborn volgde hem op een afstand. Hij zag Remmer in de verte bij de groep Frankfurtse politiemannen staan en daarna nog even met de drie getuigen en de zwarte bediende praten. Toen verspreidden ze zich allemaal. Onbekende mensen namen hun plaats in en het was alsof het allemaal nooit was gebeurd. Osborn bleef alleen in het Frankfurtse station achter. Hij zou een toerist op doorreis kunnen zijn met niets anders aan zijn hoofd dan zijn reisschema van die dag. Behalve dan dat hij dat niet was.
Von Holden en de vrouw die hij bij zich had – het was *niet* Vera, had Osborn geconcludeerd; misschien was het iemand met zwart haar die op haar leek, maar zíj was het niet – waren op weg naar Frankrijk of Zwitserland. En waar zouden ze daarna heen gaan?
Wat zou erger zijn? Dat Remmers mensen achter het net zouden vissen en dat ze ontkwamen of dat ze hen in handen zouden krijgen? Wat Lybargers fysiotherapeute ook misschien zou blijken te weten als ze haar mochten vinden, von Holden was de laatst overgeblevene van de Organisatie, de laatste die rechtstreeks in verbinding stond met de dood van zijn vader.
Als de politie hem zou insluiten, zou hij terugvechten en daarbij gedood worden. Dan zou alles afgelopen zijn.
Ga terug naar Berlijn, had Remmer tegen hem gezegd, en wacht daar. Hij had al dertig jaar gewacht en dat was meer dan genoeg.
Plotseling realiseerde Osborn zich dat hij de hele tijd door de stationshal had gelopen en bijna bij een deur was gekomen die naar een straat leidde. Toen zag hij plotseling de zwarte bediende snel zijn richting uit komen.
De man keek over zijn schouder alsof hij bang was dat hij gevolgd werd en trok ondertussen zijn schort uit. Hij bereikte de deur, keek nog één keer over zijn schouder, gooide zijn schort in een vuilnisbak, duwde de deur open en liep naar buiten.

Een ogenblik vroeg Osborn zich af wat dit te betekenen had. Toen drong het met een schok tot hem door. De klootzak heeft gelogen!

# 134

Het leek alsof Osborn tegen een muur van scherp, nevelig zonlicht opliep en hij werd er even door verblind. Hij hield zijn hand boven zijn ogen en probeerde vergeefs tussen het verkeer voor het station de man te vinden. Toen zag hij hem de straat over rennen en een hoek omgaan. Osborn ging achter hem aan. Hij sloeg ook de hoek om en zag de man halverwege het blok aan de overkant van de straat snel langs allerlei winkels lopen. Osborn stak over naar de andere kant en verhoogde zijn tempo. Plotseling leek het alsof hij weer in Parijs was en hij in plaats van de zwarte man Albert Merriman alias Henri Kanarack volgde. Kanarack was de ondergrondse in gevlucht en verdwenen. Het had hem drie dagen gekost hem terug te vinden. Dat mag deze keer niet gebeuren, dacht Osborn. Over drie dagen zouden von Holden en wie er ook bij hem was aan de andere kant van de wereld kunnen zijn.
Osborn begon te rennen. Op dat moment keek de man om, zag hem en begon ook te rennen. Twintig meter verder dook hij een steeg in.
Osborn stootte een vrouw van middelbare leeftijd een tas met boodschappen uit haar hand en schoot zonder aandacht aan haar woedende kreten te besteden ook de steeg in. Voor hem uit sprong de man over een hek dat uitkwam op de binnenplaats van een restaurant. De man rende naar de achterdeur, vloog naar binnen en op het moment dat Osborn over het hek sprong, werd de deur dichtgeslagen.
Een ogenblik later was hij ook binnen. Hij liep via een korte gang waarin een voorraadkast stond, een kleine keuken binnen. Drie koks keken op toen hij binnenkwam. De enige deur kwam direct op het restaurant uit. Osborn stormde erdoorheen het restaurant binnen en zag dat er een huwelijksfeest aan de gang was. De bruid en bruidegom stonden enkele meters verder recht voor de deuropening bij de taart voor een fotograaf te poseren. Osborn draaide zich op zijn hielen om en liep terug de keuken in.
'Er is hier een zwarte man binnengekomen. Waar is hij verdomme?'

snauwde Osborn. De koks keken elkaar aan.
'Wat wilt u?' vroeg de chef, een dikke bezwete man met een bevlekte schort voor, in het Duits. Hij deed een stap in Osborns richting en pakte een hakmes op.
Osborn keek naar rechts, het gangetje in waardoor hij was binnengekomen.
'Sorry...' zei hij tegen de chef en hij liep naar de achterdeur. Halverwege het gangetje bleef hij plotseling staan en duwde de deur van de voorraadkast met een klap open. De man was nergens te zien. Hij deed of hij wilde weggaan en dook toen plotseling naar de zijkant van de kast. De zwarte man probeerde zich vanachter een stapel zakken met bloem vandaan te wringen, maar Osborn had hem bij zijn kraag. Hij draaide hem met een ruk om en bracht zijn gezicht tot vlak voor het zijne.
De zwarte man draaide zijn hoofd weg en bracht een hand omhoog om zich te beschermen. 'Doe me geen pijn!' schreeuwde hij in het Engels.
'Spreek je Engels?' vroeg Osborn, terwijl hij de man doordringend aankeek.
'Een beetje... Doe me geen pijn.'
'De man en de vrouw in het station. Welke trein hebben ze genomen?'
'Twee treinen.' Hij haalde zijn schouders op en probeerde te glimlachen. 'Weet niet. Niet gezien.'
'Je hebt tegen de politie gelogen. Lieg niet tegen mij, anders roep ik ze en dan ga je de gevangenis in. Begrepen?' stoof Osborn op.
De man staarde hem aan en knikte ten slotte. 'Andere man hij zegt, sturen skinheads op me af. Ze slaan me. Mijn familie ook.'
'Hij heeft je *bedreigd*? Hij heeft je niet betaald?'
De man schudde heftig zijn hoofd. 'Nee, niet betaald. Hij zeggen skinheads komen nog eens doen. Weer.'
'Er komen geen skinheads,' zei Osborn kalm. Hij liet zijn greep verslappen en stak zijn hand in zijn zak. 'Ik zal je geen pijn doen.' Hij hield een biljet van vijftig mark omhoog. 'Welke trein hebben ze genomen? Waar ging de trein naar toe?'
De man staarde Osborn aan en keek toen naar het geld.
'Ik doe je geen pijn; ik betaal je,' zei Osborn.
De onderlip van de man trilde en Osborn zag dat hij nog steeds bang was.
'Alsjeblieft, het is heel belangrijk. Voor *mijn* familie. Begrijp je me?'
De man sloeg langzaam zijn ogen op en keek Osborn aan.
'Bern.'
Osborn liet hem los.

# 135

McVey lag op zijn rug naar het plafond te staren. Remmer was weg. Osborn was weg. En niemand had hem ook maar iets verteld. Het was vijf voor tien in de ochtend en in zijn ziekenhuiskamer had hij alleen de krant en televisie. Een gaasverband bedekte ruim een derde deel van zijn gezicht en hij was nog steeds misselijk door de cyanidevergiftiging, maar verder was alles in orde. Alleen wist hij nergens wat van en niemand wilde hem iets vertellen.

Plotseling vroeg hij zich af waar zijn spullen waren. Hij zag zijn pak in de kast hangen en zijn schoenen stonden eronder op de vloer. Aan de andere kant van de kamer stond een kleine commode met een stoel voor bezoekers ernaast. Zijn koffer en zijn aktentas met zijn aantekeningen over de zaak en zijn paspoort moesten nog in het hotel zijn, waar hij ze had achtergelaten. Maar waar waren in vredesnaam zijn portefeuille en zijn legitimatiebewijzen? Waar was zijn revolver verdomme?

Hij sloeg de lakens terug, liet zijn benen over de rand van het bed zakken en stond een beetje wankel op. Hij bleef even staan om er zeker van te zijn dat het met zijn evenwichtsgevoel in orde was.

Met drie ongelijkmatige stappen was hij bij de commode. In de bovenste lade lagen zijn onderbroek, zijn hemd en zijn sokken. In de lade daaronder lagen zijn huissleutels, zijn kam, zijn bril en zijn portefeuille. Maar geen revolver. Misschien hadden ze die opgeborgen of misschien had Remmer hem. Hij sloot de lade, liep terug naar het bed en bleef toen staan. Er klopte iets niet. Hij liep terug, rukte de tweede lade open, pakte zijn portefeuille eruit en opende die. Zijn penning en zijn introductiebrief van Interpol waren verdwenen.

'Osborn!' zei hij hardop. 'Godverdomme!'

Geen Remmer. Geen McVey. Geen politie. Osborn leunde achterover terwijl het Swissair-vliegtuig de startbaan op taxiede en wachtte op toestemming om te vertrekken. Hij had alles gedaan wat hij dacht dat McVey gedaan zou hebben. Hij had Swissair gebeld en het hoofd van de beveiligingsdienst te spreken gevraagd. Hij had de man verteld dat hij inspecteur bij de afdeling moordzaken van de politie van Los Angeles was en met Interpol samenwerkte. Hij achtervolgde een man die ervan werd verdacht de brandbommen in het Charlottenburgpaleis te hebben geplaatst. De man was vanuit Berlijn in Frankfurt aangekomen, had daar drie politiemannen die hem wilden arresteren vermoord en was nu

op weg naar Zwitserland. Het was van het grootste belang dat hij de vlucht van tien over tien naar Zwitserland kon nemen. Was er een mogelijkheid de formaliteiten te omzeilen?
Om drie minuten over tien werd Osborn door de captain van vlucht 533 bij de Swissair-ingang van Frankfurt International Airport afgehaald. Osborn maakte zich bekend als inspecteur McVey van de politie van Los Angeles.
Hij liet zijn penning, zijn revolver en zijn introductiebrief van Interpol zien en dat was dat – de rest, zijn legitimatiebewijs van de politie van L.A. en zijn paspoort, had hij in de haast in zijn hotel in Berlijn laten liggen. Hij had wel een foto bij zich van de verdachte, een man die von Holden heette. De captain bestudeerde de foto, las de brief van Interpol door en keek toen op naar de man die beweerde dat hij een politieman uit Los Angeles was. Inspecteur McVey was beslist Amerikaan en de wallen onder zijn ogen en zijn stoppelbaard duidden erop dat hij beslist lang niet geslapen had. Het was nu zes over tien, vier minuten voordat ze moesten vertrekken.
'Inspecteur...' De captain keek hem recht aan.
'Ja, meneer.' Wat denkt hij? Dat ik lieg? Dat ik misschien zelf de voortvluchtige ben en op de een of andere manier McVeys penning en revolver in handen heb gekregen? Als hij je daarvan beschuldigt, ontken je het. Houd voet bij stuk. Wat hij ook zegt, je staat in je recht en je hebt geen tijd om erover te ruziën.
'Ik word nerveus van revolvers...'
'Ik ook.'
'Dan bewaar ik het wapen in de cockpit als u er geen bezwaar tegen hebt.'
En dat was dat. De captain ging aan boord, Osborn betaalde zijn ticket met marken en ging toen in de tweede klasse op een plaats achter de scheidingswand zitten. Hij sloot zijn ogen en wachtte op het moment waarop de motoren zouden gaan ronken en hij met een schok in zijn stoel naar achteren gedrukt zou worden. Pas dan zou hij weten dat het hem was gelukt, dat de captain niet op zijn besluit zou terugkomen en dat McVey niet had gemerkt dat zijn spullen weg waren en de politie had gewaarschuwd. Hij wist niet wat hij zou doen als dat gebeurde. Toen riep de captain om dat ze toestemming hadden om te vertrekken. De motoren begonnen sneller te draaien en hij voelde de schok. Dertig seconden later waren ze in de lucht.
Osborn zag het Duitse landschap vervagen terwijl ze het dunne wolkendek binnenvlogen. Toen waren ze erdoorheen en kwamen in het heldere zonlicht waar de diepblauwe hemel scherp contrasteerde met de

witte kleur van de bovenkant van de wolken.
'Meneer?' Osborn keek op. Een stewardess glimlachte tegen hem. 'Onze vlucht is niet vol. De captain nodigt u uit in de eerste klasse te gaan zitten.'
'Dank u zeer.' Osborn glimlachte dankbaar en stond op. De vlucht zou maar kort duren, iets langer dan een uur, maar in de eerste klasse zou hij gemakkelijker zitten en misschien een minuut of veertig kunnen slapen. Bovendien zouden ze in de eersteklastoiletten misschien een scheermes en scheercrème hebben. Hij zou zich daar misschien wat kunnen opknappen.
De captain moest een bewonderaar van de politie in het algemeen of van de politie van Los Angeles in het bijzonder zijn, want behalve de VIP-behandeling kreeg Osborn toen ze landden nog iets van hem wat veel meer waard was: een introductie bij de Zwitserse politie op het vliegveld.
De captain vertelde de politie hetzelfde verhaal dat Osborn hem had verteld, stond er persoonlijk voor in dat het de waarheid was en legde er de nadruk op dat tijd van cruciaal belang was bij de achtervolging van de verdachte die de ramp in Charlottenburg had veroorzaakt. De politie loodste Osborn snel door de douane, waarna de captain hem welgemeend succes wenste.
Toen ze buiten waren gekomen, gaf de captain hem zijn revolver terug en vroeg hem waar hij naar toe ging en of hij hem ergens kon afzetten.
'Nee, dank u wel,' zei Osborn, die zeer opgelucht was maar zijn bestemming bewust niet prijsgaf.
'Het beste dan maar.'
Osborn glimlachte en schudde hem de hand. 'Als u ooit in Los Angeles bent, moet u me komen opzoeken. Dan trakteer ik u op een drankje.'
'Dat zal ik zeker doen.'

Het was op dat moment zaterdagmorgen 13 oktober, tien voor halfelf. Om vijf over halftwaalf vertrok Osborn met de Eurocity Express uit Zürich. Om 12.45 uur zou de trein in Bern aankomen, vierendertig minuten nadat von Holdens trein uit Frankfurt gearriveerd zou zijn. Remmer zou nu zonder resultaat de treinen naar Straatsbourg en Genève doorzocht hebben. En na dat fiasco zou hij ergens anders moeten gaan zoeken, maar waar?
Toen drong de gedachte zich plotseling aan Osborn op dat de zwarte man die tegen Remmer had gelogen tegen hem ook best gelogen zou kunnen hebben. Zou de kans dat hij von Holden te pakken kreeg een stuk groter zijn geworden doordat hij nog maar een achterstand van

ruim dertig minuten op hem had of zou het hem net zo vergaan als Remmer? Zou hij ook niets vinden? Zou hij weer met lege handen achterblijven?

# 136

Over vijfenveertig minuten zou Osborn in Bern zijn en hij moest erover nadenken wat hij zou gaan doen wanneer hij daar aankwam. Hij had de afstand tussen hem en von Holden dan wel weten te verkleinen, maar diens voorsprong was nog steeds vierendertig minuten. Von Holden wist waar hij naar toe ging, maar Osborn niet. Hij moest zich in von Holden verplaatsen. Hij moest proberen zich voor te stellen waar von Holden naar toe zou gaan en waarom.

Toen hij in Frankfurt naar de snelste manier had gezocht om in Bern te komen, had hij te horen gekregen dat de stad een klein vliegveld had waarop uit Londen, Parijs, Nice, Venetië en Lugano werd gevlogen. Maar de vluchten van en naar die steden waren niet frequent. Hooguit één per dag. En een klein vliegveld kon gemakkelijk in de gaten gehouden worden. Von Holden zou dat weten, maar er stond tegenover dat hij daarvandaan zou kunnen vertrekken met een privé-vliegtuig dat al op hem wachtte.

Er klonk gedender toen een trein hen vanuit de tegenovergestelde richting passeerde. Toen de trein voorbij was, zag Osborn groene akkers met erachter steile, met dichte bossen begroeide heuvels. Een ogenblik ging Osborn op in de schoonheid van het land, van het heldere blauw van de hemel die zich tegen het glinsterende groen aftekende, van het zonlicht dat van elk blad leek te weerkaatsen. Ze passeerden een stadje, daarna maakte de trein een ruime bocht en Osborn zag op een verre heuvel het dominerende silhouet van een enorm groot middeleeuws kasteel. Hij wist dat hij hier eens wilde terugkomen.

Plotseling vond hij troost in zijn overtuiging dat niet Vera, maar een andere vrouw bij von Holden was.

Hij wist zeker dat Vera op een wettige manier uit de gevangenis was vrijgelaten en op dit moment op weg was naar Parijs. Toen hij zo over haar dacht en zich voorstelde dat ze veilig in haar appartement was en het leven leidde dat ze had geleid voordat dit allemaal was gebeurd, werd hij bevangen door een verlangen dat tegelijkertijd pijnlijk en heerlijk was. Hij wilde bij haar zijn en zijn leven met haar delen. Met het Zwitserse landschap op de achtergrond zag hij kinderen en hoorde hij gelach. Hij zag Vera's gezicht voor zich en voelde haar wang tegen de zijne. Hij zag voor zich hoe ze tegen elkaar glimlachten en elkaars hand vasthielden en...

'*Fahrkarte, bitte.*' Osborn keek op. Een jonge kaartjescontroleur stond naast hem met een zwartleren tas over zijn schouder.

'Het spijt me, ik spreek geen...'

De kaartjescontroleur glimlachte. 'Uw kaartje, alsublieft,' zei hij in het Engels.

'Ja.' Osborn stak zijn hand in zijn zak en overhandigde de controleur het kaartje. Toen kreeg hij een ingeving. 'Neemt u me niet kwalijk, maar ik wil in Bern iemand spreken. Hij zit in de trein uit Frankfurt die om twaalf uur twaalf aankomt. Hij... eh... weet niet dat ik kom. Het is een... verrassing.'

'Weet u waar hij in Bern logeert?'

'Nee, ik...' Dat was het 'm nu juist. Bern kon ook niet von Holdens uiteindelijke bestemming zijn; na de schietpartij zou zijn eerste gedachte zijn geweest zo snel mogelijk het land uit te komen. Als dat waar was, zou het idee dat er een vliegtuig op hem wachtte ook niet kloppen. 'Ik denk dat hij een andere trein zal nemen. Misschien naar...' Waar zou hij heen gaan? Niet terug naar Duitsland en niet naar een Oostblokland omdat daar te veel onrust zou zijn. 'Frankrijk misschien. Of Italië. Hij is... vertegenwoordiger.'

De kaartjescontroleur staarde hem aan. 'Wat vraagt u me nu eigenlijk?'

'Ik...' Osborn grijnsde schaapachtig. De kaartjescontroleur had hem geholpen zijn gedachten op een rijtje te zetten, maar de man had gelijk, wat verwachtte hij eigenlijk van hem? 'Ik veronderstel dat ik gewoon probeerde te bedenken wat ik zal doen als ik hem misloop. Als hij al vertrokken is en niet op een andere trein wacht.'

'Ik kan u alleen adviseren in een Eurail-rooster op te zoeken welke treinen er tussen twaalf uur twaalf, het tijdstip waarop hij aankomt, en twaalf uur vierenveertig, uw aankomsttijd, uit Bern zijn vertrokken. Verder kunt u hem ook zodra u aankomt laten omroepen.'

'Laten omroepen?'

'Ja, meneer.' De kaartjescontroleur knikte, overhandigde Osborn een treinrooster en liep door.

Osborn staarde in het niets. Laten omroepen...

Von Holden stond voor een banketzaak in de uitgestrekte hal van het station van Bern te wachten. Vera was het damestoilet recht tegenover hem binnengegaan. Ze was uitgeput en had de hele reis weinig gezegd, maar hij wist dat ze aan Osborn had gedacht. En daardoor, omdat ze ervan overtuigd was dat hij haar bij hem zou brengen, twijfelde hij er niet aan dat ze, zoals ze had beloofd, naar hem zou terugkomen.
Het eerste uur van de reis van Frankfurt naar Bern had hij zich de meeste zorgen gemaakt. Als de zwarte bediende minder geïntimideerd was geweest dan hij had geleken toen hij hem apart had genomen en hem ermee had gedreigd dat er skinheads bij hem thuis zouden langskomen als hij niet precies deed wat hem werd gezegd en aan de politie zou vertellen in welke trein hij echt was gestapt, zou de trein na korte tijd door een leger van politiemannen zijn tegengehouden. Dat was niet gebeurd en evenmin waren er toen ze in Bern aankwamen op het station meer beveiligingsmensen dan normaal te zien geweest.
Om zeven minuten voor één kwam Vera uit het damestoilet en ze liep met hem mee terwijl hij twee meerdagenkaartjes voor Eurail kocht. Daarmee konden ze naar elke bestemming in Europa reizen zodat ze een grotere bewegingsvrijheid zouden hebben, had hij tegen haar gezegd. Maar hij had haar niet verteld dat hij met haar op elke trein kon stappen zonder dat ze zou weten wat hun bestemming was.
'*Achtung! Herr von Holden, Telefonanruf, bitte. Herr von Holden, Telefon, bitte.*' Von Holden schrok. Hij werd omgeroepen. Wat was er aan de hand? Wie kon er nu weten dat hij hier was?
'*Achtung, Herr von Holden, Telefonanruf, bitte.*'

Osborn stond met zijn rug tegen de muur gedrukt bij de rij telefoons. Vanaf de plaats waar hij stond, kon hij het grootste deel van de stationshal zien. De kaartjesloketten, de winkels, de restaurants, het wisselkantoor. Als von Holden in het station was – en dat was een gok, want vanaf het moment dat von Holden was aangekomen tot nu waren er minstens dertien treinen uit Bern vertrokken: zes naar steden binnen Zwitserland, een naar Amsterdam en zes naar Italië – en gehoor zou geven aan de oproep, was er alle kans dat Osborn hem zou zien. Een andere mogelijkheid was dat hij op een van de hoger gelegen perrons op een trein wachtte. Osborn had minstens acht sporen geteld toen hij uit Zürich was aangekomen.
'Het spijt me, meneer. De heer von Holden reageert niet,' zei de telefoniste in het Engels.
'Zou u het alstublieft nog een keer willen proberen? Het is erg belangrijk.'

De oproep werd herhaald en von Holden pakte Vera bij een arm en leidde haar snel van de loketten vandaan, de tunnel naar de sporen in. 'Wie is dat? Wie belt er voor u?'
'Ik weet het niet.' Von Holden keek over zijn schouder, maar zag niemand die hij herkende. Ze sloegen een hoek om en liepen de trap naar de sporen op. Toen ze op het perron kwamen, zagen ze dat er aan het verste eind ervan een trein wachtte.

Osborn hing op en liep naar de sporen. Als von Holden in het station was geweest, had hij aan de oproep geen gehoor gegeven en Osborn had hem ook niet gezien tussen de drommen mensen die naar de sporen liepen. Als hij er toch was, waren de enige mogelijkheden dat hij op het perron stond te wachten of al in een trein was gestapt.
Osborn was nu in de tunnel die naar de treinen leidde. Links en rechts van hem was een trap en hij moest uit minstens vier perrons kiezen. Hij koos de derde trap omdat hij wist dat hij dan zou uitkomen op een perron dat ongeveer in het midden van het station lag. Zijn hart bonkte toen hij boven kwam. Hij had verwacht dat het druk zou zijn op het perron, zoals toen hij was aangekomen, maar tot zijn verbazing was het bijna leeg. Toen zag hij de trein aan de overkant van het perron, aan het verste eind ervan en twee sporen van hem vandaan. Een man en een vrouw liepen er snel naar toe. Hij kon hen geen van beiden duidelijk zien, maar hij zag wel dat de man een soort rugzak over zijn schouder droeg. Osborn rende het perron over. Hij durfde niet over de sporen heen te rennen omdat hij bang was dat hij geëlektrocuteerd zou worden als er een derde rail zou zijn. Het stel was nu bijna bij de trein en ze hadden allebei hun rug naar hem toegekeerd. Osborn rende zo snel hij kon en was bijna op gelijke hoogte met hen gekomen. Hij zag dat ze bij de trein kwamen en dat de man de vrouw hielp instappen. Toen draaide de man zich om en keek naar de overkant. Osborn kwam glijdend tot stilstand.
Een fractie van een seconde staarden ze elkaar aan, toen trok de man zich aan de stang omhoog en verdween in de trein. Even later schokte de trein en zette zich in beweging. Daarna verhoogde hij zijn snelheid en reed het station uit.
Osborn bleef als verstijfd staan. Het gezicht dat hem had aangestaard, was het gezicht dat hem die avond in de Tiergarten had aangestaard. Hetzelfde dreigende gezicht dat hij op de vergroting van de video-opname van het huis in de Hauptstrasse had gezien. Het was von Holden.
De vrouw had hij maar in een flits gezien toen ze in de trein stapte. Maar

in dat ene ogenblik was zijn wereld ingestort. Er bestond geen enkele twijfel aan wie ze was.
Vera.

# 137

'Pascal,' had Scholl gezegd, 'toon respect voor de jonge dokter. Dood hem eerst.'
'Ja,' had von Holden geantwoord.
Maar hij had het niet gedaan. Om wat voor redenen ook, hij had het niet gedaan. Maar redenen betekenden niets als ze excuses waren. Osborn leefde en was hen naar Bern gevolgd. Hoe hij dat had klaargespeeld was onbegrijpelijk, maar het was een feit. En het was ook een feit dat hij met de volgende trein achter hen aan zou komen.

'Interlaken,' had een spoorwegbeambte hem op het perron geantwoord toen hij hem had gevraagd wat de bestemming was van de trein die het station zojuist had verlaten. De treinen naar Interlaken vertrokken om het halve uur. '*Danke*,' had Osborn gezegd.
Hij liep als verdoofd de trap af en de stationshal binnen. Hij wilde geloven dat Vera von Holdens gevangene was en tegen haar wil werd vastgehouden. Maar zo was het niet, dat had hij gezien aan de manier waarop ze samen naar de trein liepen. Dus wat hij wilde geloven, deed niet ter zake. De waarheid was onontkoombaar en McVey had gelijk gehad. Vera hoorde bij de Organisatie en waar von Holden ging, ging zij ook. Osborn was een dwaas geweest dat hij haar had geloofd, dat hij verliefd op haar was geworden.
Toen hij bij het kaartjesloket kwam en een kaartje voor Interlaken wilde kopen, schoot hem te binnen dat ze misschien naar een plaats langs de route gingen. Ze zouden misschien één keer of zelfs twee of meer keren overstappen en hij had geen tijd om iedere keer een kaartje te kopen. In plaats van één kaartje kocht hij met zijn creditcard een abonnement voor vijf dagen. Het was nu kwart over één en over een kwartier zou de volgende trein naar Interlaken vertrekken.

Hij liep een restaurant binnen, bestelde een kop koffie en ging zitten. Hij moest nadenken. Hij realiseerde zich bijna onmiddellijk dat hij er geen idee van had waar Interlaken lag. Als hij dat wist, zou hij misschien kunnen raden waar von Holden naar toe ging. Hij stond op, liep naar een krantenkiosk naast het restaurant en kocht een kaart en een reisgids van Zwitserland. In de verte hoorde hij dat in het Duits de aankomst van een trein werd aangekondigd. Hij verstond maar één woord, maar dat was voldoende. 'Interlaken.'

'Hoe lang duurt het nog voor we er zijn?' vroeg Vera boven het geklik van de wielen uit toen de trein het stadje Thun binnenreed. Ze had afwisselend gedommeld en voor zich uit gestaard en nu was ze rechtop gaan zitten en had hem een directe vraag gesteld. Buiten gleed de enorme toren van het Kasteel van Thun voorbij als een stenen reus die in de twaalfde eeuw gevangen was.
Von Holden keek of hij politie kon ontdekken toen ze het station naderden. Als Osborn de autoriteiten had gewaarschuwd, zou Thun de aangewezen plaats zijn om de trein te laten stoppen en te doorzoeken. Daarop moest hij voorbereid zijn. Hij was er zeker van dat Vera Osborn niet had gezien, anders zou hij dat aan haar gedrag hebben gemerkt. Maar dat was de reden dat hij haar had meegenomen. Ze was een troefkaart die hij tegen zijn achtervolgers kon uitspelen.
Op dat moment reden ze het station binnen. Als de trein zou worden stopgezet, zou dat nu moeten gebeuren. Toen waren ze het station gepasseerd en de trein verhoogde zijn snelheid.
Von Holden slaakte een zucht van opluchting en even later reden ze weer door het landschap langs de oever van het Meer van Thun.
'Ik vroeg hoe lang het nog duurde voor we...'
Von Holden keek haar recht aan. 'Het is me niet toegestaan u te vertellen wat onze bestemming is. Het is in strijd met mijn orders.'
Hij stond abrupt op en liep over het middenpad naar het toilet. De trein was bijna leeg. De vroege treinen moesten vol geweest zijn. De mensen vertrokken vroeg voor hun zaterdagse uitstapjes naar de bergen zodat ze de hele dag zouden hebben om het adembenemende Alpenlandschap te verkennen. In Interlaken zou hij met Vera overstappen en van het ene eind van het station naar het andere lopen. Voordat hun trein vertrok, zou hij ruimschoots de tijd hebben om zijn kans te grijpen.
Hij zou met Vera in de wachtende trein stappen en met het een of andere excuus – dat hij even moest bellen of zo iets – zou hij haar in de trein achterlaten en het station in gaan. Daar zou hij wachten tot Osborn aankwam en hem doden.

# 138

Onderweg van Bern naar Interlaken reed de trein over een brug over de staalgroene Aare en Osborn zag een schitterende gotische kathedraal die hoog boven de stad die erachter lag, verrees. Toen reed de trein door een bocht en verhoogde zijn snelheid. Het beeld van de kathedraal maakte plaats voor rails en pakhuizen; daarna passeerden ze bomen en reden toen abrupt boerenland binnen.
Osborn leunde achterover en liet zijn hand langs de binnenkant van zijn colbert naar beneden glijden. Hij voelde de zware kolf van McVeys .38 die achter zijn broekband stak. McVey moest nu wel hebben gemerkt dat de revolver, samen met zijn penning en legitimatiepapieren, verdwenen was en het zou niet lang duren voordat hij erachter was wie ze had. Het was nu niet belangrijk dat McVey woedend zou zijn. Het leek alsof er een wereld tussen hen in lag.
Osborn had op de kaart van Zwitserland gezien dat Interlaken ten zuidoosten van Bern lag. Von Holden ging dieper het land in, niet het land uit. Wat was er in Interlaken of in het gebied erachter?
Tussen de voorbijschietende bomen door zag Osborn het zonlicht op een rivier weerkaatsen en hij begon na te denken over de zwarte rugzak die von Holden over zijn schouder had gedragen toen hij in de trein stapte. Er had iets omvangrijks in gezeten dat op een doos leek, en hij herinnerde zich zijn gesprek met Remmer toen ze uit Berlijn vertrokken. De oude vrouw die von Holden uit de taxi had zien stappen, had gezegd dat hij een witte doos bij zich had die hij aan een riem over zijn schouder droeg. De getuigen op het station in Frankfurt hadden ook gezegd dat hij een zwarte tas droeg met iets vierkants erin. Dat betekende dat hij de doos vanuit de taxi had meegenomen in de trein van Berlijn naar Frankfurt en er daarna in Frankfurt mee was uitgestapt.
Als ik net drie politiemannen zou hebben gedood, zou ik me dan bekommeren om een doos? vroeg Osborn zich af. Alleen als de inhoud ervan heel belangrijk was.
Wat er ook in zat, de doos zat nu in de zwarte rugzak en was nog steeds in von Holdens bezit. Maar daardoor begreep hij niet beter wat er aan de hand was en het hielp hem evenmin te beslissen wat hij moest doen als hij in Interlaken aankwam.
Toen realiseerde hij zich dat hij, terwijl hij nadacht, de hele tijd afwezig de reisgids had doorgebladerd die hij in Bern had gekocht. Hij realiseerde zich dat omdat iets zijn aandacht had getrokken. Het was geen

afbeelding, het was een woord.
Berghaus.
Hij las de hele bijbehorende tekst. 'Vanaf de treinkant van het Jungfraujoch-station – het hoogstgelegen station van Europa – leidde vroeger een rotsige tunnel naar Berghaus, het hoogstgelegen hotel-restaurant van Europa. Het is in 1972 afgebrand, maar vervangen door het prachtige restaurant annex cafetaria Herberg Boven de Wolken.'
'Berghaus.' Deze keer zei hij het hardop en de klank van het woord deed hem huiveren. Berghaus was de naam geweest van de groep die het feest voor Elton Lybarger in Charlottenburg had gesponsord.
Hij vouwde snel de kaart van Zwitserland open en liet er zijn vinger overheen glijden. Jungfraujoch was in de buurt van de top van de Jungfrau, een van de hoogste bergen van de Alpen en een zusterberg van de Mönch en de Eiger. Toen hij weer in zijn reisgids keek, zag hij dat het plaatsje bereikbaar was met de hoogstgelegen spoorweg van Europa, de Jungfrau-spoorweg. Hij voelde dat zijn nekharen plotseling overeind gingen staan. Het startpunt van de reis naar de Jungfrau was Interlaken.

## 139

McVey moest en zou Remmer spreken en ten slotte, om kwart voor twee in de middag, kreeg hij hem aan de lijn.
'Waar is Osborn in jezusnaam?'
Remmer was in Straatsburg en er was storing op de lijn. 'Ik weet het niet,' kraakte zijn stem.
'Remmer! De klootzak heeft mijn penning, mijn brief van Interpol en mijn revolver! Waar is hij in jezusnaam?'
De storing op de lijn werd sterker, daarna hoorde hij plotseling drie maten van Beethoven en vervolgens de kiestoon. Briesend van woede hing McVey op.
'Godverdomme!'

* * *

Het zonlicht viel in een scherpe hoek over het perron toen de trein uit Bern langzaam het station van Interlaken binnenreed. Staal gleed piepend over staal en de trein stopte. Een controleur stapte van de treden van de eerste wagon, gevolgd door drie meisjes in het uniform van een parochieschool. Een stuk of zes onopvallende mensen kwamen uit de tweede wagon, staken het perron over en liepen het station in. Daarna stapten er ongeveer twintig Amerikaanse liefhebbers van reizen met de trein luidruchtig uit de derde wagon en liepen als groep weg. Daarna bleef alles stil terwijl de trein als een vergeten stuk speelgoed tegen de achtergrond van de verre Alpen achterbleef.
Toen werd er aan de andere kant van de trein een voet op het grind langs de rails neergezet. De voet bleef een ogenblik aarzelend staan en toen werd er een tweede voet naast gezet. Osborn draaide zich vervolgens opzij en liep snel langs de trein naar het eind ervan. Hij glipte voorzichtig om de laatste wagon heen en keek om de hoek. Het perron was leeg, evenals de rails aan de andere kant ervan. Weer betastte hij de revolver achter zijn broekband. Er was geen twijfel aan dat von Holden hem op het perron in Bern had herkend en von Holden zou er evenmin aan twijfelen dat Osborn in de volgende trein zou zitten. Achteraf gezien had hij de raad van de controleur niet moeten opvolgen en von Holden in Bern niet moeten laten omroepen. Het enige resultaat ervan was geweest dat von Holden nu wist dat hij gevolgd werd. En had hij nu echt gedacht dat de man zo dom zou zijn op een oproep te reageren? Het was een fout geweest, net zoals het een fout was geweest over het perron naar de trein naar Interlaken te rennen, want daardoor was hij herkend. Nog zo'n fout zou hem zijn leven kunnen kosten.
In de verte hoorde hij het gefluit van een trein en daarna werd aangekondigd dat de trein voor Jungfraujoch over enkele ogenblikken zou binnenkomen. Als hij de trein miste, zou het dertig minuten duren voor de volgende kwam. Daardoor zou zijn achterstand op von Holden tot een uur uitlopen, twee keer zo lang als de achterstand die hij nu al had. Tenzij von Holden hier ergens was en op hem wachtte.
De aankondiging van de trein voor Jungfraujoch werd herhaald. Als hij de trein wilde halen, moest hij het perron oversteken en het hele station doorlopen. Von Holden zou dat ook weten. Als hij hier ergens op de loer lag, was Osborns enige bescherming dat het klaarlichte dag was en dat hij zich in een station bevond. Von Holden kon niet verwachten dat hij hem hier zou kunnen vermoorden zonder grote risico's te lopen. Maar was de moord op zijn vader niet onder vergelijkbare omstandigheden gepleegd?
Osborn speurde het station nog een keer af, stapte achter de trein van-

daan, stak het perron over en liep naar de andere kant van het station. Hij liep snel, met zijn jasje open en met zijn hand vlak bij zijn revolver. Al zijn zintuigen waren gespannen en hij reageerde overal op; een beweging in de schaduw, een voetstap achter hem, iemand die plotseling uit een deuropening te voorschijn kwam. Hij dacht in een flits terug aan Parijs, waar de lange man dood op een trottoir in Montparnasse voor La Coupole had gelegen, terwijl McVey zijn broekspijpen omhoogschoof zodat zijn kunstbenen die hem in staat stelden naar keuze groot, klein of van gemiddelde lengte te zijn, zichtbaar werden. Hield von Holden er dezelfde trucs op na? Of had hij andere nog meer bizarre en vindingrijkere trucs tot zijn beschikking?
Osborn bleef op open gedeelten lopen, waar iedereen hem kon zien. Hij passeerde een oude, langzaam lopende man met een stok. Osborn vroeg zich af of hij ooit zo oud zou worden.
Een oude man met een stok!
Osborn draaide zich met zijn hand onder zijn jasje razendsnel om, gereed om de revolver te trekken en te vuren. Maar de oude man was gewoon een oude man die langzaam doorliep. Weer hoorde Osborn het gefluit van de aangekondigde trein. Hij draaide zich om en liep ernaar toe. Vóór hem zag hij de Amerikaanse treinreizigers. Ze liepen ook naar de trein naar Jungfraujoch. Als hij hen kon inhalen, zou hij zich onder hen kunnen mengen.
'*Achtung! Achtung! Doktor Osborn. Telefon, bitte*!' De oproep echode door het station. Osborn bleef met een ruk staan. Von Holden wist niet alleen dat hij er was, maar hij kende ook zijn naam.
'Telefoon voor de heer Osborn uit de Verenigde Staten!'
Osborn keek zoekend in het rond om de telefoons te vinden. Hij zag ze net binnen het stationsgebouw staan; twee telefooncellen naast elkaar. Ze waren allebei leeg. Zijn eerste gedachte was iemand te vragen waar hij de man die het omroepsysteem bediende kon vinden, maar daarvoor had hij geen tijd. Door de open deur zag hij de laatste van de Amerikanen instappen. Wat deed von Holden op dit moment? Stond hij buiten ergens te wachten met een geweer van een zwaar kaliber op de telefooncellen gericht? Was er met de telefoons het een of ander technisch geavanceerd explosief verbonden, dat automatisch zou ontploffen als hij de hoorn van de haak nam, of dat op afstand tot ontploffing gebracht kon worden, zoals in Hotel Borggreve was gebeurd?
Een laatste aankondiging van de trein naar Jungfraujoch werd onmiddellijk gevolgd door de mededeling dat er een trein zou binnenkomen. Zijn naam werd weer omgeroepen. Conducteurs spoorden de laatste passagiers aan in de trein naar Jungfraujoch te stappen.

Denk na! Denk na! hield Osborn zichzelf voor. Je weet niets over het Jungfraujoch-station en evenmin wat von Holden van plan is als hij daar aankomt. Als dit een truc is en je mist de trein, zal hij een voorsprong van een vol uur op je hebben. Tijd genoeg om helemaal te verdwijnen nu hij weet dat je hem zo dicht op de hielen zit. Maar als hij nog hier is en je in de gaten houdt, hoeft hij alleen maar te wachten tot je in de trein gestapt en vertrokken bent om je voorgoed kwijt te zijn. Hij kan de volgende trein de stad uit nemen en je zult hem nooit meer te zien krijgen. Misschien was hij nooit van plan geweest naar Jungfraujoch te gaan. Maar als hij dat nu eens wél van plan was? Jungfraujoch was de laatste halte van de trein. Als hij daarheen gaat omdat de naam Berghaus iets met de zaak te maken heeft, probeer dan te bedenken wat dat is. Wat is zijn doel? Als hij datgene wat er in zijn rugzak zit helemaal van Berlijn naar Interlaken heeft meegezeuld – zelfs nadat hij aan de brand in Charlottenburg was ontsnapt en de drie Frankfurtse politiemannen had doodgeschoten – moet het wel heel belangrijk zijn, en misschien zelfs van cruciaal belang voor de Organisatie. Als dat zo is, gaat hij het misschien bij iemand in Jungfraujoch afleveren, bij iemand die nog machtiger dan Scholl is. Wat zou in dat geval belangrijker voor hem zijn, zijn missie of de man die in zijn eentje probeert hem tegen te houden? Als hij me hier doodt, is er voor hem geen vuiltje meer aan de lucht. Maar als er iets fout gaat en hij mis schiet of wordt gevangengenomen, dan eindigt datgene wat hij aan het doen is hier.
'Attentie, dokter Osborn. Telefoon voor dokter Osborn!'
Nee! Trap er niet in! Dat hij je laat omroepen is een truc! Hij zit al in de trein die vóór deze is vertrokken! Osborn kwam plotseling in beweging. Hij rende naar de trein. Even later greep hij de stang van de ingang van de achterste wagon vast en sprong naar binnen. Bijna onmiddellijk zette de trein zich in beweging. Achter hem verdwenen de kleurige hotels en chalets van Interlaken, met hun bloembakken met geraniums die nog in volle bloei stonden, langzaam uit het zicht. Toen voelde hij dat de trein begon te klimmen en hij zag bomen met warme rode en gele herfsttinten en erachter, toen de helling steiler werd, het diepblauwe uitgestrekte water van het Meer van Thun.

# 140

Kameraad luitenant hadden ze hem bij de Spetsnaz genoemd. Wie en wat was von Holden nu? Was hij nog steeds *Leiter der Sicherheit*, of eindelijk een eenzame soldaat die de belangrijkste opdracht van zijn leven uitvoerde? Beide, dacht hij. Beide.
Naast hem zat Vera naar het voorbijschietende landschap te staren en hij vermoedde dat ze er tevreden mee was de tijd gewoon voorbij te laten gaan. Von Holden ging verzitten en keek naar buiten. Enkele ogenblikken geleden waren ze in Grindelwald overgestapt en hij hoorde nu het geknars van de tandraderen die aansluiting vonden met de middelste rail terwijl de trein zich steil omhoogworstelde door uitgestrekte weelderige alpenweiden waarin wilde bloemen groeiden en melkvee graasde.
Over twintig minuten zouden ze Kleine Scheidegg bereiken, waar de weiden abrupt zouden eindigen tegen de voet van de Alpen. Daar zouden ze nog een keer overstappen, nu op de bruin-met-crèmekleurige trein van de Jungfrau-lijn die hen omhoog, naar het hart van de Alpen zou binnenvoeren en na de haltes van Eigerwand en Eismeer te zijn gepasseerd, zouden ze ten slotte het Jungfraujoch-station binnenrijden. Aan von Holdens linkerhand lag de Eiger en erachter zag hij de met sneeuw bedekte top van de Mönch. Achter deze twee bergen lag de Jungfrau, die nog niet te zien was, maar die hem zo vertrouwd was als de lijnen in zijn handpalm. De top ervan lag op vierduizend meter hoogte, bijna achthonderd meter hoger dan het Jungfraujoch-station. Hij keek om en bestudeerde de indrukwekkende noordkant van de Eiger, een steile kalkstenen rotswand die vanaf de weiden ruim zestienhonderd meter naar de top van de Eiger verrees. Hij dacht aan de ruim vijftig professionele bergbeklimmers die de dood hadden gevonden tijdens hun poging de top te bereiken. Het had zijn risico's, zoals alles in het leven. Je bereidde je voor, je deed je best en dan gebeurde er iets onvoorziens en je viel. De dood die overal om je heen al op de loer lag, sloeg gewoon toe.
Thun was voor de politie de eerste en meest voor de hand liggende plaats geweest om de trein te onderscheppen. Toen ze dat niet hadden gedaan, bleef alleen Interlaken nog over, maar ook daar was geen politie geweest en dat betekende dat het Osborn weliswaar was gelukt hen in te halen, maar dat hij het in zijn eentje had gedaan. Hoeveel treinen er per dag Interlaken aandeden, wist von Holden niet. Hij wist wél dat

er tien minuten nadat zijn trein uit Bern was aangekomen, een trein naar Luzern was vertrokken. Luzern was een stad met verbindingen met uiteenlopende bestemmingen als Nederland, België, Oostenrijk, Luxemburg en Italië. Jungfraujoch lag aan een zijspoor en was een stopplaats voor toeristen, bergwandelaars en serieuze bergbeklimmers. Von Holden was voor de politie op de vlucht en niemand zou van hem verwachten dat hij 's middags een pleziertochtje in de bergen zou gaan maken, te meer niet omdat hij vanuit Jungfraujoch niet verder zou kunnen vluchten omdat de spoorlijn daar doodliep. Nee, er zou juist van hem worden verwacht dat hij zou proberen de afstand tussen hem en zijn achtervolgers zo groot mogelijk te maken en als hij daarbij de grens met een ander land zou kunnen oversteken, zou dat hem des te beter uitkomen.

Von Holden had het idee om Osborn in Interlaken te doden laten varen omdat het te riskant was. In plaats daarvan had hij Osborn met zijn eigen wapens bestreden door hem te laten omroepen met de bedoeling hem af te schudden als om hem bang te maken. Hij wilde Osborn zo in verwarring brengen dat de sluwheid en intuïtie die hem zo ver hadden gebracht, hem in de steek zouden laten en dat hij zijn toevlucht zou moeten nemen tot het enige wat hem nog restte: logisch denken. Na aankomst uit Bern waren er maar twee manieren om Interlaken te verlaten: met de trein die de bergen inging of met het smalspoor naar Luzern. En Osborn zou erachter komen dat er een paar minuten nadat von Holden uit Bern was aangekomen, een trein naar Luzern was vertrokken. Von Holden zou geen andere keus hebben gehad dan die trein te nemen. Als Osborn zich dat had gerealiseerd, zou hij op de volgende trein naar Luzern springen en vervolgens achter een schim aanjagen.

Osborn stapte op het station van Grindelwald uit en liep snel naar de wachtende trein die aansloot op de trein in Kleine Scheidegg die hem het laatste stuk naar Jungfraujoch zou brengen. Deze keer aarzelde hij niet. Hij was er zeker van dat von Holden in de trein zat die vóór de zijne was vertrokken en hier niet voor hem op de loer lag. Von Holden was arrogant genoeg om te denken dat hij hem in Interlaken had afgeschud en te geloven dat Osborn daar angstig was achtergebleven terwijl hij zich afvroeg wat hij nu verder moest doen of, wat nog beter was, het meest voor de hand liggende had gedaan en de trein naar Luzern was gevolgd waarin von Holden had moeten zitten.

Het Jungfraujoch-station, zo was hij tijdens een kort gesprek met een van de Amerikaanse treinliefhebbers aan de weet gekomen, bestond uit een postkantoor, een kleine souvenirwinkel, een expositieruimte voor toeristen die het IJspaleis heette en waar ijssculpturen tentoongesteld werden die waren uitgehouwen in de wanden van de gletsjer waarop het station was gebouwd, een klein geautomatiseerd weerstation en de Herberg Boven de Wolken. Ze lagen bijna allemaal op verschillende hoogte en waren per lift bereikbaar. Verder was er niets dan de berg en de troosteloze vlakte van de Aletsch-gletsjer die zich ervoor uitstrekte. Als von Holden daar iemand zou ontmoeten om hem de inhoud van de rugzak te overhandigen, zou dat in het station moeten gebeuren. Hij had er geen idee van wie dat zou zijn en waar in het station de overhandiging zou plaatsvinden, maar voordat hij er zou aankomen, kon hij niets doen.

Met een scherp geknars van de tandraderen van de locomotief ging de trein een bocht om en voor het eerst zag Osborn de bergen waarvan de spierwitte toppen zich scherp tegen de late middaghemel in hun volle omvang aftekenden. Het dichtst bij was de Eiger en zelfs op deze afstand zag hij de door de wind voortgedreven sneeuwhozen die vlak onder de top dansten.

'We gaan daar helemaal naar boven als we Kleine Scheidegg eenmaal gepasseerd zijn, schat.' Een glimlachende vrouw met geblondeerd haar praatte tegen hem en ze doelde op de top van de Eiger waarnaar hij keek. Het was niet moeilijk te zien dat ze een facelift had gehad en toen ze met een ringloze linkerhand op zijn knie klopte was het ook duidelijk dat ze ongehuwd was en hem dat wilde laten merken. 'Helemaal omhoog, de wand van de Eiger binnen, waar we in een tunnel komen van waaruit je helemaal tot aan Interlaken over de vallei kunt uitkijken.'

Osborn glimlachte, bedankte haar voor de informatie en bleef haar toen uitdrukkingsloos aankijken tot ze haar hand weghaalde. Hij deed het niet omdat ondernemende vrouwen hem irriteerden, maar omdat hij aan iets anders dacht. Hij wou dat hij behalve McVeys .38 ten minste één flesje bij zich had met de spierontspannende succinylcholine, die hij in Parijs had geprepareerd om Albert Merriman om het leven te kunnen brengen.

# 141

Von Holden keek ook naar de bergen. Hij zocht naar een wolkje of te krachtige sneeuwhozen die erop zouden kunnen duiden dat de wind opstak en dat er slecht weer op til was. Hij zag niets en dat was voor de verandering eens een goed teken. Het zou de zaken later vergemakkelijken als er een probleem ontstond en hij de berg op zou moeten gaan.
Vera zat tegenover hem naar hem te kijken. Hij was afwezig en in gedachten verzonken. Er was iets aan hem dat haar steeds meer verontrustte. Maar het was vaag en ze kon er de vinger niet op leggen. Ja, hij was een politieman. Ja, hij bracht haar naar Paul Osborn. Het moest waar zijn omdat ze uit de gevangenis vrijgelaten en aan hem overgedragen was en hij wist dingen die hij nooit zou kunnen weten als hij niet degene was die hij beweerde te zijn. Toch klopte er iets niet en ze wou dat ze wist wat het was. Ze keek omhoog en zag zijn nylon rugzak in het bagagerek liggen. Hij had de rugzak al sinds ze uit Berlijn vertrokken bij zich gehad en ze had er tot nu toe eigenlijk niet over nagedacht wat erin zat.
'Bewijsmateriaal,' zei von Holden zacht.
De trein klom nu steil omhoog en aan weerskanten schoten rotsformaties, kolkende bergstromen en watervallen voorbij.
'Documenten en andere zaken die de kern van de neonazistische beweging blootleggen. Namen, plaatsen en financiële gegevens.'
In hun wagon zaten nog een stuk of zes andere passagiers, evenals in de wagon vóór hen. De kleine, uit twee wagons bestaande trein werd door de tandradlocomotief van achteren aangeduwd. Vera werd lastiger en dat beviel von Holden niet. Ze begon zich te herstellen van het trauma van haar beproeving in Berlijn en de schok van de moorden in Frankfurt. Ze werd zich bewust van haar situatie en begon zichzelf vragen te stellen en misschien zelfs twijfel te koesteren. Dat betekende dat hij haar een stap voor moest blijven en haar iets moest bieden om haar vertrouwen te behouden.
'Ik denk dat ik u nu rustig kan vertellen dat onze bestemming het Jungfraujoch-station is,' zei hij glimlachend. 'Ze noemen het de Top van Europa. Je kunt een kaart versturen vanuit het hoogst gelegen postkantoor van het continent.'
'Is Paul daar?'
'Ja, en er is ook een bewaakte opslagplaats voor de documenten.'
'Wat gaat er gebeuren wanneer we daar aankomen?'
'Het is niet aan mij u dat te vertellen. Mijn orders waren u en de docu-

menten veilig af te leveren. Daarna' – hij glimlachte weer – 'ga ik hopelijk naar huis.'
Plotseling dook de trein een tunnel binnen en het enige licht kwam van de lampen in de trein.
'Nog twintig minuten,' zei von Holden. Vera ontspande zich en leunde achterover in haar stoel. Voorlopig is ze tevredengesteld, dacht hij. Als ze in het Jungfraujoch-station aankwamen, zouden ze samen met de andere passagiers uitstappen en onmiddellijk naar het weerstation gaan. Daarna maakte wat Vera dacht of deed niet meer uit, want als ze eenmaal binnen waren, zouden ze diep het weerstation binnengaan en geen mens zou hen daar kunnen vinden.
Plotseling minderde de trein snelheid en ze reden Eigerwand binnen, een klein station dat in de rotsige tunnel in de noordwand van de Eiger was uitgehouwen. De trein gleed soepeltjes een zijspoor op en stopte daar, zodat het hoofdspoor vrij was en een andere trein op weg naar beneden kon passeren. De machinist opende de deuren en nodigde iedereen uit van het uitzicht te komen genieten en foto's te maken.
'Kom mee.' Von Holden glimlachte en stond op. 'We zijn nu even toeristen, zoals de anderen. We moeten ons ontspannen en ervan genieten.'
Ze stapten uit, staken samen met de andere passagiers het perron over en liepen een van de verscheidene korte tunnels in waar enorme ramen in de bergwand waren uitgehakt. Vandaar konden ze over de zonovergoten bodem van de vallei kilometers terugkijken naar Kleine Scheidegg, Grindelwald en Interlaken. Von Holden had het al tientallen keren gezien en iedere keer was het uitzicht indrukwekkender dan de vorige. Het leek wel alsof je de wereld zag vanuit het perspectief van de berg. Achter hen blies de machinist op zijn fluitje en de andere passagiers liepen terug naar de trein.
Toen zag von Holden de trein achter hen Kleine Scheidegg naderen. Plotseling stokte zijn adem en hij kreeg hartkloppingen. Hij voelde een pulserende beweging achter zijn ogen en de rood-met-groene gordijnen verschenen.
'Is alles in orde met u?' vroeg Vera.
Von Holden wankelde een ogenblik, maar ademde toen krachtig uit en herstelde zich.
'Ja, dank u...' Hij pakte haar arm vast en ze liepen terug. 'Het komt misschien door de hoogte.' Dat was een leugen. De aanval was niet veroorzaakt door de hoogte, vermoeidheid of wat ook. Het was de *Vorahnung* geweest en dat kon maar één ding betekenen.
Osborn zat in die trein.

# 142

Osborn voelde de zwaartekracht toen de trein uit Kleine Scheidegg vertrok en de lange helling naar de wand van de Eiger begon te beklimmen. De geblondeerde vrouw – ze heette Connie en was gescheiden, al twee keer trouwens – bleef proberen met hem te praten. Ten slotte excuseerde hij zich en ging in de voorste wagon zitten. Hij moest kunnen nadenken. Over minder dan veertig minuten zouden ze Jungfraujoch bereiken. Hij moest beslissen wat hij vanaf het moment dat ze het station binnenkwamen en uitstapten, zou gaan doen. Weer voelde hij aan de kolf van McVeys .38 achter zijn broekband. Om de een of andere reden deed dat hem aan lawines denken. Een revolverschot had al vaak genoeg een donderende lawine veroorzaakt. Bergteams in skigebieden veroorzaakten ze opzettelijk door geweren af te schieten zodat het gevaar geweken was voordat de sneeuwgebieden voor het publiek werden opengesteld. Maar het was nog niet eens half oktober en het weer was helder. Een lawine was wel het laatste waarover hij zich druk moest maken.
Maar dat was het niet.
Zijn onderbewuste werkte ergens naar toe. Wat was het? Het was nu begin oktober, maar von Holden ging doelbewust een sneeuwgebied binnen. Jungfraujoch lag op een hoogte van meer dan drieduizend meter en was boven op en in een gletsjer gebouwd. Er waren toeristische attracties in zalen die in het gletsjerijs waren uitgehakt.
IJs.
Kou. Intense kou. Nergens in de natuur was het zo koud als in een gletsjer en zeker als je er diep in kon doordringen.
Er waren mensen en dieren in gevonden die eeuwenlang perfect geconserveerd waren gebleven. Was het mogelijk dat de experimentele operaties in Jungfraujoch waren uitgevoerd? Werd Jungfraujoch, dat ogenschijnlijk een toeristische trekpleister was, als dekmantel gebruikt voor een geheime medische faciliteit diep in de gletsjer zelf?
Het geknars van de tandraderen van de locomotief en het geklik van de wielen over de rails werden duidelijker hoorbaar.
Plotseling liep Osborn de andere wagon binnen.
‘Connie,’ zei hij, terwijl hij zich op de stoel naast haar liet zakken, ‘je bent al eerder in Jungfraujoch geweest, hè?’
‘Zeker, schat.’
‘Is er een plaats waar toeristen geen toegang hebben?’

‘Waar denk je aan, schat?’ Connie glimlachte en haalde plagerig haar robijnrode nagels over het bovenste deel van zijn dij.
Osborn wist zeker dat ze na een paar martini’s te gek zou zijn, maar hij hoopte het nooit mee te maken.
‘Luister, Connie. Ik wil alleen wat informatie van je hebben. Verder helemaal niets. Oké? Wees nu lief en probeer het je te herinneren.’
‘Ik vind je leuk.’
‘Dat weet ik.’
‘Laat me even nadenken.’
Ze stond op en keek uit het raam. Het was niet gemakkelijk voor haar om in evenwicht te blijven, want de trein klom in een hoek van bijna vijfenveertig graden langs de wand van de Eiger omhoog. Plotseling reden ze een tunnel binnen en werd alles donker.
Vijf minuten later stonden Connie en Osborn op het station van Eigerwand door de in het ijs uitgehakte ramen te kijken. Connie had haar arm door de zijne gestoken en hield hem stevig vast.
‘Ik geef het niet graag toe, maar ik word duizelig.’
Osborn keek op zijn horloge. Von Holden moest er nu zijn, of in ieder geval bijna. Misschien had hij zich vergist en was er helemaal geen medische faciliteit. Misschien ontmoette von Holden daar gewoon iemand, zoals hij eerder had gedacht. Als dat het geval was, zou von Holden die persoon kunnen geven wat er in de rugzak zat en de volgende trein terug nemen. De hele zaak zou in een paar minuten afgehandeld kunnen worden.
‘Er is daar een weerstation.’
‘Wat?’ Connie praatte tegen hem en tegelijkertijd werden ze naar de trein teruggeroepen.
‘Een weerstation, weet je wel. Een soort observatorium.’
Terwijl ze het perron overstaken naar de trein kwam er een andere trein van Jungfraujoch naar beneden die hun trein, die op het zijspoor stond, passeerde en langzaam over de kronkelige rails doorreed.
‘Schat, luister je naar me of praat ik alleen tegen mezelf?’
‘Ja, ik hoor je wel.’ Osborn tuurde de passerende trein binnen. Hij reed zo langzaam dat hij de gezichten kon zien, maar hij herkende niemand.
Ze stapten in en gingen zitten. De trein reed omhoog de tunnel in en verhoogde zijn snelheid.
‘Het spijt me. Je zei iets over een...’
‘Een weerstation. Je vroeg toch of er een plaats was waar het publiek niet mocht komen? Er is daar een weerstation. Boven, geloof ik. Het is van de staat of zo. En natuurlijk is er ook de keuken nog.’
‘Welke keuken?’

'Van het restaurant. Waarom wil je dit trouwens weten?'
'Ik doe research. Ik... schrijf een... boek.'
'Schat...' Connie legde haar hand weer op zijn dij en leunde zo ver naar hem toe dat haar lippen langs zijn oor streken. 'Ik weet dat je geen boek schrijft,' fluisterde ze. 'Want als dat wel zo was, zou je wachten tot we er waren om zelf uit te zoeken wat je nu vraagt. Ik weet ook...' – ze blies een golf warme lucht in zijn oor – 'dat je een revolver achter je broekband hebt zitten. Wat ga je daarmee doen? Iemand doodschieten?'
Connie leunde achterover en glimlachte. 'Wil je me één ding beloven, schat? Geef eerst even een schreeuw. Ik wil als de sodemieter opzij kunnen springen.'

# 143

Eismeer was het laatste station vóór Jungfraujoch en evenals in Eigerwand bleef de trein staan terwijl de passagiers uitstapten en onder het slaken van bewonderende kreten door de uitgehakte ramen in de rots foto's namen. Maar het uitzicht vanuit Eismeer verschilde van dat vanuit Eigerwand en alle andere plaatsen die ze waren gepasseerd. In plaats van glooiende weiden, meren en donkergroene bossen die in de lome herfstzon baadden, zagen ze hier een wit, bevroren landschap. Uitgestrekte, met sneeuw en gletsjerijs bedekte velden verdwenen geleidelijk uit het zicht of eindigden abrupt tegen puntige rotsen. In de verte werd de door de wind opgejaagde sneeuw op een bergtop rozerood gekleurd door de ondergaande zon en boven hun hoofd werd de eindeloze hemel slechts af en toe onderbroken door een piepklein wolkje. 's Ochtends of 's middags zag het er misschien allemaal anders uit, maar nu, in de laatste uren voor het duister zou invallen, zag het er koud en onheilspellend uit. Het leek een onherbergzaam oord waar voor de mens geen plaats was en het landschap leek een natuurlijke waarschuwing af te geven. Iemand die er, per ongeluk of opzettelijk, in terecht zou komen, weg van de mensen en de treinen, zou moeten begrijpen dat hij er niet thuishoorde. Dat hij op zichzelf aangewezen was en dat God hem niet zou beschermen.
De conducteur blies op zijn fluitje ten teken dat ze zouden vertrekken

en de passagiers liepen terug naar de trein. Osborn keek op zijn horloge. Het was tien voor vijf. Ze zouden om even over vijf in Jungfraujoch aankomen en de laatste trein terug zou om zes uur vertrekken. Tegen die tijd zou het pikdonker zijn. Hij zou hooguit een uur de tijd hebben om von Holden en Vera te vinden, te doen wat hij van plan was en, als hij dan nog zou leven, de laatste trein terug te nemen.
Osborn stapte als laatste in. De deur sloot zich onmiddellijk achter hem, de trein maakte een slingerbeweging en de tandraderen kregen greep op de rail. Hij leunde achterover, haalde diep adem en keek toen afwezig rond in de wagon.
Connie zat bijna helemaal achterin met haar Amerikaanse medereizigers te praten en keek zelfs niet naar hem. Dat is goed, dacht hij, dan heb ik daar tenminste geen omkijken meer naar. Toen merkte hij tot zijn verbazing en bevreemding dat hij naar haar gezelschap verlangde. Als hij ergens ging zitten waar de plaats naast hem vrij was, zou ze misschien opstaan en naar hem toe komen. Hij liep terug naar de andere passagiers, zag twee lege plaatsen en ging met zijn gezicht naar haar toe zitten. Als ze hem zag, liet ze dat niet blijken en ze praatte gewoon door. Hij zag haar met haar handen gebaren en vroeg zich af waarom ze die lange, valse rode nagels droeg en haar haar zo afschuwelijk had geblondeerd. Op dat moment realiseerde hij zich dat hij doodsbang was. Remmer had hem duidelijk gewaarschuwd bij von Holden uit de buurt te blijven. Na zijn ontmoeting met von Holden in de Tiergarten had Noble tegen hem gezegd dat hij buitengewoon veel geluk had gehad dat hij nog leefde. De man was een door en door getrainde moordenaar die in de afgelopen twintig uur zijn bekwaamheden had aangescherpt door een negentienjarige taxichauffeuse en drie Duitse politiemannen te doden. Hij wist wie Osborn was en dat hij door hem werd gevolgd. Hij zou toch niet zo simpel zijn dat hij nu dacht dat Osborn vrolijk in de trein naar Luzern zat? Dat was niet waarschijnlijk. Omdat von Holden in geen van beide treinen had gezeten die van de berg af kwamen, moest hij nog in Jungfraujoch zijn. En daar zou hij moeten blijven, omdat hij nergens anders heen kon.
Over minder dan vijftig minuten, dacht hij, zou hij een hel die hij zelf had gecreëerd binnengaan. Als een onbeheersbaar voortrollende computeruitdraai kwamen allerlei onafgehandelde zaken in zijn hoofd op. Patiënten, huis, aflossingen op zijn auto, levensverzekering. Wie zorgt ervoor dat mijn lichaam naar Amerika wordt gebracht? Wie krijgt mijn spullen? Na mijn laatste scheiding heb ik nooit meer een nieuw testament gemaakt. Hij schoot bijna in de lach. Het was een komedie. Het leven in zijn meest bizarre vorm. Hij was naar Europa gekomen om een

lezing te houden. Hij was verliefd geworden en daarna was het hard bergafwaarts gegaan. *La descente infernale*, hoorde hij Vera in het Frans zeggen. De afdaling in de hel.
*Vera*... Hij hoorde haar zoals hij haar zich herinnerde, niet als degene die ze was. Steeds opnieuw was ze voor zijn geestesoog verschenen en iedere keer weer had hij haar beeld verdrongen. Wat gebeurd was, was gebeurd en hij wilde er niet verder over nadenken. Wanneer de tijd zou komen dat hij eindelijk de confrontatie met haar zou aangaan, zou hij met zijn gevoelens in het reine moeten komen, maar voorlopig moest hij zich uitsluitend op von Holden concentreren...
De trein minderde snelheid en hij zag door het raam een bord passeren. Jungfraujoch.
'Jezus Christus,' fluisterde hij. Instinctief raakte hij de kolf van zijn revolver aan. Die had hij tenminste nog.
Denk aan je vader! hield hij zichzelf voor. Hoor weer het geluid van het mes dat Merriman hem in zijn buik steekt! Zie de uitdrukking op zijn gezicht weer! Zie weer zijn blik die je vraagt wat er gebeurd is. Zie weer hoe zijn knieën knikken en hoe hij op het trottoir in elkaar zakt. Iemand schreeuwt! Hij is bang. Hij weet dat hij gaat sterven. Zie hoe hij zijn hand naar je uitstrekt om zich door je te laten helpen. Zie dat, Paul Osborn. Zie dat en wees niet bang voor wat er voor je ligt.
Er klonk gepiep van remmen, hij voelde een schok en daarna ging de trein nog langzamer rijden. Hij zag twee sporen en aan het eind van de tunnel zag hij licht. Ze waren er bijna. Het station was in de tunnel gebouwd, net als in Eigerwand en Eismeer, had Connie hem verteld. Alleen liepen de rails hier niet door, maar hielden ze aan het eind van de tunnel op. Hij kon alleen terug via de weg die hij was gekomen. Door de tunnel.

# 144

'Een brand in het weerstation, meneer. Het is gisteravond gebeurd. Er is niemand gewond geraakt, maar het station is onherstelbaar beschadigd,' had een spoorwegarbeider gezegd over de berg verkoolde resten die tegen de zijkant van de tunnel waren opgestapeld.

Brand! Gisteravond, net als in Charlottenburg, net als in *der Garten*. Von Holden was steeds ongeruster geworden toen ze het Jungfraujochstation naderden en hij was bang dat hij weer een aanval zou krijgen. De oorzaak van zijn bezorgdheid, dacht hij, was niet zozeer Osborn als wel Vera. Het laatste deel van de reis was ze stil, bijna afstandelijk geweest en hij had het gevoel gehad dat ze had doorgekregen wat er aan de hand was en dat ze probeerde te bedenken wat ze moest doen. Hij had haar snel de kans ontnomen iets te ondernemen door haar de trein uit te leiden en zodra ze waren aangekomen met haar naar de lift te lopen. Ze waren niet meer dan drie, hooguit vier minuten van het weerstation vandaan. Als ze daar eenmaal waren zou alles in orde zijn, omdat ze heel kort daarna dood zou zijn. Op dat moment had hij de resten gezien en over de brand gehoord. De vernietiging van het weerstation was iets waarmee hij nooit rekening had gehouden.

'Was Paul daarboven?...'
'Ja,' zei von Holden. Ze beklommen buiten in de vallende schemering een hoge trap naar de uitgebrande resten van het weerstation. Achter hen was het helder verlichte massieve gebouw van beton en staal dat het restaurant en het IJspaleis herbergde. Rechts van hen liep de vijftien kilometer lange Aletsch-gletsjer steil naar beneden. Het was een bevroren, kronkelige, nu donker wordende vlakte van ijs en sneeuw. Boven hen verrees de meer dan vierduizend meter hoge Jungfrau, waarvan de besneeuwde top door de ondergaande zon bloedrood werd gekleurd.
'Waarom zijn er geen reddingswerkers, brandweerlieden, bulldozers en hijskranen?' Vera was boos, bang en ongelovig en von Holden was er dankbaar voor. Daardoor wist hij dat ze zich nog steeds de meeste zorgen maakte om Osborn, wat ze verder ook gedacht mocht hebben. Alleen daardoor al zou ze niet op haar hoede zijn als hij de gangen onder het station, waarvan hij hoopte dat ze de brand hadden doorstaan, niet zou kunnen bereiken en ze weer naar buiten zouden moeten gaan.
'Er is geen reddingspoging ondernomen omdat niemand weet dat hier mensen zijn. Het weerstation is geautomatiseerd. Het wordt alleen af en toe door een technicus bezocht. Onze verdiepingen zijn ondergronds. Iedere verdieping wordt door een noodaggregaat automatisch afgesloten als er brand uitbreekt.'
Toen ze boven aan de trap waren gekomen, trok von Holden een zware triplexplaat voor de ingang vandaan en ze drongen zich langs de verkoolde houten deurpost. Binnen was het donker en er hing de zware, scherpe geur van rook en gesmolten staal. De brand was buitengewoon fel geweest. Feller dan een toevallig ontstane brand kon zijn. Een ge-

smolten stalen deur aan de achterkant van een instrumentenkast getuigde daarvan. Von Holden vond een koevoet die door een slooploeg was achtergelaten en probeerde de deur open te wrikken, maar dat was onmogelijk.
'Salettl, vuile schoft die je bent,' fluisterde hij. Vol afkeer gooide hij de koevoet neer. Hij hoefde niets eens te proberen de deur te openen; hij wist wat hij erachter zou vinden. Een betegelde, één meter tachtig hoge tunnel van titanium die tot een verwrongen massa gesmolten zou zijn.
'Kom mee,' zei hij, 'er is nog een andere ingang.' Als de lagere verdiepingen, zoals het hoorde, van het vuur waren afgesloten, zou alles toch in orde zijn.
Von Holden ging Vera voor naar buiten en liet haar voor hem uit de trap aflopen. De laatste stralen van de ondergaande zon vielen op haar haar en baadden haar in een zacht vermiljoenkleurig licht. Heel even vroeg von Holden zich af hoe het zou zijn om een gewone man te zijn. En daardoor dacht hij aan Joanna en aan de waarheid van wat hij in Berlijn tegen haar had gezegd. Hij had gezegd dat hij niet wist of hij tot liefde in staat was en ze had geantwoord: 'Dat ben je wel...' De gedachte overviel hem en hij realiseerde zich dat ze weliswaar gewoontjes en niet al te aantrekkelijk was, maar dat ze innerlijk echt mooi was, misschien wel de mooiste vrouw die hij ooit had ontmoet. Tot zijn verbazing kreeg hij het gevoel dat ze misschien wel gelijk had, dat hij inderdaad tot liefde in staat was en dat hij diep in zijn hart van haar hield.
Toen werd zijn blik getrokken naar een grote klok die onder aan de trap aan de muur hing. De grote wijzer stond recht naar boven. Het was precies vijf uur. Tegelijkertijd hoorde hij dat de aankomst van een trein werd aangekondigd. Zijn dagdroom verdween snel en hij had nog maar één gedachte.
Osborn.

## 145

Osborn deed een pas achteruit en liet de andere passagiers eerst uitstappen. Afwezig veegde hij het zweet van zijn bovenlip. Als hij al beefde, dan merkte hij het niet.

'Veel succes, schat.' Connie raakte op weg naar buiten zijn arm aan, volgde de laatste Amerikaan naar een open lift aan het einde van het perron en was verdwenen. Osborn keek in het rond. De wagon was leeg en hij was alleen. Hij haalde de .38 te voorschijn en wipte de kamer open. Zes kogels. McVey had de revolver helemaal geladen in de la gelegd.

Hij sloot de kamer, stak de revolver achter zijn broekband en liet zijn jasje ervoor glijden. Toen haalde hij diep adem en stapte snel uit de trein. Hij voelde onmiddellijk de kou. Het was de soort bergkou die je tijdens skivakanties voelt als je uit de verwarmde liftcabine de halfopen loods waar de liften stoppen binnenstapt.

Het verbaasde hem dat hij een tweede trein in het station zag staan en omdat de laatste trein om zes uur vertrok, concludeerde hij dat de tweede trein voor het personeel moest zijn dat later, als het met zijn werk klaar was, naar beneden zou gaan.

Hij stak het perron over, voegde zich bij een paar Britse toeristen en nam dezelfde lift die Connie en de andere Amerikanen hadden genomen. De lift ging één verdieping naar beneden, de deur ging open en Osborn zag een grote ruimte met een cafetaria en een souvenirwinkel. De Britten stapten uit en Osborn liep met hen mee. Hij bleef wat achter en stond stil bij de souvenirwinkel. Hij bekeek afwezig het assortiment Jungfraujoch-T-shirts, briefkaarten en snoep terwijl hij tegelijkertijd probeerde de gezichten in de drukke cafetaria verderop te bestuderen. Hij zag een kleine, mollige jongen van een jaar of tien met zijn ouders naar de cafetaria lopen. Het waren Amerikanen en vader en zoon droegen identieke Chicago Bulls-jasjes. Op dat moment voelde Osborn zich eenzamer dan ooit tevoren. Hij wist niet precies waarom. Kwam het doordat hij zich zo van andere mensen had geïsoleerd dat het volkomen onopgemerkt zou blijven als hij nu door de hand van von Holden of zelfs die van Vera de dood zou vinden, dat niemand zich erom zou bekommeren dat hij ooit had bestaan? Of had het beeld van de vader en de zoon slechts de verbittering om wat hem was afgenomen, versterkt? Of was de oorzaak juist dat het er in zijn leven nooit van was gekomen een eigen gezin te stichten?

Hij onderdrukte zijn emoties en bestudeerde de ruimte nog een keer. Als von Holden of Vera daar was, zag hij hen niet. Hij liep van de souvenirwinkel vandaan naar de lift. De deur ging bijna onmiddellijk open en een bejaard echtpaar kwam naar buiten. Osborn speurde de ruimte voor de laatste keer af, stapte in de lift en drukte op de knop voor de volgende verdieping. De deur sloot zich en de lift ging omhoog. Een paar seconden later stopte hij, de deur gleed open en hij keek uit op een

wereld van blauw ijs. Dit was het IJspaleis, een lange, halfronde tunnel die in het gletsjerijs was uitgehouwen, met overal grotten met ijssculpturen. Vóór hem zag hij de laatste paar Amerikanen, onder wie Connie, verrukt langs de sculpturen lopen. Ze beeldden mensen en dieren uit, maar er was ook een auto op ware grootte bij en zelfs een replica van een café, compleet met stoelen, tafels en een ouderwets whiskyvat.
Osborn aarzelde en stapte toen de gang in. Hij mengde zich onder de toeristen en probeerde er net zo uit te zien als iedereen. Intussen bestudeerde hij het gezicht van iedere toerist die hem tegemoet kwam. Misschien was het een fout geweest dat hij niet bij de Amerikanen was gebleven. Hij stak zijn hand uit en liet zijn vingers voorzichtig over de wand van de tunnel glijden, alsof hij eraan twijfelde dat die van ijs was en vermoedde dat het materiaal uit de fabriek afkomstig was. Maar het was echt ijs en dat gold ook voor het plafond en de vloer. Het hem omringende ijs versterkte zijn idee dat deze plaats iets te maken moest hebben met de experimentele operaties bij extreem lage temperaturen.
Maar waar? Jungfraujoch was klein. Voor operaties, en zeker voor dit soort moeilijke operaties, was ruimte nodig. Ruimte voor de instrumenten en de apparatuur en voor de voorbereiding. Er moesten een intensive-carepost en operatiekamers zijn en de staf moest gehuisvest worden. Waar zou die ruimte hier kunnen zijn?
De enige plaats waar toeristen geen toegang hadden, had Connie hem verteld, was het weerstation. Viereneenhalve meter verderop stond een Zwitserse gids bij wat jongelui die voor een foto poseerden. Osborn liep naar haar toe en vroeg de weg naar het weerstation. Het was boven, zei ze, vlak bij het restaurant en het terras, maar het was vanwege brand gesloten.
'Een brand?'
'Ja, meneer.'
'Wanneer is dat gebeurd?'
'Gisteravond, meneer.'
Gisteravond. Net als in Charlottenburg.
'Dank u.' Osborn liep door. Het was wel heel erg toevallig dat hier hetzelfde was gebeurd als daar. Het betekende dat datgene wat daar was vernietigd ook hier was vernietigd. Maar von Holden wist dat niet, anders zou hij niet zijn gekomen, tenzij het was om iemand te ontmoeten.
Plotseling deed iets hem opkijken. Vera en von Holden stonden aan het eind van de gang in het spookachtig blauwe licht dat door het ijs gecreëerd werd. Ze bleven nog een halve seconde naar hem staan kijken, sloegen toen een bocht in de gang om en waren verdwenen.
Osborns hart bonkte in zijn keel. Hij vermande zich, wendde zich tot de

gids en wees naar de plek waar Vera en von Holden hadden gestaan. 'Waarheen leidt die gang?'
'Naar buiten, naar de skischool en het gebied waar met de hondesleden gereden wordt. Maar die zijn nu natuurlijk gesloten.'
'Dank u.' Osborn sprak bijna op een fluistertoon. Zijn voeten leken van steen te zijn, alsof ze aan het ijs eronder waren vastgevroren. Hij liet zijn hand onder zijn jasje glijden en greep de .38 vast. De ijswanden verspreidden een kobaltblauwe glans en hij kon zijn adem zien. Hij greep de leuning vast en liep behoedzaam naar voren tot hij bij de bocht in de tunnel was gekomen waar von Holden en Vera waren verdwenen. De gang vóór hem was leeg en aan het eind ervan was een deur. Een bord van de skischool wees erheen en er was een ander bord voor de hondesleden.
Je wilt dat ik je volg, hè? Osborns brein werkte koortsachtig. Dat is het idee. Door die deur naar buiten, waar geen andere mensen zijn. Als je dat doet, heeft hij je te pakken. Je zult niet meer terugkomen. Von Holden zal wat er van je over is ergens in een diepe bergspleet gooien. Ze zullen je pas in de lente vinden, of misschien helemaal nooit meer.

'Wat doet u? Waar brengt u me heen?' Vera en von Holden liepen een benauwend kleine ijskamer in een zijgang binnen. Hij had haar arm vast gehad toen ze door de tunnel met de sculpturen liepen en haar tegengehouden zodra ze Osborn hadden gezien. Hij had doelbewust gewacht tot hij voelde dat ze op het punt stond Osborn te roepen; toen had hij haar omgedraaid en ze waren snel teruggelopen. Daarna had hij haar eerst een zijtunnel en vervolgens de kamer binnengeduwd.
'De brand is aangestoken. Ze zijn hier en wachten op ons. Ze willen u en de documenten die ik bij me heb, in handen krijgen.'
'Paul...'
'Misschien is hij ook een van hen.'
'Nee, dat is onmogelijk! Hij is op de een of andere manier aan de brand ontsnapt...'
'Denkt u?'
'Dat moet wel...' Plotseling dacht Vera terug aan de mannen die zich voor Frankfurtse politiemannen hadden uitgegeven en door von Holden waren doodgeschoten. 'Waar is de politievrouw?' hadden ze gevraagd.
'Die is er niet,' had von Holden geantwoord. 'Er was geen tijd.'
Ze waren niet geïnteresseerd geweest in een andere voortvluchtige, het ging hen om de *procedures*! Een mannelijke rechercheur zou niet met een vrouwelijke gevangene in een afgesloten coupé reizen zonder dat er

ook een politievrouw bij was!
'We moeten uitzoeken hoe het met Osborn zit, anders komen we hier geen van beiden levend vandaan.' Von Holdens adem was in de lucht zichtbaar en hij glimlachte vriendelijk terwijl hij naar haar toe kwam. De nylon rugzak hing over zijn linkerschouder en hij hield zijn rechterhand ter hoogte van zijn middel. Hij gedroeg zich ongedwongen en ontspannen, net als toen hij tegenover de mannen in de trein had gestaan. Precies zoals Avril Rocard zich had gedragen toen ze de agenten van de Franse geheime dienst bij de boerderij bij Nancy had doodgeschoten.
Op dat moment drong het tot Vera door. Ze wist nu wat haar al had dwarsgezeten sinds ze uit Interlaken vertrokken waren, maar wat ze niet eerder had kunnen begrijpen omdat ze te geëmotioneerd en te uitgeput was geweest. Ja, von Holden had weliswaar alle goede antwoorden gehad, maar om een andere reden. De mannen in de trein waren wél van de politie geweest. Zíj waren geen nazi-moordenaars, maar *von Holden was er zelf een*.

# 146

Osborn liep snel terug via dezelfde weg waarlangs hij was gekomen. Hij zag nu de Amerikanen aan de andere kant van het IJspaleis in de lift stappen. Hij ging nog sneller lopen en haalde hen net toen de deur dichtging in. Hij hield hem met zijn hand tegen en perste zich tussen hen in.
'Sorry,' zei hij glimlachend.
De deur sloot zich en de lift ging omhoog. Wat moest hij nu doen? Osborn voelde hoe het bloed door zijn halsslagaderen werd gepompt en het gebonk ervan voelde aan als hamerslagen. De lift stopte met een schok, de deur ging open en verleende toegang tot een groot zelfbedieningsrestaurant. Osborn moest als eerste uitstappen. Toen hield hij zijn pas in en probeerde bij de anderen te blijven. Buiten was het bijna donker. Door een rij ramen kon hij nog net de bergtoppen aan de andere kant van de afhellende Aletsch-gletsjer zien. Erachter zag hij in de spookachtige schemering dat er bewolking kwam opzetten.
'Wat ga je nu doen?' vroeg Connie, die naast hem liep. Osborn keek haar aan en schrok toen een windvlaag de ramen deed rinkelen.

'Doen...?' Osborns blik schoot nerveus door de zaal terwijl ze de anderen naar de rij voor de counter volgden. 'Ik denk dat ik maar eens... een kop koffie ga drinken.'
'Wat is er aan de hand?'
'Niets. Waarom zou er iets aan de hand zijn?'
'Zit je in moeilijkheden of zo? Zit de politie achter je aan?'
'Nee.'
'Weet je het zeker?'
'Ja, heel zeker.'
'Waarom ben je dan zo nerveus? Je bent zo schichtig als een pasgeboren veulen.'
Ze waren nu bij de etenswarencounter aangekomen. Osborn keek om naar de zaal. Sommige van de Amerikanen gingen al zitten en schoven tussen twee tafels die vlak bij Osborn stonden, stoelen aan. Het gezin dat hij bij de souvenirwinkel had gezien, zat aan een andere tafel. De vader wees naar de toiletten en de jongen in het Chicago Bulls-shirt liep erheen. Aan een tafel naast de deur zaten twee jongemannen te roken en ernstig te praten.
'Kom hier bij me zitten en drink dit op.' Ze waren de caissière al gepasseerd en Connie leidde hem naar een tafel uit de buurt van de andere Amerikanen.
'Wat is dat?' Osborn keek naar het glas dat Connie voor hem had neergezet.
'Koffie met cognac. Wees braaf en drink het op.'
Osborn keek haar aan, pakte toen het glas op en nam een slok. Wat moet ik doen? dacht hij. Ze zijn hier, in het gebouw of buiten. En dat betekent dat ze achter me aan zullen komen.
'Bent u meneer Osborn?'
Osborn keek op. De jongen in het Chicago Bulls-shirt stond vóór hem.
'Ja.'
'Een man zei dat ik tegen u moest zeggen dat hij buiten op u wacht.'
'*Wie*?' vroeg Connie terwijl ze haar geblondeerde wenkbrauwen fronste.
'Iemand bij de baan voor de hondesleden.'
'Clifford, wat doe je daar? Ik dacht dat je naar het toilet ging?' De vader van de jongen pakte zijn hand vast. 'Sorry,' zei hij tegen Osborn. 'Waarom val je die mensen lastig?' vroeg hij aan de jongen terwijl ze wegliepen.
Osborn zag zijn vader op het trottoir liggen. Hij had een uitdrukking van pure doodsangst in zijn ogen en strekte zijn hand uit naar zijn zoon om steun bij hem te vinden terwijl hij stierf.

Osborn stond plotseling op, stapte zonder naar Connie te kijken om de tafel heen en liep naar de deur.

# 147

Von Holden wachtte in de sneeuw achter de lege hokken waar de sledehonden overdag werden opgesloten. De zwarte rugzak met de doos lag vlak bij hem. In zijn handen had hij een automatisch Skorpion-pistool kaliber 9mm, dat met een vlam- en geluiddemper was uitgerust. Het was een licht, gemakkelijk hanteerbaar wapen met een magazijn voor tweeëndertig kogels. Hij was er zeker van dat Osborn, net als op die avond in de Tiergarten, gewapend zou zijn. Hij wist niet hoe goed Osborn getraind was, maar het maakte weinig verschil, want deze keer zou von Holden hem geen kans geven.
Vijftien meter van hem vandaan, tussen hemzelf en de deur van de skischool in, stond Vera in het donker. Ze was met handboeien vastgemaakt aan een veiligheidsleuning die langs het spekglad bevroren pad naar de hondehokken liep. Ze kon roepen en schreeuwen zoveel ze wilde, maar nu het restaurant ging sluiten zou alleen Osborn haar kunnen horen als hij naar buiten kwam. Osborn zou haar op vijftien meter afstand kunnen horen en zien, maar voor iemand die vanuit het gebouw naar buiten keek, was dat onmogelijk. Von Holden was van plan hen langs de hondehokken het duister in te leiden, waar hij hen het gemakkelijkst zou kunnen doden. Daarom had hij Vera op die plek achtergelaten. Hij gebruikte haar nu voor het doel dat hij vanaf het begin voor haar in gedachten had gehad. Alleen was ze nu in plaats van gijzelaar lokaas geworden.
Veertig meter achter haar ging de deur naar de skischool aan het eind van de tunnel van het IJspaleis open. Het licht viel naar buiten en er verscheen een eenzame figuur in de deuropening. Een dicht bosje dikke ijspegels naast de deur glinsterde in het duister; toen ging de deur dicht en de gedaante tekende zich in silhouet tegen de sneeuw af. Even later kwam de gestalte in beweging en liep naar voren.
Vera zag Osborn aankomen. Hij liep over een door een skimotor gemaakt pad dat voor de ritten met de hondesleden werd gebruikt en keek

recht voor zich uit. Ze wist dat hij in het donker kwetsbaar was omdat zijn ogen tijd nodig zouden hebben om aan het vage licht te wennen. Ze keek om en zag dat von Holden de rugzak over zijn schouder zwaaide, zich over een heuveltje naar achteren liet glijden en uit het gezicht verdween. Hij had haar door een luchtkoker uit het IJspaleis naar buiten gebracht en haar toen zonder een woord te zeggen met handboeien aan de rail vastgemaakt. Daarna was hij weggelopen. Wat hij ook van plan was, hij had alles zorgvuldig doordacht en Osborn liep met open ogen in de val.
'Paul!' Vera's kreet weergalmde door het duister. 'Hij ligt daar op de loer. Ga terug! Bel de politie!'
Osborn bleef staan en keek in haar richting.
'Ga terug, Paul! Hij zal je doden!'
Vera zag Osborn aarzelen. Toen stapte hij plotseling opzij en verdween uit het zicht. Ze keek onmiddellijk om naar de plaats waar ze von Holden had zien verdwijnen, maar ze zag niets. Toen realiseerde ze zich dat het was gaan sneeuwen. Even heerste er diepe stilte en ze zag haar eigen adem in de kou. Plotseling voelde ze dat er iets hards tegen haar slaap werd gedrukt.
'Verroer je niet. Haal zelfs geen adem.' Osborn stond vóór haar en hield McVeys .38 tegen haar hoofd gedrukt terwijl hij met zijn blik het duister achter haar aftastte. Plotseling keek hij haar aan. 'Waar is hij?' siste hij. Hij had een kwaadaardige, meedogenloze uitdrukking in zijn ogen.
'Paul...?' riep ze. Wat deed hij?
'Waar is hij, vroeg ik.'
O GOD NEE! Plotseling werd het haar duidelijk. Hij geloofde dat ze een van hen was, dat ze bij de Organisatie hoorde. 'Paul,' zei ze smekend, 'von Holden heeft me uit de gevangenis gehaald en me meegenomen. Hij zei dat hij van de Duitse federale politie is en dat hij me naar jou zou brengen.'
Osborn trok het wapen langzaam terug. Weer keek hij achter haar het duister in. Plotseling schoot zijn rechtervoet uit en er klonk een knal als van een geweerschot. De houten leuning spleet in tweeën en Vera was los, maar met haar handen nog geboeid voor haar.
'Lopen,' zei hij. Hij duwde haar naar voren, naar het hondehok, terwijl hij haar als een schild voor zich hield.
'Niet doen, Paul, alsjeblieft...'
Osborn negeerde haar. Vóór hen was de gesloten skischool en erachter waren de hokken van hout en ijzerdraad waarin de honden overdag werden opgesloten. Toen zag hij vlak langs hen door de vallende sneeuw een vaag blauw licht schijnen dat wel een hallucinatie leek. Os-

born trok haar naar achteren en keek over zijn schouder achterom. Hij zag niets en draaide zijn hoofd terug.
'Dat licht. Wat is dat?'
'Het is...' – Vera aarzelde – 'een luchtkoker. Een tunnel. Daardoor zijn we uit het IJspaleis gekomen.'
'Is hij daar?'
Osborn draaide haar met haar gezicht naar hem toe. 'Is hij daar? Ja of nee?'
Hij zag háár niet, hij zag slechts iemand van wie hij zeker wist dat ze hem verraden had. Hij was bang en wanhopig, maar hij zette toch door.
'Ik weet het niet.' Vera was doodsbang. Als von Holden daar was en ze gingen ook naar binnen, kon hij in een heleboel bochten en hoeken in een hinderlaag liggen.
Osborn keek snel om zich heen en duwde haar toen weer vooruit naar de lichtcirkel van de luchtkoker. Ze hoorden alleen het gefluister van de wind en het gekraak van de sneeuw onder hun voeten. Enkele seconden later hadden ze de hondehokken bereikt en waren bijna bij het licht.
'Hij is helemaal niet in de tunnel, hè, Vera?' Osborn speurde met zijn blik het duister af en probeerde door de sneeuw heen iets te zien. 'Hij wacht in het donker tot je me in het licht hebt geleid, zodat ik een weerloos doelwit ben. Jij loopt daarbij geen enkel risico. Hij is een scherpschutter, een getrainde Spetsnaz-soldaat.'
Waarom wilde hij niet begrijpen wat er met haar was gebeurd, waarom geloofde hij niet dat ze de waarheid sprak?
'Verdomme, Paul! Luister naar me...' Vera begon zich om te draaien om hem aan te kijken, maar ze stopte in haar beweging. Ze zag in het blauwachtige schijnsel van het licht sporen in de sneeuw vóór hen. Osborn zag ze ook. Het waren voetsporen die door een dun laagje verse sneeuw waren bedekt en ze leidden rechtstreeks naar de tunnel. Von Holden had enkele ogenblikken geleden op de plek gestaan waar zij nu stonden.
Osborn rukte haar plotseling opzij en duwde haar ruw tegen het hondehok in de schaduw. Toen draaide hij zich naar voren en bestudeerde de sporen.
Ze kon zien dat hij probeerde te besluiten wat hij moest doen. Hij was uitgeput en bijna aan het eind van zijn Latijn. Hij dacht alleen aan von Holden en aan niets anders. Hij maakte fouten zonder het te beseffen en als hij zo doorging, zou von Holden hen spoedig allebei doden.
'Paul, kijk me aan!' schreeuwde ze plotseling met een van emotie trillende stem tegen hem. '*Kijk me aan*!'
Secondenlang bleef hij roerloos staan terwijl de sneeuw om hem heen

viel. Toen draaide hij zich langzaam en aarzelend naar haar om. Ondanks de kou was hij drijfnat van het zweet.
'Luister naar me alsjeblieft,' zei ze. 'Het doet er niet toe hoe je tot de conclusies bent gekomen die je hebt getrokken. De waarheid is dat ik nooit iets met von Holden en de Organisatie te maken heb gehad. Dit is het ogenblik waarop je me moet geloven, je *moet* me geloven en vertrouwen. Je moet geloven en vertrouwen dat wat we samen hebben *echt* is en dat er niets belangrijkers bestaat... niets...' Haar stem stierf weg.
Osborn staarde haar aan. Ze had een teer punt bij hem geraakt, een gevoelige snaar waarvan hij had gedacht dat hij hem niet meer had. Niet voor haar kiezen zou eenvoudig zijn. Daarmee zou hij achter alles een punt zetten. Als hij wél voor haar zou kiezen, zou hij haar meer moeten vertrouwen dan hij ooit iemand in zijn leven had vertrouwd. Hij zou zichzelf, zijn vader en al het andere opzij moeten schuiven. Het zou er allemaal niet meer toe doen. Na alles wat er was gebeurd zou hij nu moeten zeggen: Ik vertrouw je en ik geloof in mijn liefde voor je en als ik daardoor mijn leven verlies, accepteer ik dat.
Het zou een volledig vertrouwen moeten zijn. Volledig.
Vera keek hem afwachtend aan. Achter haar zag hij door de vallende sneeuw de lichten van het restaurant. Hij moest nu de beslissende keuze maken. Heel langzaam bracht hij zijn hand omhoog en raakte haar wang aan.
'Het is goed,' zei hij ten slotte. 'Het is goed.'

# 148

Von Holden richtte zich op zijn ellebogen op en kroop langzaam naar voren. Waar waren ze? Ze waren tot vlak bij de lichtcirkel gekomen en toen verdwenen. Het had een eenvoudige zaak moeten zijn. Hij had Osborn op de proef gesteld door zichzelf en Vera in de tunnel van het IJspaleis aan hem te vertonen. Als Osborn hen zou zijn gevolgd, zou hij hem de zijtunnel waar hij Vera mee naar toe had genomen in gesleept hebben en hem daar gedood hebben. Maar dat had hij niet gedaan en daarom had hij Vera nu gebruikt. Ze was een troefkaart geweest, meer niet. Hij wist dat Osborn hen samen in Bern in de trein had zien stappen. Daarvóór had Osborn haar voor het laatst gezien toen ze door de Duitse politie in Berlijn in hechtenis werd gehouden. Wat zou hij anders kunnen denken dan dat zij en von Holden onder één hoedje speelden en de ramp in Charlottenburg ontvluchtten? Vervuld van woede om haar verraad zou Osborn een manier vinden om haar te bevrijden en vervolgens zou hij haar, wat ze ook tegen hem zou zeggen, dwingen hem naar von Holden te brengen en haar als gijzelaar of onderhandelingstroef gebruiken.

Een windvlaag deed de sneeuw vóór hem opstuiven. Wind. Dat beviel hem niets, evenmin als de sneeuw. Hij keek op en zag een wolkenfront uit het westen naderen. Het werd ook kouder. Hij had hen eerder moeten doden, toen ze naar de skischool liepen, maar het was riskant om zo dicht bij het hoofdgebouw twee mensen om zeep te brengen en zich van hun lijk te ontdoen, vooral omdat daardoor het bereiken van zijn belangrijkste doel in gevaar zou kunnen komen. De luchtkoker was tachtig meter van het gebouw vandaan en in het donker en met de sneeuw was dat ver genoeg om hen veilig te kunnen doden. En Osborn, die over zijn toeren en in de war was, zou zijn voetafdrukken rechtstreeks naar de luchtkoker volgen. De twee schoten die een fractie van een seconde na elkaar afgevuurd zouden worden, zouden geen geluid maken. Daarna zou von Holden hun lijken naar de achterkant van de hondehokken, waar de rotsen steil afhelden, brengen en ze in het zwarte niets van de afgrond gooien. Eerst Osborn en dan...

'Von Holden!' klonk Osborns stem echoënd uit het duister. 'Vera is teruggegaan om de politie te bellen. Ik dacht dat je dat wel zou willen weten.'

Von Holden schrok, kroop toen naar achteren en liet zich achter een rotsblok glijden. Wat er ook was gebeurd, het had zich plotseling tegen hem gekeerd. Maar zelfs als de politie werd gebeld, zou het een uur of langer duren voordat ze hier was. Hij zou al het andere moeten vergeten en verdergaan.

Recht vóór hem rees de Jungfrau als een spookachtige schildwacht meer dan zeshonderd meter omhoog. Honderd meter rechts van hem en een meter of twaalf lager liep een pad rondom de wand van de rots waarop Jungfraujoch was gebouwd. Op drie van dat pad omlaag was een door een rotsformatie verborgen luchtkoker die in 1944 was aangelegd, toen het ondoordringbare systeem van tunnels en liften onder het weerstation in de gletsjer was gebouwd. Als hij die kon bereiken voordat de politie arriveerde, zou hij zich een of twee weken, zonodig langer, verborgen kunnen houden.

# 149

Osborn hurkte vlak bij de zijkant van het hondehok en luisterde, maar hij hoorde alleen het zachte gelispel van de wind die geleidelijk krachtiger werd. Voordat hij in Berlijn met McVey de deur uit was gegaan, had hij een paar hoge, zwarte Reebok-schoenen aangetrokken. Verder droeg hij nog steeds het overhemd en het kostuum dat hij aan had gehad sinds hij in Berlijn was aangekomen. Het was niet veel op een hoogte van meer dan drieduizend meter in de sneeuw terwijl de wind opstak. Het was ongelooflijk dat Osborns boosheid en wantrouwen jegens Vera in één ogenblik waren verdwenen. Het was gekomen door wat ze had gezegd en door wat hij in haar ogen had gelezen toen ze het zei. Ze had hem uitgedaagd te laten zien wie hij echt was en wat hij echt geloofde. In dat ene ogenblik was zijn twijfel verdwenen en hij herinnerde zich dat hij haar van het hondehok vandaan had getrokken, haar op de grond in de sneeuw had geduwd en haar dicht tegen zich aan gedrukt had. Ze huilden allebei en waren zich er allebei van bewust wat er was gebeurd en wat hij bijna had laten gebeuren. Toen had hij haar teruggestuurd. Een ogenblik was ze verbijsterd geweest. Ze wilde dat ze samen zouden teruggaan. Von Holden zou hen in het helder verlichte restaurant, waar andere mensen in de buurt waren, niet durven volgen.

'En als hij dat wel doet?' had Osborn gevraagd. En hij had gelijk. Von Holden was tot alles in staat.

'Er is daarbinnen een blonde vrouw, een Amerikaanse,' had hij tegen haar gezegd. 'Ze wacht op de trein die terug naar beneden gaat. Ze heet Connie en ze is heel sympathiek. Neem samen met haar de trein naar Kleine Scheidegg en bel daar de Zwitserse politie. Laat hen contact opnemen met inspecteur Remmer van de Duitse federale politie in Bad Godesberg.'

Hij herinnerde zich dat ze hem lang had aangestaard. Hij bleef niet alleen maar achter omdat hij haar wilde beschermen. Hij bleef hier om dezelfde reden waarom hij von Holden in eerste instantie was gevolgd, waarom hij in Parijs met Albert Merriman had gedaan wat hij had gedaan en waarom hij met McVey mee naar Berlijn was gekomen. Hij deed het voor zichzelf en voor zijn vader en hij zou niet teruggaan voordat hij het had volbracht. Ze had haar lippen op de zijne gedrukt en zich omgedraaid om weg te gaan. Toen had hij haar teruggetrokken. Zijn ogen schitterden. Hij stelde zich al in op wat er ging komen en hij vroeg haar weloverwogen of ze wist wat er in de rugzak zat die von Holden uit

Berlijn had meegebracht.
'Hij zei dat het documenten waren waarin de neonazistische samenzweerders werden ontmaskerd. Maar ik weet zeker dat dat niet waar is.'
Osborn keek haar na toen ze door de schaduw terugliep naar het hoofdgebouw waar ze veilig zou zijn. Toen ze enkele seconden later de deur opende en naar binnen ging, viel er een bundel licht naar buiten. De deur sloeg dicht en alles was weer donker. Onmiddellijk daarna vroeg hij zich af wat er écht in von Holdens rugzak zat. Ongetwijfeld waren het documenten, maar het zouden vast geen lijsten zijn met de namen van prominente neonazi's. De inhoud ervan zou betrekking hebben op cryochirurgie. Het zouden traktaten en verhandelingen zijn over de gebruikte methoden, beschrijvingen van de procedures van het invriezen en het ontdooien, programma's voor de computers en ontwerptekeningen van de instrumenten, misschien zelfs van zijn vaders scalpel. Ze zouden uniek zijn en daarom bewaakte hij ze zo angstvallig. Met wat voor sinistere bedoelingen de procedure ook was ontworpen, voor de medische wereld was het een fantastische ontdekking en ze moesten ten koste van alles worden beschermd.
Plotseling besefte Osborn dat zijn gedachten afdwaalden en dat von Holden hem gemakkelijk van achteren zou kunnen besluipen. Hij keek snel om zich heen, maar zag niets. Toen controleerde hij het mechanisme van de .38 om er zeker van te zijn dat het in de kou niet bevroren was, stopte het wapen achter zijn broekband en keek om naar het hoofdgebouw. Vera moest dat nu hebben bereikt en binnen op zoek zijn naar Connie.
Hij liep langzaam langs de rand van de hondehokken naar voren tot hij het licht van de tunnel zag. Hij was er zeker van dat de voetafdrukken er alleen maar toe hadden gediend hem het licht in te lokken. Von Holden was naar de tunnel gelopen, maar er niet binnengegaan. Hij zou er te weinig bewegingsvrijheid hebben en hij zou ingesloten kunnen worden als er ook iemand van de andere kant zou binnenkomen.
Aan Osborns rechterkant rees de Jungfrau bijna recht omhoog. Links van hem liep de grond schuin naar beneden en vlakte daarna af. Osborn blies in zijn handen om ze te verwarmen en liep die richting uit. Als hij gelijk had, moest von Holden die kant uit gegaan zijn.

*Übermorgen* en de doos in zijn rugzak die de plannen ervoor bevatte, bleven von Holdens grootste zorg. En van de laatste overlevende van de top van de Organisatie kon ook niet anders worden verwacht. Sector 5, *Entscheidendes Verfahren*, de definitieve procedure, was voor een noodsituatie als deze bedoeld. Er was bij de plannen rekening mee gehouden dat er weleens onvoorziene problemen zouden kunnen ontstaan en dat was ook de reden waarom hij in eerste instantie was gekozen. Hij was nog steeds niet verslagen en misschien was het ergste voorbij, dacht hij optimistisch. Er was alle kans dat de liften naar de lagere ondergrondse verdiepingen tijdens de brand niet waren vernietigd omdat de luchtkoker erboven als een schoorsteen zou hebben gewerkt, als een uitlaat voor de hitte, waardoor de installaties eronder gespaard zouden zijn gebleven.

De gedachte dat hij de liften nog steeds zou kunnen bereiken en het gevoel dat hij zijn plicht als soldaat vervulde, beurden hem op terwijl hij zich moeizaam over het pad langs de rotswand voortbewoog. Osborn zou evenveel last van de sneeuw, de wind en de kou hebben als hij en waarschijnlijk meer, omdat Osborn er niet zoals hij op was getraind in de bergen te overleven. Dat voordeel zou zijn kans vergroten om Osborn voor te blijven en de luchtkoker te bereiken terwijl al zijn sporen al door de sneeuw uitgewist zouden zijn.

Daarna zou hij alleen zijn met Osborn en de tijd zou in zijn voordeel werken.

# 150

Het pad maakte een scherpe bocht naar rechts en Osborn volgde het. Hij zocht naar von Holdens voetsporen in de sneeuw, maar tot nu toe had hij niets gezien en het sneeuwde niet hard genoeg om ze te bedekken. Verbaasd en bang dat hij de verkeerde kant uit was gegaan, bereikte hij de top van een heuveltje en bleef staan. Hij keek om, maar hij zag niets dan de werveling van de sneeuw en duisternis. Hij liet zich op één knie zakken en keek over de rand. Onder hem kronkelde zich een smal pad langs de rotswand, maar er leek geen manier te zijn om er te komen en hij kon trouwens ook niet weten of von Holden dat pad had genomen. Het konden er tientallen zijn.

Osborn stond op en wilde zich omdraaien toen hij ze zag. Verse sporen. Iemand had daar niet lang geleden gelopen, dicht aan de binnenkant van het pad dat zich langs een steile rotswand naar beneden slingerde. Wie het ook was geweest, hij moest een paar honderd meter of meer

verder op het pad waar hij zich bevond, een weg naar beneden hebben gevonden. Maar het zou hem uren kunnen kosten om die plek te vinden en tegen die tijd zouden de sporen bedekt zijn.
Osborn stapte opzij en vroeg zich af of het mogelijk was zich over de rand van het heuveltje te laten zakken en zich naar beneden te laten glijden. Het was niet diep, hooguit zes meter, maar het was toch gevaarlijk. Er was alleen maar rots, ijs en sneeuw. Er waren geen bomen, wortels of takken om zich aan vast te grijpen. Omdat hij niet wist wat er aan de andere kant van het pad was, zou hij over de rand kunnen schieten als hij te veel vaart kreeg en niet meer kon stoppen. Hij zou in een gapende afgrond terecht kunnen komen en als een steen honderden meters naar beneden vallen.
Eerst was Osborn toch bereid het risico te nemen, maar toen zag hij een scherpe uitstekende rotsformatie die recht naar het pad beneden hem liep. Op het steen had zich een groot aantal ijspegels gevormd doordat het gletsjerijs voortdurend smolt en weer bevroor. Ze zagen er stevig genoeg uit om er houvast aan te kunnen hebben. Hij liep de rotsformatie op, liet zich op de grond zakken, kroop voorzichtig naar de rand en liet zijn bovenlichaam eroverheen glijden. Het pad was hier niet meer dan viereneenhalve meter beneden hem. Als de ijspegels het hielden, zou hij heel snel beneden zijn. Hij stak zijn hand uit en pakte een ijspegel met een doorsnede van bijna tien centimeter vast om de stevigheid ervan te testen. Het uitsteeksel kon zijn gewicht gemakkelijk dragen. Hij draaide zich om en begon aan de afdaling. Hij tastte met zijn voet het steen af om een steunpunt te vinden en wist zijn teen in een opening te krijgen. Hij wilde zijn bovenste hand loslaten om de ijspegel eronder vast te pakken, maar hij kreeg er geen beweging in. Door de warmte van zijn huid was zijn hand aan het ijs vastgevroren. Hij kon geen kant meer op; hij had zijn rechterhand boven zijn hoofd en de voet van zijn gestrekte linkerbeen steunde in een holte in het rotssteen. Hij had alleen de keus zijn hand los te rukken en dat betekende dat hij de huid ervan af zou trekken. Maar er zat niets anders op. Als hij nog langer bleef hangen, zou hij hier ter plekke doodvriezen.
Hij haalde diep adem, telde tot drie en gaf een ruk aan zijn hand. Hij voelde een brandende pijn en zijn hand schoot los. Maar door de beweging glipte zijn voet van het steunpunt en hij schoot glijdend op zijn rug naar beneden. Een seconde later kwam hij op puur ijs terecht en hij kreeg nog meer snelheid. Wanhopig probeerde hij met zijn handen, voeten en ellebogen zijn vaart te remmen, maar het lukte niet. Hij ging sneller en sneller. Plotseling zag hij duisternis beneden hem en hij wist dat hij over de rand zou vliegen.

In een laatste wanhopige poging greep hij met zijn linkerhand naar de enige steen die hij zag en hij kwam met zijn voeten maar een paar centimeter van de rand vandaan tot stilstand.
Zijn hele lichaam beefde. Hij liet zich achteroverzakken en begroef eerst zijn ene en toen zijn andere hiel in de sneeuw. De door een windvlaag opgeblazen sneeuw striemde zijn gezicht. Osborn sloot zijn ogen en bad dat hij niet na al die jaren, nadat hij zo ver was gekomen, op een onherbergzame, godverlaten gletsjer zou doodvriezen. Het zou zijn hele leven zinloos maken en hij weigerde dat te laten gebeuren!
Naast hem was een brede scheur in de rotswand. Hij draaide zich voorzichtig op zijn zij, sloeg zijn ene voet over de andere en trapte de sneeuw omhoog zodat hij een steunpunt zou hebben. Vervolgens rolde hij zich op zijn buik, greep de rand van de scheur met beide handen vast en trok zich op. Even later kreeg hij een knie in de scheur, daarna een voet en ten slotte kon hij gaan staan.

Von Holden stond een meter of dertig hoger recht boven hem op het pad tegen de rotswand gedrukt. Even daarvoor was Osborn over het pad langs hem gegleden en als hij anderhalve meter dichterbij was geweest, zou Osborn hem over de rand hebben meegesleurd.
Hij keek naar beneden en kon net zien dat de Amerikaan zich boven een afgrond van zeshonderd meter aan de rotswand vastklemde. Hij zou tegen een steile, verraderlijke helling van ijs en steen terug omhoog moeten klimmen, wat nog bemoeilijkt zou worden door de wind en de sneeuw. Het was een bijna onmogelijke opgave. Von Holden was minder dan driehonderd meter van de luchtkoker verwijderd. Het pad was steil, kronkelig en verraderlijk, maar zelfs in de sneeuw zou hij er in tien tot vijftien minuten kunnen zijn. Zelfs als het Osborn zou lukken naar de plek te klimmen waar von Holden nu stond, zou hij dat onmogelijk binnen die tijd kunnen doen, laat staan dat hij hem zou kunnen inhalen. Als von Holden eenmaal in de luchtkoker was, zou hij verdwijnen.
Ja, de politie zou komen, maar tenzij ze hier een week of langer zou blijven tot hij weer zou opduiken, wat zeer twijfelachtig was, zou ze aannemen dat Vera ze hierheen had laten komen om te verhullen dat von Holden ergens anders heen was gevlucht. En anders zou ze ervan uitgaan dat hij in een bergspleet was gevallen of in een van de honderden bodemloze gaten in de Aletsch-gletsjer was verdwenen. De politie zou hoe dan ook vertrekken en Vera arresteren als medeplichtige aan de moord op de politiemannen in Frankfurt.
Wat Osborn betrof, zelfs als hij op de een of andere manier de nacht wist te overleven, zou zijn verhaal niet geloofwaardiger dan het hare zijn.

Hij had een man achtervolgd, de berg op. En toen? Waar was die man dan? Wat zou Osborn daarop moeten antwoorden? Natuurlijk zou het beter zijn als hij dood was, maar om hem te doden zou von Holden zich naar de rand van het pad moeten wagen en het riskeren in het donker een schot op hem af te vuren. Maar dat zou geen enkele zin hebben. De grond was verraderlijk glad en hij zou kunnen uitglijden of misschieten. En als hij Osborn zou doden of verwonden zouden ze weten dat hij hier was geweest en daarmee zou Vera's verhaal bevestigd worden. Ze zouden de jacht op hem voortzetten. Nee, het was beter Osborn te laten waar hij was en te hopen dat hij zou vallen of doodvriezen. Dat was de juiste manier van denken. Scholl had hem niet voor niets *Leiter der Sicherheit* gemaakt.

# 151

Osborns gezicht en schouders waren plat tegen de rotswand gedrukt en de neuzen van zijn Reebok-schoenen waren strak in een niet meer dan vijf centimeter brede richel in het steen gewrongen. Beneden hem gaapte een koude, donkere afgrond. Hij had er geen idee van hoe diep hij zou vallen als hij weggleed, maar toen er boven hem een grote steen losraakte en langs hem stuiterde luisterde hij, maar hij hoorde hem niet neerkomen. Hij keek op en probeerde het pad te zien, maar een uitsteeksel van ijs belemmerde zijn zicht. De scheur waarin zijn voeten stonden, liep horizontaal over de rotswand waaraan hij zich vastklampte. Hij kon naar links en rechts, maar niet naar boven en nadat hij zich ruim een halve meter naar beide richtingen had bewogen, merkte hij dat de spleet aan de rechterkant breder werd. In de wand boven zijn hoofd waren puntige uitsteeksels die hij kon vastgrijpen. Ondanks de kou voelde zijn rechterhand, waar de huid vanaf was getrokken toen hij hem van de ijspegel had losgerukt, aan alsof iemand er een gloeiend heet strijkijzer tegen drukte en de pijn was ondraaglijk als hij zijn vingers om de rotspunten sloot. Maar in zekere zin was dat goed, want daardoor bleef zijn aandacht geconcentreerd en dacht hij alleen maar aan de pijn en aan hoe hij het beste een rotspunt kon vastgrijpen zonder zijn houvast te verliezen. Hand naar rechts, vastgrijpen. Voet naar

rechts, een steunpunt zoeken en voelen of het stevig genoeg was. Gewicht verplaatsen, evenwicht vinden en daarna hetzelfde met de linkerhand en de linkervoet.
Hij was nu bij de rand van de rotswand gekomen, die daar naar binnen boog naar een soort steil ravijn. Een berggeul noemden skiërs het. Een couloir. Maar door de wind en de sneeuw kon hij onmogelijk zien of de scheur doorliep of gewoon ophield. Als de scheur daar bij de rand ophield, betwijfelde hij of hij in staat zou zijn terug te gaan en dezelfde bewegingen in omgekeerde richting uit te voeren. Osborn bleef staan, hield een hand voor zijn mond en blies erop. Toen deed hij hetzelfde met zijn andere hand. Zijn horloge was in zijn mouw omhooggeschoven en hij kon het onmogelijk naar beneden krijgen zonder het risico te lopen dat hij zijn evenwicht zou verliezen, dus hij had er geen idee van hoe lang hij hier was. Hij wist wel dat het nog vele uren zou duren voordat het licht werd en dat hij binnen enkele minuten aan onderkoeling zou sterven als hij niet in beweging bleef. Plotseling ontstond er een breuk in het wolkendek en hij zag heel even de maan ertussendoor schijnen. Direct rechts van hem zag hij drie tot drieëneenhalve meter lager een brede richel die naar de berg terugleidde. De richel zag er ijsachtig en glad uit, maar was breed genoeg om erop te kunnen lopen. Toen zag hij iets anders. Een smal pad kronkelde zich naar de gletsjer en er liep een man met een rugzak op.
De maan verdween even snel als ze was verschenen en de wind werd krachtiger. De opgewaaide sneeuw prikte in Osborns gezicht als glassplinters die uit een hogedrukslang werden gespoten en hij moest van pijn zijn hoofd omdraaien en tegen de bergwand drukken. De richel is er, dacht hij. Hij is breed genoeg om erop te staan. Welke macht je ook zo ver heeft gebracht, ze heeft je nog een kans gegeven. Vertrouw erop.
Zich langzaam naar de rand werkend, stak Osborn een voet uit. Er was niets dan lucht. Heb vertrouwen, Paul. Vertrouw wat je zag. Met die gedachte zette hij zich af en liet zich in het duister vallen.

# 152

Zonder aanwijsbare reden dacht von Holden aan Scholl en hij vroeg zich af waarom deze aan die verschrikkelijke, zelfs maniakale angst leed om ongekleed gezien te worden. Er hadden geruchten de ronde gedaan dat Scholl geen penis had, dat die bij het een of andere ongeluk tijdens zijn jeugd afgesneden was, dat hij een echte hermafrodiet was en zowel een baarmoeder en borsten als een penis had en zichzelf daarom als een wangedrocht beschouwde...
Von Holden was van mening dat Scholl niet ongekleed gezien wilde worden omdat hij een afkeer had van alle vormen van menselijke warmte, ook van die van het menselijk lichaam. Slechts de geest en de macht van de geest waren belangrijk en daardoor wekten lichamelijke en emotionele behoeften zijn weerzin op, hoewel ze bij hem even sterk aanwezig waren als bij ieder ander. Von Holden hield abrupt op met mijmeren en hij richtte zijn aandacht op het pad vóór hem en op de gletsjer die zich links van hem kilometers ver uitstrekte.
Hij keek omhoog en zag de maan even tussen de wolken te voorschijn komen. Toen zag hij boven zich een schaduw bewegen. Osborn klom langs de rotswand en recht onder hem was een brede richel! Als hij die zag en zou weten te bereiken, zou hij binnen enkele ogenblikken von Holdens sporen in de verse sneeuw zien.
Toen schoven er wolken voor de maan en het werd weer donker. Hij keek nog steeds omhoog en meende te zien dat Osborn zich naar de richel liet vallen. Hij moest nog minimaal vijftig meter afleggen voordat hij bij de luchtkoker zou zijn en Osborn was zo dichtbij dat hij zijn spoor gemakkelijk zou kunnen volgen. Genoeg, dacht von Holden. Als je hem nu doodt, kun je zijn lijk mee de luchtkoker in nemen. Niemand zal het ooit vinden.

Door de val op de richel was de lucht uit Osborns longen geperst en het duurde secondenlang voordat hij weer bij zijn positieven was. Toen kwam hij op één knie overeind en keek naar de plaats waar hij von Holden voor het laatst had gezien. Hij kon het pad langs de rotwand net zien, maar von Holden was verdwenen. Hij ging staan en was plotseling bang dat hij McVeys revolver verloren zou hebben. Maar nee, het wapen zat nog achter zijn broekband. Hij haalde het te voorschijn, opende de kamer en draaide die zo dat er een kogel recht onder de hamer en de slagpin zat. Toen begon hij, met één hand tegen de rotswand steunend en met de revolver in de andere, over de richel naar voren te lopen.

Von Holden liet de rugzak van zijn schouder glijden en nam een positie in vanwaaruit hij het pad dat achter hem naar beneden liep, goed kon zien. Toen trok hij zijn automatische 9mm pistool, leunde achterover en wachtte.

Toen Osborn het grote pad bereikte, werd de richel plotseling smaller en op dat moment kwam de maan weer achter de wolken vandaan. Het leek alsof er iemand een spotlight op hem richtte. Hij liet zich instinctief op de grond vallen toen een salvo uit het een of andere automatische wapen de rotswand op de plek waar hij had gestaan deed exploderen. Een regen van brokjes rots en ijs daalde op hem neer. Toen verdween de maan en was er niets anders dan duisternis, stilte en de wind. Hij had er geen idee van waar de schoten vandaan waren gekomen en hij had ze evenmin gehoord. Dat betekende dat von Holden een wapen met een geluiddemper en een vlamonderdrukker had. Als von Holden boven hem was of probeerde daar een positie in te nemen, was Osborn volkomen onbeschut. Hij kroop op zijn buik naar voren tot hij bij de rand van het pad was gekomen en tuurde eroverheen. Anderhalve meter lager was een rotsachtig uitsteeksel, maar het zou hem niet meer bescherming bieden dan hij nu had.
Onder dekking van de duisternis stond hij plotseling op, rende een stuk en dook op de grond. Terwijl hij dat deed, voelde hij dat zijn schouder door iets hards werd geraakt waardoor hij opzij en naar achteren werd geworpen. Tegelijkertijd hoorde hij een enorme knal. Toen kwam hij hard op zijn rug op de sneeuw terecht en een ogenblik werd alles zwart. Toen hij zijn ogen opende, zag hij alleen de top van de rots. Hij rook kruit en hij realiseerde zich dat zijn eigen revolver afgegaan moest zijn. Hij stak een hand uit en wilde zich oprichten toen een schaduw zijn gezichtsveld binnenstapte.
Het was von Holden. Hij had de rugzak op zijn rug en in zijn hand had hij een pistool dat er vreemd uitzag.
'Bij de Spetsnaz werd ons geleerd tegen de beul te glimlachen,' zei von Holden kalm. 'Daardoor word je onsterfelijk.'
Plotseling besefte Osborn dat hij zou sterven en dat binnen enkele seconden alles wat hem zo ver had gebracht hier tot een eind zou komen. Het treurige, tragische ervan was dat hij er totaal niets aan kon doen. Maar hij leefde nog en de kans bestond dat von Holden hem iets zou vertellen voordat hij hem zou doodschieten.
'Waarom is mijn vader vermoord?' vroeg hij. 'Om dat scalpel dat hij

heeft uitgevonden? Om de operatie op Elton Lybarger? Vertel het me, alsjeblieft.'
Von Holden glimlachte hooghartig. '*Für Übermorgen*,' zei hij triomfantelijk. 'Voor overmorgen!'
Von Holden keek plotseling op toen er uit de duisternis boven hem een donderend geraas weerklonk. Het leek op een zware storm die kreunde en gilde alsof de aarde uiteengescheurd werd. Het geraas werd oorverdovend en er daalde een regen van rotsstenen en schalie neer. Toen werden ze geraakt door het voorste deel van de lawine en von Holden en Osborn werden achteruitgeslingerd en als ledepoppen over de rand van het pad geworpen. Ze vlogen rondbuitelend een smalle, zeer diepe couloir in en terwijl hij in de lucht ronddraaide, kreeg Osborn heel even von Holden in het oog. Zijn gezicht vertoonde een geschrokken en ongelovige gelaatsuitdrukking, bevroren in een onuitsprekelijk afgrijzen. Toen was hij verdwenen, meegesleurd door een bulderende vloedgolf van ijs, sneeuw en brokstukken.

# 153

Von Holden, die op een bijna vlakke, met losse stenen bedekte rotsplaat terechtgekomen was, herstelde zich het eerst. Hij stond wankelend op en keek om zich heen. Boven hem zag hij het spoor van de lawine en de wanden van de smalle couloir waarin hij was gevallen. Riviertjes van ijs en sneeuw stroomden nog steeds naar beneden. Hij draaide zich om en zag de gletsjer op de plaats waar hij hoorde te zijn, maar verder zag niets er bekend uit en hij had er geen idee van waar hij was ten opzichte van het pad waarop hij had gestaan. Hij keek omhoog in de hoop dat de maan weer vanachter de wolken te voorschijn zou komen, maar in plaats daarvan zag hij de hemel die niet langer grauw en betrokken was, maar kristalhelder. Maar er waren geen maan en sterren. In plaats daarvan strekte zich tot hoog in de hemel het rood-met-groene noorderlicht uit. De enorme, fondantkleurige uit linten bestaande gordijnen uit zijn nachtmerries.
Hij schreeuwde, draaide zich om en begon te rennen terwijl hij wanhopig zocht naar het pad dat naar de ingang van de luchtkoker leidde.

Maar niets was zoals het hoorde te zijn. Hij was hier nog nooit geweest. In paniek rende hij verder, maar hij werd tegengehouden door een muur van steen en hij besefte dat hij een cul-de-sac was binnengelopen aan weerszijden waarvan de rotswanden zich meer dan honderd meter in de rood-met-groene lucht verhieven.

Hijgend en met bonkend hart draaide hij zich om. Het rood-met-groen werd helderder en de torenhoge gordijnen begonnen naar hem toe te dalen en tegelijkertijd langzaam op en neer te golven, als de enorme monolitische zuigers uit zijn dromen.

De gordijnen kwamen weerzinwekkend golvend dichterbij. Ze baadden hem in hun rood-met-groene gloed en dreigden zich als een lijkwade om hem heen te wikkelen.

'Nee!' schreeuwde hij, alsof hij de betovering wilde verbreken en doen verdwijnen. Zijn stem weerkaatste tegen de rotsmassa's en over de gletsjer. Maar de betovering werd niet verbroken en ze kwamen gestaag pulserend dichterbij alsof ze een levend organisme waren dat de hemel in bezit had. Opeens werden ze doorzichtig als de afzichtelijke tentakels van kwallen en ze daalden nog verder, alsof ze hem wilden verstikken.

In stomme paniek draaide hij zich om en rende dezelfde weg terug.

Weer stond hij in de cul-de-sac tegenover de rotswanden. Hij draaide zich om en zag vol afgrijzen dat de doorzichtige, glanzende, golvende tentakels zich naar hem toe bewogen en zich naar beneden lieten zakken. Waren ze hier om hem voor zijn naderende dood te waarschuwen? Of was het deze keer de dood zelf? Hij deinsde terug. Wat wilden ze? Hij was slechts een soldaat die bevelen opvolgde. Een soldaat die zijn plicht deed. Toen kreeg hij hetzelfde gevoel dat hij eerder had gehad en de angst verliet hem. Hij was een Spetsnaz-soldaat! Hij was *Leiter der Sicherheit*! Hij zou de dood niet toestaan hem te komen halen voordat zijn doel bereikt was! '*Nein*!' schreeuwde hij luid. '*Ich bin der Leiter der Sicherheit*!' Hij rukte de rugzak van zijn schouder, maakte de riempjes los en haalde de doos eruit. Hij wiegde hem in zijn armen en deed een stap naar voren. '*Dass ist meine Pflicht*!' zei hij terwijl hij de doos met beide handen naar voren stak.

'*Dass ist meine Seele*!'

Het noorderlicht verdween abrupt en von Holden bleef bevend in het maanlicht staan met de doos nog steeds in zijn armen. Een ogenblik later kon hij zijn eigen ademhaling horen en daarna voelde hij dat zijn hartslag weer normaal werd. Hij liep de cul-de-sac uit en bereikte de rand van de berg waar hij over de gletsjer kon uitkijken. Beneden zich zag hij het duidelijk zichtbare pad naar de luchtkoker. Hij zette zich onmiddellijk in beweging en begon het pad af te lopen met de doos nog

steeds in zijn armen geklemd.
De storm was nu gaan liggen en de maan en de sterren schitterden aan de hemel. De helderheid van het maanlicht en de hoek waarin het naar beneden viel, gaven het sneeuwlandschap iets puurs en tijdloos waardoor het leek alsof hij zich tegelijkertijd in het verleden en de toekomst bevond. Von Holden kreeg het gevoel alsof hij doortocht had geëist en gekregen naar een wereld die alleen in een andere dimensie bestond.
'*Dass ist meine Pflicht*!' zei hij weer terwijl hij naar de sterren omhoog keek. Plichtsvervulling komt vóór alles! Vóór de aarde en vóór God. Plichtsvervulling overstijgt de tijd.
Binnen enkele minuten had hij de rotspunt die de toegang naar de luchtkoker verborg, bereikt. De rotspunt stak uit over het pad en hij moest eromheen stappen om de luchtkoker binnen te kunnen gaan. Terwijl hij dat deed, zag hij Osborn dertig meter lager languit op een met sneeuw bedekte uitstekende richel liggen met zijn been in een vreemde hoek onder hem gebogen. Von Holden wist dat het gebroken was. Maar hij was niet dood. Zijn ogen waren open en hij keek naar hem.
Neem geen risico meer met hem, dacht hij. Schiet hem nu dood.
Von Holdens laars deed wat sneeuw opstuiven toen hij dichter naar de rand stapte en naar beneden keek. Hij stond in diepe schaduw terwijl het volle licht van de maan de Jungfrau boven hem bescheen, maar zelfs in het duister kon Osborn zien dat hij het gewicht van de doos verplaatste en op zijn linkerarm liet steunen. Toen zag hij een tweede beweging en von Holden bracht met zijn rechterhand het pistool omhoog. Osborn had McVeys revolver niet meer; hij was het wapen kwijtgeraakt tijdens de lawine die zijn leven had gered. Hij had één kans gehad, maar een tweede zou hij niet krijgen tenzij hij zelf iets deed.
Met een van pijn vertrokken gezicht doordat zijn gebroken been onder hem werd verdraaid, begroef Osborn zijn ellebogen in de sneeuw en maakte een trappende beweging met zijn andere been. Er schoot een onverdraaglijke pijn door zijn hele lichaam terwijl hij langzaam naar achteren schoof en zich als een gewond dier radeloos over het ijs en het steen kronkelde om zich over de richel buiten de vuurlinie te slepen. Plotseling voelde hij zijn hoofd naar beneden zakken en hij besefte dat hij bij de rand gekomen was. Koude lucht steeg van beneden op en toen hij over zijn schouder keek, zag hij alleen een groot donker gat in de gletsjer onder hem. Langzaam draaide hij zijn hoofd terug en hij kon voelen hoe von Holden glimlachte terwijl zijn vinger zich om de trekker spande.
Toen lichtten von Holdens ogen in het maanlicht op. Zijn pistool schokte in zijn hand en hij bewoog zich met een ruk opzij terwijl hij zijn

kogels in het luchtledige afschoot. Hij bleef schieten en zijn hele lichaam bewoog zich krampachtig in het ritme van het geratel van zijn pistool tot het leeg was. Toen werd zijn hand slap en viel langs zijn zij. Hij liet het pistool los en bleef een ogenblik met wijdopen ogen en met de doos nog steeds in zijn linkerarm staan. Toen verloor hij heel langzaam zijn evenwicht, helde voorover en stortte in de kristalheldere nachtlucht over Osborn heen de gapende, donkere afgrond in.

# 154

Osborn herinnerde zich dat hij honden had gehoord en daarna gezichten zag. Een plaatselijke dokter en Zwitserse verplegers. Leden van een reddingsteam die hem op een brancard in het donker door de sneeuw omhoogdroegen. Vera in het station met een bleek en strak gezicht van angst. Geüniformeerde politiemannen op de terugreis in de trein. Ze praatten met elkaar, maar hij herinnerde zich niet dat hij had gehoord wat ze zeiden. Connie die naast hem zat en geruststellend tegen hem glimlachte. En weer Vera die zijn hand vasthield.
Daarna moesten de verdovende middelen, de pijn of de uitputting de bovenhand hebben gekregen, want hij verloor het bewustzijn.
Later meende hij zich nog te herinneren dat er iets over een ziekenhuis in Grindelwald was gezegd en dat er een soort ruzie was ontstaan over de vraag wie hij was. Hij had durven zweren dat Remmer de kamer binnenkwam, gevolgd door McVey in zijn verkreukelde pak. McVey schoof een stoel naast het bed en ging zitten terwijl hij naar hem bleef kijken.
Toen zag hij von Holden weer op de berg. Hij zag hem op de rand van het pad wankelen en daarna vallen. Heel even had hij de indruk dat er iemand recht achter von Holden op het pad stond. Hij herinnerde zich dat hij probeerde te bedenken wie het zou kunnen zijn en daarna realiseerde hij zich dat het Vera was. Ze had een enorme ijspegel in haar hand die met bloed bedekt was. Maar toen vervaagde dat visioen en het maakte plaats voor een ander dat oneindig veel duidelijker was. Von Holden leefde en viel naar hem toe met de doos nog in zijn armen geklemd. Hij viel niet met een normale snelheid, maar in een soort ver-

wrongen vertraagde beweging en in een boog, waardoor hij over de rand in de peilloze, honderden meters diepe duisternis zou storten. Toen was hij verdwenen en was er niets anders meer over dan wat er daarvóór, vlak voordat de lawine naar beneden was gekomen, was gezegd.
'Waarom is mijn vader vermoord?' had Osborn gevraagd.
'*Für Übermorgen*,' had von Holden geantwoord. 'Voor de dag na morgen!'

# 155

*Berlijn, maandag 18 oktober*

Vera zat alleen achter in een taxi. Ze reden over de Clay Allee, sloegen rechtsaf de Messelstrasse in en reden het hart van Dahlem, een van de mooiste wijken van Berlijn binnen. Er viel al twee dagen achter elkaar een koude regen en de mensen klaagden er al over. Die ochtend had de portier van Hotel Kempinski persoonlijk één enkele rode roos bij haar bezorgd. Er was een verzegelde envelop bijgevoegd en in een haastig neergekrabbeld briefje werd haar gevraagd die aan Osborn te geven wanneer ze hem in het kleine, exclusieve ziekenhuis in Dahlem zou bezoeken. Het briefje was ondertekend met 'McVey'.
Vanwege wegwerkzaamheden moesten ze naar Dahlem omrijden en ze passeerden de puinhoop die eens Charlottenburg was geweest. Arbeiders waren in de harde regen bezig het overblijfsel van het gebouw uit te breken. Bulldozers walsten over de tuinen om het puin op te ruimen. Ze schoven het tot grote, zwartgeblakerde bergen bij elkaar en daarna werd het machinaal in kipauto's geladen en afgevoerd. De tragedie had over de hele wereld de voorpagina's gehaald en in de hele stad hingen de vlaggen halfstok. Er werden voorbereidingen getroffen voor een staatsbegrafenis van de slachtoffers, die door twee voormalige presidenten van de Verenigde Staten, de president van Frankrijk en de premier van Engeland zou worden bijgewoond.
'Het is al eerder verbrand, in 1746,' vertelde de taxichauffeur haar met een krachtige, van trots vervulde stem. 'Het is toen herbouwd en het zal

weer herbouwd worden.'
Vera sloot haar ogen toen de taxi in de Kaiser-Friedrichstrasse naar Dahlem afsloeg. Ze was vanaf de berg met Osborn meegekomen en zo lang bij hem gebleven als haar werd toegestaan. Toen had ze een politie-escorte naar Zürich gekregen, waar haar was verteld dat Osborn naar een ziekenhuis in Berlijn zou worden gebracht. En daarheen was ze nu op weg. Het was allemaal in een te korte tijd gebeurd. Beelden en gevoelens waarvan sommige mooi en andere pijnlijk en angstaanjagend waren, botsten met elkaar. Liefde en dood gingen hand in hand. Het leek bijna alsof ze een oorlog had meegemaakt. Daarin was McVey steeds dominant aanwezig geweest. Aan de ene kant was hij een soort ernstige grootvader die zich om ieders mensenrechten en waardigheid bekommerde, maar aan de andere kant was hij een soort Patton. Egoïstisch en hard, meedogenloos en zelfs wreed. Hij was iemand die ten koste van alles de waarheid wilde achterhalen.
De taxi zette haar af onder een overkapping en ze liep het ziekenhuis binnen. Het was warm in de kleine hal en ze schrok toen ze een geüniformeerde politieman zag. Hij hield haar nauwlettend in het oog tot ze zich bij de balie aanmeldde. Toen gaf hij onmiddellijk telefonisch door dat de lift naar beneden moest komen en hij glimlachte tegen haar toen ze instapte.
Een tweede politieman stond op de eerste verdieping voor de deur van de lift en een rechercheur in burger stond voor de deur van Osborns kamer. Beide mannen leken te weten wie ze was en de laatste groette haar zelfs bij haar naam.
'Is hij in gevaar?' vroeg ze, bezorgd door de aanwezigheid van de politie.
'Het is alleen een voorzorgsmaatregel.'
'Ik begrijp het.' Vera wendde zich naar de deur. In de kamer erachter lag een man die ze nauwelijks kende, maar van wie ze hield alsof ze al eeuwen bij elkaar waren. De korte tijd die ze samen hadden doorgebracht, was zonder weerga geweest en hij had gevoelens bij haar gewekt die ze daarvoor bij geen enkele andere man had ervaren. Misschien kwam het doordat ze, toen ze elkaar voor het eerst aankeken, ook in de toekomst hadden gekeken. En wat ze hadden gezien, hadden ze samen gezien, alsof ze nooit meer van elkaar zouden scheiden. En toen, op de berg, had hij het onder de meest benarde omstandigheden bevestigd. Voor hen allebei.
Dat dacht ze tenminste. Plotseling was ze bang dat haar gevoelens niet beantwoord werden. Dat ze alles verkeerd had geïnterpreteerd en dat wat er ook tussen hen had bestaan, vluchtig en eenzijdig was geweest en

dat ze aan de andere kant van de deur niet de Paul Osborn die ze kende, maar een vreemde zou aantreffen.
'Waarom gaat u niet naar binnen?' vroeg de rechercheur glimlachend en hij opende de deur.

Hij lag in bed met zijn linkerbeen onder een ingewikkelde constructie van katrollen, touwen en tegengewichten. Hij droeg niets anders dan zijn T-shirt van de L.A. Kings en een helderrode onderbroek en toen ze hem zag verdwenen al haar angsten en begon ze te lachen.
'Wat is er zo grappig?' vroeg hij.
'Weet ik niet...' Ze giechelde. 'Ik weet het absoluut niet... Het komt gewoon door...'
Toen sloot de rechercheur de deur en ze liep naar hem toe en hij sloeg zijn armen om haar heen. Toen kwam alles terug wat er was gebeurd – op de Jungfrau, in Parijs, in Londen en in Genève. Buiten regende het en de Berlijners klaagden, maar voor hen maakte het helemaal niets uit.

# 156

*Los Angeles*

Paul Osborn zat op de met gras begroeide patio van zijn huis in Pacific Palisades en staarde uit over de Santa Monica Bay die zich als een hoefijzer van licht voor hem uitstrekte. Het was een week voor Kerstmis; het was tien uur 's avonds en de temperatuur was tweeëntwintig graden. Wat er op de Jungfrau was gebeurd was te verwarrend en te gecompliceerd geweest om te kunnen begrijpen. De laatste ogenblikken waren bijzonder verwarrend geweest omdat hij niet zeker wist wat er was gebeurd en evenmin hoeveel van wat er volgens hem was gebeurd, echt had plaatsgevonden.
Als medicus begreep hij dat hij vanaf zijn kindertijd tot in zijn volwassenheid psychisch, en de laatste weken ook fysiek, flinke schade had opgelopen, waarbij de laatste paar dagen in Duitsland en Zwitserland wel de meest tumultueuze waren geweest die hij ooit had meegemaakt. Maar op de Jungfrau had de scheidslijn tussen werkelijkheid en halluci-

natie eindelijk opgehouden te bestaan. Het duister en de sneeuw waren versmolten met angst en uitputting. De verschrikking van de lawine, de zekerheid dat hij door von Holden zou worden gedood en de ondraaglijke pijn in zijn gebroken been hadden zijn laatste restje realiteitsbesef weggevaagd. Hij was niet meer in staat geweest werkelijkheid en droom uit elkaar te houden. Maar maakte dat nu nog wel wat uit? Hij was weliswaar gewond, maar hij was thuis en herstelde goed.
Hij nam een slokje van zijn ijsthee en keek weer naar de baai. In Parijs was het zeven uur in de ochtend. Over een uur zou Vera in de trein naar Calais zitten om naar haar grootmoeder te gaan. Samen zouden ze met de HoverSpeed naar Dover varen en daar de trein naar Londen nemen. De volgende morgen om elf uur zouden ze met British Airways van Heathrow Airport naar Los Angeles vertrekken. Vera was één keer eerder in de Verenigde Staten geweest, met François Christian, maar voor haar grootmoeder was het de eerste keer. Hij had er geen idee van wat de oude Française van Kerstmis in Los Angeles zou vinden, maar hij was er zeker van dat ze haar mening niet onder stoelen of banken zou steken, laat staan over de zon en hemzelf.
Dat Vera zou komen was al opwindend genoeg en dat ze haar grootmoeder meebracht, maakte haar bezoek legitiem. Als ze zou blijven en arts in de Verenigde Staten wilde worden, zou ze aan de strenge eisen van de Opleidingscommissie voor Buitenlandse Afgestudeerden in de Medicijnen moeten voldoen. Voor sommige dingen zou ze weer naar de universiteit moeten en voor andere zou ze een veeleisend en saai coassistentschap moeten lopen. Het zou een zware, moeilijke opgave voor haar worden die veel tijd en energie zou vergen, terwijl ze die moeite helemaal niet hoefde te doen omdat ze in Frankrijk al bijna arts was. Het probleem was dat hij haar had gevraagd met hem te trouwen, om naar Californië te komen en samen nog lang en gelukkig te leven. Ze had in zijn ziekenhuiskamer met een glimlach op zijn aanzoek geantwoord dat ze 'nog wel zou zien'. Dat waren haar woorden geweest.
'Ik zal nog wel zien...'
Hoezo? had hij gevraagd. Of ze in Californië wilde wonen? Of ze met hem wilde trouwen? Maar hij kreeg niet meer uit haar dan 'ik zal nog wel zien...' Toen had ze hem gekust en was naar Parijs vertrokken.
In de envelop van McVey die Vera voor hem had meegebracht, zat zijn paspoort dat de eerste Parijse prefectuur van politie had teruggegeven. Er was een in het Frans geschreven, door Barras en Maitrot ondertekend briefje bijgevoegd waarin ze hem het beste wensten en de oprechte hoop uitspraken dat hij voortaan al het mogelijke zou doen om uit Frankrijk weg te blijven. Precies een week nadat hij van de Jungfrau

naar beneden gehaald en naar Berlijn gevlogen was, twee dagen nadat Vera naar Parijs was vertrokken, was hij uit het ziekenhuis ontslagen. Remmer, die uit Bad Godesberg was overgekomen, had hem naar het vliegveld gebracht en hem van het laatste nieuws op de hoogte gesteld. Noble was met een vliegtuig naar Londen teruggebracht en verbleef nu in een brandwondencentrum. Hij zou een aantal huidtransplantaties moeten ondergaan en het zou maanden duren voordat hij weer een normaal leven zou kunnen leiden, als dat ooit nog mogelijk zou zijn. Remmer zelf was met een gebroken pols al weer volledig aan het werk en had de leiding gekregen over het onderzoek naar de gebeurtenissen die aan de brand in het Charlottenburgpaleis en de schietpartij in Hotel Borggreve waren voorafgegaan. Joanna Marsh, Lybargers Amerikaanse fysiotherapeute, was in een hotel in Berlijn gevonden. Ze was uitgebreid ondervraagd en daarna vrijgelaten en door McVey terug naar de v.s. geëscorteerd. Wat er daarna met haar was gebeurd, wist Remmer niet. Hij nam aan dat ze naar huis gegaan was.
'Remmer...' had Osborn voorzichtig gevraagd toen de herinneringen aan die laatste nacht op de Jungfrau terugkwamen. 'Weet je waarvandaan ze de Zwitserse politie heeft gebeld? Vanaf welk station, Kleine Scheidegg of Jungfraujoch?'
Remmer wendde zijn blik van de weg af en keek hem aan. 'Heb je het over Vera Monneray?'
'Ja.'
'Zíj heeft de Zwitserse politie niet gebeld.'
'Hoe bedoel je?' Osborn was stomverbaasd.
'Er is door een andere vrouw gebeld, een Amerikaanse. Ze was een toeriste... Connie nog wat, geloof ik.'
'Connie?'
'Inderdaad.'
'Wil je zeggen dat Vera wist waar ik was? Dat ze hun heeft verteld waar ze me konden vinden?'
'De honden hebben je gevonden.' Remmer fronste zijn voorhoofd. 'Waarom denk je dat het Vera Monneray was?'
'Ze was op het station van Jungfraujoch toen ze me naar beneden hadden gebracht,' zei Osborn onzeker.
'Evenals een heleboel andere mensen.'
Osborn wendde zijn blik af. Honden. Goed, daar zou hij het dan maar op houden. Het beeld van Vera die met een enorme bebloede ijspegel in haar handen op het pad stond nadat von Holden was gevallen, moest hij dan maar als niets meer dan een zinsbegoocheling beschouwen, als een onderdeel van zijn hallucinaire dromen.

'Je vraagt me eigenlijk of ze onschuldig is. Je wilt het graag geloven, maar je weet het nog steeds niet zeker.'
Osborn wendde zijn gezicht naar hem toe. 'Ik weet het zeker.'
'Daar heb je dan gelijk in. We hebben de apparatuur gevonden waarmee von Holdens valse legitimatiepapieren van het BKA zijn gedrukt. De spullen stonden in het appartement van de mol van de Organisatie die in de gevangenis werkte en haar in vrijheid gesteld en aan von Holden overgedragen heeft. Ze dacht dat hij haar naar jou zou brengen. Hij wist veel te veel om hem te wantrouwen. Dat gebeurde pas op het laatst.'
Osborn had de bevestiging niet nodig. Als hij het op de berg al niet had geloofd, geloofde hij het zeker tegen de tijd dat Vera uit Berlijn naar Parijs was vertrokken.
'En hoe zit het met Joanna Marsh?' vroeg hij. 'Heeft ze jullie enige aanwijzing kunnen geven waarom Salettl ons achter haar aan heeft gestuurd?'
Remmer zweeg secondenlang en schudde toen zijn hoofd. 'Misschien komen we er nog wel eens achter.' Iets in Remmers gedrag suggereerde dat hij meer wist dan hij losliet. Hij moest voor ogen houden dat Remmer toch een politieman was, hoeveel ze samen ook hadden doorgemaakt. En de politie kon je nooit helemaal vertrouwen. Kijk maar eens naar wat ze Vera hadden aangedaan terwijl ze binnen een paar uur en misschien wel direct hadden geweten dat ze niets met de Organisatie te maken had en dat ze Avril Rocard niet was. De macht die de politie had was angstaanjagend omdat ze die zo gemakkelijk kon misbruiken.
'En McVey?' vroeg Osborn.
'Dat heb ik je al verteld. Hij heeft Joanna Marsh terug naar de Verenigde Staten begeleid.'
'Hij heeft me mijn paspoort laten brengen.'
'Anders had je niet uit Duitsland kunnen vertrekken,' zei Remmer glimlachend.
'Hij heeft helemaal niet met me gesproken. Zelfs toen hij me in het ziekenhuis in Grindelwald bezocht, heeft hij geen woord gezegd.'
'Bern.'
'Wat?'
'Je bent naar een ziekenhuis in Bern gebracht.'
Osborn kreeg een niet-begrijpende uitdrukking op zijn gezicht. 'Weet je dat zeker?'
'Ja. We waren bij de Bernse politie toen we telefonisch door kregen dat ze je op de berg hadden gevonden.'
'Was jij in *Bern*? Hoe...?'

'McVey kon je gangen nagaan,' zei Remmer glimlachend. 'Je hebt in Bern een treinabonnement gekocht. Je hebt met je creditcard betaald. McVey liet al je rekeningen controleren, voor het geval dat. Toen je dat abonnement kocht, wist hij precies hoe laat je daar was geweest.'
Osborn was stomverbaasd. 'Dat kan nooit legaal zijn.'
'Je hebt zijn revolver, zijn persoonlijke papieren en zijn penning meegenomen.' Remmers houding verhardde zich. 'Je had niet het recht je voor een politieman uit te geven.'
'Waar zou von Holden nu zijn als ik dat niet had gedaan?' kaatste Osborn terug. 'Wat gaat er nu gebeuren?'
'Dat kan ik niet zeggen. Het is McVeys zaak, niet de mijne.'

# 157

'Het is McVeys zaak, niet de mijne.' Er ging geen dag voorbij zonder dat Remmers woorden door zijn hoofd speelden. Wat was de straf voor wat hij had gedaan? Hij had zich niet alleen de revolver en de legitimatiepapieren van een politieman toegeëigend, maar ze ook gebruikt om een grens over te steken. Hij zou in L.A. veroordeeld en daarna aan Duitsland of Zwitserland uitgeleverd kunnen worden om daar terecht te staan. Misschien zouden zelfs Frankrijk en Interpol erbij betrokken willen worden. Of misschien, wat God verhoede, zouden dat slechts bijkomstige beschuldigingen zijn die slechts toevallig naar voren gebracht zouden worden. De echte beschuldiging zou zijn dat hij geprobeerd had Albert Merriman te vermoorden. Of hij zich nu in Parijs verborgen gehouden had of niet, Merriman was nog steeds Amerikaans staatsburger geweest. Dat waren dingen die McVey niet zou vergeten.
Het was nu bijna Kerstmis en Osborn had nog helemaal niets van hem gehoord. Toch schrok hij iedere keer dat hij een politieauto zag. Zijn schuldgevoel en zijn angst maakten hem gek en hij wist niet wat hij eraan moest doen. Hij zou een advocaat kunnen bellen om zijn verdediging voor te bereiden, maar dat zou het erger kunnen maken wanneer McVey vond dat hij al genoeg had doorgemaakt en besloten had er geen werk van te maken. Hij hield doelbewust op met erover na te denken en concentreerde zich op zijn patiënten. Hij kreeg drie avonden per week

fysiotherapie om zijn gebroken been weer in orde te brengen. Het zou een maand duren voordat hij zijn krukken niet meer nodig zou hebben en daarna nog twee maanden voordat hij niet meer mank zou lopen. Maar daarmee kon hij leven, in aanmerking genomen wat het alternatief had kunnen zijn.
En iedere dag genas de tijd de diepere wonden een beetje meer. Het mysterie van zijn vaders dood was grotendeels opgelost, hoewel de echte reden ervoor nog vaag bleef. Als dat deel van Osborns ervaring op de Jungfrau echt en geen hallucinatie was geweest, was von Holdens antwoord – *Für Übermorgen* – een betekenisloze abstractie geweest waarmee hij niets opschoot.
Voor zijn eigen geestelijke gezondheid, voor zijn toekomst, voor Vera, moest hij die laatste vragen, en Merriman, von Holden en Scholl, uit zijn hoofd zetten. Net zoals hij moest leren de tragische herinnering aan zijn vader los te laten en hij merkte dat hij daartoe geleidelijk steeds beter in staat was.

Toen, om vijf minuten voor twaalf op de dag voordat Vera en haar grootmoeder zouden aankomen, belde McVey.
'Ik wil je iets laten zien. Kun je naar me toe komen?'
'Waarnaar toe?' 'Naar het hoofdbureau in Parker Center.' McVey klonk zakelijk, alsof ze elke dag op deze manier met elkaar praatten.
'Wanneer?'
'Over een uur.'
Jezus Christus, wat wil hij? Het zweet stond op Osborns voorhoofd. 'Ik zal er zijn,' zei hij. Toen hij de hoorn neerlegde, trilde zijn hand.
De rit van Santa Monica naar het centrum duurde vijfentwintig minuten. Het was warm en er hing smog waardoor de skyline van de stad niet te zien was. Dat Osborn doodsbang was, maakte de zaak er niet beter op.
McVey liep hem tegemoet toen hij het bureau binnenkwam. Ze groetten elkaar zonder elkaar de hand te schudden en gingen toen samen met een stuk of zes andere mensen met een lift naar boven. Osborn leunde op zijn krukken en keek naar de vloer. McVey had nog niets anders gezegd dan dat hij hem iets wilde laten zien.
'Hoe gaat het met je been?' vroeg McVey toen de liftdeuren zich openden en hij hem door een gang voorging. De brandwonden op zijn gezicht genazen goed en hij leek uitgerust. Hij had zelfs een beetje kleur, alsof hij af en toe was gaan golfen.
'Het gaat de goede kant op... Je ziet er goed uit.' Osborn probeerde zijn stem ontspannen en vriendelijk te laten klinken.

'Ik voel me ook goed voor een ouwe vent.' McVey keek hem aan zonder te glimlachen en leidde hem toen door een knooppunt van gangen waar ze allerlei mensen passeerden die een tegelijkertijd vermoeide, verwarde en boze uitdrukking op hun gezicht hadden.
Aan het eind van een gang duwde McVey een deur open en ging een kamer binnen, die in tweeën gedeeld werd door een kooi van gaasdraad. Erin zaten twee geüniformeerde agenten en Osborn zag rijen planken die vol lagen met verzegelde zakjes waarin bewijsmateriaal werd bewaard. McVey ondertekende een formulier en kreeg een zakje waarin iets zat wat op een videocassette leek. Ze staken de gang over en gingen een lege rechercheurskamer binnen. McVey sloot de deur en ze waren alleen.
Osborn had er geen idee van wat McVey in zijn schild voerde, maar wat het ook was, hij had er genoeg van. Hij wilde er duidelijkheid over hebben, nu meteen.
'Waarom ben ik hier?'
McVey liep naar de ramen en liet de jaloezieën zakken. 'Heb je vanmorgen naar de tv gekeken? Naar dat bericht over die Vietnamese familie in de vallei?'
'Ja, zo'n beetje...' antwoordde Osborn afwezig. Hij had iets gezien toen hij zich stond te scheren. Een hele Vietnamese familie in een van de betere buurten van de San-Fernandovallei was vermoord gevonden. Ouders, grootouders, kinderen.
'Het is mijn zaak. Ik moet naar een sectie, dus laten we dit snel doen.' McVey opende het plastic zakje en haalde de video-cassette eruit. 'Er bestaan maar twee exemplaren van. Dit is het origineel. De andere ligt bij Remmer in Bad Godesberg. De FBI wil deze het liefst gisteren hebben. Ik heb hun gezegd dat ze hem morgen kunnen krijgen. Dit is de reden waarom Salettl ons achter Joanna Marsh aan heeft gestuurd. Hij had haar een cadeautje gegeven. Het was de sleutel van een kistje dat in een hondehok was verborgen. Het was het hok van een puppy die von Holden haar had gegeven en die ze naar L.A. had laten overvliegen. In het kistje zat de sleutel van een safe in een bank in Beverly Hills. De cassette lag in de safe.'
McVey schoof de cassette in een videorecorder die onder de tv stond.
'Ik snap het niet.' Osborn was volkomen van zijn stuk.
'Dat komt nog wel. Maar eerst moet je een paar andere dingen weten. Je zei dat je von Holden niet hebt zien neerkomen toen hij van de Jungfrau viel en over de rand van het pad verdween.'
'Het was pikdonker.'
'Hij is gevallen in wat een gletsjerspleet wordt genoemd; dat denken we

tenminste. Dat is een diep gat in de gletsjer. Een Zwitsers bergteam is zo ver naar beneden gegaan als ze konden, maar ze hebben geen spoor van hem gevonden. Dat betekent dat hij nog ergens beneden is en daar de komende tweeduizend jaar zal blijven liggen, of dat hij daar niet ligt. Daarmee bedoel ik dat we niet met zekerheid kunnen zeggen dat hij dood is. Het tweede punt heeft te maken met de vingerafdrukken van Lybarger of in ieder geval van de man die zichzelf Lybarger noemde. De man die Remmer en Schneider een halfuur voordat Charlottenburg in rook opging, hebben gezien en gesproken.' McVey hoestte en vertrok zijn gezicht een beetje. Hij had nog steeds last van zijn brandwonden. 'Vingerafdrukkenexperts van het BKA hebben vastgesteld dat Lybargers vingerafdrukken overeenkomen met die van Timothy Ashford, de onthoofde huisschilder uit Londen.'
'Jezus Christus.' De haren in Osborns nek gingen overeind staan. 'Je had gelijk...'
'Ja.' McVey knikte. 'Het probleem is dat Lybarger, net als iedereen die in die zaal was, tot as verbrand is. Dus we hebben alleen het vermoeden dat het hoofd van een man met succes aan het lichaam van een andere man is gezet en dat dat wezen leefde, liep, praatte en dacht zoals jij en ik. En voor zover Remmer en Schneider konden zien, had hij geen littekens en Joanna Marsh heeft dat bevestigd. Als zijn fysiotherapeute heeft ze veel tijd met hem doorgebracht en ze heeft niets gezien dat erop wees dat hij de een of andere operatie had ondergaan.'
'De symptomen van een man die van een beroerte herstelt,' dacht Osborn hardop, 'waren helemaal niet door een beroerte veroorzaakt, maar door een uitzonderlijke operatie.' Hij keek op naar McVey. 'Heeft de cassette daarop betrekking?'
'Wat op de cassette staat, moet onder ons blijven. Als er iets bekendgemaakt wordt, zal dat door Washington of Bad Godesberg gebeuren.' McVey pakte een afstandsbediening op en overhandigde die aan Osborn. 'Deze keer doet niemand iets op eigen houtje, Osborn. Niet om persoonlijke redenen of wat ook. Ik hoop dat je dat begrijpt, want er zijn *andere* dingen waarop we kunnen terugkomen. Ik ben er zeker van dat je weet wat ik bedoel.'
Een ogenblik bleven de twee mannen zwijgend tegenover elkaar staan. Toen opende McVey abrupt de deur en liep naar buiten. Osborn zag hem door het lege kantoortje van de secretaresse door lopen en een houten hekje openduwen. Toen was hij verdwenen. Op zijn eigen manier had McVey hem duidelijk gemaakt dat er geen vervolging tegen hem zou worden ingesteld en Osborn haalde opgelucht adem.

# 158

Osborn bleef secondenlang bewegingloos zitten, toen bracht hij de afstandsbediening omhoog, richtte hem op de video die in het televisiemeubel onder de tv stond en drukte op de 'play'-knop. Er klonken een klik en een zoemend geluid, het scherm flikkerde op en er verscheen een beeld. Osborn zag een sobere studeerkamer waarin een stoel met een rechte rugleuning duidelijk zichtbaar op de voorgrond stond. Aan de linkerkant stond een groot bureau en aan de rechterkant was een boekenkast die de hele muur in beslag nam. Een achter het bureau slechts gedeeltelijk zichtbaar raam was de belangrijkste lichtbron van de kamer. Er gingen een paar seconden voorbij en toen kwam Salettl binnen. Hij droeg een donkerblauw kostuum en had zijn rug naar de camera gekeerd. Toen hij bij de stoel kwam, draaide hij zich om en ging zitten.

'Vergeef me alstublieft deze primitieve introductie,' zei hij, 'maar ik ben alleen en bedien de camera zelf.' Hij sloeg zijn benen over elkaar, leunde achterover en vervolgde op formelere toon: 'Ik heet Helmuth Salettl en ik ben arts. Ik woon in Salzburg in Oostenrijk, maar ben Duitser van geboorte. Op het moment dat dit bandje wordt opgenomen, ben ik negenenzeventig jaar. Als u het bekijkt, zal ik niet langer in leven zijn.'

Salettl zweeg en zijn blik werd indringender, kennelijk om de ernst van wat hij te zeggen had, te onderstrepen. Het idee dat zijn dood nabij was, leek geen indruk op hem te maken.

'Wat volgt is een bekentenis. Van moord, van fanatisme, van een ontdekking. Ik hoop dat u me wilt verontschuldigen voor mijn Engels.

In 1939 was ik een jonge chirurg en werkte aan de universiteit van Berlijn. Ik was optimistisch en misschien arrogant en werd benaderd door een vertegenwoordiger van de Rijkskanselier die me vroeg zitting te nemen in een adviesorgaan voor geavanceerde operatietechnieken. Later werd ik als lid van de nazi-partij en als groepscommandant van de Schutzstaffel, de ss, bevorderd tot inspecteur van de volksgezondheid. U zult dit voor een deel weten omdat deze informatie in het rijksarchief is opgeslagen. Gedetailleerdere informatie kunt u in de federale archieven in Koblenz vinden.'

Salettl zweeg en pakte een glas water. Hij nam een slokje, zette het glas neer en wendde zich weer naar de camera.

'In 1946 moest ik in Neurenberg voor de rechtbank verschijnen op be-

schuldiging van het voorbereiden en uitvoeren van agressieve oorlogshandelingen. Ik werd van die beschuldigingen vrijgesproken en vestigde me daarna in Oostenrijk, waar ik de interne geneeskunde beoefende tot ik op mijn zeventigste met pensioen ging. Zo leek het tenminste, want in werkelijkheid bleef ik minister van het Reich, hoewel het officieel had opgehouden te bestaan.
In 1938 ontwikkelde Martin Bormann, Hitlers secretaris en later plaatsvervangend Führer die evenals Hitler geloofde dat God alleen een natie helpt die niet opgeeft, een plan dat was gericht op het behoud van het Derde Rijk en hij creëerde een programma en de middelen om het uit te voeren.
Het begon met een kostbare, uitgebreide en zeer gedetailleerde socioeconomische en politieke toekomstanalyse. Door een groot scala van deskundigen in de arm te nemen die weinig of niets over het project waaraan ze werkten te horen kregen, slaagde Bormann er binnen twee jaar in zeer speculatieve, maar achteraf gezien opmerkelijk nauwkeurige voorspellingen te doen van de ontwikkelingen in de wereld van 1940 tot het jaar 2000.
Zonder in details te treden, kan ik zeggen dat hij niet alleen de nederlaag van het Reich tegen de geallieerde legers en de daaropvolgende tweedeling van Duitsland heeft voorspeld, maar ook de opkomst van de supermachten, de Verenigde Staten en de Sovjet-Unie, de onvermijdelijke 'Koude Oorlog' en de wapenwedloop die daarvan het gevolg was en de ontwikkeling van Japan als een economische grootmacht die werd veroorzaakt door een wereldwijde vraag naar auto's van hoge kwaliteit en geavanceerde technologie. Naast deze vier uiterst belangrijke ontwikkelingen die in de loop van bijna vijf decennia zouden plaatsvinden, werd ook voorspeld dat West-Duitsland uit de as zou herrijzen en een industrieel en economisch bolwerk zou worden met misschien wel de meest solide economie van het westelijk halfrond, dat de Europese landen gedwongen zouden worden tot economische samenwerking, dat Duitsland herenigd zou worden en ten slotte dat de Sovjet-Unie door de wapenwedloop bankroet zou raken en dat daardoor niet alleen het land zelf, maar het hele Oostblok zou instorten. In deze weldoordachte voorspellingen die hier sterk overgesimplificeerd zijn weergegeven, werd rekening gehouden met het geheime behoud van het Derde Rijk.
Door een handjevol rijke, machtige Duitse zakenlieden, patriotten en uitgeweken landgenoten werd een clandestiene organisatie opgericht, die altijd naamloos bleef en over de hele wereld leden had. De oprichters waren mensen die het nazi-ideaal volledig toegewijd waren, maar van wie dat nooit bekend was geworden. In de loop van de jaren groeide

de Organisatie en de antecedenten van haar leden werden zorgvuldig nagetrokken.
De beweging moest eerst langzaam ontstaan, als een kleine stroming binnen de politieke rechtervleugel van de Duitse politiek. Nationalisme was het sleutelwoord. De woorden *Reich, Arisch* en *nazi* werden nooit gebruikt. Het moest allemaal geruisloos en met zorgvuldige planning gebeuren, ondersteund door bijna onbeperkte financiële middelen en met invloed in alle lagen en sectoren van de Duitse samenleving, van rechts tot links, van oud tot jong, van succesvolle zakenlui tot intellectuelen, vluchtelingen, onontwikkelden en werklozen. Daarna, als Duitsland herenigd zou zijn, zou hun stem luider en iets duidelijker worden, waarbij de verwarring ten gevolge van de hereniging uitgebuit zou worden en de *haves* uit het westen tegen de *have-nots* uit het voormalige communistische Oosten tegen elkaar opgezet zouden worden. Een atmosfeer van groeiend wantrouwen en woede zou worden gevoed door de enorme stromen vluchtelingen die Duitsland uit het uiteengevallen Oostblok zouden binnenkomen. En het zou niet alleen in Duitsland gebeuren. We werkten al jaren in het geheim samen met sympathiserende bewegingen binnen de gevestigde regeringen van de landen van de Europese Gemeenschap. In Frankrijk zou het het eerst gaan rommelen. Daarna zouden andere landen waarin we ook ons zaad hadden geplant, onze instructies opvolgen.
Om te laten zien waartoe wij, als leiders, in staat waren, begonnen we aan een zeer ambitieus technologisch programma dat eerst alleen als bindende factor voor onszelf en later, als de juiste tijd gekomen zou zijn, ook voor de rest van de wereld zou moeten dienen.
Tijdens de oorlog was er een experimentele medische accommodatie gebouwd die diep onder Berlijn was verborgen en veilig voor geallieerde bommenwerpers was. De naam ervan was De Tuin. Daar, in *der Garten*, zouden we het programma ontwikkelen dat ons inspiratie moest geven. Het had een topgeheime codenaam, *Übermorgen*, en zou het symbool worden van de dag dat het Reich zou herrijzen als een angstaanjagende en dominante wereldmacht. Deze keer zou onze kracht economisch zijn; het leger zou slechts als politiemacht worden gebruikt.'
Osborn zette plotseling de band stil. Zijn hart bonkte. Hij had een licht gevoel in zijn hoofd alsof hij op het punt stond flauw te vallen. Hij haalde bewust diep adem, stond op en liep de kamer door. Hij draaide zich om en keek naar de tv alsof die een truc met hem had uitgehaald. Maar hij zag alleen een grijswit scherm en het rode schijnsel van het lampje van de video.

'*Übermorgen*!' Overmorgen!
Salettls woorden bleven in zijn oren naklinken. Het was onmogelijk! Uitgesloten! Hij moest het verkeerd hebben gehoord. Salettl moest iets anders hebben gezegd. Hij liep terug, ging zitten en pakte de afstandsbediening op. Hij richtte hem op de video en drukte met zijn duim op de terugspoelknop. Het apparaat zoemde en hij drukte onmiddellijk op de 'stop'-knop. Hij haalde diep adem en drukte op 'play'.
'...*der Garten* zouden we het programma ontwikkelen dat ons inspiratie moest geven.' Salettl kwam tot leven. 'Het programma kreeg een topgeheime codenaam, *Übermorgen*.'
Osborn liet zijn duim van de knop glijden en het beeld bevroor.
In gedachten keerde hij terug naar de Jungfrau. Hij zag von Holden boven zich uittorenen met het machinegeweer op zijn borst gericht. Hij hoorde zichzelf vragen waarom zijn vader was vermoord en hij hoorde von Holdens antwoord.
'*Für Übermorgen*!' had hij gezegd. 'Voor overmorgen!'
Als dat deel van zijn ervaring een droom was geweest, hoe had hij dat dan kunnen weten? Zoals Salettl had gezegd, was het plan topgeheim. Alleen de Organisatie was ervan op de hoogte en het werd angstvallig beschermd. Het antwoord was dus dat hij het niet had kunnen weten, tenzij von Holden het hem echt had verteld. En als von Holden het hem had verteld, moest Osborns geest destijds uit zijn lichaam zijn getreden. Remmer had gezegd dat de honden hem hadden gevonden. En hij had Vera, nadat hij was gered, in het station gezien. Toch wist hij zeker dat hij Vera op de berg had gezien, of het nu in een droom of in werkelijkheid was geweest. Was ze de berg op gegaan en teruggekeerd voordat de politie was gearriveerd? En als ze dat had gedaan, hoe had ze von Holden dan kunnen vinden? Osborn dacht koortsachtig na. Zou dat gekund hebben? Zijn duim drukte op 'replay' en hij keek nog een keer naar Salettl. En daarna nog eens en nog eens. *Übermorgen* was al vijftig jaar het diepste geheim van de Organisatie. Hoe had hij er dan vanaf kunnen weten als von Holden het hem niet had verteld? Naarmate hij er langer over nadacht, werd alles meer werkelijkheid voor hem en minder een droom.
Van streek en vol nieuwe energie keek Osborn weer naar het scherm. Hij drukte weer met zijn duim op 'play' en zag Salettl tot leven komen. 'De wedergeboorte van het Reich moest worden gesymboliseerd door onze manipulatie van het menselijk leven,' vervolgde hij. 'Orgaantransplantaties werden al lang gedaan, maar niemand had ooit een hoofd getransplanteerd. Dat was ons voornemen en uiteindelijk zijn we daarin geslaagd. De kritieke fase bereikten we in 1963, toen er achttien man-

nen werden geselecteerd uit duizenden die we, zonder dat ze het wisten, hadden getest. Het criterium was dat hun genetische vingerafdruk zoveel mogelijk met die van Adolf Hitler overeenstemde – dus wat betreft persoonlijkheidskenmerken, lichaamsbouw, karakterstructuur enzovoort. Geen van hen had er enig idee van wat er met hem gebeurde. Sommigen van hen stonden we toe om zich, evenals Hitler, uit hun obscuriteit te verheffen en macht te krijgen, anderen lieten we aan hun lot over zodat we konden zien hoe ze zich in hun natuurlijke omstandigheden zouden ontwikkelen. Hun leeftijden liepen meer dan tien jaar uiteen, zodat we tijd hadden om te experimenteren, om fouten te maken en verbeteringen aan te brengen. Tien dagen nadat de proefpersoon zijn zesenvijftigste verjaardag had bereikt, kreeg hij een injectie met een sterk slaapmiddel. Zijn hoofd werd van zijn romp gescheiden en het lichaam werd gecremeerd. Heel spoedig daarna...' Salettl zweeg en Osborn zag duidelijk een uitdrukking van verdriet om zijn persoonlijke verlies op zijn gezicht verschijnen. Toen beheerste hij zich en vervolgde... 'kwamen zijn familieleden of degenen die hem na stonden bij een ongeluk om het leven of verdwenen gewoon, zodat er geen enkel spoor achterbleef.

Zoals ik al zei, vele experimenten mislukten, maar met de man die u kent als Elton Lybarger hadden we succes. Het feest van vanavond in Charlottenburg dient om dat succes te vieren en het resultaat van onze experimenten te tonen. De getrouwen van de partij, degenen met de hoogste posities en de meest toegewijden, zijn allemaal op de hoogte van de voorgeschiedenis van ons experiment en zullen het feest bijwonen.

Het heeft vijftig jaar geduurd voordat we dit fantastische hoogtepunt hebben bereikt. Omdat we geen sporen durfden achter te laten, zijn er in die tijd veel onschuldige mensen omgebracht die ons zonder het te weten hebben geholpen. We hebben beroepsmoordenaars gehuurd om hen te doden en daarna lieten we de moordenaars door onze beveiligingsmensen doden. Er werkte een enorm aantal gewone mensen voor ons van wie sommigen vaag in het Arische ideaal geloofden terwijl anderen door intimidatie of mishandeling werden gedwongen voor ons te werken. Weer anderen stonden bij legale bedrijven op de loonlijst en hadden geen idee van wat ze deden. Het proces heeft, zoals ik al zei, vijftig jaar geduurd en toen we uiteindelijk succes hadden, was de tijd rijp voor de tweede fase van *Übermorgen*.'

*Tweede* fase? Osborns hart sloeg over. Hij schoof zijn stoel dichter naar het scherm toe.

'We hebben twee jongemannen grootgebracht, een tweeling. We heb-

ben hen de beste opleidingen laten volgen en in de jaren vlak voor de eenwording hebben we hen naar Oost-Duitsland, naar het elitaire Instituut voor Lichamelijke Opvoeding in Leipzig gestuurd. Ze zijn genetisch gemanipuleerd, zuiver Arisch van geboorte, en behoren fysiek tot de beste exemplaren van de mannelijke sekse die er zijn. Ze zijn nu vierentwintig jaar en allebei bereid het hoogste offer te brengen.
De presentatie van Elton Lybarger van vanavond is een wetenschappelijke en spirituele bevestiging van onze bedoelingen en een bewijs van onze toewijding aan de wedergeboorte van het Reich. Aan het eind van de feestelijkheden is er een tweede ceremonie gepland, die in het mausoleum op de paleisgronden zal plaatsvinden in aanwezigheid van de meest selecte gasten. Daar zal een van de twee jongens gekozen worden om Lybargers plaats in te nemen en de Messias voor het nieuwe Reich te worden. Zodra de keuze is gemaakt, zal Lybarger door de uitverkorene worden gedood en deze zal daarna gereedgemaakt worden voor de operatie die hem binnen twee weken tot onze leider zal maken.
Ikzelf, Erwin Scholl, Gustav Dortmund en Uta Baur zijn de oudste leden van de kring van ingewijden. Wij zijn degenen die na de processen van Neurenberg zijn doorgegaan, na Bormann, Himmler en de anderen.
In vijftig jaar zijn Scholl, Dortmund en Uta Baur rijk en machtig geworden terwijl ik op de achtergrond ben gebleven om de experimenten te leiden. In vijftig jaar zijn ze oud geworden en naarmate we de verwezenlijking van ons plan naderden, steeds wreder en verwaander.
Het succes van de transplantatie bij Lybarger stelde Scholl in staat een datum voor de presentatie in Charlottenburg te kiezen. Van de oorspronkelijk geselecteerde mannen waren er nog zeven in leven, maar we hadden hen niet meer nodig. Scholl heeft opdracht gegeven hen te doden zoals de anderen, maar hun lijken verspreid over Europa achter te laten in plaats van hen te cremeren. Hun familie bleef ongedeerd, maar moest smartelijk lijden terwijl de media gouden tijden beleefden met de berichtgeving over de gruwelijke moorden. Het was een daad van pure minachting voor de wereld. Menselijk leven betekende niets wanneer het niet langer in dienst van de Organisatie stond. Voor Scholl was het een glorieuze echo uit het verleden dat, daarvan was hij overtuigd, spoedig zou herleven.
In de afgelopen vijftig jaar heb ik de tijd gehad om na te denken over wat we hebben gedaan en over wat de toekomst inhoudt. We hebben het onmogelijke nagestreefd en we hebben succes gehad. Dat feit op zichzelf getuigt van onze bekwaamheden. Bijna volkomen geïsoleerd van de rest van de wereld hebben we de technologie ontwikkeld voor

atomische chirurgie bij extreem lage temperaturen, die in de moderne medische wetenschap en in de moderne natuurkunde volslagen onbekend is. Het doel ervan was te laten zien hoe briljant en hoe vindingrijk we zijn en dat in een wereld die smacht naar steeds meer technologie, niemand zich met ons kan meten. De Japanners niet en de Amerikanen niet. We zouden ongetwijfeld de hele markt veroveren en dat was vanaf het begin onze bedoeling. Maar...' Salettl kreeg plotseling een peinzende, sombere uitdrukking op zijn gezicht en in een paar seconden leek hij tien jaar ouder te worden. 'Met wat we deden streefden we hetzelfde doel na dat zes miljoen joden het leven heeft gekost en waardoor er op talloze slagvelden en in talloze gebombardeerde steden vele miljoenen andere slachtoffers zijn gevallen. Door dezelfde machinaties zijn de grote steden van Europa in puin gelegd.
Ik stond in 1946 in Neurenberg in de beklaagdenbank met velen van degenen die deze ramp veroorzaakt hebben. Goering, von Ribbentrop, von Papen, Jodl, Raeder, Donitz, Seyss-Inquart. Ze waren eens trots en neerbuigend, maar nu waren ze oud, bedroefd en in verwarring. Toen ik naast hen stond, herinnerde ik me dat ze me gewaarschuwd hadden niet naar de *Vernichtungslagers*, de concentratiekampen, te gaan. Ga er niet heen, want je zult niet mogen beschrijven wat je daar hebt gezien. Ik ben toch gegaan, naar Auschwitz, en de waarschuwing klopte. Niet omdat ik niet *mocht* beschrijven wat ik had gezien, maar omdat ik niet *kon* beschrijven wat ik had gezien. De bergen brillen. De bergen schoenen. De bergen botten. De bergen mensenhaar. Ik kon me van het denken dat hiertoe had geleid, geen voorstelling maken en ik had nog nooit iets gezien wat hiermee te vergelijken was. Niet in films en niet in toneelstukken, maar toch was dit echt.
En daar stond ik, een belangrijk lid van een geheime organisatie die de wedergeboorte van het Reich voorbereidde nog voordat het ter ziele was. Het was afgrijselijk. Onmogelijk. Maar als ik gepraat had of geprobeerd eruit te stappen, zou ik gedood zijn en alles zou toch doorgegaan zijn. Dus besloot ik niets te zeggen en de Organisatie te laten uitgroeien terwijl ik er tegelijkertijd voor zorgde dat ik een positie verwierf waardoor ik boven verdenking kwam te staan. Als de juiste tijd was gekomen, zou ik de Organisatie vernietigen.
De Duitse schrijver Günter Grass heeft gezegd dat wij, als Duitsers, onszelf moeten leren begrijpen. We zijn misschien de beste technici die de geschiedenis heeft voortgebracht. We zijn in staat wonderen te verrichten. Maar wat we ook doen, we kunnen niet ontkomen aan Auschwitz, Treblinka, Birkenau, Sobibor en de andere concentratiekampen, omdat ze van ons zijn. Ze zijn verankerd in onze ziel en dat

moeten we weten en we moeten begrijpen waarom we nooit mogen toestaan dat het nog een keer gebeurt.
Tegen de tijd dat u dit ziet, zal alles wat we hebben gecreëerd, vernietigd zijn. Aan het nieuwe Reich zal een einde zijn gekomen. In Charlottenburg. In *der Garten*. In de onderaardse gewelven van het weerstation in Zwitserland die in de gletsjer onder Jungfraujoch verborgen zijn. Er zal geen *Übermorgen* komen.'
Na die woorden ging Salettl eenvoudigweg staan, liep langs de camera en verdween uit het beeld. Een ogenblik later werd het scherm zwart.

# 159

Osborn reed terug naar huis zonder dat hij zich ervan bewust was. Hij was geheel van streek en zijn gedachten en gevoelens liepen door elkaar heen. Hij probeerde ze te scheiden en na te denken over wat hij zojuist had gezien. Hij wilde zich concentreren op de omvang en de voorgeschiedenis van wat Salettl had onthuld en zijn woede uiten over wat het Derde Rijk de wereld had aangedaan en opnieuw had willen aandoen! Hij wilde zijn afgrijzen van de vernietigingskampen uitschreeuwen. Hij wilde het gezicht van de misdadige mannen die in Neurenberg in de beklaagdenbank hadden gestaan zien, en het gezicht van Scholl, Dortmund en de anderen die hij alleen bij naam kende ervoor schuiven. Hij wilde weten of de geheime infiltratie van de Franse politiek door de Organisatie rechtstreeks tot de dood van François Christian had geleid.
Tegelijkertijd probeerde hij waardering op te brengen voor Salettl die zoveel jaren alleen een zware last had getorst en voor het duistere heldendom van diens eigen *Endlösung*. Maar het volgende moment laaide zijn woede tegen hem op omdat hij hem geen gedetailleerdere informatie over de atomische chirurgie had gegeven. Hoe hij erin was geslaagd het absolute nulpunt te bereiken of te benaderen. Hoe de operatie was uitgevoerd! Hoe het herstelproces in zijn werk ging! Voor de medische wetenschap, voor mensen die pijn leden, zou die informatie van onschatbare waarde zijn geweest.
Op een bepaald moment registreerde hij vaag dat hij over de snelweg naar Santa Monica en naar huis reed. Hij zat in de spits en het was zo

druk dat de auto's bumper aan bumper reden. Maar het maakte geen verschil, want hij reed op de automatische piloot. Hij had er geen idee van hoeveel tijd er was verstreken sinds hij uit het hoofdbureau van politie was vertrokken.
Hij had net zo gemakkelijk naar het noorden, het zuiden of het oosten als naar het westen kunnen rijden. Het zou geen enkel verschil hebben gemaakt. Op de een of andere manier merkte hij dat hij aan het eind van de snelweg was gekomen en de s-bochten vlak bij de McClure-tunnel nam. Toen was hij de tunnel door en hij reed de Pacific Coast Highway op. Vóór hem leek het Santa-Monicagebergte recht uit de zee te verrijzen en de oceaan zelf verdween aan de horizon in de V-vorm van de ondergaande zon.
Plotseling werd hij overmand door genegenheid voor McVey. McVey had hem de tape laten bekijken in de hoop dat de demon daardoor eindelijk vernietigd zou worden, dat het hem zou helpen zielerust te vinden en echt inzicht te krijgen in wat er was gebeurd, terwijl dat daarvoor slechts fragmentarisch was geweest. Het was een vriendelijk en fatsoenlijk gebaar geweest en hij wou dat hij hem dat kon vertellen. Hij wou dat hij hem op de een of andere manier kon bedanken. Als dat mogelijk was, zou hij zelfs van hem willen houden, zoals een zoon van zijn vader houdt, ook al hadden ze het misschien hun hele leven niet met elkaar kunnen vinden.
Maar toen werden zijn gedachten weggeblazen door de emotionele wervelstorm die hem had meegesleurd toen hij naar de video keek. Hij had iets gezien waardoor hij volkomen van streek was geraakt.
Het was iets wat Salettl uit zijn boodschap had weggelaten en wat Osborn dwong de confrontatie ermee aan te gaan terwijl hij dat niet wilde. Het was iets wat McVey niet wist en nooit zou weten en Remmer, Noble en Vera evenmin. Hij zou het nooit aan iemand vertellen omdat hij er niet op een rationele wijze over zou kunnen praten. Misschien had Salettl het weggelaten omdat hij dacht dat hij het vernietigd had, zoals al het andere.
Plotseling realiseerde Osborn zich dat er een file voor hem was ontstaan en hij moest op de rem gaan staan om te voorkomen dat hij tegen de auto voor hem op zou knallen. Een politieauto en twee sleepwagens passeerden hem met hoge snelheid op de middelste rijbaan. Dat betekende dat er ergens vóór hem een ongeluk was gebeurd. Het verkeer zou urenlang gestremd kunnen blijven. Dat zou hij niet kunnen verdragen. Hij zou hier niet zo lang kunnen blijven zitten omdat hij dan alleen aan zijn eigen gedachten overgeleverd zou zijn en dat zou hem gek maken. Hij moest hier weg. Hij moest afleiding hebben en daarom moest

hij in beweging blijven.
Hij keek over zijn schouder en zag dat de middelste rijbaan vrij was. Hij gaf gas, zwenkte langs de auto vóór hem, keerde en reed via dezelfde weg terug. Een ogenblik later maakte hij een scherpe bocht naar rechts, stopte op een parkeerterrein langs het strand en bleef even naar de oceaan staren.
Toen stapte hij uit. Hij zette eerst zijn krukken buiten de auto en drukte zich toen omhoog tot hij stond. Zonder het portier te sluiten of de sleutels uit het contactslot te halen, liep hij het zand op. De krukken zakten diep weg en het lopen ging moeizaam. Het kon hem niet schelen. Het ging er alleen maar om dat hij in beweging bleef en hij ploeterde door het zand verder naar de brandingsgolven. Zijn schoenen zaten vol zand en hij trok ze uit en liet ze achter. Toen voelde hij hard, nat zand onder zijn voeten en daarna water. Binnen enkele seconden stond hij er voorovergeleund op zijn krukken tot aan zijn knieën in, terwijl de zachte branding zijn broekspijpen doorweekte.
Het getuigde al van een grote vermetelheid dat ze zoiets verzonnen, maar dat ze het zouden uitvoeren, was onvoorstelbaar.
Na dertig jaar was het mysterie van zijn vaders dood opgelost, maar dan wel op een manier die hij zich nooit, zelfs niet in zijn stoutste verbeelding, had kunnen voorstellen. En als hij Salettls video niet had gezien, zou het altijd een onderdeel zijn gebleven van dat deel van zijn ervaringen op de Jungfrau waarvan hij later volledig had geaccepteerd dat het een illusie was geweest, een hallucinaire droom gevuld met de schrikbeelden van zijn eigen fantasie. Maar nadat hij de tape had gezien, wist hij absoluut zeker dat het geen droom was geweest. Het was echt gebeurd. En daardoor werd niet alleen duidelijk waarom zijn vader was vermoord, maar ook waarom von Holden naar de bergplaats diep onder het ijs van de gletsjer was gegaan.
Hij hoorde weer Salettls stem – 'We hebben twee jongemannen grootgebracht – genetisch gemanipuleerd en zuiver Arisch van geboorte – vierentwintig jaar oud – behoren fysiek tot de beste exemplaren van de mannelijke sekse – een van hen zal worden gekozen – gereedgemaakt voor de operatie – Messias voor het nieuwe Reich.'
'Hé, meneer, u bent helemaal nat!' riep een jongen vanaf het strand tegen hem. Maar Osborn hoorde hem niet. Hij was op de Jungfrau en von Holden helde naar hem voorover met de kist die hij uit Berlijn had meegebracht nog in zijn armen.
'*Für Übermorgen*!' hoorde hij von Holden schreeuwen. Toen viel de kist uit zijn armen, hij stortte voorover, de diepte in en werd door de ijskoude duisternis opgeslokt. Maar de kist landde vlak bij de plek waar

Osborn in de sneeuw lag en kantelde door zijn eigen gewicht en snelheid verder. Hij klapte open en de inhoud ervan werd zichtbaar. Op het moment voordat de kist over de rand verdween, zag Osborn duidelijk wat het was. Het was het ding waarover Salettl had gezwegen, het ding waarover Osborn niet kon praten omdat niemand hem zou geloven. Het was de echte reden voor *Übermorgen*. De drijvende kracht erachter. De diepste kern ervan. Het was het operatief verwijderde, diepgevroren hoofd van Adolf Hitler.

# Dankbetuigingen

Voor de technische informatie en adviezen ben ik vooral dank verschuldigd aan de gepensioneerde rechercheur John 'Jigsaw' St. John van de afdeling Moordzaken van de politie van Los Angeles; inspecteur John Dunkin van de politie van Los Angeles; Danny Bacher van het Zwitserse Nationale Bureau voor Toerisme; Robert Abrams uit San Francisco; Imara uit Denver; dokter James Howatt; dokter Bert M. Mandelbaum; kinderarts dokter Robert M. Mohr; dokter Herbert G. Resnick en doctor Norton F. Kristy.
Voor suggesties en correcties op het manuscript bedank ik Frederica S. Friedman, Hilary Hale en in het bijzonder Frances Jalet-Miller. Verder ben ik zeer veel dank verschuldigd aan Marion Rosenberg en Aaron Priest, de tovenaar die het allemaal heeft laten gebeuren. En ten slotte betuig ik mijn oprechte dank aan dokter Leon I. Bender zonder wiens buitengewone bekwaamheden dit boek nooit zou geschreven zou zijn.